Cálculo volumen 3

AUTORES PRINCIPALES

GILBERT STRANG, MASSACHUSETTS INSTITUTE OF TECHNOLOGY

EDWIN "JED" HERMAN, UNIVERSITY OF WISCONSIN-STEVENS POINT

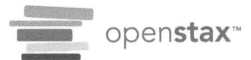

978-1-711494-94-4

OpenStax
Rice University
6100 Main Street MS-375
Houston, Texas 77005

Para obtener más información sobre OpenStax, visite https://openstax.org.
Pueden adquirirse copias impresas individuales y pedidos al por mayor a través de nuestro sitio web.

VERSIÓN DE TAPA BLANDA ISBN-13	978-1-711494-94-4
VERSIÓN DIGITAL ISBN-13	978-1-951693-53-4
AÑO DE PUBLICACIÓN ORIGINAL	2022
1 2 3 4 5 6 7 8 9 10 CJP 22	

Printed by

XanEdu

17177 Laurel Park Drive, Suite 233
Livonia, MI 48152
800-562-2147
www.xanedu.com

OpenStax

OpenStax ofrece libros de texto gratuitos, revisados por expertos y con licencia abierta para cursos de introducción a la universidad y del programa Advanced Placement®, así como software didáctico personalizado de bajo costo que apoyan el aprendizaje de los estudiantes. Es una iniciativa de tecnología educativa sin fines de lucro con sede en Rice University (Universidad Rice), que se compromete a brindarle acceso a los estudiantes a las herramientas que necesitan para terminar sus cursos y alcanzar sus objetivos educativos.

Rice University

OpenStax, OpenStax CNX y OpenStax Tutor son iniciativas de Rice University. Como universidad líder en investigación con un compromiso particular con la educación de pregrado, Rice University aspira a una investigación pionera, una enseñanza insuperable y contribuciones para mejorar nuestro mundo. Su objetivo es cumplir esta misión y cultivar una comunidad diversa de aprendizaje y descubrimiento que forme líderes en todo el ámbito del esfuerzo humano.

Apoyo Filantrópico

OpenStax agradece a nuestros generosos socios filantrópicos, que apoyan nuestra visión de mejorar las oportunidades educativas para todos los estudiantes. Para ver el impacto de nuestra comunidad de colaboradores y nuestra lista más actualizada de socios, visite openstax.org/impact.

Arnold Ventures

Chan Zuckerberg Initiative

Chegg, Inc.

Arthur and Carlyse Ciocca Charitable Foundation

Digital Promise

Ann and John Doerr

Bill & Melinda Gates Foundation

Girard Foundation

Google Inc.

The William and Flora Hewlett Foundation

The Hewlett-Packard Company

Intel Inc.

Rusty and John Jaggers

The Calvin K. Kazanjian Economics Foundation

Charles Koch Foundation

Leon Lowenstein Foundation, Inc.

The Maxfield Foundation

Burt and Deedee McMurtry

Michelson 20MM Foundation

National Science Foundation

The Open Society Foundations

Jumee Yhu and David E. Park III

Brian D. Patterson USA-International Foundation

The Bill and Stephanie Sick Fund

Steven L. Smith & Diana T. Go

Stand Together

Robin and Sandy Stuart Foundation

The Stuart Family Foundation

Tammy and Guillermo Treviño

Valhalla Charitable Foundation

White Star Education Foundation

Schmidt Futures

William Marsh Rice Universit

☷ Contenido

Prefacio

Bienvenido a *Cálculo volumen 3*, un recurso de OpenStax. Este libro de texto fue escrito para aumentar el acceso de los estudiantes a materiales de aprendizaje de alta calidad, a la vez que se mantienen los más altos estándares de rigor académico a bajo costo o sin costo alguno.

Acerca de OpenStax

OpenStax es una organización sin fines de lucro con sede en la Universidad de Rice. Nuestra misión es mejorar el acceso de los estudiantes a la educación. Nuestro primer libro de texto universitario con licencia abierta se publicó en 2012, y desde entonces nuestra biblioteca se ha ampliado a más de 25 libros para cursos universitarios y de Colocación Avanzada (Advanced Placement, AP®) utilizados por cientos de miles de estudiantes. OpenStax Tutor, nuestra herramienta de aprendizaje personalizado de bajo costo, se utiliza en cursos universitarios de todo el país. A través de nuestras asociaciones con fundaciones filantrópicas y nuestra alianza con otras organizaciones de recursos educativos, OpenStax rompe las barreras más comunes para el aprendizaje y otorga poder a los estudiantes e instructores para que triunfen.

Sobre los recursos de OpenStax

Personalización

Cálculo volumen 3 tiene una licencia de Creative Commons Atribución-NoComercial-CompartirIgual 4.0 Internacional (CC-BY-NC-SA), lo que significa que puede distribuir, mezclar y construir sobre el contenido, siempre y cuando proporcione la atribución a OpenStax y sus colaboradores de contenido, no utilice el contenido con fines comerciales y distribuya el contenido conforme la misma licencia CC-BY-NC-SA.

Dado que nuestros libros tienen licencia abierta, usted es libre de utilizar todo el libro o de elegir las secciones que sean más relevantes para las necesidades de su curso. Siéntase libre de remezclar el contenido asignando a sus estudiantes determinados capítulos y secciones de su programa de estudios, en el orden que usted prefiera. Incluso puede proporcionar un enlace directo en su programa de estudios a las secciones en la vista web de su libro.

Los instructores también tienen la opción de crear una versión personalizada de su libro de OpenStax. La versión personalizada puede ponerse a disposición de los estudiantes en formato impreso o digital de bajo costo a través de la librería de su campus. Visite la página de su libro en OpenStax.org para obtener más información.

Errata

Todos los libros de texto de OpenStax se someten a un riguroso proceso de revisión. Sin embargo, como cualquier libro de texto de nivel profesional, a veces se producen errores. Dado que nuestros libros están en la web, podemos hacer actualizaciones periódicas cuando se considere pedagógicamente necesario. Si tiene una corrección que sugerir, envíela a través del enlace de la página de su libro en OpenStax.org. Los expertos en la materia revisan todas las sugerencias de erratas. OpenStax se compromete a ser transparente en todas las actualizaciones, por lo que también encontrará una lista de los cambios de erratas anteriores en la página de su libro en OpenStax.org.

Formato

Puede acceder a este libro de texto de forma gratuita en vista web o en PDF a través de OpenStax.org, y por un bajo costo en versión impresa.

Sobre *Cálculo volumen 3*

Cálculo está diseñado para el típico curso de cálculo general de dos o tres semestres, incorporando características innovadoras para mejorar el aprendizaje del estudiante. El libro guía a los estudiantes a través de los conceptos básicos del cálculo y los ayuda a entender cómo esos conceptos se aplican a sus vidas y al mundo que los rodea. Debido a la naturaleza integral del material, ofrecemos el libro en tres volúmenes para mayor flexibilidad y eficiencia. El volumen 3 abarca las ecuaciones paramétricas y las coordenadas polares, los vectores, las funciones de varias variables, la integración múltiple y las ecuaciones diferenciales de segundo orden.

Cobertura y alcance

Nuestro libro de texto de *Cálculo volumen 3* se adhiere al alcance y la secuencia de la mayoría de los cursos de cálculo general en todo el país. Hemos trabajado para que el cálculo sea interesante y accesible para los estudiantes, a la vez que se mantiene el rigor matemático inherente a la asignatura. Con este objetivo en mente, el contenido de los tres volúmenes de *Cálculo* se han desarrollado y organizado para proporcionar una progresión lógica desde los conceptos fundamentales hasta los más avanzados, con base en lo que los estudiantes ya han aprendido y haciendo hincapié en las conexiones entre los temas y entre la teoría y las aplicaciones. La meta de cada sección es que los estudiantes no solo reconozcan los conceptos, sino que trabajen con estos de forma que les resulten útiles en cursos posteriores y en sus futuras carreras. La organización y las características pedagógicas se desarrollaron y examinaron con los aportes de educadores de matemáticas dedicados al proyecto.

Volumen 1
- Capítulo 1: Funciones y gráficos
- Capítulo 2: Límites
- Capítulo 3: Derivadas
- Capítulo 4: Aplicaciones de las derivadas
- Capítulo 5: Integración
- Capítulo 6: Aplicaciones de la integración

Volumen 2
- Capítulo 1: Integración
- Capítulo 2: Aplicaciones de la integración
- Capítulo 3: Técnicas de integración
- Capítulo 4: Introducción a las ecuaciones diferenciales
- Capítulo 5: Secuencias y series
- Capítulo 6: Serie de potencias
- Capítulo 7: Ecuaciones paramétricas y coordenadas polares

Volumen 3
- Capítulo 1: Ecuaciones paramétricas y coordenadas polares
- Capítulo 2: Vectores en el espacio
- Capítulo 3: Funciones de valores factoriales
- Capítulo 4: Diferenciación de funciones de varias variables
- Capítulo 5: Integración múltiple
- Capítulo 6: Cálculo vectorial
- Capítulo 7: Ecuaciones diferenciales de segundo orden

Fundamentos pedagógicos

A lo largo de *Cálculo volumen 3* encontrará ejemplos y ejercicios que presentan ideas y técnicas clásicas, así como aplicaciones y métodos modernos. Las derivaciones y explicaciones se basan en años de experiencia en el aula por parte de profesores de cálculo de larga trayectoria, que se esfuerzan por lograr un equilibrio de claridad y rigor que ha demostrado ser exitoso con sus estudiantes. Las aplicaciones motivacionales abarcan temas importantes de probabilidad, biología, ecología, negocios y economía, así como áreas de física, química, ingeniería e informática. Los **proyectos estudiantiles** de cada capítulo ofrecen a los estudiantes la oportunidad de explorar interesantes aspectos secundarios de las matemáticas puras y aplicadas: desde la navegación de un giro en banco hasta la adaptación de un vehículo de alunizaje para una nueva misión a Marte. Las **aplicaciones de apertura del capítulo** plantean problemas que se resuelven más adelante, utilizando las ideas tratadas en ese capítulo. Los problemas incluyen la distancia promedio del cometa Halley con respecto al Sol, y el campo vectorial de un huracán. Se destacan **definiciones, reglas** y **teoremas** a lo largo del texto, incluyendo más de 60 **pruebas** de teoremas.

Evaluaciones que refuerzan los conceptos clave

Los **ejemplos** del capítulo guían a los estudiantes a través de los problemas al plantear una pregunta, exponer una solución y luego pedirles a los estudiantes que practiquen la habilidad con una pregunta del Punto de control. Asimismo, el libro incluye evaluaciones al final de cada capítulo para que los estudiantes puedan aplicar lo que han aprendido mediante problemas de práctica. Muchos ejercicios están marcados con una **[T]** para indicar que se pueden resolver con ayuda de la tecnología, lo que incluye calculadoras o sistemas de álgebra computacional (Computer Algebra Systems, CAS). Las respuestas de los ejercicios seleccionados están disponibles en una **Clave de respuestas** al final del libro. El libro también incluye evaluaciones al final de cada capítulo para que los estudiantes puedan aplicar lo que han aprendido mediante problemas de práctica.

Enfoques trascendentales tempranos o tardíos

Los tres volúmenes de *Cálculo* están diseñados para dar cabida a los enfoques trascendentales temprano y tardío del cálculo. Las funciones exponenciales y logarítmicas se introducen de manera informal en el capítulo 1 del volumen 1 y se presentan en términos más rigurosos en el capítulo 6 del volumen 1 y en el capítulo 2 del volumen 2. La diferenciación e integración de estas funciones se trata en los capítulos 3-5 del volumen 1 y en el capítulo 1 del volumen 2 para los instructores que quieran incluirlas con otros tipos de funciones. Estas discusiones, sin embargo, se encuentran en secciones separadas que pueden ser omitidas por los instructores que prefieren esperar hasta que se den las definiciones integrales antes de enseñar las derivaciones de cálculo de exponenciales y logaritmos.

Amplio programa artístico

Nuestro programa artístico está diseñado para mejorar la comprensión de los estudiantes de los conceptos a través de ilustraciones, diagramas y fotografías claros y eficaces.

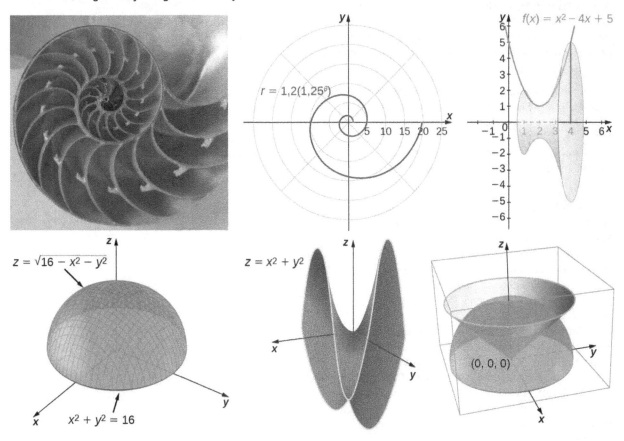

Recursos adicionales

Recursos para estudiantes e instructores

Hemos recopilado recursos adicionales tanto para estudiantes como para instructores, lo que incluye guías de inicio, un manual de soluciones para el instructor y láminas de PowerPoint. Los recursos para instructores requieren una cuenta de instructor verificada, la cual puede solicitar al iniciar sesión o crear su cuenta en OpenStax.org. Aproveche estos recursos para complementar su libro de OpenStax.

Centros comunitarios

OpenStax se asocia con el Instituto para el Estudio de la Administración del Conocimiento en la Educación (Institute for the Study of Knowledge Management in Education, ISKME) para ofrecer centros comunitarios en OER Commons, una plataforma para que los instructores compartan recursos creados por la comunidad que apoyan los libros de OpenStax, de forma gratuita. A través de nuestros centros comunitarios, los instructores pueden cargar sus propios materiales o descargar recursos para utilizarlos en sus cursos, lo que incluye anexos adicionales, material didáctico, multimedia y contenido relevante del curso. Animamos a los instructores a que se unan a los centros de los temas más relevantes para su docencia e investigación como una oportunidad tanto para enriquecer sus cursos como para relacionarse con otros profesores.

Para comunicarse con los centros comunitarios (Community Hubs), visite www.oercommons.org/hubs/OpenStax (https://www.oercommons.org/hubs/OpenStax).

Recursos asociados

Los socios de OpenStax son nuestros aliados en la misión de hacer asequible y accesible el material de aprendizaje de alta calidad a los estudiantes e instructores de todo el mundo. Sus herramientas se integran perfectamente con nuestros títulos de OpenStax a un bajo costo. Para acceder a los recursos asociados a su texto, visite la página de su libro en OpenStax.org.

Sobre los autores

Autores principales

Gilbert Strang, Massachusetts Institute of Technology

El Dr. Strang obtuvo su doctorado en la UCLA en 1959 y desde entonces enseña matemáticas en el MIT. Su libro de texto de Cálculo en línea es uno de los once que ha publicado y es la base de la que se ha derivado nuestro producto final, actualizado para el estudiante de hoy. Strang es un matemático condecorado y antiguo becario de Rhodes en la University of Oregon.

Edwin "Jed" Herman, University of Wisconsin-Stevens Point

El Dr. Herman se licenció en Matemáticas en Harvey Mudd College en 1985, obtuvo una maestría en Matemáticas en la UCLA en 1987 y un doctorado en Matemáticas en la University of Oregon en 1997. Actualmente es profesor en la University of Wisconsin-Stevens Point. Tiene más de 20 años de experiencia en la enseñanza de las matemáticas en la universidad, es un mentor de investigación de los estudiantes, tiene experiencia en el desarrollo/diseño de cursos, y también es un ávido diseñador y jugador de juegos de mesa.

Autores colaboradores

Catherine Abbott, Keuka College
Nicoleta Virginia Bila, Fayetteville State University
Sheri J. Boyd, Rollins College
Joyati Debnath, Winona State University
Valeree Falduto, Palm Beach State College
Joseph Lakey, New Mexico State University
Julie Levandosky, Framingham State University
David McCune, William Jewell College
Michelle Merriweather, Bronxville High School
Kirsten R. Messer, Colorado State University - Pueblo
Alfred K. Mulzet, Florida State College at Jacksonville
William Radulovich (retired), Florida State College at Jacksonville
Erica M. Rutter, Arizona State University
David Smith, University of the Virgin Islands
Elaine A. Terry, Saint Joseph's University
David Torain, Hampton University

Revisores

Marwan A. Abu-Sawwa, Florida State College at Jacksonville
Kenneth J. Bernard, Virginia State University
John Beyers, University of Maryland
Charles Buehrle, Franklin & Marshall College
Matthew Cathey, Wofford College
Michael Cohen, Hofstra University
William DeSalazar, Broward County School System
Murray Eisenberg, University of Massachusetts Amherst
Kristyanna Erickson, Cecil College
Tiernan Fogarty, Oregon Institute of Technology
David French, Tidewater Community College
Marilyn Gloyer, Virginia Commonwealth University
Shawna Haider, Salt Lake Community College
Lance Hemlow, Raritan Valley Community College
Jerry Jared, The Blue Ridge School
Peter Jipsen, Chapman University
David Johnson, Lehigh University
M.R. Khadivi, Jackson State University
Robert J. Krueger, Concordia University
Tor A. Kwembe, Jackson State University
Jean-Marie Magnier, Springfield Technical Community College
Cheryl Chute Miller, SUNY Potsdam
Bagisa Mukherjee, Penn State University, Worthington Scranton Campus
Kasso Okoudjou, University of Maryland College Park
Peter Olszewski, Penn State Erie, The Behrend College

Steven Purtee, Valencia College
Alice Ramos, Bethel College
Doug Shaw, University of Northern Iowa
Hussain Elalaoui-Talibi, Tuskegee University
Jeffrey Taub, Maine Maritime Academy
William Thistleton, SUNY Polytechnic Institute
A. David Trubatch, Montclair State University
Carmen Wright, Jackson State University
Zhenbu Zhang, Jackson State University

1 | ECUACIONES PARAMÉTRICAS Y COORDENADAS POLARES

Figura 1.1 El Nautilus pompilius es un animal marino que vive en el océano Pacífico tropical. Los científicos creen que han existido en su mayor parte sin cambios durante unos 500 millones de años (créditos: modificación del trabajo de Jitze Couperus, Flickr).

Esquema del capítulo

1.1 Ecuaciones paramétricas
1.2 Cálculo de curvas paramétricas
1.3 Coordenadas polares
1.4 Área y longitud de arco en coordenadas polares
1.5 Secciones cónicas

Introducción

El Nautilus pompilius es una criatura fascinante. Este animal se alimenta de cangrejos ermitaños, peces y otros crustáceos. Tiene un caparazón duro con muchas cámaras conectadas en forma de espiral y puede retraerse en su caparazón para evitar a los depredadores. Cuando se corta una parte de la concha, queda al descubierto una espiral perfecta, con cámaras en su interior que se asemejan a los anillos de crecimiento de un árbol.

La función matemática que describe una espiral puede expresarse utilizando coordenadas rectangulares (o cartesianas). Sin embargo, si cambiamos nuestro sistema de coordenadas a algo que funcione un poco mejor con los patrones circulares, la función se vuelve mucho más sencilla de describir. El sistema de coordenadas polares es muy adecuado para describir este tipo de curvas. ¿Cómo podemos utilizar este sistema de coordenadas para describir espirales y otras figuras radiales? (Vea el Ejemplo 1.14).

En este capítulo también estudiamos las ecuaciones paramétricas, que nos dan una forma conveniente de describir curvas, o de estudiar la posición de una partícula u objeto en dos dimensiones en función del tiempo. Utilizaremos ecuaciones paramétricas y coordenadas polares para describir muchos temas más adelante en este texto.

1.1 Ecuaciones paramétricas

Objetivos de aprendizaje

  1.1.1 Graficar una curva descrita por ecuaciones paramétricas.
  1.1.2 Convertir las ecuaciones paramétricas de una curva en la forma $y = f(x)$.
  1.1.3 Reconocer las ecuaciones paramétricas de las curvas básicas, como una línea y un círculo.
  1.1.4 Reconocer las ecuaciones paramétricas de una cicloide.

En esta sección examinamos las ecuaciones paramétricas y sus gráficos. En el sistema de coordenadas bidimensional, las ecuaciones paramétricas son útiles para describir curvas que no son necesariamente funciones. El parámetro es una variable independiente de la que dependen tanto x como y, y a medida que el parámetro aumenta, los valores de x y y trazan una trayectoria a lo largo de una curva plana. Por ejemplo, si el parámetro es t (una elección común), entonces t podría representar el tiempo. Entonces x y y se definen como funciones del tiempo, y $(x(t), y(t))$ puede describir la posición en el plano de un objeto determinado mientras se mueve a lo largo de una trayectoria curva.

Ecuaciones paramétricas y sus gráficos

Consideremos la órbita de la Tierra alrededor del Sol. Nuestro año dura aproximadamente 365,25 días, pero para esta discusión utilizaremos 365 días. El 1 de enero de cada año, la ubicación física de la Tierra con respecto al Sol es prácticamente la misma, excepto en los años bisiestos, en los que el desfase introducido por el $\frac{1}{4}$ día de tiempo orbital se incorpora en el calendario. Llamamos al 1 de enero "día 1" del año. Entonces, por ejemplo, el día 31 es el 31 de enero, el día 59 es el 28 de febrero, y así sucesivamente.

El número del día en un año puede considerarse una variable que determina la posición de la Tierra en su órbita. A medida que la Tierra gira alrededor del Sol, su ubicación física cambia con respecto a este. Después de un año completo, volvemos al punto de partida y comienza un nuevo año. Según las leyes del movimiento planetario de Kepler, la forma de la órbita es elíptica, con el Sol en un foco de la elipse. Estudiamos esta idea con más detalle en Secciones cónicas.

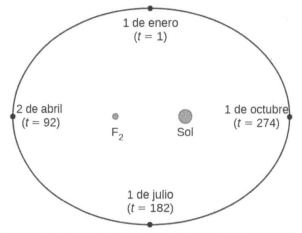

Figura 1.2   La órbita de la Tierra alrededor del Sol en un año.

La Figura 1.2 representa la órbita de la Tierra alrededor del Sol durante un año. El punto marcado como F_2 es uno de los focos de la elipse; el otro foco lo ocupa el Sol. Si superponemos los ejes de coordenadas sobre este gráfico, podemos asignar pares ordenados a cada punto de la elipse (Figura 1.3). Entonces cada valor de x en el gráfico es un valor de posición en función del tiempo, y cada valor de y es también un valor de posición en función del tiempo. Por lo tanto, cada punto del gráfico corresponde a un valor de la posición de la Tierra en función del tiempo.

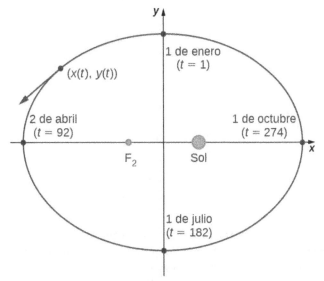

Figura 1.3 Ejes de coordenadas superpuestos a la órbita de la Tierra.

Podemos determinar las funciones para $x(t)$ y de $y(t)$, parametrizando así la órbita de la Tierra alrededor del Sol. La variable t se denomina parámetro independiente y, en este contexto, representa el tiempo relativo al comienzo de cada año.

Una curva en el plano (x, y) se puede representar con ecuaciones paramétricas. Las ecuaciones que se utilizan para definir la curva se denominan **ecuaciones paramétricas**.

> **Definición**
>
> Si x y y son funciones continuas de t en un intervalo I, entonces las ecuaciones
>
> $$x = x(t) \text{ y } y = y(t)$$
>
> se llaman ecuaciones paramétricas y t se llama **parámetro**. El conjunto de puntos (x, y) que se obtienen al variar t sobre el intervalo I se denomina gráfico de las ecuaciones paramétricas. El gráfico de las ecuaciones paramétricas se llama **curva paramétrica** o *curva plana*, y se indica como C.

Observe en esta definición que x y y se utilizan de dos maneras. La primera es como funciones de la variable independiente t. Cuando se varía t en el intervalo I, las funciones $x(t)$ y de $y(t)$ generan un conjunto de pares ordenados (x, y). Este conjunto de pares ordenados genera el gráfico de las ecuaciones paramétricas. En este segundo uso, para designar los pares ordenados, x y y son variables. Es importante distinguir las variables x y y de las funciones $x(t)$ y de $y(t)$.

EJEMPLO 1.1

Graficar una curva definida con ecuaciones paramétricas
Dibuje las curvas descritas por las siguientes ecuaciones paramétricas:

a. $x(t) = t - 1, \quad y(t) = 2t + 4, \quad -3 \leq t \leq 2$
b. $x(t) = t^2 - 3, \quad y(t) = 2t + 1, \quad -2 \leq t \leq 3$
c. $x(t) = 4 \cos t, \quad y(t) = 4 \operatorname{sen} t, \quad 0 \leq t \leq 2\pi$

⊘ **Solución**
a. Para crear un gráfico de esta curva, primero hay que crear una tabla de valores. Dado que la variable independiente en ambos $x(t)$ y de $y(t)$ es t, supongamos que t aparece en la primera columna. Entonces $x(t)$ y de $y(t)$ aparecerá

en la segunda y tercera columna de la tabla

t	x(t) grandes.	y(t)
−3	−4	−2
−2	−3	0
−1	−2	2
0	−1	4
1	0	6
2	1	8

La segunda y la tercera columna de esta tabla proporcionan un conjunto de puntos que hay que graficar. El gráfico de estos puntos aparece en la Figura 1.4. Las flechas del gráfico indican la **orientación** del mismo, es decir, la dirección en que se mueve un punto en el gráfico cuando t varía de -3 a 2

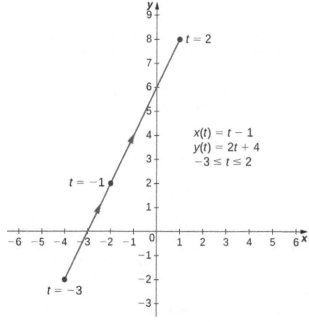

$$x(t) = t - 1$$
$$y(t) = 2t + 4$$
$$-3 \le t \le 2$$

Figura 1.4   Gráfico de la curva plana descrita por las ecuaciones paramétricas de la parte a.

b.   Para crear un gráfico de esta curva, vuelva a establecer una tabla de valores

t	x(t) grandes.	y(t)
−2	1	−3
−1	−2	−1
0	−3	1
1	−2	3

t	$x(t)$ grandes.	$y(t)$
2	1	5
3	6	7

La segunda y la tercera columna de esta tabla dan un conjunto de puntos para graficar (Figura 1.5). El primer punto del gráfico (correspondiente a $t = -2$) tiene coordenadas $(1, -3)$, y el último punto (correspondiente a $t = 3$) tiene coordenadas $(6, 7)$. A medida que t avanza de -2 a 3, el punto de la curva recorre una parábola. La dirección en la que se mueve el punto se llama de nuevo orientación y se indica en el gráfico.

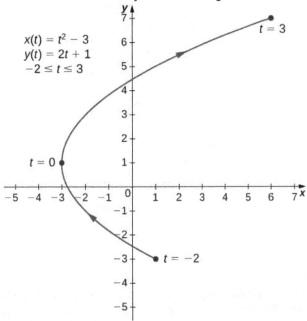

$$x(t) = t^2 - 3$$
$$y(t) = 2t + 1$$
$$-2 \le t \le 3$$

Figura 1.5   Gráfico de la curva plana descrita por las ecuaciones paramétricas de la parte b.

c.   En este caso, utilice múltiplos de $\pi/6$ para t y crear otra tabla de valores

t	$x(t)$ grandes.	$y(t)$	t	$x(t)$ grandes.	$y(t)$
0	4	0	$\frac{7\pi}{6}$	$-2\sqrt{3} \approx -3{,}5$	2
$\frac{\pi}{6}$	$2\sqrt{3} \approx 3{,}5$	2	$\frac{4\pi}{3}$	-2	$-2\sqrt{3} \approx -3{,}5$
$\frac{\pi}{3}$	2	$2\sqrt{3} \approx 3{,}5$	$\frac{3\pi}{2}$	0	-4
$\frac{\pi}{2}$	0	4	$\frac{5\pi}{3}$	2	$-2\sqrt{3} \approx -3{,}5$
$\frac{2\pi}{3}$	-2	$2\sqrt{3} \approx 3{,}5$	$\frac{11\pi}{6}$	$2\sqrt{3} \approx 3{,}5$	2
$\frac{5\pi}{6}$	$-2\sqrt{3} \approx -3{,}5$	2	2π	4	0
π	-4	0			

El gráfico de esta curva plana aparece en el siguiente gráfico.

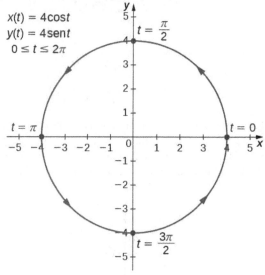

Figura 1.6 Gráfico de la curva plana descrita por las ecuaciones paramétricas de la parte c.

Este es el gráfico de un círculo de radio 4 centrado en el origen, con una orientación contraria a las agujas del reloj. Los puntos inicial y final de la curva tienen coordenadas $(4, 0)$.

✓ 1.1   Dibuje la curva descrita por las ecuaciones paramétricas

$$x(t) = 3t + 2, \quad y(t) = t^2 - 1, \quad -3 \leq t \leq 2.$$

Eliminar el parámetro

Para entender mejor el gráfico de una curva representada con ecuaciones paramétricas es útil reescribir las dos ecuaciones como una única ecuación que relaciona las variables x y y. Entonces podemos aplicar cualquier conocimiento previo de ecuaciones de curvas en el plano para identificar la curva. Por ejemplo, las ecuaciones que describen la curva plana en el Ejemplo 1.1b. son

$$x(t) = t^2 - 3, \quad y(t) = 2t + 1, \quad -2 \leq t \leq 3.$$

Resolviendo la segunda ecuación para t se obtiene

$$t = \frac{y-1}{2}.$$

Esto se puede sustituir en la primera ecuación:

$$x = \left(\frac{y-1}{2}\right)^2 - 3 = \frac{y^2 - 2y + 1}{4} - 3 = \frac{y^2 - 2y - 11}{4}.$$

Esta ecuación describe a x como una función de y. Estos pasos son un ejemplo de la *eliminación del parámetro*. El gráfico de esta función es una parábola que se abre hacia la derecha. Recordemos que la curva del plano comenzó en $(1, -3)$ y terminó en $(6, 7)$. Estas terminaciones se deben a la restricción del parámetro t.

EJEMPLO 1.2

Eliminar el parámetro

Elimine el parámetro de cada una de las curvas planas descritas por las siguientes ecuaciones paramétricas y describa el gráfico resultante.

a. $x(t) = \sqrt{2t+4}, \quad y(t) = 2t + 1, \quad -2 \leq t \leq 6$

b. $x(t) = 4\cos t, \quad y(t) = 3\,\mathrm{sen}\,t, \quad 0 \leq t \leq 2\pi$

⊘ **Solución**

a. Para eliminar el parámetro, podemos resolver cualquiera de las ecuaciones para t. Por ejemplo, resolviendo la primera ecuación para t se obtiene

$$
\begin{aligned}
x &= \sqrt{2t+4} \\
x^2 &= 2t+4 \\
x^2 - 4 &= 2t \\
t &= \tfrac{x^2-4}{2}.
\end{aligned}
$$

Observe que cuando elevamos al cuadrado ambos lados es importante señalar que $x \geq 0$. Sustituyendo $t = \tfrac{x^2-4}{2}$ en $y(t)$ se obtiene

$$
\begin{aligned}
y(t) &= 2t+1 \\
y &= 2\left(\tfrac{x^2-4}{2}\right)+1 \\
y &= x^2 - 4 + 1 \\
y &= x^2 - 3,
\end{aligned}
$$

Esta es la ecuación de una parábola que se abre hacia arriba. Sin embargo, existe una restricción de dominio debido a los límites del parámetro t. Cuando $t = -2$, $x = \sqrt{2(-2)+4} = 0$, y cuando $t = 6$, $x = \sqrt{2(6)+4} = 4$. El gráfico de esta curva plana es el siguiente

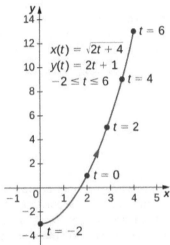

Figura 1.7 Gráfico de la curva plana descrita por las ecuaciones paramétricas de la parte a.

b. A veces es necesario ser un poco creativo para eliminar el parámetro. Las ecuaciones paramétricas de este ejemplo son

$$
x(t) = 4\cos t \text{ y } y(t) = 3\operatorname{sen} t.
$$

Resolver directamente cualquiera de las dos ecuaciones para t no es aconsejable porque el seno y el coseno no son funciones uno a uno. Sin embargo, dividiendo la primera ecuación entre 4 y la segunda entre 3 (y suprimiendo la t) nos da

$$
\cos t = \frac{x}{4} \text{ y } \operatorname{sen} t = \frac{y}{3}.
$$

Ahora use la identidad pitagórica $\cos^2 t + \operatorname{sen}^2 t = 1$ y sustituya las expresiones para $\operatorname{sen} t$ y $\cos t$ con las expresiones equivalentes en términos de x ye y. Esto da

$$
\begin{aligned}
\left(\tfrac{x}{4}\right)^2 + \left(\tfrac{y}{3}\right)^2 &= 1 \\
\tfrac{x^2}{16} + \tfrac{y^2}{9} &= 1
\end{aligned}
$$

Esta es la ecuación de una elipse horizontal centrada en el origen, con semieje mayor 4 y semieje menor 3 como se muestra en el siguiente gráfico

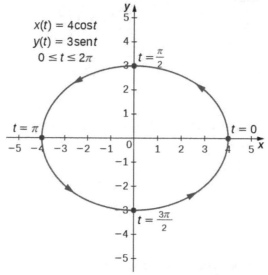

Figura 1.8   Gráfico de la curva plana descrita por las ecuaciones paramétricas de la parte b.

A medida que t avanza de 0 a 2π, un punto de la curva atraviesa la elipse una vez, en sentido contrario a las agujas del reloj. Recordemos que la órbita de la Tierra alrededor del Sol también es elíptica. Este es un ejemplo perfecto de la utilización de curvas paramétricas para modelar un fenómeno del mundo real.

☑   1.2   Elimine el parámetro de la curva plana definida por las siguientes ecuaciones paramétricas y describa el gráfico resultante.

$$x(t) = 2 + \frac{3}{t}, \quad y(t) = t - 1, \quad 2 \leq t \leq 6$$

Hasta ahora hemos visto el método de eliminación del parámetro, suponiendo que conocemos un conjunto de ecuaciones paramétricas que describen una curva plana. ¿Y si queremos empezar con la ecuación de una curva y determinar un par de ecuaciones paramétricas para esa curva? Esto es ciertamente posible, y de hecho es posible hacerlo de muchas maneras diferentes para una curva determinada. El proceso se conoce como **parametrización de una curva**.

EJEMPLO 1.3

Parametrizar una curva

Halle dos pares de ecuaciones paramétricas diferentes para representar el gráfico de $y = 2x^2 - 3$.

✓ **Solución**

En primer lugar, siempre es posible parametrizar una curva definiendo $x(t) = t$, luego sustituyendo x por t en la ecuación para $y(t)$. Esto nos da la parametrización

$$x(t) = t, \quad y(t) = 2t^2 - 3.$$

Dado que no hay restricción en el dominio en el gráfico original, no hay restricción en los valores de t.

Tenemos total libertad en la elección de la segunda parametrización. Por ejemplo, podemos elegir $x(t) = 3t - 2$. Lo único que tenemos que comprobar es que no hay restricciones impuestas a x; es decir, el rango de $x(t)$ son todos números reales. Este es el caso de $x(t) = 3t - 2$. Ahora, dado que $y = 2x^2 - 3$, podemos sustituir $x(t) = 3t - 2$ para x. Esto da

$$y(t) = 2(3t - 2)^2 - 3$$
$$= 2\left(9t^2 - 12t + 4\right) - 3$$
$$= 18t^2 - 24t + 8 - 3$$
$$= 18t^2 - 24t + 5.$$

Por lo tanto, una segunda parametrización de la curva puede escribirse como

$$x(t) = 3t - 2 \text{ y } y(t) = 18t^2 - 24t + 5.$$

☑ 1.3   Halle dos conjuntos diferentes de ecuaciones paramétricas para representar el gráfico de $y = x^2 + 2x$.

Cicloides y otras curvas paramétricas

Imagine que va a dar un paseo en bicicleta por el campo. Los neumáticos permanecen en contacto con la carretera y giran siguiendo un patrón predecible. Ahora supongamos que una hormiga muy decidida está cansada después de un largo día y quiere llegar a casa. Así que se aferra al lado del neumático y consigue un viaje gratis. El camino que recorre esta hormiga por una carretera recta se llama **cicloide** (Figura 1.9). Una cicloide generada por un círculo (o rueda de bicicleta) de radio a viene dada por las ecuaciones paramétricas

$$x(t) = a(t - \operatorname{sen} t), \quad y(t) = a(1 - \cos t).$$

Para ver por qué esto es cierto, considere la trayectoria que sigue el centro de la rueda. El centro se mueve a lo largo del eje x a una altura constante igual al radio de la rueda. Si el radio es a, entonces las coordenadas del centro pueden ser dadas por las ecuaciones

$$x(t) = at, \quad y(t) = a$$

para cualquier valor de t. A continuación, consideremos la hormiga, que gira alrededor del centro siguiendo una trayectoria circular. Si la bicicleta se mueve de izquierda a derecha, las ruedas giran en el sentido de las agujas del reloj. Una posible parametrización del movimiento circular de la hormiga (respecto al centro de la rueda) está dada por

$$x(t) = -a \operatorname{sen} t, \quad y(t) = -a \cos t.$$

(El signo negativo es necesario para invertir la orientación de la curva. Si no existiera el signo negativo, tendríamos que imaginar que la rueda gira en sentido contrario a las agujas del reloj). Sumando estas ecuaciones se obtienen las ecuaciones de la cicloide.

$$x(t) = a(t - \operatorname{sen} t), \quad y(t) = a(1 - \cos t).$$

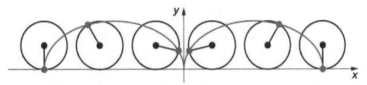

Figura 1.9 Una rueda que se desplaza por una carretera sin resbalar; la punta del borde de la rueda traza una cicloide.

Supongamos ahora que la rueda de la bicicleta no se desplaza por una carretera recta, sino que se mueve por el interior de una rueda mayor, como en la Figura 1.10. En este gráfico, el círculo verde se desplaza alrededor del círculo azul en sentido contrario a las agujas del reloj. Un punto en el borde del círculo verde traza el gráfico rojo, que se llama hipocicloide.

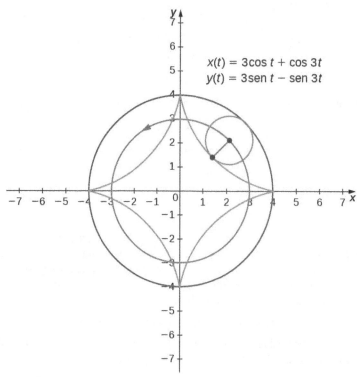

$$x(t) = 3\cos t + \cos 3t$$
$$y(t) = 3\operatorname{sen} t - \operatorname{sen} 3t$$

Figura 1.10   Gráfico de la hipocicloide descrita por las ecuaciones paramétricas indicadas.

Las ecuaciones paramétricas generales de una hipocicloide son

$$x\,(t) = (a - b)\,\cos t + b\cos\left(\tfrac{a-b}{b}\right)\,t$$
$$y\,(t) = (a - b)\,\operatorname{sen} t - b\operatorname{sen}\left(\tfrac{a-b}{b}\right)\,t.$$

Estas ecuaciones son un poco más complicadas, pero la derivación es algo similar a las ecuaciones de la cicloide. En este caso suponemos que el radio del círculo mayor es a y el del menor es b. Entonces el centro de la rueda se desplaza a lo largo de un círculo de radio $a - b$. Este hecho explica el primer término de cada ecuación anterior. El periodo de la segunda función trigonométrica en ambas $x\,(t)$ y de $y\,(t)$ es igual a $\frac{2\pi b}{a-b}$.

El cociente $\frac{a}{b}$ está relacionado con el número de **cúspides** del gráfico (las cúspides son las esquinas o extremos puntiagudos del gráfico), como se ilustra en la <u>Figura 1.11</u>. Esta razón puede dar lugar a algunos gráficos muy interesantes, dependiendo de si la relación es racional o no. La <u>Figura 1.10</u> corresponde a $a = 4$ y $b = 1$. El resultado es una hipocicloide con cuatro cúspides. La <u>Figura 1.11</u> muestra otras posibilidades. Las dos últimas hipocicloides tienen valores irracionales para $\frac{a}{b}$. En estos casos las hipocicloides tienen un número infinito de cúspides, por lo que nunca vuelven a su punto de partida. Estos son ejemplos de lo que se conoce como *curvas de relleno de espacio*.

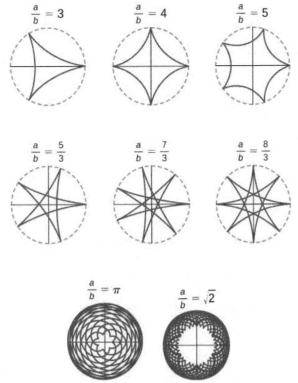

Figura 1.11   Gráfico de varias hipocicloides correspondientes a diferentes valores de a/b.

PROYECTO DE ESTUDIANTE

La bruja de Agnesi

Muchas curvas planas de las matemáticas llevan el nombre de las personas que las investigaron por primera vez, como el folium de Descartes (hoja de Descartes) o la espiral de Arquímedes. Sin embargo, quizá el nombre más extraño para una curva sea el de la bruja de Agnesi. ¿Por qué una bruja?

María Gaetana Agnesi (1718-1799) fue una de las pocas mujeres matemáticas reconocidas de la Italia del siglo XVIII. Escribió un popular libro sobre geometría analítica, publicado en 1748, que incluía una interesante curva que había sido estudiada por Fermat en 1630. El matemático Guido Grandi demostró en 1703 cómo construir esta curva, a la que más tarde llamó "versoria", término latino que designa una cuerda utilizada en la navegación. Agnesi utilizó el término italiano para esta cuerda, "versiera", pero en latín, esta misma palabra significa "duende femenino" Cuando el libro de Agnesi se tradujo al inglés en 1801, el traductor utilizó el término "bruja" para la curva, en vez de cuerda. El nombre de "bruja de Agnesi" se ha mantenido desde entonces.

La bruja de Agnesi es una curva definida de la siguiente forma: Comience con un círculo de radio a para que los puntos $(0, 0)$ y $(0, 2a)$ sean puntos en el círculo (Figura 1.12). Supongamos que O es el origen. Elija cualquier otro punto A del círculo y dibuje la línea secante OA. Supongamos que B es el punto de intersección de la línea OA con la línea horizontal que pasa por $(0, 2a)$. La línea vertical que pasa por B interseca la línea horizontal que pasa por A en el punto P. Al variar el punto A, el camino que recorre el punto P es el de la curva de Agnesi para el círculo dado.

Las curvas de la bruja de Agnesi tienen aplicaciones en física, incluido el modelado de las ondas de agua y las distribuciones de las líneas espectrales. En teoría de la probabilidad, la curva describe la función de densidad de probabilidad de la distribución de Cauchy. En este proyecto usted parametrizará estas curvas.

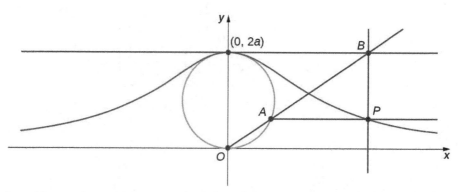

Figura 1.12 A medida que el punto *A* se mueve alrededor del círculo, el punto *P* traza curva de la bruja de Agnesi para el círculo dado.

1. En la figura, marque los siguientes puntos, longitudes y ángulos:
    a. *C* es el punto del eje *x* con la misma coordenada *x* que *A*.
    b. *x* es la coordenada *x* de *P* y *y* es la coordenada *y* de *P*.
    c. *E* es el punto $(0, a)$.
    d. *F* es el punto del segmento de línea *OA* tal que el segmento de línea *EF* es perpendicular al segmento de línea *OA*.
    e. *b* es la distancia de *O* a *F*.
    f. *c* es la distancia de *F* a *A*.
    g. *d* es la distancia de *O* a *B*.
    h. θ es la medida del ángulo $\angle COA$.

    El objetivo de este proyecto es parametrizar la bruja utilizando θ como parámetro. Para ello, escriba las ecuaciones de *x* y *y* en términos de solo θ.

2. Demuestre que $d = \frac{2a}{\operatorname{sen}\theta}$.

3. Tenga en cuenta que $x = d \cos\theta$. Demuestre que $x = 2a \cot\theta$. Al hacer esto, habrá parametrizado la coordenada *x* de la curva con respecto a θ. Si puede obtener una ecuación similar para *y*, habrá parametrizado la curva.

4. En términos de θ, cuál es el ángulo $\angle EOA$?

5. Demuestre que $b + c = 2a \cos\left(\frac{\pi}{2} - \theta\right)$.

6. Demuestre que $y = 2a \cos\left(\frac{\pi}{2} - \theta\right) \operatorname{sen}\theta$.

7. Demuestre que $y = 2a \operatorname{sen}^2\theta$. Ahora ha parametrizado la coordenada *y* de la curva con respecto a θ.

8. Concluya que una parametrización de la curva de bruja dada es
$$x = 2a \cot\theta,\, y = 2a \operatorname{sen}^2\theta,\, -\infty < \theta < \infty.$$

9. Utilice su parametrización para demostrar que la curva de bruja dada es el gráfico de la función $f(x) = \frac{8a^3}{x^2 + 4a^2}$.

PROYECTO DE ESTUDIANTE

Viajes con mi hormiga: Las cicloides acortadas y alargadas.

Anteriormente en esta sección, vimos las ecuaciones paramétricas para una cicloide, que es la trayectoria que un punto en el borde de una rueda traza cuando rueda a lo largo de una trayectoria recta. En este proyecto estudiamos dos variantes diferentes de la cicloide, denominadas cicloide acortada y cicloide alargada.

En primer lugar, revisemos la derivación de las ecuaciones paramétricas de una cicloide. Recordemos que consideramos a una hormiga tenaz que intentaba llegar a casa colgándose del borde de una rueda de bicicleta. Hemos supuesto que la hormiga se subió al neumático en el mismo borde, donde el neumático toca el suelo. Cuando la rueda gira, la hormiga se mueve con el borde del neumático (Figura 1.13).

Como hemos comentado, tenemos mucha flexibilidad a la hora de parametrizar una curva. En este caso dejamos que nuestro parámetro t represente el ángulo que ha girado el neumático. Al observar la Figura 1.13, vemos que después de que el neumático haya girado un ángulo t, la posición del centro de la rueda, $C = (x_C, y_C)$, está dada por

$$x_C = at \text{ y } y_C = a.$$

Además, supongamos que $A = (x_A, y_A)$ denota la posición de la hormiga, observamos que

$$x_C - x_A = a \operatorname{sen} t \text{ y } y_C - y_A = a \cos t.$$

Entonces

$$x_A = x_C - a \operatorname{sen} t = at - a \operatorname{sen} t = a(t - \operatorname{sen} t)$$
$$y_A = y_C - a \cos t = a - a \cos t = a(1 - \cos t).$$

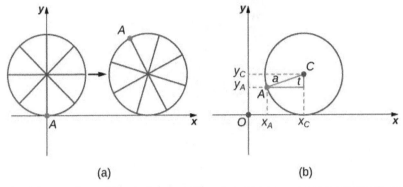

(a)   **(b)**

Figura 1.13   (a) La hormiga se aferra al borde del neumático de la bicicleta mientras esta rueda por el suelo. (b) Se utiliza la geometría para determinar la posición de la hormiga después de que el neumático haya girado un ángulo t.

Observe que son las mismas representaciones paramétricas que teníamos antes, pero ahora hemos asignado un significado físico a la variable paramétrica t.

Al cabo de un rato la hormiga se marea de dar vueltas y más vueltas sobre el borde del neumático. Así que sube por uno de los radios hacia el centro de la rueda. Al subir hacia el centro de la rueda, la hormiga ha cambiado su trayectoria de movimiento. La nueva trayectoria tiene menos movimiento ascendente y descendente y se denomina cicloide acortada (Figura 1.14). Como se muestra en la figura, suponemos que b denota la distancia a lo largo del radio desde el centro de la rueda hasta la hormiga. Como antes, suponemos que t representa el ángulo que ha girado el neumático. Asimismo, suponemos que $C = (x_C, y_C)$ representa la posición del centro de la rueda y $A = (x_A, y_A)$ representa la posición de la hormiga.

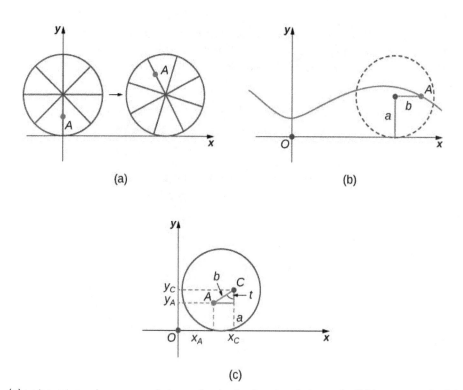

Figura 1.14 (a) La hormiga sube por uno de los radios hacia el centro de la rueda. (b) La trayectoria del movimiento de la hormiga después de acercarse al centro de la rueda. Esto se conoce como cicloide acortada. (c) La nueva disposición, ahora que la hormiga se ha acercado al centro de la rueda.

1. ¿Cuál es la posición del centro de la rueda después de que el neumático haya girado un ángulo t?
2. Utilice la geometría para hallar expresiones para $x_C - x_A$ y para $y_C - y_A$.
3. A partir de sus respuestas de las partes 1 y 2, ¿cuáles son las ecuaciones paramétricas que representan la cicloide acortada?

   Una vez que la cabeza de la hormiga se aclara, se da cuenta de que el ciclista ha hecho un giro y ahora está viajando lejos de su casa. Así que deja la rueda de la bicicleta y mira a su alrededor. Afortunadamente, hay un conjunto de vías de tren cerca, que se dirigen de nuevo en la dirección correcta. Así que la hormiga se dirige a las vías del tren para esperar. Al cabo de un rato, pasa un tren que va en la dirección correcta, y la hormiga consigue saltar y alcanzar el borde de la rueda del tren (¡sin aplastarse!).

   La hormiga sigue preocupada por si se marea, pero la rueda del tren es resbaladiza y no tiene radios por los cuales subir, así que decide agarrarse al borde de la rueda y esperar lo mejor. Ahora, las ruedas de los trenes tienen un reborde para mantener la rueda en las vías. Por lo tanto, en este caso, como la hormiga está colgada del mismo extremo del reborde, la distancia del centro de la rueda a la hormiga es realmente mayor que el radio de la rueda (Figura 1.15).

   El planteamiento aquí es esencialmente el mismo que cuando la hormiga subió por el radio de la rueda de la bicicleta. Suponemos que b denota la distancia desde el centro de la rueda a la hormiga, y que t representa el ángulo que ha girado el neumático. Asimismo, suponemos que $C = (x_C, y_C)$ representa la posición del centro de la rueda y $A = (x_A, y_A)$ representa la posición de la hormiga (Figura 1.15).

   Cuando la distancia del centro de la rueda a la hormiga es mayor que el radio de la rueda, su trayectoria de movimiento se llama cicloide alargada. En la figura se muestra el gráfico de una cicloide alargada

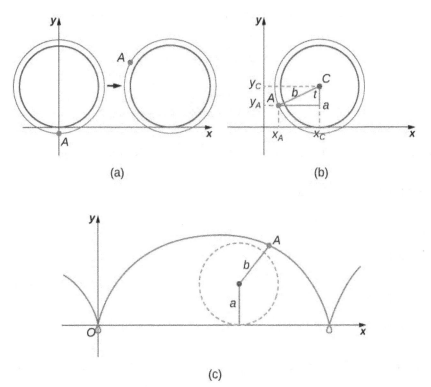

Figura 1.15 (a) La hormiga se cuelga del reborde de la rueda del tren. (b) El nuevo planteamiento, ahora que la hormiga ha saltado a la rueda del tren. (c) La hormiga se desplaza por una cicloide alargada.

4. Usando el mismo enfoque que usó en las partes 1 a 3, halle las ecuaciones paramétricas para la trayectoria del movimiento de la hormiga.

5. ¿Qué observa en su respuesta a la parte 3 y en su respuesta a la parte 4?

Fíjese en que la hormiga en realidad está viajando hacia atrás en algunos momentos (los "bucles" del gráfico), aunque el tren siga avanzando. Probablemente estará *muy* mareada cuando llegue a casa

SECCIÓN 1.1 EJERCICIOS

En los siguientes ejercicios, dibuje las siguientes curvas eliminando el parámetro t. Indique la orientación de la curva.

1. $x = t^2 + 2t, y = t + 1$

2. $x = \cos(t), y = \text{sen}(t), (0, 2\pi]$

3. $x = 2t + 4, y = t - 1$

4. $x = 3 - t, y = 2t - 3, 1{,}5 \leq t \leq 3$

En los siguientes ejercicios, elimine el parámetro y dibuje los gráficos.

5. $x = 2t^2, \quad y = t^4 + 1$

En los siguientes ejercicios, utilice un dispositivo tecnológico (CAS o calculadora) para graficar las ecuaciones paramétricas.

6. **[T]** $x = t^2 + t, \quad y = t^2 - 1$

7. **[T]** $x = e^{-t}, \quad y = e^{2t} - 1$

8. **[T]** $x = 3\cos t, \quad y = 4\,\text{sen}\,t$

9. **[T]** $x = \sec t, \quad y = \cos t$

En los siguientes ejercicios, dibuje las ecuaciones paramétricas eliminando el parámetro. Indique las asíntotas del gráfico.

10. $x = e^t, \quad y = e^{2t} + 1$

11. $x = 6\operatorname{sen}(2\theta), y = 4\cos(2\theta)$

12. $x = \cos\theta, \quad y = 2\operatorname{sen}(2\theta)$ grandes.

13. $x = 3 - 2\cos\theta, \quad y = -5 + 3\operatorname{sen}\theta$

14. $x = 4 + 2\cos\theta, \quad y = -1 + \operatorname{sen}\theta$

15. $x = \sec t, \quad y = \tan t$

16. $x = \ln(2t), \quad y = t^2$

17. $x = e^t, \quad y = e^{2t}$

18. $x = e^{-2t}, \quad y = e^{3t}$

19. $x = t^3, \quad y = 3\ln t$

20. $x = 4\sec\theta, \quad y = 3\tan\theta$

En los siguientes ejercicios, convierta las ecuaciones paramétricas de una curva en forma rectangular. No es necesario ningún dibujo. Indique el dominio de la forma rectangular.

21. $x = t^2 - 1, \quad y = \frac{t}{2}$

22. $x = \frac{1}{\sqrt{t+1}}, \quad y = \frac{t}{1+t}, t > -1$

23. $x = 4\cos\theta, y = 3\operatorname{sen}\theta, \theta \in (0, 2\pi]$

24. $x = \cosh t, \quad y = \operatorname{senoh} t$

25. $x = 2t - 3, \quad y = 6t - 7$

26. $x = t^2, \quad y = t^3$

27. $x = 1 + \cos t, \quad y = 3 - \operatorname{sen} t$

28. $x = \sqrt{t}, \quad y = 2t + 4$

29. $x = \sec t, \quad y = \tan t, \pi \le t < \frac{3\pi}{2}$

30. $x = 2\cosh t, \quad y = 4\operatorname{senoh} t$

31. $x = \cos(2t), \quad y = \operatorname{sen} t$

32. $x = 4t + 3, y = 16t^2 - 9$

33. $x = t^2, \quad y = 2\ln t, t \ge 1$

34. $x = t^3, \quad y = 3\ln t, t \ge 1$

35. $x = t^n, \quad y = n\ln t, t \ge 1$, donde n es un número natural

36. $x = \ln(5t)$, $y = \ln(t^2)$ donde $1 \le t \le e$

37. $x = 2\operatorname{sen}(8t)$, $y = 2\cos(8t)$ grandes.

38. $x = \tan t$, $y = \sec^2 t - 1$

En los siguientes ejercicios, los pares de ecuaciones paramétricas representan rectas, parábolas, círculos, elipses o hipérbolas. Nombre el tipo de curva básica que representa cada par de ecuaciones.

39. $x = 3t + 4$, $y = 5t - 2$

40. $x - 4 = 5t$, $y + 2 = t$

41. $x = 2t + 1$, $y = t^2 - 3$

42. $x = 3\cos t$, $y = 3\operatorname{sen} t$

43. $x = 2\cos(3t)$, $y = 2\operatorname{sen}(3t)$

44. $x = \cosh t$, $y = \operatorname{senoh} t$

45. $x = 3\cos t$, $y = 4\operatorname{sen} t$

46. $x = 2\cos(3t)$, $y = 5\operatorname{sen}(3t)$ grandes.

47. $x = 3\cosh(4t)$, $y = 4\operatorname{senoh}(4t)$

48. $x = 2\cosh t$
$y = 2\operatorname{senh} t$

49. Demuestre que
$x = h + r\cos\theta$ representa
$y = k + r\operatorname{sen}\theta$
la ecuación de un círculo.

50. Utilice las ecuaciones del problema anterior para hallar un conjunto de ecuaciones paramétricas para una circunferencia cuyo radio es 5 y cuyo centro es $(-2, 3)$.

En los siguientes ejercicios, utilice una herramienta gráfica para graficar la curva representada por las ecuaciones paramétricas e identifique la curva a partir de su ecuación.

51. **[T]** $x = \theta + \operatorname{sen}\theta$
$y = 1 - \cos\theta$

52. **[T]** $x = 2t - 2\operatorname{sen} t$
$y = 2 - 2\cos t$

53. **[T]** $x = t - 0{,}5\operatorname{sen} t$
$y = 1 - 1{,}5\cos t$

54. Un avión que viaja horizontalmente a 100 m/s sobre un terreno plano a una altura de 4.000 metros debe dejar caer un paquete de emergencia sobre un objetivo en el suelo. La trayectoria del paquete está dada por $x = 100t, y = -4{,}9t^2 + 4.000, t \geq 0$ donde el origen es el punto en el suelo directamente debajo del avión en el momento de la liberación. ¿Cuántos metros horizontales antes del objetivo debe soltar el paquete para dar en el blanco?

55. La trayectoria de una bala está dada por $x = v_0(\cos\alpha)\, t, y = v_0(\operatorname{sen}\alpha)\, t - \frac{1}{2}gt^2$ donde $v_0 = 500$ m/s, $g = 9{,}8 = 9{,}8$ m/s^2, y $\alpha = 30$ grados. ¿Cuándo llegará la bala al suelo? ¿A qué distancia de la pistola la bala llegará al suelo?

56. **[T]** Utilice un dispositivo tecnológico para dibujar la curva representada por $x = \operatorname{sen}(4t), y = \operatorname{sen}(3t), 0 \leq t \leq 2\pi$.

57. **[T]** Utilice un dispositivo tecnológico para dibujar $x = 2\tan(t), y = 3\sec(t), -\pi < t < \pi$.

58. Dibuje la curva conocida como *epitrocoide* que da la trayectoria de un punto en un círculo de radio b cuando rueda por el exterior de un círculo de radio a. Las ecuaciones son

$x = (a + b)\cos t - c.\cos\left[\frac{(a+b)t}{b}\right]$

$y = (a + b)\operatorname{sen} t - c.\operatorname{sen}\left[\frac{(a+b)t}{b}\right]$.

Supongamos que $a = 1, b = 2, c = 1$.

59. **[T]** Utilice un dispositivo tecnológico para dibujar la curva en espiral dada por $x = t\cos(t), y = t\operatorname{sen}(t)$ de $-2\pi \leq t \leq 2\pi$.

60. **[T]** Utilice un dispositivo tecnológico para graficar la curva dada por las ecuaciones paramétricas
$x = 2\cot(t)$, $y = 1 - \cos(2t)$, $-\pi/2 \le t \le \pi/2$.
Esta curva se conoce como la bruja de Agnesi.

61. **[T]** Dibújela curva dada por las ecuaciones paramétricas
$x = \cosh(t)$
$y = \operatorname{senoh}(t),$ donde
$-2 \le t \le 2.$

1.2 Cálculo de curvas paramétricas

Objetivos de aprendizaje

1.2.1 Determinar las derivadas y las ecuaciones de las tangentes de las curvas paramétricas.
1.2.2 Hallar el área bajo una curva paramétrica.
1.2.3 Utilizar la ecuación de la longitud de arco de una curva paramétrica.
1.2.4 Aplicar la fórmula de la superficie a un volumen generado por una curva paramétrica.

Ahora que hemos introducido el concepto de curva parametrizada, nuestro siguiente paso es aprender a trabajar con este concepto en el contexto del cálculo. Por ejemplo, si conocemos una parametrización de una curva determinada, ¿es posible calcular la pendiente de una línea tangente a la curva? ¿Y la longitud de arco de la curva? ¿O el área bajo la curva?

Otro escenario: supongamos que queremos representar la ubicación de una pelota de béisbol después de que la bola salga de la mano del lanzador. Si la posición de la pelota de béisbol está representada por la curva plana $(x(t), y(t))$, entonces deberíamos ser capaces de utilizar el cálculo para calcular la velocidad de la pelota en cualquier momento. Además, deberíamos ser capaces de calcular la distancia que ha recorrido esa pelota en función del tiempo.

Derivadas de ecuaciones paramétricas

Empezamos preguntando cómo calcular la pendiente de una línea tangente a una curva paramétrica en un punto. Considere la curva plana definida por las ecuaciones paramétricas

$$x(t) = 2t + 3, \quad y(t) = 3t - 4, \quad -2 \le t \le 3.$$

El gráfico de esta curva aparece en la Figura 1.16. Es un segmento de línea que comienza en $(-1, -10)$ y termina en $(9, 5)$.

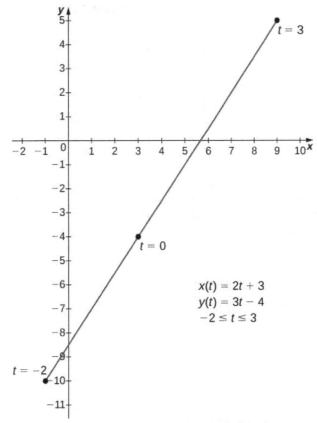

Figura 1.16 Gráfico del segmento de línea descrito por las ecuaciones paramétricas dadas.

Podemos eliminar el parámetro resolviendo primero la ecuación $x(t) = 2t + 3$ para t:

$$\begin{aligned} x(t) &= 2t + 3 \\ x - 3 &= 2t \\ t &= \tfrac{x-3}{2}. \end{aligned}$$

Sustituyendo esto en $y(t)$, obtenemos

$$\begin{aligned} y(t) &= 3t - 4 \\ y &= 3\left(\tfrac{x-3}{2}\right) - 4 \\ y &= \tfrac{3x}{2} - \tfrac{9}{2} - 4 \\ y &= \tfrac{3x}{2} - \tfrac{17}{2}. \end{aligned}$$

La pendiente de esta línea está dada por $\frac{dy}{dx} = \frac{3}{2}$. A continuación calculamos $x'(t)$ y de $y'(t)$. Esto da a $x'(t) = 2$ y $y'(t) = 3$. Observe que $\frac{dy}{dx} = \frac{dy/dt}{dx/dt} = \frac{3}{2}$. Esto no es casualidad, como se indica en el siguiente teorema.

Teorema 1.1

Derivada de ecuaciones paramétricas
Considere la curva plana definida por las ecuaciones paramétricas $x = x(t)$ y de $y = y(t)$. Supongamos que $x'(t)$ y de $y'(t)$ existen, y supongamos que $x'(t) \neq 0$. Entonces la derivada $\frac{dy}{dx}$ está dada por

$$\frac{dy}{dx} = \frac{dy/dt}{dx/dt} = \frac{y'(t)}{x'(t)}. \tag{1.1}$$

Prueba
Este teorema se puede demostrar utilizando la regla de la cadena. En particular, supongamos que el parámetro t se

puede eliminar, obteniendo una función diferenciable $y = F(x)$. Entonces $y(t) = F(x(t))$. Diferenciando ambos lados de esta ecuación mediante la regla de la cadena produce

$$y'(t) = F'(x(t)) x'(t),$$

así que

$$F'(x(t)) = \frac{y'(t)}{x'(t)}.$$

Pero $F'(x(t)) = \frac{dy}{dx}$, lo cual demuestra el teorema.

□

La Ecuación 1.1 puede utilizarse para calcular las derivadas de las curvas planas, así como los puntos críticos. Recordemos que un punto crítico de una función diferenciable $y = f(x)$ es cualquier punto $x = x_0$ de manera que $f'(x_0) = 0$ o $f'(x_0)$ no existe. La Ecuación 1.1 da una fórmula para la pendiente de una línea tangente a una curva definida paramétricamente independientemente de que la curva pueda ser descrita por una función $y = f(x)$ o no.

EJEMPLO 1.4

Cálculo de la derivada de una curva paramétrica

Calcule la derivada $\frac{dy}{dx}$ para cada una de las siguientes curvas planas definidas paramétricamente y ubique cualquier punto crítico en sus respectivos gráficos.

a. $x(t) = t^2 - 3$, $y(t) = 2t - 1$, $-3 \leq t \leq 4$
b. $x(t) = 2t + 1$, $y(t) = t^3 - 3t + 4$, $-2 \leq t \leq 5$
c. $x(t) = 5 \cos t$, $y(t) = 5 \operatorname{sen} t$, $0 \leq t \leq 2\pi$

⊘ **Solución**

a.   Para aplicar la Ecuación 1.1, primero hay que calcular $x'(t)$ y de $y'(t)$:

$$x'(t) = 2t$$
$$y'(t) = 2.$$

A continuación, sustituya esto en la ecuación:

$$\frac{dy}{dx} = \frac{dy/dt}{dx/dt}$$
$$\frac{dy}{dx} = \frac{2}{2t}$$
$$\frac{dy}{dx} = \frac{1}{t}.$$

Esta derivada es indefinida cuando $t = 0$. Si calculamos $x(0)$ y de $y(0)$ da como resultado $x(0) = (0)^2 - 3 = -3$ y $y(0) = 2(0) - 1 = -1$, que corresponde al punto $(-3, -1)$ en el gráfico. El gráfico de esta curva es una parábola que se abre hacia la derecha, y el punto $(-3, -1)$ es su vértice como se muestra

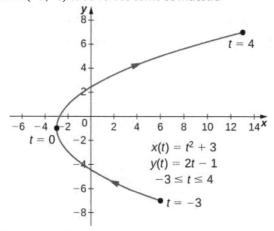

Figura 1.17   Gráfico de la parábola descrita por las ecuaciones paramétricas de la parte a.

b. Para aplicar la <u>Ecuación 1.1</u>, primero hay que calcular $x'(t)$ y de $y'(t)$:
$$x'(t) = 2$$
$$y'(t) = 3t^2 - 3,$$

A continuación, sustituya esto en la ecuación:
$$\frac{dy}{dx} = \frac{dy/dt}{dx/dt}$$
$$\frac{dy}{dx} = \frac{3t^2 - 3}{2}.$$

Esta derivada es cero cuando $t = \pm 1$. Cuando $t = -1$ tenemos
$$x(-1) = 2(-1) + 1 = -1 \text{ y } y(-1) = (-1)^3 - 3(-1) + 4 = -1 + 3 + 4 = 6,$$

que corresponde al punto $(-1, 6)$ en el gráfico. Cuando $t = 1$ tenemos
$$x(1) = 2(1) + 1 = 3 \text{ y } y(1) = (1)^3 - 3(1) + 4 = 1 - 3 + 4 = 2,$$

que corresponde al punto $(3, 2)$ en el gráfico. El punto $(3, 2)$ es un mínimo relativo y el punto $(-1, 6)$ es un máximo relativo, como se ve en el siguiente gráfico

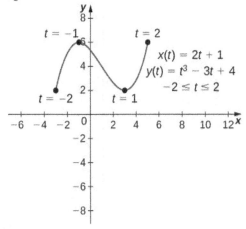

Figura 1.18 Gráfico de la curva descrita por las ecuaciones paramétricas de la parte b.

c. Para aplicar la <u>Ecuación 1.1</u>, primero hay que calcular $x'(t)$ y de $y'(t)$:
$$x'(t) = -5 \operatorname{sen} t$$
$$y'(t) = 5 \cos t.$$

A continuación, sustituya esto en la ecuación:
$$\frac{dy}{dx} = \frac{dy/dt}{dx/dt}$$
$$\frac{dy}{dx} = \frac{5 \cos t}{-5 \operatorname{sen} t}$$
$$\frac{dy}{dx} = -\cot t.$$

Esta derivada es cero cuando $\cos t = 0$ y es indefinida cuando $\operatorname{sen} t = 0$. Esto da $t = 0, \frac{\pi}{2}, \pi, \frac{3\pi}{2}$, y 2π como puntos críticos para t. Sustituyendo cada uno de ellos en $x(t)$ y de $y(t)$, obtenemos

t	$x(t)$ grandes.	$y(t)$
0	5	0
$\frac{\pi}{2}$	0	5

t	$x(t)$ grandes.	$y(t)$
π	-5	0
$\frac{3\pi}{2}$	0	-5
2π	5	0

Estos puntos corresponden a los lados, la parte superior y la parte inferior del círculo representado por las ecuaciones paramétricas (Figura 1.19). En los bordes izquierdo y derecho del círculo, la derivada es indefinida, y en la parte superior e inferior, la derivada es igual a cero.

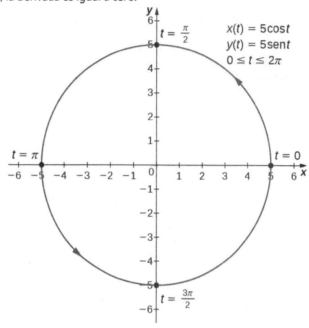

Figura 1.19 Gráfico de la curva descrita por las ecuaciones paramétricas de la parte c.

✓ 1.4   Calcule la derivada dy/dx para la curva plana definida por las ecuaciones

$$x(t) = t^2 - 4t, \quad y(t) = 2t^3 - 6t, \quad -2 \leq t \leq 3$$

y ubique cualquier punto crítico en su gráfico.

EJEMPLO 1.5

Hallar una línea tangente
Halle la ecuación de la línea tangente a la curva definida por las ecuaciones

$$x(t) = t^2 - 3, \quad y(t) = 2t - 1, \quad -3 \leq t \leq 4 \text{ cuando } t = 2.$$

⊘ **Solución**
En primer lugar, halle la pendiente de la línea tangente utilizando la Ecuación 1.1, lo que significa calcular $x'(t)$ y de $y'(t)$:

$$x'(t) = 2t$$
$$y'(t) = 2.$$

A continuación, sustitúyalas en la ecuación:

$$\frac{dy}{dx} = \frac{dy/dt}{dx/dt}$$
$$\frac{dy}{dx} = \frac{2}{2t}$$
$$\frac{dy}{dx} = \frac{1}{t}.$$

Cuando $t = 2$, $\frac{dy}{dx} = \frac{1}{2}$, así que esta es la pendiente de la línea tangente. Si calculamos $x(2)$ y de $y(2)$ da

$$x(2) = (2)^2 - 3 = 1 \text{ y } y(2) = 2(2) - 1 = 3,$$

que corresponde al punto $(1, 3)$ en el gráfico (Figura 1.20). Ahora utilice la forma punto-pendiente de la ecuación de una línea para hallar la ecuación de la línea tangente:

$$\begin{aligned} y - y_0 &= m(x - x_0) \\ y - 3 &= \tfrac{1}{2}(x - 1) \\ y - 3 &= \tfrac{1}{2}x - \tfrac{1}{2} \\ y &= \tfrac{1}{2}x + \tfrac{5}{2}. \end{aligned}$$

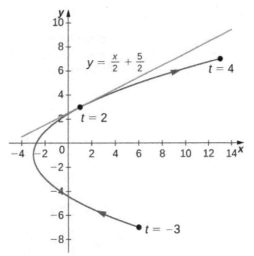

Figura 1.20   Línea tangente a la parábola descrita por las ecuaciones paramétricas dadas cuando $t = 2$.

☑ 1.5   Halle la ecuación de la línea tangente a la curva definida por las ecuaciones

$$x(t) = t^2 - 4t, \quad y(t) = 2t^3 - 6t, \quad -2 \le t \le 10 \text{ cuando } t = 5.$$

Derivadas de segundo orden

Nuestro siguiente objetivo es ver cómo tomar la segunda derivada de una función definida paramétricamente. La segunda derivada de una función $y = f(x)$ se define como la derivada de la primera derivada; es decir,

$$\frac{d^2 y}{dx^2} = \frac{d}{dx}\left[\frac{dy}{dx}\right].$$

Dado que $\frac{dy}{dx} = \frac{dy/dt}{dx/dt}$, podemos sustituir la y en ambos lados de esta ecuación por $\frac{dy}{dx}$. Esto nos da

$$\frac{d^2 y}{dx^2} = \frac{d}{dx}\left(\frac{dy}{dx}\right) = \frac{(d/dt)(dy/dx)}{dx/dt}. \tag{1.2}$$

Si conocemos dy/dx en función de t, entonces esta fórmula es fácil de aplicar.

EJEMPLO 1.6

Calcular una segunda derivada

Calcule la segunda derivada d^2y/dx^2 para la curva plana definida por las ecuaciones paramétricas $x(t) = t^2 - 3, y(t) = 2t - 1, -3 \leq t \leq 4.$

⊘ **Solución**

Del Ejemplo 1.4 sabemos que $\frac{dy}{dx} = \frac{2}{2t} = \frac{1}{t}$. Utilizando la Ecuación 1.2, obtenemos

$$\frac{d^2y}{dx^2} = \frac{(d/dt)(dy/dx)}{dx/dt} = \frac{(d/dt)(1/t)}{2t} = \frac{-t^{-2}}{2t} = -\frac{1}{2t^3}.$$

☑   1.6   Calcule la segunda derivada d^2y/dx^2 para la curva plana definida por las ecuaciones

$$x(t) = t^2 - 4t, \quad y(t) = 2t^3 - 6t, \quad -2 \leq t \leq 3$$

y ubique cualquier punto crítico en su gráfico.

Integrales con ecuaciones paramétricas

Ahora que hemos visto cómo calcular la derivada de una curva plana, la siguiente pregunta es la siguiente: ¿Cómo hallar el área bajo una curva definida paramétricamente? Recordemos la cicloide definida por las ecuaciones $x(t) = t - \operatorname{sen} t, \quad y(t) = 1 - \cos t.$ Supongamos que queremos hallar el área de la región sombreada en el siguiente gráfico.

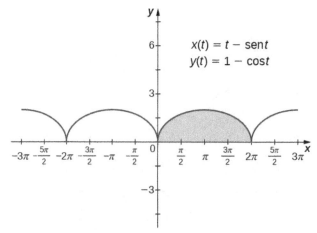

Figura 1.21   Gráfico de una cicloide con el arco sobre $[0, 2\pi]$ resaltado.

Para derivar una fórmula para el área bajo la curva definida por las funciones

$$x = x(t), \quad y = y(t), \quad a \leq t \leq b,$$

asumimos que $x(t)$ es creciente en el intervalo $t \in [a, b]$ y $x(t)$ es diferenciable y comienza con una partición igual del intervalo $a \leq t \leq b$. Supongamos que $t_0 = a < t_1 < t_2 < \cdots < t_n = b$ y considere el siguiente gráfico.

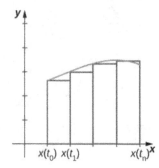

Figura 1.22   Aproximación del área bajo una curva definida paramétricamente.

Utilizamos rectángulos para aproximar el área bajo la curva. La altura del i–ésimo rectángulo es $y\left(t_i{}^{-1}\right)$, por lo que una aproximación del área es

$$\sum_{i=1}^{n} y\left(t_{i-1}\right)\left(x\left(t_i\right)-x\left(t_{i-1}\right)\right)$$

$$= \sum_{i=1}^{n} y\left(t_{i-1}\right)\frac{\left(x(t_i)-x(t_{i-1})\right)}{\left(t_i-t_{i-1}\right)}\left(t_i-t_{i-1}\right)$$

$$\rightarrow \int_a^b y\left(t\right)x'\left(t\right)dt \text{ como máx.}\left\{\left(t_i-t_{i-1}\right)\right\} \rightarrow 0$$

Esto se deduce de los resultados obtenidos en Cálculo 1 para la función $y\left(t_{i-1}\right)\frac{\left(x(t_i)-x(t_{i-1})\right)}{\left(t_i-t_{i-1}\right)}$.

Entonces una suma de Riemann para el área es

$$A_n = \sum_{i=1}^{n} y\left(x\left(\overline{t}_i\right)\right)\left(x\left(t_i\right)-x\left(t_{i-1}\right)\right).$$

Multiplicando y dividiendo cada área por t_i-t_{i-1} da

$$A_n = \sum_{i=1}^{n} y\left(x\left(\overline{t}_i\right)\right)\left(\frac{x\left(t_i\right)-x\left(t_{i-1}\right)}{t_i-t_{i-1}}\right)\left(t_i-t_{i-1}\right) = \sum_{i=1}^{n} y\left(x\left(\overline{t}_i\right)\right)\left(\frac{x\left(t_i\right)-x\left(t_{i-1}\right)}{\Delta t}\right)\Delta t.$$

Si tomamos el límite a medida que n se acerca al infinito da

$$A = \lim_{n\rightarrow\infty} A_n = \int_a^b y\left(t\right)x'\left(t\right)\,dt.$$

Si los valores de x es una función decreciente para $a \leq t \leq b$, una derivación similar mostrará que el área viene dada por

$$-\int_a^b y\left(t\right)x'\left(t\right)dt = \int_a^b y\left(t\right)x'\left(t\right)dt$$

Esto nos lleva al siguiente teorema.

Teorema 1.2

Área bajo una curva paramétrica

Considere la curva plana que no se interseca definida por las ecuaciones paramétricas

$$x = x\left(t\right), \quad y = y\left(t\right), \quad a \leq t \leq b$$

y asuma que $x\left(t\right)$ es diferenciable. El área bajo esta curva está dada por

$$A = \int_a^b y\left(t\right)x'\left(t\right)\,dt. \tag{1.3}$$

EJEMPLO 1.7

Cálculo del área bajo una curva paramétrica
Halle el área bajo la curva de la cicloide definida por las ecuaciones

$$x\left(t\right) = t - \operatorname{sen} t, \quad y\left(t\right) = 1 - \cos t, \quad 0 \leq t \leq 2\pi.$$

✓ **Solución**
Utilizando la Ecuación 1.3, tenemos

$$
\begin{aligned}
A &= \int_a^b y(t)\, x'(t)\, dt \\[4pt]
&= \int_0^{2\pi} (1 - \cos t)(1 - \cos t)\, dt \\[4pt]
&= \int_0^{2\pi} (1 - 2\cos t + \cos^2 t)\, dt \\[4pt]
&= \int_0^{2\pi} \left(1 - 2\cos t + \frac{1 + \cos 2t}{2} \right) dt \\[4pt]
&= \int_0^{2\pi} \left(\frac{3}{2} - 2\cos t + \frac{\cos 2t}{2} \right) dt \\[4pt]
&= \left. \frac{3t}{2} - 2\operatorname{sen} t + \frac{\operatorname{sen} 2t}{4} \right|_0^{2\pi} \\[4pt]
&= 3\pi.
\end{aligned}
$$

☑   1.7   Halle el área bajo la curva de la hipocicloide definida por las ecuaciones

$$x(t) = 3\cos t + \cos 3t, \quad y(t) = 3\operatorname{sen} t - \operatorname{sen} 3t, \quad 0 \le t \le \pi.$$

Longitud de arco de una curva paramétrica

Además de hallar el área bajo una curva paramétrica, a veces necesitamos hallar la longitud de arco de una curva paramétrica. En el caso de un segmento de línea, la longitud de arco es igual a la distancia entre los puntos extremos. Si una partícula viaja del punto A al punto B a lo largo de una curva, la distancia que recorre esa partícula es la longitud del arco. Para desarrollar una fórmula para la longitud de arco, comenzamos con una aproximación por segmentos de línea como se muestra en el siguiente gráfico.

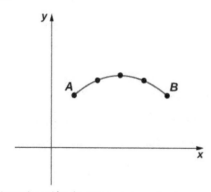

Figura 1.23 Aproximación de una curva mediante segmentos de línea.

Dada una curva plana definida por las funciones $x = x(t), y = y(t), a \le t \le b$, empezamos por dividir el intervalo $[a, b]$ en n subintervalos iguales: $t_0 = a < t_1 < t_2 < \cdots < t_n = b$. El ancho de cada subintervalo está dado por $\Delta t = (b-a)/n$. Podemos calcular la longitud de cada segmento de línea:

$$
\begin{aligned}
d_1 &= \sqrt{(x(t_1) - x(t_0))^2 + (y(t_1) - y(t_0))^2} \\[4pt]
d_2 &= \sqrt{(x(t_2) - x(t_1))^2 + (y(t_2) - y(t_1))^2} \text{ etc.}
\end{aligned}
$$

A continuación, súmelos. Suponemos que s denota la longitud de arco exacta y s_n denota la aproximación mediante n segmentos de línea:

$$s \approx \sum_{k=1}^{n} s_k = \sum_{k=1}^{n} \sqrt{\left(x(t_k) - x\left(t_{k-1}\right)\right)^2 + \left(y(t_k) - y\left(t_{k-1}\right)\right)^2}. \tag{1.4}$$

Si asumimos que $x(t)$ y de $y(t)$ son funciones diferenciables de t, entonces se aplica el teorema de valor medio ([Introducción a las aplicaciones de las derivadas (http://openstax.org/books/cálculo-volumen-1/pages/4-introduccion)](http://openstax.org/books/cálculo-volumen-1/pages/4-introduccion)), por lo que en cada subintervalo $[t_{k-1}, t_k]$ existen $\hat{t}_k$ y $\tilde{t}_k$ tal que

$$x(t_k) - x(t_{k-1}) = x'(\hat{t}_k)(t_k - t_{k-1}) = x'(\hat{t}_k)\,\Delta t$$
$$y(t_k) - y(t_{k-1}) = y'(\tilde{t}_k)(t_k - t_{k-1}) = y'(\tilde{t}_k)\,\Delta t.$$

Por lo tanto, la Ecuación 1.4 se convierte en

$$s \approx \sum_{k=1}^{n} s_k$$
$$= \sum_{k=1}^{n} \sqrt{(x'(\hat{t}_k)\,\Delta t)^2 + (y'(\tilde{t}_k)\,\Delta t)^2}$$
$$= \sum_{k=1}^{n} \sqrt{(x'(\hat{t}_k))^2(\Delta t)^2 + (y'(\tilde{t}_k))^2(\Delta t)^2}$$
$$= \left(\sum_{k=1}^{n} \sqrt{(x'(\hat{t}_k))^2 + (y'(\tilde{t}_k))^2} \right) \Delta t.$$

Se trata de una suma de Riemann que aproxima la longitud de arco sobre una partición del intervalo $[a, b]$. Si además asumimos que las derivadas son continuas y suponemos que el número de puntos de la partición aumenta sin límite, la aproximación se acerca a la longitud de arco exacta. Esto da

$$s = \lim_{n \to \infty} \sum_{k=1}^{n} s_k$$
$$= \lim_{n \to \infty} \left(\sum_{k=1}^{n} \sqrt{(x'(\hat{t}_k))^2 + (y'(\tilde{t}_k))^2} \right) \Delta t$$
$$= \int_{a}^{b} \sqrt{(x'(t))^2 + (y'(t))^2}\,dt.$$

Cuando se toma el límite, los valores de $\hat{t}_k$ y $\tilde{t}_k$ están contenidos en el mismo intervalo de ancho cada vez menor Δt, por lo que deben converger al mismo valor.

Podemos resumir este método en el siguiente teorema.

Teorema 1.3

Longitud de arco de una curva paramétrica
Considere la curva plana definida por las ecuaciones paramétricas

$$x = x(t), \quad y = y(t), \quad t_1 \le t \le t_2$$

y asuma que $x(t)$ y de $y(t)$ son funciones diferenciables de t. Entonces la longitud de arco de esta curva está dada por

$$s = \int_{t_1}^{t_2} \sqrt{\left(\frac{dx}{dt}\right)^2 + \left(\frac{dy}{dt}\right)^2}\,dt. \tag{1.5}$$

En este punto, una derivación lateral nos lleva a una fórmula previa para la longitud de arco. En particular, supongamos que se puede eliminar el parámetro, lo que resulta en una función $y = F(x)$. Entonces $y(t) = F(x(t))$ y la regla de la cadena da $y'(t) = F'(x(t))x'(t)$. Sustituyendo esto en la Ecuación 1.5 se obtiene

$$s = \int_{t_1}^{t_2} \sqrt{\left(\frac{dx}{dt}\right)^2 + \left(\frac{dy}{dt}\right)^2}\, dt$$

$$= \int_{t_1}^{t_2} \sqrt{\left(\frac{dx}{dt}\right)^2 + \left(F'\left(x\right)\frac{dx}{dt}\right)^2}\, dt$$

$$= \int_{t_1}^{t_2} \sqrt{\left(\frac{dx}{dt}\right)^2 \left(1 + \left(F'\left(x\right)\right)^2\right)}\, dt$$

$$= \int_{t_1}^{t_2} x'\left(t\right) \sqrt{1 + \left(\frac{dy}{dx}\right)^2}\, dt.$$

Aquí hemos asumido que $x'\left(t\right) > 0$, lo cual es una suposición razonable. La regla de la cadena da $dx = x'\left(t\right)\, dt$, y suponiendo que $a = x\left(t_1\right)$ y $b = x\left(t_2\right)$ obtenemos la fórmula

$$s = \int_a^b \sqrt{1 + \left(\frac{dy}{dx}\right)^2}\, dx,$$

que es la fórmula de la longitud de arco obtenida en la Introducción a las aplicaciones de la integración (http://openstax.org/books/cálculo-volumen-1/pages/6-introduccion).

EJEMPLO 1.8

Hallar la longitud de arco de una curva paramétrica
Halle la longitud de arco del semicírculo definido por las ecuaciones

$$x\left(t\right) = 3\cos t, \quad y\left(t\right) = 3\,\text{sen}\,t, \quad 0 \le t \le \pi.$$

⊘ **Solución**
Los valores $t = 0$ a $t = \pi$ trazan la curva roja en la Figura 1.23. Para determinar su longitud, utilice la Ecuación 1.5:

$$s = \int_{t_1}^{t_2} \sqrt{\left(\frac{dx}{dt}\right)^2 + \left(\frac{dy}{dt}\right)^2}\, dt$$

$$= \int_0^{\pi} \sqrt{\left(-3\,\text{sen}\,t\right)^2 + \left(3\cos t\right)^2}\, dt$$

$$= \int_0^{\pi} \sqrt{9\,\text{sen}^2 t + 9\cos^2 t}\, dt$$

$$= \int_0^{\pi} \sqrt{9\left(\text{sen}^2 t + \cos^2 t\right)}\, dt$$

$$= \int_0^{\pi} 3\, dt = 3t\big|_0^{\pi} = 3\pi.$$

Observe que la fórmula de la longitud de arco de un semicírculo es πr y el radio de este círculo es 3. Este es un gran ejemplo de cómo utilizar el cálculo para derivar una fórmula conocida de una cantidad geométrica.

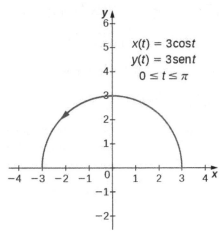

Figura 1.24   La longitud de arco del semicírculo es igual a su radio por π.

☑   1.8   Halle la longitud de arco de la curva definida por las ecuaciones

$$x(t) = 3t^2, \quad y(t) = 2t^3, \quad 1 \le t \le 3.$$

Volvemos ahora al problema planteado al principio de la sección sobre una pelota de béisbol que sale de la mano del lanzador. Ignorando el efecto de la resistencia del aire (¡a menos que sea una pelota curva!), la pelota recorre una trayectoria parabólica. Suponiendo que la mano del lanzador está en el origen y que la pelota se desplaza de izquierda a derecha en la dirección del eje x positivo, las ecuaciones paramétricas de esta curva pueden escribirse como

$$x(t) = 140t, \quad y(t) = -16t^2 + 2t$$

donde t representa el tiempo. Primero calculamos la distancia que recorre la pelota en función del tiempo. Esta distancia está representada por la longitud de arco. Podemos modificar ligeramente la fórmula de la longitud de arco. Primero hay que reescribir las funciones $x(t)$ y de $y(t)$ utilizando v como variable independiente, para eliminar cualquier confusión con el parámetro t:

$$x(v) = 140v, \quad y(v) = -16v^2 + 2v.$$

Luego escribimos la fórmula de la longitud de arco de la siguiente forma:

$$
\begin{aligned}
s(t) &= \int_0^t \sqrt{\left(\frac{dx}{dv}\right)^2 + \left(\frac{dy}{dv}\right)^2}\, dv \\
&= \int_0^t \sqrt{140^2 + (-32v + 2)^2}\, dv.
\end{aligned}
$$

La variable v actúa como una variable ficticia que desaparece después de la integración, dejando la longitud de arco en función del tiempo t. Para integrar esta expresión podemos utilizar una fórmula del Apéndice A,

$$\int \sqrt{a^2 + u^2}\, du = \frac{u}{2}\sqrt{a^2 + u^2} + \frac{a^2}{2}\ln\left|u + \sqrt{a^2 + u^2}\right| + C.$$

Hemos establecido $a = 140$ y $u = -32v + 2$. Esto da $du = -32dv$, así que $dv = -\frac{1}{32}du$. Por lo tanto

$$
\begin{aligned}
\int \sqrt{140^2 + (-32v + 2)^2}\, dv &= -\frac{1}{32}\int \sqrt{a^2 + u^2}\, du \\
&= -\frac{1}{32}\left[\begin{array}{l} \frac{(-32v+2)}{2}\sqrt{140^2 + (-32v+2)^2} \\ +\frac{140^2}{2}\ln\left|(-32v + 2) + \sqrt{140^2 + (-32v+2)^2}\right| \end{array}\right] + C
\end{aligned}
$$

y

$$s(t) = -\frac{1}{32}\left[\frac{(-32t+2)}{2}\sqrt{140^2+(-32t+2)^2} + \frac{140^2}{2}\ln\left|(-32t+2)+\sqrt{140^2+(-32t+2)^2}\right|\right]$$
$$+\frac{1}{32}\left[\sqrt{140^2+2^2}+\frac{140^2}{2}\ln\left|2+\sqrt{140^2+2^2}\right|\right]$$
$$=\left(\frac{t}{2}-\frac{1}{32}\right)\sqrt{1024t^2-128t+19604}-\frac{1.225}{4}\ln\left|(-32t+2)+\sqrt{1024t^2-128t+19604}\right|$$
$$+\frac{\sqrt{19604}}{32}+\frac{1.225}{4}\ln\left(2+\sqrt{19604}\right).$$

Esta función representa la distancia recorrida por la pelota en función del tiempo. Para calcular la velocidad, tome la derivada de esta función con respecto a *t*. Aunque esto puede parecer una tarea desalentadora, es posible obtener la respuesta directamente del teorema fundamental del cálculo:

$$\frac{d}{dx}\int_a^x f(u)\,du = f(x).$$

Por lo tanto,

$$s'(t) = \frac{d}{dt}[s(t)]$$
$$= \frac{d}{dt}\left[\int_0^t \sqrt{140^2+(-32v+2)^2}\,dv\right]$$
$$= \sqrt{140^2+(-32t+2)^2}$$
$$= \sqrt{1024t^2-128t+19604}$$
$$= 2\sqrt{256t^2-32t+4.901}.$$

Un tercio de segundo después de que la pelota salga de la mano del lanzador, la distancia que recorre es igual a

$$s\left(\frac{1}{3}\right) = \left(\frac{1/3}{2}-\frac{1}{32}\right)\sqrt{1024\left(\frac{1}{3}\right)^2-128\left(\frac{1}{3}\right)+19604}$$
$$-\frac{1.225}{4}\ln\left|\left(-32\left(\frac{1}{3}\right)+2\right)+\sqrt{1024\left(\frac{1}{3}\right)^2-128\left(\frac{1}{3}\right)+19604}\right|$$
$$+\frac{\sqrt{19604}}{32}+\frac{1.225}{4}\ln\left(2+\sqrt{19604}\right)$$
$$\approx 46{,}69 \text{ pies.}$$

Este valor se encuentra a poco más de tres cuartos del camino hacia la base del bateador. La velocidad de la pelota es

$$s'\left(\frac{1}{3}\right) = 2\sqrt{256\left(\frac{1}{3}\right)^2-16\left(\frac{1}{3}\right)+4.901} \approx 140{,}34 \text{ ft/s.}$$

Esta velocidad se traduce en unas 95 mph, una bola rápida de las grandes ligas.

Área superficial generada por una curva paramétrica

Recordemos el problema de hallar el área superficial de un volumen de revolución. En Longitud de la curva y área superficial (http://openstax.org/books/cálculo-volumen-1/pages/6-4-longitud-del-arco-de-una-curva-y-superficie), derivamos una fórmula para hallar el área superficial de un volumen generado por una función $y = f(x)$ de $x = a$ a $x = b$, que giraba alrededor del eje *x*:

$$S = 2\pi\int_a^b f(x)\sqrt{1+\left(f'(x)\right)^2}\,dx.$$

Ahora consideramos un volumen de revolución generado al girar una curva definida paramétricamente $x = x(t), y = y(t), a \le t \le b$ alrededor del eje *x* como se muestra en la siguiente figura.

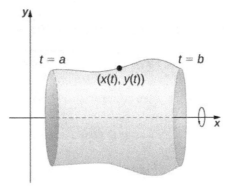

Figura 1.25 Una superficie de revolución generada por una curva definida paramétricamente.

La fórmula análoga para una curva definida paramétricamente es

$$S = 2\pi \int_a^b y(t) \sqrt{\left(x'(t)\right)^2 + \left(y'(t)\right)^2}\, dt \tag{1.6}$$

siempre que $y(t)$ no sea negativa en $[a, b]$.

EJEMPLO 1.9

Cálculo del área superficial

Halle el área superficial de una esfera de radio r centrada en el origen.

⊘ **Solución**

Partimos de la curva definida por las ecuaciones

$$x(t) = r\cos t, \quad y(t) = r\,\text{sen}\, t, \quad 0 \le t \le \pi.$$

Esto genera un semicírculo superior de radio r centrado en el origen como se muestra en el siguiente gráfico.

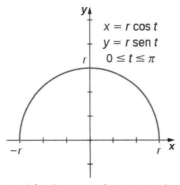

Figura 1.26 Un semicírculo generado por ecuaciones paramétricas.

Cuando esta curva gira alrededor del eje x, genera una esfera de radio r. Para calcular el área superficial de la esfera, utilizamos la Ecuación 1.6:

$$S = 2\pi \int_a^b y(t) \sqrt{\left(x'(t)\right)^2 + \left(y'(t)\right)^2}\,dt$$

$$= 2\pi \int_0^\pi r\,\text{sen}\,t \sqrt{(-r\,\text{sen}\,t)^2 + (r\cos t)^2}\,dt$$

$$= 2\pi \int_0^\pi r\,\text{sen}\,t \sqrt{r^2\,\text{sen}^2 t + r^2\cos^2 t}\,dt$$

$$= 2\pi \int_0^\pi r\,\text{sen}\,t \sqrt{r^2\left(\text{sen}^2 t + \cos^2 t\right)}\,dt$$

$$= 2\pi \int_0^\pi r^2\,\text{sen}\,t\,dt$$

$$= 2\pi r^2(-\cos t\big|_0^\pi)$$

$$= 2\pi r^2\left(-\cos \pi + \cos 0\right)$$

$$= 4\pi r^2.$$

Esta es, de hecho, la fórmula del área superficial de una esfera.

☑ 1.9   Halle el área superficial generada cuando la curva plana definida por las ecuaciones

$$x(t) = t^3, \quad y(t) = t^2, \quad 0 \le t \le 1$$

se gira alrededor del eje x.

SECCIÓN 1.2 EJERCICIOS

En los siguientes ejercicios, cada conjunto de ecuaciones paramétricas representa una línea. Sin eliminar el parámetro, halle la pendiente de cada línea.

62. $x = 3 + t, \ y = 1 - t$ **63.** $x = 8 + 2t, \ y = 1$ **64.** $x = 4 - 3t, \ y = -2 + 6t$

65. $x = -5t + 7, \ y = 3t - 1$

En los siguientes ejercicios, determine la pendiente de la línea tangente y, a continuación, halle la ecuación de la línea tangente en el valor dado del parámetro.

66. $x = 3\,\text{sen}\,t, \ y = 3\cos t, \quad t = \frac{\pi}{4}$ **67.** $x = \cos t, \ y = 8\,\text{sen}\,t, t = \frac{\pi}{2}$ **68.** $x = 2t, \ y = t^3, \quad t = -1$

69. $x = t + \frac{1}{t}, \ y = t - \frac{1}{t}, \quad t = 1$ **70.** $x = \sqrt{t}, \ y = 2t, \quad t = 4$

En los siguientes ejercicios, halle todos los puntos de la curva que tengan la pendiente dada.

71. $x = 4\cos t, \ y = 4\,\text{sen}\,t,$ pendiente = 0,5   **72.** $x = 2\cos t, \ y = 8\,\text{sen}\,t,$ pendiente = −1

73. $x = t + \frac{1}{t}, \ y = t - \frac{1}{t},$ pendiente = 1   **74.** $x = 2 + \sqrt{t}, \ y = 2 - 4t,$ pendiente = 0

En los siguientes ejercicios, escriba la ecuación de la línea tangente en coordenadas cartesianas para el parámetro t dado.

75. $x = e^{\sqrt{t}}, \quad y = 1 - \ln t^2, \quad t = 1$

76. $x = t \ln t, \quad y = \text{sen}^2 t, t = \frac{\pi}{4}$

77. $x = e^t, \quad y = (t-1)^2, \quad \text{en}(1,1)$ grandes.

78. Para $x = \text{sen}(2t), y = 2 \text{ sen } t$ donde $0 \le t < 2\pi$. Halle todos los valores de t en los que existe una línea tangente horizontal.

79. Para $x = \text{sen}(2t), y = 2 \text{ sen } t$ donde $0 \le t < 2\pi$. Halle todos los valores de t en los que existe una línea tangente vertical.

80. Halle todos los puntos de la curva $x = 4 \text{ sen}(t), y = 4 \cos(t)$ que tienen la pendiente 0,5

81. Halle $\frac{dy}{dx}$ para $x = \text{sen}(t), y = \cos(t)$.

82. Halle la ecuación de la línea tangente a $x = \text{sen}(t), y = \cos(t)$ en $t = \frac{\pi}{4}$.

83. Para la curva $x = 4t, y = 3t - 2$, halle la pendiente y la concavidad de la curva en $t = 3$.

84. Para la curva paramétrica cuya ecuación es $x = 4 \cos \theta, y = 4 \text{ sen } \theta$, halle la pendiente y la concavidad de la curva en $\theta = \frac{\pi}{4}$.

85. Halle la pendiente y la concavidad de la curva cuya ecuación es $x = 2 + \sec \theta, y = 1 + 2 \tan \theta$ en $\theta = \frac{\pi}{6}$.

86. Halle todos los puntos de la curva $x = t + 4, y = t^3 - 3t$ en los que hay tangentes verticales y horizontales.

87. Halle todos los puntos de la curva $x = \sec \theta, y = \tan \theta$ en los que hay tangentes horizontales y verticales.

En los siguientes ejercicios, calcule $d^2 y/dx^2$.

88. $x = t^4 - 1, \quad y = t - t^2$

89. $x = \text{sen}(\pi t), \quad y = \cos(\pi t)$ grandes.

90. $x = e^{-t}, \quad y = t\, e^{2t}$

En los siguientes ejercicios, halle los puntos de la curva en los que la línea tangente es horizontal o vertical.

91. $x = t(t^2 - 3), \quad y = 3(t^2 - 3)$

92. $x = \frac{3t}{1+t^3}, \quad y = \frac{3t^2}{1+t^3}$

En los siguientes ejercicios, calcule dy/dx al valor del parámetro.

93. $x = \cos t, \quad y = \text{sen } t, \quad t = \frac{3\pi}{4}$

94. $x = \sqrt{t}, \quad y = 2t + 4, \quad t = 9$

95. $x = 4 \cos(2\pi s), \quad y = 3 \text{ sen}(2\pi s), \quad s = -\frac{1}{4}$

En los siguientes ejercicios, calcule d^2y/dx^2 en el punto dado sin eliminar el parámetro.

96. $x = \frac{1}{2}t^2$, $y = \frac{1}{3}t^3$, $t = 2$ **97.** $x = \sqrt{t}$, $y = 2t + 4$, $t = 1$ **98.** Halle los intervalos t en los que la curva $x = 3t^2, y = t^3 - t$ es cóncava hacia arriba y hacia abajo.

99. Determine la concavidad de la curva $x = 2t + \ln t, y = 2t - \ln t$.

100. Dibuje y halle el área bajo un arco de la cicloide $x = r(\theta - \text{sen}\,\theta), y = r(1 - \cos\theta)$.

101. Halle el área delimitada por la curva $x = \cos t, y = e^t, 0 \le t \le \frac{\pi}{2}$ y las líneas $y = 1$ y $x = 0$.

102. Halle el área encerrada por la elipse $x = a\cos\theta, y = b\,\text{sen}\,\theta, 0 \le \theta < 2\pi$.

103. Halle el área de la región delimitada por $x = 2\,\text{sen}^2\theta, y = 2\,\text{sen}^2\theta\tan\theta$, para $0 \le \theta \le \frac{\pi}{2}$.

En los siguientes ejercicios, halle el área de las regiones delimitadas por las curvas paramétricas y los valores indicados del parámetro.

104. $x = 2\cot\theta, y = 2\,\text{sen}^2\theta, 0 \le \theta \le \pi$

105. **[T]**
$x = 2a\cos t - a\cos(2t), y = 2a\,\text{sen}\,t - a\,\text{sen}(2t), 0 \le t < 2\pi$

106. **[T]**
$x = a\,\text{sen}(2t), y = b\,\text{sen}(t), 0 \le t < 2\pi$
(el "reloj de arena")

107. **[T]**
$x = 2a\cos t - a\,\text{sen}(2t), y = b\,\text{sen}\,t, 0 \le t < 2\pi$
(la "lágrima")

En los siguientes ejercicios, halle la longitud de arco de la curva en el intervalo indicado del parámetro.

108. $x = 4t + 3$, $y = 3t - 2$, $0 \le t \le 2$

109. $x = \frac{1}{3}t^3$, $y = \frac{1}{2}t^2$, $0 \le t \le 1$

110. $x = \cos(2t)$, $y = \text{sen}(2t)$, $0 \le t \le \frac{\pi}{2}$

111. $x = 1 + t^2$, $y = (1 + t)^3$, $0 \le t \le 1$

112. $x = e^t\cos t$, $y = e^t\,\text{sen}\,t$, $0 \le t \le \frac{\pi}{2}$ (Utilice un CAS para esto y exprese la respuesta como un decimal redondeado a tres decimales).

113. $x = a\cos^3\theta, y = a\,\text{sen}^3\theta$ en el intervalo $[0, 2\pi)$ (la hipocicloide)

114. Halle la longitud de un arco de la cicloide $x = 4(t - \text{sen}\,t), y = 4(1 - \cos t)$.

115. Calcule la distancia recorrida por una partícula con posición (x, y) a medida que t varía en el intervalo de tiempo dado: $x = \text{sen}^2t$, $y = \cos^2t$, $0 \le t \le 3\pi$.

116. Halle la longitud de un arco de la cicloide $x = \theta - \text{sen}\,\theta, y = 1 - \cos\theta$.

117. Demuestre que la longitud total de la elipse $x = 4\,\text{sen}\,\theta, y = 3\cos\theta$ es
$$L = 16\int_0^{\pi/2}\sqrt{1 - e^2\,\text{sen}^2\theta}\,d\theta,$$
donde $e = \frac{c}{a}$ y $c = \sqrt{a^2 - b^2}$.

118. Calcule la longitud de la curva $x = e^t - t, y = 4e^{t/2}, -8 \le t \le 3$.

En los siguientes ejercicios, halle el área superficial que se obtiene cuando se gira la curva dada alrededor del eje x.

119. $x = t^3, \quad y = t^2, \quad 0 \le t \le 1$ **120.** $x = a\cos^3\theta, \quad y = a\operatorname{sen}^3\theta, \quad 0 \le \theta \le \frac{\pi}{2}$

121. **[T]** Utilice un CAS para hallar el área superficial generada al girar
$x = t + t^3, y = t - \frac{1}{t^2}, 1 \le t \le 2$
alrededor del eje *x*. (Respuesta redondeada a tres decimales).

122. Halle el área superficial obtenida al girar
$x = 3t^2, y = 2t^3, 0 \le t \le 5$
alrededor del eje *y*.

123. Halle el área superficial generada al girar
$x = t^2, y = 2t, 0 \le t \le 4$
alrededor del eje *x*.

124. Halle el área superficial generada al girar
$x = t^2, y = 2t^2, 0 \le t \le 1$
alrededor del eje *y*.

1.3 Coordenadas polares

Objetivos de aprendizaje

1.3.1 Localizar puntos en un plano utilizando coordenadas polares.
1.3.2 Convertir puntos entre coordenadas rectangulares y polares.
1.3.3 Dibujar curvas polares a partir de ecuaciones dadas.
1.3.4 Convertir ecuaciones entre coordenadas rectangulares y polares.
1.3.5 Identificar la simetría en curvas y ecuaciones polares.

El sistema de coordenadas rectangulares (o plano cartesiano) proporciona un medio para asignar puntos a pares ordenados y pares ordenados a puntos. Esto se llama un *mapeo biunívoco* de puntos en el plano a pares ordenados. El sistema de coordenadas polares ofrece un método alternativo para asignar puntos a pares ordenados. En esta sección vemos que, en algunas circunstancias, las coordenadas polares pueden ser más útiles que las coordenadas rectangulares.

Definición de coordenadas polares

Para hallar las coordenadas de un punto en el sistema de coordenadas polares, considere la Figura 1.27. El punto P tiene coordenadas cartesianas (x, y). El segmento de línea que conecta el origen con el punto P mide la distancia desde el origen hasta P y tiene longitud r. El ángulo entre el eje x positivo y el segmento de línea tiene medida θ. Esta observación sugiere una correspondencia natural entre el par de coordenadas (x, y) y los valores r y θ. Esta correspondencia es la base del **sistema de coordenadas polares**. Observe que cada punto del plano cartesiano tiene dos valores (de ahí el término *par ordenado*) asociados. En el sistema de coordenadas polares, cada punto tiene también dos valores asociados: r y θ.

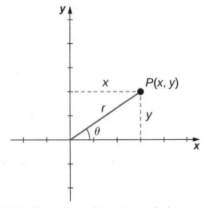

Figura 1.27 Un punto arbitrario en el plano cartesiano.

Utilizando la trigonometría del triángulo rectángulo, las siguientes ecuaciones son verdaderas para el punto P:

$$\cos \theta = \frac{x}{r} \text{ así que } x = r \cos \theta$$

$$\text{sen } \theta = \frac{y}{r} \text{ así que } y = r \text{ sen } \theta.$$

Además,

$$r^2 = x^2 + y^2 \text{ y tan } \theta = \frac{y}{x}.$$

Cada punto (x, y) en el sistema de coordenadas cartesianas puede representarse, por tanto, como un par ordenado (r, θ) en el sistema de coordenadas polares. La primera coordenada se llama **coordenada radial** y la segunda coordenada se llama **coordenada angular**. Cada punto del plano puede representarse de esta forma.

Observe que la ecuación $\tan \theta = y/x$ tiene un número infinito de soluciones para cualquier par ordenado (x, y). Sin embargo, si restringimos las soluciones a valores entre 0 y 2π entonces podemos asignar una solución única al cuadrante en el que el punto original (x, y) se encuentra. Entonces el valor correspondiente de r es positivo, por lo que $r^2 = x^2 + y^2$.

Teorema 1.4

Conversión de puntos entre sistemas de coordenadas
Dado un punto P en el plano con coordenadas cartesianas (x, y) y coordenadas polares (r, θ), las siguientes fórmulas de conversión son válidas:

$$x = r \cos \theta \text{ y } y = r \text{ sen } \theta, \tag{1.7}$$

$$r^2 = x^2 + y^2 \text{ y tan } \theta = \frac{y}{x}. \tag{1.8}$$

Estas fórmulas pueden utilizarse para convertir de coordenadas rectangulares a polares o de polares a rectangulares.

EJEMPLO 1.10

Conversión entre coordenadas rectangulares y polares
Convierta cada uno de los siguientes puntos en coordenadas polares.

a. $(1, 1)$ grandes.
b. $(-3, 4)$ grandes.
c. $(0, 3)$ grandes.
d. $(5\sqrt{3}, -5)$

Convierta cada uno de los siguientes puntos en coordenadas rectangulares.

d. $(3, \pi/3)$ grandes.
e. $(2, 3\pi/2)$ grandes.
f. $(6, -5\pi/6)$

⊘ **Solución**

a. Utilice la sustitución en $x = 1$ y $y = 1$ en la Ecuación 1.8:

$$\begin{aligned} r^2 &= x^2 + y^2 & \tan \theta &= \frac{y}{x} \\ &= 1^2 + 1^2 & \text{y} \qquad &= \frac{1}{1} = 1 \\ r &= \sqrt{2} & \theta &= \frac{\pi}{4}. \end{aligned}$$

Por lo tanto, este punto se puede representar como $\left(\sqrt{2}, \frac{\pi}{4}\right)$ en coordenadas polares.

b. Utilice la sustitución en $x = -3$ y $y = 4$ en la Ecuación 1.8:

$$r^2 = x^2 + y^2 \qquad\qquad \tan\theta = \frac{y}{x}$$
$$= (-3)^2 + (4)^2 \qquad \text{y} \qquad = -\frac{4}{3}$$
$$r = 5 \qquad\qquad\qquad \theta = -\arctan\left(\frac{4}{3}\right)$$
$$\approx 2.21.$$

Por lo tanto, este punto se puede representar como $(5, 2{,}21)$ en coordenadas polares.

c. Utilice la sustitución en $x = 0$ y $y = 3$ en la <u>Ecuación 1.8</u>:

$$r^2 = x^2 + y^2$$
$$= (3)^2 + (0)^2 \qquad\qquad \tan\theta = \frac{y}{x}$$
$$= 9 + 0 \qquad \text{y} \qquad\qquad = \frac{3}{0}.$$
$$r = 3$$

La aplicación directa de la segunda ecuación conduce a la división entre cero. Graficando el punto $(0, 3)$ en el sistema de coordenadas rectangulares revela que el punto está situado en el eje y positivo. El ángulo entre el eje x positivo y el eje y positivo es $\frac{\pi}{2}$. Por lo tanto, este punto se puede representar como $\left(3, \frac{\pi}{2}\right)$ en coordenadas polares.

d. Utilice la sustitución en $x = 5\sqrt{3}$ y $y = -5$ en la <u>Ecuación 1.8</u>:

$$r^2 = x^2 + y^2$$
$$\qquad\qquad\qquad \tan\theta = \frac{y}{x}$$
$$= \left(5\sqrt{3}\right)^2 + (-5)^2 \qquad \text{y} \qquad = \frac{-5}{5\sqrt{3}} = -\frac{\sqrt{3}}{3}$$
$$= 75 + 25$$
$$r = 10 \qquad\qquad\qquad \theta = -\frac{\pi}{6}.$$

Por lo tanto, este punto se puede representar como $\left(10, -\frac{\pi}{6}\right)$ en coordenadas polares.

e. Utilice la sustitución en $r = 3$ y $\theta = \frac{\pi}{3}$ en la <u>Ecuación 1.7</u>:

$$x = r\cos\theta \qquad\qquad y = r\operatorname{sen}\theta$$
$$= 3\cos\left(\frac{\pi}{3}\right) \qquad \text{y} \qquad = 3\operatorname{sen}\left(\frac{\pi}{3}\right)$$
$$= 3\left(\frac{1}{2}\right) = \frac{3}{2} \qquad\qquad = 3\left(\frac{\sqrt{3}}{2}\right) = \frac{3\sqrt{3}}{2}.$$

Por lo tanto, este punto se puede representar como $\left(\frac{3}{2}, \frac{3\sqrt{3}}{2}\right)$ en coordenadas rectangulares.

f. Utilice la sustitución en $r = 2$ y $\theta = \frac{3\pi}{2}$ en la <u>Ecuación 1.7</u>:

$$x = r\cos\theta \qquad\qquad y = r\operatorname{sen}\theta$$
$$= 2\cos\left(\frac{3\pi}{2}\right) \qquad \text{y} \qquad = 2\operatorname{sen}\left(\frac{3\pi}{2}\right)$$
$$= 2(0) = 0 \qquad\qquad = 2(-1) = -2.$$

Por lo tanto, este punto se puede representar como $(0, -2)$ en coordenadas rectangulares.

g. Utilice la sustitución en $r = 6$ y $\theta = -\frac{5\pi}{6}$ en la <u>Ecuación 1.7</u>:

$$x = r\cos\theta$$
$$\qquad\qquad\qquad y = r\operatorname{sen}\theta$$
$$= 6\cos\left(-\frac{5\pi}{6}\right)$$
$$\qquad\qquad\qquad = 6\operatorname{sen}\left(-\frac{5\pi}{6}\right)$$
$$= 6\left(-\frac{\sqrt{3}}{2}\right) \qquad \text{y} \qquad = 6\left(-\frac{1}{2}\right)$$
$$= -3\sqrt{3} \qquad\qquad\qquad = -3.$$

Por lo tanto, este punto se puede representar como $\left(-3\sqrt{3}, -3\right)$ en coordenadas rectangulares.

☑   1.10   Convierta $(-8, -8)$ en coordenadas polares y $\left(4, \frac{2\pi}{3}\right)$ en coordenadas rectangulares.

La representación polar de un punto no es única. Por ejemplo, las coordenadas polares $\left(2, \frac{\pi}{3}\right)$ y $\left(2, \frac{7\pi}{3}\right)$ representan ambas el punto $\left(1, \sqrt{3}\right)$ en el sistema rectangular. Además, el valor de *r* puede ser negativo. Por lo tanto, el punto con coordenadas polares $\left(-2, \frac{4\pi}{3}\right)$ también representa el punto $\left(1, \sqrt{3}\right)$ en el sistema rectangular, como podemos ver utilizando la Ecuación 1.8:

$$
\begin{aligned}
x &= r\cos\theta & & & y &= r\,\mathrm{sen}\,\theta \\
&= -2\cos\left(\frac{4\pi}{3}\right) & &\text{y} & &= -2\,\mathrm{sen}\left(\frac{4\pi}{3}\right) \\
&= -2\left(-\frac{1}{2}\right) = 1 & & & &= -2\left(-\frac{\sqrt{3}}{2}\right) = \sqrt{3}.
\end{aligned}
$$

Cada punto del plano tiene un número infinito de representaciones en coordenadas polares. Sin embargo, cada punto del plano solo tiene una representación en el sistema de coordenadas rectangulares.

Tenga en cuenta que la representación polar de un punto en el plano también tiene una interpretación visual. En particular, *r* es la distancia dirigida que el punto tiene al origen y *θ* mide el ángulo que forma el segmento de línea desde el origen hasta el punto con el eje *x* positivo. Los ángulos positivos se miden en el sentido contrario a las agujas del reloj y los negativos en el sentido de las agujas del reloj. El sistema de coordenadas polares aparece en la siguiente figura.

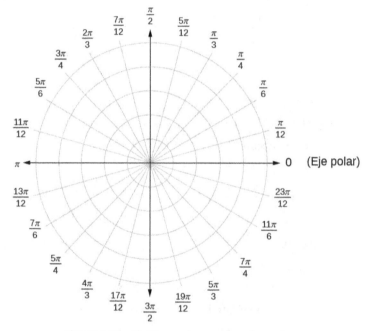

Figura 1.28   El sistema de coordenadas polares.

El segmento de línea que parte del centro del gráfico hacia la derecha (llamado eje *x* positivo en el sistema cartesiano) es el **eje polar**. El punto central es el **polo**, u origen, del sistema de coordenadas y corresponde a $r = 0$. El círculo más interno que se muestra en la Figura 1.28 contiene todos los puntos a una distancia de 1 unidad del polo, y está representado por la ecuación $r = 1$. Entonces $r = 2$ es el conjunto de puntos a 2 unidades del polo, y así sucesivamente. Los segmentos de línea que emanan del polo corresponden a ángulos fijos. Para trazar un punto en el sistema de coordenadas polares, comience con el ángulo. Si el ángulo es positivo, mida el ángulo desde el eje polar en sentido contrario a las agujas del reloj. Si es negativo, mida en el sentido de las agujas del reloj. Si el valor de *r* es positivo, mueve esa distancia a lo largo de la semirrecta del ángulo. Si es negativo, mueva a lo largo de la semirrecta opuesta a la semirrecta terminal del ángulo dado.

EJEMPLO 1.11

Trazado de puntos en el plano polar
Trace cada uno de los siguientes puntos en el plano polar.

a. $\left(2, \frac{\pi}{4}\right)$ grandes.

b. $\left(-3, \frac{2\pi}{3}\right)$ grandes.

c. $\left(4, \frac{5\pi}{4}\right)$

⊘ **Solución**

Los tres puntos se representan en la siguiente figura.

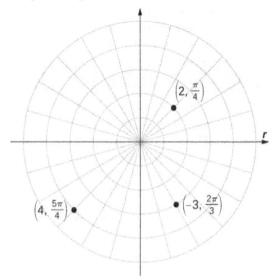

Figura 1.29   Tres puntos trazados en el sistema de coordenadas polares.

☑   1.11   Trace $\left(4, \frac{5\pi}{3}\right)$ y $\left(-3, -\frac{7\pi}{2}\right)$ en el plano polar.

Curvas polares

Ahora que sabemos cómo trazar puntos en el sistema de coordenadas polares, podemos hablar de cómo trazar curvas. En el sistema de coordenadas rectangulares, podemos graficar una función $y = f(x)$ y crear una curva en el plano cartesiano. De forma similar, podemos graficar una curva generada por una función $r = f(\theta)$.

La idea general de graficar una función en coordenadas polares es la misma que la de graficar una función en coordenadas rectangulares. Comience con una lista de valores para la variable independiente (θ en este caso) y calcule los valores correspondientes de la variable dependiente r. Este proceso genera una lista de pares ordenados, que pueden ser trazados en el sistema de coordenadas polares. Por último, conecte los puntos y aproveche los patrones que puedan aparecer. La función puede ser periódica, por ejemplo, lo que indica que solo se necesita un número limitado de valores para la variable independiente.

Estrategia de resolución de problemas

Estrategia de resolución de problemas: Trazado de una curva en coordenadas polares

1. Cree una tabla con dos columnas. La primera columna es para θ, y la segunda columna es para r.
2. Cree una lista de valores para θ.
3. Calcule los valores r correspondientes para cada θ.
4. Trace cada par ordenado (r, θ) en los ejes de coordenadas.
5. Conecte los puntos y busque un patrón.

▶   **MEDIOS**

Vea este video (http://www.openstax.org/l/20_polarcurves) para obtener más información sobre el trazado de curvas polares.

EJEMPLO 1.12

Graficar una función en coordenadas polares

Grafique la curva definida por la función $r = 4\operatorname{sen}\theta$. Identifique la curva y reescriba la ecuación en coordenadas rectangulares.

⊘ **Solución**

Como la función es un múltiplo de la función de seno, es periódica con periodo 2π, por lo que hay que utilizar los valores de θ entre 0 y 2π. El resultado de los pasos del 1 al 3 aparece en la siguiente tabla. La Figura 1.30 muestra el gráfico basado en esta tabla.

θ	$r = 4\operatorname{sen}\theta$	θ	$r = 4\operatorname{sen}\theta$
0	0	π	0
$\frac{\pi}{6}$	2	$\frac{7\pi}{6}$	-2
$\frac{\pi}{4}$	$2\sqrt{2} \approx 2,8$	$\frac{5\pi}{4}$	$-2\sqrt{2} \approx -2,8$
$\frac{\pi}{3}$	$2\sqrt{3} \approx 3,4$	$\frac{4\pi}{3}$	$-2\sqrt{3} \approx -3,4$
$\frac{\pi}{2}$	4	$\frac{3\pi}{2}$	-4
$\frac{2\pi}{3}$	$2\sqrt{3} \approx 3,4$	$\frac{5\pi}{3}$	$-2\sqrt{3} \approx -3,4$
$\frac{3\pi}{4}$	$2\sqrt{2} \approx 2,8$	$\frac{7\pi}{4}$	$-2\sqrt{2} \approx -2,8$
$\frac{5\pi}{6}$	2	$\frac{11\pi}{6}$	-2
		2π	0

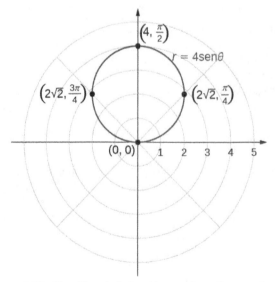

Figura 1.30   El gráfico de la función $r = 4\operatorname{sen}\theta$ es un círculo.

Este es el gráfico de un círculo. La ecuación $r = 4\operatorname{sen}\theta$ se puede convertir en coordenadas rectangulares multiplicando primero ambos lados por r. Esto da la ecuación $r^2 = 4r\operatorname{sen}\theta$. A continuación, utilice los hechos que $r^2 = x^2 + y^2$ y $y = r\operatorname{sen}\theta$. Esto da $x^2 + y^2 = 4y$. Para poner esta ecuación en forma estándar, reste $4y$ de ambos lados de la ecuación y complete el cuadrado:

$$\begin{aligned} x^2 + y^2 - 4y &= 0 \\ x^2 + \left(y^2 - 4y\right) &= 0 \\ x^2 + \left(y^2 - 4y + 4\right) &= 0 + 4 \\ x^2 + (y - 2)^2 &= 4. \end{aligned}$$

Esta es la ecuación de un círculo con radio 2 y centro $(0, 2)$ en el sistema de coordenadas rectangulares.

☑ 1.12   Cree un gráfico de la curva definida por la función $r = 4 + 4 \cos \theta$.

El gráfico en el Ejemplo 1.12 era el de un círculo. La ecuación del círculo puede transformarse en coordenadas rectangulares utilizando las fórmulas de transformación de coordenadas en la Ecuación 1.8. El Ejemplo 1.14 da algunos ejemplos más de funciones para transformar de coordenadas polares a rectangulares.

EJEMPLO 1.13

Transformación de ecuaciones polares a coordenadas rectangulares
Reescriba cada una de las siguientes ecuaciones en coordenadas rectangulares e identifique el gráfico.

a. $\theta = \frac{\pi}{3}$
b. $r = 3$
c. $r = 6 \cos \theta - 8 \operatorname{sen} \theta$

⊘ **Solución**

a. Tome la tangente de ambos lados. Esto da $\tan \theta = \tan(\pi/3) = \sqrt{3}$. Dado que $\tan \theta = y/x$ podemos sustituir el lado izquierdo de esta ecuación por y/x. Esto da como resultado $y/x = \sqrt{3}$, que se puede reescribir como $y = x\sqrt{3}$. Es la ecuación de una línea recta que pasa por el origen con pendiente $\sqrt{3}$. En general, cualquier ecuación polar de la forma $\theta = K$ representa una línea recta que pasa por el polo con pendiente igual a $\tan K$.

b. Primero, eleve al cuadrado ambos lados de la ecuación. Esto da $r^2 = 9$. Reemplace a continuación r^2 con $x^2 + y^2$. Esto da la ecuación $x^2 + y^2 = 9$, que es la ecuación de un círculo centrado en el origen con radio 3. En general, cualquier ecuación polar de la forma $r = k$ donde k es una constante positiva representa un círculo de radio k centrado en el origen. (*Nota*: Al elevar al cuadrado ambos lados de una ecuación es posible introducir nuevos puntos sin querer. Esto debe tenerse siempre en cuenta. Sin embargo, en este caso no introducimos puntos nuevos). Por ejemplo, $\left(-3, \frac{\pi}{3}\right)$ es el mismo punto que $\left(3, \frac{4\pi}{3}\right)$.)

c. Multiplique ambos lados de la ecuación por r. Esto lleva a $r^2 = 6r \cos \theta - 8r \operatorname{sen} \theta$. A continuación, utilice las fórmulas

$$r^2 = x^2 + y^2, \quad x = r \cos \theta, \quad y = r \operatorname{sen} \theta.$$

Esto da

$$\begin{aligned} r^2 &= 6\left(r \cos \theta\right) - 8\left(r \operatorname{sen} \theta\right) \\ x^2 + y^2 &= 6x - 8y. \end{aligned}$$

Para poner esta ecuación en forma estándar, primero hay que mover las variables del lado derecho de la ecuación al lado izquierdo, y luego completar el cuadrado.

$$\begin{aligned} x^2 + y^2 &= 6x - 8y \\ x^2 - 6x + y^2 + 8y &= 0 \\ \left(x^2 - 6x\right) + \left(y^2 + 8y\right) &= 0 \\ \left(x^2 - 6x + 9\right) + \left(y^2 + 8y + 16\right) &= 9 + 16 \\ (x - 3)^2 + (y + 4)^2 &= 25. \end{aligned}$$

Esta es la ecuación de un círculo con centro en $(3, -4)$ y radio 5. Observe que el círculo pasa por el origen ya que el centro está a 5 unidades.

✓ 1.13   Reescriba la ecuación $r = \sec\theta \tan\theta$ en coordenadas rectangulares e identifique su gráfico.

Ya hemos visto varios ejemplos de dibujo de gráficos de curvas definidas por **ecuaciones polares**. En las tablas siguientes se ofrece un resumen de algunas curvas comunes. En cada ecuación, *a* y *b* son constantes arbitrarias.

Nombre	Ecuación	Ejemplo
Línea que pasa por el polo con pendiente tan *K*	$\theta = K$	
Círculo	$r = a\cos\theta + b\mathrm{sen}\theta$	
Espiral	$r = a + b\theta$	

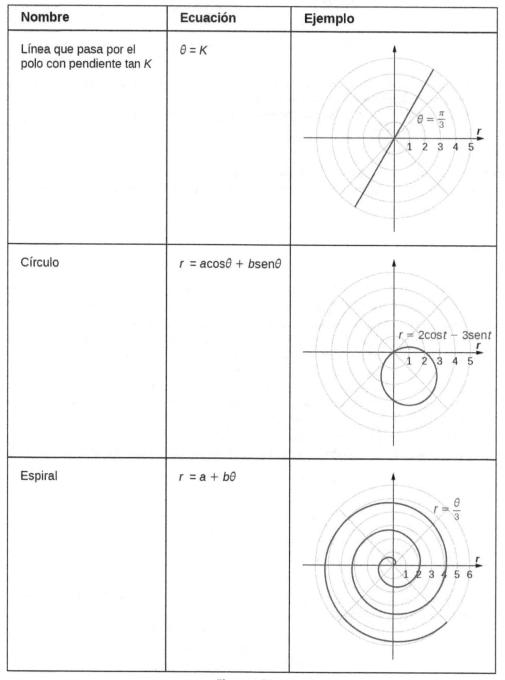

Figura 1.31

Nombre	Ecuación	Ejemplo
Cardioide	$r = a(1 + \cos\theta)$ $r = a(1 - \cos\theta)$ $r = a(1 + \operatorname{sen}\theta)$ $r = a(1 - \operatorname{sen}\theta)$	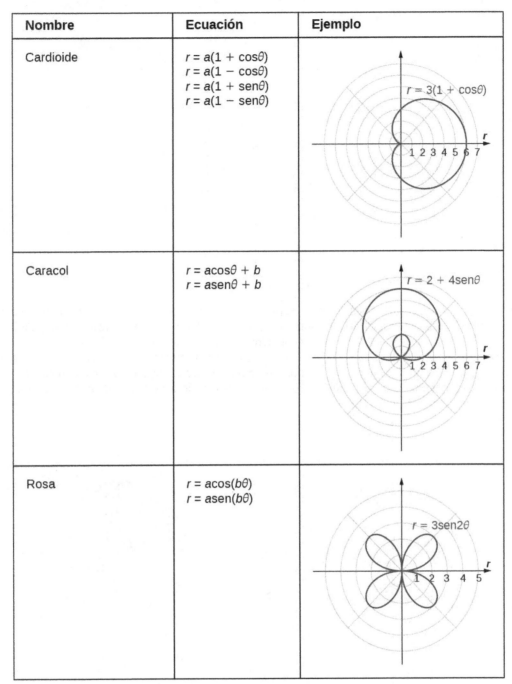
Caracol	$r = a\cos\theta + b$ $r = a\operatorname{sen}\theta + b$	
Rosa	$r = a\cos(b\theta)$ $r = a\operatorname{sen}(b\theta)$	

Figura 1.32

Una **cardioide** es un caso especial de un **caracol**, en el que $a = b$ o $a = -b$. La **rosa** es una curva muy interesante. Observe que el gráfico de $r = 3 \operatorname{sen} 2\theta$ tiene cuatro pétalos. Sin embargo, el gráfico de $r = 3 \operatorname{sen} 3\theta$ tiene tres pétalos como se muestra.

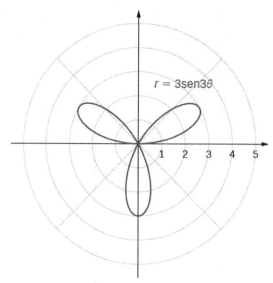

Figura 1.33   Gráfico de $r = 3$ sen 3θ.

Si el coeficiente de θ es par, el gráfico tiene el doble de pétalos que el coeficiente. Si el coeficiente de θ es impar, entonces el número de pétalos es igual al coeficiente. Se le anima a explorar por qué ocurre esto. Los gráficos son aún más interesantes cuando el coeficiente de θ no es un número entero. Por ejemplo, si es racional, entonces la curva es cerrada; es decir, termina finalmente donde empezó (Figura 1.34(a)). Sin embargo, si el coeficiente es irracional, la curva nunca se cierra (Figura 1.34(b)). Aunque pueda parecer que la curva está cerrada, un examen más detallado revela que los pétalos situados justo encima del eje x positivo son ligeramente más gruesos. Esto se debe a que el pétalo no coincide del todo con el punto de partida.

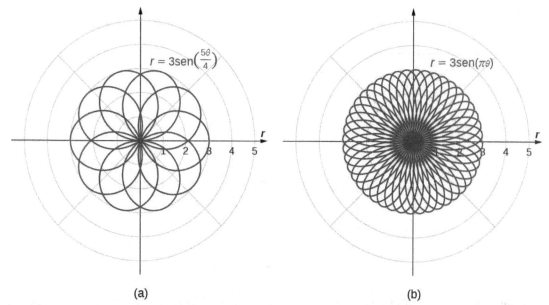

(a)   (b)

Figura 1.34   Gráficos de rosa polar de funciones con (a) coeficiente racional y (b) coeficiente irracional. Observe que la rosa de la parte (b) llenaría realmente todo el círculo si se trazara en su totalidad.

Dado que la curva definida por el gráfico de $r = 3$ sen $(\pi\theta)$ nunca se cierra, la curva representada en la Figura 1.34(b) es solo una representación parcial. De hecho, este es un ejemplo de **curva de relleno de espacio**. Una curva de relleno de espacio es aquella que de hecho ocupa un subconjunto bidimensional del plano real. En este caso la curva ocupa el círculo de radio 3 centrado en el origen.

EJEMPLO 1.14

Inicio del capítulo: Describir una espiral
Recordemos el Nautilus pompilius que se presentó en el primer capítulo. Esta criatura muestra una espiral cuando se

corta la mitad del caparazón exterior. Es posible describir una espiral utilizando coordenadas rectangulares. La Figura 1.35 muestra una espiral en coordenadas rectangulares. ¿Cómo podemos describir esta curva matemáticamente?

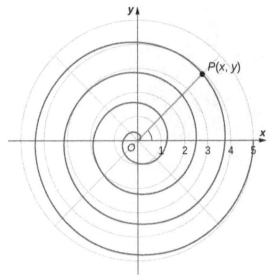

Figura 1.35   ¿Cómo podemos describir matemáticamente un gráfico en espiral?

⊘ **Solución**

A medida que el punto P recorre la espiral en sentido contrario a las agujas del reloj, su distancia d al origen aumenta. Supongamos que la distancia d es un múltiplo constante k del ángulo θ que el segmento de línea OP forma con el eje x positivo. Por lo tanto, $d(P, O) = k\theta$, donde O es el origen. Ahora utilice la fórmula de distancia y algo de trigonometría:

$$
\begin{aligned}
d(P, O) &= k\theta \\
\sqrt{(x-0)^2 + (y-0)^2} &= k \arctan\left(\tfrac{y}{x}\right) \\
\sqrt{x^2 + y^2} &= k \arctan\left(\tfrac{y}{x}\right) \\
\arctan\left(\tfrac{y}{x}\right) &= \frac{\sqrt{x^2+y^2}}{k} \\
y &= x \tan\left(\frac{\sqrt{x^2+y^2}}{k}\right).
\end{aligned}
$$

Si bien esta ecuación describe la espiral, no es posible resolverla directamente ni para x ni para y. Sin embargo, si utilizamos coordenadas polares, la ecuación se simplifica mucho. En particular, $d(P, O) = r$, y θ es la segunda coordenada. Por lo tanto, la ecuación de la espiral se convierte en $r = k\theta$. Tenga en cuenta que cuando $\theta = 0$ también tenemos $r = 0$, por lo que la espiral emana del origen. Podemos eliminar esta restricción añadiendo una constante a la ecuación. Entonces la ecuación de la espiral se convierte en $r = a + k\theta$ para constantes arbitrarias a y k. Se denomina espiral de Arquímedes, en honor al matemático griego Arquímedes.

Otro tipo de espiral es la espiral logarítmica, descrita por la función $r = a \cdot b^\theta$. Un gráfico de la función $r = 1{,}2\left(1{,}25^\theta\right)$ se encuentra en la Figura 1.36. Esta espiral describe la forma de la concha del *Nautilus pompilius*.

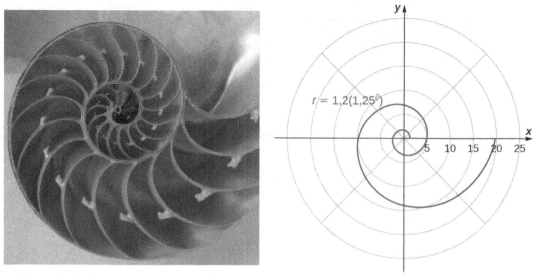

Figura 1.36 Una espiral logarítmica es similar a la forma de la concha del Nautilus pompilius (créditos: modificación del trabajo de Jitze Couperus, Flickr).

Supongamos que una curva se describe en el sistema de coordenadas polares mediante la función $r = f(\theta)$. Como tenemos fórmulas de conversión de coordenadas polares a rectangulares dadas por

$$x = r\cos\theta$$
$$y = r\,\mathrm{sen}\,\theta,$$

es posible reescribir estas fórmulas utilizando la función

$$x = f(\theta)\cos\theta$$
$$y = f(\theta)\,\mathrm{sen}\,\theta.$$

Este paso da una parametrización de la curva en coordenadas rectangulares utilizando θ como parámetro. Por ejemplo, la fórmula de la espiral $r = a + b\theta$ de la [Figura 1.31](#) se convierte en

$$x = (a + b\theta)\cos\theta$$
$$y = (a + b\theta)\,\mathrm{sen}\,\theta.$$

Suponiendo que θ va desde $-\infty$ a ∞, genera toda la espiral.

Simetría en coordenadas polares

Al estudiar la simetría de las funciones en coordenadas rectangulares (es decir, en la forma $y = f(x)$), hablamos de simetría con respecto al eje y y de simetría con respecto al origen. En particular, si $f(-x) = f(x)$ para todo x en el dominio de f, entonces f es una función par y su gráfico es simétrico con respecto al eje y. Si los valores de $f(-x) = -f(x)$ para todo x en el dominio de f, entonces f es una función impar y su gráfico es simétrico con respecto al origen. Al determinar qué tipos de simetría presenta un gráfico, podemos saber más sobre su forma y apariencia. La simetría también puede revelar otras propiedades de la función que genera el gráfico. La simetría en las curvas polares funciona de forma similar.

Teorema 1.5

Simetría en curvas y ecuaciones polares

Consideremos una curva generada por la función $r = f(\theta)$ en coordenadas polares.

  i.   La curva es simétrica respecto al eje polar si para cada punto (r, θ) en el gráfico, el punto $(r, -\theta)$ también está en el gráfico. Del mismo modo, la ecuación $r = f(\theta)$ no se modifica al sustituir θ con $-\theta$.
  ii. La curva es simétrica respecto al polo si para cada punto (r, θ) en el gráfico, el punto $(r, \pi + \theta)$ también está en el gráfico. Del mismo modo, la ecuación $r = f(\theta)$ no se modifica al sustituir r con $-r$, o θ con $\pi + \theta$.

iii.   La curva es simétrica respecto a la línea vertical $\theta = \frac{\pi}{2}$ si para cada punto (r, θ) en el gráfico, el punto $(r, \pi - \theta)$ también está en el gráfico. Del mismo modo, la ecuación $r = f(\theta)$ no se modifica cuando θ se sustituye por $\pi - \theta$.

La siguiente tabla muestra ejemplos de cada tipo de simetría.

Simetría con respecto al eje polar: Para cada punto (r, θ) de la gráfica, existe también un punto reflejado directamente en el eje horizontal (polar).	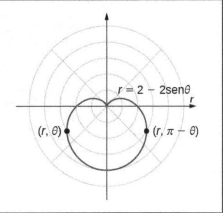
Simetría con respecto al polo: Para cada punto (r, θ) del gráfico, hay también un punto del gráfico que se refleja a través del polo también.	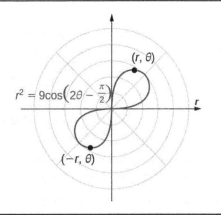
Simetría con respecto a la línea vertical $\theta \quad \frac{\pi}{2}$: Para cada punto (r, θ) de la gráfica, existe también un punto reflejado directamente en el eje vertical.	

EJEMPLO 1.15

Uso de la simetría para graficar una ecuación polar

Halle la simetría de la rosa definida por la ecuación $r = 3\,\mathrm{sen}\,(2\theta)$ y cree un gráfico.

⊘ **Solución**

Supongamos que el punto (r, θ) está en el gráfico de $r = 3\,\mathrm{sen}\,(2\theta)$.

i. Para comprobar la simetría con respecto al eje polar, intente primero sustituir θ con $-\theta$. Esto da
$r = 3\,\text{sen}\,(2\,(-\theta)) = -3\,\text{sen}\,(2\theta)$. Como esto cambia la ecuación original, esta prueba no se satisface. Sin embargo, volviendo a la ecuación original y sustituyendo r con $-r$ y θ con $\pi - \theta$ se obtiene

$$-r = 3\,\text{sen}\,(2\,(\pi - \theta))$$
$$-r = 3\,\text{sen}\,(2\pi - 2\theta)$$
$$-r = 3\,\text{sen}\,(-2\theta)$$
$$-r = -3\,\text{sen}\,2\theta.$$

Multiplicando ambos lados de esta ecuación por -1 da como resultado $r = 3\,\text{sen}\,2\theta$, que es la ecuación original. Esto demuestra que el gráfico es simétrico con respecto al eje polar.

ii. Para comprobar la simetría con respecto al polo, primero hay que sustituir r con $-r$, que da como resultado $-r = 3\,\text{sen}\,(2\theta)$. Multiplicando ambos lados por -1 se obtiene $r = -3\,\text{sen}\,(2\theta)$, que no coincide con la ecuación original. Por lo tanto, la ecuación no pasa la prueba de esta simetría. Sin embargo, volviendo a la ecuación original y sustituyendo θ con $\theta + \pi$ da como resultado

$$r = 3\,\text{sen}\,(2\,(\theta + \pi))$$
$$= 3\,\text{sen}\,(2\theta + 2\pi)$$
$$= 3\,(\text{sen}\,2\theta \cos 2\pi + \cos 2\theta \,\text{sen}\,2\pi)$$
$$= 3\,\text{sen}\,2\theta.$$

Como esto coincide con la ecuación original, el gráfico es simétrico respecto al polo.

iii. Para comprobar la simetría con respecto a la línea vertical $\theta = \frac{\pi}{2}$, sustituya primero ambos r con $-r$ y θ con $-\theta$.

$$-r = 3\,\text{sen}\,(2\,(-\theta))$$
$$-r = 3\,\text{sen}\,(-2\theta)$$
$$-r = -3\,\text{sen}\,2\theta.$$

Multiplicando ambos lados de esta ecuación por -1 da como resultado $r = 3\,\text{sen}\,2\theta$, que es la ecuación original. Por lo tanto, el gráfico es simétrico respecto a la línea vertical $\theta = \frac{\pi}{2}$.

Este gráfico tiene simetría con respecto al eje polar, el origen y la línea vertical que pasa por el polo. Para graficar la función, tabule los valores de θ entre 0 y $\pi/2$ y luego refleje el gráfico resultante.

θ	r
0	0
$\frac{\pi}{6}$	$\frac{3\sqrt{3}}{2} \approx 2{,}6$
$\frac{\pi}{4}$	3
$\frac{\pi}{3}$	$\frac{3\sqrt{3}}{2} \approx 2{,}6$
$\frac{\pi}{2}$	0

Esto da un pétalo de la rosa, como se muestra en el siguiente gráfico.

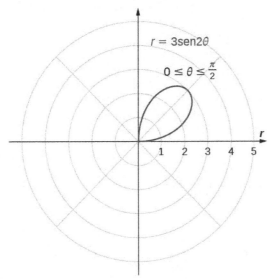

Figura 1.37   El gráfico de la ecuación entre $\theta = 0$ y $\theta = \pi/2$.

Reflejando esta imagen en los otros tres cuadrantes se obtiene el gráfico completo que se muestra.

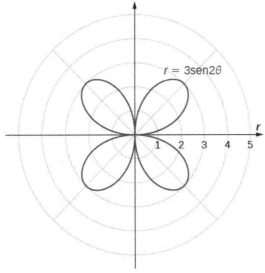

Figura 1.38   El gráfico completa de la ecuación se llama rosa de cuatro pétalos.

☑   1.14   Determine la simetría del gráfico determinado por la ecuación $r = 2\cos(3\theta)$ y cree un gráfico.

📋 SECCIÓN 1.3 EJERCICIOS

En los siguientes ejercicios, trace el punto cuyas coordenadas polares están dadas construyendo primero el ángulo θ y luego marcando la distancia r a lo largo del rayo.

125. $\left(3, \frac{\pi}{6}\right)$

126. $\left(-2, \frac{5\pi}{3}\right)$ grandes.

127. $\left(0, \frac{7\pi}{6}\right)$

128. $\left(-4, \frac{3\pi}{4}\right)$ grandes.

129. $\left(1, \frac{\pi}{4}\right)$

130. $\left(2, \frac{5\pi}{6}\right)$ grandes.

131. $\left(1, \frac{\pi}{2}\right)$

En los siguientes ejercicios, considere el gráfico polar que aparece a continuación. Da dos conjuntos de coordenadas polares para cada punto.

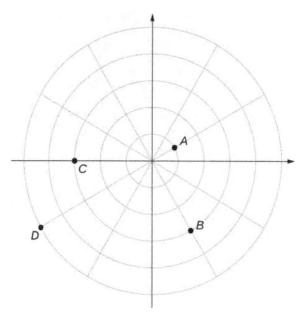

132. Coordenadas del punto *A*.   **133.** Coordenadas del punto *B*.   **134.** Coordenadas del punto *C*.

135. Coordenadas del punto *D*.

En los siguientes ejercicios, se dan las coordenadas rectangulares de un punto. Halle dos conjuntos de coordenadas polares para el punto en $(0, 2\pi]$. Redondee a tres decimales.

136. (2, 2) grandes.   **137.** (3, −4) grandes.   **138.** (8, 15) grandes.

139. (−6, 8) grandes.   **140.** (4, 3) grandes.   **141.** $\left(3, -\sqrt{3}\right)$ grandes.

En los siguientes ejercicios, halle las coordenadas rectangulares para el punto dado en coordenadas polares.

142. $\left(2, \frac{5\pi}{4}\right)$ grandes.   **143.** $\left(-2, \frac{\pi}{6}\right)$ grandes.   **144.** $\left(5, \frac{\pi}{3}\right)$ grandes.

145. $\left(1, \frac{7\pi}{6}\right)$ grandes.   **146.** $\left(-3, \frac{3\pi}{4}\right)$ grandes.   **147.** $\left(0, \frac{\pi}{2}\right)$ grandes.

148. $(-4,5, 6,5)$

En los siguientes ejercicios, determine si los gráficos de la ecuación polar son simétricos respecto al eje x, al eje y o al origen.

149. $r = 3 \operatorname{sen}(2\theta)$ **150.** $r^2 = 9\cos\theta$ **151.** $r = \cos\left(\frac{\theta}{5}\right)$

152. $r = 2 \operatorname{s}\theta$ **153.** $r = 1 + \cos\theta$

En los siguientes ejercicios, describa el gráfico de cada ecuación polar. Confirme cada descripción convirtiéndola en una ecuación rectangular.

154. $r = 3$

155. $\theta = \frac{\pi}{4}$

156. $r = \sec \theta$

157. $r = \csc \theta$

En los siguientes ejercicios, convierta la ecuación rectangular en forma polar y dibuje su gráfico.

158. $x^2 + y^2 = 16$

159. $x^2 - y^2 = 16$

160. $x = 8$

En los siguientes ejercicios, convierta la ecuación rectangular en forma polar y dibuje su gráfico.

161. $3x - y = 2$

162. $y^2 = 4x$

En los siguientes ejercicios, convierta la ecuación polar en forma rectangular y dibuje su gráfico.

163. $r = 4 \operatorname{sen} \theta$

164. $r = 6 \cos \theta$

165. $r = \theta$

166. $r = \cot \theta \csc \theta$

En los siguientes ejercicios, dibuje un gráfico de la ecuación polar e identifique cualquier simetría.

167. $r = 1 + \operatorname{sen} \theta$

168. $r = 3 - 2 \cos \theta$

169. $r = 2 - 2 \operatorname{sen} \theta$

170. $r = 5 - 4 \operatorname{sen} \theta$

171. $r = 3 \cos (2\theta)$

172. $r = 3 \operatorname{sen} (2\theta)$ grandes.

173. $r = 2 \cos (3\theta)$

174. $r = 3 \cos \left(\frac{\theta}{2} \right)$ grandes.

175. $r^2 = 4 \cos (2\theta)$

176. $r^2 = 4 \operatorname{sen} \theta$

177. $r = 2\theta$

178. **[T]** El gráfico de $r = 2 \cos(2\theta)\sec(\theta)$. se denomina *estrofoide*. Utilice una herramienta gráfica para dibujar el gráfico y, a partir de este, determine la asíntota.

179. **[T]** Utilice una herramienta gráfica y dibuje el gráfico de $r = \frac{6}{2 \operatorname{sen} \theta - 3 \cos \theta}$.

180. **[T]** Utilice una herramienta gráfica para graficar $r = \frac{1}{1 - \cos \theta}$.

181. **[T]** Utilice un dispositivo tecnológico para graficar $r = e^{\operatorname{sen}(\theta)} - 2 \cos (4\theta)$.

182. **[T]** Utilice un dispositivo tecnológico para graficar $r = \operatorname{sen} \left(\frac{3\theta}{7} \right)$ (utilice el intervalo $0 \leq \theta \leq 14\pi$).

183. Sin utilizar ningún dispositivo tecnológico, dibuje la curva polar $\theta = \frac{2\pi}{3}$.

184. **[T]** Utilice una herramienta gráfica para trazar $r = \theta \operatorname{sen} \theta$ para $-\pi \leq \theta \leq \pi$.

185. **[T]** Utilice un dispositivo tecnológico para graficar $r = e^{-0,1\theta}$ para $-10 \leq \theta \leq 10$.

186. **[T]** Hay una curva conocida como el "*agujero negro*". Utilice un dispositivo tecnológico para trazar $r = e^{-0,01\theta}$ para $-100 \leq \theta \leq 100$.

187. **[T]** Utilice los resultados de los dos problemas anteriores para explorar los gráficos de $r = e^{-0,001\theta}$ y $r = e^{-0,0001\theta}$ para $|\theta| > 100$.

1.4 Área y longitud de arco en coordenadas polares

Objetivos de aprendizaje

> 1.4.1   Aplicar la fórmula del área de una región en coordenadas polares.
>
> 1.4.2   Determinar la longitud de arco de una curva polar.

En el sistema de coordenadas rectangulares, la integral definida proporciona una forma de calcular el área bajo una curva. En particular, si tenemos una función $y = f(x)$ definida a partir de $x = a$ a $x = b$ donde $f(x) > 0$ en este intervalo, el área entre la curva y el eje x está dada por $A = \int_{a}^{b} f(x)\, dx$. Este hecho, junto con la fórmula para evaluar esta integral, se resume en el teorema fundamental del cálculo. Del mismo modo, la longitud de arco de esta curva está dada por $L = \int_{a}^{b} \sqrt{1 + \left(f'(x)\right)^2}\, dx$. En esta sección, estudiamos fórmulas análogas para el área y la longitud de arco en el sistema de coordenadas polares.

Áreas de regiones delimitadas por curvas polares

Hemos estudiado las fórmulas del área bajo una curva definida en coordenadas rectangulares y de las curvas definidas paramétricamente. Ahora nos centraremos en derivar una fórmula para el área de una región delimitada por una curva polar. Recordemos que en la demostración del teorema fundamental del cálculo se utilizó el concepto de suma de Riemann para aproximar el área bajo una curva utilizando rectángulos. Para las curvas polares volvemos a utilizar la suma de Riemann, pero los rectángulos se sustituyen por sectores de un círculo.

Consideremos una curva definida por la función $r = f(\theta)$, donde $\alpha \leq \theta \leq \beta$. Nuestro primer paso es dividir el intervalo $[\alpha, \beta]$ en n subintervalos de igual ancho. El ancho de cada subintervalo está dado por la fórmula $\Delta\theta = (\beta - \alpha)/n$, y el i-ésimo punto de partición θ_i está dado por la fórmula $\theta_i = \alpha + i\Delta\theta$. Cada punto de partición $\theta = \theta_i$ define una línea con pendiente $\tan\theta_i$ que pasa por el polo como se muestra en el siguiente gráfico.

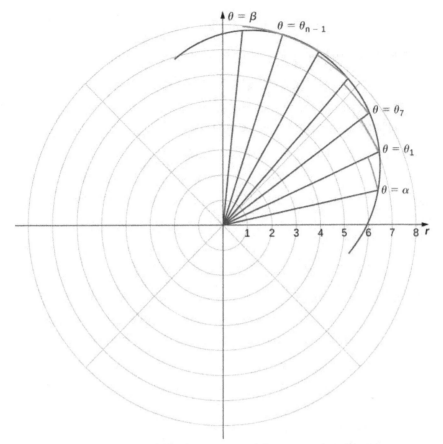

Figura 1.39   Una partición de una curva típica en coordenadas polares.

Los segmentos de la línea están conectados por arcos de radio constante. Esto define sectores cuyas áreas pueden calcularse mediante una fórmula geométrica. El área de cada sector se utiliza entonces para aproximar el área entre los segmentos de línea sucesivos. A continuación, sumamos las áreas de los sectores para aproximarnos al área total. Este enfoque da una aproximación de la suma de Riemann para el área total. La fórmula del área de un sector del círculo se ilustra en la siguiente figura.

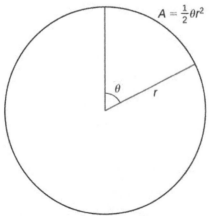

Figura 1.40   El área de un sector de un círculo está dada por $A = \frac{1}{2}\theta r^2$.

Recordemos que el área de un círculo es $A = \pi r^2$. Al medir los ángulos en radianes, 360 grados es igual a 2π radianes. Por lo tanto, una fracción de un círculo se puede medir por el ángulo central θ. La fracción del círculo está dada por $\frac{\theta}{2\pi}$, por lo que el área del sector es esta fracción multiplicada por el área total:

$$A = \left(\frac{\theta}{2\pi} \right) \pi r^2 = \frac{1}{2}\theta r^2.$$

Dado que el radio de un sector típico en la Figura 1.39 está dado por $r_i = f(\theta_i)$, el área del i-ésimo sector está dada por

$$A_i = \frac{1}{2}(\Delta\theta)(f(\theta_i))^2.$$

Por lo tanto, una suma de Riemann que aproxima el área está dada por

$$A_n = \sum_{i=1}^{n} A_i \approx \sum_{i=1}^{n} \frac{1}{2}(\Delta\theta)(f(\theta_i))^2.$$

Tomamos el límite a medida que $n \to \infty$ para obtener el área exacta:

$$A = \lim_{n\to\infty} A_n = \frac{1}{2}\int_{\alpha}^{\beta}(f(\theta))^2 d\theta.$$

Esto da el siguiente teorema.

Teorema 1.6

Área de una región delimitada por una curva polar
Supongamos que f es continua y no negativa en el intervalo $\alpha \le \theta \le \beta$ con $0 < \beta - \alpha \le 2\pi$. El área de la región delimitada por el gráfico de $r = f(\theta)$ entre las líneas radiales $\theta = \alpha$ y $\theta = \beta$ es

$$A = \frac{1}{2}\int_{\alpha}^{\beta}[f(\theta)]^2 d\theta = \frac{1}{2}\int_{\alpha}^{\beta} r^2 d\theta. \tag{1.9}$$

EJEMPLO 1.16

Hallar el área de una región polar
Halle el área de un pétalo de la rosa definida por la ecuación $r = 3\,\mathrm{sen}\,(2\theta)$.

⊘ **Solución**
El gráfico de $r = 3\,\mathrm{sen}\,(2\theta)$ es el siguiente.

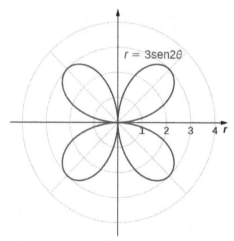

$r = 3\mathrm{sen}2\theta$

Figura 1.41 El gráfico de $r = 3\,\mathrm{sen}\,(2\theta)$.

Cuando $\theta = 0$ tenemos $r = 3\,\mathrm{sen}\,(2(0)) = 0$. El siguiente valor para el que $r = 0$ es $\theta = \pi/2$. Esto se puede ver resolviendo la ecuación $3\,\mathrm{sen}(2\theta) = 0$ para θ. Por lo tanto, los valores $\theta = 0$ a $\theta = \pi/2$ traza el primer pétalo de la rosa. Para hallar el área dentro de este pétalo, utilice la Ecuación 1.9 con $f(\theta) = 3\,\mathrm{sen}\,(2\theta)$, $\alpha = 0$, y $\beta = \pi/2$:

$$A = \frac{1}{2} \int_{\alpha}^{\beta} [f(\theta)]^2 \, d\theta$$

$$= \frac{1}{2} \int_{0}^{\pi/2} [3 \operatorname{sen}(2\theta)]^2 \, d\theta$$

$$= \frac{1}{2} \int_{0}^{\pi/2} 9 \operatorname{sen}^2(2\theta) \, d\theta.$$

Para evaluar esta integral, utilice la fórmula $\operatorname{sen}^2 \alpha = (1 - \cos(2\alpha))/2$ con $\alpha = 2\theta$:

$$A = \frac{1}{2} \int_{0}^{\pi/2} 9 \operatorname{sen}^2(2\theta) \, d\theta$$

$$= \frac{9}{2} \int_{0}^{\pi/2} \frac{(1 - \cos(4\theta))}{2} \, d\theta$$

$$= \frac{9}{4} \left(\int_{0}^{\pi/2} 1 - \cos(4\theta) \, d\theta \right)$$

$$= \frac{9}{4} \left(\theta - \frac{\operatorname{sen}(4\theta)}{4} \right) \Big|_{0}^{\pi/2}$$

$$= \frac{9}{4} \left(\frac{\pi}{2} - \frac{\operatorname{sen} 2\pi}{4} \right) - \frac{9}{4} \left(0 - \frac{\operatorname{sen} 4(0)}{4} \right)$$

$$= \frac{9\pi}{8}.$$

☑ 1.15   Halle el área dentro de la cardioide definida por la ecuación $r = 1 - \cos \theta$.

El Ejemplo 1.16 implicaba hallar el área dentro de una curva. También podemos utilizar Área de una región delimitada por una curva polar para hallar el área entre dos curvas polares. Sin embargo, a menudo necesitamos hallar los puntos de intersección de las curvas y determinar qué función define la curva exterior o la curva interna entre estos dos puntos.

EJEMPLO 1.17

Hallar el área entre dos curvas polares
Halle el área fuera de la cardioide $r = 2 + 2 \operatorname{sen} \theta$ y dentro del círculo $r = 6 \operatorname{sen} \theta$.

⊘ **Solución**
Primero dibuje un gráfico que contenga ambas curvas como se muestra.

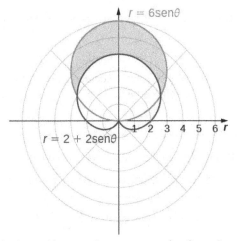

Figura 1.42   La región entre las curvas $r = 2 + 2 \operatorname{sen} \theta$ y $r = 6 \operatorname{sen} \theta$.

Para determinar los límites de la integración, primero hay que hallar los puntos de intersección fijando las dos funciones iguales entre sí y resolviendo para θ:

$$6\,\text{sen}\,\theta = 2 + 2\,\text{sen}\,\theta$$
$$4\,\text{sen}\,\theta = 2$$
$$\text{sen}\,\theta = \tfrac{1}{2}.$$

Esto da las soluciones $\theta = \frac{\pi}{6}$ y $\theta = \frac{5\pi}{6}$, que son los límites de la integración. El círculo $r = 3\,\text{sen}\,\theta$ es el gráfico rojo, que es la función exterior, y la cardioide $r = 2 + 2\,\text{sen}\,\theta$ es el gráfico azul, que es la función interna. Para calcular el área entre las curvas, comience con el área dentro del círculo entre $\theta = \frac{\pi}{6}$ y $\theta = \frac{5\pi}{6}$, luego reste el área dentro de la cardioide entre $\theta = \frac{\pi}{6}$ y $\theta = \frac{5\pi}{6}$:

$$A = \text{círculo} - \text{cardioide}$$
$$= \tfrac{1}{2}\int_{\pi/6}^{5\pi/6} [6\,\text{sen}\,\theta]^2\,d\theta - \tfrac{1}{2}\int_{\pi/6}^{5\pi/6} [2 + 2\,\text{sen}\,\theta]^2\,d\theta$$
$$= \tfrac{1}{2}\int_{\pi/6}^{5\pi/6} 36\,\text{sen}^2\theta\,d\theta - \tfrac{1}{2}\int_{\pi/6}^{5\pi/6} \left[4 + 8\,\text{sen}\,\theta + 4\,\text{sen}^2\theta\right]\,d\theta$$
$$= 18\int_{\pi/6}^{5\pi/6} \frac{1 - \cos(2\theta)}{2}\,d\theta - 2\int_{\pi/6}^{5\pi/6} \left[1 + 2\,\text{sen}\,\theta + \frac{1 - \cos(2\theta)}{2}\right]\,d\theta$$
$$= 9\left[\theta - \tfrac{\text{sen}(2\theta)}{2}\right]_{\pi/6}^{5\pi/6} - 2\left[\tfrac{3\theta}{2} - 2\cos\theta - \tfrac{\text{sen}(2\theta)}{4}\right]_{\pi/6}^{5\pi/6}$$
$$= 9\left(\tfrac{5\pi}{6} - \tfrac{\text{sen}\,2(5\pi/6)}{2}\right) - 9\left(\tfrac{\pi}{6} - \tfrac{\text{sen}\,2(\pi/6)}{2}\right)$$
$$\quad - \left(3\left(\tfrac{5\pi}{6}\right) - 4\cos\tfrac{5\pi}{6} - \tfrac{\text{sen}\,2(5\pi/6)}{2}\right) + \left(3\left(\tfrac{\pi}{6}\right) - 4\cos\tfrac{\pi}{6} - \tfrac{\text{sen}\,2(\pi/6)}{2}\right)$$
$$= 4\pi.$$

☑ 1.16   Halle el área dentro del círculo $r = 4\cos\theta$ y fuera del círculo $r = 2$.

En el Ejemplo 1.17 hallamos el área dentro del círculo y fuera de la cardioide hallando primero sus puntos de intersección. Observe que al resolver la ecuación directamente para θ ha aportado dos soluciones $\theta = \frac{\pi}{6}$ y $\theta = \frac{5\pi}{6}$. Sin embargo, en el gráfico hay tres puntos de intersección. El tercer punto de intersección es el origen. La razón por la que este punto no aparece como solución es porque el origen está en ambos gráficos pero para diferentes valores de θ. Por ejemplo, para la cardioide obtenemos

$$2 + 2\,\text{sen}\,\theta = 0$$
$$\text{sen}\,\theta = -1,$$

por lo que los valores de θ que resuelven esta ecuación son $\theta = \frac{3\pi}{2} + 2n\pi$, donde n es un número entero cualquiera. Para el círculo obtenemos

$$6\,\text{sen}\,\theta = 0.$$

Las soluciones de esta ecuación son de la forma $\theta = n\pi$ para cualquier valor entero de n. Estos dos conjuntos de soluciones no tienen puntos en común. Independientemente de este hecho, las curvas se cruzan en el origen. Este caso debe tenerse siempre en cuenta.

Longitud del arco en curvas polares

Aquí derivamos una fórmula para la longitud de arco de una curva definida en coordenadas polares.

En coordenadas rectangulares, la longitud de arco de una curva parametrizada $(x(t), y(t))$ para $a \leq t \leq b$ está dada por

$$L = \int_a^b \sqrt{\left(\frac{dx}{dt}\right)^2 + \left(\frac{dy}{dt}\right)^2}\,dt.$$

En coordenadas polares definimos la curva mediante la ecuación $r = f(\theta)$, donde $\alpha \leq \theta \leq \beta$. Para adaptar la fórmula de la longitud de arco para una curva polar, utilizamos las ecuaciones

$$x = r\cos\theta = f(\theta)\cos\theta \text{ y } y = r\,\text{sen}\,\theta = f(\theta)\,\text{sen}\,\theta,$$

y sustituimos el parámetro t por θ. Entonces

$$\frac{dx}{d\theta} = f'(\theta)\cos\theta - f(\theta)\operatorname{sen}\theta$$

$$\frac{dy}{d\theta} = f'(\theta)\operatorname{sen}\theta + f(\theta)\cos\theta.$$

Reemplazamos dt por $d\theta$, y los límites inferior y superior de integración son α y β, respectivamente. Entonces la fórmula de la longitud de arco se convierte en

$$
\begin{aligned}
L &= \int_a^b \sqrt{\left(\frac{dx}{dt}\right)^2 + \left(\frac{dy}{dt}\right)^2}\, dt \\
&= \int_\alpha^\beta \sqrt{\left(\frac{dx}{d\theta}\right)^2 + \left(\frac{dy}{d\theta}\right)^2}\, d\theta \\
&= \int_\alpha^\beta \sqrt{\left(f'(\theta)\cos\theta - f(\theta)\operatorname{sen}\theta\right)^2 + \left(f'(\theta)\operatorname{sen}\theta + f(\theta)\cos\theta\right)^2}\, d\theta \\
&= \int_\alpha^\beta \sqrt{\left(f'(\theta)\right)^2\left(\cos^2\theta + \operatorname{sen}^2\theta\right) + (f(\theta))^2\left(\cos^2\theta + \operatorname{sen}^2\theta\right)}\, d\theta \\
&= \int_\alpha^\beta \sqrt{\left(f'(\theta)\right)^2 + (f(\theta))^2}\, d\theta \\
&= \int_\alpha^\beta \sqrt{r^2 + \left(\frac{dr}{d\theta}\right)^2}\, d\theta.
\end{aligned}
$$

Esto nos da el siguiente teorema.

Teorema 1.7

Longitud de arco de una curva definida por una función polar
Supongamos que f es una función cuya derivada es continua en un intervalo $\alpha \le \theta \le \beta$. La longitud del gráfico de $r = f(\theta)$ de $\theta = \alpha$ a $\theta = \beta$ es

$$L = \int_\alpha^\beta \sqrt{[f(\theta)]^2 + [f'(\theta)]^2}\, d\theta = \int_\alpha^\beta \sqrt{r^2 + \left(\frac{dr}{d\theta}\right)^2}\, d\theta. \tag{1.10}$$

EJEMPLO 1.18

Hallar la longitud del arco de una curva polar
Halle la longitud de arco de la cardioide $r = 2 + 2\cos\theta$.

⊘ **Solución**
Cuando $\theta = 0$, $r = 2 + 2\cos 0 = 4$. Además, como θ va de 0 a 2π, la cardioide se traza exactamente una vez. Por lo tanto, estos son los límites de la integración. Al usar $f(\theta) = 2 + 2\cos\theta$, $\alpha = 0$, y $\beta = 2\pi$, la Ecuación 1.10 se convierte en

$$L = \int_{\alpha}^{\beta} \sqrt{[f(\theta)]^2 + [f'(\theta)]^2}\, d\theta$$

$$= \int_{0}^{2\pi} \sqrt{[2 + 2\cos\theta]^2 + [-2\operatorname{sen}\theta]^2}\, d\theta$$

$$= \int_{0}^{2\pi} \sqrt{4 + 8\cos\theta + 4\cos^2\theta + 4\operatorname{sen}^2\theta}\, d\theta$$

$$= \int_{0}^{2\pi} \sqrt{4 + 8\cos\theta + 4\left(\cos^2\theta + \operatorname{sen}^2\theta\right)}\, d\theta$$

$$= \int_{0}^{2\pi} \sqrt{8 + 8\cos\theta}\, d\theta$$

$$= 2\int_{0}^{2\pi} \sqrt{2 + 2\cos\theta}\, d\theta.$$

A continuación, utilizando la identidad $\cos(2\alpha) = 2\cos^2\alpha - 1$, sume 1 a ambos lados y multiplique por 2. Esto da $2 + 2\cos(2\alpha) = 4\cos^2\alpha$. Sustituyendo $\alpha = \theta/2$ da como resultado $2 + 2\cos\theta = 4\cos^2(\theta/2)$, por lo que la integral se convierte en

$$L = 2\int_{0}^{2\pi} \sqrt{2 + 2\cos\theta}\, d\theta$$

$$= 2\int_{0}^{2\pi} \sqrt{4\cos^2\left(\frac{\theta}{2}\right)}\, d\theta$$

$$= 2\int_{0}^{2\pi} 2\left|\cos\left(\frac{\theta}{2}\right)\right|\, d\theta.$$

El valor absoluto es necesario porque el coseno es negativo para algunos valores en su dominio. Para resolver este problema, cambie los límites de 0 a π y duplique la respuesta. Esta estrategia funciona porque el coseno es positivo entre 0 y $\frac{\pi}{2}$. Por lo tanto,

$$L = 4\int_{0}^{2\pi} \left|\cos\left(\frac{\theta}{2}\right)\right|\, d\theta$$

$$= 8\int_{0}^{\pi} \cos\left(\frac{\theta}{2}\right)\, d\theta$$

$$= 8\left(2\operatorname{sen}\left(\frac{\theta}{2}\right)\right)\Big|_{0}^{\pi}$$

$$= 16.$$

☑ 1.17   Halle la longitud de arco total de $r = 3\operatorname{sen}\theta$.

📋 **SECCIÓN 1.4 EJERCICIOS**

En los siguientes ejercicios, determine una integral definida que represente el área.

188. Región delimitada por $r = 4$

189. Región delimitada por $r = 3\operatorname{sen}\theta$

190. Región en el primer cuadrante dentro de la cardioide $r = 1 + \operatorname{sen}\theta$

191. Región delimitada por un pétalo de $r = 8\operatorname{sen}(2\theta)$ grandes.

192. Región delimitada por un pétalo de $r = \cos(3\theta)$

193. Región por debajo del eje polar y delimitada por $r = 1 - \operatorname{sen}\theta$

194. Región del primer cuadrante delimitada por $r = 2 - \cos\theta$

195. Región delimitada por el lazo interno de $r = 2 - 3\,\text{sen}\,\theta$

196. Región delimitada por el lazo interno de $r = 3 - 4\cos\theta$

197. Región delimitada por $r = 1 - 2\cos\theta$ y fuera del lazo interno

198. Región común a $r = 3\,\text{sen}\,\theta$ y $r = 2 - \text{sen}\,\theta$

199. Región común a $r = 2$ y $r = 4\cos\theta$

200. Región común a $r = 3\cos\theta$ y $r = 3\,\text{sen}\,\theta$

En los siguientes ejercicios, halle el área de la región descrita.

201. Delimitada por $r = 6\,\text{sen}\,\theta$

202. Por encima del eje polar delimitado por $r = 2 + \text{sen}\,\theta$

203. Por debajo del eje polar y delimitado por $r = 2 - \cos\theta$

204. Delimitada por un pétalo de $r = 4\cos(3\theta)$

205. Delimitada por un pétalo de $r = 3\cos(2\theta)$ grandes.

206. Delimitada por $r = 1 + \text{sen}\,\theta$

207. Delimitada por el lazo interno de $r = 3 + 6\cos\theta$

208. Delimitada por $r = 2 + 4\cos\theta$ y fuera del lazo interno

209. Interior común de $r = 4\,\text{sen}\,(2\theta)$ y $r = 2$

210. Interior común de $r = 3 - 2\,\text{sen}\,\theta$ y $r = -3 + 2\,\text{sen}\,\theta$

211. Interior común de $r = 6\,\text{sen}\,\theta$ y $r = 3$

212. Dentro de $r = 1 + \cos\theta$ y fuera de $r = \cos\theta$

213. Interior común de $r = 2 + 2\cos\theta$ y $r = 2\,\text{sen}\,\theta$

En los siguientes ejercicios, calcule una integral definida que represente la longitud del arco.

214. $r = 4\cos\theta$ en el intervalo $0 \le \theta \le \frac{\pi}{2}$

215. $r = 1 + \text{sen}\,\theta$ en el intervalo $0 \le \theta \le 2\pi$

216. $r = 2\,\text{s}\,\theta$ en el intervalo $0 \le \theta \le \frac{\pi}{3}$

217. $r = e^{\theta}$ en el intervalo $0 \le \theta \le 1$

En los siguientes ejercicios, halle la longitud de la curva en el intervalo dado.

218. $r = 6$ en el intervalo $0 \le \theta \le \frac{\pi}{2}$

219. $r = e^{3\theta}$ en el intervalo $0 \le \theta \le 2$

220. $r = 6\cos\theta$ en el intervalo $0 \le \theta \le \frac{\pi}{2}$

221. $r = 8 + 8\cos\theta$ en el intervalo $0 \le \theta \le \pi$

222. $r = 1 - \text{sen}\,\theta$ en el intervalo $0 \le \theta \le 2\pi$

En los siguientes ejercicios, utilice las funciones de integración de una calculadora para aproximar la longitud de la curva.

223. [T]
$r = 3\theta$ en el intervalo $0 \leq \theta \leq \frac{\pi}{2}$

224. [T]
$r = \frac{2}{\theta}$ en el intervalo $\pi \leq \theta \leq 2\pi$

225. [T]
$r = \text{sen}^2 \left(\frac{\theta}{2} \right)$ en el intervalo $0 \leq \theta \leq \pi$

226. [T]
$r = 2\theta^2$ en el intervalo $0 \leq \theta \leq \pi$

227. [T]
$r = \text{sen}\,(3 \cos \theta)$ en el intervalo $0 \leq \theta \leq \pi$

En los siguientes ejercicios, utilice la fórmula conocida en geometría para hallar el área de la región descrita y luego confirme utilizando la integral definida.

228. $r = 3 \,\text{sen}\,\theta$ en el intervalo $0 \leq \theta \leq \pi$

229. $r = \text{sen}\,\theta + \cos \theta$ en el intervalo $0 \leq \theta \leq \pi$

230. $r = 6 \,\text{sen}\,\theta + 8 \cos \theta$ en el intervalo $0 \leq \theta \leq \pi$

En los siguientes ejercicios, utilice la fórmula conocida en geometría para hallar la longitud de la curva y luego confirme utilizando la integral definida.

231. $r = 3 \,\text{sen}\,\theta$ en el intervalo $0 \leq \theta \leq \pi$

232. $r = \text{sen}\,\theta + \cos \theta$ en el intervalo $0 \leq \theta \leq \pi$

233. $r = 6 \,\text{sen}\,\theta + 8 \cos \theta$ en el intervalo $0 \leq \theta \leq \pi$

234. Compruebe que si
$y = r \,\text{sen}\,\theta = f(\theta)\text{sen}\,\theta$
entonces
$\frac{dy}{d\theta} = f'(\theta)\text{sen}\,\theta + f(\theta)\cos \theta$.

En los siguientes ejercicios, halle la pendiente de una línea tangente a una curva polar $r = f(\theta)$. Supongamos que $x = r \cos \theta = f(\theta)\cos \theta$ y $y = r \,\text{sen}\,\theta = f(\theta)\text{sen}\,\theta$, por lo que la ecuación polar $r = f(\theta)$ se escribe ahora en forma paramétrica.

235. Utilice la definición de la derivada $\frac{dy}{dx} = \frac{dy/d\theta}{dx/d\theta}$ y la regla del producto para calcular la derivada de una ecuación polar.

236. $r = 1 - \text{sen}\,\theta; \left(\frac{1}{2}, \frac{\pi}{6} \right)$ grandes.

237. $r = 4 \cos \theta; \left(2, \frac{\pi}{3} \right)$

238. $r = 8 \,\text{sen}\,\theta; \left(4, \frac{5\pi}{6} \right)$ grandes.

239. $r = 4 + \text{sen}\,\theta; \left(3, \frac{3\pi}{2} \right)$

240. $r = 6 + 3 \cos \theta; (3, \pi)$ grandes.

241. $r = 4 \cos (2\theta)$; puntas de las hojas

242. $r = 2 \,\text{sen}\,(3\theta)$; puntas de las hojas

243. $r = 2\theta; \left(\frac{\pi}{2}, \frac{\pi}{4} \right)$

244. Halle los puntos del intervalo $-\pi \le \theta \le \pi$ en los que la cardioide $r = 1 - \cos\theta$ tiene una línea tangente vertical u horizontal.

245. Para la cardioide $r = 1 + \operatorname{sen}\theta$, halle la pendiente de la línea tangente cuando $\theta = \frac{\pi}{3}$.

En los siguientes ejercicios, halle la pendiente de la línea tangente a la curva polar dada en el punto dado por el valor de θ.

246. $r = 3\cos\theta, \theta = \frac{\pi}{3}$

247. $r = \theta, \theta = \frac{\pi}{2}$

248. $r = \ln\theta, \theta = e$

249. **[T]** Utilice un dispositivo tecnológico:
$r = 2 + 4\cos\theta$ en $\theta = \frac{\pi}{6}$

En los siguientes ejercicios, halle los puntos en los que las siguientes curvas polares tienen una línea tangente horizontal o vertical.

250. $r = 4\cos\theta$

251. $r^2 = 4\cos(2\theta)$

252. $r = 2\operatorname{sen}(2\theta)$

253. La cardioide $r = 1 + \operatorname{sen}\theta$

254. Demuestre que la curva $r = \operatorname{sen}\theta\tan\theta$ (llamada *cisoide de Diocles*) tiene la línea $x = 1$ como asíntota vertical.

1.5 Secciones cónicas

Objetivos de aprendizaje

- 1.5.1 Identificar la ecuación de una parábola en forma estándar con foco y directriz dados.
- 1.5.2 Identificar la ecuación de una elipse en forma estándar con focos dados.
- 1.5.3 Identificar la ecuación de una hipérbola en forma estándar con focos dados.
- 1.5.4 Reconocer una parábola, elipse o hipérbola a partir de su valor de excentricidad.
- 1.5.5 Escribir la ecuación polar de una sección cónica con excentricidad e.
- 1.5.6 Identificar cuándo una ecuación general de grado dos es una parábola, una elipse o una hipérbola.

Las secciones cónicas se han estudiado desde la época de los antiguos griegos y se consideraban un concepto matemático importante. Ya en el año 320 a.C., matemáticos griegos como Menecmo, Apolonio y Arquímedes estaban fascinados por estas curvas. Apolonio escribió un tratado completo de ocho volúmenes sobre las secciones cónicas en el que, por ejemplo, fue capaz de derivar un método específico para identificar una sección cónica mediante el uso de la geometría. Desde entonces, han surgido importantes aplicaciones de las secciones cónicas (por ejemplo, en astronomía), y las propiedades de las secciones cónicas se utilizan en radiotelescopios, receptores de antenas parabólicas e incluso en arquitectura. En esta sección discutimos las tres secciones cónicas básicas, algunas de sus propiedades y sus ecuaciones.

Las secciones cónicas reciben su nombre porque pueden generarse mediante la intersección de un plano con un cono. Un cono tiene dos partes de forma idéntica denominadas **hojas**. Una hoja es lo que la mayoría de la gente entiende por "cono", con forma de sombrero de fiesta. Se puede generar un cono circular recto haciendo girar una línea que pasa por el origen alrededor del eje y, como se muestra.

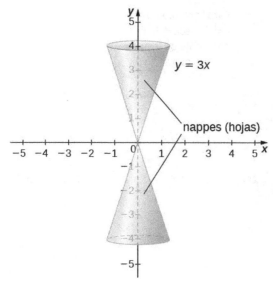

Figura 1.43   Un cono generado al girar la línea $y = 3x$ alrededor del eje y.

Las secciones cónicas se generan mediante la intersección de un plano con un cono (Figura 1.44). Si el plano es paralelo al eje de revolución (el eje y), la **sección cónica** es una hipérbola. Si el plano es paralelo a la línea generatriz, la sección cónica es una parábola. Si el plano es perpendicular al eje de revolución, la sección cónica es un círculo. Si el plano interseca una hoja en un ángulo con el eje (que no sea 90°), entonces la sección cónica es una elipse.

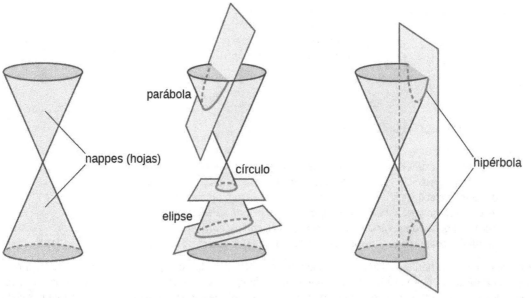

Figura 1.44   Las cuatro secciones cónicas. Cada sección cónica está determinada por el ángulo que forma el plano con el eje del cono.

Parábolas

Una parábola se genera cuando un plano interseca un cono paralelo en la línea generadora. En este caso, el plano interseca solo una de las hojas. Una parábola también puede definirse en términos de distancias.

> **Definición**
>
> Una parábola es el conjunto de todos los puntos cuya distancia a un punto fijo, llamado **foco**, es igual a la distancia a una línea fija, llamada **directriz**. El punto medio entre el foco y la directriz se llama **vértice** de la parábola.

El gráfico de una parábola típica aparece en la Figura 1.45. Utilizando este diagrama junto con la fórmula de la distancia, podemos derivar una ecuación para una parábola. Recordemos la fórmula de la distancia: Dado un punto P con coordenadas (x_1, y_1) y el punto Q con coordenadas (x_2, y_2), la distancia entre ellos está dada por la fórmula

$$d(P,Q) = \sqrt{(x_2 - x_1)^2 + (y_2 - y_1)^2}.$$

Entonces, a partir de la definición de parábola y de la <u>Figura 1.45</u>, obtenemos

$$d(F,P) = d(P,Q)$$
$$\sqrt{(0-x)^2 + (p-y)^2} = \sqrt{(x-x)^2 + (-p-y)^2}.$$

Elevando al cuadrado ambos lados y simplificando se obtiene

$$x^2 + (p-y)^2 = 0^2 + (-p-y)^2$$
$$x^2 + p^2 - 2py + y^2 = p^2 + 2py + y^2$$
$$x^2 - 2py = 2py$$
$$x^2 = 4py.$$

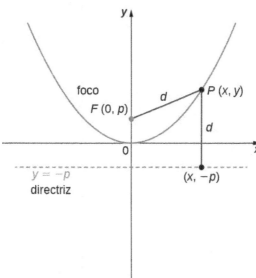

Figura 1.45   Una parábola típica en la que la distancia del foco al vértice está representada por la variable p.

Ahora supongamos que queremos reubicar el vértice. Utilizamos las variables (h, k) para denotar las coordenadas del vértice. Entonces, si el foco está directamente sobre el vértice, tiene coordenadas $(h, k + p)$ y la directriz tiene la ecuación $y = k - p$. Si se realiza la misma derivación se obtiene la fórmula $(x - h)^2 = 4p(y - k)$. Resolviendo esta ecuación para y se llega al siguiente teorema.

Teorema 1.8

Ecuaciones de las parábolas
Dada una parábola que se abre hacia arriba con el vértice situado en (h, k) y foco situado en $(h, k + p)$, donde p es una constante, la ecuación de la parábola está dada por

$$y = \frac{1}{4p}(x - h)^2 + k. \tag{1.11}$$

Esta es la **forma estándar** de una parábola.

También podemos estudiar los casos en que la parábola se abre hacia abajo o hacia la izquierda o la derecha. La ecuación para cada uno de estos casos también puede escribirse en forma estándar como se muestra en los siguientes gráficos.

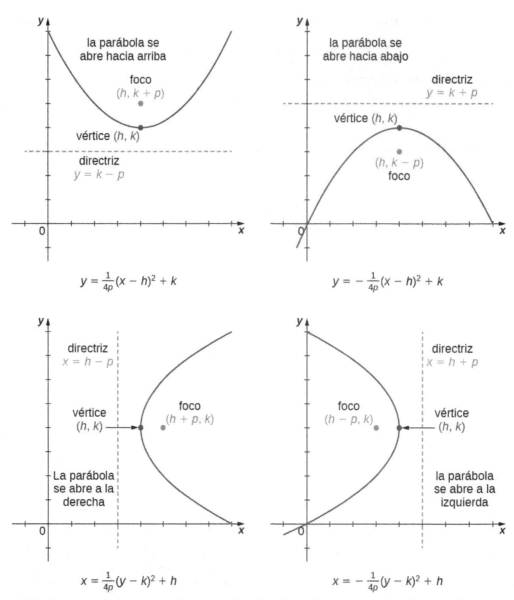

$$y = \frac{1}{4p}(x - h)^2 + k$$

$$y = -\frac{1}{4p}(x - h)^2 + k$$

$$x = \frac{1}{4p}(y - k)^2 + h$$

$$x = -\frac{1}{4p}(y - k)^2 + h$$

Figura 1.46 Cuatro parábolas, que se abren en varias direcciones, junto con sus ecuaciones en forma estándar.

Además, la ecuación de una parábola puede escribirse en la **forma general**, aunque en esta forma los valores de h, k y p no son inmediatamente reconocibles. La forma general de una parábola se escribe como

$$ax^2 + bx + cy + d = 0 \quad \text{o} \quad ay^2 + bx + cy + d = 0.$$

La primera ecuación representa una parábola que se abre hacia arriba o hacia abajo. La segunda ecuación representa una parábola que se abre hacia la izquierda o hacia la derecha. Para poner la ecuación en forma estándar, utilice el método de completar el cuadrado.

EJEMPLO 1.19

Conversión de la ecuación de una parábola de la forma general a la forma estándar

Escriba la ecuación $x^2 - 4x - 8y + 12 = 0$ en forma estándar y grafique la parábola resultante.

⊘ **Solución**

Como y no está elevada al cuadrado en esta ecuación, sabemos que la parábola se abre hacia arriba o hacia abajo. Por lo tanto, tenemos que resolver esta ecuación para y, lo que pondrá la ecuación en forma estándar. Para ello, sume primero $8y$ a ambos lados de la ecuación:

$$8y = x^2 - 4x + 12.$$

El siguiente paso es completar el cuadrado del lado derecho. Empiece por agrupar los dos primeros términos del lado derecho utilizando paréntesis:

$$8y = \left(x^2 - 4x\right) + 12.$$

A continuación, determine la constante que, sumada dentro del paréntesis, hace que la cantidad dentro del paréntesis sea un trinomio cuadrado perfecto. Para ello, se toma la mitad del coeficiente de x y se eleva al cuadrado. Esto da $\left(\frac{-4}{2}\right)^2 = 4$. Sume 4 dentro del paréntesis y reste 4 fuera del paréntesis, por lo que el valor de la ecuación no cambia:

$$8y = \left(x^2 - 4x + 4\right) + 12 - 4.$$

Ahora combine los términos semejantes y factorice la cantidad dentro del paréntesis:

$$8y = (x - 2)^2 + 8.$$

Por último, divida entre 8:

$$y = \frac{1}{8}(x - 2)^2 + 1.$$

Esta ecuación está ahora en forma estándar. Si se compara con la [Ecuación 1.11](#) se obtiene $h = 2$, $k = 1$, y $p = 2$. La parábola se abre, con vértice en $(2, 1)$, foco en $(2, 3)$, y directriz $y = -1$. El gráfico de esta parábola es el siguiente.

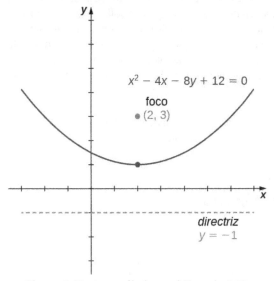

Figura 1.47   La parábola en el [Ejemplo 1.19](#).

☑ 1.18   Escriba la ecuación $2y^2 - x + 12y + 16 = 0$ en forma estándar y grafique la parábola resultante.

El eje de simetría de una parábola vertical (que se abre hacia arriba o hacia abajo) es una línea vertical que pasa por el vértice. La parábola tiene una propiedad interesante de reflexión. Supongamos que tenemos una antena parabólica con una sección transversal parabólica. Si un haz de ondas electromagnéticas, como la luz o las ondas de radio, llega a la antena parabólica en línea recta desde un satélite (paralelo al eje de simetría), las ondas se reflejan en la antena y se acumulan en el foco de la parábola, como se muestra.

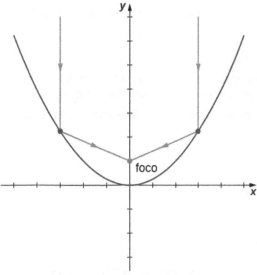

Consideremos una antena parabólica diseñada para recoger las señales de un satélite en el espacio. La antena parabólica se orienta directamente hacia el satélite y un receptor se sitúa en el foco de la parábola. Las ondas de radio procedentes del satélite se reflejan en la superficie de la parábola hasta el receptor, que recoge y descodifica las señales digitales. Esto permite que un pequeño receptor recoja señales de un ángulo amplio del cielo. Las linternas y los faros de los automóviles funcionan según el mismo principio, pero a la inversa: la fuente de luz (es decir, la bombilla) está situada en el foco y la superficie reflectante del espejo parabólico enfoca el haz de luz hacia delante. Esto permite que una pequeña bombilla ilumine un ángulo amplio de espacio delante de la linterna o del automóvil.

Elipses

Una elipse también puede definirse en términos de distancias. En el caso de una elipse, hay dos focos y dos directrices. Más adelante veremos las directrices con más detalle.

Definición

Una *elipse* es el conjunto de todos los puntos para los que la suma de sus distancias a dos puntos fijos (los focos) es constante.

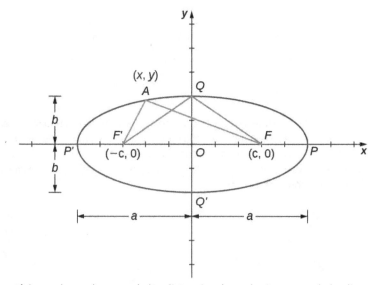

Figura 1.48 Una elipse típica en la que la suma de las distancias de cualquier punto de la elipse a los focos es constante.

El gráfico de una elipse típica se muestra en la Figura 1.48. En esta figura los focos están marcados como F y F'. Ambas están a la misma distancia fija del origen, y esta distancia se representa con la variable c. Por lo tanto, las coordenadas de F son $(c, 0)$ y las coordenadas de F' son $(-c, 0)$. Los puntos P y P' están situados en los extremos del **eje mayor** de la elipse, y tienen coordenadas $(a, 0)$ y $(-a, 0)$, respectivamente. El eje mayor es siempre la distancia más larga de la elipse y puede ser horizontal o vertical. Por tanto, la longitud del eje mayor de esta elipse es $2a$. Además, P y P' se llaman los vértices de la elipse. Los puntos Q y Q' están situados en los extremos del **eje menor** de la elipse, y tienen coordenadas $(0, b)$ y $(0, -b)$, respectivamente. El eje menor es la distancia más corta a través de la elipse. El eje menor es perpendicular al eje mayor.

Según la definición de la elipse, podemos elegir cualquier punto de la elipse y la suma de las distancias de este punto a los dos focos es constante. Supongamos que elegimos el punto P. Como las coordenadas del punto P son $(a, 0)$, la suma de las distancias es

$$d(P, F) + d\left(P, F'\right) = (a - c) + (a + c) = 2a.$$

Por tanto, la suma de las distancias desde un punto arbitrario A con coordenadas (x, y) también es igual a $2a$. Utilizando la fórmula de la distancia, obtenemos

$$d(A, F) + d\left(A, F'\right) = 2a$$
$$\sqrt{(x - c)^2 + y^2} + \sqrt{(x + c)^2 + y^2} = 2a.$$

Reste el segundo radical de ambos lados y eleve al cuadrado ambos lados:

$$\sqrt{(x - c)^2 + y^2} = 2a - \sqrt{(x + c)^2 + y^2}$$
$$(x - c)^2 + y^2 = 4a^2 - 4a\sqrt{(x + c)^2 + y^2} + (x + c)^2 + y^2$$
$$x^2 - 2cx + c^2 + y^2 = 4a^2 - 4a\sqrt{(x + c)^2 + y^2} + x^2 + 2cx + c^2 + y^2$$
$$-2cx = 4a^2 - 4a\sqrt{(x + c)^2 + y^2} + 2cx.$$

Ahora aísle el radical del lado derecho y vuelva a elevarlo al cuadrado:

$$-2cx = 4a^2 - 4a\sqrt{(x + c)^2 + y^2} + 2cx$$
$$4a\sqrt{(x + c)^2 + y^2} = 4a^2 + 4cx$$
$$\sqrt{(x + c)^2 + y^2} = a + \frac{cx}{a}$$
$$(x + c)^2 + y^2 = a^2 + 2cx + \frac{c^2 x^2}{a^2}$$
$$x^2 + 2cx + c^2 + y^2 = a^2 + 2cx + \frac{c^2 x^2}{a^2}$$
$$x^2 + c^2 + y^2 = a^2 + \frac{c^2 x^2}{a^2}.$$

Aísle las variables del lado izquierdo de la ecuación y las constantes del lado derecho:

$$x^2 - \frac{c^2 x^2}{a^2} + y^2 = a^2 - c^2$$
$$\frac{\left(a^2 - c^2\right) x^2}{a^2} + y^2 = a^2 - c^2.$$

Divida ambos lados entre $a^2 - c^2$. Esto da la ecuación

$$\frac{x^2}{a^2} + \frac{y^2}{a^2 - c^2} = 1.$$

Si volvemos a la Figura 1.48, entonces la longitud de cada uno de los dos segmentos de la línea verde es igual a a. Esto es cierto porque la suma de las distancias del punto Q a los focos F y F' es igual a $2a$, y las longitudes de estos dos segmentos de línea son iguales. Este segmento de línea forma un triángulo rectángulo con longitud de hipotenusa a y longitudes de catetos b y c. A partir del teorema de Pitágoras, $a^2 = b^2 = c^2$ y $b^2 + a^2 - c^2$. Por lo tanto, la ecuación de la elipse se convierte en

$$\frac{x^2}{a^2} + \frac{y^2}{b^2} = 1.$$

Por último, si el centro de la elipse se desplaza del origen a un punto (h, k), tenemos la siguiente forma estándar de una elipse.

Teorema 1.9

Ecuación de una elipse en forma estándar
Consideremos la elipse con centro (h, k), un eje mayor horizontal de longitud $2a$ y un eje menor vertical de longitud $2b$. Entonces la ecuación de esta elipse en forma estándar es

$$\frac{(x-h)^2}{a^2} + \frac{(y-k)^2}{b^2} = 1 \tag{1.12}$$

y los focos se encuentran en $(h \pm c, k)$, donde $c^2 = a^2 - b^2$. Las ecuaciones de las directrices son $x = h \pm \frac{a^2}{c}$.

Si el eje mayor es vertical, la ecuación de la elipse se convierte en

$$\frac{(x-h)^2}{b^2} + \frac{(y-k)^2}{a^2} = 1 \tag{1.13}$$

y los focos se encuentran en $(h, k \pm c)$, donde $c^2 = a^2 - b^2$. Las ecuaciones de las directrices en este caso son $y = k \pm \frac{a^2}{c}$.

Si el eje mayor es horizontal, la elipse se llama horizontal, y si el eje mayor es vertical, la elipse se llama vertical. La ecuación de una elipse está en forma general si tiene la forma $Ax^2 + By^2 + Cx + Dy + E = 0$, donde A y B son ambos positivos o ambos negativos. Para convertir la ecuación de la forma general a la forma estándar, utilice el método de completar el cuadrado.

EJEMPLO 1.20

Hallar la forma estándar de una elipse
Escriba la ecuación $9x^2 + 4y^2 - 36x + 24y + 36 = 0$ en forma estándar y grafique la elipse resultante.

⊘ **Solución**
Primero reste 36 a ambos lados de la ecuación:

$$9x^2 + 4y^2 - 36x + 24y = -36.$$

A continuación, agrupe los términos x y los términos y y factorice los factores comunes:

$$\left(9x^2 - 36x\right) + \left(4y^2 + 24y\right) = -36$$
$$9\left(x^2 - 4x\right) + 4\left(y^2 + 6y\right) = -36.$$

Tenemos que determinar la constante que cuando se suma dentro de cada conjunto de paréntesis, da como resultado un cuadrado perfecto. En el primer conjunto de paréntesis, tome la mitad del coeficiente de x y elévelo al cuadrado. Esto da $\left(\frac{-4}{2}\right)^2 = 4$. En el segundo paréntesis, tome la mitad del coeficiente de y y elévelo al cuadrado. Esto da $\left(\frac{6}{2}\right)^2 = 9$. Sume esto dentro de cada par de paréntesis. Como el primer conjunto de paréntesis tiene un 9 delante, en realidad estamos sumando 36 al lado izquierdo. Del mismo modo, sumamos 36 al segundo conjunto también. Por lo tanto, la ecuación se convierte en

$$9\left(x^2 - 4x + 4\right) + 4\left(y^2 + 6y + 9\right) = -36 + 36 + 36$$
$$9\left(x^2 - 4x + 4\right) + 4\left(y^2 + 6y + 9\right) = 36.$$

Ahora factorice ambos conjuntos de paréntesis y divida entre 36:

$$9(x-2)^2 + 4(y+3)^2 = 36$$
$$\frac{9(x-2)^2}{36} + \frac{4(y+3)^2}{36} = 1$$
$$\frac{(x-2)^2}{4} + \frac{(y+3)^2}{9} = 1$$

La ecuación está ahora en forma estándar. Si se compara con la Ecuación 1.14 se obtiene $h = 2$, $k = -3$, $a = 3$, y $b = 2$. Se trata de una elipse vertical con centro en $(2, -3)$, eje mayor 6 y eje menor 4. El gráfico de esta elipse es el siguiente.

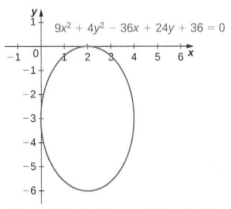

$$9x^2 + 4y^2 - 36x + 24y + 36 = 0$$

Figura 1.49   La elipse en el Ejemplo 1.20.

☑   1.19   Escriba la ecuación $9x^2 + 16y^2 + 18x - 64y - 71 = 0$ en forma estándar y grafique la elipse resultante.

Según la primera ley de Kepler del movimiento planetario, la órbita de un planeta alrededor del Sol es una elipse con el Sol en uno de los focos, como se muestra en la Figura 1.50(a). Como la órbita de la Tierra es una elipse, la distancia al Sol varía a lo largo del año. Una idea errónea muy extendida es que la Tierra está más cerca del Sol en verano. De hecho, en verano para el hemisferio norte, la Tierra está más lejos del Sol que durante el invierno. La diferencia de estación se debe a la inclinación del eje de la Tierra en el plano orbital. Los cometas que orbitan alrededor del Sol, como el cometa Halley, también tienen órbitas elípticas, al igual que las lunas que orbitan los planetas y los satélites que orbitan la Tierra.

Las elipses también tienen propiedades interesantes de reflexión: Un rayo de luz que emana de un foco pasa por el otro foco después de la reflexión del espejo en la elipse. Lo mismo ocurre con una onda sonora. La Sala Nacional de Estatuas del Capitolio de Estados Unidos en Washington, DC, es una famosa sala de forma elíptica, como se muestra en la Figura 1.50(b). Esta sala sirvió como lugar de reunión de la Cámara de Representantes de Estados Unidos durante casi cincuenta años. La ubicación de los dos focos de esta sala semielíptica están claramente identificados por marcas en el suelo, e incluso si la sala está llena de visitantes, cuando dos personas se sitúan en estos puntos y hablan entre sí, pueden oírse mutuamente con mucha más claridad de la que pueden oír a alguien que esté cerca. Cuenta la leyenda que John Quincy Adams tenía su escritorio situado en uno de los focos y podía escuchar a todos los demás en la Cámara sin necesidad de ponerse de pie. Aunque es una buena historia, es poco probable que sea cierta, porque el techo original producía tanto eco que hubo que poner alfombras en toda la sala para amortiguar el ruido. El techo fue reconstruido en 1902 y solo entonces surgió el ahora famoso efecto de susurro. Otro famoso gabinete de secretos, sitio de muchas propuestas de matrimonio, se encuentra en la estación Grand Central de Nueva York.

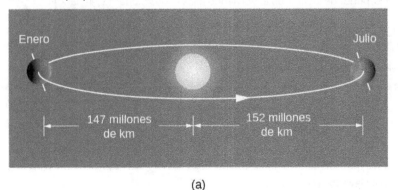

(a)   (b)

Figura 1.50   (a) La órbita de la Tierra alrededor del Sol es una elipse con el Sol en uno de sus focos. (b) La Sala de Estatuas del Capitolio de Estados Unidos es una galería de secretos con una sección transversal elíptica.

Hipérbolas

Una hipérbola también puede definirse en términos de distancias. En el caso de una hipérbola, hay dos focos y dos directrices. Las hipérbolas también tienen dos asíntotas.

> **Definición**
>
> Una hipérbola es el conjunto de todos los puntos en los que la diferencia entre sus distancias a dos puntos fijos (los focos) es constante.

El gráfico de una hipérbola típica es la siguiente.

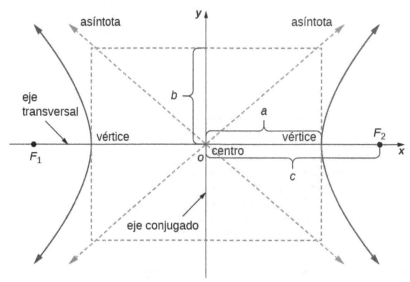

Figura 1.51 Una hipérbola típica en la que la diferencia de las distancias de cualquier punto de la elipse a los focos es constante. El eje transversal también se llama eje mayor, y el eje conjugado también se llama eje menor.

La derivación de la ecuación de una hipérbola en forma estándar es prácticamente idéntica a la de una elipse. Un pequeño inconveniente radica en la definición: La diferencia entre dos números es siempre positiva. Supongamos que P es un punto de la hipérbola con coordenadas (x, y). Entonces la definición de la hipérbola da $|d(P, F_1) - d(P, F_2)| = \text{constante}$. Para simplificar la derivación, se supone que P está en la rama derecha de la hipérbola, por lo que las barras de valor absoluto se eliminan. Si está en la rama izquierda, la resta se invierte. El vértice de la rama derecha tiene coordenadas $(a, 0)$, así que

$$d(P, F_1) - d(P, F_2) = (c + a) - (c - a) = 2a.$$

Por tanto, esta ecuación es cierta para cualquier punto de la hipérbola. Volviendo a las coordenadas (x, y) para P:

$$d(P, F_1) - d(P, F_2) = 2a$$
$$\sqrt{(x + c)^2 + y^2} - \sqrt{(x - c)^2 + y^2} = 2a.$$

Sume el segundo radical de ambos lados y eleve ambos lados al cuadrado:

$$\sqrt{(x - c)^2 + y^2} = 2a + \sqrt{(x + c)^2 + y^2}$$
$$(x - c)^2 + y^2 = 4a^2 + 4a\sqrt{(x + c)^2 + y^2} + (x + c)^2 + y^2$$
$$x^2 - 2cx + c^2 + y^2 = 4a^2 + 4a\sqrt{(x + c)^2 + y^2} + x^2 + 2cx + c^2 + y^2$$
$$-2cx = 4a^2 + 4a\sqrt{(x + c)^2 + y^2} + 2cx.$$

Ahora aísle el radical del lado derecho y vuelva a elevarlo al cuadrado:

$$-2cx = 4a^2 + 4a\sqrt{(x+c)^2 + y^2} + 2cx$$

$$4a\sqrt{(x+c)^2 + y^2} = -4a^2 - 4cx$$

$$\sqrt{(x+c)^2 + y^2} = -a - \frac{cx}{a}$$

$$(x+c)^2 + y^2 = a^2 + 2cx + \frac{c^2 x^2}{a^2}$$

$$x^2 + 2cx + c^2 + y^2 = a^2 + 2cx + \frac{c^2 x^2}{a^2}$$

$$x^2 + c^2 + y^2 = a^2 + \frac{c^2 x^2}{a^2}.$$

Aísle las variables del lado izquierdo de la ecuación y las constantes del lado derecho:

$$x^2 - \frac{c^2 x^2}{a^2} + y^2 = a^2 - c^2$$

$$\frac{\left(a^2 - c^2\right) x^2}{a^2} + y^2 = a^2 - c^2.$$

Finalmente, divida ambos lados entre $a^2 - c^2$. Esto da la ecuación

$$\frac{x^2}{a^2} + \frac{y^2}{a^2 - c^2} = 1.$$

Ahora definimos b de manera que $b^2 = c^2 - a^2$. Esto es posible porque $c > a$. Por lo tanto, la ecuación de la elipse se convierte en

$$\frac{x^2}{a^2} - \frac{y^2}{b^2} = 1.$$

Por último, si el centro de la hipérbola se desplaza del origen al punto (h, k), tenemos la siguiente forma estándar de una hipérbola.

Teorema 1.10

Ecuación de una hipérbola en forma estándar

Consideremos la hipérbola con centro (h, k), un eje mayor horizontal y un eje menor vertical. Entonces la ecuación de esta elipse es

$$\frac{(x-h)^2}{a^2} - \frac{(y-k)^2}{b^2} = 1 \tag{1.14}$$

y los focos se encuentran en $(h \pm c, k)$, donde $c^2 = a^2 + b^2$. Las ecuaciones de las asíntotas están dadas por $y = k \pm \frac{b}{a}(x-h)$. Las ecuaciones de las directrices son

$$x = k \pm \frac{a^2}{\sqrt{a^2 + b^2}} = h \pm \frac{a^2}{c}.$$

Si el eje mayor es vertical, la ecuación de la hipérbola se convierte en

$$\frac{(y-k)^2}{a^2} - \frac{(x-h)^2}{b^2} = 1 \tag{1.15}$$

y los focos se encuentran en $(h, k \pm c)$, donde $c^2 = a^2 + b^2$. Las ecuaciones de las asíntotas están dadas por $y = k \pm \frac{a}{b}(x-h)$. Las ecuaciones de las directrices son

$$y = k \pm \frac{a^2}{\sqrt{a^2 + b^2}} = k \pm \frac{a^2}{c}.$$

Si el eje mayor (eje transversal) es horizontal, la hipérbola se llama horizontal, y si el eje mayor es vertical, la hipérbola se llama vertical. La ecuación de una hipérbola está en forma general si tiene la forma $Ax^2 + By^2 + Cx + Dy + E = 0$, donde A y B tienen signos opuestos. Para convertir la ecuación de la forma general a la forma estándar, utilice el método de completar el cuadrado.

EJEMPLO 1.21

Hallar la forma estándar de una hipérbola

Escriba la ecuación $9x^2 - 16y^2 + 36x + 32y - 124 = 0$ en forma estándar y grafique la hipérbola resultante. ¿Cuáles son las ecuaciones de las asíntotas?

○ **Solución**

Primero sume 124 a ambos lados de la ecuación:

$$9x^2 - 16y^2 + 36x + 32y = 124.$$

A continuación, agrupe los términos x y los términos y y luego factorice los factores comunes:

$$\left(9x^2 + 36x\right) - \left(16y^2 - 32y\right) = 124$$
$$9\left(x^2 + 4x\right) - 16\left(y^2 - 2y\right) = 124.$$

Tenemos que determinar la constante que cuando se suma dentro de cada conjunto de paréntesis, da como resultado un cuadrado perfecto. En el primer conjunto de paréntesis, tome la mitad del coeficiente de x y elévelo al cuadrado. Esto da $\left(\frac{4}{2}\right)^2 = 4$. En el segundo paréntesis, tome la mitad del coeficiente de y y elévelo al cuadrado. Esto da $\left(\frac{-2}{2}\right)^2 = 1$. Sume esto dentro de cada par de paréntesis. Como el primer conjunto de paréntesis tiene un 9 delante, en realidad estamos sumando 36 al lado izquierdo. Del mismo modo, restamos 16 al segundo conjunto de paréntesis. Por lo tanto, la ecuación se convierte en

$$9\left(x^2 + 4x + 4\right) - 16\left(y^2 - 2y + 1\right) = 124 + 36 - 16$$
$$9\left(x^2 + 4x + 4\right) - 16\left(y^2 - 2y + 1\right) = 144.$$

A continuación, factorice ambos conjuntos de paréntesis y divida entre 144:

$$9(x + 2)^2 - 16(y - 1)^2 = 144$$
$$\frac{9(x+2)^2}{144} - \frac{16(y-1)^2}{144} = 1$$
$$\frac{(x+2)^2}{16} - \frac{(y-1)^2}{9} = 1$$

La ecuación está ahora en forma estándar. Si se compara con la Ecuación 1.15 se obtiene $h = -2$, $k = 1$, $a = 4$, y $b = 3$. Se trata de una hipérbola horizontal con centro en $(-2, 1)$ y las asíntotas dadas por las ecuaciones $y = 1 \pm \frac{3}{4}(x + 2)$. El gráfico de esta hipérbola aparece en la siguiente figura.

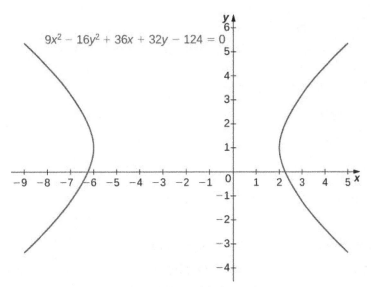

$$9x^2 - 16y^2 + 36x + 32y - 124 = 0$$

Figura 1.52 Gráfico de la hipérbola en el Ejemplo 1.21.

1.20   Escriba la ecuación $4y^2 - 9x^2 + 16y + 18x - 29 = 0$ en forma estándar y grafique la hipérbola resultante. ¿Cuáles son las ecuaciones de las asíntotas?

Las hipérbolas también tienen propiedades interesantes de reflexión. Un rayo dirigido hacia un foco de una hipérbola es reflejado por un espejo hiperbólico hacia el otro foco. Este concepto se ilustra en la siguiente figura.

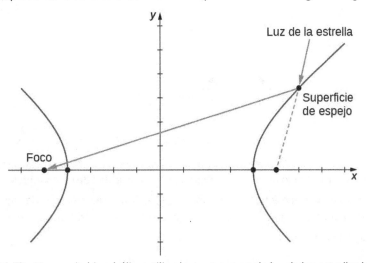

Figura 1.53 Un espejo hiperbólico utilizado para recoger la luz de las estrellas lejanas.

Esta propiedad de la hipérbola tiene aplicaciones importantes. Se utiliza en la radiogoniometría (ya que la diferencia de las señales de dos torres es constante a lo largo de las hipérbolas) y en la construcción de espejos dentro de los telescopios (para reflejar la luz procedente del espejo parabólico hacia el ocular). Otro hecho interesante sobre las hipérbolas es que para un cometa que entra en el sistema solar, si la velocidad es lo suficientemente grande como para escapar de la atracción gravitatoria del Sol, entonces la trayectoria que toma el cometa a su paso por el sistema solar es hiperbólica.

Excentricidad y directriz

Una forma alternativa de describir una sección cónica implica las directrices, los focos y una nueva propiedad llamada excentricidad. Veremos que el valor de la excentricidad de una sección cónica puede definir de forma única esa sección cónica.

Definición

La **excentricidad** *e* de una sección cónica se define como la distancia de cualquier punto de la sección cónica a su foco, dividida entre la distancia perpendicular de ese punto a la directriz más cercana. Este valor es constante para cualquier sección cónica, y puede definir también la sección cónica:

1. Si $e = 1$, la sección cónica es una parábola.
2. Si $e < 1$, es una elipse.
3. Si $e > 1$, es una hipérbola.

La excentricidad de un círculo es cero. La directriz de una sección cónica es la línea que, junto con el punto conocido como foco, sirve para definir una sección cónica. Las hipérbolas y las elipses no circulares tienen dos focos y dos directrices asociadas. Las parábolas tienen un foco y una directriz.

Las tres secciones cónicas con sus directrices aparecen en la siguiente figura.

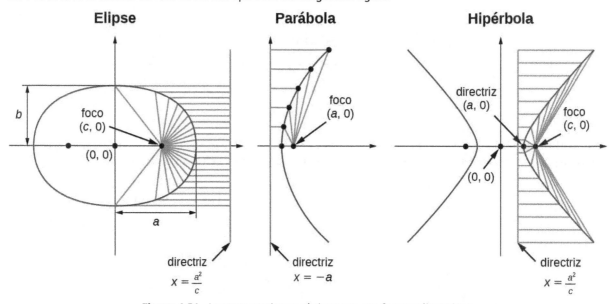

Figura 1.54   Las tres secciones cónicas con sus focos y directrices.

Recordemos de la definición de parábola que la distancia de cualquier punto de la parábola al foco es igual a la distancia de ese mismo punto a la directriz. Por lo tanto, por definición, la excentricidad de una parábola debe ser 1. Las ecuaciones de las directrices de una elipse horizontal son $x = \pm \frac{a^2}{c}$. El vértice derecho de la elipse se encuentra en $(a, 0)$ y el foco derecho es $(c, 0)$. Por tanto, la distancia del vértice al foco es $a - c$ y la distancia del vértice a la directriz derecha es $\frac{a^2}{c} - a$. Esto da la excentricidad como

$$e = \frac{a - c}{\frac{a^2}{c} - a} = \frac{c(a - c)}{a^2 - ac} = \frac{c(a - c)}{a(a - c)} = \frac{c}{a}.$$

Dado que $c < a$, este paso demuestra que la excentricidad de una elipse es menor que 1. Las directrices de una hipérbola horizontal también se encuentran en $x = \pm \frac{a^2}{c}$, y un cálculo similar muestra que la excentricidad de una hipérbola es también $e = \frac{c}{a}$. Sin embargo, en este caso tenemos $c > a$, por lo que la excentricidad de una hipérbola es mayor que 1.

EJEMPLO 1.22

Determinación de la excentricidad de una sección cónica
Determine la excentricidad de la elipse descrita por la ecuación

$$\frac{(x-3)^2}{16} + \frac{(y+2)^2}{25} = 1.$$

⊘ **Solución**

De la ecuación vemos que $a = 5$ y $b = 4$. El valor de c puede calcularse mediante la ecuación $a^2 = b^2 + c^2$ para una elipse. Sustituyendo los valores de a y b y resolviendo para c se obtiene $c = 3$. Por lo tanto la excentricidad de la elipse es $e = \frac{c}{a} = \frac{3}{5} = 0{,}6$.

☑ 1.21   Determine la excentricidad de la hipérbola descrita por la ecuación

$$\frac{(y-3)^2}{49} - \frac{(x+2)^2}{25} = 1.$$

Ecuaciones polares de secciones cónicas

A veces es útil escribir o identificar la ecuación de una sección cónica en forma polar. Para ello, necesitamos el concepto de parámetro focal. El **parámetro focal** de una sección cónica p se define como la distancia de un foco a la directriz más cercana. En la siguiente tabla se indican los parámetros focales para los distintos tipos de secciones cónicas, donde a es la longitud del semieje mayor (es decir, la mitad de la longitud del eje mayor), c es la distancia del origen al foco y e es la excentricidad. En el caso de una parábola, a representa la distancia del vértice al foco.

Sección cónica	e	p
Elipse	$0 < e < 1$	$\frac{a^2-c^2}{c} = \frac{a^2\left(1-e^2\right)}{e}$
Parábola	$e = 1$	$2a$
Hipérbola	$e > 1$	$\frac{c^2-a^2}{c} = \frac{a\left(e^2-1\right)}{e}$

Tabla 1.1   Excentricidades y parámetros focales de las secciones cónicas

Utilizando las definiciones del parámetro focal y la excentricidad de la sección cónica, podemos derivar una ecuación para cualquier sección cónica en coordenadas polares. En particular, suponemos que uno de los focos de una sección cónica dada se encuentra en el polo. Entonces, utilizando la definición de las distintas secciones cónicas en términos de distancias, es posible demostrar el siguiente teorema.

Teorema 1.11

Ecuación polar de las secciones cónicas

La ecuación polar de una sección cónica con parámetro focal p está dada por

$$r = \frac{ep}{1 \pm e \cos \theta} \text{ o } r = \frac{ep}{1 \pm e \operatorname{sen} \theta}.$$

En la ecuación de la izquierda, el eje mayor de la sección cónica es horizontal, y en la ecuación de la derecha, el eje mayor es vertical. Para trabajar con una sección cónica escrita en forma polar, primero hay que hacer que el término constante en el denominador sea igual a 1. Esto se puede hacer dividiendo tanto el numerador como el denominador de la fracción entre la constante que aparece delante del más o del menos en el denominador. Entonces el coeficiente del seno o coseno en el denominador es la excentricidad. Este valor identifica la sección cónica. Si el coseno aparece en el denominador, entonces la sección cónica es horizontal. Si aparece el seno, entonces la sección cónica es vertical. Si aparecen ambos, los ejes se giran. El centro de sección cónica no está necesariamente en el origen. El centro está en el origen solo si la sección cónica es un círculo (es decir, $e = 0$).

EJEMPLO 1.23

Graficar una sección cónica en coordenadas polares
Identifique y cree un gráfico de la sección cónica descrita por la ecuación

$$r = \frac{3}{1 + 2\cos\theta}.$$

◯ **Solución**
El término constante en el denominador es 1, por lo que la excentricidad de la sección cónica es 2. Esto es una hipérbola. El parámetro focal p puede calcularse mediante la ecuación $ep = 3$. Dado que $e = 2$, esto da $p = \frac{3}{2}$. La función coseno aparece en el denominador, por lo que la hipérbola es horizontal. Elija algunos valores para θ y cree una tabla de valores. Entonces podemos graficar la hipérbola (Figura 1.55).

θ	r	θ	r
0	1	π	−3
$\frac{\pi}{4}$	$\frac{3}{1+\sqrt{2}} \approx 1{,}2426$	$\frac{5\pi}{4}$	$\frac{3}{1-\sqrt{2}} \approx -7{,}2426$
$\frac{\pi}{2}$	3	$\frac{3\pi}{2}$	3
$\frac{3\pi}{4}$	$\frac{3}{1-\sqrt{2}} \approx -7{,}2426$	$\frac{7\pi}{4}$	$\frac{3}{1+\sqrt{2}} \approx 1{,}2426$

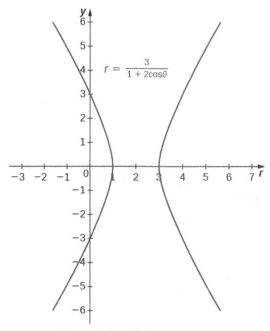

Figura 1.55 Gráfico de la hipérbola descrita en el Ejemplo 1.23.

☑ 1.22   Identifique y cree un gráfico de la sección cónica descrita por la ecuación

$$r = \frac{4}{1 - 0{,}8\,\text{sen}\,\theta}.$$

Ecuaciones generales de grado dos

Una ecuación general de grado dos puede escribirse de la forma

$$Ax^2 + Bxy + Cy^2 + Dx + Ey + F = 0.$$

El gráfico de una ecuación de esta forma es una sección cónica. Si $B \neq 0$ entonces los ejes de coordenadas se giran. Para identificar la sección cónica, utilizamos el **discriminante** de la sección cónica $4AC - B^2$. Uno de los siguientes casos debe ser cierto:

1. $4AC - B^2 > 0$. Si es así, el gráfico es una elipse.
2. $4AC - B^2 = 0$. Si es así, el gráfico es una parábola.
3. $4AC - B^2 < 0$. Si es así, el gráfico es una hipérbola.

El ejemplo más sencillo de una ecuación de segundo grado que incluye un término cruzado es $xy = 1$. Esta ecuación puede ser resuelta para y para obtener $y = \frac{1}{x}$. El gráfico de esta función se llama *hipérbola rectangular*, como se muestra.

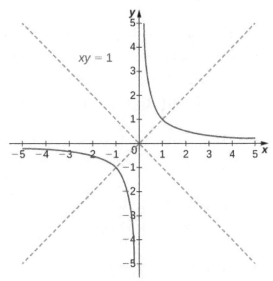

Figura 1.56 Gráfico de la ecuación $xy = 1$; Las líneas rojas indican los ejes girados.

Las asíntotas de esta hipérbola son los ejes de coordenadas x y y. Para determinar el ángulo θ de rotación de la sección cónica, utilizamos la fórmula $\cot 2\theta = \frac{A-C}{B}$. En este caso $A = C = 0$ y $B = 1$, así que $\cot 2\theta = (0-0)/1 = 0$ y $\theta = 45°$. El método para graficar una sección cónica con ejes rotados implica determinar los coeficientes de la sección cónica en el sistema de coordenadas rotado. Los nuevos coeficientes se marcan como A', B', C', D', E', y F', y están dados por las fórmulas

$$
\begin{aligned}
A' &= A\cos^2\theta + B\cos\theta\,\text{sen}\,\theta + C\,\text{sen}^2\theta \\
B' &= 0 \\
C' &= A\,\text{sen}^2\theta - B\,\text{sen}\,\theta\cos\theta + C\cos^2\theta \\
D' &= D\cos\theta + E\,\text{sen}\,\theta \\
E' &= -D\,\text{sen}\,\theta + E\cos\theta \\
F' &= F.
\end{aligned}
$$

El procedimiento para graficar una sección cónica girada es el siguiente:

1. Identifique la sección cónica utilizando el discriminante $4AC - B^2$.
2. Determine θ utilizando la fórmula $\cot 2\theta = \frac{A-C}{B}$.
3. Calcule A', B', C', D', E', y F'.
4. Reescriba la ecuación original utilizando A', B', C', D', E', y F'.
5. Dibuje un gráfico utilizando la ecuación girada.

EJEMPLO 1.24

Identificación de una sección cónica girada
Identifique la sección cónica y calcule el ángulo de rotación de los ejes para la curva descrita por la ecuación

$$13x^2 - 6\sqrt{3}xy + 7y^2 - 256 = 0.$$

⊘ Solución

En esta ecuación, $A = 13$, $B = -6\sqrt{3}$, $C = 7$, $D = 0$, $E = 0$, y $F = -256$. El discriminante de esta ecuación es $4AC - B^2 = 4(13)(7) - \left(-6\sqrt{3}\right)^2 = 364 - 108 = 256$. Por lo tanto esta sección cónica es una elipse. Para calcular el ángulo de rotación de los ejes, utilice $\cot 2\theta = \frac{A-C}{B}$. Esto da

$$
\begin{aligned}
\cot 2\theta &= \frac{A-C}{B} \\
&= \frac{13-7}{-6\sqrt{3}} \\
&= -\frac{\sqrt{3}}{3}.
\end{aligned}
$$

Por lo tanto, $2\theta = 120°$ y $\theta = 60°$, que es el ángulo de rotación de los ejes.

Para determinar los coeficientes rotados, utilice las fórmulas indicadas anteriormente:

$$
\begin{aligned}
A' &= A\cos^2\theta + B\cos\theta\,\text{sen}\,\theta + C\,\text{sen}^2\theta \\
&= 13\cos^2 60 + \left(-6\sqrt{3}\right)\cos 60\,\text{sen}\,60 + 7\text{sen}^2 60 \\
&= 13\left(\tfrac{1}{2}\right)^2 - 6\sqrt{3}\left(\tfrac{1}{2}\right)\left(\tfrac{\sqrt{3}}{2}\right) + 7\left(\tfrac{\sqrt{3}}{2}\right)^2 \\
&= 4, \\
B' &= 0, \\
C' &= A\,\text{sen}^2\theta - B\,\text{sen}\,\theta\cos\theta + C\cos^2\theta \\
&= 13\text{sen}^2 60 + \left(-6\sqrt{3}\right)\text{sen}\,60\cos 60 = 7\cos^2 60 \\
&= \left(\tfrac{\sqrt{3}}{2}\right)^2 + 6\sqrt{3}\left(\tfrac{\sqrt{3}}{2}\right)\left(\tfrac{1}{2}\right) + 7\left(\tfrac{1}{2}\right)^2 \\
&= 16, \\
D' &= D\cos\theta + E\,\text{sen}\,\theta \\
&= (0)\cos 60 + (0)\,\text{sen}\,60 \\
&= 0, \\
E' &= -D\,\text{sen}\,\theta + E\cos\theta \\
&= -(0)\,\text{sen}\,60 + (0)\cos 60 \\
&= 0, \\
F' &= F \\
&= -256.
\end{aligned}
$$

La ecuación de la sección cónica en el sistema de coordenadas rotado es

$$
\begin{aligned}
4\left(x'\right)^2 + 16\left(y'\right)^2 &= 256 \\
\frac{\left(x'\right)^2}{64} + \frac{\left(y'\right)^2}{16} &= 1
\end{aligned}
$$

Un gráfico de esta sección cónica es el siguiente.

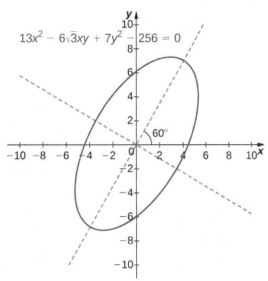

$$13x^2 - 6\sqrt{3}xy + 7y^2 - 256 = 0$$

Figura 1.57 Gráfico de la elipse descrita por la ecuación $13x^2 - 6\sqrt{3}xy + 7y^2 - 256 = 0$. Los ejes se rotan 60°. Las líneas rojas discontinuas indican los ejes rotados.

1.23   Identifique la sección cónica y calcule el ángulo de rotación de los ejes para la curva descrita por la ecuación

$$3x^2 + 5xy - 2y^2 - 125 = 0.$$

SECCIÓN 1.5 EJERCICIOS

En los siguientes ejercicios, determine la ecuación de la parábola utilizando la información dada.

255. Foco $(4, 0)$ y directriz $x = -4$

256. Foco $(0, -3)$ y directriz $y = 3$

257. Foco $(0, 0,5)$ y directriz $y = -0,5$

258. Foco $(2, 3)$ y directriz $x = -2$

259. Foco $(0, 2)$ y directriz $y = 4$

260. Foco $(-1, 4)$ y directriz $x = 5$

261. Foco $(-3, 5)$ y directriz $y = 1$

262. Foco $\left(\frac{5}{2}, -4\right)$ y directriz $x = \frac{7}{2}$

En los siguientes ejercicios, determine la ecuación de la elipse utilizando la información dada.

263. Puntos finales del eje mayor en $(4, 0), (-4, 0)$ y focos situados en $(2, 0), (-2, 0)$ grandes.

264. Puntos finales del eje mayor en $(0, 5), (0, -5)$ y focos situados en $(0, 3), (0, -3)$

265. Puntos finales del eje menor en $(0, 2), (0, -2)$ y focos situados en $(3, 0), (-3, 0)$ grandes.

266. Puntos finales del eje mayor en $(-3, 3), (7, 3)$ y focos situados en $(-2, 3), (6, 3)$

267. Puntos finales del eje mayor en $(-3, 5), (-3, -3)$ y focos situados en $(-3, 3), (-3, -1)$ grandes.

268. Puntos finales del eje mayor en $(0, 0), (0, 4)$ y focos situados en $(5, 2), (-5, 2)$

269. Focos situados en $(2, 0)$, $(-2, 0)$ y excentricidad de $\frac{1}{2}$

270. Focos situados en $(0, -3)$, $(0, 3)$ y excentricidad de $\frac{3}{4}$

En los siguientes ejercicios, determine la ecuación de la hipérbola utilizando la información dada.

271. Vértices situados en $(5, 0)$, $(-5, 0)$ y focos situados en $(6, 0)$, $(-6, 0)$ grandes.

272. Vértices situados en $(0, 2)$, $(0, -2)$ y focos situados en $(0, 3)$, $(0, -3)$

273. Puntos finales del eje conjugado situados en $(0, 3)$, $(0, -3)$ y focos situados en $(4, 0)$, $(-4, 0)$ grandes.

274. Vértices situados en $(0, 1)$, $(6, 1)$ y foco situado en $(8, 1)$

275. Vértices situados en $(-2, 0)$, $(-2, -4)$ y foco situado en $(-2, -8)$ grandes.

276. Puntos finales del eje conjugado situados en $(3, 2)$, $(3, 4)$ y foco situado en $(3, 7)$

277. Focos situados en $(6, -0)$, $(6, 0)$ y excentricidad de 3

278. $(0, 10)$, $(0, -10)$ y excentricidad de 2,5

En los siguientes ejercicios, considere las siguientes ecuaciones polares de secciones cónicas. Determine la excentricidad e identifique la sección cónica.

279. $r = \frac{-1}{1 + \cos \theta}$

280. $r = \frac{8}{2 - \operatorname{sen} \theta}$

281. $r = \frac{5}{2 + \operatorname{sen} \theta}$

282. $r = \frac{5}{-1 + 2 \operatorname{sen} \theta}$

283. $r = \frac{3}{2 - 6 \operatorname{sen} \theta}$

284. $r = \frac{3}{-4 + 3 \operatorname{sen} \theta}$

En los siguientes ejercicios, halle una ecuación polar de la sección cónica con foco en el origen y excentricidad y directriz dadas.

285. Directriz: $x = 4$; $e = \frac{1}{5}$

286. Directriz: $x = -4$; $e = 5$

287. Directriz: $y = 2$; $e = 2$

288. Directriz: $y = -2$; $e = \frac{1}{2}$

En los siguientes ejercicios, dibuje el gráfico de cada sección cónica.

289. $r = \frac{1}{1 + \operatorname{sen} \theta}$

290. $r = \frac{1}{1 - \cos \theta}$

291. $r = \frac{4}{1 + \cos \theta}$

292. $r = \frac{10}{5 + 4 \operatorname{sen} \theta}$

293. $r = \frac{15}{3 - 2 \cos \theta}$

294. $r = \frac{32}{3 + 5 \operatorname{sen} \theta}$

295. $r(2 + \operatorname{sen} \theta) = 4$

296. $r = \frac{3}{2 + 6 \operatorname{sen} \theta}$

297. $r = \frac{3}{-4 + 2 \operatorname{sen} \theta}$

298. $\frac{x^2}{9} + \frac{y^2}{4} = 1$

299. $\frac{x^2}{4} + \frac{y^2}{16} = 1$

300. $4x^2 + 9y^2 = 36$

301. $25x^2 - 4y^2 = 100$

302. $\frac{x^2}{16} - \frac{y^2}{9} = 1$

303. $x^2 = 12y$

304. $y^2 = 20x$

305. $12x = 5y^2$

Para las siguientes ecuaciones, determine cuál de las secciones cónicas se describe.

306. $xy = 4$

307. $x^2 + 4xy - 2y^2 - 6 = 0$

308. $x^2 + 2\sqrt{3}xy + 3y^2 - 6 = 0$

309. $x^2 - xy + y^2 - 2 = 0$

310. $34x^2 - 24xy + 41y^2 - 25 = 0$

311. $52x^2 - 72xy + 73y^2 + 40x + 30y - 75 = 0$

312. El espejo de un faro de automóvil tiene una sección transversal parabólica, con la bombilla en el foco. En un esquema, la ecuación de la parábola viene dada por $x^2 = 4y$. ¿En qué coordenadas debe colocar la bombilla?

313. Una antena parabólica tiene forma de paraboloide de revolución. El receptor debe situarse en el foco. Si la antena parabólica tiene 12 pies de diámetro en la abertura y 4 pies de profundidad en su centro, ¿dónde debe colocarse el receptor?

314. Consideremos la antena parabólica del problema anterior. Si la antena parabólica tiene 8 pies de ancho en la abertura y 2 pies de profundidad, ¿dónde debemos colocar el receptor?

315. Un reflector tiene forma de paraboloide de revolución. Una fuente de luz está situada a 1 pie de la base a lo largo del eje de simetría. Si la abertura del reflector es de 3 pies de ancho, halle la profundidad.

316. Los gabinetes de secretos son habitaciones diseñadas con techos elípticos. Una persona situada en un foco puede susurrar y ser escuchada por una persona situada en el otro foco porque todas las ondas sonoras que llegan al techo se reflejan en la otra persona. Si un gabinete de secretos tiene una longitud de 120 pies y los focos están situados a 30 pies del centro, halle la altura del techo en el centro.

317. Una persona está de pie a 8 pies de la pared más cercana en un gabinete de secretos. Si esa persona está en un foco y el otro foco está a 80 pies, ¿cuál es la longitud y la altura en el centro de la galería?

En los siguientes ejercicios, determine la forma de ecuación polar de la órbita dada la longitud del eje mayor y la excentricidad para las órbitas de los cometas o planetas. La distancia se indica en unidades astronómicas (UA).

318. Cometa Halley: longitud del eje mayor = 35,88, excentricidad = 0,967

319. Cometa Hale-Bopp: longitud del eje mayor = 525,91, excentricidad = 0,995

320. Marte: longitud del eje mayor = 3,049, excentricidad = 0,0934

321. Júpiter: longitud del eje mayor = 10,408, excentricidad = 0,0484

Revisión del capítulo

Términos clave

caracol gráfico de la ecuación $r = a + b \operatorname{sen} \theta$ o $r = a + b \cos \theta$. Si $a = b$ entonces el gráfico es una cardioide

cardioide curva plana trazada por un punto en el perímetro de un círculo que está rodando alrededor de un círculo fijo del mismo radio; la ecuación de una cardioide es $r = a(1 + \operatorname{sen} \theta)$ o $r = a(1 + \cos \theta)$

cicloide curva trazada por un punto del neumático de una rueda circular cuando esta rueda a lo largo de una línea recta sin deslizarse

coordenada angular θ el ángulo formado por un segmento de línea que une el origen a un punto del sistema de coordenadas polares con el eje radial (x) positivo, medido en sentido contrario a las agujas del reloj

coordenada radial r coordenada en el sistema de coordenadas polares que mide la distancia de un punto del plano al polo

curva de relleno de espacio curva que ocupa completamente un subconjunto bidimensional del plano real

curva paramétrica gráfico de las ecuaciones paramétricas $x(t)$ y de $y(t)$ en un intervalo $a \le t \le b$ combinado con las ecuaciones

cúspide extremo o parte puntiaguda donde se juntan dos curvas

directriz línea utilizada para construir y definir una sección cónica; una parábola tiene una directriz; las elipses y las hipérbolas tienen dos

discriminante el valor $4AC - B^2$, que se utiliza para identificar una sección cónica cuando la ecuación contiene un término que implica xy, se llama discriminante

ecuación polar ecuación o función que relaciona la coordenada radial con la coordenada angular en el sistema de coordenadas polares

ecuaciones paramétricas las ecuaciones $x = x(t)$ y de $y = y(t)$ que definen una curva paramétrica

eje mayor el eje mayor de una sección cónica pasa por el vértice en el caso de una parábola o por los dos vértices en el caso de una elipse o una hipérbola; también es un eje de simetría de la sección cónica; también se llama eje transversal

eje menor el eje menor es perpendicular al eje mayor y corta al eje mayor en el centro de la sección cónica, o en el vértice en el caso de la parábola; también se llama eje conjugado

eje polar el eje horizontal en el sistema de coordenadas polares correspondiente a $r \ge 0$

excentricidad distancia de cualquier punto de la sección cónica a su foco dividida entre la distancia perpendicular de ese punto a la directriz más cercana

foco punto utilizado para construir y definir una sección cónica; una parábola tiene un foco; una elipse y una hipérbola tienen dos

forma estándar una ecuación de una sección cónica que muestra sus propiedades, como la ubicación del vértice o las longitudes de los ejes mayor y menor

forma general ecuación de una sección cónica escrita como una ecuación general de segundo grado

hoja la mitad de un cono doble

orientación dirección en la que se mueve un punto en un gráfico cuando aumenta el parámetro

parametrización de una curva reescribir la ecuación de una curva definida por una función $y = f(x)$ como ecuaciones paramétricas

parámetro una variable independiente de la que dependen tanto x como y en una curva paramétrica; normalmente representada por la variable t

parámetro focal distancia de un foco de una sección cónica a la directriz más cercana

polo punto central del sistema de coordenadas polares equivalente al origen de un sistema cartesiano

rosa gráfico de la ecuación polar $r = a \cos 2\theta$ o $r = a \operatorname{sen} 2\theta$ para una constante positiva a

sección cónica cualquier curva formada por la intersección de un plano con un cono de dos hojas

sistema de coordenadas polares sistema de localización de puntos en el plano. Las coordenadas son r, la coordenada radial, y θ, la coordenada angular

vértice punto extremo de una sección cónica; una parábola tiene un vértice en su punto de inflexión. Una elipse tiene dos vértices, uno en cada extremo del eje mayor; una hipérbola tiene dos vértices, uno en el punto de inflexión de cada rama

Ecuaciones clave

Derivada de ecuaciones paramétricas $\dfrac{dy}{dx} = \dfrac{dy/dt}{dx/dt} = \dfrac{y'(t)}{x'(t)}$

Derivada de segundo orden de ecuaciones paramétricas	$\dfrac{d^2y}{dx^2} = \dfrac{d}{dx}\left(\dfrac{dy}{dx}\right) = \dfrac{(d/dt)(dy/dx)}{dx/dt}$
Área bajo una curva paramétrica	$A = \displaystyle\int_a^b y(t)\, x'(t)\, dt$
Longitud de arco de una curva paramétrica	$s = \displaystyle\int_{t_1}^{t_2} \sqrt{\left(\dfrac{dx}{dt}\right)^2 + \left(\dfrac{dy}{dt}\right)^2}\, dt$
Área superficial generada por una curva paramétrica	$S = 2\pi \displaystyle\int_a^b y(t)\, \sqrt{\left(x'(t)\right)^2 + \left(y'(t)\right)^2}\, dt$
Área de una región delimitada por una curva polar	$A = \dfrac{1}{2}\displaystyle\int_\alpha^\beta [f(\theta)]^2\, d\theta = \dfrac{1}{2}\displaystyle\int_\alpha^\beta r^2\, d\theta$
Longitud de arco de una curva polar	$L = \displaystyle\int_\alpha^\beta \sqrt{[f(\theta)]^2 + [f'(\theta)]^2}\, d\theta = \displaystyle\int_\alpha^\beta \sqrt{r^2 + \left(\dfrac{dr}{d\theta}\right)^2}\, d\theta$

Conceptos clave

1.1 Ecuaciones paramétricas

- Las ecuaciones paramétricas ofrecen una forma conveniente de describir una curva. Un parámetro puede representar el tiempo o alguna otra cantidad significativa.
- A menudo es posible eliminar el parámetro en una curva parametrizada para obtener una función o relación que describa esa curva.
- Siempre hay más de una forma de parametrizar una curva.
- Las ecuaciones paramétricas pueden describir curvas complicadas que son difíciles o quizás imposibles de describir utilizando coordenadas rectangulares.

1.2 Cálculo de curvas paramétricas

- La derivada de la curva definida paramétricamente $x = x(t)$ y de $y = y(t)$ se puede calcular mediante la fórmula $\dfrac{dy}{dx} = \dfrac{y'(t)}{x'(t)}$. Utilizando la derivada, podemos hallar la ecuación de una línea tangente a una curva paramétrica.
- El área entre una curva paramétrica y el eje x puede determinarse mediante la fórmula $A = \displaystyle\int_{t_1}^{t_2} y(t)\, x'(t)\, dt$.
- La longitud de arco de una curva paramétrica se puede calcular mediante la fórmula $s = \displaystyle\int_{t_1}^{t_2} \sqrt{\left(\dfrac{dx}{dt}\right)^2 + \left(\dfrac{dy}{dt}\right)^2}\, dt$.
- La superficie de un volumen de revolución que gira alrededor del eje x está dada por $S = 2\pi \displaystyle\int_a^b y(t)\, \sqrt{\left(x'(t)\right)^2 + \left(y'(t)\right)^2}\, dt$. Si la curva gira alrededor del eje y, entonces la fórmula es $S = 2\pi \displaystyle\int_a^b x(t)\, \sqrt{\left(x'(t)\right)^2 + \left(y'(t)\right)^2}\, dt$.

1.3 Coordenadas polares

- El sistema de coordenadas polares ofrece una forma alternativa de localizar puntos en el plano.
- Convierta puntos entre coordenadas rectangulares y polares mediante las fórmulas
$$x = r\cos\theta \text{ y } y = r\operatorname{sen}\theta$$

y

$$r = \sqrt{x^2 + y^2} \text{ y } \tan \theta = \frac{y}{x}.$$

- Para dibujar una curva polar a partir de una función polar dada, haga una tabla de valores y aproveche las propiedades periódicas.
- Utilice las fórmulas de conversión para convertir ecuaciones entre coordenadas rectangulares y polares.
- Identifique la simetría en las curvas polares, que puede darse a través del polo, del eje horizontal o del eje vertical.

1.4 Área y longitud de arco en coordenadas polares

- El área de una región en coordenadas polares definida por la ecuación $r = f(\theta)$ con $\alpha \le \theta \le \beta$ está dada por la integral $A = \frac{1}{2} \int_{\alpha}^{\beta} [f(\theta)]^2 \, d\theta$.
- Para hallar el área entre dos curvas en el sistema de coordenadas polares, primero hay que hallar los puntos de intersección y luego restar las áreas correspondientes.
- La longitud de arco de una curva polar definida por la ecuación $r = f(\theta)$ con $\alpha \le \theta \le \beta$ está dada por la integral

$$L = \int_{\alpha}^{\beta} \sqrt{[f(\theta)]^2 + [f'(\theta)]^2} \, d\theta = \int_{\alpha}^{\beta} \sqrt{r^2 + \left(\frac{dr}{d\theta}\right)^2} \, d\theta.$$

1.5 Secciones cónicas

- La ecuación de una parábola vertical en forma estándar con foco y directriz dados es $y = \frac{1}{4p}(x - h)^2 + k$ donde p es la distancia del vértice al foco y (h, k) son las coordenadas del vértice.
- La ecuación de una elipse horizontal en forma estándar es $\frac{(x-h)^2}{a^2} + \frac{(y-k)^2}{b^2} = 1$ donde el centro tiene coordenadas (h, k), el eje mayor tiene longitud $2a$, el eje menor tiene longitud $2b$ y las coordenadas de los focos son $(h \pm c, k)$, donde $c^2 = a^2 - b^2$.
- La ecuación de una hipérbola horizontal en forma estándar es $\frac{(x-h)^2}{a^2} - \frac{(y-k)^2}{b^2} = 1$ donde el centro tiene coordenadas (h, k), los vértices se encuentran en $(h \pm a, k)$, y las coordenadas de los focos son $(h \pm c, k)$, donde $c^2 = a^2 + b^2$.
- La excentricidad de una elipse es menor que 1, la excentricidad de una parábola es igual a 1 y la excentricidad de una hipérbola es mayor que 1. La excentricidad de un círculo es 0.
- La ecuación polar de una sección cónica con excentricidad e es $r = \frac{ep}{1 \pm e \cos \theta}$ o $r = \frac{ep}{1 \pm e \operatorname{sen} \theta}$, donde p representa el parámetro focal.
- Para identificar una sección cónica generada por la ecuación $Ax^2 + Bxy + Cy^2 + Dx + Ey + F = 0$, primero calcule el discriminante $D = 4AC - B^2$. Si $D > 0$ entonces la sección cónica es una elipse, si $D = 0$ entonces la cónica es una parábola, y si $D < 0$ entonces la cónica es una hipérbola.

Ejercicios de repaso

¿Verdadero o falso? Justifique su respuesta con una prueba o un contraejemplo.

322. Las coordenadas rectangulares del punto $\left(4, \frac{5\pi}{6}\right)$ son $\left(2\sqrt{3}, -2\right)$.

323. Las ecuaciones $x = \cosh(3t)$, $y = 2 \operatorname{senoh}(3t)$ representan una hipérbola.

324. La longitud de arco de la espiral dada por $r = \frac{\theta}{2}$ para $0 \le \theta \le 3\pi$ es $\frac{9}{4}\pi^3$.

325. Dada $x = f(t)$ y de $y = g(t)$, si $\frac{dx}{dy} = \frac{dy}{dx}$, entonces $f(t) = g(t) + C$, donde C es una constante.

En los siguientes ejercicios, dibuje la curva paramétrica y elimine el parámetro para hallar la ecuación cartesiana de la curva.

326. $x = 1 + t$, $y = t^2 - 1$,
$-1 \leq t \leq 1$

327. $x = e^t$, $y = 1 - e^{3t}$,
$0 \leq t \leq 1$

328. $x = \text{sen}\,\theta$, $y = 1 - \csc\theta$,
$0 \leq \theta \leq 2\pi$

329. $x = 4\cos\phi$,
$y = 1 - \text{sen}\,\phi$,
$0 \leq \phi \leq 2\pi$

En los siguientes ejercicios, dibuje la curva polar y determine qué tipo de simetría existe, si es que existe.

330. $r = 4\,\text{sen}\left(\frac{\theta}{3}\right)$ grandes.

331. $r = 5\cos(5\theta)$

En los siguientes ejercicios, halle la ecuación polar de la curva dada como ecuación cartesiana.

332. $x + y = 5$

333. $y^2 = 4 + x^2$

En los siguientes ejercicios, halle la ecuación de la línea tangente a la curva dada. Grafique la función y su línea tangente.

334. $x = \ln(t)$, $y = t^2 - 1$, $t = 1$

335. $r = 3 + \cos(2\theta)$, $\theta = \frac{3\pi}{4}$

336. Halle $\frac{dy}{dx}$, $\frac{dx}{dy}$, y $\frac{d^2x}{dy^2}$ de
$y = \left(2 + e^{-t}\right)$,
$x = 1 - \text{sen}(t)$

En los siguientes ejercicios, halle el área de la región.

337. $x = t^2$, $y = \ln(t)$,
$0 \leq t \leq e$

338. $r = 1 - \text{sen}\,\theta$ en el primer cuadrante

En los siguientes ejercicios, halle la longitud de arco de la curva en el intervalo dado.

339. $x = 3t + 4$, $y = 9t - 2$,
$0 \leq t \leq 3$

340. $r = 6\cos\theta$, $0 \leq \theta \leq 2\pi$.
Compruebe su respuesta utilizando la geometría.

En los siguientes ejercicios, halle la ecuación cartesiana que describe las formas dadas.

341. Una parábola con foco $(2, -5)$ y directriz $x = 6$

342. Una elipse con una longitud de eje mayor de 10 y·focos en $(-7, 2)$ y $(1, 2)$

343. Una hipérbola con vértices en $(3, -2)$ y $(-5, -2)$ y focos en $(-2, -6)$ y $(-2, 4)$ grandes.

En los siguientes ejercicios, determine la excentricidad e identifique la sección cónica. Dibuje la sección cónica.

344. $r = \frac{6}{1 + 3\cos(\theta)}$ grandes.

345. $r = \frac{4}{3 - 2\cos\theta}$

346. $r = \frac{7}{5 - 5\cos\theta}$

347. Determine la ecuación cartesiana que describe la órbita de Plutón, la más excéntrica alrededor del Sol. La longitud del eje mayor es de 39,26 UA y la del eje menor de 38,07 UA. ¿Cuál es la excentricidad?

348. El cometa C/1980 E1 fue observado en 1980. Dada una excentricidad de 1,057 y un perihelio (punto de máxima aproximación al Sol) de 3,364 UA, halle las ecuaciones cartesianas que describen la trayectoria del cometa. ¿Está garantizado que volveremos a ver este cometa? (*Pista*: Considere el Sol en el punto $(0, 0)$.)

VECTORES EN EL ESPACIO

Figura 2.1 El observatorio Karl G. Jansky Very Large Array, situado en Socorro (Nuevo México), está formado por un gran número de radiotelescopios que pueden recoger las ondas de radio y juntarlas como si recogieran las ondas en un área enorme sin vacíos en la cobertura (créditos: modificación del trabajo de CGP Grey, Wikimedia Commons).

Esquema del capítulo

 Introducción

Los observatorios astronómicos modernos suelen estar formados por un gran número de reflectores parabólicos, conectados por computadoras, que se utilizan para analizar las ondas de radio. Cada plato enfoca los haces paralelos de ondas de radio entrantes hacia un punto focal preciso, donde pueden sincronizarse por computadora. Si la superficie de uno de los reflectores parabólicos está descrita por la ecuación $\frac{x^2}{100} + \frac{y^2}{100} = \frac{z}{4}$, ¿dónde está el punto focal del reflector? (Vea el Ejemplo 2.58).

Ahora vamos a empezar una nueva parte del curso de cálculo, donde estudiamos funciones de dos o tres variables independientes en un espacio multidimensional. Muchos de los cálculos son similares a los del estudio de las funciones de una sola variable, pero también hay muchas diferencias. En este primer capítulo, examinamos los sistemas de coordenadas para trabajar en el espacio tridimensional, junto con los vectores, que son una herramienta matemática clave para tratar con cantidades en más de una dimensión. Empecemos aquí con las ideas básicas y vayamos avanzando hacia las herramientas más generales y potentes de las matemáticas en capítulos posteriores.

2.1 Vectores en el plano

Objetivos de aprendizaje

- **2.1.1** Describir un vector plano, utilizando la notación correcta.
- **2.1.2** Realizar operaciones vectoriales básicas (multiplicación escalar, suma, resta).
- **2.1.3** Expresar un vector en forma de componentes.
- **2.1.4** Explicar la fórmula de la magnitud de un vector.
- **2.1.5** Expresar un vector en términos de vectores unitarios.
- **2.1.6** Dar dos ejemplos de cantidades vectoriales.

Cuando se describe el movimiento de un avión en vuelo, es importante comunicar dos datos: la dirección en la que viaja el avión y la velocidad del mismo. Cuando se mide una fuerza, como el empuje de los motores del avión, es importante describir no solo la intensidad de esa fuerza, sino también la dirección en la que se aplica. Algunas cantidades, como la velocidad o la fuerza, se definen tanto en términos de tamaño (también llamado *magnitud*) como de dirección. Una cantidad que tiene magnitud y dirección se llama **vector**. En este texto, denotamos los vectores con letras en negrita, como **v**.

Definición

Un vector es una cantidad que tiene magnitud y dirección.

Representación vectorial

Un vector en un plano se representa mediante un segmento rectilíneo dirigido (una flecha). Los puntos finales del segmento se denominan **punto inicial** y **punto terminal** del vector. Una flecha desde el punto inicial hasta el punto terminal indica la dirección del vector. La longitud del segmento de línea representa su **magnitud**. Utilizamos la notación $\|\mathbf{v}\|$ para denotar la magnitud del vector **v**. Un vector con un punto inicial y un punto terminal que son iguales se llama **vector cero**, denotado **0**. El vector cero es el único vector sin dirección, y por convención se puede considerar que tiene cualquier dirección conveniente para el problema en cuestión.

Los vectores con la misma magnitud y dirección se llaman vectores equivalentes. Tratamos los vectores equivalentes como iguales, aunque tengan puntos iniciales diferentes. Por lo tanto, si **v** y **w** son equivalentes, escribimos

$$\mathbf{v} = \mathbf{w}.$$

Definición

Se dice que los vectores son **equivalentes** si tienen la misma magnitud y dirección.

Las flechas de la Figura 2.2(b) son equivalentes. Cada flecha tiene la misma longitud y dirección. Un concepto estrechamente relacionado es la idea de vectores paralelos. Se dice que dos vectores son paralelos si tienen sentidos iguales u opuestos. Más adelante, en este mismo capítulo, analizaremos esta idea con más detalle. Un vector se define por su magnitud y dirección, independientemente de dónde se encuentre su punto inicial.

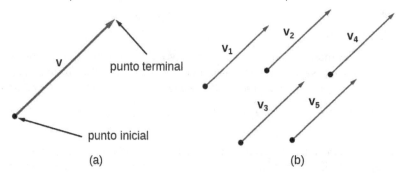

Figura 2.2 (a) Un vector se representa mediante un segmento rectilíneo dirigido desde su punto inicial hasta su punto terminal. (b) Los vectores $\mathbf{v}_1$ hasta $\mathbf{v}_5$ son equivalentes.

El uso de letras minúsculas y en negrita para nombrar los vectores es una representación común en textos, pero existen notaciones alternativas. Cuando se escribe el nombre de un vector a mano, por ejemplo, es más fácil trazar una flecha sobre la variable que simular un tipo de letra en negrita: $\vec{v}$. Cuando un vector tiene un punto inicial P y punto terminal Q, la notación $\overrightarrow{PQ}$ es útil porque indica la dirección y la ubicación del vector.

EJEMPLO 2.1

Trazado de vectores
Trace un vector en el plano desde el punto inicial $P(1, 1)$ al punto terminal $Q(8, 5)$.

⊘ **Solución**
Vea la Figura 2.3. Debido a que el vector va desde el punto P al punto Q, lo nombramos $\overrightarrow{PQ}$.

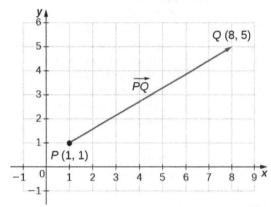

Figura 2.3   El vector con punto inicial $(1, 1)$ y punto terminal $(8, 5)$ se llama $\overrightarrow{PQ}$.

☑   2.1   Trace el vector $\overrightarrow{ST}$ donde S es el punto $(3, -1)$ y T es el punto $(-2, 3)$.

Combinación de vectores

Los vectores tienen muchas aplicaciones en la vida real, incluidas las situaciones que implican fuerza o velocidad. Por ejemplo, considere las fuerzas que actúan sobre un barco que cruza un río. El motor del barco genera una fuerza en una dirección, y la corriente del río genera una fuerza en otra dirección. Ambas fuerzas son vectores. Debemos tener en cuenta tanto la magnitud como la dirección de cada fuerza si queremos saber hacia dónde irá el barco.

Un segundo ejemplo en el que intervienen vectores es el de un mariscal de campo que lanza un balón de fútbol. El mariscal de campo no lanza el balón en paralelo al suelo, sino que apunta al aire. La velocidad de su lanzamiento puede representarse mediante un vector. Si conocemos la fuerza con la que lanza el balón (magnitud, en este caso la velocidad) y el ángulo (dirección), podemos saber qué distancia recorrerá el balón en el campo.

Un número real suele llamarse **escalar** en matemáticas y física. A diferencia de los vectores, se considera que los escalares solo tienen una magnitud, pero no una dirección. Multiplicar un vector por un escalar cambia la magnitud del vector. Esto se llama multiplicación escalar. Tenga en cuenta que el cambio de la magnitud de un vector no indica un cambio en su dirección. Por ejemplo, el viento que sopla de norte a sur puede aumentar o disminuir su velocidad mientras mantiene su dirección de norte a sur.

Definición

El producto $k\mathbf{v}$ de un vector $\mathbf{v}$ y un escalar k es un vector con una magnitud $|k|$ por la magnitud de $\mathbf{v}$, y con una dirección que es la misma que la dirección de $\mathbf{v}$ si $k > 0$, y en sentido contrario a $\mathbf{v}$ si $k < 0$. Esto se llama **multiplicación escalar**. Si los valores de $k = 0$ o $\mathbf{v} = \mathbf{0}$, entonces $k\mathbf{v} = \mathbf{0}$.

Como es de esperar, si $k = -1$, denotamos el producto $k\mathbf{v}$ como

$$k\mathbf{v} = (-1)\,\mathbf{v} = -\mathbf{v}.$$

Tenga en cuenta que −**v** tiene la misma magnitud que **v**, pero tiene el sentido opuesto (Figura 2.4).

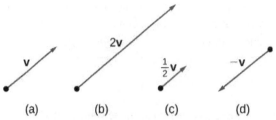

Figura 2.4   (a) El vector original **v** tiene una longitud de *n* unidades. (b) La longitud de 2**v** es igual a 2*n* unidades. (c) La longitud de **v**/2 es *n*/2 unidades. (d) Los vectores **v** y −**v** tienen la misma longitud pero sentidos opuestos.

Otra operación que podemos realizar con los vectores es sumarlos en la suma de vectores, pero como cada vector puede tener su propia dirección, el proceso es diferente al de sumar dos números. El método gráfico más común para sumar dos vectores es situar el punto inicial del segundo vector en el punto terminal del primero, como en la Figura 2.5(a). Para ver por qué esto tiene lógica, supongamos, por ejemplo, que ambos vectores representan desplazamientos. Si un objeto se mueve primero desde el punto inicial hasta el punto terminal del vector **v**, entonces desde el punto inicial hasta el punto terminal del vector **w**, el desplazamiento global es el mismo que si el objeto hubiera realizado un solo movimiento desde el punto inicial hasta el punto terminal del vector **v** + **w**. Por razones obvias, este enfoque se denomina **método triangular**. Observe que si hubiéramos cambiado el orden, de modo que **w** fuese nuestro primer vector y **v** fuese nuestro segundo vector, habríamos terminado en el mismo lugar (de nuevo, vea la Figura 2.5(a)). Por lo tanto, **v** + **w** = **w** + **v**.

Un segundo método para sumar vectores se llama **método de paralelogramos**. Con este método, colocamos los dos vectores de manera que tengan el mismo punto inicial, y luego dibujamos un paralelogramo con los vectores como dos lados adyacentes, como en la Figura 2.5(b). La longitud de la diagonal del paralelogramo es la suma. Comparando la Figura 2.5(b) y la Figura 2.5(a), podemos ver que obtenemos la misma respuesta utilizando cualquiera de los dos métodos. El vector **v** + **w** se denomina **suma de vectores**.

Definición

La suma de dos vectores **v** y **w** se puede construir gráficamente colocando el punto inicial de **w** en el punto terminal de **v**. Entonces, la suma de vectores, **v** + **w**, es el vector con un punto inicial que coincide con el punto inicial de **v** y tiene un punto terminal que coincide con el punto terminal de **w**. Esta operación se conoce como **suma de vectores**.

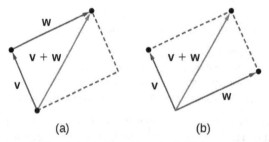

Figura 2.5   (a) Al sumar vectores por el método triangular, el punto inicial de **w** es el punto terminal de **v**. b) Al sumar vectores por el método de paralelogramos, los vectores **v** y **w** tienen el mismo punto inicial.

También es conveniente hablar aquí de la resta de vectores. Definimos **v** − **w** como **v**+ (−**w**) = **v**+(−1)**w**. El vector **v** − **w** se denomina **diferencia de vectores**. Gráficamente, el vector **v** − **w** se representa dibujando un vector desde el punto terminal de **w** al punto terminal de **v** (Figura 2.6).

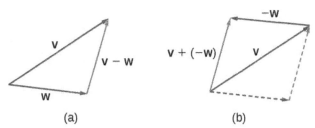

Figura 2.6 (a) La diferencia de vectores **v** − **w** se representa dibujando un vector desde el punto terminal de **w** al punto terminal de **v**. (b) El vector **v** − **w** equivale al vector **v** + (−**w**).

En la Figura 2.5(a), el punto inicial de **v** + **w** es el punto inicial de **v**. El punto terminal de **v** + **w** es el punto terminal de **w**. Estos tres vectores forman los lados de un triángulo. Se deduce que la longitud de un lado cualquiera es menor que la suma de las longitudes de los lados restantes. Así que tenemos

$$\|\mathbf{v} + \mathbf{w}\| \leq \|\mathbf{v}\| + \|\mathbf{w}\|.$$

Esto se conoce más generalmente como la **desigualdad triangular**. Sin embargo, hay un caso en el que el vector resultante **u** + **v** tiene la misma magnitud que la suma de las magnitudes de **u** y **v**. Esto solo ocurre cuando **u** y **v** tienen la misma dirección.

EJEMPLO 2.2

Combinación de vectores
Dados los vectores **v** y **w** que se muestra en la Figura 2.7, dibuje los vectores

a. **3w**
b. **v** + **w**
c. **2v** − **w**

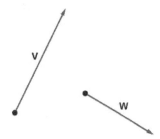

Figura 2.7 Los vectores **v** y **w** se encuentran en el mismo plano.

⊘ **Solución**
a. El vector **3w** tiene la misma dirección que **w**; es tres veces más largo que **w**.

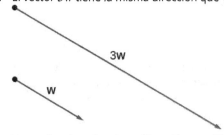

Vector **3w** tiene la misma dirección que **w** y es tres veces más largo.
b. Utilice cualquiera de los dos métodos de adición para hallar **v** + **w**.

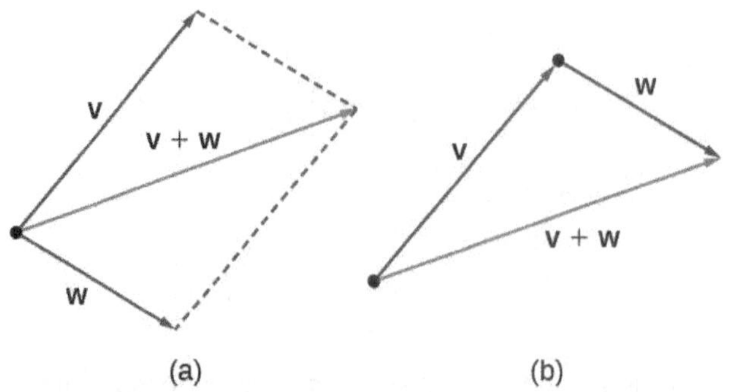

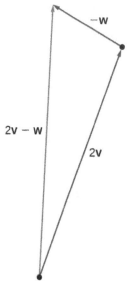

Figura 2.8 Para hallar $\mathbf{v} + \mathbf{w}$, alinee los vectores en sus puntos iniciales o coloque el punto inicial de un vector en el punto terminal del otro. (a) El vector $\mathbf{v} + \mathbf{w}$ es la diagonal del paralelogramo de lados $\mathbf{v}$ y $\mathbf{w}$ (b) El vector $\mathbf{v} + \mathbf{w}$ es el tercer lado de un triángulo formado por $\mathbf{w}$ colocado en el punto terminal de $\mathbf{v}$.

c. Para hallar $2\mathbf{v} - \mathbf{w}$, podemos reescribir primero la expresión como $2\mathbf{v} + (-\mathbf{w})$. Luego, podemos dibujar el vector $-\mathbf{w}$, y luego sumarlo al vector $2\mathbf{v}$.

Figura 2.9 Para hallar $2\mathbf{v} - \mathbf{w}$, solo tiene que sumar $2\mathbf{v} + (-\mathbf{w})$.

✓   2.2   Usando los vectores $\mathbf{v}$ y $\mathbf{w}$ del Ejemplo 2.2, dibuje el vector $2\mathbf{w} - \mathbf{v}$.

Componentes vectoriales

Trabajar con vectores en un plano es más fácil cuando trabajamos en un sistema de coordenadas. Cuando los puntos iniciales y los puntos terminales de los vectores se dan en coordenadas cartesianas, los cálculos son sencillos.

EJEMPLO 2.3

Comparación de vectores
¿Son $\mathbf{v}$ y $\mathbf{w}$ vectores equivalentes?

a. $\mathbf{v}$ tiene un punto inicial $(3, 2)$ y punto terminal $(7, 2)$
   $\mathbf{w}$ tiene un punto inicial $(1, -4)$ y punto terminal $(1, 0)$ grandes.
b. $\mathbf{v}$ tiene un punto inicial $(0, 0)$ y punto terminal $(1, 1)$
   $\mathbf{w}$ tiene un punto inicial $(-2, 2)$ y punto terminal $(-1, 3)$

⊘ **Solución**
a. Los vectores tienen cada uno 4 unidades de largo, pero están orientados en diferentes direcciones. Así que $\mathbf{v}$ y $\mathbf{w}$ no son equivalentes (Figura 2.10)

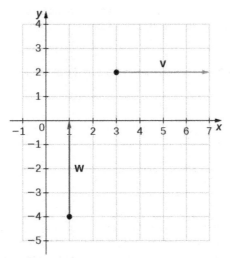

Figura 2.10   Estos vectores no son equivalentes.

b. Basándonos en la Figura 2.11, y utilizando un poco de geometría, está claro que estos vectores tienen la misma
longitud y la misma dirección, por lo que **v** y **w** son equivalentes

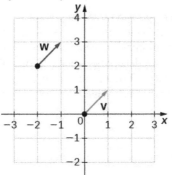

Figura 2.11   Estos vectores son equivalentes.

2.3   ¿Cuáles de los siguientes vectores son equivalentes?

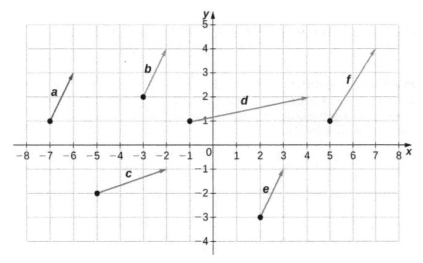

Hemos visto cómo trazar un vector cuando se nos da un punto inicial y un punto terminal. Sin embargo, dado que un
vector puede situarse en cualquier lugar del plano, puede ser más fácil realizar cálculos con un vector cuando su punto
inicial coincide con el origen. Llamamos **vector en posición estándar** a un vector con su punto inicial en el origen.
Porque se sabe que el punto inicial de cualquier vector en posición estándar es $(0, 0)$, podemos describir el vector

mirando las coordenadas de su punto terminal. Así, si el vector **v** tiene su punto inicial en el origen y su punto terminal en (x, y), escribimos el vector en forma de componentes como

$$\mathbf{v} = \langle x, y \rangle.$$

Cuando un vector se escribe en forma de componentes como este, los escalares de *x* y *y* se llaman **componentes** de **v**.

Definición

El vector con punto inicial $(0, 0)$ y punto terminal (x, y) puede escribirse en forma de componentes como

$$\mathbf{v} = \langle x, y \rangle.$$

Los escalares de x como y se denominan las componentes de **v**.

Recordemos que los vectores se nombran con letras minúsculas en negrita o dibujando una flecha sobre su nombre. También hemos aprendido que podemos nombrar un vector por su forma de componentes, con las coordenadas de su punto terminal entre paréntesis angulares. Sin embargo, al escribir la forma en componentes de un vector, es importante distinguir entre $\langle x, y \rangle$ y (x, y). El primer par ordenado utiliza paréntesis angulares para describir un vector, mientras que el segundo utiliza paréntesis para describir un punto en un plano. El punto inicial de $\langle x, y \rangle$ es $(0, 0)$; el punto terminal de $\langle x, y \rangle$ es (x, y).

Cuando tenemos un vector que no está en posición estándar, podemos determinar su forma en componentes de una de estas dos maneras. Podemos utilizar un enfoque geométrico, en el que dibujamos el vector en el plano de coordenadas, y luego dibujamos un vector en posición estándar equivalente. De manera alternativa, podemos hallarlo algebraicamente, utilizando las coordenadas del punto inicial y del punto terminal. Para hallarlo algebraicamente, restamos la coordenada *x* del punto inicial de la coordenada *x* del punto terminal para obtener el componente de *x*, y restamos la coordenada *y* del punto inicial de la coordenada *y* del punto terminal para obtener el componente de *y*.

Regla: forma en componentes de un vector

Supongamos que **v** es un vector con punto inicial (x_i, y_i) y punto terminal (x_t, y_t). Entonces podemos expresar **v** en forma de componentes como $\mathbf{v} = \langle x_t - x_i, y_t - y_i \rangle$.

EJEMPLO 2.4

Expresión de vectores en forma de componentes
Exprese el vector **v** con punto inicial $(-3, 4)$ y punto terminal $(1, 2)$ en forma de componentes.

⊘ **Solución**

a. Método geométrico
    1. Dibuje el vector en el plano de coordenadas (Figura 2.12).
    2. El punto terminal está 4 unidades a la derecha y 2 unidades hacia abajo del punto inicial.
    3. Halle el punto que está a 4 unidades a la derecha y 2 unidades hacia abajo del origen.
    4. En posición estándar, este vector tiene el punto inicial $(0, 0)$ y punto terminal $(4, -2)$:
        $$\mathbf{v} = \langle 4, -2 \rangle.$$

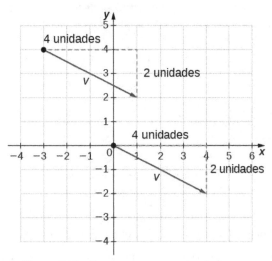

Figura 2.12 Estos vectores son equivalentes.

b. Método algebraico

En la primera solución, hemos utilizado un dibujo del vector para ver que el punto terminal se encuentra 4 unidades a la derecha. Podemos lograrlo algebraicamente encontrando la diferencia de las coordenadas x

$$x_t - x_i = 1 - (-3) = 4.$$

Del mismo modo, la diferencia de las coordenadas y muestra la longitud vertical del vector

$$y_t - y_i = 2 - 4 = -2.$$

Así que, en forma de componentes,

$$\begin{aligned} \mathbf{v} &= \langle x_t - x_i, y_t - y_i \rangle \\ &= \langle 1 - (-3), 2 - 4 \rangle \\ &= \langle 4, -2 \rangle. \end{aligned}$$

2.4   El vector $\mathbf{w}$ tiene un punto inicial $(-4, -5)$ y punto terminal $(-1, 2)$. Exprese $\mathbf{w}$ en forma de componentes.

Para hallar la magnitud de un vector, calculamos la distancia entre su punto inicial y su punto terminal. La magnitud del vector $\mathbf{v} = \langle x, y \rangle$ se denota $\|\mathbf{v}\|$, o $|\mathbf{v}|$, y puede calcularse mediante la fórmula

$$\|\mathbf{v}\| = \sqrt{x^2 + y^2}.$$

Observe que como este vector está escrito en forma de componentes, equivale a un vector en posición estándar, con su punto inicial en el origen y su punto terminal (x, y). Por lo tanto, basta con calcular la magnitud del vector en posición estándar. Utilizando la fórmula de la distancia para calcular la distancia entre el punto inicial $(0, 0)$ y punto terminal (x, y), tenemos

$$\begin{aligned} \|\mathbf{v}\| &= \sqrt{(x - 0)^2 + (y - 0)^2} \\ &= \sqrt{x^2 + y^2}. \end{aligned}$$

Basándose en esta fórmula, está claro que para cualquier vector $\mathbf{v}$, $\|\mathbf{v}\| \geq 0$, y $\|\mathbf{v}\| = 0$ si y solo si $\mathbf{v} = \mathbf{0}$.

La magnitud de un vector también puede derivarse utilizando el teorema de Pitágoras, como en la siguiente figura.

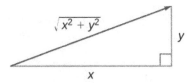

Figura 2.13 Si utiliza las componentes de un vector para definir un triángulo rectángulo, la magnitud del vector es la longitud de la hipotenusa del triángulo.

Hemos definido la multiplicación escalar y la suma de vectores de forma geométrica. Expresar los vectores en forma de componentes nos permite realizar estas mismas operaciones de forma algebraica.

Definición

Supongamos que $\mathbf{v} = \langle x_1, y_1 \rangle$ y $\mathbf{w} = \langle x_2, y_2 \rangle$ son vectores y que k es un escalar.

Multiplicación escalar: $k\mathbf{v} = \langle kx_1, ky_1 \rangle$

Suma de vectores: $\mathbf{v} + \mathbf{w} = \langle x_1, y_1 \rangle + \langle x_2, y_2 \rangle = \langle x_1 + x_2, y_1 + y_2 \rangle$

EJEMPLO 2.5

Realización de operaciones en forma de componentes

Supongamos que $\mathbf{v}$ es el vector con punto inicial $(2, 5)$ y punto terminal $(8, 13)$, y supongamos que $\mathbf{w} = \langle -2, 4 \rangle$.

a. Exprese $\mathbf{v}$ en forma de componentes y halle $\|\mathbf{v}\|$. Entonces, usando el método algebraico, halle

b. $\mathbf{v} + \mathbf{w}$,

c. $3\mathbf{v}$, y

d. $\mathbf{v} - 2\mathbf{w}$.

⊘ **Solución**

a. Para colocar el punto inicial de $\mathbf{v}$ en el origen, debemos trasladar el vector 2 unidades a la izquierda y 5 unidades abajo (Figura 2.15). Utilizando el método algebraico, podemos expresar $\mathbf{v}$ como $\mathbf{v} = \langle 8 - 2, 13 - 5 \rangle = \langle 6, 8 \rangle$:
$$\|\mathbf{v}\| = \sqrt{6^2 + 8^2} = \sqrt{36 + 64} = \sqrt{100} = 10.$$

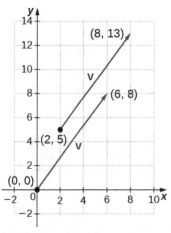

Figura 2.14 En forma de componentes, $\mathbf{v} = \langle 6, 8 \rangle$.

b. Para hallar $\mathbf{v} + \mathbf{w}$, sume los componentes de x y los componentes de y por separado:
$$\mathbf{v} + \mathbf{w} = \langle 6, 8 \rangle + \langle -2, 4 \rangle = \langle 4, 12 \rangle.$$

c. Para hallar $3\mathbf{v}$, multiplique $\mathbf{v}$ por el escalar $k = 3$:
$$3\mathbf{v} = 3 \cdot \langle 6, 8 \rangle = \langle 3 \cdot 6, 3 \cdot 8 \rangle = \langle 18, 24 \rangle.$$

d. Para hallar $\mathbf{v} - 2\mathbf{w}$, halle $-2\mathbf{w}$ y súmelo a $\mathbf{v}$:
$$\mathbf{v} - 2\mathbf{w} = \langle 6, 8 \rangle - 2 \cdot \langle -2, 4 \rangle = \langle 6, 8 \rangle + \langle 4, -8 \rangle = \langle 10, 0 \rangle.$$

☑ 2.5   Supongamos que $\mathbf{a} = \langle 7, 1 \rangle$ y supongamos que $\mathbf{b}$ es el vector con punto inicial $(3, 2)$ y punto terminal $(-1, -1)$.

   a. Halle $\|\mathbf{a}\|$.

   b. Exprese $\mathbf{b}$ en forma de componentes.

   c. Halle $3\mathbf{a} - 4\mathbf{b}$.

Ahora que hemos establecido las reglas básicas de la aritmética vectorial, podemos enunciar las propiedades de las operaciones vectoriales. Vamos a demostrar dos de estas propiedades. Las demás pueden demostrarse de forma similar.

Teorema 2.1

Propiedades de las operaciones vectoriales
Supongamos que **u**, **v**, y **w** son vectores en un plano. Supongamos que r y s son escalares.

i.	$\mathbf{u} + \mathbf{v} = \mathbf{v} + \mathbf{u}$	Propiedad conmutativa
ii.	$(\mathbf{u} + \mathbf{v}) + \mathbf{w} = \mathbf{u} + (\mathbf{v} + \mathbf{w})$	Propiedad asociativa
iii.	$\mathbf{u} + 0 = \mathbf{u}$	Propiedad de identidad aditiva
iv.	$\mathbf{u} + (-\mathbf{u}) = 0$	Propiedad del inverso aditivo
v.	$r(s\mathbf{u}) = (rs)\mathbf{u}$	Propiedad asociativa de la multiplicación escalar
vi.	$(r + s)\mathbf{u} = r\mathbf{u} + s\mathbf{u}$	Propiedad distributiva
vii.	$r(\mathbf{u} + \mathbf{v}) = r\mathbf{u} + r\mathbf{v}$	Propiedad distributiva
viii.	$1\mathbf{u} = \mathbf{u}, 0\mathbf{u} = 0$	Propiedades de la identidad y del cero

Prueba de la propiedad conmutativa

Supongamos que $\mathbf{u} = \langle x_1, y_1 \rangle$ y $\mathbf{v} = \langle x_2, y_2 \rangle$. Aplique la propiedad conmutativa para los números reales:

$$\mathbf{u} + \mathbf{v} = \langle x_1 + x_2, y_1 + y_2 \rangle = \langle x_2 + x_1, y_2 + y_1 \rangle = \mathbf{v} + \mathbf{u}.$$

□

Prueba de la propiedad distributiva

Aplique la propiedad distributiva para los números reales:

$$\begin{aligned}
r(\mathbf{u} + \mathbf{v}) &= r \cdot \langle x_1 + x_2, y_1 + y_2 \rangle \\
&= \langle r(x_1 + x_2), r(y_1 + y_2) \rangle \\
&= \langle rx_1 + rx_2, ry_1 + ry_2 \rangle \\
&= \langle rx_1, ry_1 \rangle + \langle rx_2, ry_2 \rangle \\
&= r\mathbf{u} + r\mathbf{v}.
\end{aligned}$$

□

☑ 2.6   Demuestre la propiedad del inverso aditivo.

Hemos hallado los componentes de un vector dados sus puntos iniciales y terminales. En algunos casos, es posible que solo tengamos la magnitud y la dirección de un vector, no los puntos. Para estos vectores, podemos identificar los componentes horizontales y verticales utilizando la trigonometría (Figura 2.15).

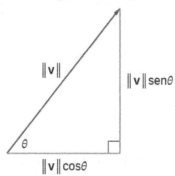

Figura 2.15 Los componentes de un vector forman los catetos de un triángulo rectángulo, con el vector como hipotenusa.

Considere el ángulo θ formado por el vector **v** y el eje x positivo. Podemos ver en el triángulo que los componentes del vector **v** son $\langle \|\mathbf{v}\| \cos \theta, \|\mathbf{v}\| \operatorname{sen} \theta \rangle$. Por lo tanto, dado un ángulo y la magnitud de un vector, podemos utilizar el coseno y el seno del ángulo para hallar los componentes del vector.

EJEMPLO 2.6

Hallar la forma en componentes de un vector utilizando la trigonometría
Halle la forma en componentes de un vector de magnitud 4 que forma un ángulo de −45° con el eje x.

⊘ **Solución**

Supongamos que x como y representan los componentes del vector (Figura 2.16). Luego $x = 4\cos{(-45°)} = 2\sqrt{2}$ y $y = 4\operatorname{sen}{(-45°)} = -2\sqrt{2}$. La forma en componentes del vector es $\left\langle 2\sqrt{2}, -2\sqrt{2} \right\rangle$.

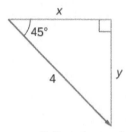

Figura 2.16 Utilice las funciones trigonométricas, $x = \|\mathbf{v}\|\cos\theta$ y $y = \|\mathbf{v}\|\operatorname{sen}\theta$, para identificar los componentes del vector.

☑ 2.7   Halle la forma en componentes del vector **v** con magnitud 10 que forma un ángulo de 120° con el eje x positivo.

Vectores unitarios

Un **vector unitario** es un vector con magnitud 1. Para cualquier vector distinto de cero **v**, podemos utilizar la multiplicación escalar para hallar un vector unitario **u** que tiene la misma dirección que **v**. Para ello, multiplicamos el vector por el recíproco de su magnitud:

$$\mathbf{u} = \frac{1}{\|\mathbf{v}\|}\mathbf{v}.$$

Recordemos que cuando definimos la multiplicación escalar, observamos que $\|k\mathbf{v}\| = |k| \cdot \|\mathbf{v}\|$. Para $\mathbf{u} = \frac{1}{\|\mathbf{v}\|}\mathbf{v}$, se deduce que $\|\mathbf{u}\| = \frac{1}{\|\mathbf{v}\|}(\|\mathbf{v}\|) = 1$. Decimos que **u** es el *vector unitario en la dirección de* **v** (Figura 2.17). El proceso de utilizar la multiplicación escalar para hallar un vector unitario con una dirección dada se llama **normalización**.

Figura 2.17 El vector **v** y el vector unitario asociado $\mathbf{u} = \frac{1}{\|\mathbf{v}\|}\mathbf{v}$. En este caso, $\|\mathbf{v}\| > 1$.

EJEMPLO 2.7

Hallar un vector unitario
Supongamos que $\mathbf{v} = \langle 1, 2 \rangle$.

a. Halle un vector unitario con la misma dirección que **v**.
b. Halle un vector **w** con la misma dirección que **v** tal que $\|\mathbf{w}\| = 7$.

⊘ **Solución**
a. En primer lugar, halle la magnitud de **v**, luego divida las componentes de **v** entre la magnitud:

$$\|\mathbf{v}\| = \sqrt{1^2 + 2^2} = \sqrt{1 + 4} = \sqrt{5}$$

$$\mathbf{u} = \frac{1}{\|\mathbf{v}\|}\mathbf{v} = \frac{1}{\sqrt{5}}\langle 1, 2\rangle = \left\langle \frac{1}{\sqrt{5}}, \frac{2}{\sqrt{5}}\right\rangle.$$

b. El vector **u** está en la misma dirección que **v** y $\|\mathbf{u}\| = 1$. Utilice la multiplicación escalar para aumentar la longitud de **u** sin cambiar de dirección:

$$\mathbf{w} = 7\mathbf{u} = 7\left\langle \frac{1}{\sqrt{5}}, \frac{2}{\sqrt{5}}\right\rangle = \left\langle \frac{7}{\sqrt{5}}, \frac{14}{\sqrt{5}}\right\rangle.$$

☑ 2.8   Supongamos que $\mathbf{v} = \langle 9, 2\rangle$. Halle un vector con magnitud 5 en el sentido opuesto a **v**.

Hemos visto lo conveniente que puede ser escribir un vector en forma de componentes. Sin embargo, a veces es más conveniente escribir un vector como la suma de un vector horizontal y un vector vertical. Para facilitar las cosas, veamos los vectores normales unitarios. Los **vectores normales unitarios** son los vectores $\mathbf{i} = \langle 1, 0\rangle$ y $\mathbf{j} = \langle 0, 1\rangle$ (Figura 2.18).

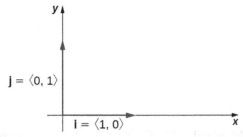

Figura 2.18   Los vectores normales unitarios **i** y **j**.

Aplicando las propiedades de los vectores, es posible expresar cualquier vector en términos de **i** y **j** en lo que llamamos una *combinación lineal*:

$$\mathbf{v} = \langle x, y\rangle = \langle x, 0\rangle + \langle 0, y\rangle = x\langle 1, 0\rangle + y\langle 0, 1\rangle = x\mathbf{i} + y\mathbf{j}.$$

Por lo tanto, **v** es la suma de un vector horizontal con magnitud x, y un vector vertical con magnitud y, como en la siguiente figura.

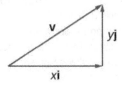

Figura 2.19   El vector **v** es la suma de $x\mathbf{i}$ y $y\mathbf{j}$.

EJEMPLO 2.8

Uso de vectores normales unitarios
a. Exprese el vector $\mathbf{w} = \langle 3, -4\rangle$ en términos de vectores normales unitarios.
b. El vector **u** es un vector unitario que forma un ángulo de 60° con el eje de la x positiva. Utilice los vectores normales unitarios para describir **u**.

⊘ **Solución**
a. Resuelva el vector **w** en un vector con un componente y cero y un vector con un componente x cero:
$$\mathbf{w} = \langle 3, -4\rangle = 3\mathbf{i} - 4\mathbf{j}.$$

b. Debido a que **u** es un vector unitario, el punto terminal se encuentra en el círculo unitario cuando el vector se coloca en posición estándar (Figura 2.20).
$$\begin{aligned} u &= \langle \cos 60°, \operatorname{sen} 60°\rangle \\ &= \left\langle \tfrac{1}{2}, \tfrac{\sqrt{3}}{2}\right\rangle \\ &= \tfrac{1}{2}\mathbf{i} + \tfrac{\sqrt{3}}{2}\mathbf{j}. \end{aligned}$$

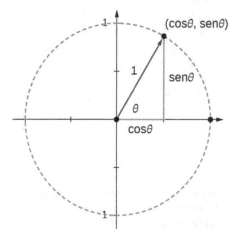

Figura 2.20   El punto terminal de **u** se encuentra en el círculo unitario $(\cos\theta, \sin\theta)$.

☑️   2.9   Supongamos que **a** $= \langle 16, -11 \rangle$ y supongamos que **b** es un vector unitario que forma un ángulo de 225° con el eje de la x positiva. Exprese **a** y **b** en términos de los vectores normales unitarios.

Aplicaciones de los vectores

Como los vectores tienen tanto dirección como magnitud, son herramientas valiosas para resolver problemas que implican aplicaciones como el movimiento y la fuerza. Recordemos el ejemplo del barco y el del mariscal de campo que hemos descrito antes. A continuación, examinamos en detalle otros dos ejemplos.

EJEMPLO 2.9

Hallar la fuerza resultante

El automóvil de Jane está atascado en el barro. Lisa y Jed vienen en un camión para ayudar a sacarla. Fijan un extremo de una correa de remolque a la parte delantera del automóvil y el otro extremo al enganche de remolque del camión, y este empieza a tirar. Mientras tanto, Jane y Jed se ponen detrás del automóvil y empujan. El camión genera una fuerza horizontal de 300 lb sobre el auto. Jane y Jed están empujando en un ligero ángulo hacia arriba y generan una fuerza de 150 lb sobre el auto. Estas fuerzas pueden representarse mediante vectores, como se muestra en la Figura 2.21. El ángulo entre estos vectores es 15°. Halle la fuerza resultante (la suma vectorial) e indique su magnitud a la décima de libra más cercana y su ángulo director desde el eje x positivo.

Figura 2.21   Dos fuerzas que actúan sobre un automóvil en diferentes direcciones.

⊘ **Solución**

Para hallar el efecto de la combinación de las dos fuerzas, sume sus vectores representativos. En primer lugar, exprese cada vector en forma de componentes o en términos de los vectores normales unitarios. Para ello, lo más fácil es alinear uno de los vectores con el eje x positivo. El vector horizontal, entonces, tiene como punto inicial $(0, 0)$ y punto terminal $(300, 0)$. Se puede expresar como $\langle 300, 0 \rangle$ o $300\mathbf{i}$.

El segundo vector tiene una magnitud de 150 y forma un ángulo de 15° con el primero, por lo que podemos expresarlo como $\langle 150\cos(15°), 150\sin(15°) \rangle$, o $150\cos(15°)\mathbf{i} + 150\sin(15°)\mathbf{j}$. Entonces, la suma de los vectores, o vector resultante, es $\mathbf{r} = \langle 300, 0 \rangle + \langle 150\cos(15°), 150\sin(15°) \rangle$, y tenemos

$$\|\mathbf{r}\| = \sqrt{(300 + 150\cos(15°))^2 + (150\,\mathrm{sen}\,(15°))^2}$$
$$\approx 446{,}6.$$

El ángulo θ formado por $\mathbf{r}$ y el eje x positivo tiene $\tan\theta = \frac{150\,\mathrm{sen}\,15°}{(300+150\cos 15°)} \approx 0{,}09$, así que $\theta \approx tan^{-1}(0{,}09) \approx 5°$, lo que significa que la fuerza resultante $\mathbf{r}$ tiene un ángulo de 5° sobre el eje horizontal.

EJEMPLO 2.10

Hallar la velocidad resultante

Un avión vuela hacia el oeste a una velocidad de 425 mph. El viento sopla del noreste en 40 mph. ¿Cuál es la velocidad con respecto al suelo del avión? ¿Cuál es el rumbo del avión?

⊘ **Solución**

Empecemos por dibujar la situación descrita (Figura 2.22).

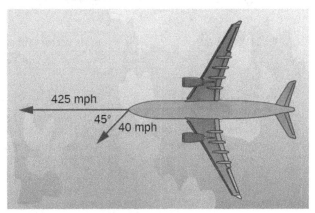

Figura 2.22 Inicialmente, el avión viaja hacia el oeste. El viento viene del noreste, por lo que sopla hacia el suroeste. El ángulo entre el rumbo del avión y el viento es de 45°. (Figura no dibujada a escala).

Haga un dibujo de forma que los puntos iniciales de los vectores se encuentren en el origen. Entonces, el vector velocidad del avión es $\mathbf{p} = -425\mathbf{i}$. El vector que describe el viento forma un ángulo de 225° con el eje x positivo:

$$\mathbf{w} = \langle 40\cos(225°), 40\,\mathrm{sen}\,(225°)\rangle = \left\langle -\frac{40}{\sqrt{2}}, -\frac{40}{\sqrt{2}}\right\rangle = -\frac{40}{\sqrt{2}}\mathbf{i} - \frac{40}{\sqrt{2}}\mathbf{j}.$$

Cuando la velocidad del aire y el viento actúan conjuntamente sobre el avión, podemos sumar sus vectores para hallar la fuerza resultante:

$$\mathbf{p} + \mathbf{w} = -425\mathbf{i} + \left(-\frac{40}{\sqrt{2}}\mathbf{i} - \frac{40}{\sqrt{2}}\mathbf{j}\right) = \left(-425 - \frac{40}{\sqrt{2}}\right)\mathbf{i} - \frac{40}{\sqrt{2}}\mathbf{j}.$$

La magnitud del vector resultante muestra el efecto del viento en la velocidad con respecto al suelo del avión:

$$\|\mathbf{p} + \mathbf{w}\| = \sqrt{\left(-425 - \frac{40}{\sqrt{2}}\right)^2 + \left(-\frac{40}{\sqrt{2}}\right)^2} \approx 454{,}17 \text{ mph}$$

Como resultado del viento, el avión viaja a aproximadamente a 454 mph con respecto al suelo.

Para determinar el rumbo del avión, queremos hallar la dirección del vector $\mathbf{p} + \mathbf{w}$:

$$\tan\theta = \frac{-\frac{40}{\sqrt{2}}}{\left(-425 - \frac{40}{\sqrt{2}}\right)} \approx 0{,}06$$
$$\theta \approx 3{,}57°.$$

La dirección general del avión es 3,57° al sur del oeste.

☑ 2.10   Un avión vuela hacia el norte a una velocidad de 550 mph. El viento sopla desde el noroeste a 50 mph. ¿Cuál es la velocidad con respecto al suelo del avión?

📖 SECCIÓN 2.1 EJERCICIOS

En los siguientes ejercicios, considere los puntos $P(-1, 3)$, $Q(1, 5)$, y $R(-3, 7)$. Determine los vectores solicitados y exprese cada uno de ellos a. en forma de componentes y b. utilizando los vectores normales unitarios.

1. $\vec{PQ}$

2. $\vec{PR}$

3. $\vec{QP}$

4. $\vec{RP}$

5. $\vec{PQ} + \vec{PR}$

6. $\vec{PQ} - \vec{PR}$

7. $2\vec{PQ} - 2\vec{PR}$

8. $2\vec{PQ} + \frac{1}{2}\vec{PR}$

9. El vector unitario en la dirección de $\vec{PQ}$

10. El vector unitario en la dirección de $\vec{PR}$

11. Un vector **v** tiene un punto inicial $(-1, -3)$ y punto terminal $(2, 1)$. Halle el vector unitario en la dirección de **v**. Exprese la respuesta en forma de componentes.

12. Un vector **v** tiene un punto inicial $(-2, 5)$ y punto terminal $(3, -1)$. Halle el vector unitario en la dirección de **v**. Exprese la respuesta en forma de componentes.

13. El vector **v** tiene un punto inicial $P(1, 0)$ y punto terminal Q que está en el eje y y por encima del punto inicial. Halle las coordenadas del punto terminal Q de modo que la magnitud del vector **v** es $\sqrt{5}$.

14. El vector **v** tiene un punto inicial $P(1, 1)$ y punto terminal Q que está en el eje x y a la izquierda del punto inicial. Halle las coordenadas del punto terminal Q de modo que la magnitud del vector **v** es $\sqrt{10}$.

*En los siguientes ejercicios, utilice los vectores dados **a** y **b**.*

a. Determine la suma de vectores **a** + **b** y exprésela tanto en forma de componentes como utilizando los vectores normales unitarios.

b. Halle la diferencia de vectores **a** − **b** y exprésela tanto en forma de componentes como utilizando los vectores normales unitarios.

c. Verifique que los vectores **a**, **b**, y **a** + **b**, y, respectivamente, **a**, **b**, y **a** − **b** satisfacen la desigualdad triangular.

d. Determine los vectores 2**a**, −**b**, y 2**a** − **b**. Exprese los vectores tanto en forma de componentes como utilizando vectores normales unitarios.

15. $\mathbf{a} = 2\mathbf{i} + \mathbf{j}, \mathbf{b} = \mathbf{i} + 3\mathbf{j}$

16. $\mathbf{a} = 2\mathbf{i}, \mathbf{b} = -2\mathbf{i} + 2\mathbf{j}$

17. Supongamos que **a** es un vector en posición estándar con punto terminal $(-2, -4)$. Supongamos que **b** es un vector con punto inicial $(1, 2)$ y punto terminal $(-1, 4)$. Halle la magnitud del vector $-3\mathbf{a} + \mathbf{b} - 4\mathbf{i} + \mathbf{j}$.

18. Supongamos que **a** es un vector en posición estándar con punto terminal en $(2, 5)$. Supongamos que **b** es un vector con punto inicial $(-1, 3)$ y punto terminal $(1, 0)$. Halle la magnitud del vector $\mathbf{a} - 3\mathbf{b} + 14\mathbf{i} - 14\mathbf{j}$.

19. Supongamos que **u** y **v** son dos vectores distintos de cero y no son equivalentes. Considere los vectores $\mathbf{a} = 4\mathbf{u} + 5\mathbf{v}$ y $\mathbf{b} = \mathbf{u} + 2\mathbf{v}$ definidos en términos de **u** y **v**. Halle el escalar λ de modo que los vectores $\mathbf{a} + \lambda\mathbf{b}$ y $\mathbf{u} - \mathbf{v}$ son equivalentes.

20. Supongamos que **u** y **v** son dos vectores distintos de cero y no son equivalentes. Considere los vectores $\mathbf{a} = 2\mathbf{u} - 4\mathbf{v}$ y $\mathbf{b} = 3\mathbf{u} - 7\mathbf{v}$ definidos en términos de **u** y **v**. Halle los escalares α y β de modo que los vectores $\alpha\mathbf{a} + \beta\mathbf{b}$ y $\mathbf{u} - \mathbf{v}$ son equivalentes.

21. Considere el vector $\mathbf{a}(t) = \langle \cos t, \operatorname{sen} t \rangle$ con componentes que dependen de un número real t. A medida que el número t varía, los componentes de $\mathbf{a}(t)$ cambian también, dependiendo de las funciones que los definen.

   a. Escriba los vectores $\mathbf{a}(0)$ y $\mathbf{a}(\pi)$ en forma de componentes.

   b. Demuestre que la magnitud $\|\mathbf{a}(t)\|$ del vector $\mathbf{a}(t)$ permanece constante para cualquier número real t.

   c. Dado que t varía, demuestre que el punto terminal del vector $\mathbf{a}(t)$ describe un círculo centrado en el origen de radio 1.

22. Considere el vector $\mathbf{a}(x) = \left\langle x, \sqrt{1 - x^2} \right\rangle$ con componentes que dependen de un número real $x \in [-1, 1]$. A medida que el número x varía, los componentes de $\mathbf{a}(x)$ cambian también, dependiendo de las funciones que los definen.

   a. Escriba los vectores $\mathbf{a}(0)$ y $\mathbf{a}(1)$ en forma de componentes.

   b. Demuestre que la magnitud $\|\mathbf{a}(x)\|$ del vector $\mathbf{a}(x)$ permanece constante para cualquier número real x

   c. Dado que x varía, demuestre que el punto terminal del vector $\mathbf{a}(x)$ describe un círculo centrado en el origen de radio 1.

23. Demuestre que los vectores $\mathbf{a}(t) = \langle \cos t, \operatorname{sen} t \rangle$ y $\mathbf{a}(x) = \left\langle x, \sqrt{1 - x^2} \right\rangle$ son equivalentes para $x = 1$ y $t = 2k\pi$, donde k es un número entero.

24. Demuestre que los vectores $\mathbf{a}(t) = \langle \cos t, \operatorname{sen} t \rangle$ y $\mathbf{a}(x) = \left\langle x, \sqrt{1 - x^2} \right\rangle$ son opuestos para $x = r$ y $t = \pi + 2k\pi$, donde k es un número entero.

En los siguientes ejercicios, halle el vector $\mathbf{v}$ con la magnitud dada y en la misma dirección que el vector $\mathbf{u}$.

25. $\|\mathbf{v}\| = 7, \mathbf{u} = \langle 3, 4 \rangle$

26. $\|\mathbf{v}\| = 3, \mathbf{u} = \langle -2, 5 \rangle$

27. $\|\mathbf{v}\| = 7, \mathbf{u} = \langle 3, -5 \rangle$

28. $\|\mathbf{v}\| = 10, \mathbf{u} = \langle 2, -1 \rangle$

En los siguientes ejercicios, halle la forma en componentes del vector $\mathbf{u}$, dada su magnitud y el ángulo que forma el vector con el eje x positivo. Dé respuestas exactas cuando sea posible.

29. $\|\mathbf{u}\| = 2, \theta = 30°$

30. $\|\mathbf{u}\| = 6, \theta = 60°$

31. $\|\mathbf{u}\| = 5, \theta = \frac{\pi}{2}$

32. $\|\mathbf{u}\| = 8, \theta = \pi$

33. $\|\mathbf{u}\| = 10, \theta = \frac{5\pi}{6}$

34. $\|\mathbf{u}\| = 50, \theta = \frac{3\pi}{4}$

En los siguientes ejercicios, el vector $\mathbf{u}$ está dado. Halle el ángulo $\theta \in [0, 2\pi)$ que el vector $\mathbf{u}$ forma con la dirección positiva del eje x, en sentido contrario a las agujas del reloj.

35. $\mathbf{u} = 5\sqrt{2}\mathbf{i} - 5\sqrt{2}\mathbf{j}$

36. $\mathbf{u} = -\sqrt{3}\mathbf{i} - \mathbf{j}$

37. Supongamos que $\mathbf{a} = \langle a_1, a_2 \rangle, \mathbf{b} = \langle b_1, b_2 \rangle,$ y $\mathbf{c} = \langle c_1, c_2 \rangle$ son tres vectores distintos de cero. Si los valores de $a_1 b_2 - a_2 b_1 \neq 0$, entonces demuestre que hay dos escalares, α y β, tal que $\mathbf{c} = \alpha\mathbf{a} + \beta\mathbf{b}$.

38. Considere los vectores $\mathbf{a} = \langle 2, -4 \rangle, \mathbf{b} = \langle -1, 2 \rangle,$ y $\mathbf{c} = \mathbf{0}$ Determine los escalares α y β tal que $\mathbf{c} = \alpha\mathbf{a} + \beta\mathbf{b}$.

39. Supongamos que $P(x_0, f(x_0))$ es un punto fijo en el gráfico de la función diferencial f con un dominio que es el conjunto de los números reales.

 a. Determine el número real z_0 de modo que el punto $Q(x_0 + 1, z_0)$ se sitúe en la línea tangente al gráfico de f en el punto P.

 b. Determine el vector unitario $\mathbf{u}$ con punto inicial P y punto terminal Q.

40. Considere la función $f(x) = x^4$, donde $x \in \mathbb{R}$.

 a. Determine el número real z_0 de modo que el punto $Q(2, z_0)$ esté situado en la línea tangente al gráfico de f en el punto $P(1, 1)$.

 b. Determine el vector unitario $\mathbf{u}$ con punto inicial P y punto terminal Q.

41. Considere f y g dos funciones definidas sobre el mismo conjunto de números reales D. Supongamos que $\mathbf{a} = \langle x, f(x) \rangle$ y $\mathbf{b} = \langle x, g(x) \rangle$ son dos vectores que describen los gráficos de las funciones, donde $x \in D$. Demuestre que si los gráficos de las funciones f y g no se intersecan, entonces los vectores $\mathbf{a}$ y $\mathbf{b}$ no son equivalentes.

42. Halle $x \in \mathbb{R}$ de modo que los vectores $\mathbf{a} = \langle x, \operatorname{sen} x \rangle$ y $\mathbf{b} = \langle x, \cos x \rangle$ son equivalentes.

43. Calcule las coordenadas del punto D tal que $ABCD$ sea un paralelogramo, con $A(1, 1)$, $B(2, 4)$, y $C(7, 4)$.

44. Considere los puntos $A(2, 1)$, $B(10, 6)$, $C(13, 4)$, y $D(16, -2)$. Determine la forma en componentes del vector $\overrightarrow{AD}$.

45. La velocidad de un objeto es la magnitud de su vector de velocidad relacionado. Un balón de fútbol lanzado por un mariscal de campo tiene una velocidad inicial de 70 mph y un ángulo de elevación de 30°. Determine el vector velocidad en mph y exprésalo en forma de componentes. (Redondee a dos decimales).

46. Un jugador de béisbol lanza una pelota de béisbol con un ángulo de 30° con la horizontal. Si la velocidad inicial de la pelota es 100 mph, halle los componentes horizontales y verticales del vector velocidad inicial de la pelota de béisbol. (Redondee a dos decimales).

47. Una bala se dispara con una velocidad inicial de 1,500 ft/s a un ángulo de 60° con la horizontal. Halle los componentes horizontal y vertical del vector velocidad de la bala. (Redondee a dos decimales).

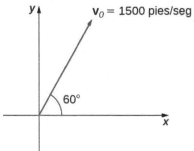

48. **[T]** Un velocista de 65 kg ejerce una fuerza de 798 N a un ángulo de 19° con respecto al suelo en el bloque de salida en el instante en que comienza una carrera. Halle el componente horizontal de la fuerza. (Redondee a dos decimales).

49. **[T]** Dos fuerzas, una fuerza horizontal de 45 lb y otra de 52 lb, actúan sobre el mismo objeto. El ángulo entre estas fuerzas es de 25°. Halle la magnitud y el ángulo director desde el eje x positivo de la fuerza resultante que actúa sobre el objeto. (Redondee a dos decimales).

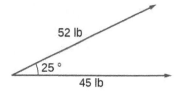

50. **[T]** Dos fuerzas, una fuerza vertical de 26 lb y otra de 45 lb, actúan sobre el mismo objeto. El ángulo entre estas fuerzas es de 55°. Halle la magnitud y el ángulo director desde el eje *x* positivo de la fuerza resultante que actúa sobre el objeto. (Redondee a dos decimales).

51. **[T]** Tres fuerzas actúan sobre el objeto. Dos de las fuerzas tienen las magnitudes 58 N y 27 N, y forman ángulos de 53° y 152°, respectivamente, con el eje *x* positivo. Halle la magnitud y el ángulo director desde el eje *x* positivo de la tercera fuerza tal que la fuerza resultante que actúa sobre el objeto sea cero. (Redondee a dos decimales).

52. Tres fuerzas con magnitudes 80 lb, 120 lb y 60 lb actúan sobre un objeto en ángulos de 45°, 60° y 30°, respectivamente, con el eje de la *x* positiva. Halle la magnitud y el ángulo director desde el eje *x* positivo de la fuerza resultante. (Redondee a dos decimales).

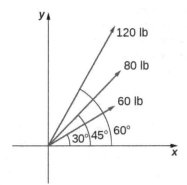

53. **[T]** Un avión está volando en la dirección de 43° este del norte (también abreviado como N43E) a una velocidad de 550 mph. Un viento con velocidad de 25 mph viene del suroeste con un rumbo de N15E. ¿Cuál es la velocidad con respecto al suelo y la nueva dirección del avión?

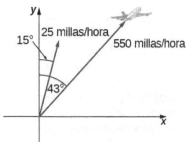

54. **[T]** Un barco se desplaza por el agua a 30 mph en una dirección de N20E (es decir, 20° este del norte). Una fuerte corriente se mueve a 15 mph en una dirección de N45E. ¿Cuál es la nueva velocidad y dirección del barco?

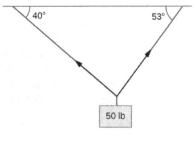

55. **[T]** Un peso de 50 libras se cuelga de un cable de manera que las dos porciones del cable forman ángulos de 40° y 53°, respectivamente, con la horizontal. Halle las magnitudes de las fuerzas de tensión T_1 y T_2 en los cables si la fuerza resultante que actúa sobre el objeto es cero. (Redondee a dos decimales).

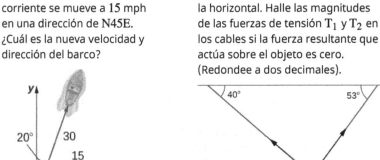

56. **[T]** Un peso de 62 libras cuelga de una cuerda que forma ángulos de 29° y 61°, respectivamente, con la horizontal. Halle las magnitudes de las fuerzas de tensión T_1 y T_2 en los cables si la fuerza resultante que actúa sobre el objeto es cero. (Redondee a dos decimales).

57. **[T]** Una embarcación de 1500 libras está estacionada en una rampa que forma un ángulo de 30° con la horizontal. El vector peso del barco apunta hacia abajo y es una suma de dos vectores: un vector horizontal v_1 que es paralelo a la rampa y un vector vertical v_2 que es perpendicular a la superficie inclinada. Las magnitudes de los vectores v_1 y v_2 son el componente horizontal y vertical, respectivamente, del vector peso del barco. Halle las magnitudes de v_1 y v_2. (Redondee al número entero más cercano).

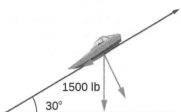

58. **[T]** Una caja de 85 libras está en reposo en un inclinación de 26°. Determine la magnitud de la fuerza paralela a la inclinación necesaria para que la caja no se deslice. (Redondee al número entero más cercano).

59. Un cable de sujeción sostiene un poste que mide 75 pies de altura. Un extremo del cable se sujeta a la parte superior del poste y el otro se ancla al suelo a 50 pies desde la base del poste. Determine los componentes horizontal y vertical de la fuerza de tensión en el cable si su magnitud es 50 lb. (Redondee al número entero más cercano).

60. El cable de un poste telefónico tiene un ángulo de elevación de 35° con respecto al suelo. La fuerza de tensión en el cable es 120 lb. Halle los componentes horizontales y verticales de la fuerza de tensión. (Redondee al número entero más cercano).

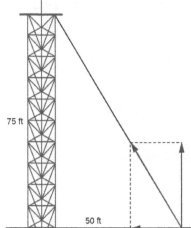

2.2 Vectores en tres dimensiones

Objetivos de aprendizaje

2.2.1　Describir matemáticamente el espacio tridimensional.
2.2.2　Localizar puntos en el espacio mediante coordenadas.
2.2.3　Escribir la fórmula de la distancia en tres dimensiones.
2.2.4　Escribir las ecuaciones de planos y esferas simples.
2.2.5　Realizar operaciones vectoriales en $\mathbb{R}^3$.

Los vectores son herramientas útiles para resolver problemas bidimensionales. Sin embargo, la vida ocurre en tres dimensiones. Para ampliar el uso de los vectores a aplicaciones más realistas, es necesario crear un marco para describir el espacio tridimensional. Por ejemplo, si bien un mapa bidimensional es una herramienta útil para navegar de un lugar a otro, en algunos casos la topografía del terreno es importante. ¿Su ruta prevista pasa por las montañas? ¿Hay que cruzar un río? Para apreciar plenamente el impacto de estos accidentes geográficos, hay que utilizar las tres dimensiones. Esta sección presenta una extensión natural del plano de coordenadas cartesianas de dos dimensiones a tres dimensiones.

Sistemas de coordenadas tridimensionales

Como hemos aprendido, el sistema de coordenadas rectangulares bidimensional contiene dos ejes perpendiculares: el eje horizontal x y el eje vertical y. Podemos añadir una tercera dimensión, el eje z, que es perpendicular al eje x y al eje y. Llamamos a este sistema el sistema de coordenadas rectangulares tridimensionales. Representa las tres dimensiones que encontramos en la vida real.

Definición

El **sistema de coordenadas rectangulares tridimensionales** consta de tres ejes perpendiculares: el eje x, el eje y y el eje z. Como cada eje es una línea numérica que representa todos los números reales en $\mathbb{R}$, el sistema tridimensional se suele denotar como $\mathbb{R}^3$.

En la Figura 2.23(a), el eje z positivo se muestra sobre el plano que contiene los ejes x y y. El eje x positivo aparece a la izquierda y el eje y positivo a la derecha. Una pregunta obvia que surge es: ¿Cómo se determinó esta disposición? El sistema que se muestra sigue la **regla de la mano derecha**. Si tomamos nuestra mano derecha y alineamos los dedos con el eje x positivo, luego curvamos los dedos para que apunten en la dirección del eje y positivo, nuestro pulgar apunta en la dirección del eje z positivo. En este texto, siempre trabajamos con sistemas de coordenadas establecidos de acuerdo con la regla de la mano derecha. Algunos sistemas siguen la regla de la mano izquierda, pero la regla de la mano derecha se considera la representación estándar.

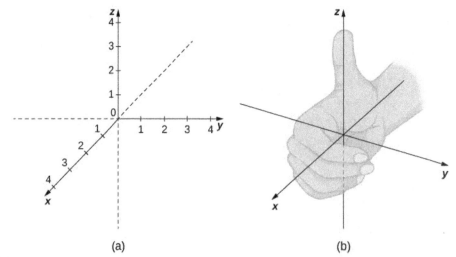

(a)　　　　　　　(b)

Figura 2.23　(a) Podemos ampliar el sistema de coordenadas rectangulares bidimensional añadiendo un tercer eje, el eje z, que es perpendicular tanto al eje x como al eje y. (b) La regla de la mano derecha se utiliza para determinar la ubicación de los ejes de coordenadas en el plano cartesiano estándar.

En dos dimensiones, describimos un punto en el plano con las coordenadas (x, y). Cada coordenada describe cómo se alinea el punto con el eje correspondiente. En tres dimensiones, una nueva coordenada, z, se añade para indicar la alineación con el eje z: (x, y, z). Un punto en el espacio se identifica por las tres coordenadas (Figura 2.24). Para trazar el punto (x, y, z), vaya x unidades a lo largo del eje x, luego y unidades en la dirección del eje y, luego z unidades en la dirección del eje z.

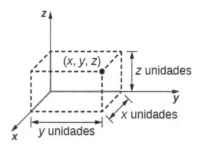

Figura 2.24   Para trazar el punto (x, y, z) vaya x unidades a lo largo del eje x, luego y unidades en la dirección del eje y, luego z unidades en la dirección del eje z.

EJEMPLO 2.11

Localización de puntos en el espacio
Dibuje el punto $(1, -2, 3)$ en el espacio tridimensional.

⊘ **Solución**
Para dibujar un punto, empiece por dibujar tres lados de un prisma rectangular a lo largo de los ejes de coordenadas: una unidad en la dirección de la x positiva, 2 unidades en la dirección de la y negativa y 3 unidades en la dirección de la z positiva. Complete el prisma para trazar el punto (Figura 2.25).

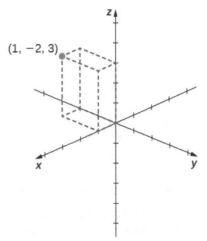

Figura 2.25   Dibujo del punto $(1, -2, 3)$.

✓   2.11   Dibuje el punto $(-2, 3, -1)$ en el espacio tridimensional.

En el espacio bidimensional, el plano de coordenadas está definido por un par de ejes perpendiculares. Estos ejes nos permiten nombrar cualquier lugar dentro del plano. En tres dimensiones, definimos los **planos de coordenadas** mediante los ejes de coordenadas, al igual que en dos dimensiones. Ahora hay tres ejes, por lo que hay tres pares de ejes que se cruzan. Cada par de ejes forma un plano de coordenadas: el plano xy, el plano xz y el plano yz (Figura 2.26). Definimos el plano xy formalmente como el siguiente conjunto: $\left\{ (x, y, 0) : x, y \in \mathbb{R} \right\}$. Del mismo modo, el plano xz y el plano yz se definen como $\left\{ (x, 0, z) : x, z \in \mathbb{R} \right\}$ y $\left\{ (0, y, z) : y, z \in \mathbb{R} \right\}$, respectivamente.

Para visualizarlo, imagine que está construyendo una casa y que se encuentra en una habitación con solo dos de las cuatro paredes terminadas. (Supongamos que las dos paredes terminadas son adyacentes entre sí). Si se coloca de espaldas a la esquina donde se juntan las dos paredes acabadas, mirando hacia el exterior de la habitación, el suelo es el plano *xy*, la pared a su derecha es el plano *xz* y la pared a su izquierda es el plano *yz*.

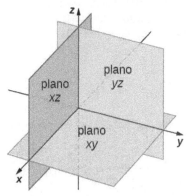

Figura 2.26 El plano que contiene los ejes *x* y *y* se llama plano *xy*. El plano que contiene los ejes *x* y *z* se llama plano *xz*, y los ejes *y* y *z* definen el plano *yz*.

En dos dimensiones, los ejes de coordenadas dividen el plano en cuatro cuadrantes. Del mismo modo, los planos de coordenadas dividen el espacio entre ellos en ocho regiones alrededor del origen, llamadas **octantes**. Los octantes llenan $\mathbb{R}^3$ de la misma manera que los cuadrantes llenan $\mathbb{R}^2$, como se muestra en la Figura 2.27.

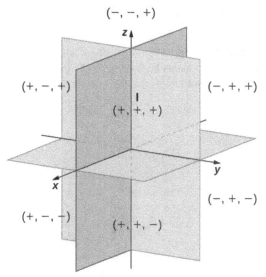

Figura 2.27 Los puntos que se encuentran en los octantes tienen tres coordenadas distintas de cero.

La mayor parte del trabajo en el espacio tridimensional es una cómoda extensión de los conceptos correspondientes en dos dimensiones. En esta sección, utilizamos nuestro conocimiento de los círculos para describir las esferas, y luego ampliamos nuestra comprensión de los vectores a las tres dimensiones. Para lograr estos objetivos, empezamos por adaptar la fórmula de la distancia al espacio tridimensional.

Si dos puntos se encuentran en el mismo plano de coordenadas, es fácil calcular la distancia entre ellos. Sabemos que la distancia d entre dos puntos (x_1, y_1) y (x_2, y_2) en el plano de coordenadas *xy* está dada por la fórmula

$$d = \sqrt{(x_2 - x_1)^2 + (y_2 - y_1)^2}.$$

La fórmula de la distancia entre dos puntos en el espacio es una extensión natural de esta fórmula.

Teorema 2.2

La distancia entre dos puntos en el espacio
La distancia d entre los puntos (x_1, y_1, z_1) y (x_2, y_2, z_2) está dada por la fórmula

$$d = \sqrt{(x_2 - x_1)^2 + (y_2 - y_1)^2 + (z_2 - z_1)^2}. \qquad (2.1)$$

La demostración de este teorema se deja como ejercicio. (*Pista:* Primero halle la distancia d_1 entre los puntos (x_1, y_1, z_1) y (x_2, y_2, z_1) como se muestra en la <u>Figura 2.28</u>).

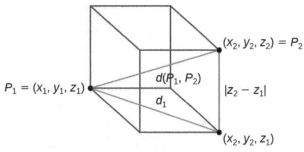

Figura 2.28 La distancia entre P_1 y P_2 es la longitud de la diagonal del prisma rectangular que tiene P_1 y P_2 como esquinas opuestas.

EJEMPLO 2.12

Distancia en el espacio
Halle la distancia entre los puntos $P_1 = (3, -1, 5)$ y $P_2 = (2, 1, -1)$.

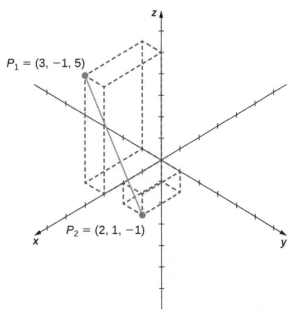

Figura 2.29 Halle la distancia entre los dos puntos.

⊘ **Solución**
Sustituya los valores directamente en la fórmula de la distancia:

$$
\begin{aligned}
d(P_1, P_2) &= \sqrt{(x_2 - x_1)^2 + (y_2 - y_1)^2 + (z_2 - z_1)^2} \\
&= \sqrt{(2-3)^2 + (1-(-1))^2 + (-1-5)^2} \\
&= \sqrt{(-1)^2 + 2^2 + (-6)^2} \\
&= \sqrt{41}.
\end{aligned}
$$

☑ 2.12   Halle la distancia entre los puntos $P_1 = (1, -5, 4)$ y $P_2 = (4, -1, -1)$.

Antes de pasar a la siguiente sección, vamos a ver cómo $\mathbb{R}^3$ se diferencia de $\mathbb{R}^2$. Por ejemplo, en $\mathbb{R}^2$, las líneas que no son paralelas siempre deben cruzarse. Este no es el caso en $\mathbb{R}^3$. Por ejemplo, considere la línea mostrada en la <u>Figura 2.30</u>. Estas dos líneas no son paralelas, ni se cruzan.

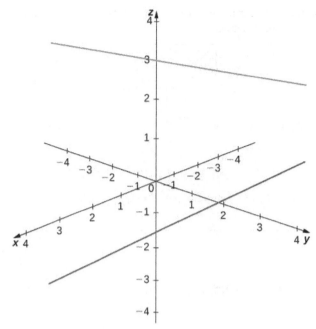

Figura 2.30   Estas dos líneas no son paralelas, pero tampoco se cruzan.

También se pueden tener círculos interconectados pero sin puntos en común, como en la [Figura 2.31](#).

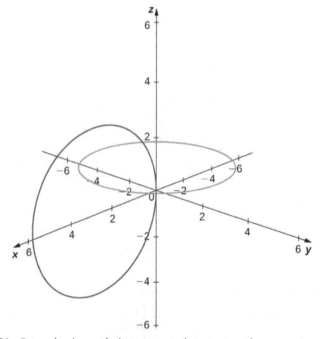

Figura 2.31   Estos círculos están interconectados, pero no tienen puntos en común.

Tenemos mucha más flexibilidad al trabajar en tres dimensiones que si nos limitamos a dos.

Escribir ecuaciones en $\mathbb{R}^3$

Ahora que podemos representar puntos en el espacio y hallar la distancia entre ellos, podemos aprender a escribir ecuaciones de objetos geométricos como líneas, planos y superficies curvas en $\mathbb{R}^3$. En primer lugar, empezamos con una ecuación sencilla. Compare los gráficos de la ecuación $x = 0$ en $\mathbb{R}, \mathbb{R}^2$, y $\mathbb{R}^3$ ([Figura 2.32](#)). A partir de estos gráficos, podemos ver que la misma ecuación puede describir un punto, una línea o un plano.

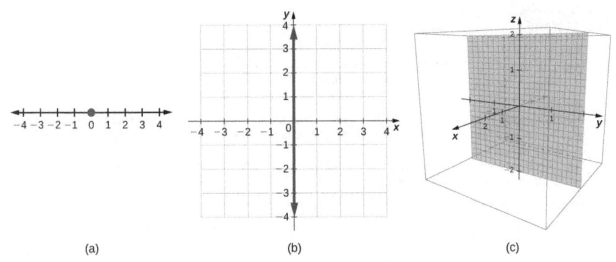

(a)   (b)   (c)

Figura 2.32   (a) En $\mathbb{R}$, la ecuación $x = 0$ describe un punto único. (b) En $\mathbb{R}^2$, la ecuación $x = 0$ describe una línea, el eje y. (c) En $\mathbb{R}^3$, la ecuación $x = 0$ describe un plano, el plano yz.

En el espacio, la ecuación $x = 0$ describe todos los puntos $(0, y, z)$. Esta ecuación define el plano yz. Del mismo modo, el plano xy contiene todos los puntos de la forma $(x, y, 0)$. La ecuación $z = 0$ define el plano xy y la ecuación $y = 0$ describe el plano xz (Figura 2.33).

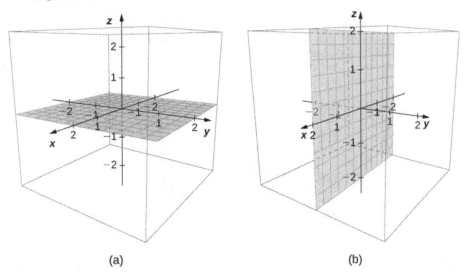

(a)   (b)

Figura 2.33   (a) En el espacio, la ecuación $z = 0$ describe el plano xy. (b) Todos los puntos del plano xz satisfacen la ecuación $y = 0$.

Entender las ecuaciones de los planos de coordenadas nos permite escribir una ecuación para cualquier plano que sea paralelo a uno de los planos de coordenadas. Cuando un plano es paralelo al plano xy, por ejemplo, la coordenada z de cada punto del plano tiene el mismo valor constante. Solo las coordenadas x y y de los puntos de ese plano varían de un punto a otro.

Regla: ecuaciones de los planos paralelos a los planos de coordenadas

1. El plano en el espacio que es paralelo al plano xy y contiene el punto (a, b, c) se puede representar mediante la ecuación $z = c$.
2. El plano en el espacio que es paralelo al plano xz y contiene el punto (a, b, c) se puede representar mediante la ecuación $y = b$.
3. El plano en el espacio que es paralelo al plano yz y contiene el punto (a, b, c) se puede representar mediante la ecuación $x = a$.

EJEMPLO 2.13

Escritura de ecuaciones de planos paralelos a planos de coordenadas
a. Escriba una ecuación del plano que pasa por el punto $(3, 11, 7)$ que es paralelo al plano *yz*.
b. Halle una ecuación del plano que pasa por los puntos $(6, –2, 9)$, $(0, –2, 4)$, y $(1, –2, –3)$.

⊘ **Solución**
a. Cuando un plano es paralelo al plano *yz*, solo pueden variar las coordenadas *y* y *z*. La coordenada *x* tiene el mismo valor constante para todos los puntos de este plano, por lo que este plano se puede representar mediante la ecuación $x = 3$.
b. Cada uno de los puntos $(6, –2, 9)$, $(0, –2, 4)$, y $(1, –2, –3)$ tiene la misma coordenada *y*. Este plano puede representarse mediante la ecuación $y = –2$.

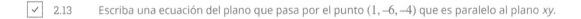

✓ 2.13   Escriba una ecuación del plano que pasa por el punto $(1, –6, –4)$ que es paralelo al plano *xy*.

Como hemos visto, en $\mathbb{R}^2$ la ecuación $x = 5$ describe la línea vertical que pasa por el punto $(5, 0)$. Esta línea es paralela al eje *y*. En una extensión natural, la ecuación $x = 5$ en $\mathbb{R}^3$ describe el plano que pasa por el punto $(5, 0, 0)$, que es paralelo al plano *yz*. Otra extensión natural de una ecuación conocida se encuentra en la ecuación de una esfera.

Definición

Una **esfera** es el conjunto de todos los puntos del espacio que equidistan de un punto fijo, el centro de la esfera (Figura 2.34), al igual que el conjunto de todos los puntos de un plano que equidistan del centro representa un círculo. En una esfera, al igual que en un círculo, la distancia del centro a un punto de la esfera se llama *radio*.

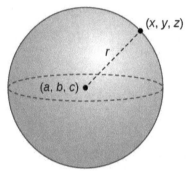

Figura 2.34   Cada punto (x, y, z) en la superficie de una esfera está *r* unidades alejadas del centro (a, b, c).

La ecuación de un círculo se obtiene mediante la fórmula de la distancia en dos dimensiones. Del mismo modo, la ecuación de una esfera se basa en la fórmula tridimensional de la distancia.

Regla: ecuación de una esfera

La esfera con centro (a, b, c) y radio *r* puede representarse mediante la ecuación

$$(x-a)^2 + (y - b)^2 + (z - c)^2 = r^2. \tag{2.2}$$

Esta ecuación se conoce como la **ecuación estándar de una esfera**.

EJEMPLO 2.14

Hallar la ecuación de una esfera
Halle la ecuación estándar de la esfera con centro $(10, 7, 4)$ y punto $(–1, 3, –2)$, como se muestra en la Figura 2.35.

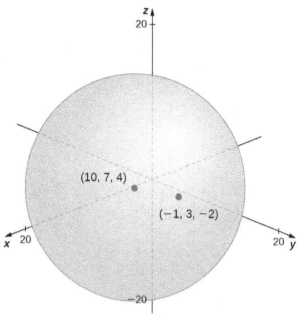

Figura 2.35 La esfera centrada en $(10, 7, 4)$ que contiene el punto $(-1, 3, -2)$.

⊘ **Solución**

Utilice la fórmula de la distancia para hallar el radio r de la esfera:

$$\begin{aligned} r &= \sqrt{(-1 - 10)^2 + (3 - 7)^2 + (-2 - 4)^2} \\ &= \sqrt{(-11)^2 + (-4)^2 + (-6)^2} \\ &= \sqrt{173}. \end{aligned}$$

La ecuación estándar de la esfera es

$$(x - 10)^2 + (y - 7)^2 + (z - 4)^2 = 173.$$

☑ 2.14   Halle la ecuación estándar de la esfera con centro $(-2, 4, -5)$ que contiene el punto $(4, 4, -1)$.

EJEMPLO 2.15

Hallar la ecuación de una esfera

Supongamos que $P = (-5, 2, 3)$ y $Q = (3, 4, -1)$, y suponga que el segmento de línea PQ forma el diámetro de una esfera (Figura 2.36). Halle la ecuación de la esfera.

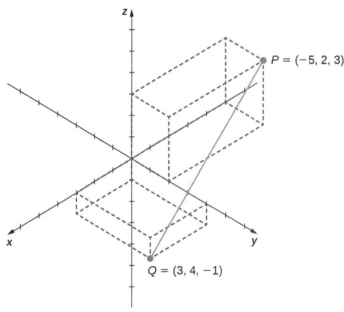

Figura 2.36 Segmento de línea PQ.

⊘ **Solución**

Dado que PQ es un diámetro de la esfera, sabemos que el centro de la esfera es el punto medio de PQ. Entonces,

$$C = \left(\frac{-5+3}{2}, \frac{2+4}{2}, \frac{3+(-1)}{2} \right)$$
$$= (-1, 3, 1).$$

Además, sabemos que el radio de la esfera es la mitad de la longitud del diámetro. Esto da

$$r = \frac{1}{2}\sqrt{(-5-3)^2 + (2-4)^2 + (3-(-1))^2}$$
$$= \frac{1}{2}\sqrt{64 + 4 + 16}$$
$$= \sqrt{21}.$$

Entonces, la ecuación de la esfera es $(x+1)^2 + (y-3)^2 + (z-1)^2 = 21$.

☑ 2.15   Halle la ecuación de la esfera con diámetro PQ, donde $P = (2, -1, -3)$ y $Q = (-2, 5, -1)$.

EJEMPLO 2.16

Graficar otras ecuaciones en tres dimensiones

Describa el conjunto de puntos que satisface $(x-4)(z-2) = 0$, y grafique el conjunto.

⊘ **Solución**

Debemos tener $x - 4 = 0$ o $z - 2 = 0$, para que el conjunto de puntos forme los dos planos $x = 4$ y $z = 2$ (Figura 2.37)

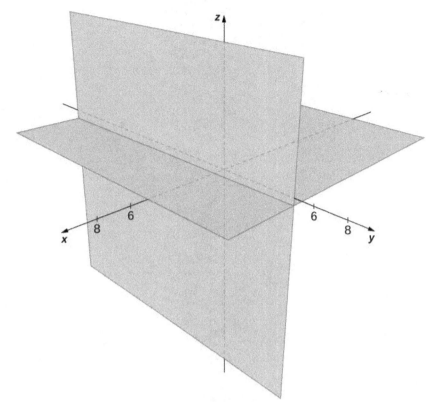

Figura 2.37 El conjunto de puntos que satisfacen $(x - 4)(z - 2) = 0$ forma los dos planos $x = 4$ y $z = 2$.

☑ 2.16   Describa el conjunto de puntos que satisface $(y + 2)(z - 3) = 0$, y grafique el conjunto.

Graficar otras ecuaciones en tres dimensiones

Describa el conjunto de puntos en el espacio tridimensional que satisface $(x - 2)^2 + (y - 1)^2 = 4$, y grafique el conjunto.

⊘ **Solución**

Las coordenadas x y y forman un círculo en el plano xy de radio 2, centrado en $(2, 1)$. Como no hay ninguna restricción en la coordenada z, el resultado tridimensional es un cilindro circular de radio 2 centrado en la línea con $x = 2$ y $y = 1$. El cilindro se extiende indefinidamente en la dirección z (Figura 2.38).

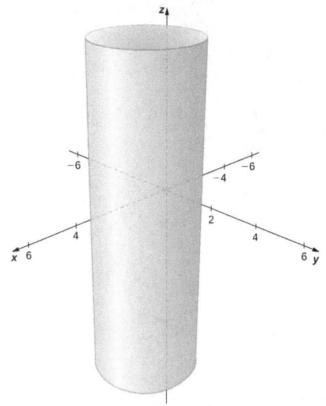

Figura 2.38 El conjunto de puntos que satisfacen $(x-2)^2 + (y-1)^2 = 4$. Se trata de un cilindro de radio 2 centrado en la línea con $x = 2$ y $y = 1$.

☑ 2.17   Describa el conjunto de puntos en el espacio tridimensional que satisface $x^2 + (z-2)^2 = 16$, y grafique la superficie.

Trabajar con vectores en $\mathbb{R}^3$

Al igual que los vectores bidimensionales, los vectores tridimensionales son cantidades con magnitud y dirección, y se representan mediante segmentos rectilíneos dirigidos (flechas). Con un vector tridimensional, utilizamos una flecha tridimensional.

Los vectores tridimensionales también pueden representarse en forma de componentes. La notación $\mathbf{v} = \langle x, y, z \rangle$ es una extensión natural del caso bidimensional, representando un vector con el punto inicial en el origen, $(0, 0, 0)$, y punto terminal (x, y, z). El vector cero es $\mathbf{0} = \langle 0, 0, 0 \rangle$. Así, por ejemplo, el vector tridimensional $\mathbf{v} = \langle 2, 4, 1 \rangle$ está representado por un segmento rectilíneo dirigido desde el punto $(0, 0, 0)$ al punto $(2, 4, 1)$ (Figura 2.39).

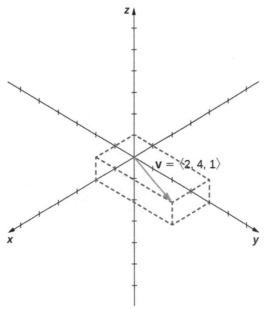

Figura 2.39 El vector $\mathbf{v} = \langle 2, 4, 1 \rangle$ está representado por un segmento rectilíneo dirigido desde el punto $(0, 0, 0)$ al punto $(2, 4, 1)$.

La suma de vectores y la multiplicación escalar se definen de forma análoga al caso bidimensional. Si los valores de $\mathbf{v} = \langle x_1, y_1, z_1 \rangle$ y $\mathbf{w} = \langle x_2, y_2, z_2 \rangle$ son vectores, y k es un escalar, entonces

$$\mathbf{v} + \mathbf{w} = \langle x_1 + x_2, y_1 + y_2, z_1 + z_2 \rangle \text{ y } k\mathbf{v} = \langle kx_1, ky_1, kz_1 \rangle.$$

Si los valores de $k = -1$, entonces $k\mathbf{v} = (-1)\mathbf{v}$ se escribe como $-\mathbf{v}$, y la sustracción de vectores se define mediante $\mathbf{v} - \mathbf{w} = \mathbf{v} + (-\mathbf{w}) = \mathbf{v} + (-1)\mathbf{w}$.

Los vectores normales unitarios se extienden fácilmente a tres dimensiones también, $\mathbf{i} = \langle 1, 0, 0 \rangle$, $\mathbf{j} = \langle 0, 1, 0 \rangle$, y $\mathbf{k} = \langle 0, 0, 1 \rangle$, y los utilizamos del mismo modo que los vectores normales unitarios en dos dimensiones. Por lo tanto, podemos representar un vector en $\mathbb{R}^3$ de las siguientes maneras:

$$\mathbf{v} = \langle x, y, z \rangle = x\mathbf{i} + y\mathbf{j} + z\mathbf{k}.$$

EJEMPLO 2.18

Representaciones vectoriales

Supongamos que $\overrightarrow{PQ}$ es el vector con punto inicial $P = (3, 12, 6)$ y punto terminal $Q = (-4, -3, 2)$ como se muestra en la Figura 2.40. Exprese $\overrightarrow{PQ}$ tanto en forma de componentes como utilizando vectores normales unitarios.

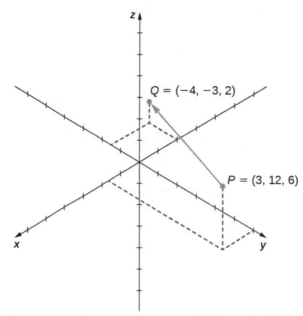

Figura 2.40   El vector con punto inicial $P = (3, 12, 6)$ y punto terminal $Q = (-4, -3, 2)$.

◯ **Solución**

En forma de componente,

$$\begin{aligned} \vec{PQ} &= \langle x_2 - x_1, y_2 - y_1, z_2 - z_1 \rangle \\ &= \langle -4 - 3, -3 - 12, 2 - 6 \rangle = \langle -7, -15, -4 \rangle. \end{aligned}$$

En forma de unidad estándar,

$$\vec{PQ} = -7\mathbf{i} - 15\mathbf{j} - 4\mathbf{k}.$$

✓   2.18   Supongamos que $S = (3, 8, 2)$ y $T = (2, -1, 3)$. Exprese $\vec{ST}$ en forma de componente y en forma de unidad estándar.

Como se ha descrito anteriormente, los vectores en tres dimensiones se comportan de la misma manera que los vectores en un plano. La interpretación geométrica de la suma de vectores, por ejemplo, es la misma tanto en el espacio bidimensional como en el tridimensional (Figura 2.41).

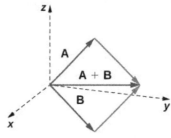

Figura 2.41   Para sumar vectores en tres dimensiones, seguimos los mismos procedimientos que aprendimos para dos dimensiones.

Ya hemos visto cómo algunas de las propiedades algebraicas de los vectores, como la suma de vectores y la multiplicación escalar, pueden extenderse a tres dimensiones. Otras propiedades pueden ampliarse de forma similar. Se resumen aquí para nuestra referencia.

Regla: propiedades de los vectores en el espacio

Supongamos que $v = \langle x_1, y_1, z_1 \rangle$ y $w = \langle x_2, y_2, z_2 \rangle$ son vectores y que k es un escalar.

Multiplicación escalar: $kv = \langle kx_1, ky_1, kz_1 \rangle$

Suma de vectores: $v + w = \langle x_1, y_1, z_1 \rangle + \langle x_2, y_2, z_2 \rangle = \langle x_1 + x_2, y_1 + y_2, z_1 + z_2 \rangle$

Resta de vectores: $v - w = \langle x_1, y_1, z_1 \rangle - \langle x_2, y_2, z_2 \rangle = \langle x_1 - x_2, y_1 - y_2, z_1 - z_2 \rangle$

Magnitud del vector: $\|v\| = \sqrt{x_1{}^2 + y_1{}^2 + z_1{}^2}$

Vector unitario en la dirección de v: $\frac{1}{\|v\|} v = \frac{1}{\|v\|} \langle x_1, y_1, z_1 \rangle = \left\langle \frac{x_1}{\|v\|}, \frac{y_1}{\|v\|}, \frac{z_1}{\|v\|} \right\rangle$, si $v \neq 0$

Hemos visto que la suma de vectores en dos dimensiones satisface las propiedades conmutativa, asociativa y aditiva inversa. Estas propiedades de las operaciones vectoriales son válidas también para los vectores tridimensionales. La multiplicación escalar de vectores satisface la propiedad distributiva, y el vector cero actúa como identidad aditiva. Las pruebas para verificar estas propiedades en tres dimensiones son extensiones directas de las pruebas en dos dimensiones.

EJEMPLO 2.19

Operaciones vectoriales en tres dimensiones
Supongamos que $v = \langle -2, 9, 5 \rangle$ y $w = \langle 1, -1, 0 \rangle$ (Figura 2.42). Halle los siguientes vectores.

a. $3v - 2w$
b. $5\|w\|$
c. $\|5w\|$
d. Un vector unitario en la dirección de v

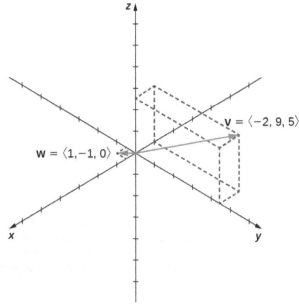

Figura 2.42 Los vectores $v = \langle -2, 9, 5 \rangle$ y $w = \langle 1, -1, 0 \rangle$.

⊘ **Solución**
a. Primero, use la multiplicación escalar de cada vector, y luego reste:
$$3v - 2w = 3\langle -2, 9, 5 \rangle - 2\langle 1, -1, 0 \rangle$$
$$= \langle -6, 27, 15 \rangle - \langle 2, -2, 0 \rangle$$
$$= \langle -6 - 2, 27 - (-2), 15 - 0 \rangle$$
$$= \langle -8, 29, 15 \rangle.$$

b. Escriba la ecuación de la magnitud del vector y luego utilice la multiplicación escalar

$$5\|\mathbf{w}\| = 5\sqrt{1^2 + (-1)^2 + 0^2} = 5\sqrt{2}.$$

c. Primero, utilice la multiplicación escalar, luego halle la magnitud del nuevo vector. Observe que el resultado es el mismo que el de la parte b.:

$$\|5\mathbf{w}\| = \|\langle 5, -5, 0\rangle\| = \sqrt{5^2 + (-5)^2 + 0^2} = \sqrt{50} = 5\sqrt{2}.$$

d. Recordemos que para hallar un vector unitario en dos dimensiones, dividimos un vector entre su magnitud. El procedimiento es el mismo en tres dimensiones:

$$\begin{aligned}
\frac{\mathbf{v}}{\|\mathbf{v}\|} &= \frac{1}{\|\mathbf{v}\|}\langle -2, 9, 5\rangle \\
&= \frac{1}{\sqrt{(-2)^2 + 9^2 + 5^2}}\langle -2, 9, 5\rangle \\
&= \frac{1}{\sqrt{110}}\langle -2, 9, 5\rangle \\
&= \left\langle \frac{-2}{\sqrt{110}}, \frac{9}{\sqrt{110}}, \frac{5}{\sqrt{110}}\right\rangle.
\end{aligned}$$

☑ 2.19   Supongamos que $\mathbf{v} = \langle -1, -1, 1\rangle$ y $\mathbf{w} = \langle 2, 0, 1\rangle$. Halle un vector unitario en la dirección de $5\mathbf{v} + 3\mathbf{w}$.

EJEMPLO 2.20

Lanzar un pase hacia adelante

Un mariscal de campo está de pie en el campo de fútbol americano preparándose para lanzar un pase. Su receptor está parado 20 yardas adelante y 15 yardas a la izquierda del mariscal de campo. El mariscal de campo lanza el balón a una velocidad de 60 mph hacia el receptor con un ángulo ascendente de 30° (vea la siguiente figura). Escriba el vector velocidad inicial de la pelota, $\mathbf{v}$, en forma de componentes.

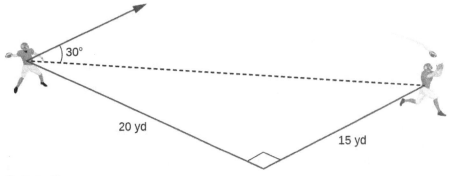

⊘ Solución

Lo primero que queremos hacer es hallar un vector en la misma dirección que el vector velocidad de la pelota. A continuación, escalamos el vector adecuadamente para que tenga la magnitud correcta. Considere el vector $\mathbf{w}$ que se extiende desde el brazo del mariscal de campo hasta un punto directamente por encima de la cabeza del receptor en un ángulo de 30° (vea la siguiente figura). Este vector tendría la misma dirección que $\mathbf{v}$, pero puede que no tenga la magnitud adecuada.

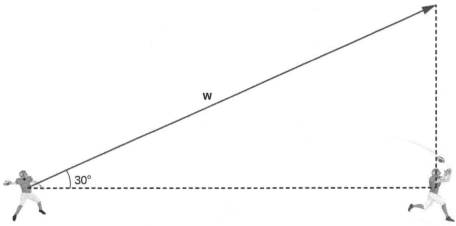

El receptor está a 20 yardas adelante y a 15 yardas a la izquierda del mariscal de campo. Por lo tanto, la distancia en línea recta del mariscal de campo al receptor es

$$\text{Dist. del mariscal de campo al receptor} = \sqrt{15^2 + 20^2} = \sqrt{225 + 400} = \sqrt{625} = 25 \text{ yd.}$$

Tenemos $\frac{25}{\|\mathbf{w}\|} = \cos 30°$. Entonces la magnitud de $\mathbf{w}$ está dada por

$$\|\mathbf{w}\| = \frac{25}{\cos 30°} = \frac{25.2}{\sqrt{3}} = \frac{50}{\sqrt{3}} \text{ yd}$$

y la distancia vertical del receptor al punto terminal de $\mathbf{w}$ es

$$\text{Distancia vertical desde el receptor hasta el punto terminal de } \mathbf{w} = \|\mathbf{w}\| \operatorname{sen} 30° = \frac{50}{\sqrt{3}} \cdot \frac{1}{2} = \frac{25}{\sqrt{3}} \text{ yd.}$$

Entonces $\mathbf{w} = \left\langle 20, 15, \frac{25}{\sqrt{3}} \right\rangle$, y tiene la misma dirección que $\mathbf{v}$.

Recordemos, sin embargo, que hemos calculado la magnitud de $\mathbf{w}$ para que sea $\|\mathbf{w}\| = \frac{50}{\sqrt{3}}$, y $\mathbf{v}$ tenga una magnitud 60 mph. Por lo tanto, necesitamos multiplicar el vector $\mathbf{w}$ por una constante adecuada, k. Queremos hallar un valor de k por lo que $\|k\mathbf{w}\| = 60$ mph. Tenemos

$$\|k\mathbf{w}\| = k \|\mathbf{w}\| = k\frac{50}{\sqrt{3}} \text{ mph,}$$

por lo que queremos

$$k\frac{50}{\sqrt{3}} = 60$$
$$k = \frac{60\sqrt{3}}{50}$$
$$k = \frac{6\sqrt{3}}{5}.$$

Entonces

$$\mathbf{v} = k\mathbf{w} = k\left\langle 20, 15, \frac{25}{\sqrt{3}} \right\rangle = \frac{6\sqrt{3}}{5}\left\langle 20, 15, \frac{25}{\sqrt{3}} \right\rangle = \left\langle 24\sqrt{3}, 18\sqrt{3}, 30 \right\rangle.$$

Comprobemos que $\|\mathbf{v}\| = 60$. Tenemos

$$\|\mathbf{v}\| = \sqrt{\left(24\sqrt{3}\right)^2 + \left(18\sqrt{3}\right)^2 + (30)^2} = \sqrt{1728 + 972 + 900} = \sqrt{3.600} = 60 \text{ mph.}$$

Así, hemos hallado los componentes correctas para $\mathbf{v}$.

☑ 2.20   Supongamos que el mariscal de campo y el receptor están en el mismo lugar que en el ejemplo anterior. Esta vez, sin embargo, el mariscal de campo lanza el balón a una velocidad de 40 mph y un ángulo de 45°. Escriba el vector de velocidad inicial de la pelota, **v**, en forma de componentes.

📖 SECCIÓN 2.2 EJERCICIOS

61. Considere una caja rectangular con uno de los vértices en el origen, como se muestra en la siguiente figura. Si el punto $A(2, 3, 5)$ es el vértice opuesto al origen, entonces halle

   a. las coordenadas de los otros seis vértices de la caja y

   b. la longitud de la diagonal de la caja determinada por los vértices O y A.

62. Halle las coordenadas del punto P y determine su distancia al origen.

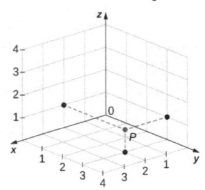

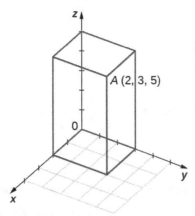

En los siguientes ejercicios, describa y grafique el conjunto de puntos que satisface la ecuación dada.

63. $(y - 5)(z - 6) = 0$

64. $(z - 2)(z - 5) = 0$

65. $(y - 1)^2 + (z - 1)^2 = 1$

66. $(x - 2)^2 + (z - 5)^2 = 4$

67. Escriba la ecuación del plano que pasa por el punto $(1, 1, 1)$ que es paralelo al plano *xy*.

68. Escriba la ecuación del plano que pasa por el punto $(1, -3, 2)$ que es paralelo al plano *xz*.

69. Halle una ecuación del plano que pasa por los puntos $(1, -3, -2)$, $(0, 3, -2)$, y $(1, 0, -2)$.

70. Halle una ecuación del plano que pasa por los puntos $(1, 9, 2)$, $(1, 3, 6)$, y $(1, -7, 8)$.

En los siguientes ejercicios, halle la ecuación de la esfera en forma estándar que satisfaga las condiciones dadas.

71. Centro $C(-1, 7, 4)$ y radio 4

72. Centro $C(-4, 7, 2)$ y radio 6

73. Diámetro PQ, donde $P(-1, 5, 7)$ y $Q(-5, 2, 9)$ grandes.

74. Diámetro PQ, donde
$P(-16, -3, 9)$ y $Q(-2, 3, 5)$

En los siguientes ejercicios, halle el centro y el radio de la esfera con la ecuación en forma general indicada.

75. $x^2 + y^2 + z^2 - 4z + 3 = 0$ **76.** $x^2 + y^2 + z^2 - 6x + 8y - 10z + 25 = 0$

En los siguientes ejercicios, exprese el vector $\overrightarrow{PQ}$ con el punto inicial en P y el punto terminal en Q

a. en forma de componentes y
b. utilizando vectores normales unitarios.

77. $P(3, 0, 2)$ y $Q(-1, -1, 4)$

78. $P(0, 10, 5)$ y $Q(1, 1, -3)$ grandes.

79. $P(-2, 5, -8)$ y $M(1, -7, 4)$, donde M es el punto medio del segmento de línea PQ

80. $Q(0, 7, -6)$ y $M(-1, 3, 2)$, donde M es el punto medio del segmento de línea PQ

81. Halle el punto terminal Q del vector $\overrightarrow{PQ} = \langle 7, -1, 3 \rangle$ con el punto inicial en $P(-2, 3, 5)$.

82. Halle el punto inicial P del vector $\overrightarrow{PQ} = \langle -9, 1, 2 \rangle$ con el punto terminal en $Q(10, 0, -1)$.

En los siguientes ejercicios, utilice los vectores dados $\mathbf{a}$ y $\mathbf{b}$ para hallar y expresar los vectores $\mathbf{a} + \mathbf{b}$, $4\mathbf{a}$, y $-5\mathbf{a} + 3\mathbf{b}$ en forma de componentes.

83. $\mathbf{a} = \langle -1, -2, 4 \rangle$,
$\mathbf{b} = \langle -5, 6, -7 \rangle$

84. $\mathbf{a} = \langle 3, -2, 4 \rangle$,
$\mathbf{b} = \langle -5, 6, -9 \rangle$

85. $\mathbf{a} = -\mathbf{k}, \mathbf{b} = -\mathbf{i}$

86. $\mathbf{a} = \mathbf{i} + \mathbf{j} + \mathbf{k}$,
$\mathbf{b} = 2\mathbf{i} - 3\mathbf{j} + 2\mathbf{k}$

En los siguientes ejercicios, se dan los vectores $\mathbf{u}$ y $\mathbf{v}$. Calcule las magnitudes de los vectores $\mathbf{u} - \mathbf{v}$ y $-2\mathbf{u}$.

87. $\mathbf{u} = 2\mathbf{i} + 3\mathbf{j} + 4\mathbf{k}$,
$\mathbf{v} = -\mathbf{i} + 5\mathbf{j} - \mathbf{k}$

88. $\mathbf{u} = \mathbf{i} + \mathbf{j}, \mathbf{v} = \mathbf{j} - \mathbf{k}$

89. $\mathbf{u} = \langle 2\cos t, -2\,\text{sen}\,t, 3 \rangle$,
$\mathbf{v} = \langle 0, 0, 3 \rangle$, donde t es un número real.

90. $\mathbf{u} = \langle 0, 1, \text{senoh}\,t \rangle$,
$\mathbf{v} = \langle 1, 1, 0 \rangle$, donde t es un número real.

En los siguientes ejercicios, halle el vector unitario en la dirección del vector dado $\mathbf{a}$ y exprésalo mediante vectores normales unitarios.

91. $\mathbf{a} = 3\mathbf{i} - 4\mathbf{j}$

92. $\mathbf{a} = \langle 4, -3, 6 \rangle$

93. $\mathbf{a} = \overrightarrow{PQ}$, donde $P(-2, 3, 1)$ y $Q(0, -4, 4)$ grandes.

94. $\mathbf{a} = \overrightarrow{OP}$, donde $P(-1, -1, 1)$ grandes.

95. $\mathbf{a} = \mathbf{u} - \mathbf{v} + \mathbf{w}$, donde
$\mathbf{u} = \mathbf{i} - \mathbf{j} - \mathbf{k}$,
$\mathbf{v} = 2\mathbf{i} - \mathbf{j} + \mathbf{k}$, y
$\mathbf{w} = -\mathbf{i} + \mathbf{j} + 3\mathbf{k}$

96. $\mathbf{a} = 2\mathbf{u} + \mathbf{v} - \mathbf{w}$, donde
$\mathbf{u} = \mathbf{i} - \mathbf{k}, \mathbf{v} = 2\mathbf{j}$, y
$\mathbf{w} = \mathbf{i} - \mathbf{j}$

97. Determine si $\vec{AB}$ y $\vec{PQ}$ son vectores equivalentes, donde $A(1,1,1)$, $B(3,3,3)$, $P(1,4,5)$, y $Q(3,6,7)$.

98. Determinar si los vectores $\vec{AB}$ y $\vec{PQ}$ son equivalentes, donde $A(1,4,1)$, $B(-2,2,0)$, $P(2,5,7)$, y $Q(-3,2,1)$.

En los siguientes ejercicios, halle el vector **u** *con una magnitud dada y que satisface las condiciones dadas.*

99. $\mathbf{v} = \langle 7,-1,3 \rangle$, $\|\mathbf{u}\| = 10$, **u** y **v** tienen la misma dirección

100. $\mathbf{v} = \langle 2,4,1 \rangle$, $\|\mathbf{u}\| = 15$, **u** y **v** tienen la misma dirección

101. $\mathbf{v} = \langle 2\operatorname{sen} t, 2\cos t, 1 \rangle$, $\|\mathbf{u}\| = 2$, **u** y **v** tienen direcciones opuestas para cualquier t, donde t es un número real

102. $\mathbf{v} = \langle 3\operatorname{senoh} t, 0, 3 \rangle$, $\|\mathbf{u}\| = 5$, **u** y **v** tienen direcciones opuestas para cualquier t, donde t es un número real

103. Determine un vector de magnitud 5 en la dirección del vector $\vec{AB}$, donde $A(2,1,5)$ y $B(3,4,-7)$.

104. Halle un vector de magnitud 2 que apunte en la dirección opuesta al vector $\vec{AB}$, donde $A(-1,-1,1)$ y $B(0,1,1)$. Exprese la respuesta en forma de componentes.

105. Considere los puntos $A(2,\alpha,0)$, $B(0,1,\beta)$, y $C(1,1,\beta)$, donde α y β son números reales negativos. Halle α y β tal que $\|\vec{OA} - \vec{OB} + \vec{OC}\| = \|\vec{OB}\| = 4$.

106. Considere los puntos $A(\alpha,0,0)$, $B(0,\beta,0)$, y $C(\alpha,\beta,\beta)$, donde α y β son números reales positivos. Halle α y β tal que $\|\vec{OA} + \vec{OB}\| = \sqrt{2}$ y $\|\vec{OC}\| = \sqrt{3}$.

107. Supongamos que $P(x,y,z)$ es un punto situado a igual distancia de los puntos $A(1,-1,0)$ y $B(-1,2,1)$. Muestre que el punto P se encuentra en el plano de la ecuación $-2x + 3y + z = 2$.

108. Supongamos que $P(x,y,z)$ es un punto situado a igual distancia del origen y del punto $A(4,1,2)$. Demuestre que las coordenadas del punto P satisfacen la ecuación $8x + 2y + 4z = 21$.

109. Los puntos A, B, y C son colineales (en este orden) si la relación $\|\vec{AB}\| + \|\vec{BC}\| = \|\vec{AC}\|$ se satisface. Demuestre que $A(5,3,-1)$, $B(-5,-3,1)$, y $C(-15,-9,3)$ son puntos colineales.

110. Demuestre que los puntos $A(1, 0, 1)$, $B(0, 1, 1)$, y $C(1, 1, 1)$ no son colineales.

111. **[T]** Una fuerza $\mathbf{F}$ de 50 N actúa sobre una partícula en la dirección del vector $\overrightarrow{OP}$, donde $P(3, 4, 0)$.

    a. Exprese la fuerza como un vector en forma de componentes.

    b. Halle el ángulo entre la fuerza $\mathbf{F}$ y la dirección positiva del eje x. Exprese la respuesta en grados redondeados al entero más cercano.

112. **[T]** Una fuerza $\mathbf{F}$ de 40 N actúa sobre una caja en la dirección del vector $\overrightarrow{OP}$, donde $P(1, 0, 2)$.

    a. Exprese la fuerza como un vector utilizando vectores normales unitarios.

    b. Halle el ángulo entre la fuerza $\mathbf{F}$ y la dirección positiva del eje x.

113. Si los valores de $\mathbf{F}$ es una fuerza que mueve un objeto desde un punto $P_1\ (x_1, y_1, z_1)$ a otro punto $P_2\ (x_2, y_2, z_2)$, entonces el vector de desplazamiento se define como $\mathbf{D} = (x_2 - x_1)\,\mathbf{i} + (y_2 - y_1)\,\mathbf{j} + (z_2 - z_1)\,\mathbf{k}$. Se levanta un contenedor metálico 10 m verticalmente mediante una fuerza constante $\mathbf{F}$. Exprese el vector de desplazamiento $\mathbf{D}$ utilizando vectores normales unitarios.

114. Se tira de una caja 4 yardas horizontalmente en la dirección x mediante una fuerza constante $\mathbf{F}$. Halle el vector de desplazamiento en forma de componentes.

115. La suma de las fuerzas que actúan sobre un objeto se llama fuerza *resultante* o *neta*. Se dice que un objeto está en equilibrio estático si la fuerza resultante de las fuerzas que actúan sobre él es cero. Supongamos que $\mathbf{F}_1 = \langle 10, 6, 3 \rangle$, $\mathbf{F}_2 = \langle 0, 4, 9 \rangle$, y $\mathbf{F}_3 = \langle 10, -3, -9 \rangle$ son tres fuerzas que actúan sobre una caja. Calcule la fuerza $\mathbf{F}_4$ que actúa sobre la caja de manera que esta se encuentre en equilibrio estático. Exprese la respuesta en forma de componentes.

116. **[T]** Supongamos que $\mathbf{F}_k = \left\langle 1, k, k^2 \right\rangle$, $k = 1, ..., n$ son n fuerzas que actúan sobre una partícula, con $n \geq 2$.

a. Calcule la fuerza neta $\mathbf{F} = \sum_{k=1}^{n} F_k$. Exprese la respuesta utilizando vectores normales unitarios.

b. Utilice un sistema de álgebra computacional (CAS) para calcular n tal que $\|\mathbf{F}\| < 100$.

117. La fuerza de la gravedad $\mathbf{F}$ que actúa sobre un objeto está dada por $\mathbf{F} = m\mathbf{g}$, donde m es la masa del objeto (expresada en kilogramos) y $\mathbf{g}$ es la aceleración resultante de la gravedad, con $\|\mathbf{g}\| = 9{,}8$ N/kg. Una bola de discoteca de 2 kg cuelga del techo de una habitación mediante una cadena.

a. Calcule la fuerza de gravedad $\mathbf{F}$ que actúa sobre la bola de discoteca y calcule su magnitud.

b. Calcule la fuerza de tensión $\mathbf{T}$ en la cadena y su magnitud. Exprese las respuestas utilizando vectores normales unitarios.

Figura 2.43   (créditos: modificación del trabajo de Kenneth Lu, Flickr).

118. Un candelabro colgante de 5 kg está diseñado de manera que el cuenco de alabastro está sostenido por cuatro cadenas de igual longitud, como se muestra en la siguiente figura.

a. Calcule la magnitud de la fuerza de gravedad que actúa sobre el candelabro.

b. Calcule las magnitudes de las fuerzas de tensión para cada una de las cuatro cadenas (suponga que las cadenas son esencialmente verticales).

119. **[T]** Un bloque de cemento de 30 kg está suspendido por tres cables de igual longitud que están anclados en puntos $P(-2, 0, 0)$, $Q\left(1, \sqrt{3}, 0\right)$, y $R\left(1, -\sqrt{3}, 0\right)$. La carga se encuentra en $S\left(0, 0, -2\sqrt{3}\right)$, como se muestra en la siguiente figura. Supongamos que $\mathbf{F}_1$, $\mathbf{F}_2$, y $\mathbf{F}_3$ son las fuerzas de tensión resultantes de la carga en los cables RS, QS, y PS, respectivamente.

a. Calcule la fuerza gravitacional $\mathbf{F}$ que actúa sobre el bloque de cemento que contrarresta la suma $\mathbf{F}_1 + \mathbf{F}_2 + \mathbf{F}_3$ de las fuerzas de tensión en los cables.

b. Calcule las fuerzas $\mathbf{F}_1$, $\mathbf{F}_2$, y $\mathbf{F}_3$. Exprese la respuesta en forma de componentes.

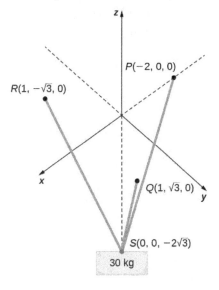

120. Dos jugadoras de fútbol están practicando para un próximo partido. Una de ellas recorre 10 m desde el punto A hasta el punto B. Luego gira a la izquierda 90° y recorre 10 m hasta llegar al punto C. Luego patea la pelota con una velocidad de 10 m/s en un ángulo ascendente de 45° a su compañera de equipo, que se encuentra en el punto A. Escriba la velocidad de la pelota en forma de componentes.

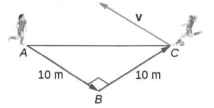

121. Supongamos que $\mathbf{r}(t) = \langle x(t), y(t), z(t) \rangle$ es el vector de posición de una partícula en el tiempo $t \in [0, T]$, donde x, y, y z son funciones sencillas en $[0, T]$. La velocidad instantánea de la partícula en el tiempo t se define mediante el vector $\mathbf{v}(t) = \langle x'(t), y'(t), z'(t) \rangle$, con componentes que son las derivadas con respecto a t, de las funciones x, y y z, respectivamente. La magnitud $\|\mathbf{v}(t)\|$ del vector velocidad instantánea se denomina *velocidad de la partícula en el tiempo* t. El vector $\mathbf{a}(t) = \langle x''(t), y''(t), z''(t) \rangle$, con componentes que son las segundas derivadas con respecto a t, de las funciones x, y, y z, respectivamente, da la aceleración de la partícula en el tiempo t. Considere que $\mathbf{r}(t) = \langle \cos t, \operatorname{sen} t, 2t \rangle$ es el vector de posición de una partícula en el tiempo $t \in [0, 30]$, donde los componentes de $\mathbf{r}$ se expresan en centímetros y el tiempo se expresa en segundos.

a. Calcule la velocidad instantánea, la velocidad y la aceleración de la partícula después del primer segundo. Redondee su respuesta a dos decimales.

b. Utilice un CAS para visualizar la trayectoria de la partícula, es decir, el conjunto de todos los puntos de coordenadas $(\cos t, \operatorname{sen} t, 2t)$, donde $t \in [0, 30]$.

122. **[T]** Supongamos que $\mathbf{r}(t) = \left\langle t, 2t^2, 4t^2 \right\rangle$ es el vector de posición de una partícula en el tiempo t (en segundos), donde $t \in [0, 10]$ (aquí los componentes de $\mathbf{r}$ se expresan en centímetros).

a. Calcule la velocidad instantánea, la velocidad y la aceleración de la partícula después de los dos primeros segundos. Redondee su respuesta a dos decimales.

b. Utilice un CAS para visualizar la trayectoria de la partícula definida por los puntos $\left(t, 2t^2, 4t^2 \right)$, donde $t \in [0, 60]$.

2.3 El producto escalar

Objetivos de aprendizaje

2.3.1   Calcular el producto escalar de dos vectores dados.
2.3.2   Determinar si dos vectores dados son perpendiculares.
2.3.3   Hallar los cosenos directores de un vector dado.
2.3.4   Explicar qué significa la proyección de un vector sobre otro vector y describir cómo calcularla.
2.3.5   Calcular el trabajo realizado por una fuerza dada.

Si aplicamos una fuerza a un objeto para que este se mueva, decimos que la fuerza realiza un *trabajo*. En Introducción a aplicaciones de integración (http://openstax.org/books/cálculo-volumen-1/pages/6-introduccion) vimos una fuerza constante y asumimos que la fuerza se aplicaba en la dirección del movimiento del objeto. En estas condiciones, el trabajo puede expresarse como el producto de la fuerza que actúa sobre un objeto y la distancia que este recorre. En este capítulo, sin embargo, hemos visto que tanto la fuerza como el movimiento de un objeto pueden representarse mediante vectores.

En esta sección desarrollamos una operación llamada *producto escalar*, la cual nos permite calcular el trabajo en el caso de que el vector fuerza y el vector movimiento tengan direcciones diferentes. El producto escalar nos dice esencialmente qué parte del vector fuerza se aplica en la dirección del vector movimiento. El producto escalar también puede ayudarnos a medir el ángulo formado por un par de vectores y la posición de un vector respecto a los ejes de coordenadas. Incluso proporciona una prueba sencilla para determinar si dos vectores se encuentran en un ángulo recto.

El producto escalar y sus propiedades

Ya hemos aprendido a sumar y restar vectores. En este capítulo, investigamos dos tipos de multiplicación de vectores. El primer tipo de multiplicación de vectores se denomina producto escalar, basado en la notación que utilizamos para ello, y se define como sigue:

Definición

El **producto escalar** de los vectores $\mathbf{u} = \langle u_1, u_2, u_3 \rangle$ y $\mathbf{v} = \langle v_1, v_2, v_3 \rangle$ está dado por la suma de los productos de las componentes

$$\mathbf{u} \cdot \mathbf{v} = u_1 v_1 + u_2 v_2 + u_3 v_3. \tag{2.3}$$

Observe que si $\mathbf{u}$ y $\mathbf{v}$ son vectores bidimensionales, calculamos el producto escalar de forma similar. Por lo tanto, si $\mathbf{u} = \langle u_1, u_2 \rangle$ y $\mathbf{v} = \langle v_1, v_2 \rangle$, entonces

$$\mathbf{u} \cdot \mathbf{v} = u_1 v_1 + u_2 v_2.$$

Cuando dos vectores se combinan mediante la suma o la resta, el resultado es un vector. Cuando se combinan dos vectores utilizando el producto escalar, el resultado es un escalar. Por esta razón, el *producto escalar* se llama así. También puede llamarse *producto interior*.

EJEMPLO 2.21

Calcular productos escalares

a.   Calcule el producto escalar de $\mathbf{u} = \langle 3, 5, 2 \rangle$ y $\mathbf{v} = \langle -1, 3, 0 \rangle$.
b.   Calcule el producto escalar de $\mathbf{p} = 10\mathbf{i} - 4\mathbf{j} + 7\mathbf{k}$ y $\mathbf{q} = -2\mathbf{i} + \mathbf{j} + 6\mathbf{k}$.

⊘ **Solución**

a.   Sustituya las componentes del vector en la fórmula del producto escalar:

$$\begin{aligned} \mathbf{u} \cdot \mathbf{v} &= u_1 v_1 + u_2 v_2 + u_3 v_3 \\ &= 3(-1) + 5(3) + 2(0) = -3 + 15 + 0 = 12. \end{aligned}$$

b.   El cálculo es el mismo si los vectores se escriben utilizando vectores normales unitarios. Todavía tenemos tres componentes que sustituir de cada vector en la fórmula del producto escalar:

$$\begin{aligned} \mathbf{p} \cdot \mathbf{q} &= u_1 v_1 + u_2 v_2 + u_3 v_3 \\ &= 10(-2) + (-4)(1) + (7)(6) = -20 - 4 + 42 = 18. \end{aligned}$$

☑   2.21   Calcule $\mathbf{u} \cdot \mathbf{v}$, donde $\mathbf{u} = \langle 2, 9, -1 \rangle$ y $\mathbf{v} = \langle -3, 1, -4 \rangle$.

Al igual que la suma y la resta de vectores, el producto escalar tiene varias propiedades algebraicas. Demostramos tres de estas propiedades y dejamos el resto como ejercicios.

Teorema 2.3

Propiedades del producto escalar
Supongamos que $\mathbf{u}$, $\mathbf{v}$, y $\mathbf{w}$ son vectores, y que c es un escalar.

i.	$\mathbf{u} \cdot \mathbf{v}$	$= \mathbf{v} \cdot \mathbf{u}$	Propiedad conmutativa
ii.	$\mathbf{u} \cdot (\mathbf{v} + \mathbf{w})$	$= \mathbf{u} \cdot \mathbf{v} + \mathbf{u} \cdot \mathbf{w}$	Propiedad distributiva
iii.	$c(\mathbf{u} \cdot \mathbf{v})$	$= (c\mathbf{u}) \cdot \mathbf{v} = \mathbf{u} \cdot (c\mathbf{v})$	Propiedad asociativa
iv.	$\mathbf{v} \cdot \mathbf{v}$	$= \|\mathbf{v}\|^2$	Propiedad de la magnitud

Prueba

Supongamos que $\mathbf{u} = \langle u_1, u_2, u_3 \rangle$ y $\mathbf{v} = \langle v_1, v_2, v_3 \rangle$. Entonces

$$
\begin{aligned}
\mathbf{u} \cdot \mathbf{v} &= \langle u_1, u_2, u_3 \rangle \cdot \langle v_1, v_2, v_3 \rangle \\
&= u_1 v_1 + u_2 v_2 + u_3 v_3 \\
&= v_1 u_1 + v_2 u_2 + v_3 u_3 \\
&= \langle v_1, v_2, v_3 \rangle \cdot \langle u_1, u_2, u_3 \rangle \\
&= \mathbf{v} \cdot \mathbf{u}.
\end{aligned}
$$

La propiedad asociativa se parece a la propiedad asociativa para la multiplicación de números reales, pero preste mucha atención a la diferencia entre los objetos escalares y vectoriales:

$$
\begin{aligned}
c(\mathbf{u} \cdot \mathbf{v}) &= c(u_1 v_1 + u_2 v_2 + u_3 v_3) \\
&= c(u_1 v_1) + c(u_2 v_2) + c(u_3 v_3) \\
&= (cu_1) v_1 + (cu_2) v_2 + (cu_3) v_3 \\
&= \langle cu_1, cu_2, cu_3 \rangle \cdot \langle v_1, v_2, v_3 \rangle \\
&= c \langle u_1, u_2, u_3 \rangle \cdot \langle v_1, v_2, v_3 \rangle \\
&= (c\mathbf{u}) \cdot \mathbf{v}.
\end{aligned}
$$

La prueba de que $c(\mathbf{u} \cdot \mathbf{v}) = \mathbf{u} \cdot (c\mathbf{v})$ es similar.

La cuarta propiedad muestra la relación entre la magnitud de un vector y su producto escalar consigo mismo:

$$
\begin{aligned}
\mathbf{v} \cdot \mathbf{v} &= \langle v_1, v_2, v_3 \rangle \cdot \langle v_1, v_2, v_3 \rangle \\
&= (v_1)^2 + (v_2)^2 + (v_3)^2 \\
&= \left[\sqrt{(v_1)^2 + (v_2)^2 + (v_3)^2} \right]^2 \\
&= \|\mathbf{v}\|^2.
\end{aligned}
$$

☐

Observe que la definición del producto escalar da como resultado $\mathbf{0} \cdot \mathbf{v} = 0$. De acuerdo con la propiedad iv., si $\mathbf{v} \cdot \mathbf{v} = 0$, entonces $\mathbf{v} = \mathbf{0}$.

EJEMPLO 2.22

Uso de las propiedades del producto escalar
Supongamos que $\mathbf{a} = \langle 1, 2, -3 \rangle$, $\mathbf{b} = \langle 0, 2, 4 \rangle$, y $\mathbf{c} = \langle 5, -1, 3 \rangle$. Calcule cada uno de los siguientes productos.

a. $(\mathbf{a} \cdot \mathbf{b}) \mathbf{c}$
b. $\mathbf{a} \cdot (2\mathbf{c})$ grandes.
c. $\|\mathbf{b}\|^2$

⊘ **Solución**

a. Observe que esta expresión pide el múltiplo escalar de **c** por **a. b**:

$$
\begin{aligned}
(\mathbf{a.\,b})\,\mathbf{c} &= (\langle 1,2,-3\rangle . \langle 0,2,4\rangle)\,\langle 5,-1,3\rangle \\
&= (1\,(0)+2\,(2)+(-3)\,(4))\,\langle 5,-1,3\rangle \\
&= -8\,\langle 5,-1,3\rangle \\
&= \langle -40,8,-24\rangle .
\end{aligned}
$$

b. Esta expresión es un producto escalar del vector **a** y el múltiplo escalar 2**c**:

$$
\begin{aligned}
\mathbf{a.\,(2c)} &= 2\,(\mathbf{a.\,c}) \\
&= 2\,(\langle 1,2,-3\rangle . \langle 5,-1,3\rangle) \\
&= 2\,(1\,(5)+2\,(-1)+(-3)\,(3)) \\
&= 2\,(-6) = -12.
\end{aligned}
$$

c. La simplificación de esta expresión es una aplicación directa del producto escalar:

$$
\|\mathbf{b}\|^2 = \mathbf{b.\,b} = \langle 0,2,4\rangle . \langle 0,2,4\rangle = 0^2 + 2^2 + 4^2 = 0+4+16 = 20.
$$

☑ 2.22   Calcule los siguientes productos para $\mathbf{p} = \langle 7,0,2\rangle$, $\mathbf{q} = \langle -2,2,-2\rangle$, y $\mathbf{r} = \langle 0,2,-3\rangle$.

   a. $(\mathbf{r.\,p})\,\mathbf{q}$
   b. $\|\mathbf{p}\|^2$

Uso del producto escalar para calcular el ángulo entre dos vectores

Cuando dos vectores distintos de cero se colocan en posición estándar, ya sea en dos o tres dimensiones, forman un ángulo entre ellos (Figura 2.44). El producto escalar proporciona una manera de calcular la medida de este ángulo. Esta propiedad es resultado del hecho de que podemos expresar el producto escalar en términos del coseno del ángulo formado por dos vectores.

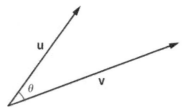

Figura 2.44   Supongamos que θ es el ángulo entre dos vectores distintos de cero **u** y **v** tal que $0 \le \theta \le \pi$.

Teorema 2.4

Evaluación de un producto escalar

El producto escalar de dos vectores es el producto de la magnitud de cada vector por el coseno del ángulo entre ellos:

$$
\mathbf{u.\,v} = \|\mathbf{u}\|\,\|\mathbf{v}\|\cos\theta. \tag{2.4}
$$

Prueba

Coloque los vectores **u** y **v** en posición estándar y considere el vector **v − u** (Figura 2.45). Estos tres vectores forman un triángulo con longitudes de lado $\|\mathbf{u}\|$, $\|\mathbf{v}\|$, y $\|\mathbf{v} - \mathbf{u}\|$.

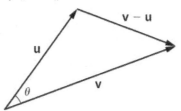

Figura 2.45   Las longitudes de los lados del triángulo vienen dadas por las magnitudes de los vectores que lo forman.

Recordemos que la ley de los cosenos describe la relación entre las longitudes de los lados del triángulo y el ángulo θ.

Aplicando la ley de los cosenos se obtiene

$$\|\mathbf{v} - \mathbf{u}\|^2 = \|\mathbf{u}\|^2 + \|\mathbf{v}\|^2 - 2\|\mathbf{u}\|\|\mathbf{v}\|\cos\theta.$$

El producto escalar proporciona una forma de reescribir el lado izquierdo de esta ecuación:

$$
\begin{aligned}
\|\mathbf{v} - \mathbf{u}\|^2 &= (\mathbf{v} - \mathbf{u}) \cdot (\mathbf{v} - \mathbf{u}) \\
&= (\mathbf{v} - \mathbf{u}) \cdot \mathbf{v} - (\mathbf{v} - \mathbf{u}) \cdot \mathbf{u} \\
&= \mathbf{v} \cdot \mathbf{v} - \mathbf{u} \cdot \mathbf{v} - \mathbf{v} \cdot \mathbf{u} + \mathbf{u} \cdot \mathbf{u} \\
&= \mathbf{v} \cdot \mathbf{v} - \mathbf{u} \cdot \mathbf{v} - \mathbf{u} \cdot \mathbf{v} + \mathbf{u} \cdot \mathbf{u} \\
&= \|\mathbf{v}\|^2 - 2\mathbf{u} \cdot \mathbf{v} + \|\mathbf{u}\|^2.
\end{aligned}
$$

Sustituyendo en la ley de los cosenos se obtiene

$$
\begin{aligned}
\|\mathbf{v} - \mathbf{u}\|^2 &= \|\mathbf{u}\|^2 + \|\mathbf{v}\|^2 - 2\|\mathbf{u}\|\|\mathbf{v}\|\cos\theta \\
\|\mathbf{v}\|^2 - 2\mathbf{u} \cdot \mathbf{v} + \|\mathbf{u}\|^2 &= \|\mathbf{u}\|^2 + \|\mathbf{v}\|^2 - 2\|\mathbf{u}\|\|\mathbf{v}\|\cos\theta \\
-2\mathbf{u} \cdot \mathbf{v} &= -2\|\mathbf{u}\|\|\mathbf{v}\|\cos\theta \\
\mathbf{u} \cdot \mathbf{v} &= \|\mathbf{u}\|\|\mathbf{v}\|\cos\theta.
\end{aligned}
$$

□

Podemos utilizar esta forma del producto escalar para calcular la medida del ángulo entre dos vectores distintos de cero. La siguiente ecuación reordena la Ecuación 2.3 para resolver el coseno del ángulo:

$$\cos\theta = \frac{\mathbf{u} \cdot \mathbf{v}}{\|\mathbf{u}\|\|\mathbf{v}\|}. \tag{2.5}$$

Usando esta ecuación, podemos calcular el coseno del ángulo entre dos vectores distintos de cero. Como estamos considerando el menor ángulo entre los vectores, suponemos $0° \leq \theta \leq 180°$ (o $0 \leq \theta \leq \pi$ si trabajamos en radianes). El coseno inverso es único en este rango, por lo que podemos determinar la medida del ángulo θ.

EJEMPLO 2.23

Calcular el ángulo entre dos vectores
Calcule la medida del ángulo entre cada par de vectores.

a. $\mathbf{i} + \mathbf{j} + \mathbf{k}$ y $2\mathbf{i} - \mathbf{j} - 3\mathbf{k}$
b. $\langle 2, 5, 6 \rangle$ y $\langle -2, -4, 4 \rangle$

⊘ **Solución**

a. Para calcular el coseno del ángulo formado por los dos vectores, sustituya los componentes de los vectores en la Ecuación 2.5

$$
\begin{aligned}
\cos\theta &= \frac{(\mathbf{i}+\mathbf{j}+\mathbf{k}) \cdot (2\mathbf{i}-\mathbf{j}-3\mathbf{k})}{\|\mathbf{i}+\mathbf{j}+\mathbf{k}\| \cdot \|2\mathbf{i}-\mathbf{j}-3\mathbf{k}\|} \\
&= \frac{1(2)+(1)(-1)+(1)(-3)}{\sqrt{1^2+1^2+1^2}\sqrt{2^2+(-1)^2+(-3)^2}} \\
&= \frac{-2}{\sqrt{3}\sqrt{14}} = \frac{-2}{\sqrt{42}}.
\end{aligned}
$$

Por lo tanto, $\theta = \arccos\dfrac{-2}{\sqrt{42}}$ rad.

b. Empiece por calcular el valor del coseno del ángulo entre los vectores

$$
\begin{aligned}
\cos\theta &= \frac{\langle 2,5,6 \rangle \cdot \langle -2,-4,4 \rangle}{\|\langle 2,5,6 \rangle\| \cdot \|\langle -2,-4,4 \rangle\|} \\
&= \frac{2(-2)+(5)(-4)+(6)(4)}{\sqrt{2^2+5^2+6^2}\sqrt{(-2)^2+(-4)^2+4^2}} \\
&= \frac{0}{\sqrt{65}\sqrt{36}} = 0,
\end{aligned}
$$

Ahora, $\cos\theta = 0$ y $0 \leq \theta \leq \pi$, así que $\theta = \pi/2$.

☑ 2.23   Calcule la medida del ángulo, en radianes, formado por los vectores $\mathbf{a} = \langle 1, 2, 0 \rangle$ y $\mathbf{b} = \langle 2, 4, 1 \rangle$.
Redondee a la centésima más cercana.

El ángulo entre dos vectores puede ser agudo $(0 < \cos\theta < 1)$, obtuso $(-1 < \cos\theta < 0)$, o recto $(\cos\theta = -1)$. Si $\cos\theta = 1$, entonces ambos vectores tienen la misma dirección. Si los valores de $\cos\theta = 0$, entonces los vectores, colocados en posición estándar, forman un ángulo recto (Figura 2.46). Podemos formalizar este resultado en un teorema relativo a los vectores ortogonales (perpendiculares).

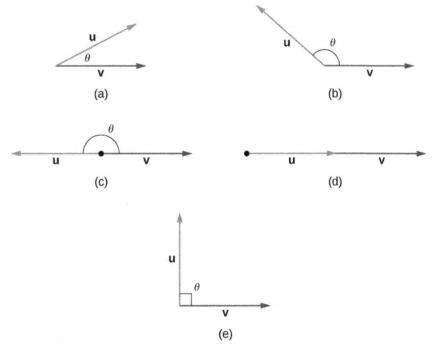

Figura 2.46   (a) Un ángulo agudo tiene $0 < \cos\theta < 1$. (b) Un ángulo obtuso tiene $-1 < \cos\theta < 0$. (c) Una línea recta tiene $\cos\theta = -1$. (d) Si los vectores tienen la misma dirección, $\cos\theta = 1$. (e) Si los vectores son ortogonales (perpendiculares), $\cos\theta = 0$.

Teorema 2.5

Vectores ortogonales
Los vectores distintos de cero $\mathbf{u}$ y $\mathbf{v}$ son **vectores ortogonales** si y solo si $\mathbf{u} \cdot \mathbf{v} = 0$.

Prueba
Supongamos que $\mathbf{u}$ y $\mathbf{v}$ son vectores distintos de cero y θ denota el ángulo entre ellos. En primer lugar, asuma que $\mathbf{u} \cdot \mathbf{v} = 0$. Entonces

$$\|\mathbf{u}\| \, \|\mathbf{v}\| \cos\theta = 0.$$

Sin embargo, $\|\mathbf{u}\| \neq 0$ y $\|\mathbf{v}\| \neq 0$, por lo que debemos tener $\cos\theta = 0$. Por lo tanto, $\theta = 90°$, y los vectores son ortogonales.

Ahora supongamos que $\mathbf{u}$ y $\mathbf{v}$ son ortogonales. Luego $\theta = 90°$ y tenemos

$$\mathbf{u} \cdot \mathbf{v} = \|\mathbf{u}\| \, \|\mathbf{v}\| \cos\theta = \|\mathbf{u}\| \, \|\mathbf{v}\| \cos 90° = \|\mathbf{u}\| \, \|\mathbf{v}\| \, (0) = 0.$$

☐

Los términos *ortogonal*, *perpendicular* y *normal* indican que los objetos matemáticos se cruzan en ángulos rectos. El uso de cada término está determinado principalmente por su contexto. Decimos que los vectores son ortogonales y las líneas son perpendiculares. El término *normal* se utiliza con mayor frecuencia cuando se mide el ángulo formado con un plano u otra superficie.

EJEMPLO 2.24

Identificación de vectores ortogonales

Determine si $\mathbf{p} = \langle 1, 0, 5 \rangle$ y $\mathbf{q} = \langle 10, 3, -2 \rangle$ son vectores ortogonales.

⊘ **Solución**

Siguiendo la definición, solo tenemos que comprobar el producto escalar de los vectores:

$$\mathbf{p}.\mathbf{q} = 1(10) + (0)(3) + (5)(-2) = 10 + 0 - 10 = 0.$$

Dado que $\mathbf{p}.\mathbf{q} = 0$, los vectores son ortogonales (Figura 2.47).

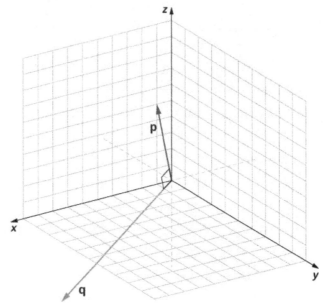

Figura 2.47   Los vectores **p** y **q** forman un ángulo recto cuando sus puntos iniciales están alineados.

☑   2.24   Para qué valor de x es $\mathbf{p} = \langle 2, 8, -1 \rangle$ ortogonal a $\mathbf{q} = \langle x, -1, 2 \rangle$?

EJEMPLO 2.25

Medición del ángulo formado por dos vectores

Supongamos que $\mathbf{v} = \langle 2, 3, 3 \rangle$. Calcule las medidas de los ángulos formados por los siguientes vectores.

a. **v** e **i**

b. **v** y **j**

c. **v** y **k**

⊘ **Solución**

a. Supongamos que α es el ángulo formado por **v** e **i**:

$$\begin{aligned} \cos \alpha &= \frac{\mathbf{v}.\mathbf{i}}{\|\mathbf{v}\|.\|\mathbf{i}\|} \\ &= \frac{\langle 2,3,3 \rangle.\langle 1,0,0 \rangle}{\sqrt{2^2+3^2+3^2}\ \sqrt{1}} \\ &= \frac{2}{\sqrt{22}}. \end{aligned}$$

$$\alpha = \arccos \frac{2}{\sqrt{22}} \approx 1{,}130 \,\text{rad}.$$

b. Supongamos que β es el ángulo formado por **v** y **j**:

$$\cos\beta = \frac{\mathbf{v}.\mathbf{j}}{\|\mathbf{v}\|.\|\mathbf{j}\|}$$

$$= \frac{\langle 2,3,3\rangle.\langle 0,1,0\rangle}{\sqrt{2^2+3^2+3^2}\ \sqrt{1}}$$

$$= \frac{3}{\sqrt{22}}.$$

$$\beta = \arccos\frac{3}{\sqrt{22}} \approx 0{,}877 \text{ rad.}$$

c. Supongamos que γ es el ángulo formado por **v** y **k**:

$$\cos\gamma = \frac{\mathbf{v}.\mathbf{k}}{\|\mathbf{v}\|.\|\mathbf{k}\|}$$

$$= \frac{\langle 2,3,3\rangle.\langle 0,0,1\rangle}{\sqrt{2^2+3^2+3^2}\ \sqrt{1}}$$

$$= \frac{3}{\sqrt{22}}.$$

$$\gamma = \arccos\frac{3}{\sqrt{22}} \approx 0{,}877 \text{ rad.}$$

2.25   Supongamos que $\mathbf{v}=\langle 3,-5,1\rangle$. Calcule la medida de los ángulos formados por cada par de vectores.

    a. **v** e **i**

    b. **v** y **j**

    c. **v** y **k**

El ángulo que forma un vector con cada uno de los ejes de coordenadas, llamado ángulo director, es muy importante en los cálculos prácticos, especialmente en un campo como la ingeniería. Por ejemplo, en la ingeniería astronáutica hay que determinar con mucha precisión el ángulo de lanzamiento de un cohete. Un error muy pequeño en el ángulo puede hacer que el cohete se desvíe cientos de millas. Los ángulos directores suelen calcularse utilizando el producto escalar y los cosenos de los ángulos, llamados cosenos directores. Por lo tanto, definimos tanto estos ángulos como sus cosenos.

Definición

Los ángulos formados por un vector distinto de cero y los ejes de coordenadas se llaman **ángulos directores** del vector (Figura 2.48). Los cosenos de estos ángulos se denominan **cosenos directores**.

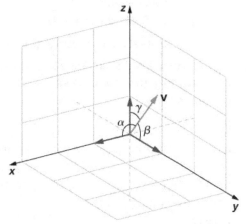

Figura 2.48 El ángulo α está formado por el vector **v** y el vector unitario **i**. El ángulo β está formado por el vector **v** y el vector unitario **j**. El ángulo γ está formado por el vector **v** y el vector unitario **k**.

En el Ejemplo 2.25, los cosenos directores de $\mathbf{v} = \langle 2, 3, 3 \rangle$ son $\cos \alpha = \frac{2}{\sqrt{22}}$, $\cos \beta = \frac{3}{\sqrt{22}}$, y $\cos \gamma = \frac{3}{\sqrt{22}}$. Los ángulos directores de $\mathbf{v}$ son $\alpha = 1{,}130 \, \text{rad}$, $\beta = 0{,}877 \, \text{rad}$, y $\gamma = 0{,}877 \, \text{rad}$.

Hasta ahora, nos hemos centrado principalmente en los vectores relacionados con la fuerza, el movimiento y la posición en el espacio físico tridimensional. Sin embargo, los vectores se utilizan a menudo de forma más abstracta. Por ejemplo, supongamos que un vendedor de frutas vende manzanas, bananas y naranjas. En un día determinado, vende 30 manzanas, 12 bananas y 18 naranjas. Podría utilizar un vector de cantidad, $\mathbf{q} = \langle 30, 12, 18 \rangle$, para representar la cantidad de fruta que ha vendido ese día. Del mismo modo, podría querer utilizar un vector de precios, $\mathbf{p} = \langle 0{,}50, 0{,}25, 1 \rangle$, para indicar que vende sus manzanas a 50 centavos cada una, las bananas a 25 centavos cada una y las naranjas a 1 dólar cada una. En este ejemplo, aunque podríamos graficar estos vectores, no los interpretamos como representaciones literales de la posición en el mundo físico. Simplemente utilizamos vectores para llevar la cuenta de determinados datos sobre las manzanas, las bananas y las naranjas.

Esta idea puede parecer un poco extraña, pero si simplemente consideramos los vectores como una forma de ordenar y almacenar datos, descubrimos que pueden ser una herramienta bastante potente. Volviendo al vendedor de frutas, pensemos en el producto escalar, $\mathbf{q} \cdot \mathbf{p}$. Lo calculamos multiplicando el número de manzanas vendidas (30) por el precio de la manzana (50 centavos), el número de bananas vendidas por el precio de la banana y el número de naranjas vendidas por el precio de la naranja. A continuación, sumamos todos estos valores. Así, en este ejemplo, el producto escalar nos dice cuánto dinero tuvo el vendedor de frutas en ventas ese día en particular.

Cuando utilizamos los vectores de esta forma más general, no hay razón para limitar el número de componentes a tres. ¿Y si el vendedor de fruta decide empezar a vender pomelos? En ese caso, querría utilizar vectores de cantidad y precio de cuatro dimensiones para representar el número de manzanas, bananas, naranjas y pomelos vendidos, y sus precios unitarios. Como era de esperar, para calcular el producto escalar de vectores cuatridimensionales, simplemente, sumamos los productos de las componentes como antes, pero la suma tiene cuatro términos en vez de tres.

EJEMPLO 2.26

Uso de vectores en un contexto económico

AAA Party Supply Store vende invitaciones, recuerdos para fiestas, decoraciones y artículos de alimentación como platos de papel y servilletas. Cuando la AAA compra su inventario, paga 25 centavos por paquete para las invitaciones y los recuerdos de la fiesta. Las decoraciones cuestan 50 centavos cada una, y los artículos de alimentación cuestan 20 centavos por paquete. AAA vende las invitaciones a 2,50 dólares el paquete y los recuerdos de la fiesta a 1,50 dólares el paquete. Las decoraciones se venden a 4,50 dólares cada una y los artículos de alimentación a 1,25 dólares por paquete.

Durante mayo, AAA Party Supply Store vende 1.258 invitaciones, 342 recuerdos para fiestas, 2.426 decoraciones y 1.354 artículos de alimentación. Utilice los vectores y los productos escalares para calcular cuánto dinero ha ganado AAA en ventas durante mayo. ¿Cuánta ganancia obtuvo la tienda?

⊘ **Solución**

Los vectores de costo, precio y cantidad son

$$\mathbf{c} = \langle 0{,}25, 0{,}25, 0{,}50, 0{,}20 \rangle$$
$$\mathbf{p} = \langle 2{,}50, 1{,}50, 4{,}50, 1{,}25 \rangle$$
$$\mathbf{q} = \langle 1.258, 342, 2.426, 1.354 \rangle.$$

Las ventas de AAA en mayo pueden calcularse mediante el producto escalar $\mathbf{p} \cdot \mathbf{q}$. Tenemos

$$
\begin{aligned}
\mathbf{p} \cdot \mathbf{q} &= \langle 2{,}50, 1{,}50, 4{,}50, 1{,}25 \rangle \cdot \langle 1.258, 342, 2.426, 1.354 \rangle \\
&= 3.145 + 513 + 10.917 + 1.692{,}5 \\
&= 16.267{,}.5.
\end{aligned}
$$

Así, AAA obtuvo 16.267,50 dólares durante mayo.

Para calcular la ganancia, primero debemos calcular cuánto pagó AAA por los artículos vendidos. Utilizamos el producto escalar $\mathbf{c} \cdot \mathbf{q}$ para obtener

$$
\begin{aligned}
\mathbf{c} \cdot \mathbf{q} &= \langle 0{,}25, 0{,}25, 0{,}50, 0{,}20 \rangle \cdot \langle 1.258, 342, 2.426, 1.354 \rangle \\
&= 314{,}5 + 85{,}5 + 1.213 + 270{,}8 \\
&= 1883{,}8.
\end{aligned}
$$

Así, AAA pagó 1.883,80 dólares por los artículos vendidos. Su ganancia, por tanto, está dada por

$$\mathbf{p}.\mathbf{q} - \mathbf{c}.\mathbf{q} = 16267,5 - 1883,8$$
$$= 14383,7.$$

Por lo tanto, AAA Party Supply Store ganó 14.383,70 dólares en mayo.

☑ 2.26 El 1 de junio, AAA Party Supply Store decidió aumentar el precio que cobra por los artículos para fiestas a 2 dólares por paquete. También han cambiado de proveedor para sus invitaciones, y ahora pueden comprarlas por solo 10 centavos el paquete. Todos los demás costos y precios siguen siendo los mismos. Si AAA vende 1.408 invitaciones, 147 recuerdos de fiesta, 2.112 decoraciones y 1.894 artículos de servicio de comida en junio, utilice los vectores y los productos escalares para calcular sus ventas totales y su ganancia en junio.

Proyecciones

Como hemos visto, la suma combina dos vectores para crear un vector resultante. ¿Pero qué pasa si nos dan un vector y necesitamos encontrar sus partes componentes? Las proyecciones de vectores sirven para realizar el proceso inverso; pueden descomponer un vector en sus componentes. La magnitud de una proyección de vectores es una proyección escalar. Por ejemplo, si un niño tira de la manivela de una carreta con un ángulo de 55°, podemos utilizar las proyecciones para determinar qué parte de la fuerza ejercida sobre el mango mueve realmente la carreta hacia delante (Figura 2.49). Volvemos a este ejemplo y aprendemos a resolverlo después de ver cómo calcular las proyecciones.

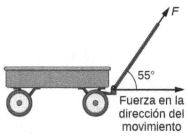

Figura 2.49 Cuando un niño tira de una carreta, solo la componente horizontal de la fuerza impulsa el carro hacia delante.

Definición

La **proyección de vectores** de **v** sobre **u** es el vector marcado como $\text{proj}_{\mathbf{u}}\mathbf{v}$ en la Figura 2.50. Tiene el mismo punto inicial que **u** y **v** y la misma dirección que **u**, y representa la componente de **v** que actúa en la dirección de **u**. Si los valores de θ representa el ángulo entre **u** y **v**, entonces, por propiedades de los triángulos, sabemos la longitud de $\text{proj}_{\mathbf{u}}\mathbf{v}$ es $\|\text{proj}_{\mathbf{u}}\mathbf{v}\| = \|\mathbf{v}\| \cos\theta$. Al expresar $\cos\theta$ en términos del producto escalar, esto se convierte en

$$\|\text{proj}_{\mathbf{u}}\mathbf{v}\| = \|\mathbf{v}\| \cos\theta$$
$$= \|\mathbf{v}\| \left(\frac{|\mathbf{u}.\mathbf{v}|}{\|\mathbf{u}\|\|\mathbf{v}\|} \right)$$
$$= \frac{|\mathbf{u}.\mathbf{v}|}{\|\mathbf{u}\|}.$$

Ahora multiplicamos por un vector unitario en la dirección de **u** para obtener $\text{proj}_{\mathbf{u}}\mathbf{v}$:

$$\text{proj}_{\mathbf{u}}\mathbf{v} = \frac{\mathbf{u}.\mathbf{v}}{\|\mathbf{u}\|} \left(\frac{1}{\|\mathbf{u}\|}\mathbf{u} \right) = \frac{\mathbf{u}.\mathbf{v}}{\|\mathbf{u}\|^2}\mathbf{u}. \qquad (2.6)$$

La longitud de este vector también se conoce como la **proyección escalar** de **v** sobre **u** y se denota mediante

$$\|\text{proj}_{\mathbf{u}}\mathbf{v}\| = \text{comp}_{\mathbf{u}}\mathbf{v} = \frac{|\mathbf{u}.\mathbf{v}|}{\|\mathbf{u}\|}. \qquad (2.7)$$

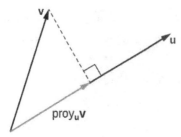

Figura 2.50 La proyección de **v** sobre **u** muestra el componente del vector **v** en la dirección de **u**.

EJEMPLO 2.27

Cálculo de proyecciones
Calcule la proyección de **v** sobre **u**.

a. $\mathbf{v} = \langle 3, 5, 1 \rangle$ y $\mathbf{u} = \langle -1, 4, 3 \rangle$
b. $\mathbf{v} = 3\mathbf{i} - 2\mathbf{j}$ y $\mathbf{u} = \mathbf{i} + 6\mathbf{j}$

⊘ **Solución**

a. Sustituya los componentes de **v** y **u** en la fórmula de la proyección

$$\begin{aligned}
\mathrm{proj_u} \mathbf{v} &= \frac{\mathbf{u.v}}{\|\mathbf{u}\|^2}\mathbf{u} \\
&= \frac{\langle -1,4,3 \rangle . \langle 3,5,1 \rangle}{\|\langle -1,4,3 \rangle\|^2}\langle -1, 4, 3 \rangle \\
&= \frac{-3+20+3}{(-1)^2+4^2+3^2}\langle -1, 4, 3 \rangle \\
&= \frac{20}{26}\langle -1, 4, 3 \rangle \\
&= \left\langle -\frac{10}{13}, \frac{40}{13}, \frac{30}{13} \right\rangle .
\end{aligned}$$

b. Para calcular la proyección bidimensional, basta con adaptar la fórmula al caso bidimensional:

$$\begin{aligned}
\mathrm{proj_u} \mathbf{v} &= \frac{\mathbf{u.v}}{\|\mathbf{u}\|^2}\mathbf{u} \\
&= \frac{(\mathbf{i}+6\mathbf{j}).(3\mathbf{i}-2\mathbf{j})}{\|\mathbf{i}+6\mathbf{j}\|^2}(\mathbf{i} + 6\mathbf{j}) \\
&= \frac{1(3)+6(-2)}{1^2+6^2}(\mathbf{i} + 6\mathbf{j}) \\
&= -\frac{9}{37}(\mathbf{i} + 6\mathbf{j}) \\
&= -\frac{9}{37}\mathbf{i} - \frac{54}{37}\mathbf{j}.
\end{aligned}$$

A veces es útil descomponer los vectores, es decir, descomponer un vector en una suma. Este proceso se denomina *resolución de un vector en componentes*. Las proyecciones nos permiten identificar dos vectores ortogonales que tienen una suma deseada. Por ejemplo, supongamos que $\mathbf{v} = \langle 6, -4 \rangle$ y supongamos que $\mathbf{u} = \langle 3, 1 \rangle$. Queremos descomponer el vector **v** en componentes ortogonales tales que uno de los vectores componentes tenga la misma dirección que **u**.

Primero hallamos la componente que tiene la misma dirección que **u** proyectando **v** sobre **u**. Supongamos que $\mathbf{p} = \mathrm{proj_u} \mathbf{v}$. Entonces, tenemos

$$\begin{aligned}
\mathbf{p} &= \frac{\mathbf{u.v}}{\|\mathbf{u}\|^2}\mathbf{u} \\
&= \frac{18-4}{9+1}\mathbf{u} \\
&= \frac{7}{5}\mathbf{u} = \frac{7}{5}\langle 3, 1 \rangle = \left\langle \frac{21}{5}, \frac{7}{5} \right\rangle .
\end{aligned}$$

Consideremos ahora el vector $\mathbf{q} = \mathbf{v} - \mathbf{p}$. Tenemos

$$\begin{aligned}
\mathbf{q} &= \mathbf{v} - \mathbf{p} \\
&= \langle 6, -4 \rangle - \left\langle \frac{21}{5}, \frac{7}{5} \right\rangle \\
&= \left\langle \frac{9}{5}, -\frac{27}{5} \right\rangle .
\end{aligned}$$

Claramente, por la forma en que definimos **q**, tenemos $\mathbf{v} = \mathbf{q} + \mathbf{p}$, y

$$\begin{aligned} \mathbf{q} \cdot \mathbf{p} &= \left\langle \tfrac{9}{5}, -\tfrac{27}{5} \right\rangle \cdot \left\langle \tfrac{21}{5}, \tfrac{7}{5} \right\rangle \\ &= \tfrac{9(21)}{25} + \tfrac{-27(7)}{25} \\ &= \tfrac{189}{25} - \tfrac{189}{25} = 0, \end{aligned}$$

Por lo tanto, $\mathbf{q}$ y $\mathbf{p}$ son ortogonales.

EJEMPLO 2.28

Resolver vectores en componentes

Exprese $\mathbf{v} = \langle 8, -3, -3 \rangle$ como una suma de vectores ortogonales de modo que uno de los vectores tenga la misma dirección que $\mathbf{u} = \langle 2, 3, 2 \rangle$.

⊘ **Solución**

Supongamos que $\mathbf{p}$ es proyección de $\mathbf{v}$ sobre $\mathbf{u}$:

$$\begin{aligned} \mathbf{p} &= \mathrm{proj}_{\mathbf{u}}\, \mathbf{v} \\ &= \tfrac{\mathbf{u}.\mathbf{v}}{\|\mathbf{u}\|^2} \mathbf{u} \\ &= \tfrac{\langle 2,3,2 \rangle . \langle 8,-3,-3 \rangle}{\|\langle 2,3,2 \rangle\|^2} \langle 2,3,2 \rangle \\ &= \tfrac{16-9-6}{2^2+3^2+2^2} \langle 2,3,2 \rangle \\ &= \tfrac{1}{17} \langle 2,3,2 \rangle \\ &= \left\langle \tfrac{2}{17}, \tfrac{3}{17}, \tfrac{2}{17} \right\rangle . \end{aligned}$$

Entonces,

$$\mathbf{q} = \mathbf{v} - \mathbf{p} = \langle 8, -3, -3 \rangle - \left\langle \frac{2}{17}, \frac{3}{17}, \frac{2}{17} \right\rangle = \left\langle \frac{134}{17}, -\frac{54}{17}, -\frac{53}{17} \right\rangle .$$

Para comprobar nuestro trabajo, podemos utilizar el producto escalar para verificar que $\mathbf{p}$ y $\mathbf{q}$ son vectores ortogonales:

$$\mathbf{p} . \mathbf{q} = \left\langle \frac{2}{17}, \frac{3}{17}, \frac{2}{17} \right\rangle \cdot \left\langle \frac{134}{17}, -\frac{54}{17}, -\frac{53}{17} \right\rangle = \frac{268}{17} - \frac{162}{17} - \frac{106}{17} = 0.$$

Entonces,

$$\mathbf{v} = \mathbf{p} + \mathbf{q} = \left\langle \frac{2}{17}, \frac{3}{17}, \frac{2}{17} \right\rangle + \left\langle \frac{134}{17}, -\frac{54}{17}, -\frac{53}{17} \right\rangle .$$

☑ 2.27   Exprese $\mathbf{v} = 5\mathbf{i} - \mathbf{j}$ como una suma de vectores ortogonales de modo que uno de los vectores tenga la misma dirección que $\mathbf{u} = 4\mathbf{i} + 2\mathbf{j}$.

EJEMPLO 2.29

Proyección escalar de la velocidad

Un carguero sale del puerto viajando 15° al noreste. Su motor genera una velocidad de 20 nudos a lo largo de esa trayectoria (vea la siguiente figura). Además, la corriente marina desplaza el barco hacia el noreste a una velocidad de 2 nudos. Teniendo en cuenta el motor y la corriente, ¿a qué velocidad se mueve el barco en la dirección 15° al noreste? Redondee la respuesta a dos decimales.

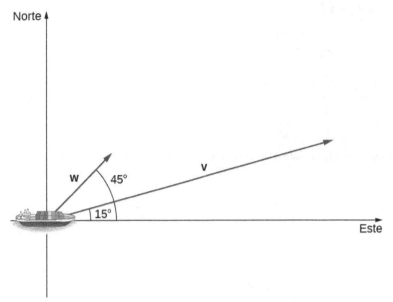

⊘ Solución

Supongamos que **v** es el vector velocidad generado por el motor, y que **w** es el vector velocidad de la corriente. Ya sabemos que $\|\mathbf{v}\| = 20$ a lo largo de la ruta deseada. Solo tenemos que añadir la proyección escalar de **w** sobre **v**. Obtenemos

$$
\begin{aligned}
\mathrm{comp}_{\mathbf{v}}\mathbf{w} \;&= \frac{\mathbf{v}.\mathbf{w}}{\|\mathbf{v}\|}\\
&= \frac{\|\mathbf{v}\|\|\mathbf{w}\|\cos(30°)}{\|\mathbf{v}\|}\\
&= \|\mathbf{w}\|\cos(30°)\\
&= 2\frac{\sqrt{3}}{2} = \sqrt{3} \approx 1{,}73 \text{ nudos.}
\end{aligned}
$$

El barco se mueve a 21,73 nudos en la dirección 15° al noreste.

2.28   Repita el ejemplo anterior, pero suponga que la corriente oceánica se mueve hacia el sureste en vez de hacia el noreste, como se muestra en la siguiente figura.

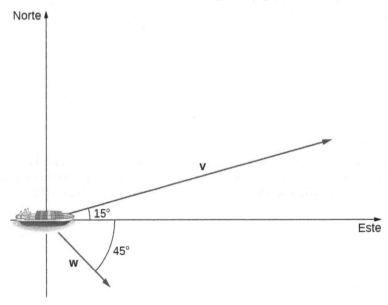

Trabajo

Ahora que entendemos los productos escalares, podemos ver cómo aplicarlos a situaciones de la vida real. La aplicación más común del producto escalar de dos vectores es el cálculo del trabajo.

Por la física, sabemos que el trabajo se realiza cuando un objeto es movido por una fuerza. Cuando la fuerza es constante y se aplica en la misma dirección en que se mueve el objeto, entonces definimos el trabajo realizado como el producto de la fuerza por la distancia que recorre el objeto: $W = Fd$. Hemos visto varios ejemplos de este tipo en capítulos anteriores. Ahora imagine que la dirección de la fuerza es diferente de la dirección del movimiento, como en el ejemplo de un niño que tira de una carreta. Para hallar el trabajo realizado, debemos multiplicar la componente de la fuerza que actúa en la dirección del movimiento por la magnitud del desplazamiento. El producto escalar nos permite hacer precisamente eso. Si representamos una fuerza aplicada por un vector **F** y el desplazamiento de un objeto por un vector **s**, entonces el **trabajo realizado por la fuerza** es el producto escalar de **F** y **s**.

Definición

Cuando se aplica una fuerza constante a un objeto para que este se mueva en línea recta desde el punto P hasta el punto Q, el trabajo W realizado por la fuerza **F**, actuando en un ángulo θ desde la línea de movimiento, está dado por

$$W = \mathbf{F} \cdot \vec{PQ} = \|\mathbf{F}\| \, \|\vec{PQ}\| \cos\theta. \qquad (2.8)$$

Volvamos al problema de la carreta del niño que se presentó anteriormente. Supongamos que un niño tira de una carreta con una fuerza de magnitud de 8 lb en el mango con un ángulo de 55°. Si el niño tira de la carreta 50 pies, calcule el trabajo realizado por la fuerza (Figura 2.51).

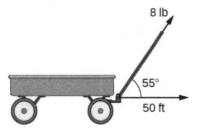

Figura 2.51 El componente horizontal de la fuerza es la proyección de **F** sobre el eje x positivo.

Tenemos

$$W = \|\mathbf{F}\| \, \|\vec{PQ}\| \cos\theta = 8 \, (50) \, (\cos(55°)) \approx 229 \text{ ft. lb.}$$

En unidades estándar de EE. UU., medimos la magnitud de la fuerza $\|\mathbf{F}\|$ en libras. La magnitud del vector de desplazamiento $\|\vec{PQ}\|$ nos indica la distancia a la que se ha movido el objeto, y se mide en pies. La unidad de medida habitual para el trabajo, por tanto, es el pie-libra. Un pie-libra es la cantidad de trabajo necesaria para mover un objeto que pesa 1 libra una distancia de 1 pie en línea recta. En el sistema métrico, la unidad de medida de la fuerza es el newton (N), y la unidad de medida de la magnitud del trabajo es el newton-metro (N-m), o el joule (J).

EJEMPLO 2.30

Calcular el trabajo
Una cinta transportadora genera una fuerza $\mathbf{F} = 5\mathbf{i} - 3\mathbf{j} + \mathbf{k}$ que traslada una maleta desde un punto $(1, 1, 1)$ al punto $(9, 4, 7)$ a lo largo de una línea recta. Calcule el trabajo realizado por la cinta transportadora. La distancia se mide en metros y la fuerza se mide en newtons.

⊘ **Solución**

El vector de desplazamiento $\vec{PQ}$ tiene un punto inicial $(1, 1, 1)$ y punto terminal $(9, 4, 7)$:

$$\vec{PQ} = \langle 9 - 1, 4 - 1, 7 - 1 \rangle = \langle 8, 3, 6 \rangle = 8\mathbf{i} + 3\mathbf{j} + 6\mathbf{k}.$$

El trabajo es el producto escalar de la fuerza y el desplazamiento:

$$\begin{aligned} W &= \mathbf{F} \cdot \overrightarrow{PQ} \\ &= (5\mathbf{i} - 3\mathbf{j} + \mathbf{k}) \cdot (8\mathbf{i} + 3\mathbf{j} + 6\mathbf{k}) \\ &= 5(8) + (-3)(3) + 1(6) \\ &= 37\text{N}.\,\text{m} \\ &= 37\,\text{J}. \end{aligned}$$

☑ 2.29   Se aplica una fuerza constante de 30 lb con un ángulo de 60° para tirar de una carretilla de mano 10 ft por el suelo (Figura 2.52). ¿Cuál es el trabajo realizado por esta fuerza?

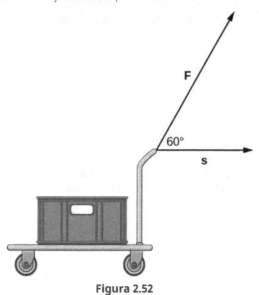

Figura 2.52

📖 **SECCIÓN 2.3 EJERCICIOS**

En los siguientes ejercicios, se dan los vectores **u** *y* **v**. *Calcule el producto escalar* **u. v**.

123. $\mathbf{u} = \langle 3, 0 \rangle$, $\mathbf{v} = \langle 2, 2 \rangle$

124. $\mathbf{u} = \langle 3, -4 \rangle$, $\mathbf{v} = \langle 4, 3 \rangle$

125. $\mathbf{u} = \langle 2, 2, -1 \rangle$, $\mathbf{v} = \langle -1, 2, 2 \rangle$

126. $\mathbf{u} = \langle 4, 5, -6 \rangle$, $\mathbf{v} = \langle 0, -2, -3 \rangle$

En los siguientes ejercicios se dan los vectores **a**, **b** *y* **c**. *Determine los vectores* $(\mathbf{a}.\mathbf{b})\mathbf{c}$ *y* $(\mathbf{a}.\mathbf{c})\mathbf{b}$. *Exprese los vectores en forma de componentes.*

127. $\mathbf{a} = \langle 2, 0, -3 \rangle$, $\mathbf{b} = \langle -4, -7, 1 \rangle$, $\mathbf{c} = \langle 1, 1, -1 \rangle$

128. $\mathbf{a} = \langle 0, 1, 2 \rangle$, $\mathbf{b} = \langle -1, 0, 1 \rangle$, $\mathbf{c} = \langle 1, 0, -1 \rangle$

129. $\mathbf{a} = \mathbf{i} + \mathbf{j}, \mathbf{b} = \mathbf{i} - \mathbf{k}$, $\mathbf{c} = \mathbf{i} - 2\mathbf{k}$

130. $\mathbf{a} = \mathbf{i} - \mathbf{j} + \mathbf{k}, \mathbf{b} = \mathbf{j} + 3\mathbf{k}$, $\mathbf{c} = -\mathbf{i} + 2\mathbf{j} - 4\mathbf{k}$

En los siguientes ejercicios, se dan los vectores bidimensionales **a** *y* **b**.

a. Calcule la medida del ángulo θ entre **a** y **b**. Exprese la respuesta en radianes redondeados a dos decimales, si no es posible expresarla exactamente.

b. ¿El ángulo θ es agudo?

131. [T] $\mathbf{a} = \langle 3, -1 \rangle$, $\mathbf{b} = \langle -4, 0 \rangle$

132. [T] $\mathbf{a} = \langle 2, 1 \rangle$, $\mathbf{b} = \langle -1, 3 \rangle$

133. $\mathbf{u} = 3\mathbf{i}$, $\mathbf{v} = 4\mathbf{i} + 4\mathbf{j}$

134. $\mathbf{u} = 5\mathbf{i}$, $\mathbf{v} = -6\mathbf{i} + 6\mathbf{j}$

En los siguientes ejercicios, calcule la medida del ángulo entre los vectores tridimensionales **a** *y* **b**. *Exprese la respuesta en radianes redondeados a dos decimales, si no es posible expresarla exactamente.*

135. $\mathbf{a} = \langle 3, -1, 2 \rangle$, $\mathbf{b} = \langle 1, -1, -2 \rangle$

136. $\mathbf{a} = \langle 0, -1, -3 \rangle$, $\mathbf{b} = \langle 2, 3, -1 \rangle$

137. $\mathbf{a} = \mathbf{i} + \mathbf{j}$, $\mathbf{b} = \mathbf{j} - \mathbf{k}$

138. $\mathbf{a} = \mathbf{i} - 2\mathbf{j} + \mathbf{k}$, $\mathbf{b} = \mathbf{i} + \mathbf{j} - 2\mathbf{k}$

139. [T] $\mathbf{a} = 3\mathbf{i} - \mathbf{j} - 2\mathbf{k}$, $\mathbf{b} = \mathbf{v} + \mathbf{w}$, donde $\mathbf{v} = -2\mathbf{i} - 3\mathbf{j} + 2\mathbf{k}$ y $\mathbf{w} = \mathbf{i} + 2\mathbf{k}$

140. [T] $\mathbf{a} = 3\mathbf{i} - \mathbf{j} + 2\mathbf{k}$, $\mathbf{b} = \mathbf{v} - \mathbf{w}$, donde $\mathbf{v} = 2\mathbf{i} + \mathbf{j} + 4\mathbf{k}$ y $\mathbf{w} = 6\mathbf{i} + \mathbf{j} + 2\mathbf{k}$

En los siguientes ejercicios determine si los vectores dados son ortogonales.

141. $\mathbf{a} = \langle x, y \rangle$, $\mathbf{b} = \langle -y, x \rangle$, donde *x* y *y* son números reales distintos de cero

142. $\mathbf{a} = \langle x, x \rangle$, $\mathbf{b} = \langle -y, y \rangle$, donde *x* y *y* son números reales distintos de cero

143. $\mathbf{a} = 3\mathbf{i} - \mathbf{j} - 2\mathbf{k}$, $\mathbf{b} = -2\mathbf{i} - 3\mathbf{j} + \mathbf{k}$

144. $\mathbf{a} = \mathbf{i} - \mathbf{j}$, $\mathbf{b} = 7\mathbf{i} + 2\mathbf{j} - \mathbf{k}$

145. Calcule todos los vectores bidimensionales **a** ortogonales al vector $\mathbf{b} = \langle 3, 4 \rangle$. Exprese la respuesta en forma de componentes.

146. Calcule todos los vectores bidimensionales **a** ortogonales al vector $\mathbf{b} = \langle 5, -6 \rangle$. Exprese la respuesta utilizando vectores normales unitarios.

147. Determine todos los vectores tridimensionales **u** ortogonales al vector $\mathbf{v} = \langle 1, 1, 0 \rangle$. Exprese la respuesta utilizando vectores normales unitarios.

148. Determine todos los vectores tridimensionales **u** ortogonales al vector $\mathbf{v} = \mathbf{i} - \mathbf{j} - \mathbf{k}$. Exprese la respuesta en forma de componentes.

149. Determine el número real α de modo que los vectores $\mathbf{a} = 2\mathbf{i} + 3\mathbf{j}$ y $\mathbf{b} = 9\mathbf{i} + \alpha\mathbf{j}$ sean ortogonales.

150. Determine el número real α de modo que los vectores $\mathbf{a} = -3\mathbf{i} + 2\mathbf{j}$ y $\mathbf{b} = 2\mathbf{i} + \alpha\mathbf{j}$ sean ortogonales.

151. [T] Considere los puntos $P(4, 5)$ y $Q(5, -7)$.

    a. Determine los vectores $\overrightarrow{OP}$ y $\overrightarrow{OQ}$. Exprese la respuesta utilizando vectores normales unitarios.

    b. Determine la medida del ángulo O en el triángulo OPQ. Exprese la respuesta en grados redondeados a dos decimales.

152. [T] Considere los puntos $A(1, 1)$, $B(2, -7)$, y $C(6, 3)$.

    a. Determine los vectores $\overrightarrow{BA}$ y $\overrightarrow{BC}$. Exprese la respuesta en forma de componentes.

    b. Determine la medida del ángulo B en el triángulo ABC. Exprese la respuesta en grados redondeados a dos decimales.

153. Determine la medida del ángulo A en el triángulo ABC, donde $A(1, 1, 8)$, $B(4, -3, -4)$, y $C(-3, 1, 5)$. Exprese su respuesta en grados redondeados a dos decimales.

154. Considere los puntos $P(3, 7, -2)$ y $Q(1, 1, -3)$. Determine el ángulo entre los vectores $\overrightarrow{OP}$ y $\overrightarrow{OQ}$. Exprese la respuesta en grados redondeados a dos decimales.

En los siguientes ejercicios, determine qué pares de los siguientes vectores son ortogonales (si es que hay alguno).

155. $\mathbf{u} = \langle 3, 7, -2 \rangle$, $\mathbf{v} = \langle 5, -3, -3 \rangle$, $\mathbf{w} = \langle 0, 1, -1 \rangle$

156. $\mathbf{u} = \mathbf{i} - \mathbf{k}$, $\mathbf{v} = 5\mathbf{j} - 5\mathbf{k}$, $\mathbf{w} = 10\mathbf{j}$

157. Utilice los vectores para demostrar que un paralelogramo con diagonales iguales es un rectángulo.

158. Utilice vectores para demostrar que las diagonales de un rombo son perpendiculares.

159. Demuestre que $\mathbf{u} \cdot (\mathbf{v} + \mathbf{w}) = \mathbf{u} \cdot \mathbf{v} + \mathbf{u} \cdot \mathbf{w}$ es cierto para cualquier vector $\mathbf{u}$, $\mathbf{v}$ y $\mathbf{w}$.

160. Verifique la identidad $\mathbf{u} \cdot (\mathbf{v} + \mathbf{w}) = \mathbf{u} \cdot \mathbf{v} + \mathbf{u} \cdot \mathbf{w}$ para los vectores $\mathbf{u} = \langle 1, 0, 4 \rangle$, $\mathbf{v} = \langle -2, 3, 5 \rangle$, y $\mathbf{w} = \langle 4, -2, 6 \rangle$.

En los siguientes problemas, el vector $\mathbf{u}$ *está dado.*

    a. Calcule los cosenos directores para el vector u.

    b. Calcule los ángulos directores del vector u expresados en grados. (Redondee la respuesta al número entero más cercano).

161. $\mathbf{u} = \langle 2, 2, 1 \rangle$

162. $\mathbf{u} = \mathbf{i} - 2\mathbf{j} + 2\mathbf{k}$

163. $\mathbf{u} = \langle -1, 5, 2 \rangle$

164. $\mathbf{u} = \langle 2, 3, 4 \rangle$

165. Considere que $\mathbf{u} = \langle a, b, c \rangle$ es un vector tridimensional distinto de cero. Supongamos que $\cos \alpha$, $\cos \beta$, y $\cos \gamma$ son las direcciones de los cosenos de $\mathbf{u}$. Demuestre que $\cos^2 \alpha + \cos^2 \beta + \cos^2 \gamma = 1$.

166. Determine los cosenos directores del vector $\mathbf{u} = \mathbf{i} + 2\mathbf{j} + 2\mathbf{k}$ y demuestre que satisfacen $\cos^2 \alpha + \cos^2 \beta + \cos^2 \gamma = 1$.

En los siguientes ejercicios, se dan los vectores $\mathbf{u}$ y $\mathbf{v}$.

a. Calcule la proyección de vectores $\mathbf{w} = \mathrm{proj}_{\mathbf{u}} \mathbf{v}$ del vector $\mathbf{v}$ sobre el vector $\mathbf{u}$. Exprese su respuesta en forma de componentes.

b. Calcule la proyección escalar $\mathrm{comp}_{\mathbf{u}} \mathbf{v}$ del vector $\mathbf{v}$ sobre el vector $\mathbf{u}$.

167. $\mathbf{u} = 5\mathbf{i} + 2\mathbf{j}, \mathbf{v} = 2\mathbf{i} + 3\mathbf{j}$

168. $\mathbf{u} = \langle -4, 7 \rangle, \mathbf{v} = \langle 3, 5 \rangle$

169. $\mathbf{u} = 3\mathbf{i} + 2\mathbf{k}, \mathbf{v} = 2\mathbf{j} + 4\mathbf{k}$

170. $\mathbf{u} = \langle 4, 4, 0 \rangle, \mathbf{v} = \langle 0, 4, 1 \rangle$

171. Considere los vectores $\mathbf{u} = 4\mathbf{i} - 3\mathbf{j}$ y $\mathbf{v} = 3\mathbf{i} + 2\mathbf{j}$.

a. Halle la forma en componentes del vector $\mathbf{w} = \mathrm{proj}_{\mathbf{u}} \mathbf{v}$ que representa la proyección de $\mathbf{v}$ sobre $\mathbf{u}$.

b. Escriba la descomposición $\mathbf{v} = \mathbf{w} + \mathbf{q}$ del vector $\mathbf{v}$ en los componentes ortogonales $\mathbf{w}$ y $\mathbf{q}$, donde $\mathbf{w}$ es la proyección de $\mathbf{v}$ sobre $\mathbf{u}$ y $\mathbf{q}$ es un vector ortogonal a la dirección de $\mathbf{u}$.

172. Considere los vectores $\mathbf{u} = 2\mathbf{i} + 4\mathbf{j}$ y $\mathbf{v} = 4\mathbf{j} + 2\mathbf{k}$.

a. Halle la forma en componentes del vector $\mathbf{w} = \mathrm{proj}_{\mathbf{u}} \mathbf{v}$ que representa la proyección de $\mathbf{v}$ sobre $\mathbf{u}$.

b. Escriba la descomposición $\mathbf{v} = \mathbf{w} + \mathbf{q}$ del vector $\mathbf{v}$ en los componentes ortogonales $\mathbf{w}$ y $\mathbf{q}$, donde $\mathbf{w}$ es la proyección de $\mathbf{v}$ sobre $\mathbf{u}$ y $\mathbf{q}$ es un vector ortogonal a la dirección de $\mathbf{u}$.

173. Una molécula de metano tiene un átomo de carbono situado en el origen y cuatro átomos de hidrógeno situados en puntos $P(1, 1, -1)$, $Q(1, -1, 1)$, $R(-1, 1, 1)$, y $S(-1, -1, -1)$ (vea la figura).

   a. Calcule la distancia entre los átomos de hidrógeno situados en P y R.

   b. Calcule el ángulo entre los vectores $\vec{OS}$ y $\vec{OR}$ que conectan el átomo de carbono con los átomos de hidrógeno situados en S y R, lo que también se denomina *ángulo de enlace*. Exprese la respuesta en grados redondeados a dos decimales.

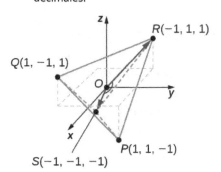

174. **[T]** Calcule los vectores que unen el centro de un reloj con las horas 1:00, 2:00, and 3:00. Supongamos que el reloj es circular con un radio de 1 unidad.

175. Calcule el trabajo realizado por la fuerza $\mathbf{F} = \langle 5, 6, -2 \rangle$ (medido en Newtons) que mueve una partícula desde un punto $P(3, -1, 0)$ al punto $Q(2, 3, 1)$ a lo largo de una línea recta (la distancia se mide en metros).

176. **[T]** Se tira de un trineo ejerciendo una fuerza de 100 N sobre una cuerda que forma un ángulo de 25° con la horizontal. Calcule el trabajo realizado al tirar del trineo 40 m. (Redondee la respuesta a un decimal).

177. **[T]** Un padre está tirando de su hijo en un trineo en un ángulo de 20° con la horizontal con una fuerza de 25 lb (vea la siguiente imagen). Tira del trineo en una trayectoria recta de 50 pies. ¿Cuánto trabajo hizo el hombre que tiraba del trineo? (Redondee la respuesta al número entero más cercano).

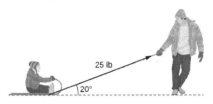

178. **[T]** Se remolca un automóvil con una fuerza de 1.600 N. La cuerda utilizada para halar el automóvil forma un ángulo de 25° con la horizontal. Calcule el trabajo realizado al remolcar el automóvil 2 km. Expresa la respuesta en joules ($1 \text{J} = 1 \text{N} \cdot \text{m}$) redondeada al número entero más cercano.

179. **[T]** Un barco navega hacia el norte ayudado por un viento que sopla en dirección N30°E con una magnitud de 500 lb. ¿Cuánto trabajo realiza el viento cuando el barco se desplaza 100 pies? (Redondee la respuesta a dos decimales).

180. El vector $\mathbf{p} = \langle 150, 225, 375 \rangle$ representa el precio de ciertos modelos de bicicletas vendidos por una tienda de bicicletas. El vector $\mathbf{n} = \langle 10, 7, 9 \rangle$ representa el número de bicicletas vendidas de cada modelo, respectivamente. Calcule el producto escalar $\mathbf{p} \cdot \mathbf{n}$ e indique su significado.

181. **[T]** Dos fuerzas $\mathbf{F}_1$ y $\mathbf{F}_2$ están representadas por vectores con puntos iniciales que están en el origen. La primera fuerza tiene una magnitud de 20 lb y el punto terminal del vector es el punto $P(1, 1, 0)$. La segunda fuerza tiene una magnitud de 40 lb y el punto terminal de su vector es el punto $Q(0, 1, 1)$. Supongamos que **F** es la fuerza resultante de las fuerzas $\mathbf{F}_1$ y $\mathbf{F}_2$.

  a. Calcule la magnitud de **F**. (Redondee la respuesta a un decimal).

  b. Calcule los ángulos directores de **F**. (Exprese la respuesta en grados redondeados a un decimal).

182. **[T]** Considere $\mathbf{r}(t) = \langle \cos t, \operatorname{sen} t, 2t \rangle$ es el vector de posición de una partícula en el tiempo $t \in [0, 30]$, donde los componentes de **r** se expresan en centímetros y el tiempo en segundos. Supongamos que $\vec{OP}$ es el vector de posición de la partícula después de 1 segundo.

  a. Demuestre que todos los vectores $\vec{PQ}$, donde $Q(x, y, z)$ es un punto arbitrario, ortogonal al vector velocidad instantánea $\mathbf{v}(1)$ de la partícula después de 1 segundo, puede expresarse como $\vec{PQ} = \langle x - \cos 1, y - \operatorname{sen} 1, z - 2 \rangle$, donde $x \operatorname{sen} 1 - y \cos 1 - 2z + 4 = 0$. El conjunto del punto Q describe un plano llamado *plano normal* a la trayectoria de la partícula en el punto P.

  b. Utilice un CAS para visualizar el vector velocidad instantánea y el plano normal en el punto P junto con la trayectoria de la partícula.

2.4 El producto vectorial

Objetivos de aprendizaje

  2.4.1 Calcular el producto vectorial de dos vectores dados.
  2.4.2 Utilizar los determinantes para calcular un producto vectorial.
  2.4.3 Hallar un vector ortogonal a dos vectores dados.
  2.4.4 Determinar áreas y volúmenes utilizando el producto vectorial.
  2.4.5 Calcular el torque de una fuerza y un vector de posición dados.

Imagine a un mecánico que gira una llave inglesa para apretar un tornillo. El mecánico aplica una fuerza en el extremo de la llave. Esto crea una rotación, o torque, que aprieta el tornillo. Podemos utilizar vectores para representar la fuerza aplicada por el mecánico y la distancia (radio) del tornillo al extremo de la llave. Luego, podemos representar el torque mediante un vector orientado a lo largo del eje de rotación. Observe que el vector torque es ortogonal al vector fuerza y al vector radio.

En esta sección desarrollamos una operación llamada *producto vectorial,* la cual nos permite hallar un vector ortogonal a los dos vectores dados. El cálculo del torque es una aplicación importante de los productos vectoriales, y examinamos el torque con más detalle más adelante en la sección.

El producto vectorial y sus propiedades

El producto escalar es una multiplicación de dos vectores que da como resultado un escalar. En esta sección, introducimos un producto de dos vectores que genera un tercer vector ortogonal a los dos primeros. Piense en cómo podríamos hallar ese vector. Supongamos que $\mathbf{u} = \langle u_1, u_2, u_3 \rangle$ y $\mathbf{v} = \langle v_1, v_2, v_3 \rangle$ son vectores distintos de cero. Queremos hallar un vector $\mathbf{w} = \langle w_1, w_2, w_3 \rangle$ ortogonal a ambos **u** y **v**; es decir, queremos hallar **w** tal que $\mathbf{u} \cdot \mathbf{w} = 0$ y $\mathbf{v} \cdot \mathbf{w} = 0$. Por lo tanto, w_1, w_2, y w_3 deben satisfacer

$$u_1 w_1 + u_2 w_2 + u_3 w_3 = 0$$
$$v_1 w_1 + v_2 w_2 + v_3 w_3 = 0,$$

Si multiplicamos la ecuación superior por v_3 y la ecuación inferior por u_3 y restamos, podemos eliminar la variable w_3,

que da
$$(u_1 v_3 - v_1 u_3)\, w_1 + (u_2 v_3 - v_2 u_3)\, w_2 = 0.$$

Si seleccionamos
$$w_1 = u_2 v_3 - u_3 v_2$$
$$w_2 = -(u_1 v_3 - u_3 v_1),$$

obtenemos un posible vector de solución. Sustituyendo estos valores en las ecuaciones originales se obtiene
$$w_3 = u_1 v_2 - u_2 v_1.$$

Es decir, el vector
$$\mathbf{w} = \langle u_2 v_3 - u_3 v_2, -(u_1 v_3 - u_3 v_1), u_1 v_2 - u_2 v_1 \rangle$$

es ortogonal a ambos **u** y **v**, lo que nos lleva a definir la siguiente operación, denominada producto vectorial.

Definición

Supongamos que $\mathbf{u} = \langle u_1, u_2, u_3 \rangle$ y $\mathbf{v} = \langle v_1, v_2, v_3 \rangle$. Entonces, el **producto vectorial u** $\times$ **v** es un vector

$$\begin{aligned}\mathbf{u} \times \mathbf{v} &= (u_2 v_3 - u_3 v_2)\,\mathbf{i} - (u_1 v_3 - u_3 v_1)\,\mathbf{j} + (u_1 v_2 - u_2 v_1)\,\mathbf{k} \\ &= \langle u_2 v_3 - u_3 v_2, -(u_1 v_3 - u_3 v_1), u_1 v_2 - u_2 v_1 \rangle.\end{aligned}$$

$$(2.9)$$

Por la forma en que hemos desarrollado **u** $\times$ **v**, debe quedar claro que el producto vectorial es ortogonal a ambos **u** y **v**. Sin embargo, nunca está de más comprobarlo. Para demostrar que **u** $\times$ **v** es ortogonal a **u**, calculamos el producto escalar de **u** y **u** $\times$ **v**.

$$\begin{aligned}\mathbf{u} \cdot (\mathbf{u} \times \mathbf{v}) &= \langle u_1, u_2, u_3 \rangle \cdot \langle u_2 v_3 - u_3 v_2, -u_1 v_3 + u_3 v_1, u_1 v_2 - u_2 v_1 \rangle \\ &= u_1 (u_2 v_3 - u_3 v_2) + u_2 (-u_1 v_3 + u_3 v_1) + u_3 (u_1 v_2 - u_2 v_1) \\ &= u_1 u_2 v_3 - u_1 u_3 v_2 - u_1 u_2 v_3 + u_2 u_3 v_1 + u_1 u_3 v_2 - u_2 u_3 v_1 \\ &= (u_1 u_2 v_3 - u_1 u_2 v_3) + (-u_1 u_3 v_2 + u_1 u_3 v_2) + (u_2 u_3 v_1 - u_2 u_3 v_1) \\ &= 0\end{aligned}$$

De manera similar, podemos demostrar que el producto vectorial también es ortogonal a **v**.

EJEMPLO 2.31

Hallar un producto vectorial

Supongamos que $\mathbf{p} = \langle -1, 2, 5 \rangle$ y $\mathbf{q} = \langle 4, 0, -3 \rangle$ (Figura 2.53). Halle $\mathbf{p} \times \mathbf{q}$.

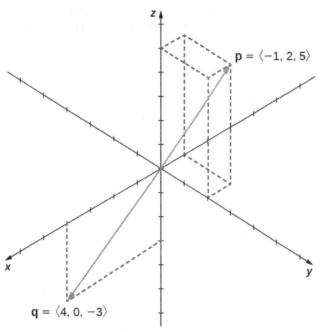

Figura 2.53 Hallar un producto vectorial a dos vectores dados.

⊘ **Solución**

Sustituya los componentes de los vectores en la Ecuación 2.9:

$$\begin{aligned}
\mathbf{p} \times \mathbf{q} &= \langle -1, 2, 5 \rangle \times \langle 4, 0, -3 \rangle \\
&= \langle p_2 q_3 - p_3 q_2, p_3 q_1 - p_1 q_3, p_1 q_2 - p_2 q_1 \rangle \\
&= \langle 2(-3) - 5(0), -(-1)(-3) + 5(4), (-1)(0) - 2(4) \rangle \\
&= \langle -6, 17, -8 \rangle.
\end{aligned}$$

☑ 2.30   Halle $\mathbf{p} \times \mathbf{q}$ para $\mathbf{p} = \langle 5, 1, 2 \rangle$ y $\mathbf{q} = \langle -2, 0, 1 \rangle$. Exprese la respuesta utilizando vectores normales unitarios.

Aunque no sea evidente en la Ecuación 2.9, la dirección de $\mathbf{u} \times \mathbf{v}$ está dada por la regla de la mano derecha. Si extendemos la mano derecha con los dedos apuntando en dirección a $\mathbf{u}$, y luego curvamos los dedos hacia el vector $\mathbf{v}$, el pulgar apunta en la dirección del producto vectorial, como se muestra.

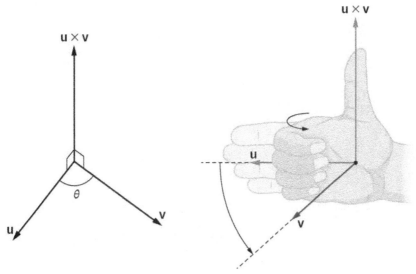

Figura 2.54 La dirección de $\mathbf{u} \times \mathbf{v}$ se determina por la regla de la mano derecha.

Observe lo que esto significa para la dirección de $\mathbf{v} \times \mathbf{u}$. Si aplicamos la regla de la mano derecha a $\mathbf{v} \times \mathbf{u}$, empezamos con los dedos apuntando en dirección a $\mathbf{v}$, y luego curvamos los dedos hacia el vector $\mathbf{u}$. En este caso, el pulgar apunta en la dirección opuesta a $\mathbf{u} \times \mathbf{v}$. (¡Pruébelo!)

EJEMPLO 2.32

Anticonmutatividad del producto vectorial

Supongamos que $\mathbf{u} = \langle 0, 2, 1 \rangle$ y $\mathbf{v} = \langle 3, -1, 0 \rangle$. Calcule $\mathbf{u} \times \mathbf{v}$ y $\mathbf{v} \times \mathbf{u}$ y grafíquelos.

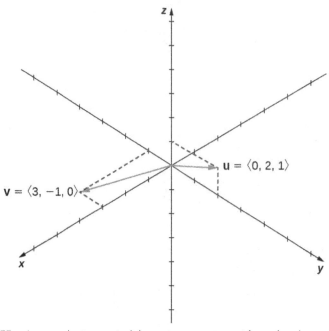

Figura 2.55 ¿Los productos vectoriales $\mathbf{u} \times \mathbf{v}$ y $\mathbf{v} \times \mathbf{u}$ están en la misma dirección?

⊘ **Solución**

Tenemos

$$\begin{aligned} \mathbf{u} \times \mathbf{v} &= \langle (0+1), -(0-3), (0-6) \rangle = \langle 1, 3, -6 \rangle \\ \mathbf{v} \times \mathbf{u} &= \langle (-1-0), -(3-0), (6-0) \rangle = \langle -1, -3, 6 \rangle. \end{aligned}$$

Lo vemos, en este caso, $\mathbf{u} \times \mathbf{v} = -(\mathbf{v} \times \mathbf{u})$ (Figura 2.56). Lo demostraremos en general más adelante en esta sección.

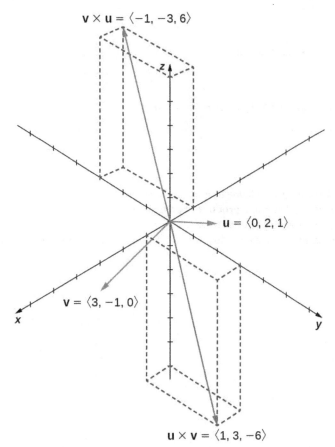

Figura 2.56 Los productos vectoriales $\mathbf{u} \times \mathbf{v}$ y $\mathbf{v} \times \mathbf{u}$ son ambos ortogonales a $\mathbf{u}$ y $\mathbf{v}$, pero en sentidos opuestos.

☑ 2.31   Supongamos que los vectores $\mathbf{u}$ y $\mathbf{v}$ se encuentran en el plano xy (el componente z de cada vector es cero). Supongamos ahora que los componentes x y y de $\mathbf{u}$ y el componente y de $\mathbf{v}$ son todos positivos, mientras que el componente x de $\mathbf{v}$ es negativo. Suponiendo que los ejes de coordenadas están orientados en las posiciones habituales, ¿en qué dirección apunta $\mathbf{u} \times \mathbf{v}$?

Los productos vectoriales de los vectores normales unitarios $\mathbf{i}, \mathbf{j},$ y $\mathbf{k}$ pueden ser útiles para simplificar algunos cálculos, así que consideremos estos productos vectoriales. Una aplicación directa de la definición muestra que

$$\mathbf{i} \times \mathbf{i} = \mathbf{j} \times \mathbf{j} = \mathbf{k} \times \mathbf{k} = \mathbf{0}.$$

(El producto vectorial de dos vectores es un vector, por lo que cada uno de estos productos da como resultado el vector cero, no el escalar 0.) Queda de su parte verificar los cálculos.

Además, como el producto vectorial de dos vectores es ortogonal a cada uno de ellos, sabemos que el producto vectorial de $\mathbf{i}$ y $\mathbf{j}$ es paralelo a $\mathbf{k}$. Del mismo modo, el producto vectorial de $\mathbf{i}$ y $\mathbf{k}$ es paralelo a $\mathbf{j}$, y el producto vectorial de $\mathbf{j}$ y $\mathbf{k}$ es paralelo a $\mathbf{i}$. Podemos utilizar la regla de la mano derecha para determinar la dirección de cada producto. Entonces tenemos

$$\begin{aligned} \mathbf{i} \times \mathbf{j} &= \mathbf{k} & \mathbf{j} \times \mathbf{i} &= -\mathbf{k} \\ \mathbf{j} \times \mathbf{k} &= \mathbf{i} & \mathbf{k} \times \mathbf{j} &= -\mathbf{i} \\ \mathbf{k} \times \mathbf{i} &= \mathbf{j} & \mathbf{i} \times \mathbf{k} &= -\mathbf{j}. \end{aligned}$$

Estas fórmulas serán útiles más adelante.

EJEMPLO 2.33

Producto vectorial de vectores normales unitarios
Halle $\mathbf{i} \times (\mathbf{j} \times \mathbf{k})$.

⊘ **Solución**
Sabemos que $\mathbf{j} \times \mathbf{k} = \mathbf{i}$. Por lo tanto, $\mathbf{i} \times (\mathbf{j} \times \mathbf{k}) = \mathbf{i} \times \mathbf{i} = \mathbf{0}$.

☑ 2.32   Halle $(\mathbf{i} \times \mathbf{j}) \times (\mathbf{k} \times \mathbf{i})$.

Como hemos visto, el *producto escalar* se llama así porque da como resultado un escalar. El producto vectorial da como resultado un vector, por lo que se denomina **producto vectorial**. Estas operaciones son ambas versiones de la multiplicación de vectores, pero tienen propiedades y aplicaciones muy diferentes. Exploremos algunas propiedades del producto vectorial. Solo probamos algunas de ellos. Las pruebas de las demás propiedades se dejan como ejercicios.

Teorema 2.6

Propiedades del producto vectorial
Supongamos que $\mathbf{u}$, $\mathbf{v}$, y $\mathbf{w}$ son vectores en el espacio, y que c es un escalar.

i.	$\mathbf{u} \times \mathbf{v}$	$= -(\mathbf{v} \times \mathbf{u})$	Anticonmutatividad
ii.	$\mathbf{u} \times (\mathbf{v} + \mathbf{w})$	$= \mathbf{u} \times \mathbf{v} + \mathbf{u} \times \mathbf{w}$	Propiedad distributiva
iii.	$c(\mathbf{u} \times \mathbf{v})$	$= (c\mathbf{u}) \times \mathbf{v} = \mathbf{u} \times (c\mathbf{v})$	Multiplicación por una constante
iv.	$\mathbf{u} \times \mathbf{0}$	$= \mathbf{0} \times \mathbf{u} = \mathbf{0}$	Producto vectorial del vector cero
v.	$\mathbf{v} \times \mathbf{v}$	$= \mathbf{0}$	Producto vectorial de un vector consigo mismo
vi.	$\mathbf{u} \cdot (\mathbf{v} \times \mathbf{w})$	$= (\mathbf{u} \times \mathbf{v}) \cdot \mathbf{w}$	Triple producto escalar

Prueba
Para la propiedad i, queremos demostrar que $\mathbf{u} \times \mathbf{v} = -(\mathbf{v} \times \mathbf{u})$. Tenemos

$$\begin{aligned}
\mathbf{u} \times \mathbf{v} &= \langle u_1, u_2, u_3 \rangle \times \langle v_1, v_2, v_3 \rangle \\
&= \langle u_2 v_3 - u_3 v_2, -u_1 v_3 + u_3 v_1, u_1 v_2 - u_2 v_1 \rangle \\
&= -\langle u_3 v_2 - u_2 v_3, -u_3 v_1 + u_1 v_3, u_2 v_1 - u_1 v_2 \rangle \\
&= -\langle v_1, v_2, v_3 \rangle \times \langle u_1, u_2, u_3 \rangle \\
&= -(\mathbf{v} \times \mathbf{u}).
\end{aligned}$$

A diferencia de la mayoría de las operaciones que hemos visto, el producto vectorial no es conmutativo. Esto tiene sentido si pensamos en la regla de la mano derecha.

Para la propiedad iv, esto se deduce directamente de la definición del producto vectorial. Tenemos

$$\begin{aligned}
\mathbf{u} \times \mathbf{0} &= \langle u_2(0) - u_3(0), -(u_2(0) - u_3(0)), u_1(0) - u_2(0) \rangle \\
&= \langle 0, 0, 0 \rangle = \mathbf{0}.
\end{aligned}$$

Entonces, por la propiedad i., $\mathbf{0} \times \mathbf{u} = \mathbf{0}$ también. Recuerde que el producto escalar de un vector por el vector cero es el *escalar* 0, mientras que el producto vectorial de un vector con el vector cero es el *vector* $\mathbf{0}$.

Propiedad vi. se parece a la propiedad asociativa, pero note el cambio en las operaciones:

$$\begin{aligned}
\mathbf{u} \cdot (\mathbf{v} \times \mathbf{w}) &= \mathbf{u} \cdot \langle v_2 w_3 - v_3 w_2, -v_1 w_3 + v_3 w_1, v_1 w_2 - v_2 w_1 \rangle \\
&= u_1(v_2 w_3 - v_3 w_2) + u_2(-v_1 w_3 + v_3 w_1) + u_3(v_1 w_2 - v_2 w_1) \\
&= u_1 v_2 w_3 - u_1 v_3 w_2 - u_2 v_1 w_3 + u_2 v_3 w_1 + u_3 v_1 w_2 - u_3 v_2 w_1 \\
&= (u_2 v_3 - u_3 v_2) w_1 + (u_3 v_1 - u_1 v_3) w_2 + (u_1 v_2 - u_2 v_1) w_3 \\
&= \langle u_2 v_3 - u_3 v_2, u_3 v_1 - u_1 v_3, u_1 v_2 - u_2 v_1 \rangle \cdot \langle w_1, w_2, w_3 \rangle \\
&= (\mathbf{u} \times \mathbf{v}) \cdot \mathbf{w}.
\end{aligned}$$

□

EJEMPLO 2.34

Uso de las propiedades del producto vectorial

Utilice las propiedades del producto vectorial para calcular $(2\mathbf{i} \times 3\mathbf{j}) \times \mathbf{j}$.

⊘ **Solución**

$$\begin{aligned}
(2\mathbf{i} \times 3\mathbf{j}) \times \mathbf{j} &= 2\,(\mathbf{i} \times 3\mathbf{j}) \times \mathbf{j} \\
&= 2\,(3)\,(\mathbf{i} \times \mathbf{j}) \times \mathbf{j} \\
&= (6\mathbf{k}) \times \mathbf{j} \\
&= 6\,(\mathbf{k} \times \mathbf{j}) \\
&= 6\,(-\mathbf{i}) = -6\mathbf{i}.
\end{aligned}$$

☑ 2.33   Utilice las propiedades del producto vectorial para calcular $(\mathbf{i} \times \mathbf{k}) \times (\mathbf{k} \times \mathbf{j})$.

Hasta ahora, en esta sección, nos hemos ocupado de la dirección del vector $\mathbf{u} \times \mathbf{v}$, pero no hemos discutido su magnitud. Resulta que hay una expresión sencilla para la magnitud de $\mathbf{u} \times \mathbf{v}$ que implica las magnitudes de $\mathbf{u}$ y $\mathbf{v}$, y el seno del ángulo entre ellos.

Teorema 2.7

Magnitud del producto vectorial

Supongamos que $\mathbf{u}$ y $\mathbf{v}$ son vectores y que θ es el ángulo entre ellos. Entonces, $\|\mathbf{u} \times \mathbf{v}\| = \|\mathbf{u}\| \cdot \|\mathbf{v}\| \cdot \operatorname{sen}\theta$.

Prueba

Supongamos que $\mathbf{u} = \langle u_1, u_2, u_3 \rangle$ y $\mathbf{v} = \langle v_1, v_2, v_3 \rangle$ son vectores y que θ denota el ángulo entre ellos. Entonces

$$\begin{aligned}
\|\mathbf{u} \times \mathbf{v}\|^2 &= (u_2 v_3 - u_3 v_2)^2 + (u_3 v_1 - u_1 v_3)^2 + (u_1 v_2 - u_2 v_1)^2 \\
&= u_2^2 v_3^2 - 2u_2 u_3 v_2 v_3 + u_3^2 v_2^2 + u_3^2 v_1^2 - 2u_1 u_3 v_1 v_3 + u_1^2 v_3^2 + u_1^2 v_2^2 - 2u_1 u_2 v_1 v_2 + u_2^2 v_1^2 \\
&= u_1^2 v_1^2 + u_1^2 v_2^2 + u_1^2 v_3^2 + u_2^2 v_1^2 + u_2^2 v_2^2 + u_2^2 v_3^2 + u_3^2 v_1^2 + u_3^2 v_2^2 + u_3^2 v_3^2 \\
&\quad - \left(u_1^2 v_1^2 + u_2^2 v_2^2 + u_3^2 v_3^2 + 2u_1 u_2 v_1 v_2 + 2u_1 u_3 v_1 v_3 + 2u_2 u_3 v_2 v_3 \right) \\
&= \left(u_1^2 + u_2^2 + u_3^2 \right) \left(v_1^2 + v_2^2 + v_3^2 \right) - (u_1 v_1 + u_2 v_2 + u_3 v_3)^2 \\
&= \|\mathbf{u}\|^2 \|\mathbf{v}\|^2 - (\mathbf{u} \cdot \mathbf{v})^2 \\
&= \|\mathbf{u}\|^2 \|\mathbf{v}\|^2 - \|\mathbf{u}\|^2 \|\mathbf{v}\|^2 \cos^2\theta \\
&= \|\mathbf{u}\|^2 \|\mathbf{v}\|^2 \left(1 - \cos^2\theta \right) \\
&= \|\mathbf{u}\|^2 \|\mathbf{v}\|^2 \left(\operatorname{sen}^2\theta \right).
\end{aligned}$$

Tomando las raíces cuadradas y observando que $\sqrt{\operatorname{sen}^2\theta} = \operatorname{sen}\theta$ para $0 \leq \theta \leq 180°$, tenemos el resultado deseado:

$$\|\mathbf{u} \times \mathbf{v}\| = \|\mathbf{u}\| \, \|\mathbf{v}\| \operatorname{sen}\theta.$$

□

Esta definición del producto vectorial nos permite visualizar o interpretar el producto geométricamente. Está claro, por ejemplo, que el producto vectorial se define solo para vectores en tres dimensiones, no para vectores en dos dimensiones. En dos dimensiones, es imposible generar un vector simultáneamente ortogonal a dos vectores no paralelos.

EJEMPLO 2.35

Cálculo del producto vectorial

Utilice las Propiedades del producto vectorial para hallar la magnitud del producto vectorial de $\mathbf{u} = \langle 0, 4, 0 \rangle$ y $\mathbf{v} = \langle 0, 0, -3 \rangle$.

⊘ **Solución**
Tenemos

$$\begin{aligned}
\|\mathbf{u} \times \mathbf{v}\| &= \|\mathbf{u}\| \cdot \|\mathbf{v}\| \cdot \operatorname{sen} \theta \\
&= \sqrt{0^2 + 4^2 + 0^2} \cdot \sqrt{0^2 + 0^2 + (-3)^2} \cdot \operatorname{sen} \tfrac{\pi}{2} \\
&= 4(3)(1) = 12.
\end{aligned}$$

☑ 2.34   Utilice las <u>Propiedades del producto vectorial</u> para hallar la magnitud de $\mathbf{u} \times \mathbf{v}$, donde $\mathbf{u} = \langle -8, 0, 0 \rangle$ y $\mathbf{v} = \langle 0, 2, 0 \rangle$.

Determinantes y producto vectorial

Usar la <u>Ecuación 2.9</u> para hallar el producto vectorial de dos vectores es sencillo, y presenta el producto vectorial en la forma útil de componentes. La fórmula, sin embargo, es complicada y difícil de recordar. Afortunadamente, tenemos una alternativa. Podemos calcular el producto vectorial de dos vectores utilizando la notación de **determinantes**.

Una determinante 2×2 se define como

$$\begin{vmatrix} a_1 & a_2 \\ b_1 & b_2 \end{vmatrix} = a_1 b_2 - b_1 a_2.$$

Por ejemplo,

$$\begin{vmatrix} 3 & -2 \\ 5 & 1 \end{vmatrix} = 3\,(1) - 5\,(-2) = 3 + 10 = 13.$$

Un determinante 3×3 se define en términos de determinantes 2×2 de la siguiente manera:

$$\begin{vmatrix} a_1 & a_2 & a_3 \\ b_1 & b_2 & b_3 \\ c_1 & c_2 & c_3 \end{vmatrix} = a_1 \begin{vmatrix} b_2 & b_3 \\ c_2 & c_3 \end{vmatrix} - a_2 \begin{vmatrix} b_1 & b_3 \\ c_1 & c_3 \end{vmatrix} + a_3 \begin{vmatrix} b_1 & b_2 \\ c_1 & c_2 \end{vmatrix}. \tag{2.10}$$

La <u>Ecuación 2.10</u> se denomina *expansión del determinante a lo largo de la primera fila*. Observe que los multiplicadores de cada uno de los determinantes 2×2 del lado derecho de esta expresión son las entradas de la primera fila del determinante 3×3. Además, cada uno de los determinantes 2×2 contiene las entradas del determinante 3×3 que quedaría si se tacha la fila y la columna que contiene el multiplicador. Así, para el primer término de la derecha, a_1 es el multiplicador, y el determinante 2×2 contiene las entradas que quedan si se tacha la primera fila y la primera columna del determinante 3×3. Del mismo modo, para el segundo término, el multiplicador es a_2, y el determinante 2×2 contiene las entradas que quedan si se tacha la primera fila y la segunda columna del determinante 3×3. Sin embargo, observe que el coeficiente del segundo término es negativo. El tercer término puede calcularse de forma similar.

EJEMPLO 2.36

Uso de la expansión a lo largo de la primera fila para calcular un determinante 3×3.

Evalúe el determinante $\begin{vmatrix} 2 & 5 & -1 \\ -1 & 1 & 3 \\ -2 & 3 & 4 \end{vmatrix}$.

⊘ **Solución**
Tenemos

$$\begin{aligned}
\begin{vmatrix} 2 & 5 & -1 \\ -1 & 1 & 3 \\ -2 & 3 & 4 \end{vmatrix} &= 2 \begin{vmatrix} 1 & 3 \\ 3 & 4 \end{vmatrix} - 5 \begin{vmatrix} -1 & 3 \\ -2 & 4 \end{vmatrix} - 1 \begin{vmatrix} -1 & 1 \\ -2 & 3 \end{vmatrix} \\
&= 2\,(4 - 9) - 5\,(-4 + 6) - 1\,(-3 + 2) \\
&= 2\,(-5) - 5\,(2) - 1\,(-1) = -10 - 10 + 1 \\
&= -19.
\end{aligned}$$

☑ 2.35   Evalúe el determinante $\begin{vmatrix} 1 & -2 & -1 \\ 3 & 2 & -3 \\ 1 & 5 & 4 \end{vmatrix}$.

Técnicamente, los determinantes se definen solo en términos de matrices de números reales. Sin embargo, la notación del determinante proporciona un dispositivo nemotécnico útil para la fórmula del producto vectorial.

Regla: producto vectorial calculado mediante un determinante

Supongamos que $\mathbf{u} = \langle u_1, u_2, u_3 \rangle$ y $\mathbf{v} = \langle v_1, v_2, v_3 \rangle$ son vectores. Entonces el producto vectorial $\mathbf{u} \times \mathbf{v}$ está dada por

$$\mathbf{u} \times \mathbf{v} = \begin{vmatrix} \mathbf{i} & \mathbf{j} & \mathbf{k} \\ u_1 & u_2 & u_3 \\ v_1 & v_2 & v_3 \end{vmatrix} = \begin{vmatrix} u_2 & u_3 \\ v_2 & v_3 \end{vmatrix} \mathbf{i} - \begin{vmatrix} u_1 & u_3 \\ v_1 & v_3 \end{vmatrix} \mathbf{j} + \begin{vmatrix} u_1 & u_2 \\ v_1 & v_2 \end{vmatrix} \mathbf{k}.$$

EJEMPLO 2.37

Utilizando la notación de determinantes para hallar $\mathbf{p} \times \mathbf{q}$
Supongamos que $\mathbf{p} = \langle -1, 2, 5 \rangle$ y $\mathbf{q} = \langle 4, 0, -3 \rangle$. Halle $\mathbf{p} \times \mathbf{q}$.

⊘ **Solución**
Establecemos nuestro determinante poniendo los vectores normales unitarios a través de la primera fila, los componentes de $\mathbf{u}$ en la segunda fila, y los componentes de $\mathbf{v}$ en la tercera fila. Entonces, tenemos

$$\begin{aligned} \mathbf{p} \times \mathbf{q} &= \begin{vmatrix} \mathbf{i} & \mathbf{j} & \mathbf{k} \\ -1 & 2 & 5 \\ 4 & 0 & -3 \end{vmatrix} = \begin{vmatrix} 2 & 5 \\ 0 & -3 \end{vmatrix} \mathbf{i} - \begin{vmatrix} -1 & 5 \\ 4 & -3 \end{vmatrix} \mathbf{j} + \begin{vmatrix} -1 & 2 \\ 4 & 0 \end{vmatrix} \mathbf{k} \\ &= (-6 - 0)\mathbf{i} - (3 - 20)\mathbf{j} + (0 - 8)\mathbf{k} \\ &= -6\mathbf{i} + 17\mathbf{j} - 8\mathbf{k}. \end{aligned}$$

Observe que esta respuesta confirma el cálculo del producto vectorial en el Ejemplo 2.31.

☑ 2.36   Utilice la notación de determinantes para hallar $\mathbf{a} \times \mathbf{b}$, donde $\mathbf{a} = \langle 8, 2, 3 \rangle$ y $\mathbf{b} = \langle -1, 0, 4 \rangle$.

Uso del producto vectorial

El producto vectorial es muy útil para varios tipos de cálculos, como hallar un vector ortogonal a dos vectores dados, calcular áreas de triángulos y paralelogramos e incluso determinar el volumen de la forma geométrica tridimensional hecha de paralelogramos conocida como *paralelepípedo*. Los siguientes ejemplos ilustran estos cálculos.

EJEMPLO 2.38

Hallar un vector unitario ortogonal a dos vectores dados
Supongamos que $\mathbf{a} = \langle 5, 2, -1 \rangle$ y $\mathbf{b} = \langle 0, -1, 4 \rangle$. Halle un vector unitario ortogonal a ambos $\mathbf{a}$ y $\mathbf{b}$.

⊘ **Solución**
El producto vectorial $\mathbf{a} \times \mathbf{b}$ es ortogonal a ambos vectores $\mathbf{a}$ y $\mathbf{b}$. Podemos calcularlo con un determinante:

$$\begin{aligned} \mathbf{a} \times \mathbf{b} &= \begin{vmatrix} \mathbf{i} & \mathbf{j} & \mathbf{k} \\ 5 & 2 & -1 \\ 0 & -1 & 4 \end{vmatrix} = \begin{vmatrix} 2 & -1 \\ -1 & 4 \end{vmatrix} \mathbf{i} - \begin{vmatrix} 5 & -1 \\ 0 & 4 \end{vmatrix} \mathbf{j} + \begin{vmatrix} 5 & 2 \\ 0 & -1 \end{vmatrix} \mathbf{k} \\ &= (8 - 1)\mathbf{i} - (20 - 0)\mathbf{j} + (-5 - 0)\mathbf{k} \\ &= 7\mathbf{i} - 20\mathbf{j} - 5\mathbf{k}. \end{aligned}$$

Normalice este vector para hallar un vector unitario en la misma dirección:

$$\|\mathbf{a} \times \mathbf{b}\| = \sqrt{(7)^2 + (-20)^2 + (-5)^2} = \sqrt{474}.$$

Por lo tanto, $\left\langle \frac{7}{\sqrt{474}}, \frac{-20}{\sqrt{474}}, \frac{-5}{\sqrt{474}} \right\rangle$ es un vector unitario ortogonal a $\mathbf{a}$ y $\mathbf{b}$.

✓ 2.37   Halle un vector unitario ortogonal a ambos $\mathbf{a}$ y $\mathbf{b}$, donde $\mathbf{a} = \langle 4, 0, 3 \rangle$ y $\mathbf{b} = \langle 1, 1, 4 \rangle$.

Para utilizar el producto vectorial para el cálculo de áreas, enunciamos y demostramos el siguiente teorema.

Teorema 2.8

Área de un paralelogramo

Si localizamos los vectores $\mathbf{u}$ y $\mathbf{v}$ de manera que formen lados adyacentes de un paralelogramo, entonces el área del paralelogramo está dada por $\|\mathbf{u} \times \mathbf{v}\|$ (Figura 2.57).

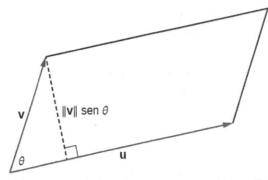

Figura 2.57   El paralelogramo con lados adyacentes $\mathbf{u}$ y $\mathbf{v}$ tiene base $\|\mathbf{u}\|$ y altura $\|\mathbf{v}\|$ sen θ.

Prueba

Demostramos que la magnitud del producto vectorial es igual a la base por la altura del paralelogramo.

$$
\begin{aligned}
\text{Área de un paralelogramo} &= \text{base} \times \text{altura} \\
&= \|\mathbf{u}\| \left(\|\mathbf{v}\| \operatorname{sen} \theta \right) \\
&= \|\mathbf{u} \times \mathbf{v}\|
\end{aligned}
$$

□

EJEMPLO 2.39

Cómo calcular el área de un triángulo

Supongamos que $P = (1, 0, 0)$, $Q = (0, 1, 0)$, y $R = (0, 0, 1)$ son los vértices de un triángulo (Figura 2.58). Calcule su área.

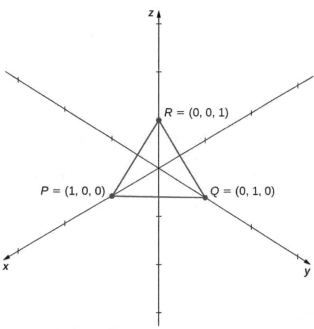

Figura 2.58 Calcular el área de un triángulo utilizando el producto vectorial.

⊘ **Solución**

Tenemos $\vec{PQ} = \langle 0 - 1, 1 - 0, 0 - 0 \rangle = \langle -1, 1, 0 \rangle$ y $\vec{PR} = \langle 0 - 1, 0 - 0, 1 - 0 \rangle = \langle -1, 0, 1 \rangle$. El área del paralelogramo con lados adyacentes $\vec{PQ}$ y $\vec{PR}$ está dada por $\|\vec{PQ} \times \vec{PR}\|$:

$$\vec{PQ} \times \vec{PR} = \begin{vmatrix} \mathbf{i} & \mathbf{j} & \mathbf{k} \\ -1 & 1 & 0 \\ -1 & 0 & 1 \end{vmatrix} = (1 - 0)\mathbf{i} - (-1 - 0)\mathbf{j} + (0 - (-1))\mathbf{k} = \mathbf{i} + \mathbf{j} + \mathbf{k}$$

$$\|\vec{PQ} \times \vec{PR}\| = \|\langle 1, 1, 1 \rangle\| = \sqrt{1^2 + 1^2 + 1^2} = \sqrt{3}.$$

El área de ΔPQR es la mitad del área del paralelogramo, o $\sqrt{3}/2$.

☑ 2.38   Calcule el área del paralelogramo $PQRS$ con vértices $P(1, 1, 0)$, $Q(7, 1, 0)$, $R(9, 4, 2)$, y $S(3, 4, 2)$.

El triple producto escalar

Como el producto vectorial de dos vectores es un vector, es posible combinar el producto escalar y el producto vectorial. El producto escalar de un vector por el producto vectorial de otros dos vectores se llama triple producto escalar porque el resultado es un escalar.

Definición

El **triple producto escalar** de los vectores $\mathbf{u}$, $\mathbf{v}$, y $\mathbf{w}$ es $\mathbf{u} \cdot (\mathbf{v} \times \mathbf{w})$.

Teorema 2.9

Cálculo de un triple producto escalar

El triple producto escalar de los vectores $\mathbf{u} = u_1\mathbf{i} + u_2\mathbf{j} + u_3\mathbf{k}$, $\mathbf{v} = v_1\mathbf{i} + v_2\mathbf{j} + v_3\mathbf{k}$, y $\mathbf{w} = w_1\mathbf{i} + w_2\mathbf{j} + w_3\mathbf{k}$ es el determinante de la matriz 3×3 formada por los componentes de los vectores:

$$\mathbf{u}.\,(\mathbf{v}\times\mathbf{w})=\begin{vmatrix} u_1 & u_2 & u_3 \\ v_1 & v_2 & v_3 \\ w_1 & w_2 & w_3 \end{vmatrix}.$$

Prueba
El cálculo es sencillo.

$$
\begin{aligned}
\mathbf{u}.\,(\mathbf{v}\times\mathbf{w}) &= \langle u_1,u_2,u_3\rangle\,.\,\langle v_2w_3-v_3w_2,-v_1w_3+v_3w_1,v_1w_2-v_2w_1\rangle \\
&= u_1\,(v_2w_3-v_3w_2)+u_2\,(-v_1w_3+v_3w_1)+u_3\,(v_1w_2-v_2w_1) \\
&= u_1\,(v_2w_3-v_3w_2)-u_2\,(v_1w_3-v_3w_1)+u_3\,(v_1w_2-v_2w_1) \\
&= \begin{vmatrix} u_1 & u_2 & u_3 \\ v_1 & v_2 & v_3 \\ w_1 & w_2 & w_3 \end{vmatrix}
\end{aligned}
$$

☐

EJEMPLO 2.40

Cálculo del triple producto escalar

Supongamos que $\mathbf{u}=\langle 1,3,5\rangle$, $\mathbf{v}=\langle 2,-1,0\rangle$ y $\mathbf{w}=\langle-3,0,-1\rangle$. Calcule el triple producto escalar $\mathbf{u}.\,(\mathbf{v}\times\mathbf{w})$.

⊘ Solución

Aplique Cálculo de un triple producto escalar directamente:

$$
\begin{aligned}
\mathbf{u}.\,(\mathbf{v}\times\mathbf{w}) &= \begin{vmatrix} 1 & 3 & 5 \\ 2 & -1 & 0 \\ -3 & 0 & -1 \end{vmatrix} \\
&= 1\begin{vmatrix} -1 & 0 \\ 0 & -1 \end{vmatrix}-3\begin{vmatrix} 2 & 0 \\ -3 & -1 \end{vmatrix}+5\begin{vmatrix} 2 & -1 \\ -3 & 0 \end{vmatrix} \\
&= (1-0)-3\,(-2-0)+5\,(0-3) \\
&= 1+6-15=-8.
\end{aligned}
$$

☑ 2.39   Calcule el triple producto escalar $\mathbf{a}.\,(\mathbf{b}\times\mathbf{c})$, donde $\mathbf{a}=\langle 2,-4,1\rangle$, $\mathbf{b}=\langle 0,3,-1\rangle$, y $\mathbf{c}=\langle 5,-3,3\rangle$.

Cuando creamos una matriz a partir de tres vectores, debemos tener cuidado con el orden en que enumeramos los vectores. Si los enumeramos en una matriz en un orden y luego reordenamos las filas, el valor absoluto del determinante no cambia. Sin embargo, cada vez que dos filas cambian de lugar, el determinante cambia de signo:

$$
\begin{vmatrix} a_1 & a_2 & a_3 \\ b_1 & b_2 & b_3 \\ c_1 & c_2 & c_3 \end{vmatrix}=d \quad\quad
\begin{vmatrix} b_1 & b_2 & b_3 \\ a_1 & a_2 & a_3 \\ c_1 & c_2 & c_3 \end{vmatrix}=-d \quad\quad
\begin{vmatrix} b_1 & b_2 & b_3 \\ c_1 & c_2 & c_3 \\ a_1 & a_2 & a_3 \end{vmatrix}=d \quad\quad
\begin{vmatrix} c_1 & c_2 & c_3 \\ b_1 & b_2 & b_3 \\ a_1 & a_2 & a_3 \end{vmatrix}=-d.
$$

Verificar este hecho es sencillo, pero bastante complicado. Veamos esto con un ejemplo:

$$
\begin{aligned}
\begin{vmatrix} 1 & 2 & 1 \\ -2 & 0 & 3 \\ 4 & 1 & -1 \end{vmatrix} &= \begin{vmatrix} 0 & 3 \\ 1 & -1 \end{vmatrix}-2\begin{vmatrix} -2 & 3 \\ 4 & -1 \end{vmatrix}+\begin{vmatrix} -2 & 0 \\ 4 & 1 \end{vmatrix} \\
&= (0-3)-2\,(2-12)+(-2-0)=-3+20-2=15.
\end{aligned}
$$

Cambiando las dos filas superiores tenemos

$$
\begin{vmatrix} -2 & 0 & 3 \\ 1 & 2 & 1 \\ 4 & 1 & -1 \end{vmatrix}=-2\begin{vmatrix} 2 & 1 \\ 1 & -1 \end{vmatrix}+3\begin{vmatrix} 1 & 2 \\ 4 & 1 \end{vmatrix}=-2\,(-2-1)+3\,(1-8)=6-21=-15.
$$

Reordenar los vectores en los productos triples equivale a reordenar las filas de la matriz del determinante. Supongamos que $\mathbf{u}=u_1\mathbf{i}+u_2\mathbf{j}+u_3\mathbf{k}$, $\mathbf{v}=v_1\mathbf{i}+v_2\mathbf{j}+v_3\mathbf{k}$, y $\mathbf{w}=w_1\mathbf{i}+w_2\mathbf{j}+w_3\mathbf{k}$. Aplicando Cálculo de un triple producto escalar, tenemos

$$\mathbf{u}.(\mathbf{v} \times \mathbf{w}) = \begin{vmatrix} u_1 & u_2 & u_3 \\ v_1 & v_2 & v_3 \\ w_1 & w_2 & w_3 \end{vmatrix} \quad \text{y} \quad \mathbf{u}.(\mathbf{w} \times \mathbf{v}) = \begin{vmatrix} u_1 & u_2 & u_3 \\ w_1 & w_2 & w_3 \\ v_1 & v_2 & v_3 \end{vmatrix}.$$

Podemos obtener el determinante para calcular $\mathbf{u}.(\mathbf{w} \times \mathbf{v})$ cambiando las dos filas inferiores de $\mathbf{u}.(\mathbf{v} \times \mathbf{w})$. Por lo tanto, $\mathbf{u}.(\mathbf{v} \times \mathbf{w}) = -\mathbf{u}.(\mathbf{w} \times \mathbf{v})$.

Siguiendo este razonamiento y explorando las diferentes formas en que podemos intercambiar variables en el triple producto escalar nos lleva a las siguientes identidades:

$$\mathbf{u}.(\mathbf{v} \times \mathbf{w}) = -\mathbf{u}.(\mathbf{w} \times \mathbf{v})$$
$$\mathbf{u}.(\mathbf{v} \times \mathbf{w}) = \mathbf{v}.(\mathbf{w} \times \mathbf{u}) = \mathbf{w}.(\mathbf{u} \times \mathbf{v}).$$

Supongamos que $\mathbf{u}$ y $\mathbf{v}$ son dos vectores en posición estándar. Si los valores de $\mathbf{u}$ y $\mathbf{v}$ no son múltiplos escalares entre sí, entonces estos vectores forman lados adyacentes de un paralelogramo. Hemos visto en Área de un paralelogramo que el área de este paralelogramo es $\|\mathbf{u} \times \mathbf{v}\|$. Supongamos ahora que añadimos un tercer vector $\mathbf{w}$ que no se encuentra en el mismo plano que $\mathbf{u}$ y $\mathbf{v}$ pero sigue compartiendo el mismo punto inicial. Entonces estos vectores forman tres aristas de un **paralelepípedo**, un prisma tridimensional con seis caras que son cada una paralelogramos, como se muestra en la Figura 2.59. El volumen de este prisma es el producto de la altura de la figura por el área de su base. El triple producto escalar de $\mathbf{u}, \mathbf{v},$ y $\mathbf{w}$ proporciona un método sencillo para calcular el volumen del paralelepípedo definido por estos vectores.

Teorema 2.10

Volumen de un paralelepípedo
El volumen de un paralelepípedo con aristas adyacentes dado por los vectores $\mathbf{u}, \mathbf{v},$ y $\mathbf{w}$ es el valor absoluto del triple producto escalar:

$$V = |\mathbf{u}.(\mathbf{v} \times \mathbf{w})|.$$

Vea la Figura 2.59.

Observe que, como su nombre indica, el triple producto escalar produce un escalar. La fórmula del volumen que acabamos de presentar utiliza el valor absoluto de una cantidad escalar.

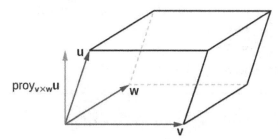

Figura 2.59   La altura del paralelepípedo está dada por $\|\text{proj}_{\mathbf{v} \times \mathbf{w}} \mathbf{u}\|$.

Prueba
El área de la base del paralelepípedo está dada por $\|\mathbf{v} \times \mathbf{w}\|$. La altura de la figura está dada por $\|\text{proj}_{\mathbf{v} \times \mathbf{w}} \mathbf{u}\|$. El volumen del paralelepípedo es el producto de la altura por el área de la base, por lo que tenemos

$$
\begin{aligned}
V &= \|\text{proj}_{\mathbf{v} \times \mathbf{w}} \mathbf{u}\| \|\mathbf{v} \times \mathbf{w}\| \\
&= \left| \frac{\mathbf{u}.(\mathbf{v} \times \mathbf{w})}{\|\mathbf{v} \times \mathbf{w}\|} \right| \|\mathbf{v} \times \mathbf{w}\| \\
&= |\mathbf{u}.(\mathbf{v} \times \mathbf{w})|.
\end{aligned}
$$

$\square$

EJEMPLO 2.41

Cálculo del volumen de un paralelepípedo

Supongamos que $\mathbf{u} = \langle -1, -2, 1 \rangle$, $\mathbf{v} = \langle 4, 3, 2 \rangle$, y $\mathbf{w} = \langle 0, -5, -2 \rangle$. Calcule el volumen del paralelepípedo con aristas adyacentes $\mathbf{u}, \mathbf{v}$, y $\mathbf{w}$ (Figura 2.60).

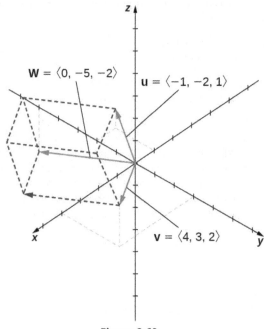

Figura 2.60

⊘ **Solución**
Tenemos

$$\mathbf{u}.(\mathbf{v} \times \mathbf{w}) = \begin{vmatrix} -1 & -2 & 1 \\ 4 & 3 & 2 \\ 0 & -5 & -2 \end{vmatrix} = (-1)\begin{vmatrix} 3 & 2 \\ -5 & -2 \end{vmatrix} + 2\begin{vmatrix} 4 & 2 \\ 0 & -2 \end{vmatrix} + \begin{vmatrix} 4 & 3 \\ 0 & -5 \end{vmatrix}$$
$$= (-1)(-6+10) + 2(-8-0) + (-20-0)$$
$$= -4 - 16 - 20$$
$$= -40.$$

Por lo tanto, el volumen del paralelepípedo es $|-40| = 40$ unidades^3.

✓ 2.40 Calcule el volumen del paralelepípedo formado por los vectores $\mathbf{a} = 3\mathbf{i} + 4\mathbf{j} - \mathbf{k}$, $\mathbf{b} = 2\mathbf{i} - \mathbf{j} - \mathbf{k}$, y $\mathbf{c} = 3\mathbf{j} + \mathbf{k}$.

Aplicaciones del producto vectorial

El producto vectorial aparece en muchas aplicaciones prácticas en matemáticas, física e ingeniería. Examinemos algunas de estas aplicaciones, incluida la idea de torque, con la que comenzamos esta sección. Otras aplicaciones aparecen en capítulos posteriores, especialmente en nuestro estudio de los campos vectoriales, como los campos gravitatorios y electromagnéticos (Introducción al cálculo vectorial).

EJEMPLO 2.42

Uso del triple producto escalar

Utilice el triple producto escalar para demostrar que los vectores $\mathbf{u} = \langle 2, 0, 5 \rangle$, $\mathbf{v} = \langle 2, 2, 4 \rangle$, y $\mathbf{w} = \langle 1, -1, 3 \rangle$ son coplanarios, es decir, demuestre que estos vectores se encuentran en el mismo plano.

⊘ **Solución**

Comience calculando el triple producto escalar para calcular el volumen del paralelepípedo definido por **u**, **v**, y **w**:

$$\mathbf{u}.(\mathbf{v} \times \mathbf{w}) = \begin{vmatrix} 2 & 0 & 5 \\ 2 & 2 & 4 \\ 1 & -1 & 3 \end{vmatrix}$$

$$= [2(2)(3) + (0)(4)(1) + 5(2)(-1)] - [5(2)(1) + (2)(4)(-1) + (0)(2)(3)]$$

$$= 2 - 2$$

$$= 0.$$

El volumen del paralelepípedo es 0 unidades^3, por lo que una de las dimensiones debe ser cero. Por lo tanto, los tres vectores se encuentran en el mismo plano.

☑ 2.41   ¿Son los vectores $\mathbf{a} = \mathbf{i} + \mathbf{j} - \mathbf{k}$, $\mathbf{b} = \mathbf{i} - \mathbf{j} + \mathbf{k}$, y $\mathbf{c} = \mathbf{i} + \mathbf{j} + \mathbf{k}$ coplanarios?

EJEMPLO 2.43

Hallar un vector ortogonal

Solo un único plano puede pasar por cualquier conjunto de tres puntos no colineales. Halle un vector ortogonal al plano que contiene los puntos $P = (9, -3, -2)$, $Q = (1, 3, 0)$, y $R = (-2, 5, 0)$.

⊘ **Solución**

El plano debe contener los vectores $\vec{PQ}$ y $\vec{QR}$:

$$\vec{PQ} = \langle 1 - 9, 3 - (-3), 0 - (-2) \rangle = \langle -8, 6, 2 \rangle$$

$$\vec{QR} = \langle -2 - 1, 5 - 3, 0 - 0 \rangle = \langle -3, 2, 0 \rangle.$$

El producto vectorial $\vec{PQ} \times \vec{QR}$ da un vector ortogonal a ambos $\vec{PQ}$ y $\vec{QR}$. Por lo tanto, el producto vectorial es ortogonal al plano que contiene estos dos vectores:

$$\vec{PQ} \times \vec{QR} = \begin{vmatrix} \mathbf{i} & \mathbf{j} & \mathbf{k} \\ -8 & 6 & 2 \\ -3 & 2 & 0 \end{vmatrix}$$

$$= 0\mathbf{i} - 6\mathbf{j} - 16\mathbf{k} - (-18\mathbf{k} + 4\mathbf{i} + 0\mathbf{j})$$

$$= -4\mathbf{i} - 6\mathbf{j} + 2\mathbf{k}.$$

Hemos visto cómo utilizar el triple producto escalar y cómo hallar un vector ortogonal a un plano. Ahora aplicamos el producto vectorial a situaciones del mundo real.

A veces una fuerza hace que un objeto gire. Por ejemplo, al girar un destornillador o una llave inglesa se produce este tipo de efecto de rotación, llamado torque.

Definición

Torque, τ (la letra griega *tau*), mide la tendencia de una fuerza para producir una rotación alrededor de un eje de rotación. Supongamos que **r** es un vector con un punto inicial situado en el eje de rotación y con un punto terminal situado en el punto donde se aplica la fuerza, y que el vector **F** representa la fuerza. Entonces el torque es igual al producto vectorial de **r** y **F**:

$$\tau = \mathbf{r} \times \mathbf{F}.$$

Vea la Figura 2.61.

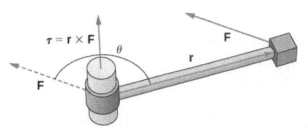

Figura 2.61 El torque mide cómo una fuerza hace girar un objeto.

Piense en cómo se usa una llave inglesa para apretar un tornillo. El torque τ aplicado al tornillo depende de la intensidad con la que empujemos la llave (fuerza) y de la distancia a la que apliquemos la fuerza (distancia). El torque aumenta con una mayor fuerza en la llave a una mayor distancia del tornillo. Las unidades comunes de torque son el newton-metro o el pie-libra. Aunque el torque es dimensionalmente equivalente al trabajo (tiene las mismas unidades), los dos conceptos son distintos. El torque se utiliza específicamente en el contexto de la rotación, mientras que el trabajo suele implicar el movimiento a lo largo de una línea.

EJEMPLO 2.44

Evaluación del torque
Un tornillo se aprieta aplicando una fuerza de 6 N a una llave de 0,15 m (Figura 2.62). El ángulo entre la llave y el vector fuerza es de 40°. Halle la magnitud del torque alrededor del centro del tornillo. Redondee la respuesta a dos decimales.

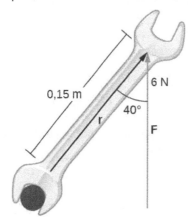

Figura 2.62 El torque describe la acción de giro de la llave.

⊘ **Solución**
Sustituya la información dada en la ecuación que define el torque:

$$\|\tau\| = \|\mathbf{r} \times \mathbf{F}\| = \|\mathbf{r}\| \, \|\mathbf{F}\| \operatorname{sen} \theta = (0,15 \text{ m})(6 \text{ N})\operatorname{sen} 40° \approx 0,58 \text{ N. m.}$$

☑ 2.42   Calcule la fuerza necesaria para producir un torque de 15 N. m a un ángulo de 30° desde una varilla de 150 cm.

📖 **SECCIÓN 2.4 EJERCICIOS**

En los siguientes ejercicios, los vectores **u** *y* **v** *están dados.*

a. Halle el producto vectorial **u** × **v** de los vectores **u** y **v**. Exprese la respuesta en forma de componentes.
b. Dibuje los vectores **u, v,** y **u** × **v**.

183. $\mathbf{u} = \langle 2, 0, 0 \rangle$, $\mathbf{v} = \langle 2, 2, 0 \rangle$ **184.** $\mathbf{u} = \langle 3, 2, -1 \rangle$, $\mathbf{v} = \langle 1, 1, 0 \rangle$ **185.** $\mathbf{u} = 2\mathbf{i} + 3\mathbf{j}$, $\mathbf{v} = \mathbf{j} + 2\mathbf{k}$

186. $\mathbf{u} = 2\mathbf{j} + 3\mathbf{k}, \mathbf{v} = 3\mathbf{i} + \mathbf{k}$

187. Simplifique
$(\mathbf{i} \times \mathbf{i} - 2\mathbf{i} \times \mathbf{j} - 4\mathbf{i} \times \mathbf{k} + 3\mathbf{j} \times \mathbf{k}) \times \mathbf{i}$.

188. Simplifique
$\mathbf{j} \times (\mathbf{k} \times \mathbf{j} + 2\mathbf{j} \times \mathbf{i} - 3\mathbf{j} \times \mathbf{j} + 5\mathbf{i} \times \mathbf{k})$.

En los siguientes ejercicios, los vectores $\mathbf{u}$ *y* $\mathbf{v}$ *están dados. Halle el vector unitario* $\mathbf{w}$ *en la dirección del vector del producto vectorial* $\mathbf{u} \times \mathbf{v}$. *Exprese su respuesta utilizando vectores normales unitarios.*

189. $\mathbf{u} = \langle 3, -1, 2 \rangle$,
$\mathbf{v} = \langle -2, 0, 1 \rangle$

190. $\mathbf{u} = \langle 2, 6, 1 \rangle$, $\mathbf{v} = \langle 3, 0, 1 \rangle$

191. $\mathbf{u} = \overrightarrow{AB}, \mathbf{v} = \overrightarrow{AC}$, donde
$A(1, 0, 1)$, $B(1, -1, 3)$, y
$C(0, 0, 5)$ grandes.

192. $\mathbf{u} = \overrightarrow{OP}, \mathbf{v} = \overrightarrow{PQ}$, donde
$P(-1, 1, 0)$ y $Q(0, 2, 1)$

193. Determine el número real α tal que $\mathbf{u} \times \mathbf{v}$ y $\mathbf{i}$ sean ortogonales, donde
$\mathbf{u} = 3\mathbf{i} + \mathbf{j} - 5\mathbf{k}$ y
$\mathbf{v} = 4\mathbf{i} - 2\mathbf{j} + \alpha\mathbf{k}$.

194. Demuestre que $\mathbf{u} \times \mathbf{v}$ y
$2\mathbf{i} - 14\mathbf{j} + 2\mathbf{k}$ no pueden ser ortogonales para cualquier número real α, donde $\mathbf{u} = \mathbf{i} + 7\mathbf{j} - \mathbf{k}$ y
$\mathbf{v} = \alpha\mathbf{i} + 5\mathbf{j} + \mathbf{k}$.

195. Demuestre que $\mathbf{u} \times \mathbf{v}$ es ortogonal a $\mathbf{u} + \mathbf{v}$ y $\mathbf{u} - \mathbf{v}$, donde $\mathbf{u}$ y $\mathbf{v}$ son vectores distintos de cero.

196. Demuestre que $\mathbf{v} \times \mathbf{u}$ es ortogonal a
$(\mathbf{u} \cdot \mathbf{v})(\mathbf{u} + \mathbf{v}) + \mathbf{u}$, donde $\mathbf{u}$ y $\mathbf{v}$ son vectores distintos de cero.

197. Calcule el determinante
$\begin{vmatrix} \mathbf{i} & \mathbf{j} & \mathbf{k} \\ 1 & -1 & 7 \\ 2 & 0 & 3 \end{vmatrix}$.

198. Calcule el determinante
$\begin{vmatrix} \mathbf{i} & \mathbf{j} & \mathbf{k} \\ 0 & 3 & -4 \\ 1 & 6 & -1 \end{vmatrix}$.

En los siguientes ejercicios, los vectores $\mathbf{u}$ *y* $\mathbf{v}$ *están dados. Utilice la notación de determinantes para hallar el vector* $\mathbf{w}$ *ortogonal a los vectores* $\mathbf{u}$ *y* $\mathbf{v}$.

199. $\mathbf{u} = \langle -1, 0, e^t \rangle$,
$\mathbf{v} = \langle 1, e^{-t}, 0 \rangle$, donde t es un número real

200. $\mathbf{u} = \langle 1, 0, x \rangle$,
$\mathbf{v} = \langle \frac{2}{x}, 1, 0 \rangle$, donde x es un número real distinto de cero

201. Halle el vector
$(\mathbf{a} - 2\mathbf{b}) \times \mathbf{c}$, donde
$\mathbf{a} = \begin{vmatrix} \mathbf{i} & \mathbf{j} & \mathbf{k} \\ 2 & -1 & 5 \\ 0 & 1 & 8 \end{vmatrix}$,
$\mathbf{b} = \begin{vmatrix} \mathbf{i} & \mathbf{j} & \mathbf{k} \\ 0 & 1 & 1 \\ 2 & -1 & -2 \end{vmatrix}$, y
$\mathbf{c} = \mathbf{i} + \mathbf{j} + \mathbf{k}$.

202. Halle el vector
$\mathbf{c} \times (\mathbf{a} + 3\mathbf{b})$, donde
$$\mathbf{a} = \begin{vmatrix} \mathbf{i} & \mathbf{j} & \mathbf{k} \\ 5 & 0 & 9 \\ 0 & 1 & 0 \end{vmatrix},$$
$$\mathbf{b} = \begin{vmatrix} \mathbf{i} & \mathbf{j} & \mathbf{k} \\ 0 & -1 & 1 \\ 7 & 1 & -1 \end{vmatrix}, \text{ y}$$
$\mathbf{c} = \mathbf{i} - \mathbf{k}$.

203. [T] Utilice el producto vectorial $\mathbf{u} \times \mathbf{v}$ para hallar el ángulo agudo entre los vectores $\mathbf{u}$ y $\mathbf{v}$, donde $\mathbf{u} = \mathbf{i} + 2\mathbf{j}$ y $\mathbf{v} = \mathbf{i} + \mathbf{k}$. Exprese la respuesta en grados redondeados al número entero más cercano.

204. [T] Utilice el producto vectorial $\mathbf{u} \times \mathbf{v}$ para hallar el ángulo obtuso entre los vectores $\mathbf{u}$ y $\mathbf{v}$, donde $\mathbf{u} = -\mathbf{i} + 3\mathbf{j} + \mathbf{k}$ y $\mathbf{v} = \mathbf{i} - 2\mathbf{j}$. Exprese la respuesta en grados redondeados al número entero más cercano.

205. Utilice el seno y el coseno del ángulo entre dos vectores distintos de cero $\mathbf{u}$ y $\mathbf{v}$ para demostrar la identidad de Lagrange:
$\|\mathbf{u} \times \mathbf{v}\|^2 = \|\mathbf{u}\|^2 \|\mathbf{v}\|^2 - (\mathbf{u} \cdot \mathbf{v})^2$.

206. Verifique la identidad de Lagrange
$\|\mathbf{u} \times \mathbf{v}\|^2 = \|\mathbf{u}\|^2 \|\mathbf{v}\|^2 - (\mathbf{u} \cdot \mathbf{v})^2$
para los vectores
$\mathbf{u} = -\mathbf{i} + \mathbf{j} - 2\mathbf{k}$ y $\mathbf{v} = 2\mathbf{i} - \mathbf{j}$.

207. Los vectores distintos de cero $\mathbf{u}$ y $\mathbf{v}$ se llaman *colineales* si existe un escalar distinto de cero α tal que $\mathbf{v} = \alpha\mathbf{u}$. Demuestre que $\mathbf{u}$ y $\mathbf{v}$ son colineales si y solo si $\mathbf{u} \times \mathbf{v} = \mathbf{0}$.

208. Los vectores distintos de cero $\mathbf{u}$ y $\mathbf{v}$ se llaman *colineales* si existe un escalar distinto de cero α tal que $\mathbf{v} = \alpha\mathbf{u}$. Demuestre que los vectores $\vec{AB}$ y $\vec{AC}$ son colineales, donde $A(4, 1, 0)$, $B(6, 5, -2)$, y $C(5, 3, -1)$.

209. Calcule el área del paralelogramo con lados adyacentes $\mathbf{u} = \langle 3, 2, 0 \rangle$ y $\mathbf{v} = \langle 0, 2, 1 \rangle$.

210. Calcule el área del paralelogramo con lados adyacentes $\mathbf{u} = \mathbf{i} + \mathbf{j}$ y $\mathbf{v} = \mathbf{i} + \mathbf{k}$.

211. Considere los puntos $A(3, -1, 2)$, $B(2, 1, 5)$, y $C(1, -2, -2)$.

  a. Calcule el área del paralelogramo $ABCD$ con los lados adyacentes $\vec{AB}$ y $\vec{AC}$.

  b. Calcule el área del triángulo ABC.

  c. Calcule la distancia desde el punto A a la línea BC.

212. Considere los puntos $A(2, -3, 4)$, $B(0, 1, 2)$, y $C(-1, 2, 0)$.

  a. Calcule el área del paralelogramo $ABCD$ con los lados adyacentes $\vec{AB}$ y $\vec{AC}$.

  b. Calcule el área del triángulo ABC.

  c. Calcule la distancia desde el punto B a la línea AC.

En los siguientes ejercicios, los vectores $\mathbf{u}, \mathbf{v}, \text{ y } \mathbf{w}$ *están dados.*

  a. Calcule el triple producto escalar $\mathbf{u} \cdot (\mathbf{v} \times \mathbf{w})$.

  b. Calcule el volumen del paralelepípedo con las aristas adyacentes $\mathbf{u}, \mathbf{v}, \text{ y } \mathbf{w}$.

213. $\mathbf{u} = \mathbf{i} + \mathbf{j}$, $\mathbf{v} = \mathbf{j} + \mathbf{k}$, y $\mathbf{w} = \mathbf{i} + \mathbf{k}$

214. $\mathbf{u} = \langle -3, 5, -1 \rangle$, $\mathbf{v} = \langle 0, 2, -2 \rangle$, y $\mathbf{w} = \langle 3, 1, 1 \rangle$

215. Calcule los triples productos escalares $\mathbf{v} \cdot (\mathbf{u} \times \mathbf{w})$ y $\mathbf{w} \cdot (\mathbf{u} \times \mathbf{v})$, donde $\mathbf{u} = \langle 1, 1, 1 \rangle$, $\mathbf{v} = \langle 7, 6, 9 \rangle$, y $\mathbf{w} = \langle 4, 2, 7 \rangle$.

216. Calcule los triples productos escalares $\mathbf{w}\cdot(\mathbf{v}\times\mathbf{u})$ y $\mathbf{u}\cdot(\mathbf{w}\times\mathbf{v})$, donde $\mathbf{u}=\langle 4,2,-1\rangle$, $\mathbf{v}=\langle 2,5,-3\rangle$, y $\mathbf{w}=\langle 9,5,-10\rangle$.

217. Halle los vectores $\mathbf{a},\mathbf{b}$, y $\mathbf{c}$ con un triple producto escalar dado por el determinante

$$\begin{vmatrix} 1 & 2 & 3 \\ 0 & 2 & 5 \\ 8 & 9 & 2 \end{vmatrix}.$$ Determine su triple producto escalar.

218. El triple producto escalar de los vectores $\mathbf{a},\mathbf{b}$, y $\mathbf{c}$ está dado por el determinante

$$\begin{vmatrix} 0 & -2 & 1 \\ 0 & 1 & 4 \\ 1 & -3 & 7 \end{vmatrix}.$$ Halle el vector $\mathbf{a}-\mathbf{b}+\mathbf{c}$.

219. Consideremos el paralelepípedo con aristas OA, OB, y OC, donde $A(2,1,0)$, $B(1,2,0)$, y $C(0,1,\alpha)$.

   a. Calcule el número real $\alpha>0$ tal que el volumen del paralelepípedo sea 3 unidades^3.

   b. Para $\alpha=1$, halle la altura h desde el vértice C del paralelepípedo. Dibuje el paralelepípedo.

220. Considere los puntos $A(\alpha,0,0)$, $B(0,\beta,0)$, y $C(0,0,\gamma)$, con α, β, y γ números reales positivos.

   a. Determine el volumen del paralelepípedo de lados adyacentes $\vec{OA}$, $\vec{OB}$, y $\vec{OC}$.

   b. Calcule el volumen del tetraedro con vértices O, A, B, y C. (*Pista*: El volumen del tetraedro es 1/6 del volumen del paralelepípedo).

   c. Halle la distancia desde el origen al plano determinado por A, B, y C. Dibuje el paralelepípedo y el tetraedro.

221. Supongamos que $\mathbf{u},\mathbf{v}$, y $\mathbf{w}$ son vectores tridimensionales y c es un número real. Demuestre las siguientes propiedades del producto vectorial.

   a. $\mathbf{u}\times\mathbf{u}=\mathbf{0}$

   b. $\mathbf{u}\times(\mathbf{v}+\mathbf{w})=(\mathbf{u}\times\mathbf{v})+(\mathbf{u}\times\mathbf{w})$ grandes.

   c. $c(\mathbf{u}\times\mathbf{v})=(c\mathbf{u})\times\mathbf{v}=\mathbf{u}\times(c\mathbf{v})$ grandes.

   d. $\mathbf{u}\cdot(\mathbf{u}\times\mathbf{v})=\mathbf{0}$

222. Demuestre que los vectores
$\mathbf{u} = \langle 1, 0, -8 \rangle$, $\mathbf{v} = \langle 0, 1, 6 \rangle$, y
$\mathbf{w} = \langle -1, 9, 3 \rangle$ satisfacen las
siguientes propiedades del producto
vectorial.

   a. $\mathbf{u} \times \mathbf{u} = \mathbf{0}$
   b. $\mathbf{u} \times (\mathbf{v} + \mathbf{w}) = (\mathbf{u} \times \mathbf{v}) + (\mathbf{u} \times \mathbf{w})$
      grandes.
   c. $c(\mathbf{u} \times \mathbf{v}) = (c\mathbf{u}) \times \mathbf{v} = \mathbf{u} \times (c\mathbf{v})$
      grandes.
   d. $\mathbf{u} \cdot (\mathbf{u} \times \mathbf{v}) = 0$

223. Los vectores distintos de
cero $\mathbf{u}, \mathbf{v},$ y $\mathbf{w}$ se dice que
son *linealmente
dependientes* si uno de
los vectores es una
combinación lineal de los
otros dos. Por ejemplo,
existen dos números
reales distintos de cero α
y β tal que $\mathbf{w} = \alpha\mathbf{u} + \beta\mathbf{v}$.
En caso contrario, los
vectores se denominan
*linealmente
independientes*.
Demuestre que $\mathbf{u}, \mathbf{v},$ y $\mathbf{w}$
son coplanarios si y solo si
son linealmente
dependientes.

224. Considere los vectores
$\mathbf{u} = \langle 1, 4, -7 \rangle$,
$\mathbf{v} = \langle 2, -1, 4 \rangle$,
$\mathbf{w} = \langle 0, -9, 18 \rangle$, y
$\mathbf{p} = \langle 0, -9, 17 \rangle$.

   a. Demuestre que
$\mathbf{u}, \mathbf{v},$ y $\mathbf{w}$ son
coplanarios utilizando
su triple producto
escalar
   b. Demuestre que
$\mathbf{u}, \mathbf{v},$ y $\mathbf{w}$ son
coplanarios, utilizando
la definición de que
existen dos números
reales distintos de cero
α y β tal que
$\mathbf{w} = \alpha\mathbf{u} + \beta\mathbf{v}$.
   c. Demuestre que
$\mathbf{u}, \mathbf{v},$ y $\mathbf{p}$ son
linealmente
independientes, es
decir, ninguno de los
vectores es una
combinación lineal de
los otros dos.

225. Considere los puntos
$A(0, 0, 2), B(1, 0, 2),$
$C(1, 1, 2),$ y $D(0, 1, 2)$.
¿Los vectores $\overrightarrow{AB}, \overrightarrow{AC},$ y
$\overrightarrow{AD}$ son linealmente
dependientes (es decir,
uno de los vectores es
una combinación lineal de
los otros dos)?

226. Demuestre que los vectores
$\mathbf{i} + \mathbf{j}, \mathbf{i} - \mathbf{j},$ y $\mathbf{i} + \mathbf{j} + \mathbf{k}$ son
linealmente independientes,
es decir, existen dos números
reales distintos de cero α y β
tal que
$\mathbf{i} + \mathbf{j} + \mathbf{k} = \alpha(\mathbf{i} + \mathbf{j}) + \beta(\mathbf{i} - \mathbf{j})$.

227. Supongamos que $\mathbf{u} = \langle u_1, u_2 \rangle$ y
$\mathbf{v} = \langle v_1, v_2 \rangle$ son vectores
bidimensionales. El producto cruz
de los vectores $\mathbf{u}$ y $\mathbf{v}$ no está
definido. Sin embargo, si los
vectores se consideran vectores
tridimensionales $\widetilde{\mathbf{u}} = \langle u_1, u_2, 0 \rangle$ y
$\widetilde{\mathbf{v}} = \langle v_1, v_2, 0 \rangle$, respectivamente,
entonces, en este caso, podemos
definir el producto vectorial de $\widetilde{\mathbf{u}}$ y
$\widetilde{\mathbf{v}}$. En particular, en notación de
determinantes, el producto
vectorial de $\widetilde{\mathbf{u}}$ y $\widetilde{\mathbf{v}}$ está dada por

$$\widetilde{\mathbf{u}} \times \widetilde{\mathbf{v}} = \begin{vmatrix} \mathbf{i} & \mathbf{j} & \mathbf{k} \\ u_1 & u_2 & 0 \\ v_1 & v_2 & 0 \end{vmatrix}.$$

Utilice este resultado para calcular
$(\mathbf{i}\cos\theta + \mathbf{j}\operatorname{sen}\theta) \times (\mathbf{i}\sin\theta - \mathbf{j}\cos\theta)$,
donde θ es un número real.

228. Considere los puntos $P(2, 1)$, $Q(4, 2)$, y $R(1, 2)$.

   a. Calcule el área del triángulo P, Q, y R.

   b. Determine la distancia desde el punto R a la línea que pasa por P y Q.

229. Determine un vector de magnitud 10 perpendicular al plano que pasa por el eje x y el punto $P(1, 2, 4)$.

230. Determine un vector unitario perpendicular al plano que pasa por el eje z y el punto $A(3, 1, -2)$.

231. Considere que $\mathbf{u}$ y $\mathbf{v}$ son dos vectores tridimensionales. Si la magnitud del vector del producto vectorial $\mathbf{u} \times \mathbf{v}$ es k veces mayor que la magnitud del vector $\mathbf{u}$, demuestre que la magnitud de $\mathbf{v}$ es mayor o igual que k, donde k es un número natural.

232. **[T]** Supongamos que las magnitudes de dos vectores distintos de cero $\mathbf{u}$ y $\mathbf{v}$ son conocidas. La función $f(\theta) = \|\mathbf{u}\| \, \|\mathbf{v}\| \, \text{sen} \, \theta$ define la magnitud del vector del producto vectorial $\mathbf{u} \times \mathbf{v}$, donde $\theta \in [0, \pi]$ es el ángulo entre $\mathbf{u}$ y $\mathbf{v}$.

   a. Represente gráficamente la función f.

   b. Calcule el mínimo y el máximo absoluto de la función f. Interprete los resultados.

   c. Si los valores de $\|\mathbf{u}\| = 5$ y $\|\mathbf{v}\| = 2$, halle el ángulo entre $\mathbf{u}$ y $\mathbf{v}$ si la magnitud de su vector del producto vectorial es igual a 9.

233. Halle todos los vectores $\mathbf{w} = \langle w_1, w_2, w_3 \rangle$ que satisfacen la ecuación $\langle 1, 1, 1 \rangle \times \mathbf{w} = \langle -1, -1, 2 \rangle$.

234. Resuelva la ecuación
$\mathbf{w} \times \langle 1, 0, -1 \rangle = \langle 3, 0, 3 \rangle$,
donde $\mathbf{w} = \langle w_1, w_2, w_3 \rangle$
es un vector distinto de
cero con una magnitud de
3.

235. **[T]** Un mecánico utiliza una
llave de 12 pulgadas para
girar un tornillo. La llave
forma un ángulo de 30° con
la horizontal. Si el mecánico
aplica una fuerza vertical de
10 lb en el mango de la llave,
¿cuál es la magnitud del
torque en el punto P (vea la
siguiente figura)? Exprese la
respuesta en libras-pie
redondeadas a dos
decimales.

236. **[T]** Un niño acciona los frenos de una
bicicleta aplicando una fuerza
descendente de 20 lb en el pedal
cuando la manivela de 6 pulgadas
forma un ángulo de 40° con la
horizontal (vea la siguiente figura).
Calcule el torque en el punto P.
Exprese su respuesta en libras-pie
redondeadas a dos decimales.

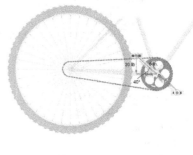

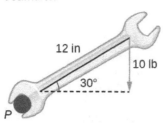

237. **[T]** Calcule la magnitud de
la fuerza que hay que
aplicar al extremo de una
llave de 20 cm situada en
la dirección positiva del
eje y si la fuerza se aplica
en la dirección $\langle 0, 1, -2 \rangle$ y
produce un torque de 100
N·m al tornillo situado en
el origen.

238. **[T]** ¿Cuál es la magnitud
de la fuerza que se debe
aplicar al extremo de una
llave de 1 pie con un
ángulo de 35° para
producir un torque de 20
N·m?

239. **[T]** El vector de fuerza $\mathbf{F}$
que actúa sobre un
protón con una carga
eléctrica de
$1,6 \times 10^{-19}$ C (en
culombios) en
movimiento en un campo
magnético $\mathbf{B}$ donde el
vector velocidad $\mathbf{v}$ está
dado por
$\mathbf{F} = 1,6 \times 10^{-19} (\mathbf{v} \times \mathbf{B})$
(aquí, $\mathbf{v}$ se expresa en
metros por segundo, $\mathbf{B}$
está en tesla [T] y $\mathbf{F}$ está
en newtons [N]). Calcule
la fuerza que actúa sobre
un protón que se mueve
en el plano xy con una
velocidad $\mathbf{v} = 10^5 \mathbf{i} + 10^5 \mathbf{j}$
(en metros por segundo)
en un campo magnético
dado por $\mathbf{B} = 0,3 \mathbf{j}$.

240. [T] El vector de fuerza **F** que actúa sobre un protón con una carga eléctrica de $1{,}6 \times 10^{-19}$C moviéndose en un campo magnético **B** donde el vector velocidad **v** está dado por $\mathbf{F} = 1{,}6 \times 10^{-19}$ (**v** × **B**) (aquí, **v** se expresa en metros por segundo, **B** en T, y **F** en N). Si la magnitud de la fuerza **F** que actúa sobre un protón es $5{,}9 \times 10^{-17}$ N y el protón se mueve a la velocidad de 300 m/s en el campo magnético **B** de magnitud 2,4 T, halle el ángulo entre el vector velocidad **v** del protón y el campo magnético **B**. Exprese la respuesta en grados redondeados al número entero más cercano.

241. [T] Considere que $\mathbf{r}(t) = \langle \cos t, \operatorname{sen} t, 2t \rangle$ es el vector de posición de una partícula en el tiempo $t \in [0, 30]$, donde los componentes de **r** se expresan en centímetros y el tiempo en segundos. Supongamos que $\overrightarrow{OP}$ es el vector de posición de la partícula después de 1 seg.

   a. Determine el vector unitario **B**(t) (llamado *vector binormal unitario*) que tiene la dirección del vector del producto vectorial $\mathbf{v}(t) \times \mathbf{a}(t)$, donde $\mathbf{v}(t)$ y $\mathbf{a}(t)$ son el vector de velocidad instantánea y, respectivamente, el vector de aceleración de la partícula después de t segundos.

   b. Utilice un CAS para visualizar los vectores $\mathbf{v}(1)$, $\mathbf{a}(1)$, y $\mathbf{B}(1)$ como vectores que parten del punto P junto con la trayectoria de la partícula.

242. Un panel solar se monta en el tejado de una casa. Se puede considerar que el panel está situado en los puntos de coordenadas (en metros) $A(8, 0, 0)$, $B(8, 18, 0)$, $C(0, 18, 8)$, y $D(0, 0, 8)$ (vea la siguiente figura).

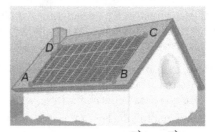

   a. Halle el vector $\mathbf{n} = \overrightarrow{AB} \times \overrightarrow{AD}$ perpendicular a la superficie de los paneles solares. Exprese la respuesta utilizando vectores normales unitarios.

   b. Supongamos que el vector unitario $\mathbf{s} = \frac{1}{\sqrt{3}}\mathbf{i} + \frac{1}{\sqrt{3}}\mathbf{j} + \frac{1}{\sqrt{3}}\mathbf{k}$ apunta hacia el Sol en un momento determinado del día y el flujo de energía solar es $\mathbf{F} = 900\mathbf{s}$ (en vatios por metro cuadrado [W/m^2]). Calcule la cantidad prevista de potencia eléctrica que puede producir el panel, que está dada por el producto escalar de los vectores **F** y **n** (expresado en vatios).

   c. Determine el ángulo de elevación del Sol sobre el panel solar. Exprese la respuesta en grados redondeados al número entero más cercano. (*Pista*: El ángulo entre los vectores **n** y **s** y el ángulo de elevación son complementarios).

2.5 Ecuaciones de líneas y planos en el espacio

Objetivos de aprendizaje

2.5.1 Escribir las ecuaciones vectorial, paramétrica y simétrica de una línea que pasa por un punto dado en una dirección dada y de una línea que pasa por dos puntos dados.

2.5.2 Calcular la distancia de un punto a una línea dada.

2.5.3 Escribir las ecuaciones vectoriales y escalares de un plano que pasa por un punto dado con una normal dada.

2.5.4 Calcular la distancia de un punto a un plano dado.

2.5.5 Calcular el ángulo entre dos planos.

A estas alturas, estamos familiarizados con la escritura de ecuaciones que describen una línea en dos dimensiones. Para escribir una ecuación de una línea, debemos conocer dos puntos de la misma, o bien conocer la dirección de la línea y al menos un punto por el que pasa la línea En dos dimensiones, utilizamos el concepto de pendiente para describir la orientación, o dirección, de una línea. En tres dimensiones, describimos la dirección de una línea mediante un vector paralelo a la misma. En esta sección, examinamos cómo utilizar las ecuaciones para describir líneas y planos en el espacio.

Ecuaciones de una línea en el espacio

Primero vamos a explorar lo que significa que dos vectores sean paralelos. Recordemos que los vectores paralelos deben tener direcciones iguales u opuestas. Si dos vectores distintos de cero, **u** y **v**, son paralelos, afirmamos que debe haber un escalar, k, tal que $\mathbf{u} = k\mathbf{v}$. Si **u** y **v** tienen la misma dirección, simplemente elija $k = \frac{\|\mathbf{u}\|}{\|\mathbf{v}\|}$. Si **u** y **v** tienen direcciones opuestas, elija $k = -\frac{\|\mathbf{u}\|}{\|\mathbf{v}\|}$. Observe que lo contrario también es válido. Si los valores de $\mathbf{u} = k\mathbf{v}$ para algún escalar k, entonces **u** y **v** tienen la misma dirección ($k > 0$) o direcciones opuestas ($k < 0$), así que **u** y **v** son paralelos. Por lo tanto, dos vectores distintos de cero **u** y **v** son paralelos si y solo si $\mathbf{u} = k\mathbf{v}$ para algún escalar k. Por convención, el vector cero **0** se considera paralelo a todos los vectores.

Al igual que en dos dimensiones, podemos describir una línea en el espacio utilizando un punto de la línea y la dirección de la misma, o un vector paralelo, que llamamos **vector director** (Figura 2.63). Supongamos que L es una línea en el espacio que pasa por el punto $P(x_0, y_0, z_0)$. Supongamos que $\mathbf{v} = \langle a, b, c \rangle$ es un vector paralelo a L. Entonces, para cualquier punto de la línea $Q(x, y, z)$, sabemos que $\vec{PQ}$ es paralelo a **v**. Así, como acabamos de discutir, hay un escalar, t, tal que $\vec{PQ} = t\mathbf{v}$, que da

$$
\begin{aligned}
\vec{PQ} &= t\mathbf{v} \\
\langle x - x_0, y - y_0, z - z_0 \rangle &= t \langle a, b, c \rangle \\
\langle x - x_0, y - y_0, z - z_0 \rangle &= \langle ta, tb, tc \rangle .
\end{aligned}
\tag{2.11}
$$

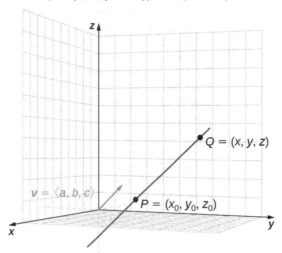

Figura 2.63 El vector **v** es el vector director para $\vec{PQ}$.

Utilizando operaciones vectoriales, podemos reescribir la Ecuación 2.11 como

$$
\begin{aligned}
\langle x - x_0, y - y_0, z - z_0 \rangle &= \langle ta, tb, tc \rangle \\
\langle x, y, z \rangle - \langle x_0, y_0, z_0 \rangle &= t \langle a, b, c \rangle \\
\langle x, y, z \rangle &= \langle x_0, y_0, z_0 \rangle + t \langle a, b, c \rangle .
\end{aligned}
$$

Si establecemos que $\mathbf{r} = \langle x, y, z \rangle$ y $\mathbf{r}_0 = \langle x_0, y_0, z_0 \rangle$, ahora tenemos la **ecuación vectorial de una línea**:

$$
\mathbf{r} = \mathbf{r}_0 + t\mathbf{v}.
\tag{2.12}
$$

Al igualar los componentes, la Ecuación 2.11 muestra que las siguientes ecuaciones son simultáneamente verdaderas $x - x_0 = ta$, $y - y_0 = tb$, y $z - z_0 = tc$. Si resolvemos cada una de estas ecuaciones para las variables de las componentes $x, y,$ y z, obtenemos un conjunto de ecuaciones en las que cada variable está definida en términos del parámetro t y que, en conjunto, describen la línea. Este conjunto de tres ecuaciones forma un conjunto de **ecuaciones paramétricas de una línea**:

$$
x = x_0 + ta \quad y = y_0 + tb \quad z = z_0 + tc.
$$

Si resolvemos cada una de las ecuaciones para t asumiendo que $a, b,$ y c son distintas de cero, obtenemos una descripción diferente de la misma línea:

$$
\frac{x - x_0}{a} = t \quad \frac{y - y_0}{b} = t \quad \frac{z - z_0}{c} = t.
$$

Como cada expresión es igual a t, todas tienen el mismo valor. Podemos establecerlas iguales entre sí para crear **ecuaciones simétricas de una línea**:

$$\frac{x-x_0}{a} = \frac{y-y_0}{b} = \frac{z-z_0}{c}.$$

Resumimos los resultados en el siguiente teorema.

Teorema 2.11

Ecuaciones paramétricas y simétricas de una línea
Una línea L paralela al vector $\mathbf{v} = \langle a, b, c \rangle$ y que pasa por el punto $P(x_0, y_0, z_0)$ puede describirse mediante las siguientes ecuaciones paramétricas:

$$x = x_0 + ta, y = y_0 + tb, \text{ y } z = z_0 + tc. \tag{2.13}$$

Si las constantes $a, b,$ y c son todas distintas de cero, entonces L puede describirse mediante la ecuación simétrica de la línea:

$$\frac{x-x_0}{a} = \frac{y-y_0}{b} = \frac{z-z_0}{c}. \tag{2.14}$$

Las ecuaciones paramétricas de una línea no son únicas. Si se utiliza un vector paralelo diferente o un punto diferente de la línea, se obtiene una representación diferente y equivalente. Cada conjunto de ecuaciones paramétricas conduce a un conjunto relacionado de ecuaciones simétricas, por lo que se deduce que una ecuación simétrica de una línea tampoco es única.

EJEMPLO 2.45

Ecuaciones de una línea en el espacio
Halle las ecuaciones paramétricas y simétricas de la línea que pasa por los puntos $(1, 4, -2)$ y $(-3, 5, 0)$.

⊘ **Solución**
Primero, identifique un vector paralelo a la línea:

$$\mathbf{v} = \langle -3 - 1, 5 - 4, 0 - (-2) \rangle = \langle -4, 1, 2 \rangle.$$

Utilice cualquiera de los puntos dados en la línea para completar las ecuaciones paramétricas:

$$x = 1 - 4t, y = 4 + t, \text{ y } z = -2 + 2t.$$

Resuelva cada ecuación para t para crear la ecuación simétrica de la línea:

$$\frac{x-1}{-4} = y - 4 = \frac{z+2}{2}.$$

☑ 2.43   Halle las ecuaciones paramétricas y simétricas de la línea que pasa por los puntos $(1, -3, 2)$ y $(5, -2, 8)$.

A veces no queremos la ecuación de una línea completa, sino solo un segmento de línea. En este caso, limitamos los valores de nuestro parámetro t. Por ejemplo, supongamos que $P(x_0, y_0, z_0)$ y $Q(x_1, y_1, z_1)$ son puntos de una línea, y que $\mathbf{p} = \langle x_0, y_0, z_0 \rangle$ y $\mathbf{q} = \langle x_1, y_1, z_1 \rangle$ son los vectores de posición asociados. Además, supongamos que $\mathbf{r} = \langle x, y, z \rangle$. Queremos hallar una ecuación vectorial para el segmento de línea entre P y Q. Al usar P como nuestro punto conocido en la línea, y $\vec{PQ} = \langle x_1 - x_0, y_1 - y_0, z_1 - z_0 \rangle$ como la ecuación del vector director, la Ecuación 2.12 da

$$\mathbf{r} = \mathbf{p} + t\left(\vec{PQ}\right).$$

Utilizando las propiedades de los vectores, entonces

$$\begin{aligned} \mathbf{r} &= \mathbf{p} + t\left(\vec{PQ}\right) \\ &= \langle x_0, y_0, z_0 \rangle + t\langle x_1 - x_0, y_1 - y_0, z_1 - z_0 \rangle \\ &= \langle x_0, y_0, z_0 \rangle + t(\langle x_1, y_1, z_1 \rangle - \langle x_0, y_0, z_0 \rangle) \\ &= \langle x_0, y_0, z_0 \rangle + t\langle x_1, y_1, z_1 \rangle - t\langle x_0, y_0, z_0 \rangle \\ &= (1-t)\langle x_0, y_0, z_0 \rangle + t\langle x_1, y_1, z_1 \rangle \\ &= (1-t)\mathbf{p} + t\mathbf{q}. \end{aligned}$$

Por lo tanto, la ecuación vectorial de la línea que pasa por P y Q es

$$\mathbf{r} = (1-t)\mathbf{p} + t\mathbf{q}.$$

Recuerde que no queríamos la ecuación de toda la línea, solo el segmento de línea entre P y Q. Observe que cuando $t = 0$, tenemos $\mathbf{r} = \mathbf{p}$, y cuando $t = 1$, tenemos $\mathbf{r} = \mathbf{q}$. Por lo tanto, la ecuación vectorial del segmento de línea entre P y Q es

$$\mathbf{r} = (1-t)\mathbf{p} + t\mathbf{q}, 0 \le t \le 1. \tag{2.15}$$

Volviendo a la Ecuación 2.12, también podemos hallar ecuaciones paramétricas para este segmento de línea. Tenemos

$$\begin{aligned} \mathbf{r} &= \mathbf{p} + t\left(\vec{PQ}\right) \\ \langle x, y, z \rangle &= \langle x_0, y_0, z_0 \rangle + t\langle x_1 - x_0, y_1 - y_0, z_1 - z_0 \rangle \\ &= \langle x_0 + t(x_1 - x_0), y_0 + t(y_1 - y_0), z_0 + t(z_1 - z_0) \rangle. \end{aligned}$$

Entonces, las ecuaciones paramétricas son

$$x = x_0 + t(x_1 - x_0), y = y_0 + t(y_1 - y_0), z = z_0 + t(z_1 - z_0), 0 \le t \le 1. \tag{2.16}$$

EJEMPLO 2.46

Ecuaciones paramétricas de un segmento de línea
Halle las ecuaciones paramétricas del segmento de línea entre los puntos $P(2, 1, 4)$ y $Q(3, -1, 3)$.

⊘ **Solución**
Mediante la Ecuación 2.16, tenemos

$$x = x_0 + t(x_1 - x_0), y = y_0 + t(y_1 - y_0), z = z_0 + t(z_1 - z_0), 0 \le t \le 1.$$

Trabajando con cada componente por separado, obtenemos

$$\begin{aligned} x &= x_0 + t(x_1 - x_0) \\ &= 2 + t(3 - 2) \\ &= 2 + t, \\ y &= y_0 + t(y_1 - y_0) \\ &= 1 + t(-1 - 1) \\ &= 1 - 2t, \end{aligned}$$

y

$$\begin{aligned} z &= z_0 + t(z_1 - z_0) \\ &= 4 + t(3 - 4) \\ &= 4 - t. \end{aligned}$$

Por lo tanto, las ecuaciones paramétricas para el segmento de línea son

$$x = 2 + t, y = 1 - 2t, z = 4 - t, 0 \le t \le 1.$$

☑ 2.44   Halle las ecuaciones paramétricas del segmento de línea entre los puntos $P(-1, 3, 6)$ y $Q(-8, 2, 4)$.

Distancia entre un punto y una línea

Ya sabemos cómo calcular la distancia entre dos puntos en el espacio. Ahora ampliamos esta definición para describir la distancia entre un punto y una línea en el espacio. Existen varios contextos del mundo real en los que es importante poder calcular estas distancias. Cuando se construye una casa, por ejemplo, los constructores deben tener en cuenta los requisitos de "retranqueo", cuando las estructuras o instalaciones tienen que estar a una determinada distancia del límite de la propiedad. Los viajes en avión ofrecen otro ejemplo. Las compañías aéreas están preocupadas por las distancias entre las zonas pobladas y las rutas de vuelo propuestas.

Supongamos que L es una línea en el plano y que M es cualquier punto que no esté en la línea. Entonces, definimos la distancia d de M a L como la longitud del segmento de línea $\overline{MP}$, donde P es un punto en L tal que $\overline{MP}$ es perpendicular a L (Figura 2.64).

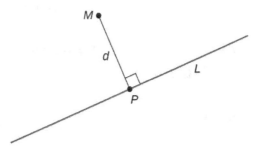

Figura 2.64   La distancia desde el punto M a la línea L es la longitud de $\overline{MP}$.

Cuando buscamos la distancia entre una línea y un punto en el espacio, la Figura 2.64 todavía aplica. Seguimos definiendo la distancia como la longitud del segmento de línea perpendicular que une el punto con la línea. En el espacio, sin embargo, no hay una forma clara de saber qué punto de la línea crea ese segmento de línea perpendicular, así que seleccionamos un punto arbitrario de la línea y utilizamos las propiedades de los vectores para calcular la distancia. Por lo tanto, supongamos que P es un punto arbitrario de la línea L y supongamos que $\mathbf{v}$ es un vector director para L (Figura 2.65).

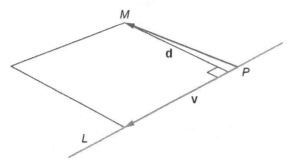

Figura 2.65   Los vectores $\vec{PM}$ y $\mathbf{v}$ forman dos lados de un paralelogramo con base $\|\mathbf{v}\|$ y altura d, que es la distancia entre una línea y un punto en el espacio.

Por Área de un paralelogramo, los vectores $\vec{PM}$ y $\mathbf{v}$ forman dos lados de un paralelogramo con área $\left\|\vec{PM} \times \mathbf{v}\right\|$. Utilizando una fórmula de la geometría, el área de este paralelogramo también se puede calcular como el producto de su base y su altura:

$$\left\|\vec{PM} \times \mathbf{v}\right\| = \|\mathbf{v}\|\, d.$$

Podemos utilizar esta fórmula para hallar una fórmula general para la distancia entre una línea en el espacio y cualquier punto que no esté en la línea.

Teorema 2.12

Distancia de un punto a una línea
Supongamos que L es una línea en el espacio que pasa por el punto P con vector director $\mathbf{v}$. Si M es cualquier punto que no esté en L, entonces la distancia de M a L es

$$d = \frac{\left\|\vec{PM} \times \mathbf{v}\right\|}{\|\mathbf{v}\|}.$$

Cálculo de la distancia de un punto a una línea

Calcule la distancia entre el punto t $M = (1, 1, 3)$ y la línea $\frac{x-3}{4} = \frac{y+1}{2} = z - 3$.

⊘ **Solución**

A partir de las ecuaciones simétricas de la línea, sabemos que el vector $\mathbf{v} = \langle 4, 2, 1 \rangle$ es un vector director para la línea. Estableciendo las ecuaciones simétricas de la línea iguales a cero, vemos que el punto $P(3, -1, 3)$ está en la línea. Entonces,

$$\vec{PM} = \langle 1 - 3, 1 - (-1), 3 - 3 \rangle = \langle -2, 2, 0 \rangle.$$

Para calcular la distancia, tenemos que hallar $\vec{PM} \times \mathbf{v}$:

$$\vec{PM} \times \mathbf{v} = \begin{vmatrix} \mathbf{i} & \mathbf{j} & \mathbf{k} \\ -2 & 2 & 0 \\ 4 & 2 & 1 \end{vmatrix}$$
$$= (2 - 0)\mathbf{i} - (-2 - 0)\mathbf{j} + (-4 - 8)\mathbf{k}$$
$$= 2\mathbf{i} + 2\mathbf{j} - 12\mathbf{k}.$$

Por lo tanto, la distancia entre el punto y la línea es (Figura 2.66)

$$d = \frac{\|\vec{PM} \times \mathbf{v}\|}{\|\mathbf{v}\|}$$
$$= \frac{\sqrt{2^2 + 2^2 + 12^2}}{\sqrt{4^2 + 2^2 + 1^2}}$$
$$= \frac{2\sqrt{38}}{\sqrt{21}}.$$

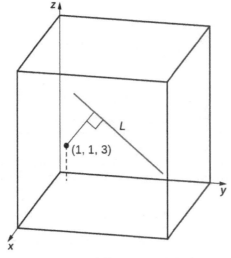

Figura 2.66 El punto $(1, 1, 3)$ está aproximadamente a 2,7 unidades de la línea con ecuaciones simétricas $\frac{x-3}{4} = \frac{y+1}{2} = z - 3$.

☑ 2.45   Calcule la distancia entre el punto $(0, 3, 6)$ y la línea con ecuaciones paramétricas
$x = 1 - t, y = 1 + 2t, z = 5 + 3t.$

Relaciones entre líneas

Dadas dos líneas en el plano bidimensional, las líneas son iguales, son paralelas pero no iguales, o se intersecan en un solo punto. En tres dimensiones, es posible un cuarto caso. Si dos líneas en el espacio no son paralelas, pero no se intersecan, entonces se dice que son **líneas sesgadas** (Figura 2.67).

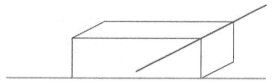

Figura 2.67 En tres dimensiones, es posible que dos líneas no se intersequen, aunque tengan direcciones diferentes.

Para clasificar las líneas como paralelas pero no iguales, iguales, que se intersecan o sesgadas, necesitamos saber dos cosas: si los vectores directores son paralelos y si las líneas comparten un punto (Figura 2.68).

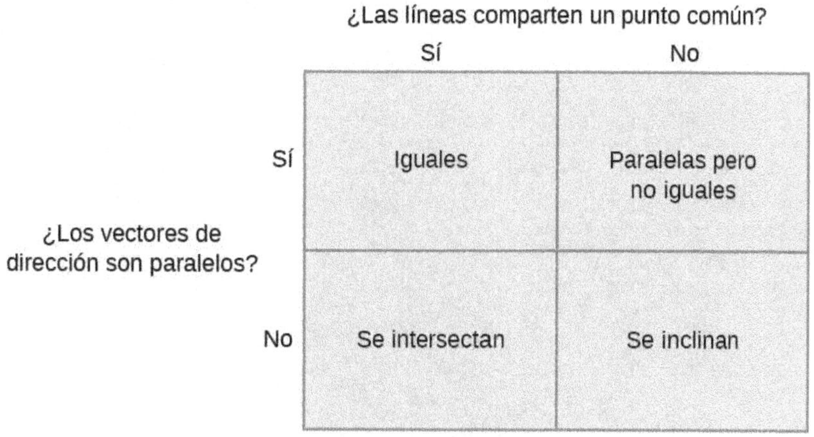

¿Las líneas comparten un punto común?

	Sí	No
Sí	Iguales	Paralelas pero no iguales
No	Se intersectan	Se inclinan

¿Los vectores de dirección son paralelos?

Figura 2.68 Determine la relación entre dos líneas en función de si sus vectores directores son paralelos y si comparten un punto.

EJEMPLO 2.48

Clasificación de las líneas en el espacio

Para cada par de líneas, determine si las líneas son iguales, paralelas pero no iguales, sesgadas o se intersecan.

a. $L_1 : x = 2s - 1, y = s - 1, z = s - 4$
    $L_2 : x = t - 3, y = 3t + 8, z = 5 - 2t$
b. $L_1: x = -y = z$
    $L_2 : \frac{x-3}{2} = y = z - 2$
c. $L_1 : x = 6s - 1, y = -2s, z = 3s + 1$
    $L_2 : \frac{x-4}{6} = \frac{y+3}{-2} = \frac{z-1}{3}$

⊘ **Solución**

a. La línea L_1 tiene un vector director $\mathbf{v_1} = \langle 2, 1, 1 \rangle$; la línea L_2 tiene un vector director $\mathbf{v_2} = \langle 1, 3, -2 \rangle$. Como los vectores directores no son vectores paralelos, las líneas se intersecan o son sesgadas. Para determinar si las líneas se intersecan, vemos si hay un punto, (x, y, z) , que se encuentre en ambas líneas. Para hallar este punto, utilizamos las ecuaciones paramétricas para crear un sistema de igualdades:
$$2s - 1 = t - 3; \quad s - 1 = 3t + 8; \quad s - 4 = 5 - 2t.$$

Mediante la primera ecuación, $t = 2s + 2$. Sustituyendo en la segunda ecuación se obtiene
$$s - 1 = 3(2s + 2) + 8$$
$$s - 1 = 6s + 6 + 8$$
$$5s = -15$$
$$s = -3.$$

Sin embargo, la sustitución en la tercera ecuación da lugar a una contradicción:

$$
\begin{aligned}
s - 4 &= 5 - 2\,(2s + 2) \\
s - 4 &= 5 - 4s - 4 \\
5s &= 5 \\
s &= 1
\end{aligned}
$$

No hay ningún punto que satisfaga las ecuaciones paramétricas para L_1 y L_2 simultáneamente. Estas líneas no se intersecan, por lo que son sesgadas (vea la siguiente figura).

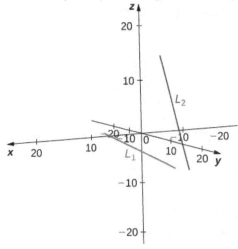

b. La línea L_1 tiene un vector director $\mathbf{v_1} = \langle 1, -1, 1 \rangle$ y pasa por el origen, $(0, 0, 0)$. La línea L_2 tiene un vector director diferente, $\mathbf{v_2} = \langle 2, 1, 1 \rangle$, por lo que estas líneas no son paralelas ni iguales. Supongamos que r representa el parámetro para la línea L_1 y supongamos que s representa el parámetro para L_2:

$$
\begin{aligned}
x &= r & x &= 2s + 3 \\
y &= -r & y &= s \\
z &= r & z &= s + 2.
\end{aligned}
$$

Resuelva el sistema de ecuaciones para calcular $r = 1$ y $s = -1$. Si necesitamos hallar el punto de intersección, podemos sustituir estos parámetros en las ecuaciones originales para obtener $(1, -1, 1)$ (vea la siguiente figura).

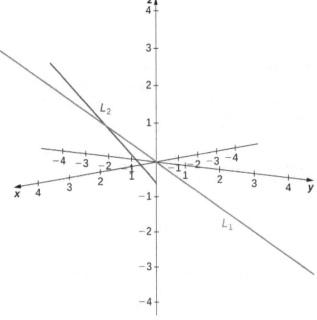

c. Las líneas L_1 y L_2 tienen vectores directores equivalentes: $\mathbf{v} = \langle 6, -2, 3 \rangle$. Estas dos líneas son paralelas (vea la siguiente figura)

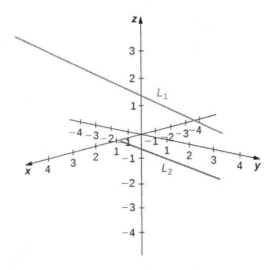

☑ 2.46   Describa la relación entre las líneas con las siguientes ecuaciones paramétricas:

$$x = 1 - 4t, y = 3 + t, z = 8 - 6t$$
$$x = 2 + 3s, y = 2s, z = -1 - 3s.$$

Ecuaciones para un plano

Sabemos que una línea está determinada por dos puntos. En otras palabras, para dos puntos distintos cualquiera, hay exactamente una línea que pasa por esos puntos, ya sea en dos dimensiones o en tres. Del mismo modo, dados tres puntos cualesquiera que no se encuentran todos en la misma línea, existe un único plano que pasa por estos puntos. Así como una línea está determinada por dos puntos, un plano está determinado por tres.

Esta puede ser la forma más sencilla de caracterizar un plano, pero también podemos utilizar otras descripciones. Por ejemplo, dadas dos líneas distintas que se intersecan, hay exactamente un plano que contiene ambas líneas. Un plano también está determinado por una línea y cualquier punto que no se encuentre en ella. Estas caracterizaciones surgen naturalmente de la idea de que un plano está determinado por tres puntos. Quizá la caracterización más sorprendente de un plano sea en realidad la más útil.

Imagine un par de vectores ortogonales que comparten un punto inicial. Visualice que coge uno de los vectores y lo retuerce. Al girar, el otro vector gira y barre un plano. Aquí describimos ese concepto matemáticamente. Supongamos que $\mathbf{n} = \langle a, b, c \rangle$ es un vector y $P = (x_0, y_0, z_0)$ es un punto. Entonces el conjunto de todos los puntos $Q = (x, y, z)$ tal que $\vec{PQ}$ sea ortogonal a $\mathbf{n}$ forma un plano (Figura 2.69). Decimos que $\mathbf{n}$ es un **vector normal** o perpendicular al plano. Recuerde que el producto escalar de vectores ortogonales es cero. Este hecho genera la **ecuación vectorial de un plano**: $\mathbf{n} \cdot \vec{PQ} = 0$. Reescribiendo esta ecuación se obtienen formas adicionales de describir el plano:

$$\begin{aligned}
\mathbf{n} \cdot \vec{PQ} &= 0 \\
\langle a, b, c \rangle \cdot \langle x - x_0, y - y_0, z - z_0 \rangle &= 0 \\
a(x - x_0) + b(y - y_0) + c(z - z_0) &= 0,
\end{aligned}$$

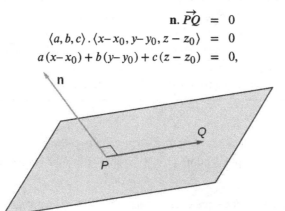

Figura 2.69 Dado un punto P y el vector $\mathbf{n}$, el conjunto de todos los puntos Q con $\vec{PQ}$ ortogonal a $\mathbf{n}$ forma un plano.

Definición

Dado un punto P y el vector $\mathbf{n}$, el conjunto de todos los puntos Q que satisface la ecuación $\mathbf{n} \cdot \vec{PQ} = 0$ forma un plano. La ecuación

$$\mathbf{n} \cdot \vec{PQ} = 0 \tag{2.17}$$

se conoce como la ecuación vectorial de un plano.

La **ecuación escalar de un plano** que contiene el punto $P = (x_0, y_0, z_0)$ con vector normal $\mathbf{n} = \langle a, b, c \rangle$ es

$$a(x - x_0) + b(y - y_0) + c(z - z_0) = 0. \tag{2.18}$$

Esta ecuación puede expresarse como $ax + by + cz + d = 0$, donde $d = -ax_0 - by_0 - cz_0$. Esta forma de la ecuación se llama a veces la **forma general de la ecuación de un plano**.

Como se ha descrito anteriormente en esta sección, tres puntos cualquiera que no estén todos sobre la misma línea determinan un plano. Dados tres de estos puntos, podemos hallar una ecuación para el plano que contiene estos puntos.

EJEMPLO 2.49

Escribir una ecuación de un plano dados tres puntos en el plano
Escriba una ecuación para el plano que contiene los puntos $P = (1, 1, -2)$, $Q = (0, 2, 1)$, y $R = (-1, -1, 0)$ en sus formas estándar y general.

⊘ **Solución**
Para escribir una ecuación para un plano, debemos hallar un vector normal para el plano. Comenzamos identificando dos vectores en el plano:

$$\begin{aligned}
\vec{PQ} &= \langle 0 - 1, 2 - 1, 1 - (-2) \rangle = \langle -1, 1, 3 \rangle \\
\vec{QR} &= \langle -1 - 0, -1 - 2, 0 - 1 \rangle = \langle -1, -3, -1 \rangle.
\end{aligned}$$

El producto vectorial $\vec{PQ} \times \vec{QR}$ es ortogonal a ambos $\vec{PQ}$ y $\vec{QR}$, por lo que es normal al plano que contiene estos dos vectores:

$$\begin{aligned}
\mathbf{n} &= \vec{PQ} \times \vec{QR} \\
&= \begin{vmatrix} \mathbf{i} & \mathbf{j} & \mathbf{k} \\ -1 & 1 & 3 \\ -1 & -3 & -1 \end{vmatrix} \\
&= (-1 + 9)\mathbf{i} - (1 + 3)\mathbf{j} + (3 + 1)\mathbf{k} \\
&= 8\mathbf{i} - 4\mathbf{j} + 4\mathbf{k}.
\end{aligned}$$

Por lo tanto, $\mathbf{n} = \langle 8, -4, 4 \rangle$, y podemos elegir cualquiera de los tres puntos dados para escribir una ecuación del plano:

$$\begin{aligned}
8(x - 1) - 4(y - 1) + 4(z + 2) &= 0 \\
8x - 4y + 4z + 4 &= 0,
\end{aligned}$$

Las ecuaciones escalares de un plano varían en función del vector normal y del punto elegido.

EJEMPLO 2.50

Escribir una ecuación para un plano cuando se indica un punto y una línea
Halle una ecuación del plano que pasa por el punto $(1, 4, 3)$ y contiene la línea dada por $x = \frac{y-1}{2} = z + 1$.

⊘ **Solución**
Las ecuaciones simétricas describen la línea que pasa por el punto $(0, 1, -1)$ paralela al vector $\mathbf{v}_1 = \langle 1, 2, 1 \rangle$ (vea la

siguiente figura). Utilice este punto y el punto dado, $(1, 4, 3)$, para identificar un segundo vector paralelo al plano:

$$\mathbf{v}_2 = \langle 1 - 0, 4 - 1, 3 - (-1) \rangle = \langle 1, 3, 4 \rangle.$$

Utilice el producto vectorial de estos vectores para identificar un vector normal para el plano:

$$\begin{aligned}
\mathbf{n} &= \mathbf{v}_1 \times \mathbf{v}_2 \\
&= \begin{vmatrix} \mathbf{i} & \mathbf{j} & \mathbf{k} \\ 1 & 2 & 1 \\ 1 & 3 & 4 \end{vmatrix} \\
&= (8 - 3)\mathbf{i} - (4 - 1)\mathbf{j} + (3 - 2)\mathbf{k} \\
&= 5\mathbf{i} - 3\mathbf{j} + \mathbf{k}.
\end{aligned}$$

Las ecuaciones escalares para el plano son $5x - 3(y - 1) + (z + 1) = 0$ y $5x - 3y + z + 4 = 0$.

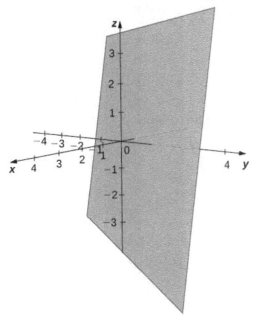

2.47   Halle una ecuación del plano que contiene las líneas L_1 y L_2:

$$L_1 : x = -y = z$$
$$L_2 : \frac{x-3}{2} = y = z - 2.$$

Ahora que podemos escribir una ecuación para un plano, podemos usar la ecuación para calcular la distancia d entre un punto P y el plano. Se define como la distancia más corta posible desde P a un punto del plano.

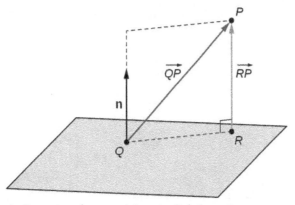

Figura 2.70   Queremos calcular la distancia más corta del punto P al plano. Supongamos que el punto R es el punto del plano tal que, para cualquier otro punto del plano Q, $\left\| \vec{RP} \right\| < \left\| \vec{QP} \right\|$.

Así como calculamos la distancia bidimensional entre un punto y una línea calculando la longitud de un segmento de línea perpendicular a la línea, calculamos la distancia tridimensional entre un punto y un plano calculando la longitud de un segmento de línea perpendicular al plano. Supongamos que R es el punto en el plano tal que $\vec{RP}$ sea ortogonal al plano, y que Q es un punto arbitrario en el plano. Entonces la proyección del vector $\vec{QP}$ sobre el vector normal describe el vector $\vec{RP}$, como se muestra en la Figura 2.70.

Teorema 2.13

La distancia entre un plano y un punto
Supongamos que un plano con un vector normal $\mathbf{n}$ pasa por el punto Q. La distancia d del plano a un punto P que no está en el plano está dada por

$$d = \left\|\operatorname{proj}_{\mathbf{n}} \vec{QP}\right\| = \left|\operatorname{comp}_{\mathbf{n}} \vec{QP}\right| = \frac{\left|\vec{QP} \cdot \mathbf{n}\right|}{\|\mathbf{n}\|}. \tag{2.19}$$

EJEMPLO 2.51

Distancia entre un punto y un plano
Calcule la distancia entre el punto $P = (3, 1, 2)$ y el plano dado por $x - 2y + z = 5$ (vea la siguiente figura).

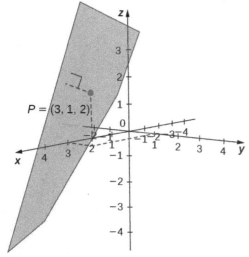

⊘ Solución
Los coeficientes de la ecuación del plano proporcionan un vector normal para el plano: $\mathbf{n} = \langle 1, -2, 1 \rangle$. Para hallar el vector $\vec{QP}$, necesitamos un punto en el plano. Cualquier punto funcionará, por lo que hay que establecer $y = z = 0$ para ver que el punto $Q = (5, 0, 0)$ se encuentra en el plano. Halle la forma en componentes del vector de Q a P:

$$\vec{QP} = \langle 3 - 5, 1 - 0, 2 - 0 \rangle = \langle -2, 1, 2 \rangle.$$

Aplique la fórmula de distancia de la Ecuación 2.19:

$$\begin{aligned} d &= \frac{\left|\vec{QP} \cdot \mathbf{n}\right|}{\|\mathbf{n}\|} \\ &= \frac{|\langle -2, 1, 2 \rangle \cdot \langle 1, -2, 1 \rangle|}{\sqrt{1^2 + (-2)^2 + 1^2}} \\ &= \frac{|-2 - 2 + 2|}{\sqrt{6}} \\ &= \frac{2}{\sqrt{6}}. \end{aligned}$$

☑ 2.48   Calcule la distancia entre el punto $P = (5, -1, 0)$ y el plano dado por $4x + 2y - z = 3$.

Planos paralelos y que se intersecan

Hemos hablado de las distintas relaciones posibles entre dos líneas en dos y tres dimensiones. Cuando describimos la relación entre dos planos en el espacio, solo tenemos dos posibilidades: los dos planos distintos son paralelos o se intersecan. Cuando dos planos son paralelos, sus vectores normales son paralelos. Cuando dos planos se cruzan, la intersección es una línea (Figura 2.71).

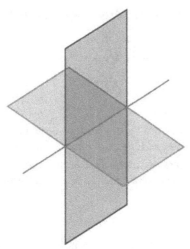

Figura 2.71   La intersección de dos planos no paralelos es siempre una línea.

Podemos utilizar las ecuaciones de los dos planos para hallar las ecuaciones paramétricas de la línea de intersección.

EJEMPLO 2.52

Hallar la línea de intersección de dos planos

Halle las ecuaciones paramétricas y simétricas de la línea formada por la intersección de los planos dados por $x + y + z = 0$ y $2x - y + z = 0$ (vea la siguiente figura).

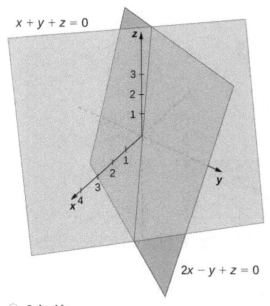

⊘ **Solución**

Observe que los dos planos tienen normales no paralelas, por lo que los planos se intersecan. Además, el origen satisface cada ecuación, por lo que sabemos que la línea de intersección pasa por el origen. Sume las ecuaciones del plano para poder eliminar una de las variables, en este caso, y:

$$x + y + z = 0$$
$$2x - y + z = 0$$

$$3x \qquad + 2z = 0.$$

Esto nos da $x = -\frac{2}{3}z$. Sustituimos este valor en la primera ecuación para expresar y en términos de z:

$$x + y + z = 0$$
$$-\tfrac{2}{3}z + y + z = 0$$
$$y + \tfrac{1}{3}z = 0$$
$$y = -\tfrac{1}{3}z.$$

Ahora tenemos las dos primeras variables, x como y, en términos de la tercera variable, z. Ahora definimos z en términos de t. Para eliminar la necesidad de fracciones, optamos por definir el parámetro t como $t = -\frac{1}{3}z$. Entonces, $z = -3t$. Sustituyendo la representación paramétrica de z en las otras dos ecuaciones, vemos que las ecuaciones paramétricas para la línea de intersección son $x = 2t, y = t, z = -3t$. Las ecuaciones simétricas de la línea son $\frac{x}{2} = y = \frac{z}{-3}$.

☑ 2.49   Halle las ecuaciones paramétricas de la línea formada por la intersección de los planos $x + y - z = 3$ y $3x - y + 3z = 5$.

Además de hallar la ecuación de la línea de intersección entre dos planos, puede que necesitemos hallar el ángulo formado por la intersección de dos planos. Por ejemplo, los constructores de una casa necesitan conocer el ángulo en el que se unen las diferentes secciones del tejado para saber si el tejado tendrá un buen aspecto y un buen drenaje. Podemos utilizar los vectores normales para calcular el ángulo entre los dos planos. Podemos hacerlo porque el ángulo entre los vectores normales es el mismo que el ángulo entre los planos. La Figura 2.72 muestra por qué esto es cierto.

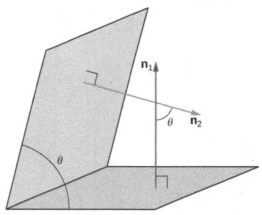

Figura 2.72   El ángulo entre dos planos tiene la misma medida que el ángulo entre los vectores normales de los planos.

Podemos hallar la medida del ángulo θ entre dos planos que se intersecan calculando primero el coseno del ángulo, utilizando la siguiente ecuación:

$$\cos \theta = \frac{|\mathbf{n}_1 \cdot \mathbf{n}_2|}{\|\mathbf{n}_1\| \, \|\mathbf{n}_2\|}.$$

A continuación, podemos utilizar el ángulo para determinar si dos planos son paralelos u ortogonales o si se intersecan en algún otro ángulo.

EJEMPLO 2.53

Calcular el ángulo entre dos planos
Determine si cada par de planos es paralelo, ortogonal o ninguno. Si los planos se intersecan, pero no son ortogonales,

calcule la medida del ángulo entre ellos. Indique la respuesta en radianes y redondee a dos decimales.

a. $x + 2y - z = 8$ y $2x + 4y - 2z = 10$
b. $2x - 3y + 2z = 3$ y $6x + 2y - 3z = 1$
c. $x + y + z = 4$ y $x - 3y + 5z = 1$

⊘ **Solución**

a. Los vectores normales de estos planos son $\mathbf{n}_1 = \langle 1, 2, -1 \rangle$ y $\mathbf{n}_2 = \langle 2, 4, -2 \rangle$. Estos dos vectores son múltiplos escalares el uno del otro. Los vectores normales son paralelos, por lo que los planos son paralelos.

b. Los vectores normales de estos planos son $\mathbf{n}_1 = \langle 2, -3, 2 \rangle$ y $\mathbf{n}_2 = \langle 6, 2, -3 \rangle$. Tomando el producto escalar de estos vectores, tenemos

$$\mathbf{n}_1 . \mathbf{n}_2 = \langle 2, -3, 2 \rangle . \langle 6, 2, -3 \rangle = 2(6) - 3(2) + 2(-3) = 0.$$

Los vectores normales son ortogonales, por lo que los planos correspondientes también lo son.

c. Los vectores normales de estos planos son $\mathbf{n}_1 = \langle 1, 1, 1 \rangle$ y $\mathbf{n}_2 = \langle 1, -3, 5 \rangle$:

$$
\begin{aligned}
\cos \theta &= \frac{|\mathbf{n}_1 . \mathbf{n}_2|}{\|\mathbf{n}_1\| \|\mathbf{n}_2\|} \\
&= \frac{|\langle 1,1,1 \rangle . \langle 1,-3,5 \rangle|}{\sqrt{1^2+1^2+1^2} \sqrt{1^2+(-3)^2+5^2}} \\
&= \frac{3}{\sqrt{105}}.
\end{aligned}
$$

El ángulo entre los dos planos es 1,27 rad, o aproximadamente 73°.

☑ 2.50 Calcule la medida del ángulo entre los planos $x + y - z = 3$ y $3x - y + 3z = 5$. Indique la respuesta en radianes y redondee a dos decimales.

Cuando hallamos que dos planos son paralelos, puede que necesitemos calcular la distancia entre ellos. Para calcular esta distancia, basta con seleccionar un punto en uno de los planos. La distancia de este punto al otro plano es la distancia entre los planos.

Anteriormente, introdujimos la fórmula para calcular esta distancia en la Ecuación 2.19:

$$d = \frac{\overrightarrow{QP} . \mathbf{n}}{\|\mathbf{n}\|},$$

donde Q es un punto en el plano, P es un punto que no está en el plano, y $\mathbf{n}$ es el vector normal que pasa por el punto Q. Considere la distancia desde el punto (x_0, y_0, z_0) al plano $ax + by + cz + k = 0$. Supongamos que (x_1, y_1, z_1) es cualquier punto del plano. Sustituyendo en la fórmula se obtiene

$$
\begin{aligned}
d &= \frac{|a(x_0-x_1)+b(y_0-y_1)+c(z_0-z_1)|}{\sqrt{a^2+b^2+c^2}} \\
&= \frac{|ax_0+by_0+cz_0+k|}{\sqrt{a^2+b^2+c^2}}.
\end{aligned}
$$

Enunciamos este resultado formalmente en el siguiente teorema.

Teorema 2.14

Distancia de un punto a un plano

Supongamos que $P(x_0, y_0, z_0)$ es un punto. La distancia de P al plano $ax + by + cz + k = 0$ está dada por

$$d = \frac{|ax_0 + by_0 + cz_0 + k|}{\sqrt{a^2 + b^2 + c^2}}.$$

EJEMPLO 2.54

Calcular la distancia entre planos paralelos

Calcule la distancia entre los dos planos paralelos dada por $2x + y - z = 2$ y $2x + y - z = 8$.

⊘ **Solución**

El punto $(1, 0, 0)$ se encuentra en el primer plano. La distancia deseada, entonces, es

$$
\begin{aligned}
d &= \frac{|ax_0 + by_0 + cz_0 + k|}{\sqrt{a^2 + b^2 + c^2}} \\
&= \frac{|2(1) + 1(0) + (-1)(0) + (-8)|}{\sqrt{2^2 + 1^2 + (-1)^2}} \\
&= \frac{6}{\sqrt{6}} = \sqrt{6}.
\end{aligned}
$$

✓ 2.51   Calcule la distancia entre los planos paralelos $5x - 2y + z = 6$ y $5x - 2y + z = -3$.

PROYECTO DE ESTUDIANTE

Distancia entre dos líneas sesgadas

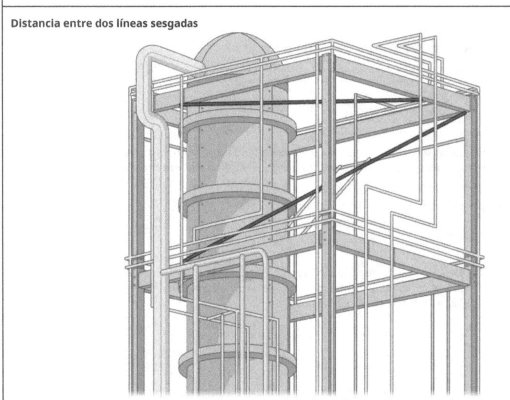

Figura 2.73 Las instalaciones de tuberías industriales suelen presentar tuberías que discurren en distintas direcciones. ¿Cómo podemos calcular la distancia entre dos tubos sesgados?

Calcular la distancia de un punto a una línea o de una línea a un plano parece un procedimiento bastante abstracto. Pero, si las líneas representan tuberías en una planta química o tubos en una refinería de petróleo o carreteras en una intersección de autopistas, confirmar que la distancia entre ellas cumple las especificaciones puede ser tan importante como incómodo de medir. Una forma es modelar las dos tuberías como líneas, utilizando las técnicas de este capítulo, y luego calcular la distancia entre ellas. El cálculo consiste en formar vectores a lo largo de las direcciones de las líneas y utilizar tanto el producto vectorial como el producto escalar.

Las formas simétricas de dos líneas, L_1 y L_2, son

$$L_1 : \frac{x-x_1}{a_1} = \frac{y-y_1}{b_1} = \frac{z-z_1}{c_1}$$

$$L_2 : \frac{x-x_2}{a_2} = \frac{y-y_2}{b_2} = \frac{z-z_2}{c_2}.$$

Debe desarrollar una fórmula para la distancia d entre estas dos líneas, en términos de los valores $a_1, b_1, c_1; a_2, b_2, c_2; x_1, y_1, z_1;$ y x_2, y_2, z_2. La distancia entre dos líneas suele entenderse como la distancia mínima, por lo que se trata de la longitud de un segmento de línea o de la longitud de un vector que es perpendicular a ambas líneas y las interseca.

1. Primero, escriba dos vectores, $\mathbf{v}_1$ y $\mathbf{v}_2$, que se encuentran a lo largo de L_1 y L_2, respectivamente.

2. Calcule el producto vectorial de estos dos vectores y llámelo $\mathbf{N}$. Este vector es perpendicular a $\mathbf{v}_1$ y $\mathbf{v}_2$, y por lo tanto es perpendicular a ambas líneas.

3. A partir del vector $\mathbf{N}$, forme un vector unitario $\mathbf{n}$ en la misma dirección.

4. Utilice las ecuaciones simétricas para hallar un vector conveniente $\mathbf{v}_{12}$ que se encuentre entre dos puntos cualquiera, uno en cada línea. De nuevo, esto puede hacerse directamente a partir de las ecuaciones simétricas.

5. El producto escalar de dos vectores es la magnitud de la proyección de un vector sobre el otro, es decir, $\mathbf{A} . \mathbf{B} = \|\mathbf{A}\| \, \|\mathbf{B}\| \cos \theta$, donde θ es el ángulo entre los vectores. Utilizando el producto escalar, calcule la proyección del vector $\mathbf{v}_{12}$ encontrado en el paso 4 sobre el vector unitario $\mathbf{n}$ encontrado en el paso 3. Esta proyección es perpendicular a ambas líneas, por lo que su longitud debe ser la distancia perpendicular d entre ellos. Tenga en cuenta que el valor de d puede ser negativo, dependiendo de su elección de vector $\mathbf{v}_{12}$ o el orden del producto vectorial, por lo que hay que utilizar signos de valor absoluto alrededor del numerador.

6. Compruebe que su fórmula da la distancia correcta de $|{-25}| / \sqrt{198} \approx 1{,}78$ entre las dos líneas siguientes:

$$L_1 : \frac{x-5}{2} = \frac{y-3}{4} = \frac{z-1}{3}$$

$$L_2 : \frac{x-6}{3} = \frac{y-1}{5} = \frac{z}{7}.$$

7. ¿Es válida su expresión general cuando las líneas son paralelas? Si no, ¿por qué no? (*Pista:* ¿Qué sabe del valor del producto vectorial de dos vectores paralelos? ¿Dónde aparecería ese resultado en su expresión para d?)

8. Demuestre que su expresión para la distancia es cero cuando las líneas se intersecan. Recordemos que dos líneas se intersecan si no son paralelas y están en el mismo plano. Por lo tanto, considere la dirección de $\mathbf{n}$ y $\mathbf{v}_{12}$. ¿Cuál es el resultado de su producto escalar?

9. Considere la siguiente aplicación. Los ingenieros de una refinería han determinado que necesitan instalar puntales de apoyo entre muchas de las tuberías de gas para reducir las vibraciones perjudiciales. Para minimizar el costo, planean instalar estos puntales en los puntos más cercanos entre las tuberías sesgadas adyacentes. Al disponer de esquemas detallados de la estructura, pueden determinar las longitudes correctas de los puntales necesarios y, por tanto, fabricarlos y distribuirlos a los equipos de instalación sin perder un tiempo valioso haciendo mediciones.

   La estructura de marco rectangular tiene las dimensiones $4{,}0 \times 15{,}0 \times 10{,}0$ m (altura, ancho y profundidad). Un sector tiene una tubería que entra en la esquina inferior de la unidad de marco estándar y sale en la esquina diametralmente opuesta (la más alejada en la parte superior); llámese L_1. Una segunda tubería entra y sale en las dos esquinas inferiores opuestas diferentes; llámese L_2 (Figura 2.74).

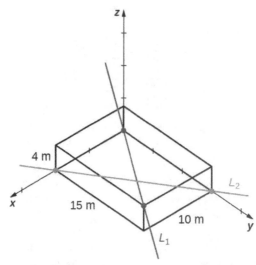

Figura 2.74 Dos tubos se intersecan a través de una unidad de marco estándar.

Escriba los vectores a lo largo de las líneas que representan esas tuberías, calcule el producto vectorial entre ellos a partir del cual se crea el vector unitario **n**, defina un vector que abarque dos puntos de cada línea, y finalmente determine la distancia mínima entre las líneas (se toma como origen la esquina inferior de la primera tubería). Del mismo modo, también puede desarrollar las ecuaciones simétricas para cada línea y sustituirlas directamente en su fórmula.

SECCIÓN 2.5 EJERCICIOS

En los siguientes ejercicios, los puntos P y Q están dados. Supongamos que L es la línea que pasa por los puntos P y Q.

a. Halle la ecuación vectorial de la línea L.
b. Halle las ecuaciones paramétricas de la línea L.
c. Halle las ecuaciones simétricas de la línea L.
d. Halle las ecuaciones paramétricas del segmento de línea determinado por P y Q.

243. $P(-3, 5, 9)$, $Q(4, -7, 2)$ **244**. $P(4, 0, 5)$, $Q(2, 3, 1)$ **245**. $P(-1, 0, 5)$, $Q(4, 0, 3)$
grandes.

246. $P(7, -2, 6)$, $Q(-3, 0, 6)$

*En los siguientes ejercicios, el punto P y el vector **v** están dados. Supongamos que L es la línea que pasa por el punto P con dirección **v**.*

a. Halle las ecuaciones paramétricas de la línea L.
b. Halle las ecuaciones simétricas de la línea L.
c. Halle la intersección de la línea con el plano *xy*.

247. $P(1, -2, 3)$, $\mathbf{v} = \langle 1, 2, 3 \rangle$ **248**. $P(3, 1, 5)$, $\mathbf{v} = \langle 1, 1, 1 \rangle$ **249**. $P(3, 1, 5)$, $\mathbf{v} = \vec{QR}$, donde
$Q(2, 2, 3)$ y $R(3, 2, 3)$

250. $P(2, 3, 0)$, $\mathbf{v} = \vec{QR}$, donde
$Q(0, 4, 5)$ y $R(0, 4, 6)$

En los siguientes ejercicios, la línea L está dada.

a.   Halle el punto P que pertenece al vector línea y director **v** de la línea. Exprese **v** en forma de componentes.
b.   Calcule la distancia del origen a la línea L.

251. $x = 1 + t, y = 3 + t, z = 5 + 4t,$
$t \in \mathbb{R}$

252. $-x = y + 1, z = 2$

253. Calcule la distancia entre el punto $A(-3, 1, 1)$ y la línea de ecuaciones simétricas

$x = -y = -z.$

254. Calcule la distancia entre el punto $A(4, 2, 5)$ y la línea de ecuaciones paramétricas

$x = -1 - t, y = -t, z = 2,$
$t \in \mathbb{R}.$

En los siguientes ejercicios, las líneas L_1 y L_2 están dadas.

a.   Verifique si las líneas L_1 y L_2 son paralelas.
b.   Si las líneas L_1 y L_2 son paralelas, entonces calcule la distancia entre ellas.

255. $L_1 : x = 1 + t, y = t, z = 2 + t,$
$t \in \mathbb{R},$
$L_2 : x - 3 = y - 1 = z - 3$

256. $L_1 : x = 2, y = 1, z = t,$
$L_2 : x = 1, y = 1, z = 2 - 3t,$
$t \in \mathbb{R}$

257. Demuestre que la línea que pasa por los puntos $P(3, 1, 0)$ y $Q(1, 4, -3)$ es perpendicular a la línea de ecuación
$x = 3t, y = 3 + 8t, z = -7 + 6t,$
$t \in \mathbb{R}.$

258. ¿Son las líneas de las ecuaciones
$x = -2 + 2t, y = -6, z = 2 + 6t$
y $x = -1 + t, y = 1 + t, z = t,$
$t \in \mathbb{R}$, perpendiculares entre sí?

259. Halle el punto de intersección de las líneas de ecuaciones
$x = -2y = 3z$ y
$x = -5 - t, y = -1 + t, z = t - 11,$
$t \in \mathbb{R}.$

260. Halle el punto de intersección del eje x con la línea de ecuaciones paramétricas

$x = 10 + t, y = 2 - 2t, z = -3 + 3t,$
$t \in \mathbb{R}.$

En los siguientes ejercicios, las líneas L_1 y L_2 están dadas. Determine si las líneas son iguales, paralelas pero no iguales, sesgadas o se intersecan.

261. $L_1 : x = y - 1 = -z$ y
$L_2 : x - 2 = -y = \frac{z}{2}$

262. $L_1 : x = 2t, y = 0, z = 3, t \in \mathbb{R}$
y
$L_2 : x = 0, y = 8 + s, z = 7 + s,$
$s \in \mathbb{R}$

263. $L_1 : x = -1 + 2t, y = 1 + 3t, z = 7t,$
$t \in \mathbb{R}$ y
$L_2 : x - 1 = \frac{2}{3}(y - 4) = \frac{2}{7}z - 2$

264. $L_1 : 3x = y + 1 = 2z$ y
$L_2 : x = 6 + 2t, y = 17 + 6t, z = 9 + 3t,$
$t \in \mathbb{R}$

265. Considere la línea L de ecuaciones simétricas $x - 2 = -y = \frac{z}{2}$ y punto $A(1, 1, 1)$.

    a. Halle las ecuaciones paramétricas de una línea paralela a L que pasa por el punto A.

    b. Halle las ecuaciones simétricas de una línea sesgada a L y que pasa por el punto A.

    c. Halle las ecuaciones simétricas de una línea que interseca L y pasa por el punto A.

266. Considere la línea L de ecuaciones paramétricas $x = t, y = 2t, z = 3,$ $t \in \mathbb{R}$.

    a. Halle las ecuaciones paramétricas de una línea paralela a L que pasa por el origen.

    b. Halle las ecuaciones paramétricas de una línea sesgada a L que pasa por el origen.

    c. Halle las ecuaciones simétricas de una línea que interseca L y pasa por el origen.

En los siguientes ejercicios, el punto P y el vector $\mathbf{n}$ están dados.

    a. Halle la ecuación escalar del plano que pasa por P y tiene un vector normal $\mathbf{n}$.
    b. Halle la forma general de la ecuación del plano que pasa por P y tiene un vector normal $\mathbf{n}$.

267. $P(0, 0, 0),$
$\mathbf{n}\ \mathbf{n} = 3\mathbf{i} - 2\mathbf{j} + 4\mathbf{k}$

268. $P(3, 2, 2),$
$\mathbf{n} = 2\mathbf{i} + 3\mathbf{j} - \mathbf{k}$

269. $P(1, 2, 3), \mathbf{n} = \langle 1, 2, 3 \rangle$

270. $P(0, 0, 0), \mathbf{n} = \langle -3, 2, -1 \rangle$

En los siguientes ejercicios, se da la ecuación de un plano.

    a. Halle el vector normal $\mathbf{n}$ al plano. Exprese $\mathbf{n}$ utilizando vectores normales unitarios.
    b. Halle las intersecciones del plano con los ejes de coordenadas.
    c. Dibuje el plano.

271. [T]
$4x + 5y + 10z - 20 = 0$

272. $3x + 4y - 12 = 0$

273. $3x - 2y + 4z = 0$

274. $x + z = 0$

275. Dados el punto $P(1, 2, 3)$ y el vector $\mathbf{n} = \mathbf{i} + \mathbf{j}$, halle el punto Q en el eje x, de manera que $\overrightarrow{PQ}$ y $\mathbf{n}$ sean ortogonales.

276. Demuestre que no hay ningún plano perpendicular a $\mathbf{n} = \mathbf{i} + \mathbf{j}$ que pasa por los puntos $P(1, 2, 3)$ y $Q(2, 3, 4)$.

277. Halle las ecuaciones paramétricas de la línea que pasa por el punto $P(-2, 1, 3)$ que es perpendicular al plano de la ecuación $2x - 3y + z = 7$.

278. Halle las ecuaciones simétricas de la línea que pasa por el punto $P(2, 5, 4)$ que es perpendicular al plano de la ecuación $2x + 3y - 5z = 0$.

279. Demuestre que la línea $\frac{x-1}{2} = \frac{y+1}{3} = \frac{z-2}{4}$ es paralela al plano $x - 2y + z = 6$.

280. Calcule el número real α tal que la línea de ecuaciones paramétricas $x = t, y = 2 - t, z = 3 + t$, $t \in \mathbb{R}$ sea paralela al plano de la ecuación $\alpha x + 5y + z - 10 = 0$,

En los siguientes ejercicios, los puntos P, Q, y R están dados.

a. Halle la intersección la ecuación general del plano que pasa por P, Q, y R.

b. Escriba la ecuación vectorial $\mathbf{n}. \overrightarrow{PS} = 0$ del plano en a., donde $S(x, y, z)$ es un punto arbitrario del plano.

c. Halle las ecuaciones paramétricas de la línea que pasa por el origen y es perpendicular al plano que pasa por P, Q, y R.

281. $P(1, 1, 1), Q(2, 4, 3)$, y $R(-1, -2, -1)$

282. $P(-2, 1, 4), Q(3, 1, 3)$, y $R(-2, 1, 0)$

283. Considere los planos de las ecuaciones $x + y + z = 1$ y $x + z = 0$.

   a. Demuestre que los planos se intersecan.

   b. Halle las ecuaciones simétricas de la línea que pasa por el punto $P(1, 4, 6)$ que es paralela a la línea de intersección de los planos.

284. Considere los planos de las ecuaciones $-y + z - 2 = 0$ y $x - y = 0$.

   a. Demuestre que los planos se intersecan.

   b. Halle las ecuaciones paramétricas de la línea que pasa por el punto $P(-8, 0, 2)$ que es paralela a la línea de intersección de los planos.

285. Halle la ecuación escalar del plano que pasa por el punto $P(-1, 2, 1)$ y es perpendicular a la línea de intersección de los planos $x + y - z - 2 = 0$ y $2x - y + 3z - 1 = 0$.

286. Halle la ecuación general del plano que pasa por el origen y es perpendicular a la línea de intersección de los planos $-x + y + 2 = 0$ y $z - 3 = 0$.

287. Determine si la línea de ecuaciones paramétricas $x = 1 + 2t, y = -2t, z = 2 + t$, $t \in \mathbb{R}$ interseca el plano con la ecuación $3x + 4y + 6z - 7 = 0$. Si lo interseca, halle el punto de intersección.

288. Determine si la línea de ecuaciones paramétricas $x = 5, y = 4 - t, z = 2t$, $t \in \mathbb{R}$ interseca el plano con la ecuación $2x - y + z = 5$. Si lo interseca, halle el punto de intersección.

289. Calcule la distancia desde el punto $P(1, 5, -4)$ al plano de la ecuación $3x - y + 2z - 6 = 0$.

290. Calcule la distancia desde el punto $P(1, -2, 3)$ al plano de la ecuación $(x - 3) + 2(y + 1) - 4z = 0$.

En los siguientes ejercicios se dan las ecuaciones de dos planos.

a. Determine si los planos son paralelos, ortogonales o ninguno.
b. Si los planos no son paralelos ni ortogonales, calcule la medida del ángulo entre los planos. Exprese la respuesta en grados redondeados al entero más cercano.

291. **[T]** $x + y + z = 0$, $2x - y + z - 7 = 0$

292. $5x - 3y + z = 4$, $x + 4y + 7z = 1$

293. $x - 5y - z = 1$, $5x - 25y - 5z = -3$

294. **[T]** $x - 3y + 6z = 4$, $5x + y - z = 4$

295. Demuestre que las líneas de las ecuaciones $x = t, y = 1 + t, z = 2 + t$, $t \in \mathbb{R}$, y $\frac{x}{2} = \frac{y-1}{3} = z - 3$ están sesgadas y calcule la distancia entre ellas.

296. Demuestre que las líneas de las ecuaciones $x = -1 + t, y = -2 + t, z = 3t$, $t \in \mathbb{R}$, y $x = 5 + s, y = -8 + 2s, z = 7s$, $s \in \mathbb{R}$ están sesgadas y calcule la distancia entre ellas.

297. Considere el punto $C(-3, 2, 4)$ y el plano de la ecuación $2x + 4y - 3z = 8$.

a. Calcule el radio de la esfera con centro C tangente al plano dado.
b. Halle el punto P de tangencia.

298. Consideremos el plano de la ecuación $x - y - z - 8 = 0$.

a. Halle la ecuación de la esfera con centro C en el origen que es tangente al plano dado.
b. Halle las ecuaciones paramétricas de la línea que pasa por el origen y el punto de tangencia.

299. Dos niños juegan con una pelota. La chica lanza la pelota al chico. La pelota se desplaza en

el aire, toma una curva 3 pies hacia la derecha, y cae a 5 pies de distancia de la chica (vea la siguiente figura). Si el plano que contiene la trayectoria de la pelota es perpendicular al suelo, halle su ecuación.

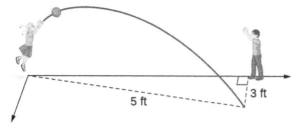

300. **[T]** John asigna d dólares para consumir mensualmente tres mercancías de precios $a, b,$ y c. En este contexto, la ecuación presupuestaria se define como $ax + by + cz = d$, donde $x \geq 0, y \geq 0,$ y $z \geq 0$ representan el número de artículos comprados de cada una de las mercancías. El conjunto de presupuesto está dado por $\{(x, y, z) \,|\, ax + by + cz \leq d, x \geq 0, y \geq 0, z \geq 0\}$, y el plano del presupuesto es la parte del plano de ecuación $ax + by + cz = d$ para la cual $x \geq 0, y \geq 0,$ y $z \geq 0$. Considere que $a = \$8$, $b = \$5, c = \$10,$ y $d = \$500$.

a. Utilice un CAS para graficar el conjunto de presupuesto y el plano presupuestario.
b. Para $z = 25$, halle la nueva ecuación del presupuesto y grafique el conjunto de presupuesto en el mismo sistema de coordenadas.

301. **[T]** Considere $\mathbf{r}(t) = \langle \operatorname{sen} t, \cos t, 2t \rangle$ es el vector de posición de una partícula en el tiempo $t \in [0, 3]$, donde las componentes de $\mathbf{r}$ se expresan en centímetros y el tiempo se mide en segundos. Supongamos que $\overrightarrow{OP}$ es el vector de posición de la partícula después de 1 seg.

a. Determine el vector velocidad $\mathbf{v}(1)$ de la partícula después de 1 seg.
b. Halle la ecuación escalar del plano que es perpendicular a $\mathbf{v}(1)$ y pasa por el punto P. Este plano se denomina *plano normal* a la trayectoria de la partícula en el punto P.
c. Utilice un CAS para visualizar la trayectoria de la partícula junto con el vector velocidad y el plano normal en el punto P.

302. **[T]** Se monta un panel solar en el tejado de una casa. Se puede considerar que el panel está situado en los puntos de coordenadas (en metros) $A(8, 0, 0)$, $B(8, 18, 0)$, $C(0, 18, 8)$, y $D(0, 0, 8)$ (vea la siguiente figura).

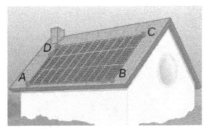

a. Halle la forma general de la ecuación del plano que contiene el panel solar utilizando los puntos A, B, y C, y demuestre que su vector normal es equivalente a $\vec{AB} \times \vec{AD}$.

b. Halle las ecuaciones paramétricas de la línea L_1 que pasa por el centro del panel solar y tiene el vector director $\mathbf{s} = \frac{1}{\sqrt{3}}\mathbf{i} + \frac{1}{\sqrt{3}}\mathbf{j} + \frac{1}{\sqrt{3}}\mathbf{k}$, que señala la posición del Sol en un momento determinado del día.

c. Halle las ecuaciones simétricas de la línea L_2 que pasa por el centro del panel solar y es perpendicular a él.

d. Determine el ángulo de elevación del Sol sobre el panel solar utilizando el ángulo entre las líneas L_1 y L_2.

2.6 Superficies cuádricas

Objetivos de aprendizaje

2.6.1   Identificar un cilindro como un tipo de superficie tridimensional.

2.6.2   Reconocer las características principales de los elipsoides, paraboloides e hiperboloides.

2.6.3   Utilizar las trazas para dibujar las intersecciones de las superficies cuádricas con los planos de coordenadas.

Hemos explorado los vectores y las operaciones vectoriales en el espacio tridimensional y hemos desarrollado ecuaciones para describir líneas, planos y esferas. En esta sección, utilizamos nuestro conocimiento de los planos y las esferas, que son ejemplos de figuras tridimensionales llamadas *superficies*, para explorar una variedad de otras superficies que pueden ser graficadas en un sistema de coordenadas tridimensional.

Identificación de cilindros

La primera superficie que examinaremos es el cilindro. Aunque la mayoría de la gente piensa inmediatamente en un tubo hueco o en una pajilla de refresco cuando escucha la palabra *cilindro*, aquí utilizamos el significado matemático amplio del término. Como hemos visto, las superficies cilíndricas no tienen por qué ser circulares. Un conducto de calefacción rectangular es un cilindro, al igual que una colchoneta de yoga enrollada, cuya sección transversal tiene forma de espiral.

En el plano de coordenadas bidimensional, la ecuación $x^2 + y^2 = 9$ describe un círculo centrado en el origen con radio

3. En el espacio tridimensional, esta misma ecuación representa una superficie. Imagine copias de un círculo apiladas unas sobre otras centradas en el eje z (Figura 2.75) formando un tubo hueco. Podemos entonces construir un cilindro a partir del conjunto de líneas paralelas al eje z que pasan por el círculo $x^2 + y^2 = 9$ en el plano xy, como se muestra en la figura. De este modo, cualquier curva en uno de los planos de coordenadas puede extenderse para convertirse en una superficie.

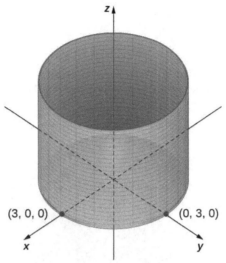

Figura 2.75 En el espacio tridimensional, el gráfico de la ecuación $x^2 + y^2 = 9$ es un cilindro de radio 3 centrado en el eje z. Continúa indefinidamente en las direcciones positiva y negativa.

Definición

Un conjunto de líneas paralelas a una línea determinada que pasa por una curva determinada se conoce como superficie cilíndrica o **cilindro**. Las líneas paralelas se llaman **reglas**.

A partir de esta definición, podemos ver que seguimos teniendo un cilindro en el espacio tridimensional, aunque la curva no sea un círculo. Cualquier curva puede formar un cilindro, y las reglas que componen el cilindro pueden ser paralelas a cualquier línea (Figura 2.76).

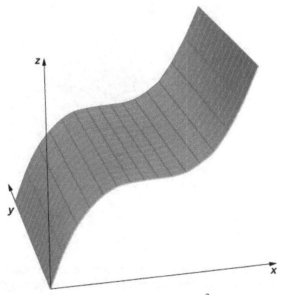

Figura 2.76 En el espacio tridimensional, la gráfica de la ecuación $z = x^3$ es un cilindro, o una superficie cilíndrica con reglas paralelas al eje y.

EJEMPLO 2.55

Graficar superficies cilíndricas

Dibuje los gráficos de las siguientes superficies cilíndricas.

a. $x^2 + z^2 = 25$
b. $z = 2x^2 - y$
c. $y = \operatorname{sen} x$

⊘ **Solución**

a. La variable y puede tomar cualquier valor sin límite. Por lo tanto, las líneas que rigen esta superficie son paralelas al eje y. La intersección de esta superficie con el plano xz forma un círculo centrado en el origen con radio 5 (vea la siguiente figura).

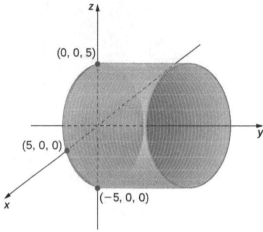

Figura 2.77   El gráfico de la ecuación $x^2 + z^2 = 25$ es un cilindro de radio 5 centrado en el eje y.

b. En este caso, la ecuación contiene las tres variables —x, y, y z— así que ninguna de las variables puede variar arbitrariamente. La forma más fácil de visualizar esta superficie es utilizar una herramienta gráfica de computadora (vea la siguiente figura).

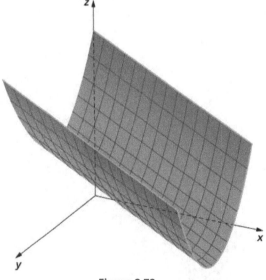

Figura 2.78

c. En esta ecuación, la variable z puede tomar cualquier valor sin límite. Por lo tanto, las líneas que componen esta superficie son paralelas al eje z. La intersección de esta superficie con el plano xy delinea la curva $y = \operatorname{sen} x$ (vea la siguiente figura).

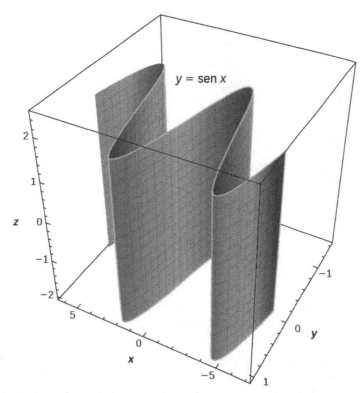

$y = \operatorname{sen} x$

Figura 2.79   La gráfica de la ecuación $y = \operatorname{sen} x$ está formado por un conjunto de líneas paralelas al eje z que pasan por la curva $y = \operatorname{sen} x$ en el plano xy.

☑ 2.52   Dibuje o utilice una herramienta gráfica para ver el gráfico de la superficie cilíndrica definida por la ecuación $z = y^2$.

Al dibujar superficies, hemos visto que es útil dibujar su intersección con un plano paralelo a uno de los planos de coordenadas. Estas curvas se llaman trazas. Podemos verlas en el gráfico del cilindro en la Figura 2.80.

Definición

Las **trazas** de una superficie son las secciones transversales que se crean cuando la superficie interseca un plano paralelo a uno de los planos de coordenadas.

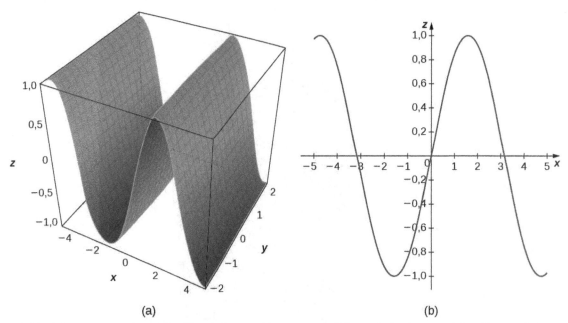

(a)   (b)

Figura 2.80   (a) Esta es una vista del gráfico de la ecuación $z = \text{sen}\, x$. (b) Para hallar la traza del gráfico en el plano xz, se establece $y = 0$. La traza es simplemente una onda sinusoidal bidimensional.

Las trazas son útiles para dibujar superficies cilíndricas. Sin embargo, para un cilindro en tres dimensiones, solo es útil un conjunto de trazas. Observe que, en la Figura 2.80, la traza del gráfico de $z = \text{sen}\, x$ en el plano xz es útil para construir el gráfico. Sin embargo, la traza en el plano xy es solo una serie de líneas paralelas, y la traza en el plano yz es simplemente una línea.

Las superficies cilíndricas están formadas por un conjunto de líneas paralelas. Sin embargo, no todas las superficies en tres dimensiones se construyen de una manera tan sencilla. Ahora exploramos superficies más complejas, y las trazas son una herramienta importante en esta investigación.

Superficies cuádricas

Hemos aprendido sobre las superficies en tres dimensiones descritas por ecuaciones de primer orden; estas son planos. Otros tipos comunes de superficies pueden describirse mediante ecuaciones de segundo orden. Podemos ver estas superficies como extensiones tridimensionales de las secciones cónicas que hemos discutido antes: la elipse, la parábola y la hipérbola. A estos gráficos los llamamos superficies cuádricas.

Definición

Las **superficies cuádricas** son los gráficos de las ecuaciones que pueden expresarse en la forma

$$Ax^2 + By^2 + Cz^2 + Dxy + Exz + Fyz + Gx + Hy + Jz + K = 0.$$

Cuando una superficie cuádrica interseca un plano de coordenadas, la traza es una sección cónica.

Un **elipsoide** es una superficie descrita por una ecuación de la forma $\dfrac{x^2}{a^2} + \dfrac{y^2}{b^2} + \dfrac{z^2}{c^2} = 1$. Establezca $x = 0$ para ver la traza del elipsoide en el plano yz. Para hallar las trazas en los planos xy y xz, establezca $z = 0$ y $y = 0$, respectivamente. Observe que, si $a = b$, la traza en el plano xy es un círculo. Del mismo modo, si $a = c$, la traza en el plano xz es un círculo y, si $b = c$, entonces la traza en el plano yz es un círculo. Una esfera, entonces, es un elipsoide con $a = b = c$.

EJEMPLO 2.56

Dibujar un elipsoide

Dibujar el elipsoide $\dfrac{x^2}{2^2} + \dfrac{y^2}{3^2} + \dfrac{z^2}{5^2} = 1$.

⊘ **Solución**

Empiece por dibujar las trazas. Para hallar la traza en el plano xy, establezca $z = 0$: $\frac{x^2}{2^2} + \frac{y^2}{3^2} = 1$ (vea la Figura 2.81). Para hallar las otras trazas, primero establezca $y = 0$ y luego establezca $x = 0$.

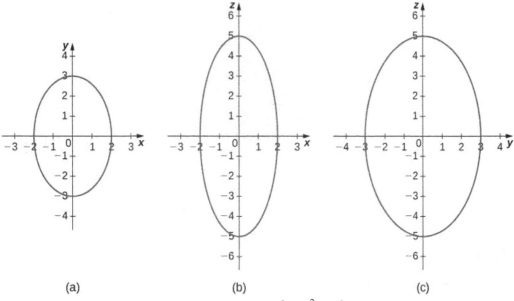

(a)   (b)   (c)

Figura 2.81   (a) Este gráfico representa la traza de la ecuación $\frac{x^2}{2^2} + \frac{y^2}{3^2} + \frac{z^2}{5^2} = 1$ en el plano xy, cuando establecemos $z = 0$. (b) Cuando establecemos $y = 0$, obtenemos la traza del elipsoide en el plano xz, que es una elipse. (c) Cuando establecemos $x = 0$, obtenemos la traza del elipsoide en el plano yz, que también es una elipse.

Ahora que sabemos qué aspecto tienen las trazas de este sólido, podemos dibujar la superficie en tres dimensiones (Figura 2.82).

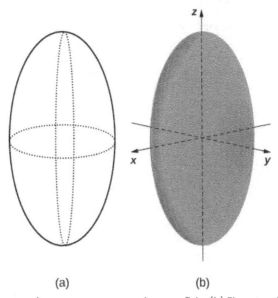

(a)   (b)

Figura 2.82   (a) Las trazas proporcionan un marco para la superficie. (b) El centro de este elipsoide es el origen.

La traza de un elipsoide es una elipse en cada uno de los planos de coordenadas. Sin embargo, no es necesario que esto sea así para todas las superficies cuádricas. Muchas superficies cuádricas tienen trazas que son diferentes tipos de secciones cónicas, y esto se suele indicar con el nombre de la superficie. Por ejemplo, si una superficie se puede describir por una ecuación de la forma $\frac{x^2}{a^2} + \frac{y^2}{b^2} = \frac{z}{c}$, entonces llamamos a esa superficie un **paraboloide elíptico**. La traza en el plano xy es una elipse, pero las trazas en el plano xz y en el plano yz son parábolas (Figura 2.83). Otros paraboloides elípticos pueden tener otras orientaciones simplemente intercambiando las variables para darnos una variable diferente en el término lineal de la ecuación $\frac{x^2}{a^2} + \frac{z^2}{c^2} = \frac{y}{b}$ o $\frac{y^2}{b^2} + \frac{z^2}{c^2} = \frac{x}{a}$.

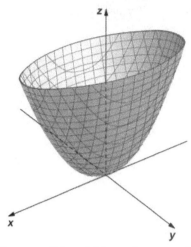

Figura 2.83   Esta superficie cuádrica se llama *paraboloide elíptico*.

EJEMPLO 2.57

Identificar trazas de superficies cuádricas

Describa las trazas del paraboloide elíptico $x^2 + \frac{y^2}{2^2} = \frac{z}{5}$.

Solución

Para hallar la traza en el plano *xy*, establezca $z = 0$: $x^2 + \frac{y^2}{2^2} = 0$. La traza en el plano $z = 0$ es simplemente un punto, el origen. Como un solo punto no nos dice cuál es la forma, podemos desplazarnos por el eje *z* hasta un plano arbitrario para hallar la forma de otras trazas de la figura.

La traza en plano $z = 5$ es el gráfico de la ecuación $x^2 + \frac{y^2}{2^2} = 1$, que es una elipse. En el plano *xz*, la ecuación se convierte en $z = 5x^2$. La traza es una parábola en este plano y en cualquier plano con la ecuación $y = b$.

En los planos paralelos al plano *yz*, las trazas también son parábolas, como podemos ver en la siguiente figura.

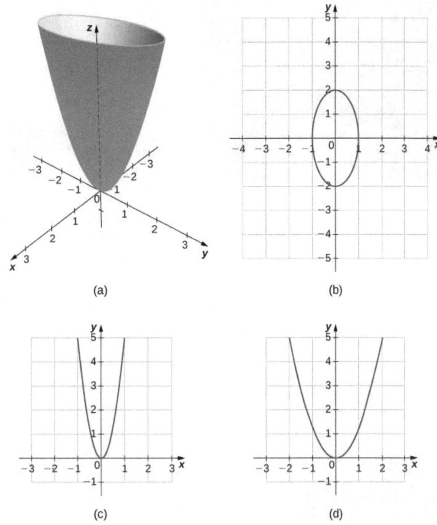

(a)

(b)

(c)

(d)

Figura 2.84   (a) El paraboloide $x^2 + \frac{y^2}{2^2} = \frac{z}{5}$. (b) La traza en el plano $z = 5$. (c) La traza en el plano xz. (d) La traza en el plano yz.

☑   2.53   Un hiperboloide de una hoja es cualquier superficie que puede describirse con una ecuación de la forma $\frac{x^2}{a^2} + \frac{y^2}{b^2} - \frac{z^2}{c^2} = 1$. Describa las trazas del hiperboloide de una hoja dadas por la ecuación $\frac{x^2}{3^2} + \frac{y^2}{2^2} - \frac{z^2}{5^2} = 1$.

Los hiperboloides de una hoja tienen algunas propiedades fascinantes. Por ejemplo, pueden construirse mediante líneas rectas, como en la escultura en la Figura 2.85(a). De hecho, las torres de refrigeración de las centrales nucleares suelen tener forma de hiperboloide. Los constructores pueden utilizar vigas rectas de acero en la construcción, lo que hace que las torres sean muy resistentes a la vez que utilizan relativamente poco material (Figura 2.85(b)).

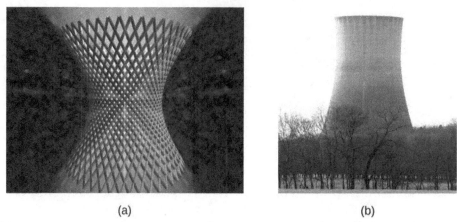

(a)   (b)

Figura 2.85   (a) Una escultura con forma de hiperboloide puede construirse con líneas rectas. (b) Las torres de refrigeración de las centrales nucleares suelen construirse con forma de hiperboloide.

EJEMPLO 2.58

Inicio del capítulo: Hallar el foco de un reflector parabólico

La energía que incide en la superficie de un reflector parabólico se concentra en su punto focal (Figura 2.86). Si la superficie de un reflector parabólico se describe mediante la ecuación $\frac{x^2}{100} + \frac{y^2}{100} = \frac{z}{4}$, ¿dónde está el punto focal del reflector?

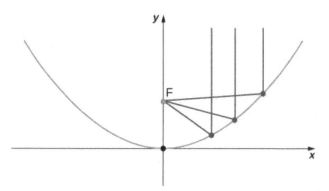

Figura 2.86   La energía se refleja desde el reflector parabólico y se recoge en el punto focal (créditos: modificación de CGP Grey, Wikimedia Commons).

⊘ Solución

Como z es la variable de primera potencia, el eje del reflector corresponde al eje z. Los coeficientes de x^2 y y^2 son iguales, por lo que la sección transversal del paraboloide perpendicular al eje z es un círculo. Podemos considerar una traza en el plano xz o en el plano yz; el resultado es el mismo. Si establecemos que $y = 0$, la traza es una parábola que se abre a lo largo del eje z, con la ecuación estándar $x^2 = 4pz$, donde p es la distancia focal de la parábola. En este caso, esta ecuación se convierte en $x^2 = 100 \cdot \frac{z}{4} = 4pz$ o $25 = 4p$. Así que p es $6{,}25$ m, lo que nos indica que el foco del paraboloide es $6{,}25$ m por el eje desde el vértice. Como el vértice de esta superficie es el origen, el punto focal es $(0, 0, 6{,}25)$.

De la ecuación general se pueden derivar diecisiete superficies cuádricas estándar

$$Ax^2 + By^2 + Cz^2 + Dxy + Exz + Fyz + Gx + Hy + Jz + K = 0.$$

Las siguientes figuras resumen las más importantes.

Características de las superficies cuádricas comunes

Elipsoide

$$\frac{x^2}{a^2} \quad \frac{y^2}{b^2} \quad \frac{z^2}{c^2} = 1$$

Trazas
En el plano z p: una elipse
En el plano y q: una elipse
En el plano x r: una elipse

Si a b c, entonces esta superficie es una esfera.

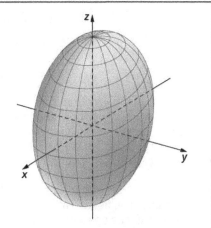

Hiperboloide de una hoja

$$\frac{x^2}{a^2} \quad \frac{y^2}{b^2} - \frac{z^2}{c^2} = 1$$

Trazas
En el plano z p: una elipse
En el plano y q: una hipérbola
En el plano x r: una hipérbola

En la ecuación de esta superficie, dos de las variables tienen coeficientes positivos y una tiene un coeficiente negativo. El eje de la superficie corresponde a la variable con el coeficiente negativo.

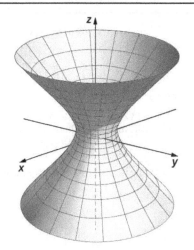

Hiperboloide de dos hojas

$$\frac{z^2}{c^2} - \frac{x^2}{a^2} - \frac{y^2}{b^2} = 1$$

Trazas
En el plano z p: una elipse o el conjunto vacío (sin traza)
En el plano y q: una hipérbola
En el plano x r: una hipérbola

En la ecuación de esta superficie, dos de las variables tienen coeficientes negativos y una tiene un coeficiente positivo. El eje de la superficie corresponde a la variable con coeficiente positivo. La superficie no interseca el plano de coordenadas perpendicular al eje.

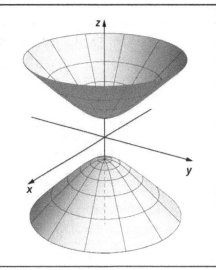

Figura 2.87 Características de las superficies cuadráticas comunes: Elipsoide, **Hiperboloide de una hoja**, **Hiperboloide de dos hojas**.

Características de las superficies cuádricas comunes

Cono elíptico

$$\frac{x^2}{a^2} + \frac{y^2}{b^2} - \frac{z^2}{c^2} = 0$$

Trazas
En el plano $z = p$: una elipse
En el plano $y = q$: una hipérbola
En el plano $x = r$: una hipérbola
En el plano xz : un par de líneas que se cruzan en el origen
En el plano yz : un par de líneas que se cruzan en el origen

El eje de la superficie corresponde a la variable con coeficiente negativo. Las trazas en los planos de coordenadas paralelos al eje son líneas de intersección.

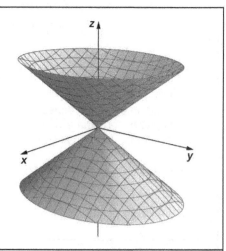

Paraboloide elíptico

$$z = \frac{x^2}{a^2} + \frac{y^2}{b^2}$$

Trazas
En el plano $z = p$: una elipse
En el plano $y = q$: una parábola
En el plano $x = r$: una parábola

El eje de la superficie corresponde a la variable lineal.

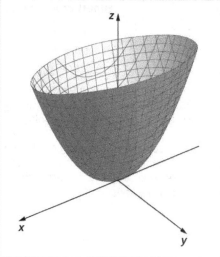

Paraboloide hiperbólico

$$z = \frac{x^2}{a^2} - \frac{y^2}{b^2}$$

Trazas
En el plano $z = p$: una hipérbola
En el plano $y = q$: una parábola
En el plano $x = r$: una parábola

El eje de la superficie corresponde a la variable lineal.

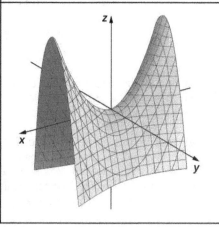

Figura 2.88 Características de las superficies cuadráticas comunes: **Cono elíptico**, **Paraboloide elíptico**, Paraboloide hiperbólico.

EJEMPLO 2.59

Identificar ecuación de superficies cuádricas
Identifique las superficies representadas por las ecuaciones dadas.

a. $16x^2 + 9y^2 + 16z^2 = 144$

b. $9x^2 - 18x + 4y^2 + 16y - 36z + 25 = 0$

Solución

a. La intersección en x, y, y z son todas al cuadrado, y todas son positivas, así que esto es probablemente un elipsoide. Sin embargo, pongamos la ecuación en la forma estándar de un elipsoide para estar seguros. Tenemos
$$16x^2 + 9y^2 + 16z^2 = 144.$$

Al dividir entre 144 se obtiene

$$\frac{x^2}{9} + \frac{y^2}{16} + \frac{z^2}{9} = 1.$$

Entonces, esto es, de hecho, un elipsoide centrado en el origen.

b. En primer lugar, observamos que la franja z se eleva solo a la primera potencia, por lo que se trata de un paraboloide elíptico o un paraboloide hiperbólico. También observamos que están la franja x y la franja y que no están al cuadrado, por lo que esta superficie cuádrica no está centrada en el origen. Necesitamos completar el cuadrado para poner esta ecuación en una de las formas estándar. Tenemos

$$\begin{aligned}
9x^2 - 18x + 4y^2 + 16y - 36z + 25 &= 0 \\
9x^2 - 18x + 4y^2 + 16y + 25 &= 36z \\
9\left(x^2 - 2x\right) + 4\left(y^2 + 4y\right) + 25 &= 36z \\
9\left(x^2 - 2x + 1 - 1\right) + 4\left(y^2 + 4y + 4 - 4\right) + 25 &= 36z \\
9(x-1)^2 - 9 + 4(y+2)^2 - 16 + 25 &= 36z \\
9(x-1)^2 + 4(y+2)^2 &= 36z \\
\frac{(x-1)^2}{4} + \frac{(y-2)^2}{9} &= z.
\end{aligned}$$

Se trata de un paraboloide elíptico centrado en $(1, 2, 0)$.

☑ 2.54   Identificar la superficie representada por la ecuación $9x^2 + y^2 - z^2 + 2z - 10 = 0$.

📖 SECCIÓN 2.6 EJERCICIOS

En los siguientes ejercicios, dibuje y describa la superficie cilíndrica de la ecuación dada.

303. [T] $x^2 + z^2 = 1$

304. [T] $x^2 + y^2 = 9$

305. [T] $z = \cos\left(\frac{\pi}{2} + x\right)$

306. [T] $z = e^x$

307. [T] $z = 9 - y^2$

308. [T] $z = \ln(x)$

En los siguientes ejercicios, se da el gráfico de una superficie cuádrica.

a. Especifique el nombre de la superficie cuádrica.

b. Determine el eje de simetría de la superficie cuádrica.

309.

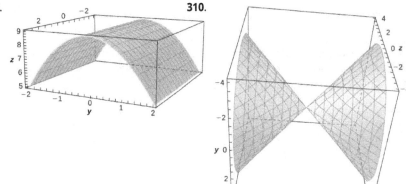

310.

311.

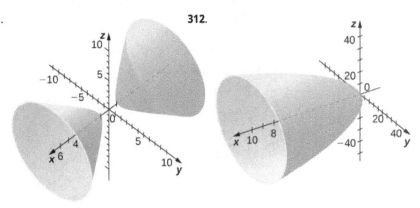

312.

En los siguientes ejercicios, haga coincidir la superficie cuádrica dada con su ecuación correspondiente en forma estándar.

a. $\frac{x^2}{4} + \frac{y^2}{9} - \frac{z^2}{12} = 1$

b. $\frac{x^2}{4} - \frac{y^2}{9} - \frac{z^2}{12} = 1$

c. $\frac{x^2}{4} + \frac{y^2}{9} + \frac{z^2}{12} = 1$

d. $z = 4x^2 + 3y^2$

e. $z = 4x^2 - y^2$

f. $4x^2 + y^2 - z^2 = 0$

313. Hiperboloide de dos hojas   **314.** Elipsoide   **315.** Paraboloide elíptico

316. Paraboloide hiperbólico   **317.** Hiperboloide de una hoja   **318.** Cono elíptico

En los siguientes ejercicios, reescriba la ecuación dada de la superficie cuádrica en forma estándar. Identifique la superficie.

319. $-x^2 + 36y^2 + 36z^2 = 9$ **320.** $-4x^2 + 25y^2 + z^2 = 100$ **321.** $-3x^2 + 5y^2 - z^2 = 10$

322. $3x^2 - y^2 - 6z^2 = 18$ **323.** $5y = x^2 - z^2$ **324.** $8x^2 - 5y^2 - 10z = 0$

325. $x^2 + 5y^2 + 3z^2 - 15 = 0$ **326.** $63x^2 + 7y^2 + 9z^2 - 63 = 0$ **327.** $x^2 + 5y^2 - 8z^2 = 0$

328. $5x^2 - 4y^2 + 20z^2 = 0$ **329.** $6x = 3y^2 + 2z^2$ **330.** $49y = x^2 + 7z^2$

En los siguientes ejercicios, halle la traza de la superficie cuádrica dada en el plano de coordenadas especificado y dibújela.

331. **[T]**
$x^2 + z^2 + 4y = 0, z = 0$

332. **[T]**
$x^2 + z^2 + 4y = 0, x = 0$

333. **[T]**
$-4x^2 + 25y^2 + z^2 = 100, x = 0$

334. **[T]**
$-4x^2 + 25y^2 + z^2 = 100, y = 0$

335. **[T]**
$x^2 + \dfrac{y^2}{4} + \dfrac{z^2}{100} = 1, x = 0$

336. **[T]** $x^2 - y - z^2 = 1, y = 0$

337. Utilice el gráfico de la superficie cuádrica dada para responder las preguntas.

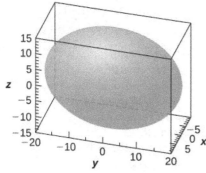

a. Especifique el nombre de la superficie cuádrica.

b. ¿Cuál de las ecuaciones
$16x^2 + 9y^2 + 36z^2 = 3.600, 9x^2 + 36y^2 + 16z^2 = 3.600,$
o $36x^2 + 9y^2 + 16z^2 = 3.600$, corresponde al gráfico?

c. Use b. para escribir la ecuación de la superficie cuádrica en forma estándar.

338. Utilice el gráfico de la superficie cuádrica dada para responder las preguntas.

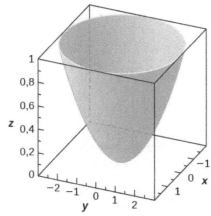

a. Especifique el nombre de la superficie cuádrica.

b. ¿Cuál de las ecuaciones
$36z = 9x^2 + y^2, 9x^2 + 4y^2 = 36z,$ o $-36z = -81x^2 + 4y^2$
, corresponde al gráfico anterior?

c. Use b. para escribir la ecuación de la superficie cuádrica en forma estándar.

En los siguientes ejercicios, se da la ecuación de una superficie cuádrica.

a. Utilice el método de completar el cuadrado para escribir la ecuación en forma estándar.
b. Identifique la superficie.

339. $x^2 + 2z^2 + 6x - 8z + 1 = 0$ **340.** $4x^2 - y^2 + z^2 - 8x + 2y + 2z + 3 = 0$

341. $x^2 + 4y^2 - 4z^2 - 6x - 16y - 16z + 5 = 0$ **342.** $x^2 + z^2 - 4y + 4 = 0$

343. $x^2 + \frac{y^2}{4} - \frac{z^2}{3} + 6x + 9 = 0$ **344.** $x^2 - y^2 + z^2 - 12z + 2x + 37 = 0$ **345.** Escriba la forma estándar de la ecuación del elipsoide centrado en el origen que pasa por los puntos $A(2, 0, 0)$, $B(0, 0, 1)$, y $C\left(\frac{1}{2}, \sqrt{11}, \frac{1}{2}\right)$.

346. Escriba la forma estándar de la ecuación del elipsoide centrado en el punto $P(1, 1, 0)$ que pasa por los puntos $A(6, 1, 0)$, $B(4, 2, 0)$ y $C(1, 2, 1)$.

347. Determine los puntos de intersección del cono elíptico $x^2 - y^2 - z^2 = 0$ con la línea de ecuaciones simétricas $\frac{x-1}{2} = \frac{y+1}{3} = z$.

348. Determine los puntos de intersección del hiperboloide parabólico $z = 3x^2 - 2y^2$ con la línea de ecuaciones paramétricas $x = 3t, y = 2t, z = 19t$, donde $t \in \mathbb{R}$.

349. Halle la ecuación de la superficie cuádrica con los puntos $P(x, y, z)$ que son equidistantes del punto $Q(0, -1, 0)$ y el plano de la ecuación $y = 1$. Identifique la superficie.

350. Halle la ecuación de la superficie cuádrica con los puntos $P(x, y, z)$ que son equidistantes del punto $Q(0, 2, 0)$ y el plano de la ecuación $y = -2$. Identifique la superficie.

351. Si la superficie de un reflector parabólico se describe mediante la ecuación $400z = x^2 + y^2$, halle el punto focal del reflector.

352. Considere el reflector parabólico descrito por la ecuación $z = 20x^2 + 20y^2$. Halle su punto focal.

353. Demuestre que la superficie cuádrica $x^2 + y^2 + z^2 + 2xy + 2xz + 2yz + x + y + z = 0$ se reduce a dos planos paralelos.

354. Demuestre que la superficie cuádrica $x^2 + y^2 + z^2 - 2xy - 2xz + 2yz - 1 = 0$ se reduce a dos planos paralelos que pasan.

355. **[T]** La intersección entre el cilindro $(x-1)^2 + y^2 = 1$ y la esfera $x^2 + y^2 + z^2 = 4$ se llama *curva de Viviani*.

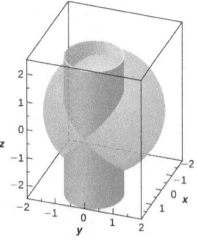

a. Resuelva el sistema formado por las ecuaciones de las superficies para hallar la ecuación de la curva de intersección. (*Pista:* Halle x como y en términos de z.)

b. Utilice un sistema de álgebra computacional (CAS) para visualizar la curva de intersección en la esfera $x^2 + y^2 + z^2 = 4$.

356. El hiperboloide de una hoja $25x^2 + 25y^2 - z^2 = 25$ y el cono elíptico $-25x^2 + 75y^2 + z^2 = 0$ se representan en la siguiente figura junto con sus curvas de intersección. Identifique las curvas de intersección y halle sus ecuaciones (*Pista:* Halle y a partir del sistema formado por las ecuaciones de las superficies).

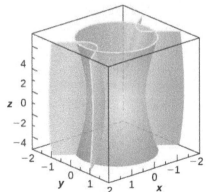

357. **[T]** Utilice un CAS para crear la intersección entre el cilindro $9x^2 + 4y^2 = 18$ y el elipsoide $36x^2 + 16y^2 + 9z^2 = 144$, y halle las ecuaciones de las curvas de intersección.

358. **[T]** Un esferoide en un elipsoide con dos semiejes iguales. Por ejemplo, la ecuación de un esferoide con el eje z como eje de simetría viene dada por $\frac{x^2}{a^2} + \frac{y^2}{a^2} + \frac{z^2}{c^2} = 1$, donde a y c son números reales positivos. El esferoide se llama *oblato* si $c < a$, y *prolato* para $c > a$.

a. La córnea del ojo se aproxima como un esferoide prolato con un eje que es el ojo, donde $a = 8,7$ mm y $c = 9,6$ mm. Escriba la ecuación del esferoide que modela la córnea y dibuje la superficie.

b. Dé dos ejemplos de objetos con forma de esferoide prolato.

359. **[T]** En la cartografía, la Tierra se aproxima a un esferoide oblato en vez de una esfera. Los radios en el ecuador y los polos son de aproximadamente 3.963 millas y 3.950 millas, respectivamente.

a. Escriba la ecuación en forma estándar del elipsoide que representa la forma de la Tierra. Suponga que el centro de la Tierra está en el origen y que la traza formada por el plano $z = 0$ corresponde al ecuador.

b. Dibuje el gráfico.

c. Halle la ecuación de la curva de intersección de la superficie con el plano $z = 1.000$ que es paralelo al plano xy. La curva de intersección se llama *paralela*.

d. Halle la ecuación de la curva de intersección de la superficie con el plano $x + y = 0$ que pasa por el eje z. La curva de intersección se llama *meridiano*.

360. **[T]** Un juego de imanes sonoros (o "huevos de cascabel") incluye dos imanes brillantes, pulidos y con forma de esferoide muy conocidos para el entretenimiento de los niños. Cada imán tiene 1,625 pulgadas de largo y 0,5 pulgadas de ancho en el centro. Al lanzarlos al aire, crean un sonido de zumbido al atraerse unos a otros.

a. Escriba la ecuación del esferoide prolato centrado en el origen que describe la forma de uno de los imanes.

b. Escriba las ecuaciones de los esferoides prolatos que modelan la forma de los imanes sonoros. Utilice un CAS para crear los gráficos.

361. **[T]** Una superficie en forma de corazón viene dada por la ecuación

$$\left(x^2 + \tfrac{9}{4}y^2 + z^2 - 1\right)^3 - x^2 z^3 - \tfrac{9}{80}y^2 z^3 = 0.$$

   a. Utilice un CAS para graficar la superficie que modela esta forma.

   b. Determine y dibuje la traza de la superficie en forma de corazón en el plano xz.

362. **[T]** El toro de anillo simétrico alrededor del eje z es un tipo especial de superficie en topología y su ecuación viene dada por

$$\left(x^2 + y^2 + z^2 + R^2 - r^2\right)^2 = 4R^2\left(x^2 + y^2\right),$$

donde $R > r > 0$. Los números R y r se llaman radios mayor y menor, respectivamente, de la superficie. La siguiente figura muestra un toro de anillo para el que $R = 2$ y $r = 1$.

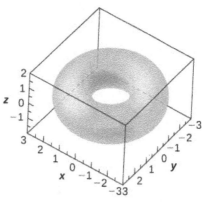

   a. Escriba la ecuación del toro de anillo con $R = 2$ y $r = 1$, y utilice un CAS para graficar la superficie. Compare el gráfico con la figura dada.

   b. Determine la ecuación y dibuje la traza del toro de anillo de la parte a. en el plano xy.

   c. Dé dos ejemplos de objetos con forma de toro de anillo.

2.7 Coordenadas cilíndricas y esféricas

Objetivos de aprendizaje

   2.7.1 Convertir de coordenadas cilíndricas a rectangulares.

   2.7.2 Convertir de coordenadas rectangulares a cilíndricas.

   2.7.3 Convertir de coordenadas esféricas a rectangulares.

   2.7.4 Convertir de coordenadas rectangulares a esféricas.

El sistema de coordenadas cartesianas ofrece una forma sencilla de describir la ubicación de los puntos en el espacio. Sin embargo, algunas superficies pueden ser difíciles de modelar con ecuaciones basadas en el sistema cartesiano. Este es un problema conocido; recordemos que, en dos dimensiones, las coordenadas polares a menudo ofrecen un sistema alternativo útil para describir la ubicación de un punto en el plano, sobre todo en los casos que involucran círculos. En esta sección, estudiamos dos formas diferentes de describir la ubicación de los puntos en el espacio, ambas basadas en extensiones de las coordenadas polares. Como su nombre indica, las coordenadas cilíndricas son útiles para tratar problemas en los que intervienen cilindros, como calcular el volumen de un depósito de agua redondo o la cantidad de aceite que fluye por una tubería. Asimismo, las coordenadas esféricas son útiles para tratar problemas relacionados con esferas, como la búsqueda del volumen de estructuras abovedadas.

Coordenadas cilíndricas

Cuando ampliamos el sistema tradicional de coordenadas cartesianas de dos a tres dimensiones, simplemente añadimos un nuevo eje para modelar la tercera dimensión. Partiendo de las coordenadas polares, podemos seguir este mismo proceso para crear un nuevo sistema de coordenadas tridimensional, llamado sistema de coordenadas cilíndricas. De este modo, las coordenadas cilíndricas proporcionan una extensión natural de las coordenadas polares a las tres dimensiones.

Definición

En el **sistema de coordenadas cilíndricas**, un punto en el espacio (Figura 2.89) está representado por la triple ordenada (r, θ, z), donde

- (r, θ) son las coordenadas polares de la proyección del punto en el plano xy
- z es la coordenada z habitual en el sistema de coordenadas cartesianas

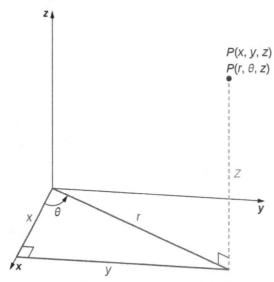

Figura 2.89   El triángulo recto se encuentra en el plano xy. La longitud de la hipotenusa es r y θ es la medida del ángulo formado por el eje x positivo y la hipotenusa. La
coordenada z describe la ubicación del punto por encima o por debajo del plano xy.

En el plano xy, el triángulo recto mostrado en la Figura 2.89 proporciona la clave para la transformación entre coordenadas cilíndricas y cartesianas, o rectangulares.

Teorema 2.15

Conversión entre coordenadas cilíndricas y cartesianas
Las coordenadas rectangulares (x, y, z) y las coordenadas cilíndricas (r, θ, z) de un punto se relacionan de la siguiente manera:

$$\begin{aligned} x &= r\cos\theta \\ y &= r\,\text{sen}\,\theta \\ z &= z \end{aligned}$$ Estas ecuaciones se utilizan para convertir de coordenadas cilíndricas a coordenadas rectangulares.

y

$$\begin{aligned} r^2 &= x^2 + y^2 \\ \tan\theta &= \frac{y}{x} \\ z &= z \end{aligned}$$ Estas ecuaciones se utilizan para convertir de coordenadas rectangulares a coordenadas cilíndricas.

Al igual que cuando hablamos de la conversión de coordenadas rectangulares a coordenadas polares en dos dimensiones, hay que tener en cuenta que la ecuación $\tan\theta = \frac{y}{x}$ tiene un número infinito de soluciones. Sin embargo, si restringimos θ a valores entre 0 y 2π, entonces podemos hallar una solución única basada en el cuadrante del plano xy en el que se encuentra el punto original (x, y, z). Observe que si $x = 0$, entonces el valor de θ es $\frac{\pi}{2}$, $\frac{3\pi}{2}$, o 0, en función del valor de y.

Observe que estas ecuaciones se derivan de las propiedades de los triángulos rectos. Para que esto sea fácil de ver, considere el punto P en el plano xy con coordenadas rectangulares $(x, y, 0)$ y con coordenadas cilíndricas $(r, \theta, 0)$, como se muestra en la siguiente figura.

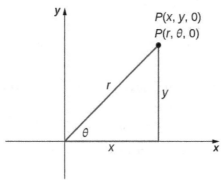

Figura 2.90 El teorema de Pitágoras proporciona la ecuación $r^2 = x^2 + y^2$. Las relaciones de triángulo recto nos dicen que $x = r \cos \theta$, $y = r \operatorname{sen} \theta$, y $\tan \theta = y/x$.

Consideremos las diferencias entre las coordenadas rectangulares y cilíndricas observando las superficies generadas cuando cada una de las coordenadas se mantiene constante. Si los valores de c es una constante, entonces en las coordenadas rectangulares, las superficies de la forma $x = c$, $y = c$, o $z = c$ son todas planos. Los planos de estas formas son paralelos al plano yz, al plano xz y al plano xy, respectivamente. Cuando convertimos a coordenadas cilíndricas, la coordenada z no cambia. Por lo tanto, en coordenadas cilíndricas, las superficies de la forma $z = c$ son planos paralelos al plano xy. Ahora, pensemos en superficies de la forma $r = c$. Los puntos de estas superficies están a una distancia fija del eje z. En otras palabras, estas superficies son cilindros circulares verticales. Por último, ¿qué pasa con $\theta = c$? Los puntos de una superficie de la forma $\theta = c$ están en un ángulo fijo con respecto al eje x, lo que nos da un semiplano que comienza en el eje z (Figura 2.91 y Figura 2.92).

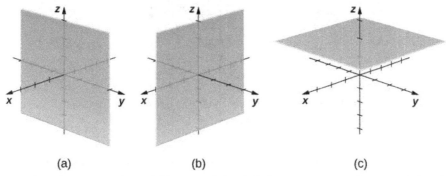

(a)   (b)   (c)

Figura 2.91 En coordenadas rectangulares, (a) las superficies de la forma $x = c$ son planos paralelos al plano yz, (b) las superficies de la forma $y = c$ son planos paralelos al plano xz y (c) las superficies de la forma $z = c$ son planos paralelos al plano xy.

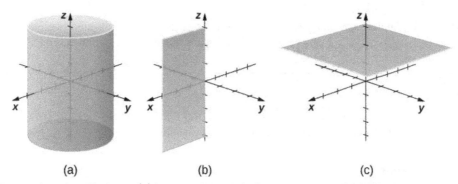

(a)   (b)   (c)

Figura 2.92 En coordenadas cilíndricas, (a) las superficies de la forma $r = c$ son cilindros verticales de radio c, (b) las superficies de la forma $\theta = c$ son semiplanos en ángulo c desde el eje x y (c) las superficies de la forma $z = c$ son planos paralelos al plano xy.

EJEMPLO 2.60

Convertir de coordenadas cilíndricas a rectangulares
Marque el punto con coordenadas cilíndricas $\left(4, \frac{2\pi}{3}, -2\right)$ y exprese su ubicación en coordenadas rectangulares.

◯ **Solución**
La conversión de coordenadas cilíndricas a coordenadas rectangulares requiere una simple aplicación de las ecuaciones enumeradas en <u>Conversión entre coordenadas cilíndricas y cartesianas</u>:

$$\begin{aligned} x &= r\cos\theta = 4\cos\frac{2\pi}{3} = -2 \\ y &= r\,\mathrm{sen}\,\theta = 4\,\mathrm{sen}\,\frac{2\pi}{3} = 2\sqrt{3} \\ z &= -2. \end{aligned}$$

El punto con coordenadas cilíndricas $\left(4, \frac{2\pi}{3}, -2\right)$ tiene coordenadas rectangulares $\left(-2, 2\sqrt{3}, -2\right)$ (vea la siguiente figura).

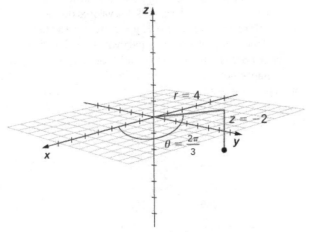

Figura 2.93 La proyección del punto en el plano *xy* es de 4 unidades desde el origen. La línea que va del origen a la proyección del punto forma un ángulo de $\frac{2\pi}{3}$ con el eje *x* positivo. El punto se encuentra 2 unidades por debajo del plano *xy*.

☑　2.55　El punto R tiene las coordenadas cilíndricas $\left(5, \frac{\pi}{6}, 4\right)$. Trace R y describa su ubicación en el espacio utilizando coordenadas rectangulares o cartesianas.

Si este proceso le resulta familiar, hay una razón para esto. Este es exactamente el mismo proceso que seguimos en <u>Introducción a ecuaciones paramétricas y coordenadas polares</u> para convertir de coordenadas polares a coordenadas rectangulares bidimensionales.

EJEMPLO 2.61

Convertir de coordenadas rectangulares a cilíndricas
Convierta las coordenadas rectangulares $(1, -3, 5)$ a coordenadas cilíndricas.

◯ **Solución**
Utilice el segundo conjunto de ecuaciones de <u>Conversión entre coordenadas cilíndricas y cartesianas</u> para convertir de coordenadas rectangulares a cilíndricas:

$$\begin{aligned} r^2 &= x^2 + y^2 \\ r &= \pm\sqrt{1^2 + (-3)^2} = \pm\sqrt{10}. \end{aligned}$$

Elegimos la raíz cuadrada positiva, por lo que $r = \sqrt{10}$. Ahora, aplicamos la fórmula para hallar θ. En este caso, y es negativo y x es positivo, lo que significa que debemos seleccionar el valor de θ entre $\frac{3\pi}{2}$ y 2π:

$$\tan \theta = \frac{y}{x} = \frac{-3}{1}$$
$$\theta = \arctan(-3) \approx 5{,}03 \text{ rad.}$$

En este caso, las coordenadas z son las mismas en coordenadas rectangulares y cilíndricas:

$$z = 5.$$

El punto con coordenadas rectangulares $(1, -3, 5)$ tiene coordenadas cilíndricas aproximadamente iguales a $\left(\sqrt{10}, 5{,}03, 5\right)$.

☑ 2.56   Convierta los puntos $(-8, 8, -7)$ de coordenadas cartesianas a coordenadas cilíndricas.

El uso de coordenadas cilíndricas es habitual en campos como la física. Los físicos que estudian las cargas eléctricas y los condensadores utilizados para almacenarlas han descubierto que estos sistemas a veces tienen una simetría cilíndrica. Estos sistemas tienen complicadas ecuaciones de modelado en el sistema de coordenadas cartesianas, lo que dificulta su descripción y análisis. A menudo, las ecuaciones pueden expresarse en términos más sencillos utilizando coordenadas cilíndricas. Por ejemplo, el cilindro descrito por la ecuación $x^2 + y^2 = 25$ en el sistema cartesiano puede representarse mediante la ecuación cilíndrica $r = 5$.

EJEMPLO 2.62

Identificar superficies en el sistema de coordenadas cilíndricas

Describa las superficies con las ecuaciones cilíndricas dadas.

a. $\theta = \frac{\pi}{4}$
b. $r^2 + z^2 = 9$
c. $z = r$

⊘ **Solución**

a. Cuando el ángulo θ se mantiene constante mientras r y z pueden variar, el resultado es un semiplano (vea la siguiente figura).

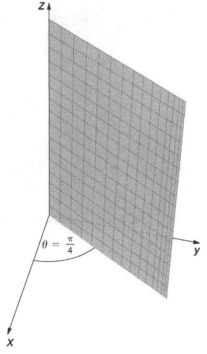

Figura 2.94 En coordenadas polares, la ecuación $\theta = \pi/4$ describe la raya que se extiende en diagonal a través del primer cuadrante. En tres dimensiones, esta misma ecuación describe un semiplano.

b. Sustituya $r^2 = x^2 + y^2$ en la ecuación $r^2 + z^2 = 9$ para expresar la forma rectangular de la ecuación $x^2 + y^2 + z^2 = 9$. Esta ecuación describe una esfera centrada en el origen con radio 3 (vea la siguiente figura).

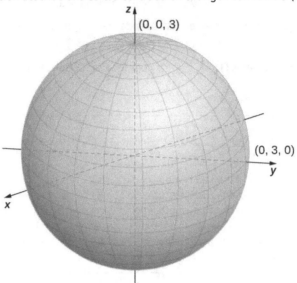

Figura 2.95 La esfera centrada en el origen con radio 3 puede describirse mediante la ecuación cilíndrica $r^2 + z^2 = 9$.

c. Para describir la superficie definida por la ecuación $z = r$, es útil examinar las trazas paralelas al plano xy. Por ejemplo, la traza en el plano $z = 1$ es un círculo $r = 1$, la traza en el plano $z = 3$ es un círculo $r = 3$, y así sucesivamente. Cada traza es un círculo. Como el valor de z aumenta, el radio del círculo también lo hace. La superficie resultante es un cono (vea la siguiente figura)

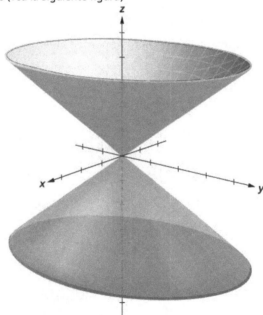

Figura 2.96 Las trazas en planos paralelos al plano xy son círculos. El radio de los círculos aumenta a medida que z lo hace.

✓ 2.57   Describa la superficie con la ecuación cilíndrica $r = 6$.

Coordenadas esféricas

En el sistema de coordenadas cartesianas, la ubicación de un punto en el espacio se describe mediante una triple ordenada en el que cada coordenada representa una distancia. En el sistema de coordenadas cilíndricas, la ubicación de un punto en el espacio se describe mediante dos distancias (r y z) y una medida de ángulo (θ). En el sistema de coordenadas esféricas, volvemos a utilizar una triple ordenada para describir la ubicación de un punto en el espacio. En este caso, la triple describe una distancia y dos ángulos. Las coordenadas esféricas facilitan la descripción de una esfera, al igual que las coordenadas cilíndricas facilitan la descripción de un cilindro. Las líneas de cuadrícula para las coordenadas esféricas se basan en las medidas de los ángulos, como las de las coordenadas polares.

Definición

En el **sistema de coordenadas esféricas**, un punto P en el espacio (Figura 2.97) está representado por la triple ordenada (ρ, θ, φ) donde

- ρ (la letra griega rho) es la distancia entre P y el origen ($\rho \neq 0$);
- θ es el mismo ángulo utilizado para describir la ubicación en coordenadas cilíndricas;
- φ (la letra griega phi) es el ángulo formado por el eje z positivo y el segmento de línea $\overline{OP}$, donde O es el origen y $0 \leq \varphi \leq \pi$.

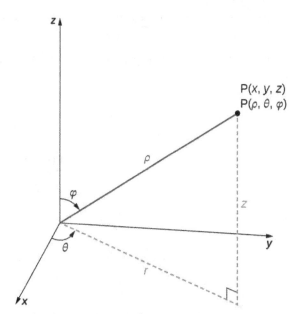

Figura 2.97   La relación entre las coordenadas esféricas, rectangulares y cilíndricas.

Por convención, el origen se representa como $(0, 0, 0)$ en coordenadas esféricas.

Teorema 2.16

Conversión entre coordenadas esféricas, cilíndricas y rectangulares

Las coordenadas rectangulares (x, y, z) y las coordenadas esféricas (ρ, θ, φ) de un punto se relacionan de la siguiente manera:

$$x = \rho\,\text{sen}\,\varphi\cos\theta$$
$$y = \rho\,\text{sen}\,\varphi\,\text{sen}\,\theta$$
$$z = \rho\cos\varphi$$

Estas ecuaciones se utilizan para convertir de coordenadas esféricas a coordenadas cilíndricas.

$$\rho^2 = x^2 + y^2 + z^2$$
$$\tan\theta = \frac{y}{x}$$
$$\varphi = \arccos\left(\frac{z}{\sqrt{x^2+y^2+z^2}}\right).$$

Estas ecuaciones se utilizan para convertir de coordenadas rectangulares a coordenadas esféricas.

Si un punto tiene coordenadas cilíndricas (r, θ, z), entonces estas ecuaciones definen la relación entre las coordenadas cilíndricas y esféricas.

$$r = \rho \operatorname{sen} \varphi$$ Estas ecuaciones se utilizan para convertir de
$$\theta = \theta$$ coordenadas esféricas a coordenadas
$$z = \rho \cos \varphi$$ cilíndricas.

y

$$\rho = \sqrt{r^2 + z^2}$$ Estas ecuaciones se utilizan para convertir de
$$\theta = \theta$$ coordenadas cilíndricas a coordenadas
$$\varphi = \arccos\left(\frac{z}{\sqrt{r^2+z^2}}\right)$$ esféricas.

Las fórmulas para convertir las coordenadas esféricas en coordenadas rectangulares pueden parecer complejas, pero son aplicaciones sencillas de la trigonometría. Mirando la Figura 2.98, es fácil ver que $r = \rho \operatorname{sen} \varphi$. Entonces, mirando el triángulo en el plano xy con r como su hipotenusa, tenemos $x = r \cos \theta = \rho \operatorname{sen} \varphi \cos \theta$. La derivación de la fórmula de y es similar. La Figura 2.96 también muestra que $\rho^2 = r^2 + z^2 = x^2 + y^2 + z^2$ y $z = \rho \cos \varphi$. Resolviendo esta última ecuación para φ y, a continuación, sustituyendo $\rho = \sqrt{r^2 + z^2}$ (a partir de la primera ecuación) da como resultado $\varphi = \arccos\left(\frac{z}{\sqrt{r^2+z^2}}\right)$. Además, observe que, como antes, hay que tener cuidado al utilizar la fórmula $\tan \theta = \frac{y}{x}$ para elegir el valor correcto de θ.

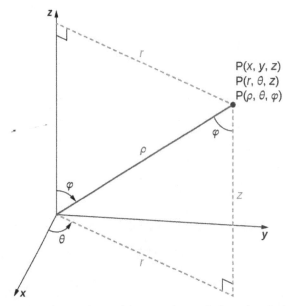

Figura 2.98 Las ecuaciones que convierten de un sistema a otro se derivan de relaciones de triángulo rectángulo.

Como hicimos con las coordenadas cilíndricas, consideremos las superficies que se generan cuando cada una de las coordenadas se mantiene constante. Supongamos que c es una constante y consideremos las superficies de la forma $\rho = c$. Los puntos de estas superficies están a una distancia fija del origen y forman una esfera. La coordenada θ en el sistema de coordenadas esféricas es la misma que en el sistema de coordenadas cilíndricas, por lo que las superficies de la forma $\theta = c$ son semiplanos, como antes. Por último, consideremos las superficies de la forma $\varphi = c$. Los puntos de estas superficies tienen un ángulo fijo respecto al eje z y forman un semicono (Figura 2.99).

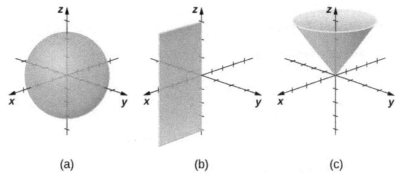

| (a) | (b) | (c) |

Figura 2.99 En coordenadas esféricas, las superficies de la forma $\rho = c$ son esferas de radio ρ (a), superficies de la forma $\theta = c$ son semiplanos en ángulo θ desde el eje x (b) y superficies de la forma $\phi = c$ son semiconos en ángulo ϕ desde el eje z (c).

EJEMPLO 2.63

Convertir de coordenadas esféricas

Trace el punto con coordenadas esféricas $\left(8, \frac{\pi}{3}, \frac{\pi}{6}\right)$ y exprese su ubicación en coordenadas rectangulares y cilíndricas.

⊘ **Solución**

Utilice las ecuaciones en <u>Conversión entre coordenadas esféricas, cilíndricas y rectangulares</u> para traducir entre coordenadas esféricas y cilíndricas (<u>Figura 2.100</u>):

$$x = \rho \operatorname{sen} \varphi \cos \theta = 8 \operatorname{sen}\left(\tfrac{\pi}{6}\right) \cos\left(\tfrac{\pi}{3}\right) = 8\left(\tfrac{1}{2}\right)\tfrac{1}{2} = 2$$

$$y = \rho \operatorname{sen} \varphi \operatorname{sen} \theta = 8 \operatorname{sen}\left(\tfrac{\pi}{6}\right) \operatorname{sen}\left(\tfrac{\pi}{3}\right) = 8\left(\tfrac{1}{2}\right)\tfrac{\sqrt{3}}{2} = 2\sqrt{3}$$

$$z = \rho \cos \varphi = 8 \cos\left(\tfrac{\pi}{6}\right) = 8\left(\tfrac{\sqrt{3}}{2}\right) = 4\sqrt{3}.$$

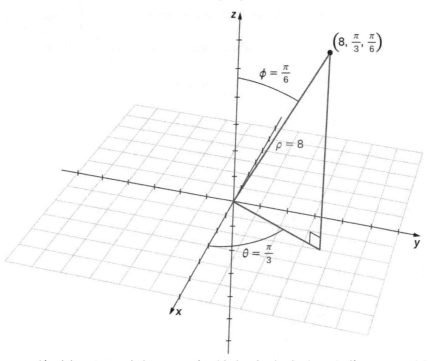

Figura 2.100 La proyección del punto en el plano xy es 4 unidades desde el origen. La línea que va del origen a la proyección del punto forma un ángulo de $\pi/3$ con el eje x positivo. El punto se encuentra $4\sqrt{3}$ unidades sobre el plano xy.

El punto con coordenadas esféricas $\left(8, \frac{\pi}{3}, \frac{\pi}{6}\right)$ tiene coordenadas rectangulares $\left(2, 2\sqrt{3}, 4\sqrt{3}\right)$.

Hallar los valores en coordenadas cilíndricas es igualmente sencillo:

$$\begin{aligned}
r &= \rho \operatorname{sen} \varphi = 8 \operatorname{sen} \frac{\pi}{6} = 4 \\
\theta &= \theta \\
z &= \rho \cos \varphi = 8 \cos \frac{\pi}{6} = 4\sqrt{3}.
\end{aligned}$$

Así, las coordenadas cilíndricas del punto son $\left(4, \frac{\pi}{3}, 4\sqrt{3}\right)$.

☑ 2.58   Trace el punto con coordenadas esféricas $\left(2, -\frac{5\pi}{6}, \frac{\pi}{6}\right)$ y describa su ubicación en coordenadas rectangulares y cilíndricas.

EJEMPLO 2.64

Convertir de coordenadas rectangulares
Convierta las coordenadas rectangulares $\left(-1, 1, \sqrt{6}\right)$ a las coordenadas esféricas y cilíndricas.

⊘ **Solución**
Comience convirtiendo las coordenadas rectangulares en esféricas:

$$\rho^2 = x^2 + y^2 + z^2 = (-1)^2 + 1^2 + \left(\sqrt{6}\right)^2 = 8 \qquad \tan\theta = \frac{1}{-1}$$
$$\rho = 2\sqrt{2} \qquad\qquad \theta = \arctan(-1) = \frac{3\pi}{4}.$$

Dado que $(x, y) = (-1, 1)$, entonces la opción correcta para θ es $\frac{3\pi}{4}$.

En realidad hay dos formas de identificar φ. Podemos utilizar la ecuación $\varphi = \arccos\left(\frac{z}{\sqrt{x^2+y^2+z^2}}\right)$. Sin embargo, un enfoque más sencillo es utilizar la ecuación $z = \rho \cos\varphi$. Sabemos que $z = \sqrt{6}$ y $\rho = 2\sqrt{2}$, así que

$$\sqrt{6} = 2\sqrt{2} \cos\varphi, \text{ por lo que } \cos\varphi = \frac{\sqrt{6}}{2\sqrt{2}} = \frac{\sqrt{3}}{2}$$

y por lo tanto $\varphi = \frac{\pi}{6}$. Las coordenadas esféricas del punto son $\left(2\sqrt{2}, \frac{3\pi}{4}, \frac{\pi}{6}\right)$.

Para hallar las coordenadas cilíndricas del punto, solo necesitamos hallar r:

$$r = \rho \operatorname{sen}\varphi = 2\sqrt{2} \operatorname{sen}\left(\frac{\pi}{6}\right) = \sqrt{2}.$$

Las coordenadas cilíndricas del punto son $\left(\sqrt{2}, \frac{3\pi}{4}, \sqrt{6}\right)$.

EJEMPLO 2.65

Identificar superficies en el sistema de coordenadas esféricas
Describa las superficies con las ecuaciones esféricas dadas.

a. $\theta = \frac{\pi}{3}$
b. $\varphi = \frac{5\pi}{6}$
c. $\rho = 6$
d. $\rho = \operatorname{sen}\theta \operatorname{sen}\varphi$

⊘ **Solución**

a. La variable θ representa la medida del mismo ángulo tanto en el sistema de coordenadas cilíndricas como en el esférico. Los puntos con coordenadas $\left(\rho, \frac{\pi}{3}, \varphi\right)$ se encuentran en el plano que forma el ángulo $\theta = \frac{\pi}{3}$ con el eje x positivo. Dado que $\rho > 0$, la superficie descrita por la ecuación $\theta = \frac{\pi}{3}$ es el semiplano que se muestra en la <u>Figura 2.101</u>.

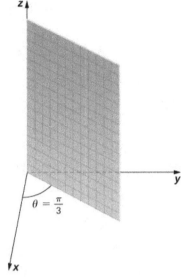

Figura 2.101   La superficie descrita por la ecuación $\theta = \frac{\pi}{3}$ es un semiplano.

b. La ecuación $\varphi = \frac{5\pi}{6}$ describe todos los puntos del sistema de coordenadas esféricas que se encuentran en una línea desde el origen que forma un ángulo que mide $\frac{5\pi}{6}$ rad con el eje z positivo. Estos puntos forman un semicono (<u>Figura 2.102</u>). Dado que solo hay un valor para φ que se mide desde el eje z positivo, no obtenemos el cono completo (con dos piezas)

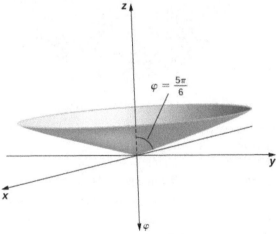

Figura 2.102   La ecuación $\varphi = \frac{5\pi}{6}$ describe un cono.

Para hallar la ecuación en coordenadas rectangulares, utilice la ecuación $\varphi = \arccos\left(\dfrac{z}{\sqrt{x^2+y^2+z^2}}\right)$.

$$\frac{5\pi}{6} = \arccos\left(\frac{z}{\sqrt{x^2+y^2+z^2}}\right)$$

$$\cos\frac{5\pi}{6} = \frac{z}{\sqrt{x^2+y^2+z^2}}$$

$$-\frac{\sqrt{3}}{2} = \frac{z}{\sqrt{x^2+y^2+z^2}}$$

$$\frac{3}{4} = \frac{z^2}{x^2+y^2+z^2}$$

$$\frac{3x^2}{4} + \frac{3y^2}{4} + \frac{3z^2}{4} = z^2$$

$$\frac{3x^2}{4} + \frac{3y^2}{4} - \frac{z^2}{4} = 0,$$

Esta es la ecuación de un cono centrado en el eje z.

c. La ecuación $\rho = 6$ describe el conjunto de todos los puntos 6 unidades desde el origen, una esfera de radio 6 (Figura 2.103)

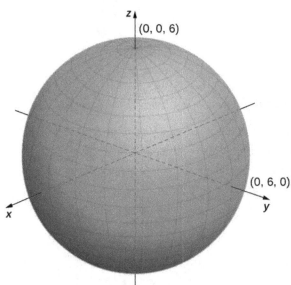

Figura 2.103   La ecuación $\rho = 6$ describe una esfera de radio 6.

d. Para identificar esta superficie, convierta la ecuación de coordenadas esféricas a rectangulares, utilizando las ecuaciones $y = \rho\,\mathrm{sen}\,\varphi\,\mathrm{sen}\,\theta$ y $\rho^2 = x^2 + y^2 + z^2$:

$$\rho = \mathrm{sen}\,\theta\,\mathrm{sen}\,\varphi$$

$$\rho^2 = \rho\,\mathrm{sen}\,\theta\,\mathrm{sen}\,\varphi \qquad \text{Multiplique ambos lados de la ecuación por } \rho.$$

$$x^2+y^2+z^2 = y \qquad \text{Sustituya las variables rectangulares utilizando las ecuaciones anteriores.}$$

$$x^2+y^2-y+z^2 = 0 \qquad \text{Reste } y \text{ de ambos lados de la ecuación.}$$

$$x^2+y^2-y+\tfrac{1}{4}+z^2 = \tfrac{1}{4} \qquad \text{Complete el cuadrado.}$$

$$x^2+\left(y-\tfrac{1}{2}\right)^2+z^2 = \tfrac{1}{4}. \qquad \text{Reescriba los términos medios como un cuadrado perfecto.}$$

La ecuación describe una esfera centrada en el punto $\left(0, \tfrac{1}{2}, 0\right)$ con radio $\tfrac{1}{2}$.

☑ 2.59   Describa las superficies definidas por las siguientes ecuaciones.

a. $\rho = 13$

b. $\theta = \frac{2\pi}{3}$

c. $\varphi = \frac{\pi}{4}$

Las coordenadas esféricas son útiles para analizar sistemas que tienen cierto grado de simetría en torno a un punto, como el volumen del espacio dentro de un estadio abovedado o la rapidez del viento en la atmósfera de un planeta. Una esfera que tiene la ecuación cartesiana $x^2 + y^2 + z^2 = c^2$ tiene la ecuación sencilla $\rho = c$ en coordenadas esféricas.

En geografía, la latitud y la longitud se utilizan para describir ubicaciones en la superficie de la Tierra, como se muestra en la Figura 2.104. Aunque la forma de la Tierra no es una esfera perfecta, utilizamos coordenadas esféricas para comunicar la ubicación de los puntos en la Tierra. Supongamos que la Tierra tiene la forma de una esfera con radio 4.000 millas. Expresamos las medidas de los ángulos en grados y no en radianes porque la latitud y la longitud se miden en grados.

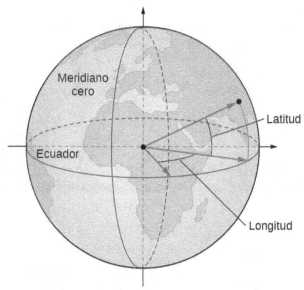

Figura 2.104   En el sistema de latitud-longitud, los ángulos describen la ubicación de un punto de la Tierra en relación con el ecuador y el primer meridiano.

Supongamos que el centro de la Tierra es el centro de la esfera, con la raya desde el centro a través del Polo Norte representando el eje *z* positivo. El primer meridiano representa la traza de la superficie en su intersección con el plano *xz*. El ecuador es la traza de la esfera que interseca el plano *xy*.

EJEMPLO 2.66

Convertir de latitud y longitud a coordenadas esféricas
La latitud de Columbus, Ohio, es 40° N y la longitud es 83° O, lo que significa que Columbus está 40° al norte del ecuador. Imagine una raya desde el centro de la Tierra a través de Columbus y una raya desde el centro de la Tierra a través del ecuador directamente al sur de Columbus. La medida del ángulo formado por las rayas es 40°. De la misma manera, midiendo desde el primer meridiano, Columbus se encuentra 83° al oeste. Exprese la ubicación de Columbus en coordenadas esféricas.

⊘ **Solución**
El radio de la Tierra es 4.000 millas, así que $\rho = 4.000$. La intersección del primer meridiano con el ecuador se encuentra en el eje *x* positivo. El movimiento hacia el oeste se describe entonces con medidas de ángulo negativo, lo que demuestra que $\theta = -83°$, Dado que Columbus está 40° al norte del ecuador, se encuentra 50° al sur del Polo Norte, así que $\varphi = 50°$. En coordenadas esféricas, Columbus se encuentra en el punto $(4.000, -83°, 50°)$.

☑ 2.60   Sídney, Australia, está a 34°S y 151°E. Exprese la ubicación de Sydney en coordenadas esféricas.

Las coordenadas cilíndricas y esféricas nos dan la flexibilidad de seleccionar un sistema de coordenadas apropiado para el problema en cuestión. Una elección meditada del sistema de coordenadas puede hacer que un problema sea mucho más fácil de resolver, mientras que una mala elección puede llevar a cálculos innecesariamente complejos. En el siguiente ejemplo, examinamos varios problemas diferentes y discutimos cómo seleccionar el mejor sistema de coordenadas para cada uno de ellos.

EJEMPLO 2.67

Elegir el mejor sistema de coordenadas

En cada una de las siguientes situaciones, determinamos qué sistema de coordenadas es el más adecuado y describimos cómo orientaríamos los ejes de coordenadas. Podría haber más de una respuesta correcta sobre cómo deben orientarse los ejes, pero seleccionamos una orientación que tenga sentido en el contexto del problema. *Nota*: No hay suficiente información para establecer o resolver estos problemas; simplemente seleccionamos el sistema de coordenadas (Figura 2.105).

a. Halle el centro de gravedad de una bola de boliche.
b. Determine la velocidad de un submarino sometido a una corriente oceánica.
c. Calcule la presión en un depósito de agua cónico.
d. Halle el volumen de petróleo que fluye por un oleoducto.
e. Determine la cantidad de cuero necesaria para hacer un balón de fútbol

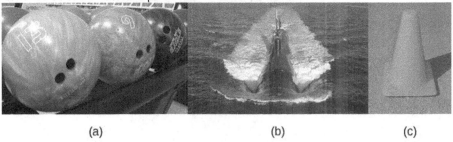

(a)   (b)   (c)

(d)   (e)

Figura 2.105   (créditos: (a) modificación del trabajo de scl hua, Wikimedia, (b) modificación del trabajo de DVIDSHUB, Flickr, (c) modificación del trabajo de Michael Malak, Wikimedia, (d) modificación del trabajo de Sean Mack, Wikimedia, (e) modificación del trabajo de Elvert Barnes, Flickr).

⊘ **Solución**

a. Evidentemente, una bola de boliche es una esfera, por lo que las coordenadas esféricas serían probablemente las más adecuadas en este caso. El origen debe situarse en el centro físico de la bola. No hay una opción obvia para la orientación de los ejes *x*, *y* y *z*. Las bolas de boliche normalmente tienen un bloque de peso en el centro. Una opción posible es alinear el eje *z* con el eje de simetría del bloque de peso.
b. Un submarino se mueve generalmente en línea recta. No hay simetría rotacional o esférica que se aplique en esta situación, por lo que las coordenadas rectangulares son una buena opción. El eje *z* probablemente debería apuntar hacia arriba. El eje *x* y el eje *y* podrían alinearse para apuntar al este y al norte, respectivamente. El origen debe ser algún lugar físico conveniente, como la posición inicial del submarino o la ubicación de un puerto concreto.
c. Un cono tiene varios tipos de simetría. En coordenadas cilíndricas, un cono puede representarse mediante la ecuación $z = kr$, donde k es una constante. En coordenadas esféricas, hemos visto que las superficies de la forma $\varphi = c$ son semiconos. Por último, en coordenadas rectangulares, los conos elípticos son superficies cuádricas y pueden representarse mediante ecuaciones de la forma $z^2 = \dfrac{x^2}{a^2} + \dfrac{y^2}{b^2}$. En este caso, podríamos elegir cualquiera de los tres. Sin embargo, la ecuación de la superficie es más complicada en coordenadas rectangulares que en los otros dos sistemas, por lo que quizá queramos evitar esa opción. Además, estamos hablando de un tanque de agua, y la profundidad del agua podría entrar en juego en algún momento de nuestros cálculos, por lo que sería bueno

tener una componente que represente la altura y la profundidad directamente. Según este razonamiento, las coordenadas cilíndricas podrían ser la mejor opción. Elija el eje *z* para alinearlo con el eje del cono. La orientación de los otros dos ejes es arbitraria. El origen debe ser el punto inferior del cono.

d. Una tubería es un cilindro, por lo que las coordenadas cilíndricas serían la mejor opción. En este caso, sin embargo, probablemente elegiríamos orientar nuestro eje *z* con el eje central de la tubería. El eje *x* puede elegirse para que apunte directamente hacia abajo o hacia alguna otra dirección lógica. El origen debe elegirse en función del planteamiento del problema. Tenga en cuenta que esto pone el eje *z* en una orientación horizontal, que es un poco diferente de lo que solemos hacer. Puede tener sentido elegir una orientación inusual para los ejes si tiene sentido para el problema.

e. Un balón de fútbol tiene simetría rotacional en torno a un eje central, por lo que las coordenadas cilíndricas serían las más adecuadas. El eje *z* debe alinearse con el eje del balón. El origen puede ser el centro del balón o quizás uno de los extremos. La posición del eje *x* es arbitraria.

2.61   ¿Cuál sistema de coordenadas es el más apropiado para crear un mapa estelar, visto desde la Tierra? (Vea la siguiente figura).

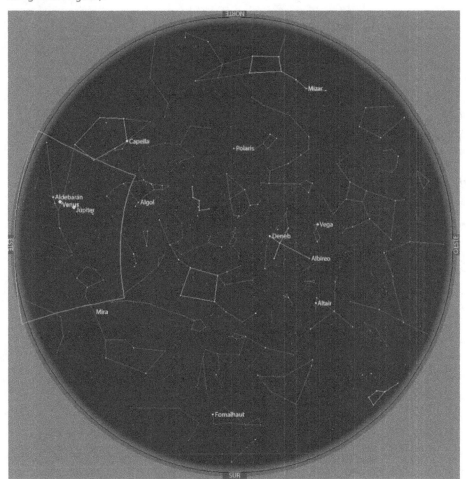

¿Cómo debemos orientar los ejes de coordenadas?

SECCIÓN 2.7 EJERCICIOS

Utilice la siguiente figura como ayuda para identificar la relación entre los sistemas de coordenadas rectangulares, cilíndricas y esféricas.

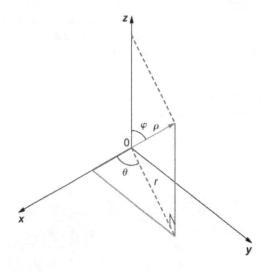

En los siguientes ejercicios, se dan las coordenadas cilíndricas (r, θ, z) de un punto. Halle las coordenadas rectangulares (x, y, z) del punto.

363. $\left(4, \frac{\pi}{6}, 3\right)$ grandes.

364. $\left(3, \frac{\pi}{3}, 5\right)$ grandes.

365. $\left(4, \frac{7\pi}{6}, 3\right)$ grandes.

366. $(2, \pi, -4)$

En los siguientes ejercicios, se dan las coordenadas rectangulares (x, y, z) de un punto. Halle las coordenadas cilíndricas (r, θ, z) del punto.

367. $\left(1, \sqrt{3}, 2\right)$ grandes.

368. $(1, 1, 5)$ grandes.

369. $(3, -3, 7)$ grandes.

370. $\left(-2\sqrt{2}, 2\sqrt{2}, 4\right)$

En los siguientes ejercicios, se da la ecuación de una superficie en coordenadas cilíndricas.

Calcule la ecuación de la superficie en coordenadas rectangulares. Identifique y grafique la superficie.

371. **[T]** $r = 4$

372. **[T]** $z = r^2 \cos^2 \theta$

373. **[T]**
$r^2 \cos(2\theta) + z^2 + 1 = 0$

374. **[T]** $r = 3 \operatorname{sen} \theta$

375. **[T]** $r = 2 \cos \theta$

376. **[T]** $r^2 + z^2 = 5$

377. **[T]** $r = 2 \operatorname{s} \theta$

378. **[T]** $r = 3 \csc \theta$

En los siguientes ejercicios, se da la ecuación de una superficie en coordenadas rectangulares. Halle la ecuación de la superficie en coordenadas cilíndricas.

379. $z = 3$

380. $x = 6$

381. $x^2 + y^2 + z^2 = 9$

382. $y = 2x^2$

383. $x^2 + y^2 - 16x = 0$

384. $x^2 + y^2 - 3\sqrt{x^2 + y^2} + 2 = 0$

En los siguientes ejercicios, se dan las coordenadas esféricas (ρ, θ, φ) de un punto. Halle las coordenadas rectangulares (x, y, z) del punto.

385. $(3, 0, \pi)$ grandes.

386. $\left(1, \frac{\pi}{6}, \frac{\pi}{6}\right)$ grandes.

387. $\left(12, -\frac{\pi}{4}, \frac{\pi}{4}\right)$ grandes.

388. $\left(3, \frac{\pi}{4}, \frac{\pi}{6}\right)$

En los siguientes ejercicios, se dan las coordenadas rectangulares (x, y, z) de un punto. Halle las coordenadas esféricas (ρ, θ, φ) del punto. Exprese la medida de los ángulos en grados redondeados al entero más cercano.

389. $(4, 0, 0)$ grandes.

390. $(-1, 2, 1)$ grandes.

391. $(0, 3, 0)$ grandes.

392. $\left(-2, 2\sqrt{3}, 4\right)$

En los siguientes ejercicios, se da la ecuación de una superficie en coordenadas esféricas. Calcule la ecuación de la superficie en coordenadas rectangulares. Identifique y grafique la superficie.

393. **[T]** $\rho = 3$

394. **[T]** $\varphi = \frac{\pi}{3}$

395. **[T]** $\rho = 2\cos\varphi$

396. **[T]** $\rho = 4\csc\varphi$

397. **[T]** $\varphi = \frac{\pi}{2}$

398. **[T]** $\rho = 6\csc\varphi\sec\theta$

En los siguientes ejercicios, se da la ecuación de una superficie en coordenadas rectangulares. Halle la ecuación de la superficie en coordenadas esféricas. Identifique la superficie.

399. $x^2 + y^2 - 3z^2 = 0, z \neq 0$

400. $x^2 + y^2 + z^2 - 4z = 0$

401. $z = 6$

402. $x^2 + y^2 = 9$

En los siguientes ejercicios, se dan las coordenadas cilíndricas de un punto. Halle sus coordenadas esféricas asociadas, con la medida del ángulo φ en radianes redondeados a cuatro decimales.

403. **[T]** $\left(1, \frac{\pi}{4}, 3\right)$ grandes.

404. **[T]** $(5, \pi, 12)$ grandes.

405. $\left(3, \frac{\pi}{2}, 3\right)$ grandes.

406. $\left(3, -\frac{\pi}{6}, 3\right)$

En los siguientes ejercicios, se dan las coordenadas esféricas de un punto. Halle sus coordenadas cilíndricas asociadas.

407. $\left(2, -\frac{\pi}{4}, \frac{\pi}{2}\right)$ grandes.

408. $\left(4, \frac{\pi}{4}, \frac{\pi}{6}\right)$ grandes.

409. $\left(8, \frac{\pi}{3}, \frac{\pi}{2}\right)$ grandes.

410. $\left(9, -\frac{\pi}{6}, \frac{\pi}{3}\right)$

En los siguientes ejercicios, halle el sistema de coordenadas más adecuado para describir los sólidos.

411. El sólido situado en el primer octante con vértice en el origen y encerrado por un cubo de longitud de arista a, donde $a > 0$

412. Una capa esférica determinada por la región entre dos esferas concéntricas centradas en el origen, de radios a y b, respectivamente, donde $b > a > 0$

413. Una esfera interior sólida $x^2 + y^2 + z^2 = 9$ y cilindro exterior $\left(x - \frac{3}{2}\right)^2 + y^2 = \frac{9}{4}$

414. Una capa cilíndrica de altura 10 determinada por la región entre dos cilindros con el mismo centro, reglas paralelas y radios de 2 y 5, respectivamente

415. **[T]** Utilice un CAS para graficar en coordenadas cilíndricas la región entre el paraboloide elíptico $z = x^2 + y^2$ y el cono $x^2 + y^2 - z^2 = 0$.

416. **[T]** Utilice un CAS para graficar en coordenadas esféricas la "región del cono de helado" situada sobre el plano xy entre la esfera $x^2 + y^2 + z^2 = 4$ y cono elíptico $x^2 + y^2 - z^2 = 0$.

417. Washington, DC, se encuentra a 39° N y 77° O (vea la siguiente figura). Supongamos que el radio de la Tierra es 4.000 mi. Exprese la ubicación de Washington, DC, en coordenadas esféricas.

418. San Francisco se encuentra a 37,78°N y 122,42°O. Supongamos que el radio de la Tierra es 4.000 mi. Exprese la ubicación de San Francisco en coordenadas esféricas.

419. Halle la latitud y la longitud de Río de Janeiro si sus coordenadas esféricas son $(4.000, -43,17°, 102,91°)$.

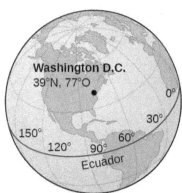

420. Halle la latitud y la longitud de Berlín si sus coordenadas esféricas son $(4.000, 13,38°, 37,48°)$.

421. **[T]** Considere el toro de la ecuación $\left(x^2 + y^2 + z^2 + R^2 - r^2\right)^2 = 4R^2\left(x^2 + y^2\right)$, donde $R \geq r > 0$.

a. Escriba la ecuación del toro en coordenadas esféricas.

b. Si los valores de $R = r$, la superficie se llama *toro de cuerno*. Demuestre que la ecuación de un toro de cuerno en coordenadas esféricas es $\rho = 2R$ sen φ.

c. Utilice un CAS para graficar el toro de cuerno con $R = r = 2$ en coordenadas esféricas.

422. **[T]** La "esfera con bultos" con una ecuación en coordenadas esféricas es $\rho = a + b\cos(m\theta)\text{sen}(n\varphi)$, con la $\theta \in [0, 2\pi]$ y $\varphi \in [0, \pi]$, donde a y b son números positivos y m y n son números enteros positivos, pueden utilizarse en matemáticas aplicadas para modelar el crecimiento de los tumores.

    a. Demuestre que la "esfera con bultos" está contenida dentro de una esfera de ecuación $\rho = a + b$. Halle los valores de θ y φ en la que se cruzan las dos superficies.

    b. Utilice un CAS para graficar la superficie para $a = 14$, $b = 2$, $m = 4$, y $n = 6$ junto con la esfera $\rho = a + b$.

    c. Halle la ecuación de la curva de intersección de la superficie en b. con el cono $\varphi = \frac{\pi}{12}$. Grafique la curva de intersección en el plano de intersección.

Revisión del capítulo

Términos clave

ángulos directores　los ángulos formados por un vector distinto de cero y los ejes de coordenadas

cilindro　un conjunto de líneas paralelas a una línea determinada que pasa por una curva determinada

componente　un escalar que describe la dirección vertical u horizontal de un vector

cono elíptico　una superficie tridimensional descrita por una ecuación de la forma $\frac{x^2}{a^2} + \frac{y^2}{b^2} - \frac{z^2}{c^2} = 0$; las trazas de esta superficie incluyen elipses y líneas de intersección

cosenos directores　los cosenos de los ángulos formados por un vector distinto de cero y los ejes de coordenadas

desigualdad triangular　la longitud de cualquier lado de un triángulo es menor que la suma de las longitudes de los otros dos lados

determinante　un número real asociado a una matriz cuadrada

diferencia de vectores　la diferencia de vectores $\mathbf{v} - \mathbf{w}$ se define como $\mathbf{v} + (-\mathbf{w}) = \mathbf{v} + (-1)\mathbf{w}$

ecuación escalar de un plano　la ecuación $a(x - x_0) + b(y - y_0) + c(z - z_0) = 0$ utilizada para describir un plano que contiene un punto $P = (x_0, y_0, z_0)$ con vector normal $\mathbf{n} = \langle a, b, c \rangle$ o su forma alternativa $ax + by + cz + d = 0$, donde $d = -ax_0 - by_0 - cz_0$

ecuación estándar de una esfera　$(x - a)^2 + (y - b)^2 + (z - c)^2 = r^2$ describe una esfera con centro (a, b, c) y radio r

ecuación vectorial de un plano　la ecuación $\mathbf{n} \cdot \overrightarrow{PQ} = 0$, donde P es un punto dado en el plano, Q es un punto cualquiera del plano, y $\mathbf{n}$ es un vector normal del plano

ecuación vectorial de una línea　la ecuación $\mathbf{r} = \mathbf{r}_0 + t\mathbf{v}$ utilizada para describir una línea con vector director $\mathbf{v} = \langle a, b, c \rangle$ que pasa por el punto $P = (x_0, y_0, z_0)$, donde $\mathbf{r}_0 = \langle x_0, y_0, z_0 \rangle$, es el vector de posición del punto P

ecuaciones paramétricas de una línea　el conjunto de ecuaciones $x = x_0 + ta$, $y = y_0 + tb$, y $z = z_0 + tc$ que describe la línea con el vector director $\mathbf{v} = \langle a, b, c \rangle$ que pasa por el punto (x_0, y_0, z_0)

ecuaciones simétricas de una línea　las ecuaciones $\frac{x - x_0}{a} = \frac{y - y_0}{b} = \frac{z - z_0}{c}$ que describe la línea con el vector director $\mathbf{v} = \langle a, b, c \rangle$ que pasa por el punto (x_0, y_0, z_0)

elipsoide　una superficie tridimensional descrita por una ecuación de la forma $\frac{x^2}{a^2} + \frac{y^2}{b^2} + \frac{z^2}{c^2} = 1$; todos los trazos de esta superficie son elipses

escalar　un número real

esfera　el conjunto de todos los puntos que equidistan de un punto determinado conocido como *centro*

forma general de la ecuación de un plano　una ecuación de la forma $ax + by + cz + d = 0$, donde $\mathbf{n} = \langle a, b, c \rangle$ es un vector normal del plano, $P = (x_0, y_0, z_0)$ es un punto del plano, y $d = -ax_0 - by_0 - cz_0$

hiperboloide de dos hojas　una superficie tridimensional descrita por una ecuación de la forma $\frac{z^2}{c^2} - \frac{x^2}{a^2} - \frac{y^2}{b^2} = 1$; las trazas de esta superficie incluyen elipses e hipérbolas

hiperboloide de una hoja　una superficie tridimensional descrita por una ecuación de la forma $\frac{x^2}{a^2} + \frac{y^2}{b^2} - \frac{z^2}{c^2} = 1$; las trazas de esta superficie incluyen elipses e hipérbolas

líneas sesgadas　dos líneas que no son paralelas pero que no se intersecan

magnitud　la longitud de un vector

método de paralelogramos　un método para hallar la suma de dos vectores; colocar los vectores de manera que compartan el mismo punto inicial; los vectores forman entonces dos lados adyacentes de un paralelogramo; la suma de los vectores es la diagonal de ese paralelogramo

método triangular　un método para hallar la suma de dos vectores; posicionar los vectores de manera que el punto terminal de un vector sea el punto inicial del otro; estos vectores forman entonces dos lados de un triángulo; la suma de los vectores es el vector que forma el tercer lado; el punto inicial de la suma es el punto inicial del primer vector; el punto terminal de la suma es el punto terminal del segundo vector

multiplicación escalar　una operación vectorial que define el producto de un escalar por un vector

normalización　utilizar la multiplicación escalar parahallar un vector unitario con una dirección determinada

octantes　las ocho regiones del espacio creadas por los planos de coordenadas

paraboloide elíptico　una superficie tridimensional descrita por una ecuación de la forma $z = \frac{x^2}{a^2} + \frac{y^2}{b^2}$; las trazas de esta superficie incluyen elipses y parábolas

paralelepípedo　un prisma tridimensional con seis caras que son paralelogramos

plano de coordenadas　plano que contiene dos de los tres ejes de coordenadas en el sistema de coordenadas tridimensional, denominado por los ejes que contiene: el plano xy, el plano xz o el plano yz

producto escalar　$\mathbf{u} \cdot \mathbf{v} = u_1 v_1 + u_2 v_2 + u_3 v_3$ donde $\mathbf{u} = \langle u_1, u_2, u_3 \rangle$ y $\mathbf{v} = \langle v_1, v_2, v_3 \rangle$

producto vectorial　el producto vectorial de dos vectores

producto vectorial $\mathbf{u} \times \mathbf{v} = (u_2 v_3 - u_3 v_2)\mathbf{i} - (u_1 v_3 - u_3 v_1)\mathbf{j} + (u_1 v_2 - u_2 v_1)\mathbf{k}$, donde $\mathbf{u} = \langle u_1, u_2, u_3 \rangle$ y
$\mathbf{v} = \langle v_1, v_2, v_3 \rangle$

proyección de vectores la componente de un vector que sigue una dirección determinada

proyección escalar la magnitud de la proyección de un vector

punto inicial el punto de partida de un vector

punto terminal el punto final de un vector

regla de la mano derecha una forma común de definir la orientación del sistema de coordenadas tridimensional; cuando la mano derecha se curva alrededor del eje z de tal manera que los dedos se curvan desde el eje x positivo hasta el eje y positivo, el pulgar apunta en la dirección del eje z positivo

reglas líneas paralelas que forman una superficie cilíndrica

sistema de coordenadas cilíndricas una forma de describir una ubicación en el espacio con una triple ordenada (r, θ, z), donde (r, θ) representa las coordenadas polares de la proyección del punto en el plano xy y z representa la proyección del punto sobre el eje z

sistema de coordenadas esféricas una forma de describir una ubicación en el espacio con una triple ordenada (ρ, θ, φ), donde ρ es la distancia entre P y el origen $(\rho \neq 0)$, θ es el mismo ángulo utilizado para describir la ubicación en coordenadas cilíndricas y φ es el ángulo formado por el eje z positivo y el segmento de línea $\overline{OP}$, donde O es el origen y $0 \leq \varphi \leq \pi$

sistema de coordenadas rectangulares tridimensionales sistema de coordenadas definido por tres líneas que se cruzan en ángulos rectos; cada punto del espacio está descrito por un triple ordenado (x, y, z) que traza su ubicación con respecto a los ejes definitorios

suma de vectores una operación vectorial que define la suma de dos vectores

suma vectorial la suma de dos vectores, $\mathbf{v}$ y $\mathbf{w}$, se puede construir gráficamente colocando el punto inicial de $\mathbf{w}$ en el punto terminal de $\mathbf{v}$; entonces la suma de vectores $\mathbf{v} + \mathbf{w}$ es el vector con un punto inicial que coincide con el punto inicial de $\mathbf{v}$, y con un punto terminal que coincide con el punto terminal de $\mathbf{w}$

superficie cuádrica superficies en tres dimensiones que tienen la propiedad de que las trazas de la superficie son secciones cónicas (elipses, hipérbolas y parábolas)

torque el efecto de una fuerza que hace girar un objeto

trabajo realizado por una fuerza el trabajo se considera generalmente como la cantidad de energía que se necesita para mover un objeto; si representamos una fuerza aplicada por un vector $\mathbf{F}$ y el desplazamiento de un objeto por un vector $\mathbf{s}$, entonces el trabajo realizado por la fuerza es el producto escalar de $\mathbf{F}$ y $\mathbf{s}$.

traza la intersección de una superficie tridimensional con un plano de coordenadas

triple producto escalar el producto escalar de un vector por el producto vectorial de otros dos vectores $\mathbf{u} . (\mathbf{v} \times \mathbf{w})$

vector un objeto matemático que tiene magnitud y dirección

vector cero el vector con punto inicial y punto terminal $(0, 0)$

vector director un vector paralelo a una línea que se utiliza para describir la dirección, o la orientación, de la línea en el espacio

vector en posición estándar un vector con punto inicial $(0, 0)$

vector normal un vector perpendicular a un plano

vector unitario un vector con magnitud 1

vectores equivalentes vectores que tienen la misma magnitud y la misma dirección

vectores normales unitarios vectores unitarios a lo largo de los ejes de coordenadas: $\mathbf{i} = \langle 1, 0 \rangle, \mathbf{j} = \langle 0, 1 \rangle$

vectores ortogonales vectores que forman un ángulo recto cuando se colocan en posición estándar

Ecuaciones clave

Distancia entre dos puntos en el espacio: $d = \sqrt{(x_2 - x_1)^2 + (y_2 - y_1)^2 + (z_2 - z_1)^2}$

Esfera con centro (a, b, c) **y radio** r: $(x - a)^2 + (y - b)^2 + (z - c)^2 = r^2$

Producto escalar de u y v
$$\mathbf{u} . \mathbf{v} = u_1 v_1 + u_2 v_2 + u_3 v_3$$
$$= \|\mathbf{u}\| \|\mathbf{v}\| \cos \theta$$

Coseno del ángulo formado por u y v $\cos \theta = \frac{\mathbf{u} . \mathbf{v}}{\|\mathbf{u}\| \|\mathbf{v}\|}$

Proyección de vectores de v sobre u	$\text{proj}_{\mathbf{u}}\mathbf{v} = \frac{\mathbf{u}.\mathbf{v}}{\|\mathbf{u}\|^2}\mathbf{u}$
Proyección escalar de v sobre u	$\text{comp}_{\mathbf{u}}\mathbf{v} = \frac{\mathbf{u}.\mathbf{v}}{\|\mathbf{u}\|}$
Trabajo realizado por una fuerza F para mover un objeto a través del vector de desplazamiento $\overrightarrow{PQ}$	$W = \mathbf{F}.\overrightarrow{PQ} = \|\mathbf{F}\|\,\|\overrightarrow{PQ}\|\cos\theta$
El producto vectorial de dos vectores en términos de los vectores unitarios	$\mathbf{u}\times\mathbf{v} = (u_2 v_3 - u_3 v_2)\mathbf{i} - (u_1 v_3 - u_3 v_1)\mathbf{j} + (u_1 v_2 - u_2 v_1)\mathbf{k}$
Ecuación vectorial de una línea	$\mathbf{r} = \mathbf{r}_0 + t\mathbf{v}$
Ecuaciones paramétricas de una línea	$\frac{x-x_0}{a} = \frac{y-y_0}{b} = \frac{z-z_0}{c}$
Ecuación vectorial de un plano	$\mathbf{n}.\overrightarrow{PQ} = 0$
Ecuación escalar de un plano	$a(x-x_0) + b(y-y_0) + c(z-z_0) = 0$
Distancia entre un plano y un punto	$d = \left\|\text{proj}_{\mathbf{n}}\overrightarrow{QP}\right\| = \left\|\text{comp}_{\mathbf{n}}\overrightarrow{QP}\right\| = \frac{\left\|\overrightarrow{QP}.\mathbf{n}\right\|}{\|\mathbf{n}\|}$

Conceptos clave

2.1 Vectores en el plano

- Los vectores se utilizan para representar cantidades que tienen tanto magnitud como dirección.
- Podemos sumar vectores utilizando el método de paralelogramos o el método triangular para hallar la suma. Podemos multiplicar un vector por un escalar para cambiar su longitud o darle el sentido opuesto.
- La resta de vectores se define en términos de sumar el negativo del vector.
- Un vector se escribe en forma de componentes como $\mathbf{v} = \langle x, y\rangle$.
- La magnitud de un vector es un escalar $\|\mathbf{v}\| = \sqrt{x^2 + y^2}$.
- Un vector unitario $\mathbf{u}$ tiene una magnitud 1 y se puede hallar dividiendo un vector entre su magnitud: $\mathbf{u} = \frac{1}{\|\mathbf{v}\|}\mathbf{v}$. Los vectores normales unitarios son $\mathbf{i} = \langle 1, 0\rangle$ y $\mathbf{j} = \langle 0, 1\rangle$. Un vector $\mathbf{v} = \langle x, y\rangle$ puede expresarse en términos de los vectores normales unitarios como $\mathbf{v} = x\mathbf{i} + y\mathbf{j}$.
- Los vectores se utilizan a menudo en física e ingeniería para representar fuerzas y velocidades, entre otras cantidades.

2.2 Vectores en tres dimensiones

- El sistema de coordenadas tridimensional se construye en torno a un conjunto de tres ejes que se intersecan en ángulo recto en un único punto, el origen. Triples ordenados (x, y, z) se utilizan para describir la ubicación de un punto en el espacio.
- La distancia d entre los puntos (x_1, y_1, z_1) y (x_2, y_2, z_2) está dada por la fórmula
$$d = \sqrt{(x_2 - x_1)^2 + (y_2 - y_1)^2 + (z_2 - z_1)^2}.$$
- En tres dimensiones, las ecuaciones $x = a, y = b,$ y $z = c$ describen planos que son paralelos a los planos de coordenadas.
- La ecuación estándar de una esfera con centro (a, b, c) y radio r es
$$(x-a)^2 + (y-b)^2 + (z-c)^2 = r^2.$$
- En tres dimensiones, al igual que en dos, los vectores suelen expresarse en forma de componentes, $\mathbf{v} = \langle x, y, z\rangle$, o en términos de los vectores normales unitarios, $x\mathbf{i} + y\mathbf{j} + z\mathbf{k}$.
- Las propiedades de los vectores en el espacio son una extensión natural de las propiedades de los vectores en el

plano. Supongamos que $\mathbf{v} = \langle x_1, y_1, z_1 \rangle$ y $\mathbf{w} = \langle x_2, y_2, z_2 \rangle$ son vectores y que k sea un escalar.

- **Multiplicación escalar:** $k\mathbf{v} = \langle kx_1, ky_1, kz_1 \rangle$
- **Suma de vectores:** $\mathbf{v} + \mathbf{w} = \langle x_1, y_1, z_1 \rangle + \langle x_2, y_2, z_2 \rangle = \langle x_1 + x_2, y_1 + y_2, z_1 + z_2 \rangle$
- **Resta de vectores:** $\mathbf{v} - \mathbf{w} = \langle x_1, y_1, z_1 \rangle - \langle x_2, y_2, z_2 \rangle = \langle x_1 - x_2, y_1 - y_2, z_1 - z_2 \rangle$
- **Magnitud del vector:** $\|\mathbf{v}\| = \sqrt{x_1{}^2 + y_1{}^2 + z_1{}^2}$
- **Vector unitario en la dirección de v:** $\frac{\mathbf{v}}{\|\mathbf{v}\|} = \frac{1}{\|\mathbf{v}\|}\langle x_1, y_1, z_1 \rangle = \left\langle \frac{x_1}{\|\mathbf{v}\|}, \frac{y_1}{\|\mathbf{v}\|}, \frac{z_1}{\|\mathbf{v}\|} \right\rangle, \mathbf{v} \neq \mathbf{0}$

2.3 El producto escalar

- El producto escalar de dos vectores $\mathbf{u} = \langle u_1, u_2, u_3 \rangle$ y $\mathbf{v} = \langle v_1, v_2, v_3 \rangle$ es $\mathbf{u}.\mathbf{v} = u_1 v_1 + u_2 v_2 + u_3 v_3$.
- El producto escalar satisface las siguientes propiedades:
  - $\mathbf{u}.\mathbf{v} = \mathbf{v}.\mathbf{u}$
  - $\mathbf{u}.(\mathbf{v} + \mathbf{w}) = \mathbf{u}.\mathbf{v} + \mathbf{u}.\mathbf{w}$
  - $c(\mathbf{u}.\mathbf{v}) = (c\mathbf{u}).\mathbf{v} = \mathbf{u}.(c\mathbf{v})$ grandes.
  - $\mathbf{v}.\mathbf{v} = \|\mathbf{v}\|^2$
- El producto escalar de dos vectores puede expresarse, de manera alternativa, como $\mathbf{u}.\mathbf{v} = \|\mathbf{u}\|\,\|\mathbf{v}\|\cos\theta$. Esta forma del producto escalar es útil para calcular la medida del ángulo formado por dos vectores.
- Los vectores $\mathbf{u}$ y $\mathbf{v}$ son ortogonales si $\mathbf{u}.\mathbf{v} = 0$.
- Los ángulos formados por un vector distinto de cero y los ejes de coordenadas se llaman *ángulos directores* del vector. Los cosenos de estos ángulos se conocen como *cosenos directores*.
- La proyección de vectores de $\mathbf{v}$ sobre $\mathbf{u}$ es el vector $\text{proj}_{\mathbf{u}}\mathbf{v} = \frac{\mathbf{u}.\mathbf{v}}{\|\mathbf{u}\|^2}\mathbf{u}$. La magnitud de este vector se conoce como la *proyección escalar* de $\mathbf{v}$ sobre $\mathbf{u}$, dada por $\text{comp}_{\mathbf{u}}\mathbf{v} = \frac{\mathbf{u}.\mathbf{v}}{\|\mathbf{u}\|}$.
- El trabajo se realiza cuando se aplica una fuerza a un objeto, provocando un desplazamiento. Cuando la fuerza está representada por el vector $\mathbf{F}$ y el desplazamiento por el vector $\mathbf{s}$, el trabajo realizado W está dado por la fórmula $W = \mathbf{F}.s = \|\mathbf{F}\|\,\|\mathbf{s}\|\cos\theta$.

2.4 El producto vectorial

- El producto cruz $\mathbf{u} \times \mathbf{v}$ de dos vectores $\mathbf{u} = \langle u_1, u_2, u_3 \rangle$ y $\mathbf{v} = \langle v_1, v_2, v_3 \rangle$ es un vector ortogonal a ambos $\mathbf{u}$ y $\mathbf{v}$. Su longitud está dada por $\|\mathbf{u} \times \mathbf{v}\| = \|\mathbf{u}\|.\|\mathbf{v}\|.\text{sen}\,\theta$, donde θ es el ángulo entre $\mathbf{u}$ y $\mathbf{v}$. Su dirección está dada por la regla de la mano derecha.
- La fórmula algebraica para calcular el producto vectorial de dos vectores,
  $\mathbf{u} = \langle u_1, u_2, u_3 \rangle$ y $\mathbf{v} = \langle v_1, v_2, v_3 \rangle$, es
  $\mathbf{u} \times \mathbf{v} = (u_2 v_3 - u_3 v_2)\mathbf{i} - (u_1 v_3 - u_3 v_1)\mathbf{j} + (u_1 v_2 - u_2 v_1)\mathbf{k}$.
- El producto vectorial satisface las siguientes propiedades para los vectores $\mathbf{u}, \mathbf{v},$ y $\mathbf{w},$ y escalar c:
  - $\mathbf{u} \times \mathbf{v} = -(\mathbf{v} \times \mathbf{u})$ grandes.
  - $\mathbf{u} \times (\mathbf{v} + \mathbf{w}) = \mathbf{u} \times \mathbf{v} + \mathbf{u} \times \mathbf{w}$
  - $c(\mathbf{u} \times \mathbf{v}) = (c\mathbf{u}) \times \mathbf{v} = \mathbf{u} \times (c\mathbf{v})$ grandes.
  - $\mathbf{u} \times \mathbf{0} = \mathbf{0} \times \mathbf{u} = \mathbf{0}$
  - $\mathbf{v} \times \mathbf{v} = \mathbf{0}$
  - $\mathbf{u}.(\mathbf{v} \times \mathbf{w}) = (\mathbf{u} \times \mathbf{v}).\mathbf{w}$
- El producto vectorial de los vectores $\mathbf{u} = \langle u_1, u_2, u_3 \rangle$ y $\mathbf{v} = \langle v_1, v_2, v_3 \rangle$ es el determinante $\begin{vmatrix} \mathbf{i} & \mathbf{j} & \mathbf{k} \\ u_1 & u_2 & u_3 \\ v_1 & v_2 & v_3 \end{vmatrix}$.
- Si los vectores $\mathbf{u}$ y $\mathbf{v}$ forman lados adyacentes de un paralelogramo, entonces el área del paralelogramo está dada por $\|\mathbf{u} \times \mathbf{v}\|$.
- El triple producto escalar de los vectores $\mathbf{u}, \mathbf{v},$ y $\mathbf{w}$ es $\mathbf{u}.(\mathbf{v} \times \mathbf{w})$.
- El volumen de un paralelepípedo con aristas adyacentes dadas por los vectores $\mathbf{u}, \mathbf{v},$ y $\mathbf{w}$ es $V = |\mathbf{u}.(\mathbf{v} \times \mathbf{w})|$.
- Si el triple producto escalar de los vectores $\mathbf{u}, \mathbf{v},$ y $\mathbf{w}$ es cero, entonces los vectores son coplanarios. Lo contrario también es cierto: Si los vectores son coplanarios, su triple producto escalar es cero.
- El producto vectorial puede utilizarse para identificar un vector ortogonal a dos vectores dados o a un plano.
- Torque τ mide la tendencia de una fuerza a producir una rotación alrededor de un eje de rotación. Si la fuerza $\mathbf{F}$ actúa a distancia $\mathbf{r}$ del eje, entonces el torque es igual al producto vectorial de $\mathbf{r}$ y $\mathbf{F}$: $\tau = \mathbf{r} \times \mathbf{F}$.

2.5 Ecuaciones de líneas y planos en el espacio

- En tres dimensiones, la dirección de una línea se describe mediante un vector director. La ecuación vectorial de una línea con vector director. $\mathbf{v} = \langle a, b, c \rangle$ que pasa por el punto $P = (x_0, y_0, z_0)$ es $\mathbf{r} = \mathbf{r}_0 + t\mathbf{v}$, donde $\mathbf{r}_0 = \langle x_0, y_0, z_0 \rangle$

es el vector de posición del punto P. Esta ecuación se puede reescribir para formar las ecuaciones paramétricas de la línea: $x = x_0 + ta$, $y = y_0 + tb$, y $z = z_0 + tc$. La línea también se puede describir con las ecuaciones simétricas $\frac{x-x_0}{a} = \frac{y-y_0}{b} = \frac{z-z_0}{c}$.

• Supongamos que L es una línea en el espacio que pasa por el punto P con vector director $\mathbf{v}$. Si Q es cualquier punto que no esté en L, entonces la distancia de Q a L es $d = \frac{\|\vec{PQ} \times \mathbf{v}\|}{\|\mathbf{v}\|}$.

• En tres dimensiones, dos líneas pueden ser paralelas pero no iguales, iguales, intersecadas o sesgadas.

• Dado un punto P y el vector $\mathbf{n}$, el conjunto de todos los puntos Q que satisface la ecuación $\mathbf{n} \cdot \vec{PQ} = 0$ forma un plano. La ecuación $\mathbf{n} \cdot \vec{PQ} = 0$ se conoce como la *ecuación vectorial de un plano*.

• La ecuación escalar de un plano que contiene el punto $P = (x_0, y_0, z_0)$ con vector normal $\mathbf{n} = \langle a, b, c \rangle$ es $a(x - x_0) + b(y - y_0) + c(z - z_0) = 0$. Esta ecuación puede expresarse como $ax + by + cz + d = 0$, donde $d = -ax_0 - by_0 - cz_0$. Esta forma de la ecuación se llama a veces la *forma general de la ecuación de un plano*.

• Supongamos que un plano con el vector normal $\mathbf{n}$ pasa por el punto Q. La distancia D del plano al punto P que no está en el plano está dada por

$$D = \left\|\operatorname{proj}_{\mathbf{n}} \vec{QP}\right\| = \left|\operatorname{comp}_{\mathbf{n}} \vec{QP}\right| = \frac{\left|\vec{QP} \cdot \mathbf{n}\right|}{\|\mathbf{n}\|}.$$

• Los vectores normales de los planos paralelos son paralelos. Cuando dos planos se cruzan, forman una línea.

• La medida del ángulo θ entre dos planos de intersección se puede calcular utilizando la ecuación $\cos \theta = \frac{|\mathbf{n}_1 \cdot \mathbf{n}_2|}{\|\mathbf{n}_1\| \|\mathbf{n}_2\|}$, donde $\mathbf{n}_1$ y $\mathbf{n}_2$ son vectores normales a los planos.

• La distancia D desde el punto (x_0, y_0, z_0) al plano $ax + by + cz + d = 0$ está dada por

$$D = \frac{|a(x_0 - x_1) + b(y_0 - y_1) + c(z_0 - z_1)|}{\sqrt{a^2 + b^2 + c^2}} = \frac{|ax_0 + by_0 + cz_0 + d|}{\sqrt{a^2 + b^2 + c^2}}.$$

2.6 Superficies cuádricas

• Un conjunto de líneas paralelas a una línea determinada que pasa por una curva determinada se conoce como *cilindro* o *superficie cilíndrica*. Las líneas paralelas se llaman *reglas*.

• La intersección de una superficie tridimensional y un plano se llama *traza*. Para hallar la traza en los planos xy, yz o xz, se establecen $z = 0$, $x = 0$, o $y = 0$, respectivamente.

• Las superficies cuádricas son superficies tridimensionales con trazas compuestas por secciones cónicas. Toda superficie cuádrica puede expresarse con una ecuación de la forma $Ax^2 + By^2 + Cz^2 + Dxy + Exz + Fyz + Gx + Hy + Jz + K = 0$.

• Para dibujar el gráfico de una superficie cuádrica, empiece por dibujar las trazas para entender el marco de la superficie.

• Las superficies cuádricas importantes se resumen en la Figura 2.87 y la Figura 2.88.

2.7 Coordenadas cilíndricas y esféricas

• En el sistema de coordenadas cilíndricas, un punto en el espacio está representado por la triple ordenada (r, θ, z), donde (r, θ) representa las coordenadas polares de la proyección del punto en el plano xy y z representa la proyección del punto sobre el eje z.

• Para convertir un punto de coordenadas cilíndricas a coordenadas cartesianas, utilice las ecuaciones $x = r \cos \theta$, $y = r \operatorname{sen} \theta$, y $z = z$.

• Para convertir un punto de coordenadas cartesianas a coordenadas cilíndricas, utilice las ecuaciones $r^2 = x^2 + y^2$, $\tan \theta = \frac{y}{x}$, y $z = z$.

• En el sistema de coordenadas esféricas, un punto P en el espacio está representado por la triple ordenada (ρ, θ, φ), donde ρ es la distancia entre P y el origen $(\rho \neq 0)$, θ es el mismo ángulo utilizado para describir la ubicación en coordenadas cilíndricas y φ es el ángulo formado por el eje z positivo y el segmento de línea $\overline{OP}$, donde O es el origen y $0 \leq \varphi \leq \pi$.

• Para convertir un punto de coordenadas esféricas a coordenadas cartesianas, utilice las ecuaciones $x = \rho \operatorname{sen} \varphi \cos \theta$, $y = \rho \operatorname{sen} \varphi \operatorname{sen} \theta$, y $z = \rho \cos \varphi$.

• Para convertir un punto de coordenadas cartesianas a coordenadas esféricas, utilice las ecuaciones

$$\rho^2 = x^2 + y^2 + z^2, \tan \theta = \frac{y}{x}, \text{y } \varphi = \arccos\left(\frac{z}{\sqrt{x^2 + y^2 + z^2}}\right).$$

• Para convertir un punto de coordenadas esféricas a coordenadas cilíndricas, utilice las ecuaciones $r = \rho \operatorname{sen} \varphi$, $\theta = \theta$, y $z = \rho \cos \varphi$.

- Para convertir un punto de coordenadas cilíndricas a coordenadas esféricas, utilice las ecuaciones $\rho = \sqrt{r^2 + z^2}$, $\theta = \theta$, y $\varphi = \arccos\left(\frac{z}{\sqrt{r^2 + z^2}}\right)$.

Ejercicios de repaso

En los siguientes ejercicios, determine si la afirmación es verdadera o falsa. Justifique la respuesta con una prueba o un contraejemplo.

423. Para los vectores **a** y **b** y cualquier escalar dado c, $c\,(\mathbf{a}.\,\mathbf{b}) = (c\mathbf{a})\,.\,\mathbf{b}$.

424. Para los vectores **a** y **b** y cualquier escalar dado c, $c\,(\mathbf{a} \times \mathbf{b}) = (c\mathbf{a}) \times \mathbf{b}$.

425. La ecuación simétrica de la línea de intersección entre dos planos $x + y + z = 2$ y $x + 2y - 4z = 5$ viene dada por $-\frac{x-1}{6} = \frac{y-1}{5} = z$.

426. Si los valores de $\mathbf{a}.\,\mathbf{b} = 0$, entonces **a** es perpendicular a **b**.

En los siguientes ejercicios, utilice los vectores dados para hallar las cantidades.

427. $\mathbf{a} = 9\mathbf{i} - 2\mathbf{j}, \mathbf{b} = -3\mathbf{i} + \mathbf{j}$

a. $3\mathbf{a} + \mathbf{b}$
b. $|\mathbf{a}|$
c. $\mathbf{a} \times |\mathbf{b} \times \mathbf{c}|$
d. $\mathbf{b}\,.\,\mathbf{a}$

428. $\mathbf{a} = 2\mathbf{i} + \mathbf{j} - 9\mathbf{k}, \mathbf{b} = -\mathbf{i} + 2\mathbf{k}, \mathbf{c} = 4\mathbf{i} - 2\mathbf{j} + \mathbf{k}$

a. $2\mathbf{a} - \mathbf{b}$
b. $|\mathbf{b} \times \mathbf{c}|$
c. $\mathbf{b} \times |\mathbf{b} \times \mathbf{c}|$
d. $\mathbf{c} \times |\mathbf{b} \times \mathbf{a}|$
e. $\text{proy}_{\mathbf{a}}\mathbf{b}$

429. Halle los valores de a de modo que los vectores $\langle 2, 4, a \rangle$ y $\langle 0, -1, a \rangle$ sean ortogonales.

En los siguientes ejercicios, halle los vectores unitarios.

430. Calcule el vector unitario que tiene la misma dirección que el vector **v** que comienza en $(0, -3)$ y termina en $(4, 10)$.

431. Calcule el vector unitario que tiene la misma dirección que el vector **v** que comienza en $(1, 4, 10)$ y termina en $(3, 0, 4)$.

En los siguientes ejercicios, calcule el área o el volumen de las formas dadas.

432. El paralelogramo abarcado por los vectores $\mathbf{a} = \langle 1, 13 \rangle$ y $\mathbf{b} = \langle 3, 21 \rangle$

433. El paralelepípedo formado por $\mathbf{a} = \langle 1, 4, 1 \rangle$ y $\mathbf{b} = \langle 3, 6, 2 \rangle$, y $\mathbf{c} = \langle -2, 1, -5 \rangle$

En los siguientes ejercicios, halle las ecuaciones vectoriales y paramétricas de la línea con las propiedades dadas.

434. La línea que pasa por el punto $(2, -3, 7)$ que es paralela al vector $\langle 1, 3, -2 \rangle$

435. La línea que pasa por los puntos $(1, 3, 5)$ y $(-2, 6, -3)$ grandes.

En los siguientes ejercicios, halle la ecuación del plano con las propiedades dadas.

436. El plano que pasa por el punto $(4, 7, -1)$ y tiene un vector normal $\mathbf{n} = \langle 3, 4, 2 \rangle$

437. El plano que pasa por los puntos $(0, 1, 5), (2, -1, 6),$ y $(3, 2, 5).$

En los siguientes ejercicios, halle las trazas de las superficies en los planos $x = k, y = k,$ y $z = k$. Luego, describa y dibuje las superficies.

438. $9x^2 + 4y^2 - 16y + 36z^2 = 20$ **439.** $x^2 = y^2 + z^2$

En los siguientes ejercicios, escriba la ecuación dada en coordenadas cilíndricas y en coordenadas esféricas.

440. $x^2 + y^2 + z^2 = 144$ **441.** $z = x^2 + y^2 - 1$

En los siguientes ejercicios, convierta las ecuaciones dadas de coordenadas cilíndricas o esféricas a coordenadas rectangulares. Identifique la superficie dada.

442. $\rho^2 \left(\text{sen}^2 (\varphi) - \cos^2 (\varphi) \right) = 1$ **443.** $r^2 - 2r \cos (\theta) + z^2 = 1$

En los siguientes ejercicios, considere un pequeño barco que cruza un río.

444. Si la velocidad del barco es 5 km/h hacia el norte en aguas tranquilas y el agua tiene una corriente de 2 km/h hacia el oeste (vea la siguiente figura), ¿cuál es la velocidad del barco con respecto a la orilla? ¿Cuál es el ángulo θ al que el barco está realmente viajando?

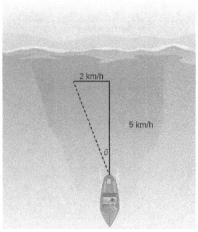

445. Cuando el barco llega a la orilla, se lanzan dos cuerdas a las personas para que ayuden a tirar de él hasta la orilla. Una cuerda está en un ángulo de 25° y el otro está a 35°. Si la embarcación debe ser arrastrada en línea recta y con una fuerza de 500 N calcule la magnitud de la fuerza para cada cuerda (vea la siguiente figura).

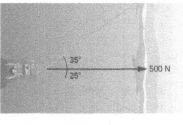

446. Un avión vuela en la dirección de 52° al este del norte con una rapidez de 450 mph. Un fuerte viento tiene un rumbo 33° al este del norte con una rapidez de 50 mph. ¿Cuál es la rapidez con respecto al suelo resultante y el rumbo del avión?

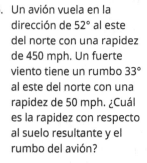

447. Calcule el trabajo realizado al mover una partícula desde la posición $(1, 2, 0)$ al $(8, 4, 5)$ a lo largo de una línea recta con una fuerza $\mathbf{F} = 2\mathbf{i} + 3\mathbf{j} - \mathbf{k}$.

Los siguientes problemas tienen que ver con su intento infructuoso de desmontar el neumático de su automóvil utilizando una llave inglesa para aflojar los tornillos. Supongamos que la llave tiene $0,3$ m de longitud y es capaz de aplicar una fuerza de 200 N.

448. Debido a que su neumático está desinflado, solo es capaz de aplicar su fuerza a unos 60° ¿Cuál es el par de torque en el centro del tornillo? Supongamos que esta fuerza no es suficiente para aflojar el tornillo.

449. Alguien le presta un gato para neumáticos y ahora es capaz de aplicar una fuerza de 200 N a unos 80° ¿El par resultante va a ser mayor o menor? ¿Cuál es el nuevo par resultante en el centro del tornillo? Supongamos que esta fuerza no es suficiente para aflojar el tornillo.

Figura 3.1   El cometa Halley apareció a la vista de la Tierra en 1986 y volverá a aparecer en 2061.

Esquema del capítulo

Introducción

En 1705, utilizando las nuevas leyes del movimiento de Sir Isaac Newton, el astrónomo Edmond Halley hizo una predicción. Afirmó que los cometas que habían aparecido en 1531, 1607 y 1682 eran en realidad el mismo cometa, y que volvería a aparecer en 1758. Se demostró que Halley tenía razón, aunque no vivió para verlo. Sin embargo, el cometa fue nombrado posteriormente en su honor.

El cometa Halley sigue una trayectoria elíptica a través del sistema solar, y el Sol aparece en uno de los focos de la elipse. Este movimiento está predicho por la primera ley de Johannes Kepler del movimiento planetario, la cual mencionamos brevemente en Introducción a ecuaciones paramétricas y coordenadas polares. En el Ejemplo 3.15 mostramos cómo utilizar la tercera ley de Kepler del movimiento planetario junto con el cálculo de funciones de valores vectoriales para calcular la distancia promedio del cometa Halley al Sol.

Las funciones de valores vectoriales proporcionan un método útil para estudiar diversas curvas tanto en el plano como en el espacio tridimensional. Podemos aplicar este concepto para calcular la velocidad, la aceleración, la longitud de arco y la curvatura de la trayectoria de un objeto. En este capítulo, examinamos estos métodos y mostramos cómo se utilizan.

3.1 Funciones de valores vectoriales y curvas en el espacio

Objetivos de aprendizaje

3.1.1   Escribir la ecuación general de una función de valor vectorial en forma de componente y en forma de vector unitario.
3.1.2   Reconocer las ecuaciones paramétricas de una curva en el espacio.
3.1.3   Describir la forma de una hélice y escribir su ecuación.
3.1.4   Definir el límite de una función de valor vectorial.

Nuestro estudio de las funciones de valores vectoriales combina las ideas de nuestro análisis del cálculo de una sola variable con nuestra descripción de los vectores en tres dimensiones del capítulo anterior. En esta sección ampliamos conceptos de capítulos anteriores y también examinamos nuevas ideas relativas a las curvas en el espacio tridimensional. Estas definiciones y teoremas apoyan la presentación del material en el resto de este capítulo y también en los capítulos restantes del texto.

Definición de una función de valor vectorial

Nuestro primer paso en el estudio del cálculo de funciones de valores vectoriales es definir qué es exactamente una función de valor vectorial. A continuación, podemos observar gráficos de las funciones de valores vectoriales y ver cómo definen las curvas en dos y tres dimensiones.

Definición

Una **función de valor vectorial** es una función de la forma

$$\mathbf{r}(t) = f(t)\,\mathbf{i} + g(t)\,\mathbf{j} \quad \text{o} \quad \mathbf{r}(t) = f(t)\,\mathbf{i} + g(t)\,\mathbf{j} + h(t)\,\mathbf{k}, \tag{3.1}$$

donde las **funciones componentes** f, g y h son funciones de valor real del parámetro t. Las funciones de valores vectoriales también se escriben en la forma

$$\mathbf{r}(t) = \langle f(t), g(t) \rangle \quad \text{o} \quad \mathbf{r}(t) = \langle f(t), g(t), h(t) \rangle. \tag{3.2}$$

En ambos casos, la primera forma de la función define una función de valor vectorial bidimensional; la segunda forma describe una función de valor vectorial tridimensional.

El parámetro t puede estar entre dos números reales $a \le t \le b$. Otra posibilidad es que el valor de t tome todos los números reales. Por último, las propias funciones componentes pueden tener restricciones de dominio que imponen restricciones al valor de t. A menudo utilizamos t como parámetro porque t puede representar el tiempo.

EJEMPLO 3.1

Evaluar funciones de valores vectoriales y determinar dominios

Para cada una de las siguientes funciones de valores vectoriales, evalúe $\mathbf{r}(0)$, $\mathbf{r}\left(\frac{\pi}{2}\right)$, y $\mathbf{r}\left(\frac{2\pi}{3}\right)$. ¿Alguna de estas funciones tiene restricciones de dominio?

a. $\mathbf{r}(t) = 4\cos t\,\mathbf{i} + 3\,\text{sen}\,t\,\mathbf{j}$
b. $\mathbf{r}(t) = 3\tan t\,\mathbf{i} + 4\sec t\,\mathbf{j} + 5t\,\mathbf{k}$

⊘ **Solución**

a. Para calcular cada uno de los valores de la función, sustituya el valor correspondiente de t en la función:

$$\begin{aligned}
\mathbf{r}(0) &= 4\cos(0)\,\mathbf{i} + 3\,\text{sen}(0)\,\mathbf{j} \\
&= 4\mathbf{i} + 0\mathbf{j} = 4\mathbf{i} \\
\mathbf{r}\left(\tfrac{\pi}{2}\right) &= 4\cos\left(\tfrac{\pi}{2}\right)\mathbf{i} + 3\,\text{sen}\left(\tfrac{\pi}{2}\right)\mathbf{j} \\
&= 0\mathbf{i} + 3\mathbf{j} = 3\mathbf{j} \\
\mathbf{r}\left(\tfrac{2\pi}{3}\right) &= 4\cos\left(\tfrac{2\pi}{3}\right)\mathbf{i} + 3\,\text{sen}\left(\tfrac{2\pi}{3}\right)\mathbf{j} \\
&= 4\left(-\tfrac{1}{2}\right)\mathbf{i} + 3\left(\tfrac{\sqrt{3}}{2}\right)\mathbf{j} = -2\mathbf{i} + \tfrac{3\sqrt{3}}{2}\mathbf{j}.
\end{aligned}$$

Para determinar si esta función tiene alguna restricción de dominio, considere las funciones de los componentes por separado. La función del primer componente es $f(t) = 4\cos t$ y la función del segundo componente es $g(t) = 3\,\text{sen}\,t$. Ninguna de estas funciones tiene una restricción de dominio, por lo que el dominio de $\mathbf{r}(t) = 4\cos t\,\mathbf{i} + 3\,\text{sen}\,t\,\mathbf{j}$ son todos números reales.

b. Para calcular cada uno de los valores de la función, sustituya el valor correspondiente de t en la función:

$$\mathbf{r}(0) = 3\tan(0)\,\mathbf{i} + 4\sec(0)\,\mathbf{j} + 5(0)\,\mathbf{k}$$
$$= 0\mathbf{i} + 4\mathbf{j} + 0\mathbf{k} = 4\mathbf{j}$$
$$\mathbf{r}\left(\tfrac{\pi}{2}\right) = 3\tan\left(\tfrac{\pi}{2}\right)\mathbf{i} + 4\sec\left(\tfrac{\pi}{2}\right)\mathbf{j} + 5\left(\tfrac{\pi}{2}\right)\mathbf{k}, \text{que no existe}$$
$$\mathbf{r}\left(\tfrac{2\pi}{3}\right) = 3\tan\left(\tfrac{2\pi}{3}\right)\mathbf{i} + 4\sec\left(\tfrac{2\pi}{3}\right)\mathbf{j} + 5\left(\tfrac{2\pi}{3}\right)\mathbf{k}$$
$$= 3\left(-\sqrt{3}\right)\mathbf{i} + 4(-2)\mathbf{j} + \tfrac{10\pi}{3}\mathbf{k}$$
$$= -3\sqrt{3}\mathbf{i} - 8\mathbf{j} + \tfrac{10\pi}{3}\mathbf{k}.$$

Para determinar si esta función tiene alguna restricción de dominio, considere las funciones de los componentes por separado. La función del primer componente es $f(t) = 3\tan t$, la función del segundo componente es $g(t) = 4\sec t$, y la función del tercer componente es $h(t) = 5t$. Las dos primeras funciones no están definidas para los múltiplos impares de $\pi/2$, por lo que la función no está definida para los múltiplos impares de $\pi/2$. Por lo tanto, $\text{dom}\,(\mathbf{r}(t)) = \left\{ t \middle| t \neq \frac{(2n+1)\pi}{2} \right\}$, donde n es un número entero cualquiera.

☑ 3.1   Para la función de valor vectorial $\mathbf{r}(t) = \left(t^2 - 3t\right)\mathbf{i} + (4t + 1)\mathbf{j}$, evaluar $\mathbf{r}(0)$, $\mathbf{r}(1)$, y $\mathbf{r}(-4)$. ¿Esta función tiene alguna restricción de dominio?

El Ejemplo 3.1 ilustra un concepto importante. El dominio de una función de valor vectorial está formado por números reales. El dominio puede ser todos los números reales o un subconjunto de ellos. El rango de una función de valor vectorial está formado por vectores. Cada número real en el dominio de una función de valor vectorial se asigna a un vector de dos o tres dimensiones.

Graficar funciones de valores vectoriales

Recordemos que un vector en un plano está formado por dos cantidades: la dirección y la magnitud. Dado un punto cualquiera del plano (el *punto inicial*), si nos movemos en una dirección determinada a una distancia determinada, llegamos a un segundo punto. Esto representa el *punto terminal* del vector. Calculamos las componentes del vector restando las coordenadas del punto inicial de las coordenadas del punto terminal.

Se considera que un vector está en *posición estándar* si el punto inicial está situado en el origen. Al graficar una función de valor vectorial, normalmente se grafican los vectores en el dominio de la función en posición estándar, ya que al hacerlo se garantiza la singularidad del gráfico. Esta convención se aplica también a los gráficos de las funciones de valores vectoriales tridimensionales. El gráfico de una función de valor vectorial de la forma $\mathbf{r}(t) = f(t)\,\mathbf{i} + g(t)\,\mathbf{j}$ consiste en el conjunto de todos los $(t, \mathbf{r}(t))$, y la trayectoria que traza se llama **curva plana**. La gráfica de una función de valor vectorial de la forma $\mathbf{r}(t) = f(t)\,\mathbf{i} + g(t)\,\mathbf{j} + h(t)\,\mathbf{k}$ consiste en el conjunto de todos los $(t, \mathbf{r}(t))$, y la trayectoria que traza se llama **curva en el espacio**. Cualquier representación de una curva plana o curva en el espacio mediante una función de valor vectorial se denomina **parametrización vectorial** de la curva.

EJEMPLO 3.2

Graficar una función de valor vectorial
Cree un gráfico de cada una de las siguientes funciones de valores vectoriales:

a. La curva plana representada por $\mathbf{r}(t) = 4\cos t\,\mathbf{i} + 3\,\text{sen}\,t\,\mathbf{j}, 0 \leq t \leq 2\pi$
b. La curva plana representada por $\mathbf{r}(t) = 4\cos t^3\,\mathbf{i} + 3\,\text{sen}\,t^3\,\mathbf{j}, 0 \leq t \leq 2\pi$
c. La curva en el espacio representada por $\mathbf{r}(t) = \cos t\,\mathbf{i} + \text{sen}\,t\,\mathbf{j} + t\,\mathbf{k}, 0 \leq t \leq 4\pi$

⊘ **Solución**
a. Como con cualquier gráfico, empezamos con una tabla de valores. A continuación, graficamos cada uno de los vectores de la segunda columna de la tabla en posición estándar y conectamos los puntos terminales de cada vector para formar una curva (Figura 3.2). Esta curva resulta ser una elipse centrada en el origen

t	$\mathbf{r}(t)$	t	$\mathbf{r}(t)$
0	$4\mathbf{i}$	π	$-4\mathbf{i}$
$\frac{\pi}{4}$	$2\sqrt{2}\mathbf{i} + \frac{3\sqrt{2}}{2}\mathbf{j}$	$\frac{5\pi}{4}$	$-2\sqrt{2}\mathbf{i} - \frac{3\sqrt{2}}{2}\mathbf{j}$
$\frac{\pi}{2}$	$3\mathbf{j}$	$\frac{3\pi}{2}$	$-3\mathbf{j}$
$\frac{3\pi}{4}$	$-2\sqrt{2}\mathbf{i} + \frac{3\sqrt{2}}{2}\mathbf{j}$	$\frac{7\pi}{4}$	$2\sqrt{2}\mathbf{i} - \frac{3\sqrt{2}}{2}\mathbf{j}$
2π	$4\mathbf{i}$		

Tabla 3.1   Tabla de valores para
$\mathbf{r}(t) = 4\cos t\,\mathbf{i} + 3\,\mathrm{sen}\,t\,\mathbf{j}, 0 \leq t \leq 2\pi$

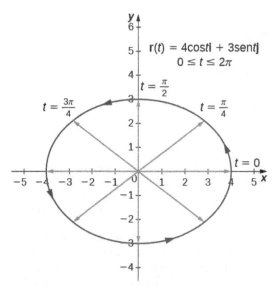

Figura 3.2   El gráfico de la primera función de valor vectorial es una elipse.

b.   La tabla de valores para $\mathbf{r}(t) = 4\cos t\,\mathbf{i} + 3\,\mathrm{sen}\,t\,\mathbf{j}, 0 \leq t \leq 2\pi$ es la siguiente

t	$\mathbf{r}(t)$	t	$\mathbf{r}(t)$
0	$4\mathbf{i}$	$\frac{\pi}{2}$	$-4\mathbf{i}$
$\frac{\pi}{8}$	$2\sqrt{2}\mathbf{i} + \frac{3\sqrt{2}}{2}\mathbf{j}$	$\frac{5\pi}{8}$	$-2\sqrt{2}\mathbf{i} - \frac{3\sqrt{2}}{2}\mathbf{j}$
$\frac{\pi}{4}$	$3\mathbf{j}$	$\frac{3\pi}{4}$	$-3\mathbf{j}$
$\frac{3\pi}{8}$	$-2\sqrt{2}\mathbf{i} + \frac{3\sqrt{2}}{2}\mathbf{j}$	$\frac{7\pi}{8}$	$2\sqrt{2}\mathbf{i} - \frac{3\sqrt{2}}{2}\mathbf{j}$
π	$4\mathbf{i}$		

Tabla 3.2   Tabla de valores para
$\mathbf{r}(t) = 4\cos(2t)\mathbf{i} + 3\,\mathrm{sen}(2t)\mathbf{j}, 0 \leq t \leq \pi$

El gráfico de esta curva también es una elipse centrada en el origen.

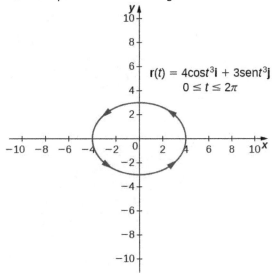

$$\mathbf{r}(t) = 4\cos t^3\mathbf{i} + 3\mathrm{sen}t^3\mathbf{j}$$
$$0 \le t \le 2\pi$$

Figura 3.3   El gráfico de la segunda función de valor vectorial también es una elipse.

c. Se procede de la misma manera para una función vectorial tridimensional

t	$\mathbf{r}(t)$	t	$\mathbf{r}(t)$
0	$4\mathbf{i}$	π	$-4\mathbf{j} + \pi\mathbf{k}$
$\frac{\pi}{4}$	$2\sqrt{2}\mathbf{i} + 2\sqrt{2}\mathbf{j} + \frac{\pi}{4}\mathbf{k}$	$\frac{5\pi}{4}$	$-2\sqrt{2}\mathbf{i} - 2\sqrt{2}\mathbf{j} + \frac{5\pi}{4}\mathbf{k}$
$\frac{\pi}{2}$	$4\mathbf{j} + \frac{\pi}{2}\mathbf{k}$	$\frac{3\pi}{2}$	$-4\mathbf{j} + \frac{3\pi}{2}\mathbf{k}$
$\frac{3\pi}{4}$	$-2\sqrt{2}\mathbf{i} + 2\sqrt{2}\mathbf{j} + \frac{3\pi}{4}\mathbf{k}$	$\frac{7\pi}{4}$	$2\sqrt{2}\mathbf{i} - 2\sqrt{2}\mathbf{j} + \frac{7\pi}{4}\mathbf{k}$
2π	$4\mathbf{i} + 2\pi\mathbf{k}$		

Tabla 3.3   Tabla de valores para $\mathbf{r}(t) = \cos t\mathbf{i} + \mathrm{sen}t\mathbf{j} + t\mathbf{k}$,
$0 \le t \le 4\pi$

Los valores se repiten entonces, con la salvedad de que el coeficiente de k siempre es creciente (<u>Figura 3.4</u>). Esta curva se llama **hélice**. Observe que si se elimina el componente **k**, la función se convierte en $\mathbf{r}(t) = \cos t\mathbf{i} + \mathrm{sen}t\mathbf{j}$, que es un círculo unitario centrado en el origen

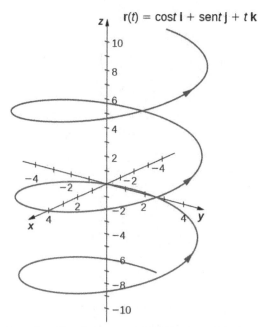

Figura 3.4   El gráfico de la tercera función vectorial es una hélice.

Puede observar que los gráficos de las partes a. y b. son idénticos. Esto ocurre porque la función que describe la curva b es una **reparametrización** de la función que describe la curva a. De hecho, cualquier curva tiene un número infinito de reparametrizaciones; por ejemplo, podemos sustituir t por $2t$ en cualquiera de las tres curvas anteriores sin cambiar sus formas. El intervalo sobre el que se define t puede cambiar, pero eso es todo. Volveremos a esta idea más adelante en este capítulo cuando estudiemos la parametrización por longitud de arco.

Como hemos mencionado, el nombre de la forma de la curva del gráfico en el Ejemplo 3.2c. es una **hélice** (Figura 3.4). La curva se asemeja a un resorte, con una sección transversal circular que mira hacia abajo a lo largo del eje z. También es posible que una hélice tenga una sección transversal elíptica. Por ejemplo, la función de valor vectorial $\mathbf{r}(t) = 4\cos t\, \mathbf{i} + 3\,\mathrm{sen}\, t\, \mathbf{j} + t\, \mathbf{k}$ describe una hélice elíptica. La proyección de esta hélice en el plano x, y es una elipse. Por último, las flechas del gráfico de esta hélice indican la orientación de la curva a medida que t avanza de 0 a 4π.

☑️ 3.2   Crear un gráfico de la función de valor vectorial $\mathbf{r}(t) = \left(t^2 - 1\right) \mathbf{i} + (2t - 3)\, \mathbf{j}$, $0 \le t \le 3$.

Llegados a este punto, es posible que note una similitud entre las funciones de valor vectorial y las curvas parametrizadas. En efecto, dada una función de valor vectorial $\mathbf{r}(t) = f(t)\, \mathbf{i} + g(t)\, \mathbf{j}$, podemos definir $x = f(t)$ y de $y = g(t)$. Si existe una restricción en los valores de t (por ejemplo, t está restringido al intervalo $[a, b]$ para algunas constantes $a < b$), entonces esta restricción se aplica al parámetro. El gráfico de la función parametrizada coincidiría entonces con el gráfico de la función de valor vectorial, salvo que el gráfico de valor vectorial representaría vectores en vez de puntos. Como podemos parametrizar una curva definida por una función $y = f(x)$, también es posible representar una curva plana arbitraria mediante una función de valor vectorial.

Límites y continuidad de una función de valor vectorial

Ahora veremos el **límite de una función de valor vectorial**. Es importante entender esto para estudiar el cálculo de funciones de valores vectoriales.

Definición

Una función de valor vectorial $\mathbf{r}$ se aproxima al límite $\mathbf{L}$ a medida que t se aproxima hasta a, escrito

$$\lim_{t \to a} \mathbf{r}(t) = \mathbf{L},$$

siempre que

$$\lim_{t \to a} ||\mathbf{r}(t) - \mathbf{L}|| = 0.$$

Esta es una definición rigurosa del límite de una función de valor vectorial. En la práctica, utilizamos el siguiente teorema:

Teorema 3.1

Límite de una función de valor vectorial

Supongamos que f, g y h son funciones de t. Entonces el límite de la función de valor vectorial $\mathbf{r}(t) = f(t)\mathbf{i} + g(t)\mathbf{j}$ a medida que t se acerca hasta a viene dado por

$$\lim_{t \to a} \mathbf{r}(t) = \left[\lim_{t \to a} f(t)\right]\mathbf{i} + \left[\lim_{t \to a} g(t)\right]\mathbf{j}, \tag{3.3}$$

siempre que los límites $\lim_{t \to a} f(t)$ y $\lim_{t \to a} g(t)$ existen. Del mismo modo, el límite de la función de valor vectorial $\mathbf{r}(t) = f(t)\mathbf{i} + g(t)\mathbf{j} + h(t)\mathbf{k}$ a medida que t se acerca hasta a viene dado por

$$\lim_{t \to a} \mathbf{r}(t) = \left[\lim_{t \to a} f(t)\right]\mathbf{i} + \left[\lim_{t \to a} g(t)\right]\mathbf{j} + \left[\lim_{t \to a} h(t)\right]\mathbf{k}, \tag{3.4}$$

siempre que los límites $\lim_{t \to a} f(t)$, $\lim_{t \to a} g(t)$ y $\lim_{t \to a} h(t)$ existen.

En el siguiente ejemplo, mostramos cómo calcular el límite de una función de valor vectorial.

EJEMPLO 3.3

Evaluar el límite de una función de valor vectorial

Para cada una de las siguientes funciones de valores vectoriales, calcule $\lim_{t \to 3} \mathbf{r}(t)$ para

a. $\mathbf{r}(t) = \left(t^2 - 3t + 4\right)\mathbf{i} + (4t + 3)\mathbf{j}$

b. $\mathbf{r}(t) = \frac{2t-4}{t+1}\mathbf{i} + \frac{t}{t^2+1}\mathbf{j} + (4t - 3)\mathbf{k}$

⊘ **Solución**

a. Utilice la Ecuación 3.3 y sustituya el valor $t = 3$ en las dos expresiones componentes

$$\begin{aligned}
\lim_{t \to 3} \mathbf{r}(t) &= \lim_{t \to 3}\left[\left(t^2 - 3t + 4\right)\mathbf{i} + (4t + 3)\mathbf{j}\right] \\
&= \left[\lim_{t \to 3}\left(t^2 - 3t + 4\right)\right]\mathbf{i} + \left[\lim_{t \to 3}(4t + 3)\right]\mathbf{j} \\
&= 4\mathbf{i} + 15\mathbf{j}.
\end{aligned}$$

b. Utilice la Ecuación 3.4 y sustituya el valor $t = 3$ en las tres expresiones componentes

$$\begin{aligned}
\lim_{t \to 3} \mathbf{r}(t) &= \lim_{t \to 3}\left(\frac{2t-4}{t+1}\mathbf{i} + \frac{t}{t^2+1}\mathbf{j} + (4t - 3)\mathbf{k}\right) \\
&= \left[\lim_{t \to 3}\left(\frac{2t-4}{t+1}\right)\right]\mathbf{i} + \left[\lim_{t \to 3}\left(\frac{t}{t^2+1}\right)\right]\mathbf{j} + \left[\lim_{t \to 3}(4t - 3)\right]\mathbf{k} \\
&= \tfrac{1}{2}\mathbf{i} + \tfrac{3}{10}\mathbf{j} + 9\mathbf{k}.
\end{aligned}$$

☑ 3.3   Calcule $\lim_{t \to -2} \mathbf{r}(t)$ para la función $\mathbf{r}(t) = \sqrt{t^2 - 3t - 1}\,\mathbf{i} + (4t + 3)\mathbf{j} + \operatorname{sen}\frac{(t+1)\pi}{2}\mathbf{k}$.

Ahora que sabemos cómo calcular el límite de una función de valor vectorial, podemos definir la continuidad en un punto para dicha función.

Definición

Supongamos que f, g y h son funciones de t. Entonces, la función de valor vectorial $\mathbf{r}(t) = f(t)\mathbf{i} + g(t)\mathbf{j}$ es continua en el punto $t = a$ si se cumplen las tres siguientes condiciones:

1. $\mathbf{r}(a)$ existe
2. $\lim\limits_{t\to a} \mathbf{r}(t)$ existe
3. $\lim\limits_{t\to a} \mathbf{r}(t) = \mathbf{r}(a)$

Del mismo modo, la función de valor vectorial $\mathbf{r}(t) = f(t)\mathbf{i} + g(t)\mathbf{j} + h(t)\mathbf{k}$ es continua en el punto $t = a$ si se cumplen las tres siguientes condiciones:

1. $\mathbf{r}(a)$ existe
2. $\lim\limits_{t\to a} \mathbf{r}(t)$ existe
3. $\lim\limits_{t\to a} \mathbf{r}(t) = \mathbf{r}(a)$

SECCIÓN 3.1 EJERCICIOS

1. Dé las funciones de los componentes $x = f(t)$ y de $y = g(t)$ para la función de valor vectorial $\mathbf{r}(t) = 3\sec t\,\mathbf{i} + 2\tan t\,\mathbf{j}$.

2. Dado que $\mathbf{r}(t) = 3\sec t\,\mathbf{i} + 2\tan t\,\mathbf{j}$, halle los siguientes valores (si es posible).
   a. $\mathbf{r}\left(\frac{\pi}{4}\right)$ grandes.
   b. $\mathbf{r}(\pi)$ grandes.
   c. $\mathbf{r}\left(\frac{\pi}{2}\right)$

3. Dibuje la curva de la función de valor vectorial $\mathbf{r}(t) = 3\sec t\,\mathbf{i} + 2\tan t\,\mathbf{j}$ y dé la orientación de la curva. Dibuje las asíntotas como guía del gráfico.

4. Evalúe $\lim\limits_{t\to 0} \left\langle e^t, \frac{\operatorname{sen} t}{t}, e^{-t} \right\rangle$.

5. Dada la función de valor vectorial $\mathbf{r}(t) = \langle \cos t, \operatorname{sen} t \rangle$, Halle los siguientes valores:
   a. $\lim\limits_{t\to \frac{\pi}{4}} \mathbf{r}(t)$ grandes.
   b. $\mathbf{r}\left(\frac{\pi}{3}\right)$
   c. ¿Es $\mathbf{r}(t)$ continua en $t = \frac{\pi}{3}$?
   d. Grafique $\mathbf{r}(t)$.

6. Dada la función de valor vectorial $\mathbf{r}(t) = \left\langle t, t^2 + 1 \right\rangle$, halle los siguientes valores:
   a. $\lim\limits_{t\to -3} \mathbf{r}(t)$ grandes.
   b. $\mathbf{r}(-3)$
   c. ¿Es $\mathbf{r}(t)$ continua en $x = -3$?
   d. $\mathbf{r}(t + 2) - \mathbf{r}(t)$

7. Supongamos que $\mathbf{r}(t) = e^t\,\mathbf{i} + \operatorname{sen} t\,\mathbf{j} + \ln t\,\mathbf{k}$. Halle los siguientes valores:
   a. $\mathbf{r}\left(\frac{\pi}{4}\right)$ grandes.
   b. $\lim\limits_{t\to \pi/4} \mathbf{r}(t)$
   c. ¿Es $\mathbf{r}(t)$ continua en $t = t = \frac{\pi}{4}$?

Calcule el límite de las siguientes funciones de valores vectoriales en el valor indicado de t.

8. $\lim\limits_{t\to 4} \left\langle \sqrt{t-3}, \frac{\sqrt{t}-2}{t-4}, \tan\left(\frac{\pi}{t}\right) \right\rangle$

9. $\lim\limits_{t\to \pi/2} \mathbf{r}(t)$ por $\mathbf{r}(t) = e^t\,\mathbf{i} + \operatorname{sen} t\,\mathbf{j} + \ln t\,\mathbf{k}$

10. $\lim\limits_{t\to \infty} \left\langle e^{-2t}, \frac{2t+3}{3t-1}, \arctan(2t) \right\rangle$

11. $\lim\limits_{t \to e^2} \left\langle t\ln(t), \frac{\ln t}{t^2}, \sqrt{\ln\left(t^2\right)} \right\rangle$ **12.** $\lim\limits_{t \to \pi/6} \left\langle \cos^2 t, \text{sen}^2 t, 1 \right\rangle$ **13.** $\lim\limits_{t \to \infty} \mathbf{r}(t)$ por

$$\mathbf{r}(t) = 2e^{-t}\mathbf{i} + e^{-t}\mathbf{j} + \ln(t-1)\mathbf{k}$$

14. Describa la curva definida por la función de valor vectorial
$\mathbf{r}(t) = (1+t)\mathbf{i} + (2+5t)\mathbf{j} + (-1+6t)\mathbf{k}$.

Halle el dominio de las funciones de valores vectoriales.

15. Dominio:
$\mathbf{r}(t) = \left\langle t^2, \tan t, \ln t \right\rangle$

16. Dominio:
$\mathbf{r}(t) = \left\langle t^2, \sqrt{t-3}, \frac{3}{2t+1} \right\rangle$

17. Dominio:
$\mathbf{r}(t) = \left\langle \csc(t), \frac{1}{\sqrt{t-3}}, \ln(t-2) \right\rangle$

Supongamos que $\mathbf{r}(t) = \langle \cos t, t, \text{sen} t \rangle$ y utilícelo para responder las siguientes preguntas.

18. ¿Para qué valores de t es $\mathbf{r}(t)$ es continua?

19. Dibuje el gráfico de $\mathbf{r}(t)$.

20. Halle el dominio de
$\mathbf{r}(t) = 2e^{-t}\mathbf{i} + e^{-t}\mathbf{j} + \ln(t-1)\mathbf{k}$.

21. ¿Para qué valores de t es
$\mathbf{r}(t) = 2e^{-t}\mathbf{i} + e^{-t}\mathbf{j} + \ln(t-1)\mathbf{k}$
es continua?

Elimine el parámetro t, escriba la ecuación en coordenadas cartesianas y, a continuación, dibuje los gráficos de las funciones de valores vectoriales.

22. $\mathbf{r}(t) = 2t\mathbf{i} + t^2\mathbf{j}$ (*Pista:* Supongamos que $x = 2t$ y $y = t^2$. Resuelva la primera ecuación para x en términos de t y sustituya este resultado en la segunda ecuación).

23. $\mathbf{r}(t) = t^3\mathbf{i} + 2t\mathbf{j}$

24. $\mathbf{r}(t) = 2\,(\text{senoh}\,t)\,\mathbf{i} + 2\,(\cosh t)\,\mathbf{j}, t > 0$

25. $\mathbf{r}(t) = 3\,(\cos t)\,\mathbf{i} + 3\,(\text{sen} t)\,\mathbf{j}$ **26.** $\mathbf{r}(t) = \langle 3\,\text{sen}\,t, 3\cos t \rangle$

Utilice una herramienta gráfica para dibujar cada una de las siguientes funciones de valores vectoriales:

27. **[T]**
$\mathbf{r}(t) = 2\cos t^2\mathbf{i} + (2 - \sqrt{t})\mathbf{j}$

28. **[T]**
$\mathbf{r}(t) = \left\langle e^{\cos(3t)}, e^{-\text{sen}(t)} \right\rangle$

29. **[T]**
$\mathbf{r}(t) = \langle 2 - \text{sen}(2t), 3 + 2\cos t \rangle$

30. $4x^2 + 9y^2 = 36$; en el sentido de las agujas del reloj y en sentido contrario

31. $\mathbf{r}(t) = \left\langle t, t^2 \right\rangle$; de izquierda a derecha

32. La línea que pasa por P y Q donde P es $(1, 4, -2)$ y Q es $(3, 9, 6)$

Considere la curva descrita por la función vectorial $\mathbf{r}(t) = \left(50e^{-t}\cos t\right)\mathbf{i} + \left(50e^{-t}\text{sen} t\right)\mathbf{j} + (5 - 5e^{-t})\mathbf{k}$.

33. ¿Cuál es el punto inicial de la trayectoria correspondiente a $\mathbf{r}(0)$?

34. ¿Cuál es el valor de $\lim\limits_{t \to \infty} \mathbf{r}(t)$?

35. **[T]** Utilice la tecnología para dibujar la curva.

36. Elimine el parámetro t para demostrar que $z = 5 - \frac{r}{10}$ donde $r^2 = x^2 + y^2$.

37. **[T]** Supongamos que $r(t) = \cos t\,\mathbf{i} + \operatorname{sen} t\,\mathbf{j} + 0{,}3\operatorname{sen}(2t)\,\mathbf{k}$. Utilice la tecnología para graficar la curva (llamada *curva de montaña rusa*) en el intervalo $[0, 2\pi)$. Elija al menos dos vistas para determinar los picos y los valles.

38. **[T]** Utilice el resultado del problema anterior para construir una ecuación de una montaña rusa con una fuerte caída desde la cima y una fuerte pendiente desde el "valle". A continuación, utilice la tecnología para representar gráficamente la ecuación.

39. Utilice los resultados de los dos problemas anteriores para construir la ecuación de la trayectoria de montaña rusa con más de dos puntos de inflexión (picos y valles).

40. a. Grafique la curva $\mathbf{r}(t) = (4 + \cos(18t))\cos(t)\mathbf{i} + (4 + \cos(18t)\operatorname{sen}(t))\,\mathbf{j} + 0{,}3\operatorname{sen}(18t)\mathbf{k}$ utilizando dos ángulos de visión de su elección para ver la forma general de la curva.
b. ¿La curva se parece a un "Slinky"?
c. ¿Qué cambios habría que hacer en la ecuación para aumentar el número de devanados del Slinky?

3.2 Cálculo de funciones de valor vectorial

Objetivos de aprendizaje

3.2.1 Escribir una expresión para la derivada de una función de valor vectorial.
3.2.2 Hallar el vector tangente en un punto para un vector de posición dado.
3.2.3 Hallar el vector unitario tangente en un punto para un vector de posición dado y explicar su significado.
3.2.4 Calcular la integral definida de una función de valor vectorial.

Para estudiar el cálculo de las funciones de valores vectoriales, seguimos un camino similar al que tomamos al estudiar las funciones de valores reales. En primer lugar, definimos la derivada, luego examinamos las aplicaciones de la derivada y después pasamos a definir las integrales. Sin embargo, encontraremos algunas ideas nuevas e interesantes a lo largo del camino como resultado de la naturaleza vectorial de estas funciones y las propiedades de las curvas en el espacio.

Derivadas de funciones de valores vectoriales

Ahora que hemos visto qué es una función de valor vectorial y cómo tomar su límite, el siguiente paso es aprender a diferenciar una función de valor vectorial. La definición de la derivada de una función de valor vectorial es casi idéntica a la definición de una función de valor real de una variable. Sin embargo, como el rango de una función de valor vectorial está formado por vectores, lo mismo ocurre con el rango de la derivada de una función de valor vectorial.

Definición

La **derivada de una función de valor vectorial** $\mathbf{r}(t)$ es

$$\mathbf{r}'(t) = \lim_{\Delta t \to 0} \frac{\mathbf{r}(t + \Delta t) - \mathbf{r}(t)}{\Delta t}, \tag{3.5}$$

siempre que exista el límite. Si los valores de $\mathbf{r}'(t)$ existe, entonces $\mathbf{r}$ es diferenciable en t. Si los valores de $\mathbf{r}'(t)$ existe para todo t en un intervalo abierto (a, b), entonces $\mathbf{r}$ es diferenciable en el intervalo (a, b). Para que la función sea diferenciable en el intervalo cerrado $[a, b]$, también deben existir los dos límites siguientes:

$$\mathbf{r}'(a) = \lim_{\Delta t \to 0^+} \frac{\mathbf{r}(a + \Delta t) - \mathbf{r}(a)}{\Delta t} \quad \text{y} \quad \mathbf{r}'(b) = \lim_{\Delta t \to 0^-} \frac{\mathbf{r}(b + \Delta t) - \mathbf{r}(b)}{\Delta t}.$$

Muchas de las reglas para calcular las derivadas de las funciones de valores reales pueden aplicarse también al cálculo de las derivadas de las funciones de valores vectoriales. Recordemos que la derivada de una función de valor real puede interpretarse como la pendiente de una línea tangente o la tasa de cambio instantánea de la función. La derivada de una función de valor vectorial puede entenderse también como una tasa de cambio instantánea; por ejemplo, cuando la función representa la posición de un objeto en un momento dado, la derivada representa su velocidad en ese mismo momento.

Ahora demostramos la toma de la derivada de una función de valor vectorial.

EJEMPLO 3.4

Hallar la derivada de una función de valor vectorial
Utilice la definición para calcular la derivada de la función

$$\mathbf{r}(t) = (3t + 4)\,\mathbf{i} + \left(t^2 - 4t + 3\right)\mathbf{j}.$$

⊘ **Solución**
Utilicemos la Ecuación 3.5:

$$
\begin{aligned}
\mathbf{r}'(t) &= \lim_{\Delta t \to 0} \frac{\mathbf{r}(t+\Delta t) - \mathbf{r}(t)}{\Delta t} \\
&= \lim_{\Delta t \to 0} \frac{\left[(3(t+\Delta t)+4)\mathbf{i} + \left((t+\Delta t)^2 - 4(t+\Delta t)+3\right)\mathbf{j}\right] - \left[(3t+4)\mathbf{i} + \left(t^2 - 4t + 3\right)\mathbf{j}\right]}{\Delta t} \\
&= \lim_{\Delta t \to 0} \frac{(3t+3\Delta t+4)\mathbf{i} - (3t+4)\mathbf{i} + \left(t^2 + 2t\Delta t + (\Delta t)^2 - 4t - 4\Delta t + 3\right)\mathbf{j} - \left(t^2 - 4t + 3\right)\mathbf{j}}{\Delta t} \\
&= \lim_{\Delta t \to 0} \frac{(3\Delta t)\mathbf{i} + \left(2t\Delta t + (\Delta t)^2 - 4\Delta t\right)\mathbf{j}}{\Delta t} \\
&= \lim_{\Delta t \to 0} \left(3\mathbf{i} + (2t + \Delta t - 4)\mathbf{j}\right) \\
&= 3\mathbf{i} + (2t - 4)\mathbf{j}.
\end{aligned}
$$

☑ 3.4   Utilice la definición para calcular la derivada de la función $\mathbf{r}(t) = \left(2t^2 + 3\right)\mathbf{i} + (5t - 6)\mathbf{j}$.

Observe que en los cálculos del Ejemplo 3.4 también podríamos obtener la respuesta calculando primero la derivada de cada función de la componente y luego poniendo estas derivadas de nuevo en la función de valor vectorial. Esto es siempre cierto para calcular la derivada de una función de valor vectorial, ya sea en dos o tres dimensiones. Lo exponemos en el siguiente teorema. La demostración de este teorema se deduce directamente de las definiciones de límite de una función de valor vectorial y de derivada de una función de valor vectorial.

Teorema 3.2

Diferenciación de funciones de valores vectoriales
Supongamos que f, g y h son funciones diferenciables de t.

i. Si los valores de $\mathbf{r}(t) = f(t)\mathbf{i} + g(t)\mathbf{j}$, entonces $\mathbf{r}'(t) = f'(t)\mathbf{i} + g'(t)\mathbf{j}$.
ii. Si los valores de $\mathbf{r}(t) = f(t)\mathbf{i} + g(t)\mathbf{j} + h(t)\mathbf{k}$, entonces $\mathbf{r}'(t) = f'(t)\mathbf{i} + g'(t)\mathbf{j} + h'(t)\mathbf{k}$.

EJEMPLO 3.5

Calcular la derivada de funciones de valores vectoriales
Utilice Diferenciación de funciones de valores vectoriales para calcular la derivada de cada una de las siguientes funciones.

a. $\mathbf{r}(t) = (6t + 8)\mathbf{i} + \left(4t^2 + 2t - 3\right)\mathbf{j}$
b. $\mathbf{r}(t) = 3\cos t\,\mathbf{i} + 4\,\text{sen}\,t\,\mathbf{j}$
c. $\mathbf{r}(t) = e^t\,\text{sen}\,t\,\mathbf{i} + e^t\cos t\,\mathbf{j} - e^{2t}\,\mathbf{k}$

⊘ **Solución**
Utilizamos Diferenciación de funciones de valores vectoriales y lo que sabemos sobre la diferenciación de funciones de

una variable.

a. La primera componente de $\mathbf{r}(t) = (6t + 8)\,\mathbf{i} + \left(4t^2 + 2t - 3\right)\mathbf{j}$ es $f(t) = 6t + 8$. La segunda componente es
$g(t) = 4t^2 + 2t - 3$. Tenemos $f'(t) = 6$ y $g'(t) = 8t + 2$, por lo que el teorema da $\mathbf{r}'(t) = 6\mathbf{i} + (8t + 2)\,\mathbf{j}$.

b. La primera componente es $f(t) = 3\cos t$ y la segunda componente es $g(t) = 4\text{sen}\,t$. Tenemos $f'(t) = -3\text{sen}\,t$ y
$g'(t) = 4\cos t$, por lo que obtenemos $\mathbf{r}'(t) = -3\text{sen}\,t\,\mathbf{i} + 4\cos t\,\mathbf{j}$.

c. La primera componente de $\mathbf{r}(t) = e^t \text{sen}\,t\,\mathbf{i} + e^t \cos t\,\mathbf{j} - e^{2t}\,\mathbf{k}$ ¿es $f(t) = e^t \text{sen}\,t$, la segunda componente es
$g(t) = e^t \cos t$, y la tercera componente es $h(t) = -e^{2t}$. Tenemos $f'(t) = e^t(\text{sen}\,t + \cos t)$, $g'(t) = e^t(\cos t - \text{sen}\,t)$,
y $h'(t) = -2e^{2t}$, por lo que el teorema da $\mathbf{r}'(t) = e^t(\text{sen}\,t + \cos t)\,\mathbf{i} + e^t(\cos t - \text{sen}\,t)\,\mathbf{j} - 2e^{2t}\,\mathbf{k}$.

☑ 3.5   Calcule la derivada de la función

$$\mathbf{r}(t) = (t\ln t)\,\mathbf{i} + \left(5e^t\right)\mathbf{j} + (\cos t - \text{sen}\,t)\,\mathbf{k}.$$

Podemos extender a las funciones de valores vectoriales las propiedades de la derivada que presentamos en la Introducción a las derivadas (http://openstax.org/books/cálculo-volumen-1/pages/3-introduccion). En particular, la regla del múltiplo constante, las reglas de suma y diferencia, la regla de multiplicación y la regla de la cadena se extienden a las funciones de valores vectoriales. Sin embargo, en el caso de la regla de multiplicación, en realidad hay tres extensiones: (1) para una función de valor real multiplicada por una función de valor vectorial, (2) para el producto escalar de dos funciones de valores vectoriales y (3) para el producto vectorial de dos funciones de valores vectoriales.

Teorema 3.3

Propiedades de la derivada de las funciones de valores vectoriales

Supongamos que $\mathbf{r}$ y $\mathbf{u}$ son funciones de valores vectoriales diferenciables de t, supongamos que f es una función de valor real diferenciable de t y supongamos que c es un escalar.

i.	$\dfrac{d}{dt}[c\mathbf{r}(t)] = c\mathbf{r}'(t)$	Múltiplo escalar
ii.	$\dfrac{d}{dt}[\mathbf{r}(t) \pm \mathbf{u}(t)] = \mathbf{r}'(t) \pm \mathbf{u}'(t)$	Suma y diferencia
iii.	$\dfrac{d}{dt}[f(t)\,\mathbf{u}(t)] = f'(t)\,\mathbf{u}(t) + f(t)\,\mathbf{u}'(t)$	Producto escalar
iv.	$\dfrac{d}{dt}[\mathbf{r}(t) \cdot \mathbf{u}(t)] = \mathbf{r}'(t) \cdot \mathbf{u}(t) + \mathbf{r}(t) \cdot \mathbf{u}'(t)$	Producto escalar
v.	$\dfrac{d}{dt}[\mathbf{r}(t) \times \mathbf{u}(t)] = \mathbf{r}'(t) \times \mathbf{u}(t) + \mathbf{r}(t) \times \mathbf{u}'(t)$	Producto vectorial
vi.	$\dfrac{d}{dt}[\mathbf{r}(f(t))] = \mathbf{r}'(f(t)) \cdot f'(t)$	Regla de la cadena
vii.	Si $\mathbf{r}(t) \cdot \mathbf{r}(t) = c$, entonces $\mathbf{r}(t) \cdot \mathbf{r}'(t) = 0$.	

Prueba

Las pruebas de las dos primeras propiedades se derivan directamente de la definición de la derivada de una función de valor vectorial. La tercera propiedad puede derivarse de las dos primeras, junto con la regla de multiplicación de la Introducción a las derivadas (http://openstax.org/books/cálculo-volumen-1/pages/3-introduccion). Supongamos que $\mathbf{u}(t) = g(t)\,\mathbf{i} + h(t)\,\mathbf{j}$. Entonces

$$\begin{aligned}
\frac{d}{dt}[f(t)\,\mathbf{u}(t)] &= \frac{d}{dt}[f(t)(g(t)\,\mathbf{i} + h(t)\,\mathbf{j})] \\
&= \frac{d}{dt}[f(t)g(t)\,\mathbf{i} + f(t)h(t)\,\mathbf{j}] \\
&= \frac{d}{dt}[f(t)g(t)]\,\mathbf{i} + \frac{d}{dt}[f(t)h(t)]\,\mathbf{j} \\
&= \left(f'(t)g(t) + f(t)g'(t)\right)\mathbf{i} + \left(f'(t)h(t) + f(t)h'(t)\right)\mathbf{j} \\
&= f'(t)\,\mathbf{u}(t) + f(t)\,\mathbf{u}'(t).
\end{aligned}$$

Para demostrar la propiedad iv. supongamos que $\mathbf{r}(t) = f_1(t)\,\mathbf{i} + g_1(t)\,\mathbf{j}$ y $\mathbf{u}(t) = f_2(t)\,\mathbf{i} + g_2(t)\,\mathbf{j}$. Entonces

$$\frac{d}{dt}[\mathbf{r}(t) \cdot \mathbf{u}(t)] = \frac{d}{dt}[f_1(t) f_2(t) + g_1(t) g_2(t)]$$

$$= f_1'(t) f_2(t) + f_1(t) f_2'(t) + g_1'(t) g_2(t) + g_1(t) g_2'(t)$$

$$= f_1'(t) f_2(t) + g_1'(t) g_2(t) + f_1(t) f_2'(t) + g_1(t) g_2'(t)$$

$$= (f_1'\mathbf{i} + g_1'\mathbf{j}) \cdot (f_2\mathbf{i} + g_2\mathbf{j}) + (f_1\mathbf{i} + g_1\mathbf{j}) \cdot (f_2'\mathbf{i} + g_2'\mathbf{j})$$

$$= \mathbf{r}'(t) \cdot \mathbf{u}(t) + \mathbf{r}(t) \cdot \mathbf{u}'(t).$$

La prueba de la propiedad v. es similar a la de la propiedad iv. La propiedad vi. se puede probar utilizando la regla de la cadena. Por último, la propiedad vii. se deduce de la propiedad iv:

$$\frac{d}{dt}[\mathbf{r}(t) \cdot \mathbf{r}(t)] = \frac{d}{dt}[c]$$

$$\mathbf{r}'(t) \cdot \mathbf{r}(t) + \mathbf{r}(t) \cdot \mathbf{r}'(t) = 0$$

$$2\mathbf{r}(t) \cdot \mathbf{r}'(t) = 0$$

$$\mathbf{r}(t) \cdot \mathbf{r}'(t) = 0.$$

□

A continuación, algunos ejemplos que utilizan estas propiedades.

EJEMPLO 3.6

Usar las propiedades de las derivadas de las funciones de valores vectoriales

Dadas las funciones de valores vectoriales

$$\mathbf{r}(t) = (6t + 8)\mathbf{i} + \left(4t^2 + 2t - 3\right)\mathbf{j} + 5t\mathbf{k}$$

y

$$\mathbf{u}(t) = \left(t^2 - 3\right)\mathbf{i} + (2t + 4)\mathbf{j} + \left(t^3 - 3t\right)\mathbf{k},$$

calcule cada una de las siguientes derivadas utilizando las propiedades de la derivada de las funciones de valores vectoriales.

a. $\frac{d}{dt}[\mathbf{r}(t) \cdot \mathbf{u}(t)]$

b. $\frac{d}{dt}\left[\mathbf{u}(t) \times \mathbf{u}'(t)\right]$

⊘ **Solución**

a. Tenemos $\mathbf{r}'(t) = 6\mathbf{i} + (8t + 2)\mathbf{j} + 5\mathbf{k}$ y $\mathbf{u}'(t) = 2t\mathbf{i} + 2\mathbf{j} + \left(3t^2 - 3\right)\mathbf{k}$. Por lo tanto, según la propiedad iv.

$$\frac{d}{dt}[\mathbf{r}(t) \cdot \mathbf{u}(t)] = \mathbf{r}'(t) \cdot \mathbf{u}(t) + \mathbf{r}(t) \cdot \mathbf{u}'(t)$$

$$= (6\mathbf{i} + (8t + 2)\mathbf{j} + 5\mathbf{k}) \cdot \left(\left(t^2 - 3\right)\mathbf{i} + (2t + 4)\mathbf{j} + \left(t^3 - 3t\right)\mathbf{k}\right)$$

$$+ \left((6t + 8)\mathbf{i} + \left(4t^2 + 2t - 3\right)\mathbf{j} + 5t\mathbf{k}\right) \cdot \left(2t\mathbf{i} + 2\mathbf{j} + \left(3t^2 - 3\right)\mathbf{k}\right)$$

$$= 6\left(t^2 - 3\right) + (8t + 2)(2t + 4) + 5\left(t^3 - 3t\right)$$

$$+ 2t(6t + 8) + 2\left(4t^2 + 2t - 3\right) + 5t\left(3t^2 - 3\right)$$

$$= 20t^3 + 42t^2 + 26t - 16.$$

b. En primer lugar, tenemos que adaptar la propiedad v. para este problema

$$\frac{d}{dt}\left[\mathbf{u}(t) \times \mathbf{u}'(t)\right] = \mathbf{u}'(t) \times \mathbf{u}'(t) + \mathbf{u}(t) \times \mathbf{u}''(t).$$

Recordemos que el producto vectorial de cualquier vector consigo mismo es cero. Además, $\mathbf{u}''(t)$ representa la segunda derivada de $\mathbf{u}(t)$:

$$\mathbf{u}''(t) = \frac{d}{dt}\left[\mathbf{u}'(t)\right] = \frac{d}{dt}\left[2t\mathbf{i} + 2\mathbf{j} + \left(3t^2 - 3\right)\mathbf{k}\right] = 2\mathbf{i} + 6t\mathbf{k}.$$

Por lo tanto,

$$\frac{d}{dt}\left[\mathbf{u}\,(t) \times \mathbf{u}'\,(t)\right] = \mathbf{0} + \left(\left(t^2 - 3\right)\mathbf{i} + \left(2t + 4\right)\mathbf{j} + \left(t^3 - 3t\right)\mathbf{k}\right) \times \left(2\mathbf{i} + 6t\mathbf{k}\right)$$

$$= \begin{vmatrix} \mathbf{i} & \mathbf{j} & \mathbf{k} \\ t^2 - 3 & 2t + 4 & t^3 - 3t \\ 2 & 0 & 6t \end{vmatrix}$$

$$= 6t\,(2t + 4)\,\mathbf{i} - \left(6t\left(t^2 - 3\right) - 2\left(t^3 - 3t\right)\right)\mathbf{j} - 2\,(2t + 4)\,\mathbf{k}$$

$$= \left(12t^2 + 24t\right)\mathbf{i} + \left(12t - 4t^3\right)\mathbf{j} - (4t + 8)\,\mathbf{k}.$$

3.6   Dadas las funciones de valores vectoriales $\mathbf{r}\,(t) = \cos t\,\mathbf{i} + \operatorname{sen} t\,\mathbf{j} - e^{2t}\,\mathbf{k}$ y $\mathbf{u}\,(t) = t\,\mathbf{i} + \operatorname{sen} t\,\mathbf{j} + \cos t\,\mathbf{k}$, calcule $\frac{d}{dt}\left[\mathbf{r}\,(t) \cdot \mathbf{r}'\,(t)\right]$ y $\frac{d}{dt}\left[\mathbf{u}\,(t) \times \mathbf{r}\,(t)\right]$.

Vectores tangentes y vectores unitarios tangentes

Recordemos de la Introducción a las derivadas (http://openstax.org/books/cálculo-volumen-1/pages/3-introduccion) que la derivada en un punto puede interpretarse como la pendiente de la línea tangente a el gráfico en ese punto. En el caso de una función de valor vectorial, la derivada proporciona un vector tangente a la curva representada por la función. Consideremos la función de valor vectorial $\mathbf{r}\,(t) = \cos t\,\mathbf{i} + \operatorname{sen} t\,\mathbf{j}$. La derivada de esta función es $\mathbf{r}'\,(t) = -\operatorname{sen} t\,\mathbf{i} + \cos t\,\mathbf{j}$. Si sustituimos el valor $t = \pi/6$ en ambas funciones obtenemos

$$\mathbf{r}\left(\frac{\pi}{6}\right) = \frac{\sqrt{3}}{2}\mathbf{i} + \frac{1}{2}\mathbf{j} \quad \text{y} \quad \mathbf{r}'\left(\frac{\pi}{6}\right) = -\frac{1}{2}\mathbf{i} + \frac{\sqrt{3}}{2}\mathbf{j}.$$

El gráfico de esta función aparece en la Figura 3.5, junto con los vectores $\mathbf{r}\left(\frac{\pi}{6}\right)$ y $\mathbf{r}'\left(\frac{\pi}{6}\right)$.

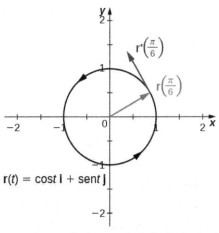

Figura 3.5   La línea tangente en un punto se calcula a partir de la derivada de la función de valor vectorial $\mathbf{r}(t)$.

Observe que el vector $\mathbf{r}'\left(\frac{\pi}{6}\right)$ es tangente al círculo en el punto correspondiente a $t = \pi/6$. Este es un ejemplo de **vector tangente** a la curva plana definida por $\mathbf{r}\,(t) = \cos t\,\mathbf{i} + \operatorname{sen} t\,\mathbf{j}$.

Definición

Supongamos que C una curva definida por una función de valor vectorial $\mathbf{r}$, y supongamos que $\mathbf{r}'\,(t)$ existe cuando $t = t_0$. Un vector tangente $\mathbf{v}$ en $t = t_0$ es cualquier vector tal que, cuando la cola del vector se sitúa en el punto $\mathbf{r}\,(t_0)$ en el gráfico, el vector $\mathbf{v}$ es tangente a la curva C. El vector $\mathbf{r}'\,(t_0)$ es un ejemplo de vector tangente en el punto $t = t_0$. Además, supongamos que $\mathbf{r}'\,(t) \neq \mathbf{0}$. El **vector unitario tangente principal** en t se define como

$$\mathbf{T}\,(t) = \frac{\mathbf{r}'\,(t)}{\|\mathbf{r}'\,(t)\|}, \tag{3.6}$$

siempre que $\|\mathbf{r}'\,(t)\| \neq 0$.

El vector unitario tangente es exactamente lo que parece: un vector unitario que es tangente a la curva. Para calcular un vector unitario tangente, primero hay que hallar la derivada $\mathbf{r}'(t)$. En segundo lugar, calcule la magnitud de la derivada. El tercer paso es dividir la derivada entre su magnitud.

EJEMPLO 3.7

Calcular un vector unitario tangente

Halle el vector unitario tangente para cada una de las siguientes funciones de valores vectoriales:

a. $\mathbf{r}(t) = \cos t\,\mathbf{i} + \operatorname{sen} t\,\mathbf{j}$

b. $\mathbf{u}(t) = \left(3t^2 + 2t\right)\mathbf{i} + \left(2 - 4t^3\right)\mathbf{j} + (6t + 5)\mathbf{k}$

⊘ **Solución**

a.

Primer paso:	$\mathbf{r}'(t)$	$= -\operatorname{sen} t\,\mathbf{i} + \cos t\,\mathbf{j}$
Segundo paso:	$\|\mathbf{r}'(t)\|$	$= \sqrt{(-\operatorname{sen} t)^2 + (\cos t)^2} = 1$
Tercer paso:	$\mathbf{T}(t)$	$= \dfrac{\mathbf{r}'(t)}{\|\mathbf{r}'(t)\|} = \dfrac{-\operatorname{sen} t\,\mathbf{i} + \cos t\,\mathbf{j}}{1} = -\operatorname{sen} t\,\mathbf{i} + \cos t\,\mathbf{j}$

b.

Primer paso: $\mathbf{u}'(t) = (6t + 2)\mathbf{i} - 12t^2\mathbf{j} + 6\mathbf{k}$

Segundo paso:
$$\|\mathbf{u}'(t)\| = \sqrt{(6t + 2)^2 + \left(-12t^2\right)^2 + 6^2}$$
$$= \sqrt{144t^4 + 36t^2 + 24t + 40}$$
$$= 2\sqrt{36t^4 + 9t^2 + 6t + 10}$$

Tercer paso:
$$\mathbf{T}(t) = \frac{\mathbf{u}'(t)}{\|\mathbf{u}'(t)\|} = \frac{(6t+2)\mathbf{i} - 12t^2\mathbf{j} + 6\mathbf{k}}{2\sqrt{36t^4 + 9t^2 + 6t + 10}}$$
$$= \frac{3t+1}{\sqrt{36t^4 + 9t^2 + 6t + 10}}\mathbf{i} - \frac{6t^2}{\sqrt{36t^4 + 9t^2 + 6t + 10}}\mathbf{j} + \frac{3}{\sqrt{36t^4 + 9t^2 + 6t + 10}}\mathbf{k}$$

☑ 3.7   Halle el vector unitario tangente de la función de valor vectorial

$$\mathbf{r}(t) = \left(t^2 - 3\right)\mathbf{i} + (2t + 1)\mathbf{j} + (t - 2)\mathbf{k}.$$

Integrales de funciones de valores vectoriales

Hemos introducido las antiderivadas de funciones de valores reales en Antiderivadas (http://openstax.org/books/cálculo-volumen-1/pages/4-10-antiderivadas) y las integrales definidas de funciones de valores reales en La integral definida (http://openstax.org/books/cálculo-volumen-1/pages/5-2-la-integral-definida). Cada uno de estos conceptos puede extenderse a las funciones de valores vectoriales. También, al igual que podemos calcular la derivada de una función vectorial diferenciando las funciones componentes por separado, podemos calcular la antiderivada de la misma manera. Además, el teorema fundamental del cálculo se aplica también a las funciones de valores vectoriales.

La antiderivada de una función de valor vectorial aparece en las aplicaciones. Por ejemplo, si una función de valor vectorial representa la velocidad de un objeto en el tiempo t, su antiderivada representa la posición. O, si la función representa la aceleración del objeto en un momento dado, entonces la antiderivada representa su velocidad.

Definición

Supongamos que f, g y h son funciones integrables de valor real sobre el intervalo cerrado $[a, b]$.

1. La **integral indefinida de una función de valor vectorial** $\mathbf{r}(t) = f(t)\mathbf{i} + g(t)\mathbf{j}$ es

$$\int [f(t)\mathbf{i} + g(t)\mathbf{j}]\,dt = \left[\int f(t)\,dt\right]\mathbf{i} + \left[\int g(t)\,dt\right]\mathbf{j}. \tag{3.7}$$

La **integral definida de una función de valor vectorial** es

$$\int_a^b [f(t)\,\mathbf{i} + g(t)\,\mathbf{j}]\,dt = \left[\int_a^b f(t)\,dt\right]\mathbf{i} + \left[\int_a^b g(t)\,dt\right]\mathbf{j}. \tag{3.8}$$

2. La integral indefinida de una función de valor vectorial $\mathbf{r}(t) = f(t)\,\mathbf{i} + g(t)\,\mathbf{j} + h(t)\,\mathbf{k}$ es

$$\int [f(t)\,\mathbf{i} + g(t)\,\mathbf{j} + h(t)\,\mathbf{k}]\,dt = \left[\int f(t)\,dt\right]\mathbf{i} + \left[\int g(t)\,dt\right]\mathbf{j} + \left[\int h(t)\,dt\right]\mathbf{k}. \tag{3.9}$$

La integral definida de la función de valor vectorial es

$$\int_a^b [f(t)\,\mathbf{i} + g(t)\,\mathbf{j} + h(t)\,\mathbf{k}]\,dt = \left[\int_a^b f(t)\,dt\right]\mathbf{i} + \left[\int_a^b g(t)\,dt\right]\mathbf{j} + \left[\int_a^b h(t)\,dt\right]\mathbf{k}. \tag{3.10}$$

Como la integral indefinida de una función de valor vectorial implica integrales indefinidas de las funciones componentes, cada una de estas integrales componentes contiene una constante de integración. Todas pueden ser diferentes. Por ejemplo, en el caso bidimensional, podemos tener

$$\int f(t)\,dt = F(t) + C_1 \text{ y } \int g(t)\,dt = G(t) + C_2,$$

donde F y G son antiderivadas de f y g, respectivamente. Entonces

$$\begin{aligned}
\int [f(t)\,\mathbf{i} + g(t)\,\mathbf{j}]\,dt &= \left[\int f(t)\,dt\right]\mathbf{i} + \left[\int g(t)\,dt\right]\mathbf{j} \\
&= (F(t) + C_1)\,\mathbf{i} + (G(t) + C_2)\,\mathbf{j} \\
&= F(t)\,\mathbf{i} + G(t)\,\mathbf{j} + C_1\,\mathbf{i} + C_2\,\mathbf{j} \\
&= F(t)\,\mathbf{i} + G(t)\,\mathbf{j} + \mathbf{C},
\end{aligned}$$

donde $\mathbf{C} = C_1\,\mathbf{i} + C_2\,\mathbf{j}$. Por lo tanto, la constante de integración se convierte en un vector constante.

EJEMPLO 3.8

Integrar funciones de valores vectoriales
Calcule cada una de las siguientes integrales:

a. $\displaystyle\int \left[\left(3t^2 + 2t\right)\mathbf{i} + (3t - 6)\,\mathbf{j} + \left(6t^3 + 5t^2 - 4\right)\mathbf{k}\right]\,dt$

b. $\displaystyle\int \left[\left\langle t, t^2, t^3\right\rangle \times \left\langle t^3, t^2, t\right\rangle\right]\,dt$

c. $\displaystyle\int_0^{\pi/3} \left[\operatorname{sen} 2t\,\mathbf{i} + \tan t\,\mathbf{j} + e^{-2t}\,\mathbf{k}\right]\,dt$

⊘ **Solución**

a. Utilizamos la primera parte de la definición de la integral de una curva en el espacio:

$$\int \left[\left(3t^2 + 2t\right)\mathbf{i} + (3t - 6)\,\mathbf{j} + \left(6t^3 + 5t^2 - 4\right)\mathbf{k}\right]\,dt$$

$$= \left[\int 3t^2 + 2t\,dt\right]\mathbf{i} + \left[\int 3t - 6\,dt\right]\mathbf{j} + \left[\int 6t^3 + 5t^2 - 4\,dt\right]\mathbf{k}$$
$$= \left(t^3 + t^2\right)\mathbf{i} + \left(\tfrac{3}{2}t^2 - 6t\right)\mathbf{j} + \left(\tfrac{3}{2}t^4 + \tfrac{5}{3}t^3 - 4t\right)\mathbf{k} + \mathbf{C}.$$

b. Primero calcule $\left\langle t, t^2, t^3\right\rangle \times \left\langle t^3, t^2, t\right\rangle$:

$$\begin{aligned}
\left\langle t, t^2, t^3\right\rangle \times \left\langle t^3, t^2, t\right\rangle &= \begin{vmatrix} \mathbf{i} & \mathbf{j} & \mathbf{k} \\ t & t^2 & t^3 \\ t^3 & t^2 & t \end{vmatrix} \\
&= \left(t^2\,(t) - t^3\,\left(t^2\right)\right)\mathbf{i} - \left(t^2 - t^3\,\left(t^3\right)\right)\mathbf{j} + \left(t\,\left(t^2\right) - t^2\,\left(t^3\right)\right)\mathbf{k} \\
&= \left(t^3 - t^5\right)\mathbf{i} + \left(t^6 - t^2\right)\mathbf{j} + \left(t^3 - t^5\right)\mathbf{k}.
\end{aligned}$$

A continuación, sustituya esto de nuevo en la integral e integre:

$$\int \left[\langle t, t^2, t^3 \rangle \times \langle t^3, t^2, t \rangle \right] dt = \int \left(t^3 - t^5 \right) \mathbf{i} + \left(t^6 - t^2 \right) \mathbf{j} + \left(t^3 - t^5 \right) \mathbf{k}\, dt$$

$$= \left(\frac{t^4}{4} - \frac{t^6}{6} \right) \mathbf{i} + \left(\frac{t^7}{7} - \frac{t^3}{3} \right) \mathbf{j} + \left(\frac{t^4}{4} - \frac{t^6}{6} \right) \mathbf{k} + \mathbf{C}.$$

c. Utilice la segunda parte de la definición de la integral de una curva en el espacio:

$$\int_0^{\pi/3} \left[\operatorname{sen} 2t\, \mathbf{i} + \tan t\, \mathbf{j} + e^{-2t}\, \mathbf{k} \right] dt$$

$$= \left[\int_0^{\pi/3} \operatorname{sen} 2t\, dt \right] \mathbf{i} + \left[\int_0^{\pi/3} \tan t\, dt \right] \mathbf{j} + \left[\int_0^{\pi/3} e^{-2t}\, dt \right] \mathbf{k}$$

$$= \left(-\tfrac{1}{2}\cos 2t \right) \big|_0^{\pi/3} \mathbf{i} - \left(\ln(\cos t) \right) \big|_0^{\pi/3} \mathbf{j} - \left(\tfrac{1}{2} e^{-2t} \right) \big|_0^{\pi/3} \mathbf{k}$$

$$= \left(-\tfrac{1}{2}\cos \tfrac{2\pi}{3} + \tfrac{1}{2}\cos 0 \right) \mathbf{i} - \left(\ln \left(\cos \tfrac{\pi}{3} \right) - \ln(\cos 0) \right) \mathbf{j} - \left(\tfrac{1}{2} e^{-2\pi/3} - \tfrac{1}{2} e^{-2(0)} \right) \mathbf{k}$$

$$= \left(\tfrac{1}{4} + \tfrac{1}{2} \right) \mathbf{i} - (-\ln 2)\, \mathbf{j} - \left(\tfrac{1}{2} e^{-2\pi/3} - \tfrac{1}{2} \right) \mathbf{k}$$

$$= \tfrac{3}{4} \mathbf{i} + (\ln 2)\, \mathbf{j} + \left(\tfrac{1}{2} - \tfrac{1}{2} e^{-2\pi/3} \right) \mathbf{k}.$$

✓ 3.8   Calcule la siguiente integral:

$$\int_1^3 \left[(2t + 4)\, \mathbf{i} + \left(3t^2 - 4t \right) \mathbf{j} \right] dt.$$

SECCIÓN 3.2 EJERCICIOS

Calcula las derivadas de las funciones de valores vectoriales.

41. $\mathbf{r}(t) = t^3\mathbf{i} + 3t^2\mathbf{j} + \frac{t^3}{6}\mathbf{k}$

42. $\mathbf{r}(t) = \operatorname{sen}(t)\mathbf{i} + \cos(t)\mathbf{j} + e^t\mathbf{k}$

43. $\mathbf{r}(t) = e^{-t}\mathbf{i} + \operatorname{sen}(3t)\ \mathbf{j} + 10\sqrt{t}\mathbf{k}.$

Aquí se muestra un esquema del gráfico. Observe la naturaleza periódica variable del gráfico.

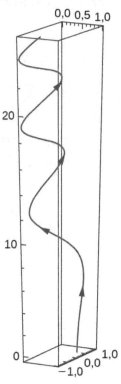

44. $\mathbf{r}(t) = e^t\mathbf{i} + 2e^t\mathbf{j} + \mathbf{k}$

45. $\mathbf{r}(t) = \mathbf{i} + \mathbf{j} + \mathbf{k}$

46. $\mathbf{r}(t) = te^t\mathbf{i} + t\ln(t)\mathbf{j} + \operatorname{sen}(3t)\mathbf{k}$

47. $\mathbf{r}(t) = \frac{1}{t+1}\mathbf{i} + \arctan(t)\mathbf{j} + \ln t^3\mathbf{k}$

48. $\mathbf{r}(t) = \tan(2t)\mathbf{i} + \sec(2t)\mathbf{j} + \operatorname{sen}^2(t)\mathbf{k}$

49. $\mathbf{r}(t) = 3\mathbf{i} + 4\operatorname{sen}(3t)\mathbf{j} + t\cos(t)\mathbf{k}$

50. $\mathbf{r}(t) = t^2\mathbf{i} + te^{-2t}\mathbf{j} - 5e^{-4t}\mathbf{k}$

En los siguientes problemas, halle un vector tangente al valor indicado de t.

51. $\mathbf{r}(t) = t\mathbf{i} + \operatorname{sen}(2t)\mathbf{j} + \cos(3t)\mathbf{k}; t = \frac{\pi}{3}$

52. $\mathbf{r}(t) = 3t^3\mathbf{i} + 2t^2\mathbf{j} + \frac{1}{t}\mathbf{k}; t = 1$

53. $\mathbf{r}(t) = 3e^t\mathbf{i} + 2e^{-3t}\mathbf{j} + 4e^{2t}\mathbf{k};$ $t = \ln(2)$ grandes.

54. $\mathbf{r}(t) = \cos(2t)\mathbf{i} + 2\operatorname{sen}t\mathbf{j} + t^2\mathbf{k}; t = \frac{\pi}{2}$

Halle el vector unitario tangente de las siguientes curvas parametrizadas.

55. $\mathbf{r}(t) = 6\mathbf{i} + \cos(3t)\mathbf{j} + 3\operatorname{sen}(4t)\mathbf{k}$, $0 \le t < 2\pi$. Aquí se presentan dos vistas de esta curva:

56. $\mathbf{r}(t) = \cos t\,\mathbf{i} + \operatorname{sen} t\,\mathbf{j} + \operatorname{sen} t\,\mathbf{k}$, $0 \le t < 2\pi$.

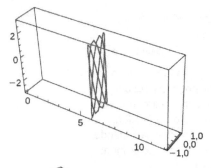

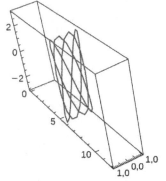

57. $\mathbf{r}(t) = 3\cos(4t)\mathbf{i} + 3\operatorname{sen}(4t)\mathbf{j} + 5t\mathbf{k}, 1 \le t \le 2$

58. $\mathbf{r}(t) = t\mathbf{i} + 3t\mathbf{j} + t^2\mathbf{k}$

Supongamos que $\mathbf{r}(t) = t\mathbf{i} + t^2\mathbf{j} - t^4\mathbf{k}$ y $\mathbf{s}(t) = \operatorname{sen}(t)\mathbf{i} + e^t\mathbf{j} + \cos(t)\mathbf{k}$. Aquí está el gráfico de la función:

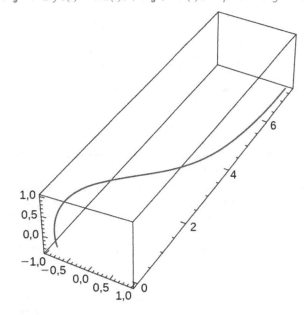

Calcule lo siguiente.

59. $\dfrac{d}{dt}\left[\mathbf{r}\left(t^2\right)\right]$

60. $\dfrac{d}{dt}\left[t^2 \cdot \mathbf{s}(t)\right]$

61. $\dfrac{d}{dt}\left[\mathbf{r}(t) \cdot \mathbf{s}(t)\right]$

62. Calcule las derivadas primera, segunda y tercera de
$$\mathbf{r}(t) = 3t\mathbf{i} + 6\ln(t)\mathbf{j} + 5e^{-3t}\mathbf{k}.$$

63. Calcule
$$\mathbf{r}'(t) \cdot \mathbf{r}''(t) \text{ para } \mathbf{r}(t) = -3t^5\mathbf{i} + 5t\mathbf{j} + 2t^2\mathbf{k}.$$

64. La función de aceleración, la velocidad inicial y la posición inicial de una partícula son
$$\mathbf{a}(t) = -5\cos t\mathbf{i} - 5\operatorname{sen} t\mathbf{j}, \mathbf{v}(0) = 9\mathbf{i} + 2\mathbf{j}, \text{ y } \mathbf{r}(0) = 5\mathbf{i}.$$
Calcule $\mathbf{v}(t)$ y $\mathbf{r}(t)$.

65. El vector de posición de una partícula es
$$\mathbf{r}(t) = 5\sec(2t)\mathbf{i} - 4\tan(t)\mathbf{j} + 7t^2\mathbf{k}.$$

   a. Grafique la función de posición y muestre una vista del gráfico que ilustre el comportamiento asintótico de la función.

   b. Calcule la velocidad cuando t se aproxima pero no es igual a $\pi/4$ (si existe).

66. Halle la velocidad y la rapidez de una partícula con la función de posición
$$\mathbf{r}(t) = \left(\frac{2t-1}{2t+1}\right)\mathbf{i} + \ln(1 - 4t^2)\mathbf{j}.$$
La rapidez de una partícula es la magnitud de la velocidad y se representa por $\|r'(t)\|$.

Una partícula se mueve en una trayectoria circular de radio b según la función $\mathbf{r}(t) = b\cos(\omega t)\mathbf{i} + b\operatorname{sen}(\omega t)\mathbf{j}$, *donde ω es la velocidad angular, $d\theta/dt$.*

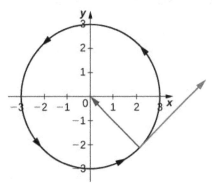

67. Halle la función de velocidad y demuestre que $\mathbf{v}(t)$ es siempre ortogonal a $\mathbf{r}(t)$.

68. Demuestre que la rapidez de la partícula es proporcional a la velocidad angular.

69. Evalúe $\frac{d}{dt}\left[\mathbf{u}(t) \times \mathbf{u}'(t)\right]$ dado que
$$\mathbf{u}(t) = t^2\mathbf{i} - 2t\mathbf{j} + \mathbf{k}.$$

70. Calcule la antiderivada de
$$\mathbf{r}'(t) = \cos(2t)\mathbf{i} - 2\operatorname{sen} t\mathbf{j} + \frac{1}{1+t^2}\mathbf{k}$$
que satisface la condición inicial
$$\mathbf{r}(0) = 3\mathbf{i} - 2\mathbf{j} + \mathbf{k}.$$

71. Evalúe $\displaystyle\int_0^3 \|t\mathbf{i} + t^2\mathbf{j}\| dt.$

72. Un objeto parte del reposo en el punto $P(1, 2, 0)$ y se mueve con una aceleración de $\mathbf{a}(t) = \mathbf{j} + 2\mathbf{k}$, donde $\|\mathbf{a}(t)\|$ se mide en pies por segundo por segundo. Calcule la ubicación del objeto después de $t = 2$ seg.

73. Demuestre que si la rapidez de una partícula que se desplaza a lo largo de una curva representada por una función de valor vectorial es constante, entonces la función de valor velocidad es siempre perpendicular a la función de aceleración.

74. Dados $\mathbf{r}(t) = t\mathbf{i} + 3t\mathbf{j} + t^2\mathbf{k}$ y $\mathbf{u}(t) = 4t\mathbf{i} + t^2\mathbf{j} + t^3\mathbf{k}$, calcule $\frac{d}{dt}(\mathbf{r}(t) \times \mathbf{u}(t))$.

75. Dado que $\mathbf{r}(t) = \langle t + \cos t, t - \sin t \rangle$, calcule la velocidad y la rapidez en cualquier momento.

76. Halle el vector velocidad para la función $\mathbf{r}(t) = \langle e^t, e^{-t}, 0 \rangle$.

77. Halle la ecuación de la línea tangente a la curva $\mathbf{r}(t) = \langle e^t, e^{-t}, 0 \rangle$ a las $t = 0$.

78. Describa y dibuje la curva representada por la función de valor vectorial $\mathbf{r}(t) = \langle 6t, 6t - t^2 \rangle$.

79. Ubique el punto más alto de la curva $\mathbf{r}(t) = \langle 6t, 6t - t^2 \rangle$ y dé el valor de la función en este punto.

El vector de posición de una partícula es $\mathbf{r}(t) = t\mathbf{i} + t^2\mathbf{j} + t^3\mathbf{k}$. El gráfico se muestra aquí:

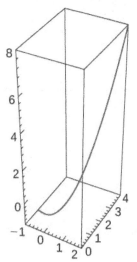

80. Halle el vector de velocidad en cualquier momento.

81. Halle la rapidez de la partícula en el tiempo $t = 2$ seg.

82. Calcule la aceleración en el tiempo $t = 2$ seg.

Una partícula se desplaza por la trayectoria de una hélice con la ecuación $\mathbf{r}(t) = \cos(t)\mathbf{i} + \text{sen}(t)\mathbf{j} + t\mathbf{k}$. *Vea el gráfico presentado aquí:*

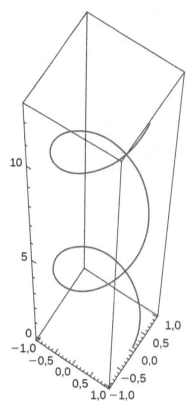

Calcule lo siguiente:

83. Velocidad de la partícula en cualquier momento

84. Rapidez de la partícula en cualquier momento

85. Aceleración de la partícula en cualquier momento

86. Calcule el vector unitario tangente de la hélice.

Una partícula recorre la trayectoria de una elipse con la ecuación $\mathbf{r}(t) = \cos t\,\mathbf{i} + 2\,\text{sen}\,t\,\mathbf{j} + 0\mathbf{k}$. *Calcule lo siguiente:*

87. Velocidad de la partícula

88. Rapidez de la partícula en $t = \frac{\pi}{4}$

89. Aceleración de la partícula en $t = \frac{\pi}{4}$

Dada la función de valor vectorial $\mathbf{r}(t) = \langle \tan t, \sec t, 0 \rangle$ *(el gráfico se muestra aquí), calcule lo siguiente:*

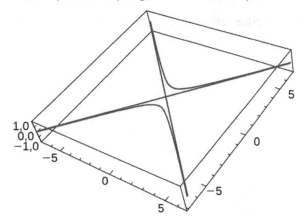

90. Velocidad

91. Velocidad

92. Aceleración

93. Calcule la velocidad mínima de una partícula que se desplaza por la curva
$\mathbf{r}(t) = \langle t + \cos t, t - \mathrm{sen}\, t \rangle$
$t \in [0, 2\pi)$.

Dados $\mathbf{r}(t) = t\mathbf{i} + 2\,\mathrm{sen}\, t\mathbf{j} + 2\cos t\mathbf{k}$ *y* $\mathbf{u}(t) = \frac{1}{t}\mathbf{i} + 2\,\mathrm{sen}\, t\mathbf{j} + 2\cos t\mathbf{k}$, *calcule lo siguiente:*

94. $\mathbf{r}(t) \times \mathbf{u}(t)$ grandes.

95. $\frac{d}{dt}(\mathbf{r}(t) \times \mathbf{u}(t))$ grandes.

96. Ahora, utilice la regla de multiplicación para la derivada del producto vectorial de dos vectores y demuestre que este resultado es el mismo que la respuesta del problema anterior.

Halle el vector unitario tangente **T***(t) para las siguientes funciones de valores vectoriales.*

97. $\mathbf{r}(t) = \langle t, \frac{1}{t} \rangle$. La gráfica se muestra aquí:

98. $\mathbf{r}(t) = \langle t \cos t, t \operatorname{sen} t \rangle$

99. $\mathbf{r}(t) = \langle t+1, 2t+1, 2t+2 \rangle$

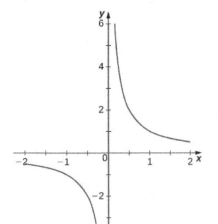

Evalúe las siguientes integrales:

100. $\displaystyle\int \left(e^t \mathbf{i} + \operatorname{sen} t \mathbf{j} + \frac{1}{2t-1} \mathbf{k} \right) dt$

101. $\displaystyle\int_0^1 \mathbf{r}(t)dt$, donde
$$\mathbf{r}(t) = \left\langle \sqrt[3]{t}, \frac{1}{t+1}, e^{-t} \right\rangle$$

3.3 Longitud de arco y curvatura

Objetivos de aprendizaje

    3.3.1 Determinar la longitud de la trayectoria de una partícula en el espacio utilizando la función de longitud de arco.

    3.3.2 Explicar el significado de la curvatura de una curva en el espacio e indicar su fórmula.

    3.3.3 Describir el significado de los vectores normal y binormal de una curva en el espacio.

En esta sección, estudiamos fórmulas relacionadas con curvas tanto en dos como en tres dimensiones, y vemos cómo se relacionan con varias propiedades de la misma curva. Por ejemplo, supongamos que una función de valor vectorial describe el movimiento de una partícula en el espacio. Queremos determinar la distancia que ha recorrido la partícula en un intervalo de tiempo determinado, que se puede describir mediante la longitud de arco de la trayectoria que sigue. O bien, supongamos que la función de valor vectorial describe una carretera que estamos construyendo y queremos determinar el grado de la curva de la carretera en un punto determinado. Esto se describe por la curvatura de la función en ese punto. En esta sección exploramos cada uno de estos conceptos.

Longitud de arco para funciones vectoriales

Hemos visto cómo una función de valor vectorial describe una curva en dos o tres dimensiones. Recordemos Fórmulas alternativas para la curvatura, que establece que la fórmula para la longitud de arco de una curva definida por las funciones paramétricas $x = x(t), y = y(t), t_1 \leq t \leq t_2$ está dada por

$$s = \int_{t_1}^{t_2} \sqrt{\left(x'(t)\right)^2 + \left(y'(t)\right)^2} \, dt.$$

De forma similar, si definimos una curva suave mediante una función de valor vectorial $\mathbf{r}(t) = f(t)\mathbf{i} + g(t)\mathbf{j}$, donde $a \leq t \leq b$, la longitud de arco viene dada por la fórmula

$$s = \int_a^b \sqrt{\left(f'\,(t)\right)^2 + \left(g'\,(t)\right)^2}\,dt.$$

En tres dimensiones, si la función de valor vectorial está descrita por $\mathbf{r}\,(t) = f\,(t)\,\mathbf{i} + g\,(t)\,\mathbf{j} + h\,(t)\,\mathbf{k}$ en el mismo intervalo $a \leq t \leq b$, la longitud de arco está dada por

$$s = \int_a^b \sqrt{\left(f'\,(t)\right)^2 + \left(g'\,(t)\right)^2 + \left(h'\,(t)\right)^2}\,dt.$$

Teorema 3.4

Fórmulas de longitud de arco

i. *Curva plana*: Dada una curva suave C definida por la función $\mathbf{r}\,(t) = f\,(t)\,\mathbf{i} + g\,(t)\,\mathbf{j}$, donde t se encuentra dentro del intervalo $[a, b]$, la longitud de arco de C sobre el intervalo es

$$s = \int_a^b \sqrt{\left[f'\,(t)\right]^2 + \left[g'\,(t)\right]^2}\,dt = \int_a^b \left\| \mathbf{r}'\,(t) \right\|\,dt. \tag{3.11}$$

ii. *Curva en el espacio*: Dada una curva suave C definida por la función $\mathbf{r}\,(t) = f\,(t)\,\mathbf{i} + g\,(t)\,\mathbf{j} + h\,(t)\,\mathbf{k}$, donde t se encuentra dentro del intervalo $[a, b]$, la longitud de arco de C sobre el intervalo es

$$s = \int_a^b \sqrt{\left[f'\,(t)\right]^2 + \left[g'\,(t)\right]^2 + \left[h'\,(t)\right]^2}\,dt = \int_a^b \left\| \mathbf{r}'\,(t) \right\|\,dt. \tag{3.12}$$

Las dos fórmulas son muy similares; solo se diferencian en que una curva espacial tiene tres funciones componentes en vez de dos. Observe que las fórmulas están definidas para curvas suaves: curvas en las que la función de valor vectorial $\mathbf{r}(t)$ es diferenciable con una derivada no nula. La condición de suavidad garantiza que la curva no tenga cúspides (o esquinas) que puedan hacer que la fórmula sea problemática.

EJEMPLO 3.9

Calcular la longitud del arco
Calcule la longitud de arco de cada una de las siguientes funciones de valores vectoriales:

a. $\mathbf{r}\,(t) = (3t - 2)\,\mathbf{i} + (4t + 5)\,\mathbf{j}, 1 \leq t \leq 5$
b. $\mathbf{r}\,(t) = \langle t\cos t, t\,\text{sen}\,t, 2t \rangle, 0 \leq t \leq 2\pi$

✓ **Solución**
a. Utilizando la Ecuación 3.11, $\mathbf{r}'\,(t) = 3\mathbf{i} + 4\mathbf{j}$, así que

$$\begin{aligned}
s &= \int_a^b \left\| \mathbf{r}'\,(t) \right\|\,dt \\
&= \int_a^5 \sqrt{3^2 + 4^2}\,dt \\
&= \int_1^5 5\,dt = 5t\big|_1^5 = 20.
\end{aligned}$$

b. Utilizando la Ecuación 3.12, $\mathbf{r}'\,(t) = \langle \cos t - t\,\text{sen}\,t, \text{sen}\,t + t\cos t, 2 \rangle$, así que

$$\begin{aligned}
s &= \int_a^b \left\| \mathbf{r}'\,(t) \right\|\,dt \\
&= \int_0^{2\pi} \sqrt{(\cos t - t\,\text{sen}\,t)^2 + (\text{sen}\,t + t\cos t)^2 + 2^2}\,dt \\
&= \int_0^{2\pi} \sqrt{\left(\cos^2 t - 2t\,\text{sen}\,t\cos t + t^2\,\text{sen}^2 t\right) + \left(\text{sen}^2 t + 2t\,\text{sen}\,t\cos t + t^2\cos^2 t\right) + 4}\,dt \\
&= \int_0^{2\pi} \sqrt{\cos^2 t + \text{sen}^2 t + t^2\left(\cos^2 t + \text{sen}^2 t\right) + 4}\,dt \\
&= \int_0^{2\pi} \sqrt{t^2 + 5}\,dt.
\end{aligned}$$

Aquí podemos utilizar una fórmula de integración de la tabla

$$\int \sqrt{u^2 + a^2}\, du = \frac{u}{2}\sqrt{u^2 + a^2} + \frac{a^2}{2}\ln\left|u + \sqrt{u^2 + a^2}\right| + C,$$

por lo que obtenemos

$$
\begin{aligned}
\int_0^{2\pi} \sqrt{t^2 + 5}\, dt &= \tfrac{1}{2}\left(t\sqrt{t^2 + 5} + 5\ln\left|t + \sqrt{t^2 + 5}\right|\right)\Big|_0^{2\pi} \\
&= \tfrac{1}{2}\left(2\pi\sqrt{4\pi^2 + 5} + 5\ln\left(2\pi + \sqrt{4\pi^2 + 5}\right)\right) - \tfrac{5}{2}\ln\sqrt{5} \\
&\approx 25{,}343.
\end{aligned}
$$

☑   3.9   Calcule la longitud de arco de la curva parametrizada

$$\mathbf{r}(t) = \left\langle 2t^2 + 1, 2t^2 - 1, t^3 \right\rangle, 0 \le t \le 3.$$

Ahora volvemos a la hélice introducida anteriormente en este capítulo. Una función de valor vectorial que describe una hélice puede escribirse de la forma

$$\mathbf{r}(t) = R\cos\left(\frac{2\pi N t}{h}\right)\mathbf{i} + R\operatorname{sen}\left(\frac{2\pi N t}{h}\right)\mathbf{j} + t\,\mathbf{k},\ 0 \le t \le h,$$

donde R representa el radio de la hélice, h representa la altura (distancia entre dos vueltas consecutivas), y la hélice completa N vueltas. Derivemos una fórmula para la longitud de arco de esta hélice utilizando la [Ecuación 3.12](). En primer lugar,

$$\mathbf{r}'(t) = -\frac{2\pi N R}{h}\operatorname{sen}\left(\frac{2\pi N t}{h}\right)\mathbf{i} + \frac{2\pi N R}{h}\cos\left(\frac{2\pi N t}{h}\right)\mathbf{j} + \mathbf{k}.$$

Por lo tanto,

$$
\begin{aligned}
s &= \int_a^b \|\mathbf{r}'(t)\|\, dt \\
&= \int_0^h \sqrt{\left(-\frac{2\pi N R}{h}\operatorname{sen}\left(\frac{2\pi N t}{h}\right)\right)^2 + \left(\frac{2\pi N R}{h}\cos\left(\frac{2\pi N t}{h}\right)\right)^2 + 1^2}\, dt \\
&= \int_0^h \sqrt{\frac{4\pi^2 N^2 R^2}{h^2}\left(\operatorname{sen}^2\left(\frac{2\pi N t}{h}\right) + \cos^2\left(\frac{2\pi N t}{h}\right)\right) + 1}\, dt \\
&= \int_0^h \sqrt{\frac{4\pi^2 N^2 R^2}{h^2} + 1}\, dt \\
&= \left[t\sqrt{\frac{4\pi^2 N^2 R^2}{h^2} + 1}\right]_0^h \\
&= h\sqrt{\frac{4\pi^2 N^2 R^2 + h^2}{h^2}} \\
&= \sqrt{4\pi^2 N^2 R^2 + h^2}.
\end{aligned}
$$

Esto da una fórmula para la longitud de un alambre que necesaria para formar una hélice con N vueltas que tiene radio R y altura h.

Parametrización por longitud de arco

Ahora tenemos una fórmula para la longitud de arco de una curva definida por una función de valor vectorial. Vayamos un paso más allá y examinemos qué es una **función de longitud de arco**.

Si una función de valor vectorial representa la posición de una partícula en el espacio en función del tiempo, la función de longitud de arco mide la distancia que recorre esa partícula en función del tiempo. La fórmula de la función de longitud de arco se deduce directamente de la fórmula de la longitud de arco:

$$s(t) = \int_a^t \sqrt{\left(f'(u)\right)^2 + \left(g'(u)\right)^2 + \left(h'(u)\right)^2}\, du. \tag{3.13}$$

Si la curva está en dos dimensiones, entonces solo aparecen dos términos bajo la raíz cuadrada dentro de la integral. La razón de utilizar la variable independiente u es para distinguir entre el tiempo y la variable de integración. Dado que $s(t)$ mide la distancia recorrida en función del tiempo, $s'(t)$ mide la rapidez de la partícula en un momento dado. Como tenemos una fórmula para $s(t)$ en la [Ecuación 3.13](#), podemos diferenciar ambos lados de la ecuación:

$$
\begin{aligned}
s'(t) &= \frac{d}{dt}\left[\int_a^t \sqrt{\left(f'(u)\right)^2 + \left(g'(u)\right)^2 + \left(h'(u)\right)^2}\, du\right] \\
&= \frac{d}{dt}\left[\int_a^t \|\mathbf{r}'(u)\|\, du\right] \\
&= \|\mathbf{r}'(t)\|.
\end{aligned}
$$

Si asumimos que $\mathbf{r}(t)$ define una curva suave, entonces la longitud de arco es siempre creciente, por lo que $s'(t) > 0$ por $t > a$. Por último, si $\mathbf{r}(t)$ es una curva en la que $\|\mathbf{r}'(t)\| = 1$ para todo t, entonces

$$s(t) = \int_a^t \|\mathbf{r}'(u)\|\, du = \int_a^t 1\, du = t - a,$$

lo que significa que t representa la longitud de arco mientras $a = 0$,

---

Teorema 3.5

Función de longitud de arco

Supongamos que $\mathbf{r}(t)$ describe una curva suave para $t \geq a$. Entonces la función de longitud de arco viene dada por

$$s(t) = \int_a^t \|\mathbf{r}'(u)\|\, du. \tag{3.14}$$

Además, $\frac{ds}{dt} = \|\mathbf{r}'(t)\| > 0$, Si $\|\mathbf{r}'(t)\| = 1$ para todo $t \geq a$, entonces el parámetro t representa la longitud de arco desde el punto de partida en $t = a$.

Una aplicación útil de este teorema es calcular una parametrización alternativa de una curva dada, llamada **parametrización por longitud de arco**. Recordemos que cualquier función de valor vectorial puede ser reparametrizada mediante un cambio de variables. Por ejemplo, si tenemos una función $\mathbf{r}(t) = \langle 3\cos t, 3\,\text{sen}\,t \rangle$, $0 \leq t \leq 2\pi$ que parametriza un círculo de radio 3, podemos cambiar el parámetro de t a $4t$, obteniendo una nueva parametrización $\mathbf{r}(t) = \langle 3\cos 4t, 3\,\text{sen}\,4t \rangle$. La nueva parametrización sigue definiendo un círculo de radio 3, pero ahora solo necesitamos utilizar los valores $0 \leq t \leq \pi/2$ para atravesar el círculo una vez.

Supongamos que encontramos la función de longitud de arco $s(t)$ y somos capaces de resolver esta función para t en función de s. Podemos entonces reparametrizar la función original $\mathbf{r}(t)$ sustituyendo la expresión de t en $\mathbf{r}(t)$. La función vectorial se escribe ahora en términos del parámetro s. Dado que la variable s representa la longitud de arco, llamamos a esto una *parametrización por longitud de arco* de la función original $\mathbf{r}(t)$. Una de las ventajas de calcular la parametrización por longitud de arco es que la distancia recorrida a lo largo de la curva a partir de $s = 0$ es ahora igual al parámetro s. La parametrización por longitud de arco también aparece en el contexto de la curvatura (que examinamos más adelante en esta sección) y de las integrales de línea, que estudiamos en [Introducción al cálculo vectorial](#).

EJEMPLO 3.10

Calcular una parametrización por longitud de arco

Halle la parametrización por longitud de arco para cada una de las siguientes curvas:

a. $\mathbf{r}(t) = 4\cos t\,\mathbf{i} + 4\,\text{sen}\,t\,\mathbf{j},\, t \geq 0$
b. $\mathbf{r}(t) = \langle t + 3,\, 2t - 4,\, 2t \rangle,\, t \geq 3$

Solución

a. Primero hallamos la función de longitud de arco utilizando la Ecuación 3.14

$$
\begin{aligned}
s(t) &= \int_a^t \|\mathbf{r}'(u)\| \, du \\
&= \int_0^t \|\langle -4\operatorname{sen}u, 4\cos u\rangle\| \, du \\
&= \int_0^t \sqrt{(-4\operatorname{sen}u)^2 + (4\cos u)^2} \, du \\
&= \int_0^t \sqrt{16\operatorname{sen}^2 u + 16\cos^2 u} \, du \\
&= \int_0^t 4 \, du = 4t,
\end{aligned}
$$

que da la relación entre la longitud de arco s y el parámetro t como $s = 4t$; así que, $t = s/4$. A continuación, sustituimos la variable t en la función original $\mathbf{r}(t) = 4\cos t\,\mathbf{i} + 4\operatorname{sen}t\,\mathbf{j}$ con la expresión $s/4$ para obtener

$$\mathbf{r}(s) = 4\cos\left(\frac{s}{4}\right)\mathbf{i} + 4\operatorname{sen}\left(\frac{s}{4}\right)\mathbf{j}.$$

Esta es la parametrización de la longitud de arco de $\mathbf{r}(t)$. Dado que la restricción original de t venía dada por $t \geq 0$, la restricción de s se convierte en $s/4 \geq 0$, o $s \geq 0$,

b. La función de longitud de arco viene dada por la Ecuación 3.14

$$
\begin{aligned}
s(t) &= \int_a^t \|\mathbf{r}'(u)\| \, du \\
&= \int_3^t \|\langle 1, 2, 2\rangle\| \, du \\
&= \int_3^t \sqrt{1^2 + 2^2 + 2^2} \, du \\
&= \int_3^t 3 \, du \\
&= 3t - 9.
\end{aligned}
$$

Por lo tanto, la relación entre la longitud de arco s y el parámetro t es $s = 3t - 9$, por lo que $t = \frac{s}{3} + 3$. Al sustituir esto en la función original $\mathbf{r}(t) = \langle t + 3,\ 2t - 4, 2t\rangle$ se obtiene

$$\mathbf{r}(s) = \left\langle \left(\frac{s}{3}+3\right)+3,\ 2\left(\frac{s}{3}+3\right)-4, 2\left(\frac{s}{3}+3\right)\right\rangle = \left\langle \frac{s}{3}+6,\ \frac{2s}{3}+2, \frac{2s}{3}+6\right\rangle.$$

Se trata de una parametrización por longitud de arco de $\mathbf{r}(t)$. La restricción original del parámetro t era $t \geq 3$, por lo que la restricción de s es $(s/3) + 3 \geq 3$, o $s \geq 0$,

---

☑ 3.10   Halle la función de longitud de arco para la hélice

$$\mathbf{r}(t) = \langle 3\cos t, 3\operatorname{sen}t, 4t\rangle, t \geq 0,$$

A continuación, utilice la relación entre la longitud de arco y el parámetro t para hallar una parametrización por longitud de arco de $\mathbf{r}(t)$.

Curvatura

Un tema importante relacionado con la longitud de arco es la curvatura. El concepto de curvatura proporciona una forma de medir el grado de una curva suave. Un círculo tiene una curvatura constante. Cuanto menor sea el radio del círculo, mayor será la curvatura.

Piense en conducir por una carretera. Supongamos que la carretera se encuentra en un arco de círculo grande. En este caso, apenas tendría que girar el volante para mantenerse en la carretera. Ahora supongamos que el radio es menor. En este caso, tendría que girar más bruscamente para mantenerse en la carretera. En el caso de una curva que no sea un círculo, a menudo resulta útil inscribir primero un círculo en la curva en un punto determinado, de modo que sea tangente a la curva en ese punto y "abrace" la curva lo más cerca posible del punto (Figura 3.6). La curvatura del gráfico en ese punto se define entonces como la curvatura del círculo inscrito.

Figura 3.6   El gráfico representa la curvatura de una función $y = f(x)$. Cuanto más agudo sea el giro del gráfico, mayor será la curvatura y menor el radio del círculo inscrito.

Definición

Supongamos que C es una curva suave en el plano o en el espacio dada por $\mathbf{r}(s)$, donde s es el parámetro de longitud de arco. La **curvatura** κ en s es

$$\kappa = \left\| \frac{d\mathbf{T}}{ds} \right\| = \|\mathbf{T}'(s)\|.$$

▶   **MEDIOS**

Visite este sitio web (http://www.openstax.org/l/20_spacecurve) para obtener más información sobre la curvatura de una curva en el espacio.

La fórmula de la definición de curvatura no es muy útil en términos de cálculo. En particular, recordemos que $\mathbf{T}(t)$ representa el vector unitario tangente a una función de valor vectorial determinada $\mathbf{r}(t)$, y la fórmula de $\mathbf{T}(t)$ es $\mathbf{T}(t) = \dfrac{\mathbf{r}'(t)}{\|\mathbf{r}'(t)\|}$. Para utilizar la fórmula de la curvatura, primero es necesario expresar $\mathbf{r}(t)$ en términos del parámetro de longitud de arco s, y luego hallar el vector tangente unitario $\mathbf{T}(s)$ para la función $\mathbf{r}(s)$, luego tomar la derivada de $\mathbf{T}(s)$ con respecto a s. Este es un proceso tedioso. Afortunadamente, existen fórmulas equivalentes para la curvatura.

Teorema 3.6

Fórmulas alternativas para la curvatura
Si C es una curva suave dada por $\mathbf{r}(t)$, entonces la curvatura κ de C en t viene dada por

$$\kappa = \frac{\|\mathbf{T}'(t)\|}{\|\mathbf{r}'(t)\|}. \tag{3.15}$$

Si C es una curva tridimensional, entonces la curvatura puede venir dada por la fórmula

$$\kappa = \frac{\|\mathbf{r}'(t) \times \mathbf{r}''(t)\|}{\|\mathbf{r}'(t)\|^3}. \tag{3.16}$$

Si C es el gráfico de una función $y = f(x)$ y tanto y' y y'' existen, entonces la curvatura κ en el punto (x, y) está dada por

$$\kappa = \frac{|y''|}{\left[1 + \left(y'\right)^2\right]^{3/2}}. \tag{3.17}$$

Prueba
La primera fórmula se deduce directamente de la regla de la cadena:

$$\frac{d\mathbf{T}}{dt} = \frac{d\mathbf{T}}{ds}\frac{ds}{dt},$$

donde s es la longitud de arco a lo largo de la curva C. Dividiendo ambos lados entre ds/dt, y tomando la magnitud de ambos lados se obtiene

$$\left\|\frac{d\mathbf{T}}{ds}\right\| = \left\|\frac{\mathbf{T}'(t)}{\frac{ds}{dt}}\right\|.$$

Dado que $ds/dt = \|\mathbf{r}'(t)\|$, esto da la fórmula de la curvatura κ de una curva C en términos de cualquier parametrización de C:

$$\kappa = \frac{\|\mathbf{T}'(t)\|}{\|\mathbf{r}'(t)\|}.$$

En el caso de una curva tridimensional, partimos de las fórmulas $\mathbf{T}(t) = \left(\mathbf{r}'(t)\right)/\|\mathbf{r}'(t)\|$ y $ds/dt = \|\mathbf{r}'(t)\|$. Por lo tanto, $\mathbf{r}'(t) = (ds/dt)\,\mathbf{T}(t)$. Podemos tomar la derivada de esta función utilizando la fórmula del producto escalar:

$$\mathbf{r}''(t) = \frac{d^2 s}{dt^2}\mathbf{T}(t) + \frac{ds}{dt}\mathbf{T}'(t).$$

Utilizando estas dos últimas ecuaciones obtenemos

$$\begin{aligned}\mathbf{r}'(t) \times \mathbf{r}''(t) &= \frac{ds}{dt}\mathbf{T}(t) \times \left(\frac{d^2 s}{dt^2}\mathbf{T}(t) + \frac{ds}{dt}\mathbf{T}'(t)\right)\\ &= \frac{ds}{dt}\frac{d^2 s}{dt^2}\mathbf{T}(t) \times \mathbf{T}(t) + \left(\frac{ds}{dt}\right)^2\mathbf{T}(t) \times \mathbf{T}'(t).\end{aligned}$$

Dado que $\mathbf{T}(t) \times \mathbf{T}(t) = \mathbf{0}$, esto se reduce a

$$\mathbf{r}'(t) \times \mathbf{r}''(t) = \left(\frac{ds}{dt}\right)^2\mathbf{T}(t) \times \mathbf{T}'(t).$$

Dado que $\mathbf{T}'$ es paralelo a $\mathbf{N}$, y $\mathbf{T}$ es ortogonal a $\mathbf{N}$, se deduce que $\mathbf{T}$ y $\mathbf{T}'$ sean ortogonales. Esto significa que $\|\mathbf{T} \times \mathbf{T}'\| = \|\mathbf{T}\|\,\|\mathbf{T}'\|\operatorname{sen}(\pi/2) = \|\mathbf{T}'\|$, así que

$$\left\|\mathbf{r}'(t) \times \mathbf{r}''(t)\right\| = \left(\frac{ds}{dt}\right)^2\|\mathbf{T}'(t)\|.$$

Ahora resolvemos esta ecuación para $\|\mathbf{T}'(t)\|$ y utilizamos el hecho de que $ds/dt = \|\mathbf{r}'(t)\|$:

$$\|\mathbf{T}'(t)\| = \frac{\|\mathbf{r}'(t) \times \mathbf{r}''(t)\|}{\|\mathbf{r}'(t)\|^2}.$$

A continuación, dividimos ambos lados entre $\|\mathbf{r}'(t)\|$. Esto da

$$\kappa = \frac{\|\mathbf{T}'(t)\|}{\|\mathbf{r}'(t)\|} = \frac{\|\mathbf{r}'(t) \times \mathbf{r}''(t)\|}{\|\mathbf{r}'(t)\|^3}.$$

Esto prueba la Ecuación 3.16. Para probar la Ecuación 3.17, comenzamos con la suposición de que la curva C está definida por la función $y = f(x)$. Entonces, podemos definir $\mathbf{r}(t) = x\,\mathbf{i} + f(x)\,\mathbf{j} + 0\,\mathbf{k}$. Utilizando la fórmula anterior para la curvatura:

$$\begin{aligned}\mathbf{r}'(t) &= \mathbf{i} + f'(x)\,\mathbf{j}\\ \mathbf{r}''(t) &= f''(x)\,\mathbf{j}\\ \mathbf{r}'(t) \times \mathbf{r}''(t) &= \begin{vmatrix} \mathbf{i} & \mathbf{j} & \mathbf{k}\\ 1 & f'(x) & 0\\ 0 & f''(x) & 0 \end{vmatrix} = f''(x)\,\mathbf{k}.\end{aligned}$$

Por lo tanto,

$$\kappa = \frac{\|\mathbf{r}'(t) \times \mathbf{r}''(t)\|}{\|\mathbf{r}'(t)\|^3} = \frac{|f''(x)|}{\left(1 + \left[\left(f'(x)\right)^2\right]\right)^{3/2}}.$$

$\square$

EJEMPLO 3.11

Calcular la curvatura

Halle la curvatura de cada una de las siguientes curvas en el punto dado:

a. $\mathbf{r}(t) = 4\cos t\,\mathbf{i} + 4\,\mathrm{sen}\,t\,\mathbf{j} + 3t\,\mathbf{k}, t = \frac{4\pi}{3}$

b. $f(x) = \sqrt{4x - x^2}, x = 2$

⊘ **Solución**

a. Esta función describe una hélice

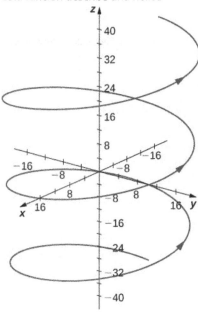

La curvatura de la hélice en $t = (4\pi)/3$ se puede hallar utilizando la Ecuación 3.15. En primer lugar, calcule $\mathbf{T}(t)$:

$$
\begin{aligned}
\mathbf{T}(t) &= \frac{\mathbf{r}'(t)}{\|\mathbf{r}'(t)\|} \\
&= \frac{\langle -4\,\mathrm{sen}\,t, 4\cos t, 3\rangle}{\sqrt{(-4\,\mathrm{sen}\,t)^2 + (4\cos t)^2 + 3^2}} \\
&= \left\langle -\tfrac{4}{5}\mathrm{sen}\,t, \tfrac{4}{5}\cos t, \tfrac{3}{5}\right\rangle.
\end{aligned}
$$

A continuación, calcule $\mathbf{T}'(t)$:

$$
\mathbf{T}'(t) = \left\langle -\frac{4}{5}\cos t, -\frac{4}{5}\mathrm{sen}\,t, 0 \right\rangle.
$$

Por último, aplique la Ecuación 3.15

$$
\begin{aligned}
\kappa &= \frac{\|\mathbf{T}'(t)\|}{\|\mathbf{r}'(t)\|} = \frac{\left\|\left\langle -\frac{4}{5}\cos t, -\frac{4}{5}\mathrm{sen}\,t, 0\right\rangle\right\|}{\|\langle -4\,\mathrm{sen}\,t, 4\cos t, 3\rangle\|} \\
&= \frac{\sqrt{\left(-\frac{4}{5}\cos t\right)^2 + \left(-\frac{4}{5}\mathrm{sen}\,t\right)^2 + 0^2}}{\sqrt{(-4\,\mathrm{sen}\,t)^2 + (4\cos t)^2 + 3^2}} \\
&= \frac{4/5}{5} = \frac{4}{25}.
\end{aligned}
$$

La curvatura de esta hélice es constante en todos los puntos de la misma.

b. Esta función describe un semicírculo

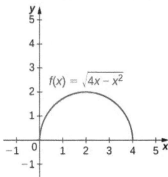

Para calcular la curvatura de este gráfico, debemos utilizar la Ecuación 3.16. En primer lugar, calculamos y' y y'':

$$y = \sqrt{4x-x^2} = \left(4x-x^2\right)^{1/2}$$

$$y' = \tfrac{1}{2}\left(4x-x^2\right)^{-1/2}(4-2x) = (2-x)\left(4x-x^2\right)^{-1/2}$$

$$y'' = -\left(4x-x^2\right)^{-1/2} + (2-x)\left(-\tfrac{1}{2}\right)\left(4x-x^2\right)^{-3/2}(4-2x)$$

$$= -\frac{4x-x^2}{\left(4x-x^2\right)^{3/2}} - \frac{(2-x)^2}{\left(4x-x^2\right)^{3/2}}$$

$$= \frac{x^2-4x-\left(4-4x+x^2\right)}{\left(4x-x^2\right)^{3/2}}$$

$$= -\frac{4}{\left(4x-x^2\right)^{3/2}}.$$

Entonces, aplicamos la Ecuación 3.17

$$\kappa = \frac{|y''|}{\left[1+\left(y'\right)^2\right]^{3/2}}$$

$$= \frac{\left|-\dfrac{4}{\left(4x-x^2\right)^{3/2}}\right|}{\left[1+\left((2-x)\left(4x-x^2\right)^{-1/2}\right)^2\right]^{3/2}} = \frac{\left|\dfrac{4}{\left(4x-x^2\right)^{3/2}}\right|}{\left[1+\dfrac{(2-x)^2}{4x-x^2}\right]^{3/2}}$$

$$= \frac{\left|\dfrac{4}{\left(4x-x^2\right)^{3/2}}\right|}{\left[\dfrac{4x-x^2+x^2-4x+4}{4x-x^2}\right]^{3/2}} = \left|\dfrac{4}{\left(4x-x^2\right)^{3/2}}\right| \cdot \dfrac{\left(4x-x^2\right)^{3/2}}{8}$$

$$= \tfrac{1}{2}.$$

La curvatura de este círculo es igual a la reciprocidad de su radio. Hay un pequeño problema con el valor absoluto en la Ecuación 3.16; sin embargo, una mirada más cercana al cálculo revela que el denominador es positivo para cualquier valor de *x*.

✓ 3.11   Halle la curvatura de la curva definida por la función

$$y = 3x^2 - 2x + 4$$

en el punto $x = 2$.

Los vectores normal y binormal

Hemos visto que la derivada $\mathbf{r}'(t)$ de una función de valor vectorial es un vector tangente a la curva definida por $\mathbf{r}(t)$, y el vector tangente unitario $\mathbf{T}(t)$ se puede calcular dividiendo $\mathbf{r}'(t)$ entre su magnitud. Cuando se estudia el movimiento en tres dimensiones, otros dos vectores son útiles para describir el movimiento de una partícula a lo largo de una trayectoria en el espacio: el **vector normal unitario principal** y el **vector binormal**.

Definición

Supongamos que *C* es una curva **suave** tridimensional representada por **r** sobre un intervalo abierto *I*. Si $\mathbf{T}'(t) \neq \mathbf{0}$, entonces el vector normal unitario principal en *t* se define como

$$\mathbf{N}(t) = \frac{\mathbf{T}'(t)}{\|\mathbf{T}'(t)\|}.$$ (3.18)

El vector binormal en *t* se define como

$$\mathbf{B}(t) = \mathbf{T}(t) \times \mathbf{N}(t),$$ (3.19)

donde $\mathbf{T}(t)$ es el vector tangente unitario.

Observe que, por definición, el vector binormal es ortogonal tanto al vector tangente unitario como al vector normal. Además, $\mathbf{B}(t)$ es siempre un vector unitario. Esto se puede demostrar utilizando la fórmula de la magnitud de un producto vectorial

$$\|\mathbf{B}(t)\| = \|\mathbf{T}(t) \times \mathbf{N}(t)\| = \|\mathbf{T}(t)\| \|\mathbf{N}(t)\| \operatorname{sen}\theta,$$

donde θ es el ángulo entre $\mathbf{T}(t)$ y $\mathbf{N}(t)$. Dado que $\mathbf{N}(t)$ es la derivada de un vector unitario, la propiedad (vii) de la derivada de una función vectorial nos dice que $\mathbf{T}(t)$ y $\mathbf{N}(t)$ son ortogonales entre sí, por lo que $\theta = \pi/2$. Además, ambos son vectores unitarios, por lo que su magnitud es 1. Por lo tanto, $\|\mathbf{T}(t)\| \|\mathbf{N}(t)\| \operatorname{sen}\theta = (1)(1) \operatorname{sen}(\pi/2) = 1$ y $\mathbf{B}(t)$ son vectores unitarios.

El vector normal unitario principal puede ser difícil de calcular porque el vector tangente unitario implica un cociente, y este cociente a menudo tiene una raíz cuadrada en el denominador. En el caso tridimensional, hallar el producto vectorial del vector tangente unitario y el vector normal unitario puede ser aún más engorroso. Afortunadamente, tenemos fórmulas alternativas para calcular estos dos vectores, y se presentan en Movimiento en el espacio.

EJEMPLO 3.12

Hallar el vector normal y el vector binormal de la unidad principal
Para cada una de las siguientes funciones de valores vectoriales, halle el vector normal unitario principal. Luego, si es posible, halle el vector binormal.

a. $\mathbf{r}(t) = 4\cos t\, \mathbf{i} - 4\operatorname{sen} t\, \mathbf{j}$
b. $\mathbf{r}(t) = (6t + 2)\, \mathbf{i} + 5t^2\, \mathbf{j} - 8t\, \mathbf{k}$

⊘ **Solución**
a. Esta función describe un círculo

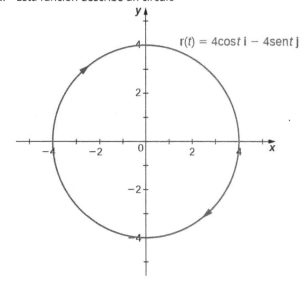

$r(t) = 4\cos t\, \mathbf{i} - 4\operatorname{sen} t\, \mathbf{j}$

Para hallar el vector normal unitario principal, primero debemos hallar el vector tangente unitario $\mathbf{T}(t)$:

$$
\begin{aligned}
\mathbf{T}(t) &= \frac{\mathbf{r}'(t)}{\|\mathbf{r}'(t)\|} \\
&= \frac{-4\operatorname{sen}t\,\mathbf{i} - 4\cos t\,\mathbf{j}}{\sqrt{(-4\operatorname{sen}t)^2 + (-4\cos t)^2}} \\
&= \frac{-4\operatorname{sen}t\,\mathbf{i} - 4\cos t\,\mathbf{j}}{\sqrt{16\operatorname{sen}^2 t + 16\cos^2 t}} \\
&= \frac{-4\operatorname{sen}t\,\mathbf{i} - 4\cos t\,\mathbf{j}}{\sqrt{16\left(\operatorname{sen}^2 t + \cos^2 t\right)}} \\
&= \frac{-4\operatorname{sen}t\,\mathbf{i} - 4\cos t\,\mathbf{j}}{4} \\
&= -\operatorname{sen}t\,\mathbf{i} - \cos t\,\mathbf{j}.
\end{aligned}
$$

A continuación, utilizamos la Ecuación 3.18

$$
\begin{aligned}
\mathbf{N}(t) &= \frac{\mathbf{T}'(t)}{\|\mathbf{T}'(t)\|} \\
&= \frac{-\cos t\,\mathbf{i} + \operatorname{sen}t\,\mathbf{j}}{\sqrt{(-\cos t)^2 + (\operatorname{sen}t)^2}} \\
&= \frac{-\cos t\,\mathbf{i} + \operatorname{sen}t\,\mathbf{j}}{\sqrt{\cos^2 t + \operatorname{sen}^2 t}} \\
&= -\cos t\,\mathbf{i} + \operatorname{sen}t\,\mathbf{j}.
\end{aligned}
$$

Observe que el vector tangente unitario y el vector normal unitario principal son ortogonales entre sí para todos los valores de t:

$$
\begin{aligned}
\mathbf{T}(t) \cdot \mathbf{N}(t) &= \langle -\operatorname{sen}t, -\cos t \rangle \cdot \langle -\cos t, \operatorname{sen}t \rangle \\
&= \operatorname{sen}t\cos t - \cos t\operatorname{sen}t \\
&= 0,
\end{aligned}
$$

Además, el vector normal unitario principal apunta hacia el centro del círculo desde cada punto del mismo. Dado que $\mathbf{r}(t)$ define una curva en dos dimensiones, no podemos calcular el vector binormal

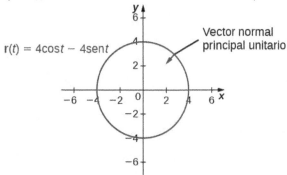

b. Esta función tiene el siguiente aspecto

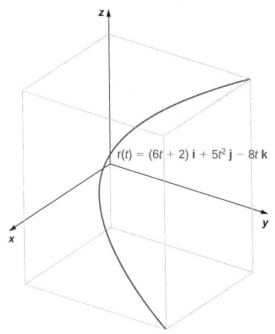

$$\mathbf{r}(t) = (6t + 2)\,\mathbf{i} + 5t^2\,\mathbf{j} - 8t\,\mathbf{k}$$

Para hallar el vector normal unitario principal, primero hallamos el vector tangente unitario $\mathbf{T}(t)$:

$$\mathbf{T}(t) = \frac{\mathbf{r}'(t)}{\|\mathbf{r}'(t)\|}$$

$$= \frac{6\,\mathbf{i}+10t\,\mathbf{j}-8\,\mathbf{k}}{\sqrt{6^2+(10t)^2+(-8)^2}}$$

$$= \frac{6\,\mathbf{i}+10t\,\mathbf{j}-8\,\mathbf{k}}{\sqrt{36+100t^2+64}}$$

$$= \frac{6\,\mathbf{i}+10t\,\mathbf{j}-8\mathbf{k}}{\sqrt{100(t^2+1)}}$$

$$= \frac{3\,\mathbf{i}+5t\,\mathbf{j}-4\mathbf{k}}{5\sqrt{t^2+1}}$$

$$= \tfrac{3}{5}\left(t^2 + 1\right)^{-1/2}\mathbf{i} + t\left(t^2 + 1\right)^{-1/2}\mathbf{j} - \tfrac{4}{5}\left(t^2 + 1\right)^{-1/2}\mathbf{k}.$$

A continuación, calculamos $\mathbf{T}'(t)$ y $\|\mathbf{T}'(t)\|$:

$$\mathbf{T}'(t) = \tfrac{3}{5}\left(-\tfrac{1}{2}\right)\left(t^2 + 1\right)^{-3/2}(2t)\,\mathbf{i} + \left(\left(t^2 + 1\right)^{-1/2} - t\left(\tfrac{1}{2}\right)\left(t^2 + 1\right)^{-3/2}(2t)\right)\mathbf{j}$$

$$\qquad - \tfrac{4}{5}\left(-\tfrac{1}{2}\right)\left(t^2 + 1\right)^{-3/2}(2t)\,\mathbf{k}$$

$$= -\frac{3t}{5\left(t^2+1\right)^{3/2}}\mathbf{i} + \frac{1}{\left(t^2+1\right)^{3/2}}\mathbf{j} + \frac{4t}{5\left(t^2+1\right)^{3/2}}\mathbf{k}$$

$$\|\mathbf{T}'(t)\| = \sqrt{\left(-\frac{3t}{5\left(t^2+1\right)^{3/2}}\right)^2 + \left(-\frac{1}{\left(t^2+1\right)^{3/2}}\right)^2 + \left(\frac{4t}{5\left(t^2+1\right)^{3/2}}\right)^2}$$

$$= \sqrt{\frac{9t^2}{25\left(t^2+1\right)^3} + \frac{1}{\left(t^2+1\right)^3} + \frac{16t^2}{25\left(t^2+1\right)^3}}$$

$$= \sqrt{\frac{25t^2+25}{25\left(t^2+1\right)^3}}$$

$$= \sqrt{\frac{1}{\left(t^2+1\right)^2}}$$

$$= \frac{1}{t^2+1}.$$

Por lo tanto, según la Ecuación 3.18

$$\mathbf{N}(t) = \frac{\mathbf{T}'(t)}{\|\mathbf{T}'(t)\|}$$

$$= \left(-\frac{3t}{5(t^2+1)^{3/2}}\mathbf{i} + \frac{1}{(t^2+1)^{3/2}}\mathbf{j} + \frac{4t}{5(t^2+1)^{3/2}}\mathbf{k}\right)(t^2+1)$$

$$= -\frac{3t}{5(t^2+1)^{1/2}}\mathbf{i} + \frac{5}{5(t^2+1)^{1/2}}\mathbf{j} + \frac{4t}{5(t^2+1)^{1/2}}\mathbf{k}$$

$$= -\frac{3t\,\mathbf{i}-5\mathbf{j}-4t\,\mathbf{k}}{5\sqrt{t^2+1}}.$$

Una vez más, el vector tangente unitario y el vector normal unitario principal son ortogonales entre sí para todos los valores de t

$$\mathbf{T}(t).\mathbf{N}(t) = \left(\frac{3\,\mathbf{i}+5t\,\mathbf{j}-4\mathbf{k}}{5\sqrt{t^2+1}}\right).\left(-\frac{3t\,\mathbf{i}-5\mathbf{j}-4t\,\mathbf{k}}{5\sqrt{t^2+1}}\right)$$

$$= \frac{3(-3t)-5t(-5)-4(4t)}{5\sqrt{t^2+1}}$$

$$= \frac{-9t+25t-16t}{5\sqrt{t^2+1}}$$

$$= 0,$$

Por último, dado que $\mathbf{r}(t)$ representa una curva tridimensional, podemos calcular el vector binormal utilizando Ecuación 3.17

$$\mathbf{B}(t) = \mathbf{T}(t) \times \mathbf{N}(t)$$

$$= \begin{vmatrix} \mathbf{i} & \mathbf{j} & \mathbf{k} \\ \frac{3}{5\sqrt{t^2+1}} & +\frac{5t}{5\sqrt{t^2+1}} & -\frac{4}{5\sqrt{t^2+1}} \\ -\frac{3t}{5\sqrt{t^2+1}} & +\frac{5}{5\sqrt{t^2+1}} & \frac{4t}{5\sqrt{t^2+1}} \end{vmatrix}$$

$$= \left(\left(+\frac{5t}{5\sqrt{t^2+1}}\right)\left(\frac{4t}{5\sqrt{t^2+1}}\right)-\left(-\frac{4}{5\sqrt{t^2+1}}\right)\left(-\frac{5}{5\sqrt{t^2+1}}\right)\right)\mathbf{i}$$

$$+ \left(\left(\frac{3}{5\sqrt{t^2+1}}\right)\left(\frac{4t}{5\sqrt{t^2+1}}\right)-\left(-\frac{4}{5\sqrt{t^2+1}}\right)\left(-\frac{3t}{5\sqrt{t^2+1}}\right)\right)\mathbf{j}$$

$$+ \left(\left(\frac{3}{5\sqrt{t^2+1}}\right)\left(+\frac{5}{5\sqrt{t^2+1}}\right)-\left(+\frac{5t}{5\sqrt{t^2+1}}\right)\left(-\frac{3t}{5\sqrt{t^2+1}}\right)\right)\mathbf{k}$$

$$= \left(\frac{20t^2+20}{25(t^2+1)}\right)\mathbf{i} + \left(\frac{-15-15t^2}{25(t^2+1)}\right)\mathbf{k}$$

$$= 20\left(\frac{t^2+1}{25(t^2+1)}\right)\mathbf{i} - 15\left(\frac{t^2+1}{25(t^2+1)}\right)\mathbf{k}$$

$$= \frac{4}{5}\mathbf{i} - \frac{3}{5}\mathbf{k}.$$

☑ 3.12   Halle el vector normal unitario para la función de valor vectorial $\mathbf{r}(t) = \left(t^2-3t\right)\mathbf{i} + (4t+1)\mathbf{j}$ y evalúela en $t = 2$.

Para cualquier curva suave en tres dimensiones que esté definida por una función de valor vectorial, tenemos ahora fórmulas para el vector tangente unitario $\mathbf{T}$, el vector normal unitario $\mathbf{N}$ y el vector binormal $\mathbf{B}$. El vector normal unitario y el vector binormal forman un plano que es perpendicular a la curva en cualquier punto de la misma, llamado **plano normal**. Además, estos tres vectores forman un marco de referencia en el espacio tridimensional llamado **marco de referencia Frenet** (también llamado marco **TNB**) (Figura 3.7). Luego, el plano determinado por los vectores **T** y **N** forma el plano osculador de C en cualquier punto P de la curva.

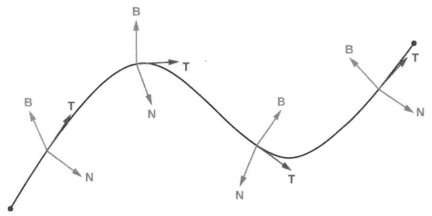

Figura 3.7 Esta figura representa un marco de referencia Frenet. En cada punto *P* de una curva tridimensional, la tangente unitaria, la normal unitaria y los vectores binormales forman un marco de referencia tridimensional.

Supongamos que formamos un círculo en el plano osculante de *C* en el punto *P* de la curva. Supongamos que el círculo tiene la misma curvatura que la curva en el punto *P* y que el círculo tiene radio *r*. Entonces, la curvatura del círculo viene dada por $1/r$. Llamamos *r* al **radio de curvatura** de la curva, y es igual al recíproco de la curvatura. Si este círculo se encuentra en el lado cóncavo de la curva y es tangente a la curva en el punto *P*, entonces este círculo se llama **círculo osculante** de *C* en *P*, como se muestra en la siguiente figura.

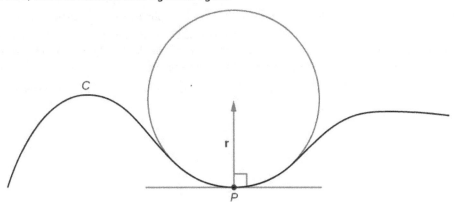

Figura 3.8 En este círculo osculante, el círculo es tangente a la curva *C* en el punto *P* y comparte la misma curvatura.

▶ **MEDIOS**

Para tener más información sobre los círculos osculantes, vea esta demostración (http://www.openstax.org/l/20_OsculCircle1) sobre la curvatura y la torsión, este artículo (http://www.openstax.org/l/20_OsculCircle3) sobre los círculos osculantes y esta discusión (http://www.openstax.org/l/20_OsculCircle2) sobre las fórmulas de Serret.

Para hallar la ecuación de un círculo osculante en dos dimensiones, solo necesitamos hallar el centro y el radio del círculo.

EJEMPLO 3.13

Hallar la ecuación de un círculo osculante
Halle la ecuación del círculo osculante de la hélice definida por la función $y = x^3 - 3x + 1$ en $x = 1$

⊘ **Solución**
La Figura 3.9 muestra el gráfico de $y = x^3 - 3x + 1$

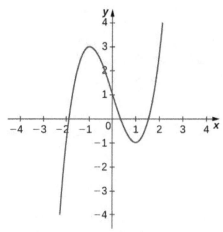

Figura 3.9   Queremos hallar el círculo osculante de este gráfico en el punto donde $t = 1$

Primero, vamos a calcular la curvatura en $x = 1$:

$$\kappa = \frac{|f''(x)|}{\left(1 + \left[f'(x)\right]^2\right)^{3/2}} = \frac{|6x|}{\left(1 + \left[3x^2 - 3\right]^2\right)^{3/2}}.$$

Esto nos da $\kappa = 6$. Por lo tanto, el radio del círculo osculante viene dado por $R = \frac{1}{\kappa} = \frac{1}{6}$. Luego, calculamos las coordenadas del centro del círculo. Cuando $x = 1$, la pendiente de la línea tangente es cero. Por lo tanto, el centro del círculo osculante está directamente sobre el punto del gráfico con coordenadas $(1, -1)$. El centro se encuentra en $\left(1, -\frac{5}{6}\right)$. La fórmula de un círculo con radio r y centro (h, k) viene dada por $(x - h)^2 + (y - k)^2 = r^2$. Por lo tanto, la ecuación del círculo osculante es $(x-1)^2 + \left(y + \frac{5}{6}\right)^2 = \frac{1}{36}$. El gráfico y su círculo osculante aparecen en el siguiente gráfico.

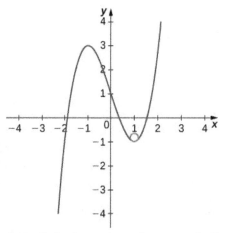

Figura 3.10   El círculo osculante tiene un radio $R = 1/6$.

3.13   Halle la ecuación del círculo osculante de la curva definida por la función de valor vectorial
$y = 2x^2 - 4x + 5$ a las $x = 1$

SECCIÓN 3.3 EJERCICIOS

Halle la longitud de arco de la curva en el intervalo dado.

102. $\mathbf{r}(t) = t^2\mathbf{i} + 14t\mathbf{j}$, $0 \leq t \leq 7$. Esta parte del gráfico se muestra aquí:

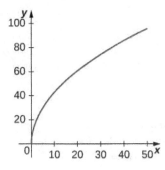

103. $\mathbf{r}(t) = t^2\mathbf{i} + (2t^2 + 1)\mathbf{j}$, $1 \leq t \leq 3$

104. $\mathbf{r}(t) = \langle 2\operatorname{sen}t, 5t, 2\cos t \rangle$, $0 \leq t \leq \pi$. Esta parte de la gráfica se muestra aquí:

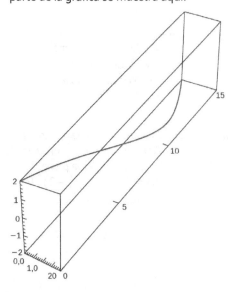

105. $\mathbf{r}(t) = \langle t^2 + 1, 4t^3 + 3 \rangle$, $-1 \leq t \leq 0$

106. $\mathbf{r}(t) = \langle e^{-t}\cos t, e^{-t}\operatorname{sen}t \rangle$ en el intervalo $\left[0, \frac{\pi}{2}\right]$. Aquí está la parte del gráfico en el intervalo indicado:

107. Halle la longitud de una vuelta de la hélice dada por
$$\mathbf{r}(t) = \tfrac{1}{2}\cos t\,\mathbf{i} + \tfrac{1}{2}\operatorname{sen}t\,\mathbf{j} + \sqrt{\tfrac{3}{4}}\,t\,\mathbf{k}.$$

108. Halle la longitud de arco de la función de valor vectorial
$\mathbf{r}(t) = -t\mathbf{i} + 4t\mathbf{j} + 3t\mathbf{k}$ en $[0, 1]$.

109. Una partícula se desplaza en un círculo con la ecuación de movimiento $\mathbf{r}(t) = 3\cos t\mathbf{i} + 3\,\mathrm{sen}\,t\mathbf{j} + 0\mathbf{k}$. Halle la distancia recorrida por la partícula alrededor del círculo.

110. Establezca una integral para hallar la circunferencia de la elipse con la ecuación $\mathbf{r}(t) = \cos t\mathbf{i} + 2\,\mathrm{sen}\,t\mathbf{j} + 0\mathbf{k}$.

111. Halle la longitud de la curva $\mathbf{r}(t) = \left\langle \sqrt{2}t, e^t, e^{-t} \right\rangle$ en el intervalo $0 \leq t \leq 1$ La gráfica se muestra aquí:

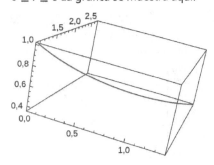

112. Halle la longitud de la curva $\mathbf{r}(t) = \langle 2\,\mathrm{sen}\,t, 5t, 2\cos t \rangle$ por $t \in [-10, 10]$.

113. La función de posición de una partícula es $\mathbf{r}(t) = a\cos(\omega t)\mathbf{i} + b\,\mathrm{sen}(\omega t)\mathbf{j}$. Halle el vector tangente unitario y el vector normal unitario en $t = 0$,

114. Dado que $\mathbf{r}(t) = a\cos(\omega t)\mathbf{i} + b\,\mathrm{sen}(\omega t)\mathbf{j}$, calcule el vector binormal $\mathbf{B}(0)$.

115. Dado que $\mathbf{r}(t) = \left\langle 2e^t, e^t\cos t, e^t\,\mathrm{sen}\,t \right\rangle$, determine el vector tangente $\mathbf{T}(t)$.

116. Dado que $\mathbf{r}(t) = \left\langle 2e^t, e^t\cos t, e^t\,\mathrm{sen}\,t \right\rangle$, determine el vector tangente unitario $\mathbf{T}(t)$ evaluado en $t = 0$,

117. Dado que $\mathbf{r}(t) = \left\langle 2e^t, e^t\cos t, e^t\,\mathrm{sen}\,t \right\rangle$, halle el vector normal unitario $\mathbf{N}(t)$ evaluado en $t = 0, \mathbf{N}(0)$.

118. Dado que $\mathbf{r}(t) = \left\langle 2e^t, e^t\cos t, e^t\,\mathrm{sen}\,t \right\rangle$, halle el vector normal unitario evaluado en $t = 0$,

119. Dado que $\mathbf{r}(t) = t\mathbf{i} + t^2\mathbf{j} + t\mathbf{k}$, halle el vector tangente unitario $\mathbf{T}(t)$. El gráfico se muestra aquí:

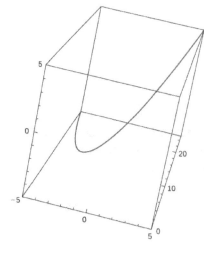

120. Calcule el vector tangente unitario $\mathbf{T}(t)$ y vector normal unitario $\mathbf{N}(t)$ en $t = 0$ para la curva plana $\mathbf{r}(t) = \left\langle t^3 - 4t, 5t^2 - 2 \right\rangle$. La gráfica se muestra aquí:

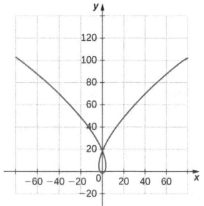

121. Calcule el vector tangente unitario $\mathbf{T}(t)$ por $\mathbf{r}(t) = 3t\mathbf{i} + 5t^2\mathbf{j} + 2t\mathbf{k}$

122. Halle el vector normal principal a la curva $\mathbf{r}(t) = \langle 6\cos t, 6\,\mathrm{sen}\,t \rangle$ en el punto determinado por $t = \pi/3$.

123. Halle $\mathbf{T}(t)$ para la curva $\mathbf{r}(t) = \left(t^3 - 4t \right)\mathbf{i} + \left(5t^2 - 2 \right)\mathbf{j}$.

124. Calcule $\mathbf{N}(t)$ para la curva $\mathbf{r}(t) = \left(t^3 - 4t\right)\mathbf{i} + \left(5t^2 - 2\right)\mathbf{j}$.

125. Halle el vector normal unitario $\mathbf{N}(t)$ por $\mathbf{r}(t) = \langle 2\,\text{sen}\,t, 5t, 2\cos t \rangle$.

126. Calcule el vector tangente unitario $\mathbf{T}(t)$ por $\mathbf{r}(t) = \langle 2\,\text{sen}\,t, 5t, 2\cos t \rangle$.

127. Calcule la función de longitud de arco $s(t)$ para el segmento de línea dado por $\mathbf{r}(t) = \langle 3 - 3t, 4t \rangle$. Escriba r como parámetro de s.

128. Parametrice la hélice $\mathbf{r}(t) = \cos t\mathbf{i} + \text{sen}\,t\mathbf{j} + t\mathbf{k}$ utilizando el parámetro de longitud de arco s, de $t = 0$,

129. Parametrice la curva utilizando el parámetro de longitud de arco s, en el punto en el que $t = 0$ por $\mathbf{r}(t) = e^t \text{sen}\,t\mathbf{i} + e^t\cos t\mathbf{j}$.

130. Calcule la curvatura de la curva $\mathbf{r}(t) = 5\cos t\mathbf{i} + 4\,\text{sen}\,t\mathbf{j}$ a las $t = \pi/3$. (*Nota:* El gráfico es una elipse).

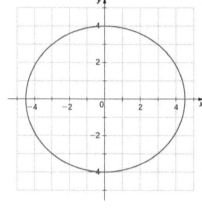

131. Halle la coordenada x en la que la curvatura de la curva $y = 1/x$ es un valor máximo.

132. Calcule la curvatura de la curva $\mathbf{r}(t) = 5\cos t\mathbf{i} + 5\,\text{sen}\,t\mathbf{j}$. ¿La curvatura depende del parámetro t?

133. Calcule la curvatura κ para la curva $y = x - \frac{1}{4}x^2$ en el punto $x = 2$.

134. Calcule la curvatura κ para la curva $y = \frac{1}{3}x^3$ en el punto $x = 1$

135. Calcule la curvatura κ de la curva $\mathbf{r}(t) = t\mathbf{i} + 6t^2\mathbf{j} + 4t\mathbf{k}$. El gráfico se muestra aquí:

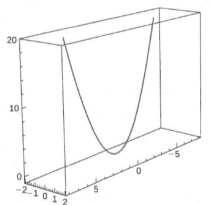

136. Calcule la curvatura de $\mathbf{r}(t) = \langle 2\,\text{sen}\,t, 5t, 2\cos t \rangle$.

137. Calcule la curvatura de $\mathbf{r}(t) = \sqrt{2}t\mathbf{i} + e^t\mathbf{j} + e^{-t}\mathbf{k}$ en el punto $P(0, 1, 1)$.

138. ¿En qué momento la curva $y = e^x$ tiene una curvatura máxima?

139. ¿Qué ocurre con la curvatura a medida que $x \to \infty$ para la curva $y = e^x$?

140. Halle el punto de máxima curvatura de la curva $y = \ln x$.

141. Halle las ecuaciones del plano normal y del plano de osculador de la curva $\mathbf{r}(t) = \langle 2\,\text{sen}(3t), t, 2\cos(3t) \rangle$ en el punto $(0, \pi, -2)$.

142. Halle las ecuaciones de los círculos osculadores de la elipse $4y^2 + 9x^2 = 36$ en los puntos $(2, 0)$ y $(0, 3)$.

143. Halle la ecuación del plano osculador en el punto $t = \pi/4$ en la curva $\mathbf{r}(t) = \cos(2t)\mathbf{i} + \text{sen}(2t)\mathbf{j} + t\mathbf{k}$.

144. Calcule el radio de curvatura de $6y = x^3$ en el punto $\left(2, \frac{4}{3}\right)$.

145. Halle la curvatura en cada punto (x, y) en la hipérbola $\mathbf{r}(t) = \langle a\cosh(t), b\,\text{senoh}(t) \rangle$.

146. Calcule la curvatura de la hélice circular $\mathbf{r}(t) = r\,\text{sen}(t)\mathbf{i} + r\cos(t)\mathbf{j} + t\mathbf{k}$.

147. Calcule el radio de curvatura de $y = \ln(x + 1)$ en el punto $(2, \ln 3)$.

148. Halle el radio de curvatura de la hipérbola $xy = 1$ en el punto $(1, 1)$.

Una partícula se mueve a lo largo de la curva plana C descrita por $\mathbf{r}(t) = t\mathbf{i} + t^2\mathbf{j}$. Resuelva los siguientes problemas.

149. Calcule la longitud de la curva en el intervalo $[0, 2]$.

150. Halle la curvatura de la curva plana en $t = 0, 1, 2$.

151. Describa la curvatura a medida que t aumenta de $t = 0$ a $t = 2$.

La superficie de un vaso grande se forma girando el gráfico de la función $y = 0{,}25x^{1,6}$ a partir de $x = 0$ hasta $x = 5$ en torno al eje y (medido en centímetros).

152. **[T]** Utilice la tecnología para graficar la superficie.

153. Calcule la curvatura κ de la curva generadora en función de x.

154. **[T]** Utilice la tecnología para graficar la función de curvatura.

3.4 Movimiento en el espacio

Objetivos de aprendizaje

3.4.1 Describir los vectores de velocidad y aceleración de una partícula que se mueve en el espacio.

3.4.2 Explicar las componentes tangencial y normal de la aceleración.

3.4.3 Enunciar las leyes de Kepler sobre el movimiento planetario.

Ahora hemos visto cómo describir curvas en el plano y en el espacio, y cómo determinar sus propiedades, como la longitud de arco y la curvatura. Todo esto nos lleva al objetivo principal de este capítulo, que es la descripción del movimiento a lo largo de curvas planas y curvas en el espacio. Ahora tenemos todas las herramientas que necesitamos; en esta sección, reunimos estas ideas y vemos cómo utilizarlas.

Vectores de movimiento en el plano y en el espacio

Nuestro punto de partida es utilizar funciones de valores vectoriales para representar la posición de un objeto como función del tiempo. Todo el material siguiente puede aplicarse tanto a las curvas en el plano como a las curvas en el espacio. Por ejemplo, cuando observamos la órbita de los planetas, las curvas que definen estas órbitas se encuentran todas en un plano porque son elípticas. Sin embargo, una partícula que viaja a lo largo de una hélice se mueve en una curva en tres dimensiones.

Definición

Supongamos que $\mathbf{r}(t)$ es una función de valor vectorial dos veces diferenciable del parámetro t que represente la posición de un objeto como función del tiempo. El **vector de velocidad** $\mathbf{v}(t)$ del objeto viene dado por

$$\text{Velocidad} = \mathbf{v}(t) = \mathbf{r}'(t).$$

(3.20)

El **vector de aceleración a**(t) se define como

$$\text{Aceleración} = \mathbf{a}(t) = \mathbf{v}'(t) = \mathbf{r}''(t).$$

(3.21)

La *rapidez* se define como

$$\text{Rapidez} = v(t) = \|\mathbf{v}(t)\| = \|\mathbf{r}'(t)\| = \frac{ds}{dt}.$$

(3.22)

Dado que $\mathbf{r}(t)$ puede estar en dos o tres dimensiones, estas funciones de valores vectoriales pueden tener dos o tres componentes. En dos dimensiones, definimos $\mathbf{r}(t) = x(t)\mathbf{i} + y(t)\mathbf{j}$ y en tres dimensiones $\mathbf{r}(t) = x(t)\mathbf{i} + y(t)\mathbf{j} + z(t)\mathbf{k}$. Entonces la velocidad, la aceleración y la rapidez pueden escribirse como se muestra en la siguiente tabla.

Cantidad	Dos dimensiones	Tres dimensiones
Posición	$\mathbf{r}(t) = x(t)\mathbf{i} + y(t)\mathbf{j}$	$\mathbf{r}(t) = x(t)\mathbf{i} + y(t)\mathbf{j} + z(t)\mathbf{k}$
Velocidad	$\mathbf{v}(t) = x'(t)\mathbf{i} + y'(t)\mathbf{j}$	$\mathbf{v}(t) = x'(t)\mathbf{i} + y'(t)\mathbf{j} + z'(t)\mathbf{k}$
Aceleración	$\mathbf{a}(t) = x''(t)\mathbf{i} + y''(t)\mathbf{j}$	$\mathbf{a}(t) = x''(t)\mathbf{i} + y''(t)\mathbf{j} + z''(t)\mathbf{k}$
Rapidez	$v(t) = \sqrt{\left(x'(t)\right)^2 + \left(y'(t)\right)^2}$	$v(t) = \sqrt{\left(x'(t)\right)^2 + \left(y'(t)\right)^2 + \left(z'(t)\right)^2}$

Tabla 3.4   Fórmulas de posición, velocidad, aceleración y rapidez

---

EJEMPLO 3.14

Estudiar el movimiento a lo largo de una parábola

Una partícula se mueve en una trayectoria parabólica definida por la función de valor vectorial $\mathbf{r}(t) = t^2\mathbf{i} + \sqrt{5 - t^2}\mathbf{j}$, donde t mide el tiempo en segundos.

a. Calcule la velocidad, la aceleración y la rapidez en función del tiempo.
b. Dibuje la curva junto con el vector de velocidad en el tiempo $t = 1$.

⊘ **Solución**

a. Utilizamos la Ecuación 3.20, la Ecuación 3.21 y la Ecuación 3.22:

$$\mathbf{v}(t) = \mathbf{r}'(t) = 2t\mathbf{i} - \frac{t}{\sqrt{5-t^2}}\mathbf{j}$$

$$\mathbf{a}(t) = \mathbf{v}'(t) = 2\mathbf{i} - 5\left(5 - t^2\right)^{-3/2}\mathbf{j}$$

$$v(t) = \|\mathbf{r}'(t)\|$$

$$= \sqrt{(2t)^2 + \left(-\frac{t}{\sqrt{5-t^2}}\right)^2}$$

$$= \sqrt{4t^2 + \frac{t^2}{5-t^2}}$$

$$= \sqrt{\frac{21t^2 - 4t^4}{5-t^2}}.$$

b. El gráfico de $\mathbf{r}(t) = t^2\mathbf{i} + \sqrt{5 - t^2}\mathbf{j}$ es una porción de una parábola (Figura 3.11). El vector de velocidad en $t = 1$ es

$$\mathbf{v}(1) = \mathbf{r}'(1) = 2(1)\,\mathbf{i} - \frac{1}{\sqrt{5 - (1)^2}}\,\mathbf{j} = 2\mathbf{i} - \frac{1}{2}\mathbf{j}$$

y el vector de aceleración en $t = 1$ es

$$\mathbf{a}(1) = \mathbf{v}'(1) = 2\mathbf{i} - 5\left(5 - (1)^2\right)^{-3/2}\mathbf{j} = 2\mathbf{i} - \frac{5}{8}\mathbf{j}.$$

Observe que el vector de velocidad es tangente a la trayectoria, como ocurre siempre.

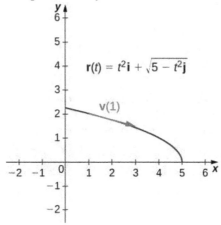

Figura 3.11 Este gráfico representa el vector de velocidad en el tiempo $t = 1$ para una partícula que se mueve en una trayectoria parabólica.

☑   3.14   Una partícula se mueve en una trayectoria definida por la función de valor vectorial $\mathbf{r}(t) = \left(t^2 - 3t\right)\mathbf{i} + (2t - 4)\,\mathbf{j} + (t + 2)\mathbf{k}$, donde t mide el tiempo en segundos y donde la distancia se mide en pies. Calcule la velocidad, la aceleración y la rapidez en función del tiempo.

Para comprender mejor los vectores de velocidad y aceleración, imagine que está conduciendo por una carretera con curvas. Si no gira el volante, continuará en línea recta y se saldrá de la carretera. La rapidez a la que viaja cuando se sale de la carretera, junto con la dirección, da un vector que representa su velocidad, como se ilustra en la siguiente figura.

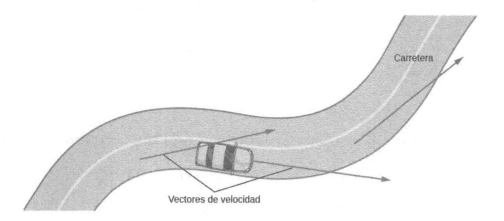

Figura 3.12   En cada punto de un camino recorrido por un automóvil, el vector de velocidad es tangente al camino que ha recorrido.

Sin embargo, el hecho de que tenga que girar el volante para mantenerse en la carretera indica que su velocidad siempre está cambiando (aunque su rapidez no lo haga) porque su *dirección* cambia constantemente para mantenerlo en la carretera. Al girar a la derecha, su vector de aceleración también apunta a la derecha. Al girar a la izquierda, su vector de aceleración apunta a la izquierda. Esto indica que sus vectores de velocidad y aceleración cambian de manera constante, independientemente de que su rapidez real varíe (Figura 3.13).

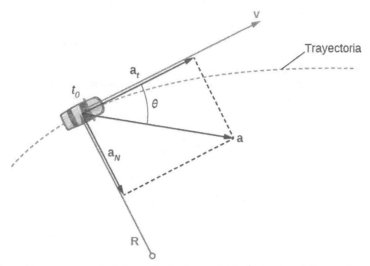

Figura 3.13   La línea discontinua representa la trayectoria de un objeto (un automóvil, por ejemplo). El vector de aceleración apunta hacia el interior del giro en todo momento.

Componentes del vector de aceleración

Podemos combinar algunos de los conceptos discutidos en Longitud de arco y curvatura con el vector de aceleración para obtener una comprensión más profunda de cómo este vector se relaciona con el movimiento en el plano y en el espacio. Recordemos que el vector unitario tangente **T** y el vector unitario normal **N** forman un plano oscilatorio en cualquier punto P de la curva definida por una función de valor vectorial $\mathbf{r}(t)$. El siguiente teorema muestra que el vector de aceleración $\mathbf{a}(t)$ se encuentra en el plano oscilatorio y puede escribirse como una combinación lineal de los vectores unitarios tangentes y normales.

Teorema 3.7

El plano del vector de aceleración
El vector de aceleración $\mathbf{a}(t)$ de un objeto que se mueve a lo largo de una curva trazada por una función dos veces diferenciable $\mathbf{r}(t)$ se encuentra en el plano formado por el vector unitario tangente $\mathbf{T}(t)$ y el vector unitario normal principal $\mathbf{N}(t)$ hasta C. Además,

$$\mathbf{a}(t) = v'(t)\,\mathbf{T}(t) + [v(t)]^2\kappa\mathbf{N}(t).$$

Aquí, $v(t)$ es la rapidez del objeto y κ es la curvatura de C trazada por $\mathbf{r}(t)$.

Prueba

Dado que $\mathbf{v}(t) = \mathbf{r}'(t)$ y $\mathbf{T}(t) = \frac{\mathbf{r}'(t)}{\|\mathbf{r}'(t)\|}$, tenemos $\mathbf{v}(t) = \|\mathbf{r}'(t)\|\,\mathbf{T}(t) = v(t)\,\mathbf{T}(t)$. Ahora diferenciamos esta ecuación:

$$\mathbf{a}(t) = \mathbf{v}'(t) = \frac{d}{dt}(v(t)\,\mathbf{T}(t)) = v'(t)\,\mathbf{T}(t) + v(t)\,\mathbf{T}'(t).$$

Dado que $\mathbf{N}(t) = \frac{\mathbf{T}'(t)}{\|\mathbf{T}'(t)\|}$, sabemos que $\mathbf{T}'(t) = \|\mathbf{T}'(t)\|\,\mathbf{N}(t)$, así que

$$\mathbf{a}(t) = v'(t)\,\mathbf{T}(t) + v(t)\,\|\mathbf{T}'(t)\|\,\mathbf{N}(t).$$

Una fórmula de la curvatura es $\kappa = \frac{\|\mathbf{T}'(t)\|}{\|\mathbf{r}'(t)\|}$, por lo que $\|\mathbf{T}'(t)\| = \kappa\,\|\mathbf{r}'(t)\| = \kappa v(t)$. Esto da como resultado $\mathbf{a}(t) = v'(t)\,\mathbf{T}(t) + \kappa(v(t))^2\mathbf{N}(t)$.

□

Los coeficientes de $\mathbf{T}(t)$ y $\mathbf{N}(t)$ se denominan **componente tangencial de aceleración** y **componente normal de aceleración**, respectivamente. Escribimos $a_{\mathbf{T}}$ para denotar la componente tangencial y $a_{\mathbf{N}}$ para denotar la componente normal.

Teorema 3.8

Componentes tangencial y normal de aceleración
Supongamos que $\mathbf{r}(t)$ es una función de valor vectorial que denota la posición de un objeto en función del tiempo. Luego $\mathbf{a}(t) = \mathbf{r}''(t)$ es el vector de aceleración. Las componentes tangencial y normal de aceleración $a_{\mathbf{T}}$ y $a_{\mathbf{N}}$ vienen dadas por las fórmulas

$$a_{\mathbf{T}} = \mathbf{a}.\,\mathbf{T} = \frac{\mathbf{v}.\,\mathbf{a}}{\|\mathbf{v}\|} \tag{3.23}$$

y

$$a_{\mathbf{N}} = \mathbf{a}.\,\mathbf{N} = \frac{\|\mathbf{v}\times\mathbf{a}\|}{\|\mathbf{v}\|} = \sqrt{\|\mathbf{a}\|^2 - a_{\mathbf{T}}^2}. \tag{3.24}$$

Estas componentes están relacionadas por la fórmula

$$\mathbf{a}(t) = a_{\mathbf{T}}\mathbf{T}(t) + a_{\mathbf{N}}\mathbf{N}(t). \tag{3.25}$$

Aquí $\mathbf{T}(t)$ es el vector unitario tangente a la curva definida por $\mathbf{r}(t)$, y $\mathbf{N}(t)$ es el vector unitario normal a la curva definida por $\mathbf{r}(t)$.

El componente normal de la aceleración también se denomina *componente de aceleración centrípeta* o, a veces, *componente de aceleración radial*. Para entender la aceleración centrípeta, suponga que viaja en un automóvil por una pista circular a una rapidez constante. Entonces, como vimos antes, el vector de aceleración apunta hacia el centro de la pista en todo momento. Como piloto en el automóvil, siente un tirón hacia el *exterior* de la pista porque está girando constantemente. Esta sensación actúa en sentido contrario a la aceleración centrípeta. Lo mismo ocurre con las trayectorias no circulares. La razón es que su cuerpo tiende a viajar en línea recta y resiste la fuerza resultante de la aceleración que lo empuja hacia el lado. Observe que en el punto B en la <u>Figura 3.14</u> el vector de aceleración apunta hacia atrás. Esto se debe a que el automóvil está desacelerando al entrar en la curva.

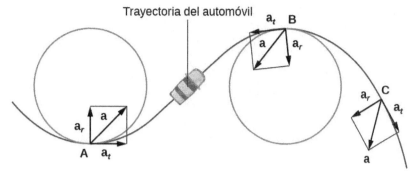

Trayectoria del automóvil

Figura 3.14 Las componentes tangencial y normal de la aceleración pueden utilizarse para describir el vector de aceleración.

Los vectores unitarios tangencial y normal en cualquier punto de la curva proporcionan un marco de referencia en ese punto. Las componentes tangencial y normal de la aceleración son las proyecciones del vector de aceleración sobre **T** y **N**, respectivamente.

EJEMPLO 3.15

Calcular componentes de aceleración

Una partícula se mueve en una trayectoria definida por la función de valor vectorial

$\mathbf{r}(t) = t^2\mathbf{i} + (2t - 3)\mathbf{j} + (3t^2 - 3t)\mathbf{k}$, donde t mide el tiempo en segundos y la distancia se mide en pies.

a. Halle $a_\mathbf{T}$ y $a_\mathbf{N}$ como funciones de t.
b. Halle $a_\mathbf{T}$ y $a_\mathbf{N}$ en el momento $t = 2$.

⊘ **Solución**

a. Empecemos con la Ecuación 3.23

$$\mathbf{v}(t) = \mathbf{r}'(t) = 2t\mathbf{i} + 2\mathbf{j} + (6t - 3)\mathbf{k}$$

$$\mathbf{a}(t) = \mathbf{v}'(t) = 2\mathbf{i} + 6\mathbf{k}$$

$$a_\mathbf{T} = \frac{\mathbf{v}.\mathbf{a}}{\|\mathbf{v}\|}$$

$$= \frac{(2t\mathbf{i}+2\mathbf{j}+(6t-3)\mathbf{k}).(2\mathbf{i}+6\mathbf{k})}{\|2t\mathbf{i}+2\mathbf{j}+(6t-3)\mathbf{k}\|}$$

$$= \frac{4t+6(6t-3)}{\sqrt{(2t)^2+2^2+(6t-3)^2}}$$

$$= \frac{40t-18}{\sqrt{40t^2-36t+13}}.$$

Entonces aplicamos la Ecuación 3.24

$$a_\mathbf{N} = \sqrt{\|\mathbf{a}\|^2 - a_\mathbf{T}}$$

$$= \sqrt{\|2\mathbf{i}+6\mathbf{k}\|^2 - \left(\frac{40t-18}{\sqrt{40t^2-36t+13}}\right)^2}$$

$$= \sqrt{4 + 36 - \frac{(40t-18)^2}{40t^2-36t+13}}$$

$$= \sqrt{\frac{40(40t^2-36t+13)-(1.600t^2-1.440t+324)}{40t^2-36t+13}}$$

$$= \sqrt{\frac{196}{40t^2-36t+13}}$$

$$= \frac{14}{\sqrt{40t^2-36t+13}}.$$

b. Debemos evaluar cada una de las respuestas de la parte a. en $t = 2$:

$$a_T(2) = \frac{40(2)-18}{\sqrt{40(2)^2-36(2)+13}}$$

$$= \frac{80-18}{\sqrt{160-72+13}} = \frac{62}{\sqrt{101}}$$

$$a_N(2) = \frac{14}{\sqrt{40(2)^2-36(2)+13}}$$

$$= \frac{14}{\sqrt{160-72+13}} = \frac{14}{\sqrt{101}}.$$

Las unidades de aceleración son pies por segundo al cuadrado, al igual que las unidades de las componentes normal y tangencial de aceleración.

☑   3.15   Un objeto se mueve en una trayectoria definida por la función de valor vectorial $\mathbf{r}(t) = 4t\mathbf{i} + t^2\mathbf{j}$, donde t mide el tiempo en segundos.

    a.   Halle a_T y a_N como funciones de t.
    b.   Halle a_T y a_N en el momento $t = -3$.

Movimiento de proyectil

Veamos ahora una aplicación de las funciones vectoriales. En particular, consideremos el efecto de la gravedad en el movimiento de un objeto cuando viaja por el aire, y cómo esta determina la trayectoria resultante de ese objeto. A continuación, ignoramos el efecto de la resistencia del aire. Esta situación, con un objeto que se desplaza con una velocidad inicial pero sin fuerzas que actúen sobre él, aparte de la gravedad, se conoce como **movimiento de proyectil**. Describe el movimiento de objetos, desde pelotas de golf hasta pelotas de béisbol, y desde flechas hasta balas de cañón.

Primero tenemos que elegir un sistema de coordenadas. Si nos situamos en el origen de este sistema de coordenadas, entonces elegimos que el eje y positivo está arriba, el eje y negativo está abajo y el eje x positivo está hacia delante (es decir, lejos del lanzador del objeto). El efecto de la gravedad es en dirección hacia abajo, por lo que la segunda ley de Newton nos dice que la fuerza sobre el objeto resultante de la gravedad es igual a la masa del objeto por la aceleración resultante de la gravedad, o $F_g = mg$, donde F_g representa la fuerza de la gravedad y g representa la aceleración resultante de la gravedad en la superficie de la Tierra. El valor de g en el sistema de medición inglés es de aproximadamente 32 ft/s² y es de aproximadamente 9,8 m/s² en el sistema métrico. Esta es la única fuerza que actúa sobre el objeto. Como la gravedad actúa en dirección hacia abajo, podemos escribir la fuerza resultante de la gravedad en la forma $F_g = -mg\mathbf{j}$, como se muestra en la siguiente figura.

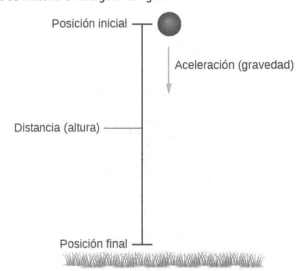

Figura 3.15 Un objeto cae bajo la influencia de la gravedad.

▶   **MEDIOS**

Visite este sitio web (http://www.openstax.org/l/20_projectile) para ver un video que muestra el movimiento de proyectil.

La segunda ley de Newton también nos dice que $F = m\mathbf{a}$, donde $\mathbf{a}$ representa el vector de aceleración del objeto. Esta fuerza debe ser igual a la fuerza de gravedad en todo momento, por lo que sabemos que

$$\begin{aligned} F &= F_g \\ m\mathbf{a} &= -mg\mathbf{j} \\ \mathbf{a} &= -g\mathbf{j}. \end{aligned}$$

Ahora utilizamos el hecho de que el vector de aceleración es la primera derivada del vector de velocidad. Por lo tanto, podemos reescribir la última ecuación en la forma

$$\mathbf{v}'(t) = -g\mathbf{j}.$$

Al tomar la antiderivada de cada lado de esta ecuación obtenemos

$$\begin{aligned} \mathbf{v}(t) &= \int -g\mathbf{j}\,dt \\ &= -gt\mathbf{j} + \mathbf{C}_1 \end{aligned}$$

para algún vector constante $\mathbf{C}_1$. Para determinar el valor de este vector, podemos utilizar la velocidad del objeto en un momento fijo, digamos en el tiempo $t = 0$. Llamamos a esta velocidad la *velocidad inicial* $\mathbf{v}(0) = \mathbf{v}_0$. Por lo tanto, $\mathbf{v}(0) = -g(0)\mathbf{j} + \mathbf{C}_1 = \mathbf{v}_0$ y $\mathbf{C}_1 = \mathbf{v}_0$. Esto da el vector de velocidad como $\mathbf{v}(t) = -gt\mathbf{j} + \mathbf{v}_0$.

A continuación, utilizamos el hecho de que la velocidad $\mathbf{v}(t)$ es la derivada de la posición $\mathbf{s}(t)$. Esto da la ecuación

$$\mathbf{s}'(t) = -gt\mathbf{j} + \mathbf{v}_0.$$

Si se toma la antiderivada de ambos lados de esta ecuación se obtiene

$$\begin{aligned} \mathbf{s}(t) &= \int -gt\mathbf{j} + \mathbf{v}_0\,dt \\ &= -\tfrac{1}{2}gt^2\mathbf{j} + \mathbf{v}_0 t + \mathbf{C}_2, \end{aligned}$$

con otro vector constante desconocido $\mathbf{C}_2$. Para determinar el valor de $\mathbf{C}_2$, podemos utilizar la posición del objeto en un momento dado, digamos en el tiempo $t = 0$. Llamamos a esta posición la *posición inicial* $\mathbf{s}(0) = \mathbf{s}_0$. Por lo tanto, $\mathbf{s}(0) = -(1/2)g(0)^2\mathbf{j} + \mathbf{v}_0(0) + \mathbf{C}_2 = \mathbf{s}_0$ y $\mathbf{C}_2 = \mathbf{s}_0$. Esto da la posición del objeto en cualquier momento como

$$\mathbf{s}(t) = -\frac{1}{2}gt^2\mathbf{j} + \mathbf{v}_0 t + \mathbf{s}_0.$$

Veamos con más detalle la velocidad inicial y la posición inicial. En particular, supongamos que el objeto es lanzado hacia arriba desde el origen con un ángulo θ a la horizontal, con rapidez inicial v_0. ¿Cómo podemos modificar el resultado anterior para reflejar este escenario? En primer lugar, podemos suponer que se lanza desde el origen. Si no es así, podemos mover el origen al punto desde el que se lanza. Por lo tanto, $\mathbf{s}_0 = \mathbf{0}$, como se muestra en la siguiente figura.

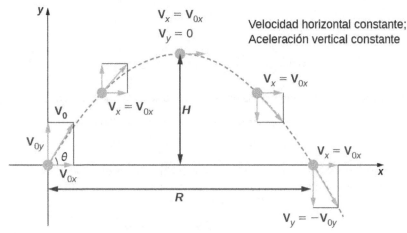

Figura 3.16 Movimiento del proyectil cuando el objeto es lanzado hacia arriba en un ángulo θ. El movimiento horizontal es a velocidad constante y el movimiento vertical es a aceleración constante.

Podemos reescribir el vector de velocidad inicial en la forma $\mathbf{v}_0 = v_0 \cos\theta\,\mathbf{i} + v_0 \operatorname{sen}\theta\,\mathbf{j}$. Entonces la ecuación de la función de posición $\mathbf{s}(t)$ se convierte en

$$
\begin{aligned}
\mathbf{s}(t) &= -\tfrac{1}{2}gt^2\,\mathbf{j} + v_0 t\cos\theta\,\mathbf{i} + v_0 t\,\text{sen}\,\theta\,\mathbf{j} \\
&= v_0 t\cos\theta\,\mathbf{i} + v_0 t\,\text{sen}\,\theta\,\mathbf{j} - \tfrac{1}{2}gt^2\,\mathbf{j} \\
&= v_0 t\cos\theta\,\mathbf{i} + \left(v_0 t\,\text{sen}\,\theta - \tfrac{1}{2}gt^2\right)\mathbf{j}.
\end{aligned}
$$

El coeficiente de $\mathbf{i}$ representa la componente horizontal de $\mathbf{s}(t)$ y es la distancia horizontal del objeto desde el origen en el momento t. El valor máximo de la distancia horizontal (medido a la misma altitud inicial y final) se denomina rango R. El coeficiente de $\mathbf{j}$ representa la componente vertical de $\mathbf{s}(t)$ y es la altitud del objeto en el momento t. El valor máximo de la distancia vertical es la altura H.

EJEMPLO 3.16

Movimiento de una bala de cañón

Durante una celebración del Día de la Independencia, se dispara una bala de cañón desde un acantilado hacia el agua. El cañón está dirigido a un ángulo de 30° sobre la horizontal y la rapidez inicial de la bala es 600 ft/s. El acantilado está a 100 pies sobre el agua (Figura 3.17).

a. Calcule la altura máxima de la bala de cañón.
b. ¿Cuánto tiempo tardará la bala de cañón en chapotear en el mar?
c. ¿A qué distancia en el mar caerá la bala de cañón?

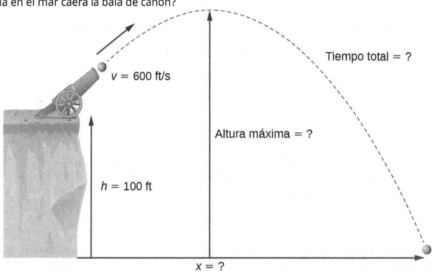

Figura 3.17   El vuelo de una bala de cañón (sin tener en cuenta la resistencia del aire) es un movimiento de proyectil.

⊘ **Solución**

Utilizamos la ecuación

$$
\mathbf{s}(t) = v_0 t\cos\theta\,\mathbf{i} + \left(v_0 t\,\text{sen}\,\theta - \frac{1}{2}gt^2\right)\mathbf{j}
$$

con $\theta = 30°$, $g = 32$ ft/s^2, y $v_0 = 600$ ft/s. Entonces la ecuación de posición se convierte en

$$
\begin{aligned}
\mathbf{s}(t) &= 600t\,(\cos 30)\,\mathbf{i} + \left(600t\,\text{sen}\,30 - \tfrac{1}{2}(32)\,t^2\right)\mathbf{j} \\
&= 300t\sqrt{3}\,\mathbf{i} + \left(300t - 16t^2\right)\mathbf{j}.
\end{aligned}
$$

a. La bala de cañón alcanza su máxima altura cuando la componente vertical de su velocidad es cero, porque esta no está subiendo ni bajando en ese momento. El vector de velocidad es

$$
\begin{aligned}
\mathbf{v}(t) &= \mathbf{s}'(t) \\
&= 300\sqrt{3}\,\mathbf{i} + (300 - 32t)\,\mathbf{j}.
\end{aligned}
$$

Por tanto, la componente vertical de la velocidad viene dada por la expresión $300 - 32t$. Si se iguala esta expresión a cero y se resuelve para t, se obtiene $t = 9,375$ s. La altura de la bala de cañón en ese momento viene dada por la componente vertical del vector de posición, evaluada en $t = 9,375$.

$$\mathbf{s}(9,375) = 300\,(9,375)\,\sqrt{3}\mathbf{i} + \left(300\,(9,375) - 16(9,375)^2\right)\mathbf{j}$$
$$= 4871,39\mathbf{i} + 1406,25\mathbf{j}$$

Por lo tanto, la altura máxima de la bala de cañón es de 1406,39 pies sobre el cañón, o 1506,39 pies sobre el nivel del mar.

b. Cuando la bala de cañón aterriza en el agua, está a 100 pies por debajo del cañón. Por lo tanto, la componente vertical del vector de posición es igual a -100. Al ajustar la componente vertical de $\mathbf{s}(t)$ sea igual a -100 y resolviendo, obtenemos

$$300t - 16t^2 = -100$$
$$16t^2 - 300t - 100 = 0$$
$$4t^2 - 75t - 25 = 0$$
$$t = \frac{75 \pm \sqrt{(-75)^2 - 4(4)(-25)}}{2(4)}$$
$$= \frac{75 \pm \sqrt{6025}}{8}$$
$$= \frac{75 \pm 5\sqrt{241}}{8}.$$

El valor positivo de t que resuelve esta ecuación es aproximadamente 19,08. Por lo tanto, la bala de cañón golpea el agua después de aproximadamente 19,08 segundos.

c. Para calcular la distancia al mar, simplemente sustituimos la respuesta de la parte (b) en $\mathbf{s}(t)$:

$$\mathbf{s}(19,08) = 300\,(19,08)\,\sqrt{3}\mathbf{i} + \left(300\,(19,08) - 16(19,08)^2\right)\mathbf{j}$$
$$= 9914,26\mathbf{i} - 100,7424\mathbf{j}.$$

Por lo tanto, la bala golpea el agua a unos 9914,26 pies de distancia de la base del acantilado. Observe que la componente vertical del vector de posición está muy cerca de -100, que nos dice que la bala acaba de golpear el agua. Observe que 9914,26 pies no es el verdadero alcance del cañón, ya que la bala aterriza en el océano en un lugar por debajo del cañón. El alcance del cañón se determinaría encontrando a qué distancia se encuentra la bala del cañón cuando su altura es de 100 pies sobre el agua (la misma que la altitud del cañón).

☑ 3.16   Un arquero dispara una flecha con un ángulo de 40° sobre la horizontal con una rapidez inicial de 98 m/s. La altura del arquero es de 171,5 cm. Calcule la distancia horizontal que recorre la flecha antes de tocar el suelo.

Queda una última pregunta: En general, ¿cuál es la distancia máxima que puede recorrer un proyectil, dada su rapidez inicial? Para determinar esta distancia, suponemos que el proyectil se dispara desde el nivel del suelo y deseamos que vuelva al nivel del suelo. En otras palabras, queremos determinar una ecuación para el rango. En este caso, la ecuación del movimiento de proyectil es

$$\mathbf{s}(t) = v_0 t\cos\theta\,\mathbf{i} + \left(v_0 t\operatorname{sen}\theta - \frac{1}{2}gt^2\right)\mathbf{j}.$$

Al ajustar la segunda componente igual a cero y resolviendo para t, se obtiene

$$v_0 t\operatorname{sen}\theta - \tfrac{1}{2}gt^2 = 0$$
$$t\left(v_0\operatorname{sen}\theta - \tfrac{1}{2}gt\right) = 0,$$

Por lo tanto, o bien $t = 0$ o $t = \frac{2v_0\operatorname{sen}\theta}{g}$. Nos interesa el segundo valor de t, así que lo sustituimos en $\mathbf{s}(t)$, que da

$$\mathbf{s}\left(\frac{2v_0\,\text{sen}\,\theta}{g}\right) = v_0\left(\frac{2v_0\,\text{sen}\,\theta}{g}\right)\cos\theta\,\mathbf{i} + \left(v_0\left(\frac{2v_0\,\text{sen}\,\theta}{g}\right)\text{sen}\,\theta - \frac{1}{2}g\left(\frac{2v_0\,\text{sen}\,\theta}{g}\right)^2\right)\mathbf{j}$$

$$= \left(\frac{2v_0^2\,\text{sen}\,\theta\cos\theta}{g}\right)\mathbf{i}$$

$$= \frac{v_0^2\,\text{sen}\,2\theta}{g}\mathbf{i}.$$

Así, la expresión para el rango de un proyectil disparado en ángulo θ se

$$R = \frac{v_0^2\,\text{sen}\,2\theta}{g}\mathbf{i}.$$

La única variable en esta expresión es θ. Para maximizar la distancia recorrida, se toma la derivada del coeficiente de $\mathbf{i}$ con respecto a θ y se ajusta a cero:

$$\frac{d}{d\theta}\left(\frac{v_0^2\,\text{sen}\,2\theta}{g}\right) = 0$$

$$\frac{2v_0^2\cos 2\theta}{g} = 0$$

$$\theta = 45°.$$

Este valor de θ es el valor positivo más pequeño que hace que la derivada sea igual a cero. Por lo tanto, en ausencia de resistencia del aire, el mejor ángulo para disparar un proyectil (para maximizar el rango) es a 45° La distancia que recorre viene dada por

$$\mathbf{s}\left(\frac{2v_0\,\text{sen}\,45}{g}\right) = \frac{v_0^2\,\text{sen}\,90}{g}\mathbf{i} = \frac{v_0^2}{g}\mathbf{j}.$$

Por lo tanto, el rango para un ángulo de 45° ¿es v_0^2/g.

Las leyes de Kepler

A principios del siglo XVII, Johannes Kepler pudo utilizar los datos asombrosamente precisos de su mentor Tycho Brahe para formular sus tres leyes del movimiento planetario, conocidas ahora como **las leyes de Kepler del movimiento planetario**. Estas leyes también se aplican a otros objetos del sistema solar en órbita alrededor del Sol, como los cometas (por ejemplo, el cometa Halley) y los asteroides. Las variaciones de estas leyes se aplican a los satélites en órbita alrededor de la Tierra.

Teorema 3.9

Las leyes de Kepler del movimiento planetario

i.   La trayectoria de cualquier planeta alrededor del Sol tiene forma elíptica, con el centro del Sol situado en un foco de la elipse (ley de las elipses).

ii. Una línea trazada desde el centro del Sol hasta el centro de un planeta barre áreas iguales en intervalos de tiempo iguales (ley de las áreas iguales) (Figura 3.18).

iii. La relación de los cuadrados de los periodos de dos planetas cualesquiera es igual a la relación de los cubos de las longitudes de sus semiejes orbitales mayores (ley de las armonías).

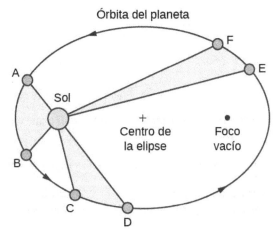

Órbita del planeta

Figura 3.18 La primera y la segunda ley de Kepler están representadas aquí. El Sol se encuentra en un foco de la órbita elíptica de cualquier planeta. Además, las áreas sombreadas son todas iguales, suponiendo que la cantidad de tiempo medido mientras el planeta se mueve es la misma para cada región.

La tercera ley de Kepler es especialmente útil cuando se utilizan las unidades adecuadas. En particular, se define *1 unidad astronómica* como la distancia media de la Tierra al Sol, y actualmente se reconoce que es de 149.597.870.700 metros o 93.000.000 millas, aproximadamente. Por lo tanto, escribimos 1 U.A. = 93.000.000 millas. Como el tiempo que tarda la Tierra en orbitar alrededor del Sol es de 1 año, utilizamos los años terrestres como unidades de tiempo. Entonces, sustituyendo 1 año por el periodo de la Tierra y 1 U.A. por la distancia media al Sol, la tercera ley de Kepler puede escribirse como

$$T_p^2 = D_p^3$$

para cualquier planeta del sistema solar, donde T_P es el periodo de ese planeta, medido en años terrestres y D_P es la distancia media de ese planeta al Sol medida en unidades astronómicas. Por tanto, si conocemos la distancia media de un planeta al Sol (en unidades astronómicas), podemos calcular la duración de su año (en años terrestres), y viceversa.

Las leyes de Kepler se formularon a partir de las observaciones de Brahe; sin embargo, no se demostraron formalmente hasta que sir Isaac Newton pudo aplicar el cálculo. Además, Newton fue capaz de generalizar la tercera ley de Kepler a otros sistemas orbitales, como una luna que orbita alrededor de un planeta. La tercera ley original de Kepler solo se aplica a los objetos que orbitan alrededor del Sol.

Prueba

Demostremos ahora la primera ley de Kepler utilizando el cálculo de funciones de valores vectoriales. Primero necesitamos un sistema de coordenadas. Situemos el Sol en el origen del sistema de coordenadas y dejemos que la función de valor vectorial $\mathbf{r}(t)$ represente la ubicación de un planeta en función del tiempo. Newton comprobó la ley de Kepler utilizando su segunda ley del movimiento y su ley de la gravitación universal. La segunda ley del movimiento de Newton puede escribirse como $\mathbf{F} = m\mathbf{a}$, donde $\mathbf{F}$ representa la fuerza neta que actúa sobre el planeta. Su ley de la gravitación universal puede escribirse en la forma $\mathbf{F} = -\dfrac{GmM}{\|\mathbf{r}\|^2} \cdot \dfrac{\mathbf{r}}{\|\mathbf{r}\|}$, que indica que la fuerza resultante de la atracción gravitacional del Sol apunta hacia el Sol, y tiene magnitud $\dfrac{GmM}{\|\mathbf{r}\|^2}$ (Figura 3.19).

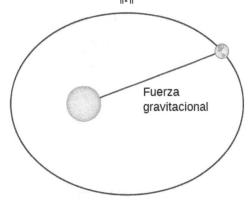

Fuerza gravitacional

Figura 3.19 La fuerza gravitacional entre la Tierra y el Sol es igual a la masa de la Tierra por su aceleración.

Si estas dos fuerzas son iguales entre sí, y utilizando el hecho de que $\mathbf{a}(t) = \mathbf{v}'(t)$, obtenemos

$$m\mathbf{v}'\,(t) = -\frac{GmM}{\|\mathbf{r}\|^2} \cdot \frac{\mathbf{r}}{\|\mathbf{r}\|},$$

que se puede reescribir como

$$\frac{d\mathbf{v}}{dt} = -\frac{GM}{\|\mathbf{r}\|^3}\mathbf{r}.$$

Esta ecuación muestra que los vectores $d\mathbf{v}/dt$ y $\mathbf{r}$ son paralelos entre sí, por lo que $d\mathbf{v}/dt \times \mathbf{r} = \mathbf{0}$. A continuación, vamos a diferenciar $\mathbf{r} \times \mathbf{v}$ con respecto al tiempo:

$$\frac{d}{dt}(\mathbf{r} \times \mathbf{v}) = \frac{d\mathbf{r}}{dt} \times \mathbf{v} + \mathbf{r} \times \frac{d\mathbf{v}}{dt} = \mathbf{v} \times \mathbf{v} + \mathbf{0} = \mathbf{0}.$$

Esto demuestra que $\mathbf{r} \times \mathbf{v}$ es un vector constante, al que llamamos $\mathbf{C}$. Dado que $\mathbf{r}$ y $\mathbf{v}$ son perpendiculares a $\mathbf{C}$ para todos los valores de t, deben estar en un plano perpendicular a $\mathbf{C}$. Por lo tanto, el movimiento del planeta está en un plano.

A continuación, calculamos la expresión $d\mathbf{v}/dt \times \mathbf{C}$:

$$\frac{d\mathbf{v}}{dt} \times \mathbf{C} = -\frac{GM}{\|\mathbf{r}\|^3}\mathbf{r} \times (\mathbf{r} \times \mathbf{v}) = -\frac{GM}{\|\mathbf{r}\|^3}[(\mathbf{r}.\mathbf{v})\,\mathbf{r} - (\mathbf{r}.\mathbf{r})\,\mathbf{v}]. \tag{3.26}$$

La última igualdad en la [Ecuación 3.26](#) proviene de la fórmula del triple producto vectorial ([Introducción a vectores en el espacio](#)). Necesitamos una expresión para $\mathbf{r}.\mathbf{v}$. Para calcularlo, diferenciamos $\mathbf{r}.\mathbf{r}$ con respecto al tiempo:

$$\frac{d}{dt}(\mathbf{r}.\mathbf{r}) = \frac{d\mathbf{r}}{dt}.\mathbf{r} + \mathbf{r}.\frac{d\mathbf{r}}{dt} = 2\mathbf{r}.\frac{d\mathbf{r}}{dt} = 2\mathbf{r}.\mathbf{v}. \tag{3.27}$$

Dado que $\mathbf{r}.\mathbf{r} = \|\mathbf{r}\|^2$, también tenemos

$$\frac{d}{dt}(\mathbf{r}.\mathbf{r}) = \frac{d}{dt}\|\mathbf{r}\|^2 = 2\|\mathbf{r}\|\frac{d}{dt}\|\mathbf{r}\|. \tag{3.28}$$

Combinando la [Ecuación 3.27](#) y la [Ecuación 3.28](#), obtenemos

$$2\mathbf{r}.\mathbf{v} = 2\|\mathbf{r}\|\frac{d}{dt}\|\mathbf{r}\|$$
$$\mathbf{r}.\mathbf{v} = \|\mathbf{r}\|\frac{d}{dt}\|\mathbf{r}\|.$$

Al sustituir esto en la [Ecuación 3.26](#) nos da

$$\begin{aligned}\frac{d\mathbf{v}}{dt} \times \mathbf{C} &= -\frac{GM}{\|\mathbf{r}\|^3}[(\mathbf{r}.\mathbf{v})\,\mathbf{r} - (\mathbf{r}.\mathbf{r})\,\mathbf{v}]\\ &= -\frac{GM}{\|\mathbf{r}\|^3}\left[\|\mathbf{r}\|\left(\frac{d}{dt}\|\mathbf{r}\|\right)\mathbf{r} - \|\mathbf{r}\|^2\mathbf{v}\right]\\ &= -GM\left[\frac{1}{\|\mathbf{r}\|^2}\left(\frac{d}{dt}\|\mathbf{r}\|\right)\mathbf{r} - \frac{1}{\|\mathbf{r}\|}\mathbf{v}\right]\\ &= GM\left[\frac{\mathbf{v}}{\|\mathbf{r}\|} - \frac{\mathbf{r}}{\|\mathbf{r}\|^2}\left(\frac{d}{dt}\|\mathbf{r}\|\right)\right].\end{aligned} \tag{3.29}$$

Sin embargo,

$$\begin{aligned}\frac{d}{dt}\frac{\mathbf{r}}{\|\mathbf{r}\|} &= \frac{\frac{d}{dt}(\mathbf{r})\|\mathbf{r}\| - \mathbf{r}\frac{d}{dt}\|\mathbf{r}\|}{\|\mathbf{r}\|^2}\\ &= \frac{\frac{d\mathbf{r}}{dt}}{\|\mathbf{r}\|} - \frac{\mathbf{r}}{\|\mathbf{r}\|^2}\frac{d}{dt}\|\mathbf{r}\|\\ &= \frac{\mathbf{v}}{\|\mathbf{r}\|} - \frac{\mathbf{r}}{\|\mathbf{r}\|^2}\frac{d}{dt}\|\mathbf{r}\|.\end{aligned}$$

Por lo tanto, la [Ecuación 3.29](#) se convierte en

$$\frac{d\mathbf{v}}{dt} \times \mathbf{C} = GM\left(\frac{d}{dt}\frac{\mathbf{r}}{\|\mathbf{r}\|}\right).$$

Como $\mathbf{C}$ es un vector constante, podemos integrar ambos lados y obtener

$$\mathbf{v} \times \mathbf{C} = GM\frac{\mathbf{r}}{\|\mathbf{r}\|} + \mathbf{D},$$

donde **D** es un vector constante. Nuestro objetivo es resolver $\|\mathbf{r}\|$. Empecemos por calcular $\mathbf{r}.(\mathbf{v} \times \mathbf{C})$:

$$\mathbf{r}.(\mathbf{v} \times \mathbf{C}) = \mathbf{r}.\left(GM\frac{\mathbf{r}}{\|\mathbf{r}\|} + \mathbf{D}\right) = GM\frac{\|\mathbf{r}\|^2}{\|\mathbf{r}\|} + \mathbf{r}.\mathbf{D} = GM\|\mathbf{r}\| + \mathbf{r}.\mathbf{D}.$$

Sin embargo, $\mathbf{r}.(\mathbf{v} \times \mathbf{C}) = (\mathbf{r} \times \mathbf{v}).\mathbf{C}$, así que

$$(\mathbf{r} \times \mathbf{v}).\mathbf{C} = GM\|\mathbf{r}\| + \mathbf{r}.\mathbf{D}.$$

Dado que $\mathbf{r} \times \mathbf{v} = \mathbf{C}$, tenemos

$$\|\mathbf{C}\|^2 = GM\|\mathbf{r}\| + \mathbf{r}.\mathbf{D}.$$

Observe que $\mathbf{r}.\mathbf{D} = \|\mathbf{r}\|\,\|\mathbf{D}\|\cos\theta$, donde θ es el ángulo entre **r** y **D**. Por lo tanto,

$$\|\mathbf{C}\|^2 = GM\|\mathbf{r}\| + \|\mathbf{r}\|\,\|\mathbf{D}\|\cos\theta.$$

Resolviendo para $\|\mathbf{r}\|$,

$$\|\mathbf{r}\| = \frac{\|\mathbf{C}\|^2}{GM + \|\mathbf{D}\|\cos\theta} = \frac{\|\mathbf{C}\|^2}{GM}\left(\frac{1}{1 + e\cos\theta}\right),$$

donde $e = \|\mathbf{D}\|/GM$. Esta es la ecuación polar de una cónica con enfoque en el origen, que establecemos como el Sol. Es una hipérbola si $e > 1$, una parábola si $e = 1$, o una elipse si $e < 1$. Como los planetas tienen órbitas cerradas, la única posibilidad es una elipse. Sin embargo, en este punto hay que mencionar que los cometas hiperbólicos existen. Se trata de objetos que simplemente atraviesan el sistema solar a velocidades demasiado grandes para quedar atrapados en la órbita del Sol. Al pasar lo suficientemente cerca del Sol, su campo gravitacional desvía la trayectoria lo suficiente como para que esta se vuelva hiperbólica.

□

EJEMPLO 3.17

Usar la tercera ley de Kepler para órbitas no heliocéntricas

La tercera ley de Kepler del movimiento planetario puede modificarse para el caso de un objeto en órbita alrededor de un objeto distinto del Sol, como la Luna alrededor de la Tierra. En este caso, la tercera ley de Kepler se convierte en

$$P^2 = \frac{4\pi^2 a^3}{G(m + M)}, \tag{3.30}$$

donde *m* es la masa de la Luna y *M* es la masa de la Tierra, *a* representa la longitud del eje mayor de la órbita elíptica y *P* representa el periodo.

Dado que la masa de la Luna es $7{,}35 \times 10^{22}$ kg, la masa de la Tierra es $5{,}97 \times 10^{24}$ kg, $G = 6{,}67 \times 10^{-11}\,\text{m}^3/\text{kg.sec}^2$, y el periodo de la Luna es de 27,3 días, calculemos la longitud del eje mayor de la órbita de la Luna alrededor de la Tierra.

⊘ **Solución**

Es importante ser coherente con las unidades. Dado que la constante gravitacional universal contiene segundos en las unidades, tenemos que utilizar también segundos para el periodo de la Luna:

$$27{,}3\ \text{días} \times \frac{24\,\text{h}}{1\,\text{día}} \times \frac{3.600\,\text{sec}}{1\,\text{hora}} = 2358720\,\text{sec}.$$

Sustituya todos los datos en la Ecuación 3.30 y resuelva para *a*:

$$(2358720\,\text{sec})^2 = \frac{4\pi^2 a^3}{\left(6{,}67 \times 10^{-11}\,\frac{\text{m}^3}{\text{kg.sec}^2}\right)\left(7{,}35 \times 10^{22}\,\text{kg} + 5{,}97 \times 10^{24}\,\text{kg}\right)}$$

$$5{,}563 \times 10^{12} = \frac{4\pi^2 a^3}{\left(6{,}67 \times 10^{-11}\,\text{m}^3\right)\left(6{,}04 \times 10^{24}\right)}$$

$$\left(5{,}563 \times 10^{12}\right)\left(6{,}67 \times 10^{-11}\,\text{m}^3\right)\left(6{,}04 \times 10^{24}\right) = 4\pi^2 a^3$$

$$a^3 = \frac{2{,}241 \times 10^{27}}{4\pi^2}\,\text{m}^3$$

$$a = 3{,}84 \times 10^8\,\text{m}$$

$$\approx 384.000\,\text{km}.$$

Análisis

Según solarsystem.nasa.gov, la distancia media real de la Luna a la Tierra es de 384.400 km. Esto se calculó utilizando los reflectores dejados en la Luna por los astronautas del Apolo en la década de 1960.

3.17   Titán es la luna más grande de Saturno. La masa de Titán es aproximadamente $1,35 \times 10^{23}$ kg. La masa de Saturno es aproximadamente $5,68 \times 10^{26}$ kg. Titán tarda aproximadamente 16 días en orbitar Saturno. Utilice esta información, junto con la constante de gravitación universal $G = 6,67 \times 10^{-11} \mathrm{m}^3/\mathrm{kg.\,sec}^2$ para estimar la distancia de Titán a Saturno.

EJEMPLO 3.18

Inicio del capítulo: El cometa Halley

Volvemos ahora al inicio del capítulo, que trata del movimiento del cometa Halley alrededor del Sol. La primera ley de Kepler establece que el cometa Halley sigue una trayectoria elíptica alrededor del Sol, con este como un foco de la elipse. El periodo del cometa Halley es de aproximadamente 76,1 años, dependiendo de la proximidad con la que pase por Júpiter y Saturno a su paso por el sistema solar exterior. Utilicemos $T = 76,1$ años. ¿Cuál es la distancia media del cometa Halley al Sol?

Solución

Si utilizamos la ecuación $T^2 = D^3$ con la $T = 76,1$, obtenemos $D^3 = 5791,21$, por lo que $D \approx 17,96$ U.A. Esto equivale aproximadamente a $1,67 \times 10^9$ mi.

Una pregunta obvia que surge es: ¿cuáles son las distancias máxima (afelio) y mínima (perihelio) del cometa Halley al Sol? La excentricidad de la órbita del cometa Halley es de 0,967 (Fuente: http://nssdc.gsfc.nasa.gov/planetary/factsheet/cometfact.html). Recordemos que la fórmula de la excentricidad de una elipse es $e = c/a$, donde a es la longitud del semieje mayor y c es la distancia del centro a cualquiera de los focos. Por lo tanto, $0,967 = c/17,96$ y $c \approx 17,37$ U.A. Restando esto de a se obtiene la distancia del perihelio $p = a - c = 17,96 - 17,37 = 0,59$ U.A. Según el Centro Nacional de Datos de Ciencia Espacial (National Space Science Data Center) (Fuente: http://nssdc.gsfc.nasa.gov/planetary/factsheet/cometfact.html), la distancia del perihelio del cometa Halley es de 0,587 U.A. Para calcular la distancia del afelio, añadimos

$$P = a + c = 17,96 + 17,37 = 35,33 \,\text{U.A.}$$

Esto es aproximadamente $3,3 \times 10^9$ mi. La distancia media de Plutón al Sol es de 39,5 U.A. (Fuente: http://www.oarval.org/furthest.htm), por lo que parece que el cometa Halley se mantiene justo en la órbita de Plutón.

PROYECTO DE ESTUDIANTE

Navegar en una curva cerrada

¿A qué velocidad puede tomar una curva circular un automóvil de carreras sin derrapar y chocar contra el muro? La respuesta podría depender de varios factores:

- El peso del automóvil;
- La fricción entre los neumáticos y la carretera;

- El radio del círculo;
- La "inclinación" del giro.

En este proyecto investigamos esta cuestión para los automóviles de carreras de NASCAR en la pista Bristol Motor Speedway de Tennessee. Antes de considerar esta pista en particular utilizamos las funciones vectoriales para desarrollar las matemáticas y la física necesarias para responder preguntas como esta.

Un automóvil de masa m se mueve con velocidad angular constante ω alrededor de una curva circular de radio R (Figura 3.20). La curva se inclina en un ángulo θ. Si la altura del automóvil respecto al suelo es h, entonces su posición en el momento t viene dada por la función $r(t) = \langle R\cos(\omega t), R\,\mathrm{sen}(\omega t), h \rangle$.

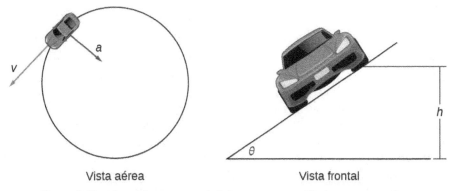

Figura 3.20   Vistas de un automóvil de carreras moviéndose por una pista.

1. Halle la función de velocidad $\mathbf{v}(t)$ del automóvil. Demuestre que $\mathbf{v}$ es tangente a la curva circular. Esto significa que, sin una fuerza que mantenga el automóvil en la curva, este saldrá disparado de ella.
2. Demuestre que la velocidad del automóvil es ωR. Utilice esto para demostrar que $(2\pi r)/|\mathbf{v}| = (2\pi)/\omega$.
3. Halle la aceleración $\mathbf{a}$. Demuestre que este vector apunta hacia el centro del círculo y que $|\mathbf{a}| = R\omega^2$.
4. La fuerza necesaria para producir este movimiento circular se denomina *fuerza centrípeta*, y se denota $\mathbf{F}_{\mathrm{cent}}$. Esta fuerza apunta hacia el centro del círculo (no hacia el suelo). Demuestre que $|\mathbf{F}_{\mathrm{cent}}| = \left(m|\mathbf{v}|^2\right)/R$.

   Mientras el automóvil se desplaza por la curva, sobre él actúan tres fuerzas: la gravedad, la fuerza ejercida por la carretera (esta fuerza es perpendicular al suelo) y la fuerza de roce (Figura 3.21). Dado que describir la fuerza de roce generada por los neumáticos y la carretera es compleja, utilizamos una aproximación estándar para la fuerza de roce. Supongamos que $|\mathbf{f}| = \mu|\mathbf{N}|$ para alguna constante positiva μ. La constante μ se denomina *coeficiente de roce*.

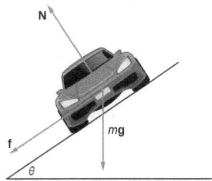

Figura 3.21   El automóvil tiene tres fuerzas que actúan sobre él: la gravedad (denotada por $\mathbf{m}\,g$), la fuerza de roce $\mathbf{f}$ y la fuerza ejercida por la carretera $\mathbf{N}$.

Supongamos que $v_{\mathrm{máx.}}$ denota la velocidad máxima que puede alcanzar el automóvil en la curva sin derrapar. En otras palabras, v_{max} es la velocidad más rápida a la que el automóvil puede tomar la curva. Cuando este viaja a esa velocidad, la magnitud de la fuerza centrípeta es

$$|\mathbf{F}_{\mathrm{cent}}| = \frac{mv^2_{\mathrm{máx.}}}{R}.$$

Las tres preguntas siguientes tratan de desarrollar una fórmula que relacione la velocidad v_{max} al ángulo de inclinación θ.

5. Demuestre que $|\mathbf{N}|\cos\theta = mg + |\mathbf{f}|\operatorname{sen}\theta$. Concluya que $|\mathbf{N}| = (mg)/(\cos\theta - \mu\operatorname{sen}\theta)$.

6. La fuerza centrípeta es la suma de las fuerzas en la dirección horizontal, ya que esta apunta hacia el centro de la curva circular. Demuestre que

$$|\mathbf{F}_{\text{cent}|} = |\mathbf{N}|\operatorname{sen}\theta + |\mathbf{f}|\cos\theta.$$

Concluya que

$$|\mathbf{F}_{\text{cent}|} = \frac{\operatorname{sen}\theta + \mu\cos\theta}{\cos\theta - \mu\operatorname{sen}\theta}mg.$$

7. Demuestre que $v_{\text{máx.}}^2 = ((\operatorname{sen}\theta + \mu\cos\theta)/(\cos\theta - \mu\operatorname{sen}\theta))\,gR$. Concluya que la rapidez máxima no depende realmente de la masa del automóvil.

Ahora que tenemos una fórmula que relaciona la rapidez máxima del automóvil y el ángulo de inclinación estamos en condiciones de responder preguntas como la planteada al principio del proyecto.

La pista Bristol Motor Speedway es un circuito corto de NASCAR en Bristol, Tennessee. La pista tiene la forma aproximada que se muestra en la Figura 3.22. Cada extremo de la pista es aproximadamente semicircular, por lo que cuando los automóviles hacen giros están viajando a lo largo de una curva aproximadamente circular. Si un automóvil toma la pista interior y acelera a lo largo del fondo de la curva 1, este se desplaza a lo largo de un semicírculo de un radio de aproximadamente 211 ft con un ángulo de inclinación de 24°. Si el automóvil decide tomar la pista exterior y acelera a lo largo de la parte superior de la curva 1, entonces viaja a lo largo de un semicírculo con un ángulo de inclinación de 28° (la pista tiene un ángulo de inclinación variable).

(a)   (b)

Figura 3.22   En la pista Bristol Motor Speedway, Bristol, Tennessee (a), las curvas tienen un radio interior de unos 211 ft y una anchura de 40 ft (b) (créditos: parte (a) foto de Raniel Diaz, Flickr).

El coeficiente de roce de un neumático normal en condiciones de sequedad es de 0,7 aproximadamente. Por lo tanto, suponemos que el coeficiente para un neumático de NASCAR en condiciones en seco es de 0,98 aproximadamente.

Antes de responder las siguientes preguntas, tenga en cuenta que es más fácil hacer los cálculos en términos de pies y segundos, y luego convertir las respuestas a millas por hora como paso final.

8. En condiciones en seco, ¿qué velocidad puede alcanzar el automóvil en el fondo de la curva sin derrapar?

9. En condiciones en seco, ¿a qué velocidad puede pasar el automóvil por la parte superior de la curva sin derrapar?

10. En condiciones húmedas, el coeficiente de roce puede llegar a ser tan bajo como 0,1. Si este es el caso, ¿a qué velocidad puede pasar el automóvil por el fondo de la curva sin derrapar?

11. Supongamos que la rapidez medida de un automóvil que va por el borde exterior de la curva es de 105 mph. Calcule el coeficiente de roce de los neumáticos del automóvil.

SECCIÓN 3.4 EJERCICIOS

155. Dado que
$\mathbf{r}(t) = (3t^2 - 2)\mathbf{i} + (2t - \text{sen}(t))\mathbf{j}$, halle la velocidad de una partícula que se mueve a lo largo de esta curva.

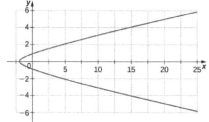

156. Dado que
$\mathbf{r}(t) = (3t^2 - 2)\mathbf{i} + (2t - \text{sen}(t))\mathbf{j}$, halle el vector de aceleración de una partícula que se mueve a lo largo de la curva del ejercicio anterior.

Dadas las siguientes funciones de posición, halle la velocidad, la aceleración y la rapidez en términos del parámetro t.

157. $\mathbf{r}(t) = \langle 3\cos t, 3\,\text{sen}\,t, t^2 \rangle$

158. $\mathbf{r}(t) = e^{-t}\mathbf{i} + t^2\mathbf{j} + \tan t\,\mathbf{k}$

159. $\mathbf{r}(t) = 2\cos t\,\mathbf{j} + 3\,\text{sen}\,t\,\mathbf{k}$. El gráfico se muestra aquí:

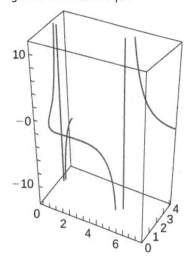

Halle la velocidad, la aceleración y la rapidez de una partícula con la función de posición dada.

160. $\mathbf{r}(t) = \langle t^2 - 1, t \rangle$

161. $\mathbf{r}(t) = \langle e^t, e^{-t} \rangle$

162. $\mathbf{r}(t) = \langle \text{sen}\,t, t, \cos t \rangle$. El gráfico se muestra aquí:

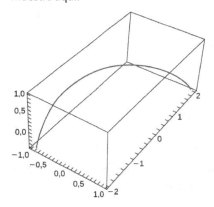

163. La función de posición de un objeto viene dada por $\mathbf{r}(t) = \left\langle t^2, 5t, t^2 - 16t \right\rangle$. ¿En qué momento la rapidez es mínima?

164. Supongamos que $\mathbf{r}(t) = r\cosh(\omega t)\mathbf{i} + r\operatorname{senoh}(\omega t)\mathbf{j}$. Halle los vectores de velocidad y aceleración y demuestre que la aceleración es proporcional a $\mathbf{r}(t)$.

Considera el movimiento de un punto en la circunferencia de un círculo rodante. Al rodar el círculo, genera la cicloide $\mathbf{r}(t) = (\omega t - \operatorname{sen}(\omega t))\,\mathbf{i} + (1 - \cos(\omega t))\,\mathbf{j}$, *donde ω es la velocidad angular del círculo:*

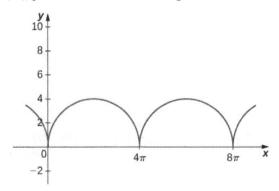

165. Halle las ecuaciones para la velocidad, la aceleración y la rapidez de la partícula en cualquier momento.

Una persona en un ala delta asciende en espiral como consecuencia del rápido ascenso del aire en una trayectoria que tiene un vector de posición $\mathbf{r}(t) = (3\cos t)\mathbf{i} + (3\operatorname{sen} t)\mathbf{j} + t^2\mathbf{k}$. *La trayectoria es similar a la de una hélice, aunque no lo es. El gráfico se muestra aquí:*

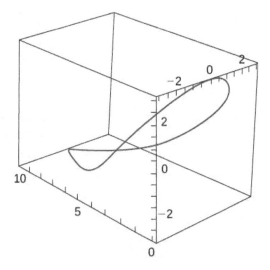

Halle las siguientes cantidades:

166. Los vectores de velocidad y aceleración

167. La rapidez del ala delta en cualquier momento

168. Los tiempos, si los hay, en los que la aceleración del ala delta es ortogonal a su velocidad

Dado que $\mathbf{r}(t) = \left\langle e^{-5t}\operatorname{sen} t, e^{-5t}\cos t, 4e^{-5t}\right\rangle$ *es el vector de posición de una partícula en movimiento, halle las siguientes cantidades:*

169. La velocidad de la partícula

170. La rapidez de la partícula

171. La aceleración de la partícula

172. Halle la rapidez máxima de un punto en la circunferencia de un neumático de automóvil de radio 1 pie cuando el automóvil viaja a 55 mph.

Un proyectil es disparado en el aire desde el nivel del suelo con una velocidad inicial de 500 m/s con un ángulo de 60° con la horizontal. La gráfica se muestra aquí:

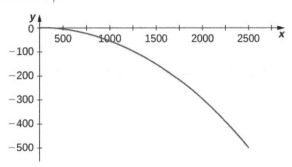

173. ¿En qué momento el proyectil alcanza su máxima altura?

174. ¿Cuál es la altura máxima aproximada del proyectil?

175. ¿En qué momento se alcanza el rango máximo del proyectil?

176. ¿Cuál es el rango máximo?

177. ¿Cuál es el tiempo total de vuelo del proyectil?

Se dispara un proyectil a una altura de 1,5 m sobre el suelo con una velocidad inicial de 100 m/s y con un ángulo de 30° sobre la horizontal. Utilice esta información para responder las siguientes preguntas:

178. Determine la altura máxima del proyectil.

179. Determine el rango del proyectil.

180. Se golpea una pelota de golf en dirección horizontal desde el borde superior de un edificio de 100 pies de altura. ¿A qué velocidad debe lanzarse la pelota para que caiga a 450 pies de distancia?

181. Se dispara un proyectil desde el nivel del suelo con un ángulo de 8° con la horizontal. El proyectil debe tener un alcance de 50 m. Calcule la velocidad mínima necesaria para alcanzar este rango.

182. Demuestre que un objeto que se mueve en línea recta a una rapidez constante tiene una aceleración de cero.

183. La aceleración de un objeto viene dada por $\mathbf{a}(t) = t\mathbf{j} + t\mathbf{k}$. La velocidad en $t = 1$ s es $\mathbf{v}(1) = 5\mathbf{j}$ y la posición del objeto en $t = 1$ seg es $\mathbf{r}(1) = 0\mathbf{i} + 0\mathbf{j} + 0\mathbf{k}$. Calcule la posición del objeto en cualquier momento.

184. Calcule $\mathbf{r}(t)$ dado que $\mathbf{a}(t) = -32\mathbf{j}$, $\mathbf{v}(0) = 600\sqrt{3}\mathbf{i} + 600\mathbf{j}$, y $\mathbf{r}(0) = \mathbf{0}$.

185. Halle las componentes tangencial y normal de la aceleración para $\mathbf{r}(t) = a\cos(\omega t)\mathbf{i} + b\,\text{sen}(\omega t)\mathbf{j}$ a las $t = 0$.

186. Dado que $\mathbf{r}(t) = t^2\mathbf{i} + 2t\mathbf{j}$ y $t = 1$, halle las componentes tangencial y normal de la aceleración.

Para cada uno de los siguientes problemas, halle las componentes tangencial y normal de la aceleración.

187. $\mathbf{r}(t) = \left\langle e^t\cos t, e^t\,\text{sen}\,t, e^t \right\rangle$. El gráfico se muestra aquí:

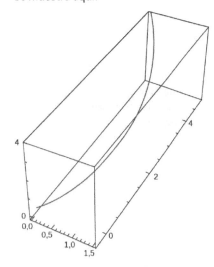

188. $\mathbf{r}(t) = \left\langle \cos(2t), \text{sen}(2t), 1 \right\rangle$

189. $\mathbf{r}(t) = \left\langle 2t, t^2, \frac{t^3}{3} \right\rangle$

190. $\mathbf{r}(t) = \left\langle \frac{2}{3}(1+t)^{3/2}, \frac{2}{3}(1-t)^{3/2}, \sqrt{2}t \right\rangle$

191. $\mathbf{r}(t) = \left\langle 6t, 3t^2, 2t^3 \right\rangle$

192. $\mathbf{r}(t) = t^2\mathbf{i} + t^2\mathbf{j} + t^3\mathbf{k}$

193. $\mathbf{r}(t) = 3\cos(2\pi t)\,\mathbf{i} + 3\,\text{sen}(2\pi t)\,\mathbf{j}$

194. Halle la función de valor vectorial de posición $\mathbf{r}(t)$, dado que $\mathbf{a}(t) = \mathbf{i} + e^t\mathbf{j}$, $\mathbf{v}(0) = 2\mathbf{j}$, y $\mathbf{r}(0) = 2\mathbf{i}$.

195. La fuerza sobre una partícula viene dada por $\mathbf{f}(t) = (\cos t)\,\mathbf{i} + (\text{sen}\,t)\,\mathbf{j}$. La partícula se encuentra en el punto $(c, 0)$ en $t = 0$. La velocidad inicial de la partícula viene dada por $\mathbf{v}(0) = v_0\mathbf{j}$. Halle la trayectoria de la partícula de masa $\mathbf{m}$. (Recuerde, $\mathbf{F} = m.\,\mathbf{a}.$) grandes.

196. Un automóvil que pesa 2.700 libras hace un giro en una carretera plana mientras viaja a 56 ft/s. Si el radio de la curva es de 70 pies, ¿cuál es la fuerza de roce necesaria para que el automóvil no derrape?

197. Utilizando las leyes de Kepler, se puede demostrar que $v_0 = \sqrt{\dfrac{2GM}{r_0}}$ es la rapidez mínima necesaria cuando $\theta = 0$ para que un objeto escape de la atracción de una fuerza central resultante de la masa M. Utilice este resultado para hallar la rapidez mínima cuando $\theta = 0$ para que una cápsula espacial escape de la atracción gravitacional de la Tierra si la sonda se encuentra a una altura de 300 km sobre la superficie terrestre.

198. Calcule el tiempo en años que tarda el planeta enano Plutón en realizar una órbita alrededor del Sol dado que $a = 39{,}5$ U.A.

Supongamos que la función de posición de un objeto en tres dimensiones viene dada por la ecuación $\mathbf{r}(t) = t\cos(t)\mathbf{i} + t\,\text{sen}(t)\mathbf{j} + 3t\,\mathbf{k}$.

199. Demuestre que la partícula se mueve en un cono circular.

200. Halle el ángulo entre los vectores de velocidad y aceleración cuando $t = 1{,}5$.

201. Halle las componentes tangencial y normal de la aceleración cuando $t = 1{,}5$.

Revisión del capítulo

Términos clave

círculo osculador   un círculo que es tangente a una curva *C* en un punto *P* y que comparte la misma curvatura

componente normal de aceleración   el coeficiente del vector unitario normal **N** cuando el vector de aceleración se escribe como una combinación lineal de **T** y **N**

componente tangencial de la aceleración   el coeficiente del vector unitario tangente **T** cuando el vector de aceleración se escribe como una combinación lineal de **T** y **N**

curva en el espacio   el conjunto de triples ordenadas $(f(t), g(t), h(t))$ junto con sus ecuaciones paramétricas que las definen $x = f(t)$, $y = g(t)$ y $z = h(t)$

curva plana   el conjunto de pares ordenados $(f(t), g(t))$ junto con sus ecuaciones paramétricas que las definen $x = f(t)$ y de $y = g(t)$

curvatura   la derivada del vector tangente unitario con respecto al parámetro de longitud de arco

derivada de una función de valor vectorial   la derivada de una función de valor vectorial $\mathbf{r}(t)$ es $\mathbf{r}'(t) = \lim\limits_{\Delta t \to 0} \frac{\mathbf{r}(t+\Delta t) - \mathbf{r}(t)}{\Delta t}$, siempre que exista el límite

función de longitud de arco   una función $s(t)$ que describe la longitud de arco de la curva *C* en función de *t*

función de valor vectorial   una función de la forma $\mathbf{r}(t) = f(t)\mathbf{i} + g(t)\mathbf{j}$ o $\mathbf{r}(t) = f(t)\mathbf{i} + g(t)\mathbf{j} + h(t)\mathbf{k}$, donde las funciones de las componentes *f, g* y *h* son funciones de valor real del parámetro *t*

funciones de las componentes   las funciones de las componentes de la función de valor vectorial $\mathbf{r}(t) = f(t)\mathbf{i} + g(t)\mathbf{j}$ son $f(t)$ y $g(t)$, y las funciones de las componentes de la función de valor vectorial $\mathbf{r}(t) = f(t)\mathbf{i} + g(t)\mathbf{j} + h(t)\mathbf{k}$ son $f(t)$, $g(t)$ y $h(t)$

hélice   una curva tridimensional en forma de espiral

integral definida de una función de valor vectorial   el vector que se obtiene calculando la integral definida de cada una de las funciones componentes de una función de valor vectorial dada, y utilizando luego los resultados como componentes de la función resultante

integral indefinida de una función de valor vectorial   una función vectorial con una derivada que es igual a una función de valor vectorial dada

Leyes de Kepler del movimiento planetario   tres leyes que rigen el movimiento de los planetas, asteroides y cometas en órbita alrededor del Sol

límite de una función de valor vectorial   una función de valor vectorial $\mathbf{r}(t)$ tiene un límite **L** cuando *t* se acerca hasta *a* si $\lim\limits_{t \to a} |\mathbf{r}(t) - \mathbf{L}| = 0$

Marco de referencia de Frenet   (marco TNB) un marco de referencia en el espacio tridimensional formado por el vector tangente unitario, el vector normal unitario y el vector binormal

movimiento de proyectil   movimiento de un objeto con una velocidad inicial pero sin otra fuerza que actúe sobre él más que la gravedad

parametrización de la longitud de arco   una reparametrización de una función de valor vectorial en la que el parámetro es igual a la longitud de arco

parametrización vectorial   cualquier representación de un plano o curva en el espacio mediante una función de valor vectorial

plano normal   un plano que es perpendicular a una curva en cualquier punto de la misma

plano osculador   el plano determinado por la tangente unitaria y el vector normal unitario

radio de curvatura   el recíproco de la curvatura

reparametrización   una parametrización alternativa de una función de valor vectorial determinada

suave   curvas donde la función de valor vectorial $\mathbf{r}(t)$ es diferenciable con una derivada no nula

vector binormal   un vector unitario ortogonal al vector tangente unitario y al vector normal unitario

vector de aceleración   la segunda derivada del vector de posición

vector de velocidad   la derivada del vector de posición

vector normal unitario principal   un vector ortogonal al vector tangente unitario, dado por la fórmula $\frac{\mathbf{T}'(t)}{\|\mathbf{T}'(t)\|}$

vector tangente   a $\mathbf{r}(t)$ en $t = t_0$ cualquier vector **v** tal que, cuando la cola del vector se sitúa en el punto $\mathbf{r}(t_0)$ en el gráfico, el vector **v** es tangente a la curva *C*

vector unitario tangente principal   un vector unitario tangente a una curva *C*

Ecuaciones clave

Función de valor vectorial	$\mathbf{r}(t) = f(t)\,\mathbf{i} + g(t)\,\mathbf{j}$ o $\mathbf{r}(t) = f(t)\,\mathbf{i} + g(t)\,\mathbf{j} + h(t)\,\mathbf{k}$, o $\mathbf{r}(t) = \langle f(t), g(t) \rangle$ o $\mathbf{r}(t) = \langle f(t), g(t), h(t) \rangle$
Límite de una función de valor vectorial	$\lim\limits_{t \to a} \mathbf{r}(t) = \left[\lim\limits_{t \to a} f(t) \right]\mathbf{i} + \left[\lim\limits_{t \to a} g(t) \right]\mathbf{j}$ o $\lim\limits_{t \to a} \mathbf{r}(t) = \left[\lim\limits_{t \to a} f(t) \right]\mathbf{i} + \left[\lim\limits_{t \to a} g(t) \right]\mathbf{j} + \left[\lim\limits_{t \to a} h(t) \right]\mathbf{k}$
Derivada de una función de valor vectorial	$\mathbf{r}'(t) = \lim\limits_{\Delta t \to 0} \dfrac{\mathbf{r}(t + \Delta t) - \mathbf{r}(t)}{\Delta t}$
Vector unitario tangente principal	$\mathbf{T}(t) = \dfrac{\mathbf{r}'(t)}{\|\mathbf{r}'(t)\|}$
Integral indefinida de una función de valor vectorial	$\displaystyle\int [f(t)\,\mathbf{i} + g(t)\,\mathbf{j} + h(t)\,\mathbf{k}]\,dt = \left[\int f(t)\,dt \right]\mathbf{i} + \left[\int g(t)\,dt \right]\mathbf{j} + \left[\int h(t)\,dt \right]\mathbf{k}$
Integral definida de una función de valor vectorial	$\displaystyle\int_a^b [f(t)\,\mathbf{i} + g(t)\,\mathbf{j} + h(t)\,\mathbf{k}]\,dt = \left[\int_a^b f(t)\,dt \right]\mathbf{i} + \left[\int_a^b g(t)\,dt \right]\mathbf{j} + \left[\int_a^b h(t)\,dt \right]\mathbf{k}$
Longitud de arco de la curva en el espacio	$s = \displaystyle\int_a^b \sqrt{\left[f'(t)\right]^2 + \left[g'(t)\right]^2 + \left[h'(t)\right]^2}\,dt = \int_a^b \|\mathbf{r}'(t)\|\,dt$
Función de longitud de arco	$s(t) = \displaystyle\int_a^t \sqrt{\left(f'(u)\right)^2 + \left(g'(u)\right)^2 + \left(h'(u)\right)^2}\,du$ o $s(t) = \int_a^t \|\mathbf{r}'(u)\|\,du$
Curvatura	$\kappa = \dfrac{\|\mathbf{T}'(t)\|}{\|\mathbf{r}'(t)\|}$ o $\kappa = \dfrac{\|\mathbf{r}'(t) \times \mathbf{r}''(t)\|}{\|\mathbf{r}'(t)\|^3}$ o $\kappa = \dfrac{|y''|}{\left[1 + (y')^2\right]^{3/2}}$
Vector normal unitario principal	$\mathbf{N}(t) = \dfrac{\mathbf{T}'(t)}{\|\mathbf{T}'(t)\|}$
Vector binormal	$\mathbf{B}(t) = \mathbf{T}(t) \times \mathbf{N}(t)$
Velocidad	$\mathbf{v}(t) = \mathbf{r}'(t)$
Aceleración	$\mathbf{a}(t) = \mathbf{v}'(t) = \mathbf{r}''(t)$
Rapidez	$v(t) = \|\mathbf{v}(t)\| = \|\mathbf{r}'(t)\| = \dfrac{ds}{dt}$
Componente tangencial de la aceleración	$a_{\mathbf{T}} = \mathbf{a} \cdot \mathbf{T} = \dfrac{\mathbf{v} \cdot \mathbf{a}}{\|\mathbf{v}\|}$
Componente normal de aceleración	$a_{\mathbf{N}} = \mathbf{a} \cdot \mathbf{N} = \dfrac{\|\mathbf{v} \times \mathbf{a}\|}{\|\mathbf{v}\|} = \sqrt{\|\mathbf{a}\|^2 - a_{\mathbf{T}}^2}$

Conceptos clave

3.1 Funciones de valores vectoriales y curvas en el espacio

- Una función de valor vectorial es una función de la forma $\mathbf{r}(t) = f(t)\,\mathbf{i} + g(t)\,\mathbf{j}$ o $\mathbf{r}(t) = f(t)\,\mathbf{i} + g(t)\,\mathbf{j} + h(t)\,\mathbf{k}$, donde las funciones componentes f, g y h son funciones de valor real del parámetro t.
- La gráfica de una función de valor vectorial de la forma $\mathbf{r}(t) = f(t)\,\mathbf{i} + g(t)\,\mathbf{j}$ se denomina *curva plana*. La gráfica de una función de valor vectorial de la forma $\mathbf{r}(t) = f(t)\,\mathbf{i} + g(t)\,\mathbf{j} + h(t)\,\mathbf{k}$ se denomina *curva en el espacio*.
- Es posible representar una curva plana arbitraria mediante una función de valor vectorial.
- Para calcular el límite de una función de valor vectorial, calcule los límites de las funciones componentes por separado.

3.2 Cálculo de funciones de valor vectorial

- Para calcular la derivada de una función de valor vectorial, se calculan las derivadas de las funciones componentes y se vuelven a colocar en una nueva función de valor vectorial.
- Muchas de las propiedades de la diferenciación de Introducción a las derivadas (http://openstax.org/books/cálculo-volumen-1/pages/3-introduccion) también se aplican a las funciones de valores vectoriales.
- La derivada de una función de valor vectorial $\mathbf{r}(t)$ es también un vector tangente a la curva. El vector unitario tangente $\mathbf{T}(t)$ se calcula dividiendo la derivada de una función de valor vectorial entre su magnitud.
- La antiderivada de una función de valor vectorial se calcula hallando las antiderivadas de las funciones componentes, y luego juntándolas en una función de valor vectorial.
- La integral definida de una función de valor vectorial se calcula hallando las integrales definidas de las funciones componentes, y luego juntándolas en una función de valor vectorial.

3.3 Longitud de arco y curvatura

- La función de longitud de arco para una función de valor vectorial se calcula mediante la fórmula integral $s(t) = \int_a^t \|\mathbf{r}'(u)\|\,du$. Esta fórmula es válida tanto en dos como en tres dimensiones.
- La curvatura de una curva en un punto en dos o tres dimensiones se define como la curvatura del círculo inscrito en ese punto. La parametrización de la longitud de arco se utiliza en la definición de la curvatura.
- Hay varias fórmulas diferentes para la curvatura. La curvatura de un círculo es igual al recíproco de su radio.
- El vector normal unitario principal en t se define como
$$\mathbf{N}(t) = \frac{\mathbf{T}'(t)}{\|\mathbf{T}'(t)\|}.$$
- El vector binormal en t se define como $\mathbf{B}(t) = \mathbf{T}(t) \times \mathbf{N}(t)$, donde $\mathbf{T}(t)$ es el vector tangente unitario.
- El marco de referencia de Frenet está formado por el vector tangente unitario, el vector normal unitario principal y el vector binormal.
- El círculo osculante es tangente a una curva en un punto y tiene la misma curvatura que la curva tangente en ese punto.

3.4 Movimiento en el espacio

- Si los valores de $\mathbf{r}(t)$ representa la posición de un objeto en el momento t, entonces $\mathbf{r}'(t)$ representa la velocidad y $\mathbf{r}''(t)$ representa la aceleración del objeto en el momento t. La magnitud del vector de velocidad es la rapidez.
- El vector de aceleración siempre apunta hacia el lado cóncavo de la curva definida por $\mathbf{r}(t)$. Las componentes tangencial y normal de la aceleración $a_\mathbf{T}$ y $a_\mathbf{N}$ son las proyecciones del vector de aceleración sobre los vectores unitario y normal tangente de la curva.
- Las tres leyes de Kepler del movimiento planetario describen el movimiento de los objetos en órbita alrededor del Sol. Su tercera ley puede modificarse para describir también el movimiento de los objetos en órbita alrededor de otros objetos celestes.
- Newton pudo utilizar su ley de la gravitación universal junto con su segunda ley del movimiento y el cálculo para comprobar las tres leyes de Kepler.

Ejercicios de repaso

¿Verdadero o falso? Justifique su respuesta con una prueba o un contraejemplo.

202. Una ecuación paramétrica que pasa por los puntos P y Q puede estar dada por $\mathbf{r}(t) = \langle t^2, 3t+1, t-2 \rangle$, donde $P(1, 4, -1)$ y $Q(16, 11, 2)$.

203. $\frac{d}{dt}[\mathbf{u}(t) \times \mathbf{u}(t)] = 2\mathbf{u}'(t) \times \mathbf{u}(t)$

204. La curvatura de un círculo de radio r es constante en todas partes. Además, la curvatura es igual a $1/r$.

205. La rapidez de una partícula con una función de posición $\mathbf{r}(t)$ es $(\mathbf{r}'(t)) / (|\mathbf{r}'(t)|)$.

Halle los dominios de las funciones de valores vectoriales.

206. $\mathbf{r}(t) = \langle \text{sen}(t), \ln(t), \sqrt{t} \rangle$

207. $\mathbf{r}(t) = \left\langle e^t, \frac{1}{\sqrt{4-t}}, \sec(t) \right\rangle$

Dibuje las curvas de las siguientes ecuaciones vectoriales. Utilice una calculadora si es necesario.

208. [T] $\mathbf{r}(t) = \langle t^2, t^3 \rangle$

209. [T]
$\mathbf{r}(t) = \langle \text{sen}(20t)\, e^{-t}, \cos(20t)\, e^{-t}, e^{-t} \rangle$

Halle una función vectorial que describa las siguientes curvas.

210. Intersección del cilindro $x^2 + y^2 = 4$ con el plano $x + z = 6$

211. Intersección del cono $z = \sqrt{x^2 + y^2}$ y el plano $z = y - 4$

Halle las derivadas de $\mathbf{u}(t)$, $\mathbf{u}'(t)$, $\mathbf{u}'(t) \times \mathbf{u}(t)$, $\mathbf{u}(t) \times \mathbf{u}'(t)$, y $\mathbf{u}(t) \cdot \mathbf{u}'(t)$. Halle el vector unitario tangente.

212. $\mathbf{u}(t) = \langle e^t, e^{-t} \rangle$

213. $\mathbf{u}(t) = \langle t^2, 2t+6, 4t^5 - 12 \rangle$

Evalúe las siguientes integrales.

214. $\int \left(\tan(t)\sec(t)\mathbf{i} - te^{3t}\mathbf{j} \right) dt$

215. $\int_1^4 \mathbf{u}(t)dt$, con la
$\mathbf{u}(t) = \left\langle \frac{\ln(t)}{t}, \frac{1}{\sqrt{t}}, \text{sen}\left(\frac{t\pi}{4}\right) \right\rangle$

Halle la longitud de las siguientes curvas.

216. $\mathbf{r}(t) = \langle 3t, 4\cos(t), 4\,\text{sen}\,(t) \rangle$ por $1 \leq t \leq 4$

217. $\mathbf{r}(t) = 2\mathbf{i} + t\mathbf{j} + 3t^2\mathbf{k}$ por $0 \leq t \leq 1$

Reparametrice las siguientes funciones con respecto a su longitud de arco medida desde $t = 0$ en dirección al aumento t.

218. $\mathbf{r}(t) = 2t\mathbf{i} + (4t - 5)\mathbf{j} + (1 - 3t)\mathbf{k}$

219. $\mathbf{r}(t) = \cos(2t)\mathbf{i} + 8t\mathbf{j} - \operatorname{sen}(2t)\mathbf{k}$

Halle la curvatura de las siguientes funciones vectoriales.

220. $\mathbf{r}(t) = (2\operatorname{sen}t)\mathbf{i} - 4t\mathbf{j} + (2\cos t)\mathbf{k}$

221. $\mathbf{r}(t) = \sqrt{2}e^t\mathbf{i} + \sqrt{2}e^{-t}\mathbf{j} + 2t\mathbf{k}$

222. Halle el vector unitario tangente, el vector unitario normal y el vector binormal para
$\mathbf{r}(t) = 2\cos t\mathbf{i} + 3t\mathbf{j} + 2\operatorname{sen}t\mathbf{k}.$

223. Halle las componentes de aceleración tangencial y normal con el vector de posición
$\mathbf{r}(t) = \langle \cos t, \operatorname{sen}t, e^t \rangle.$

224. El vagón de una rueda de la fortuna se mueve a una rapidez constante v y tiene un radio constante r. Halle la aceleración tangencial y normal del vagón de la rueda de la fortuna.

225. La posición de una partícula viene dada por
$\mathbf{r}(t) = \langle t^2, \ln(t), \operatorname{sen}(\pi t) \rangle,$
donde t se mide en segundos y $\mathbf{r}$ se mide en metros. Halle las funciones de velocidad, aceleración y rapidez. ¿Cuáles son la posición, la velocidad, la rapidez y la aceleración de la partícula en 1 segundo?

Los siguientes problemas contemplan el lanzamiento de una bala desde un cañón. La bala sale disparada del cañón con un ángulo θ y una velocidad inicial $\mathbf{v}_0$. La única fuerza que actúa sobre la bala de cañón es la gravedad, por lo que partimos de una aceleración constante $\mathbf{a}(t) = -g\mathbf{j}$.

226. Halle la función vectorial de velocidad $\mathbf{v}(t)$.

227. Halle el vector de posición $\mathbf{r}(t)$ y la representación paramétrica para la posición.

228. ¿A qué ángulo hay que disparar la bala de cañón para que la distancia horizontal sea mayor? ¿Cuál es la distancia total que recorrería?

Figura 4.1 Los estadounidenses utilizan (y pierden) millones de pelotas de golf al año, lo que mantiene a los fabricantes de pelotas de golf en el negocio. En este capítulo estudiamos un modelo de beneficios y aprendemos métodos para calcular los niveles óptimos de producción de una compañía típica de fabricación de pelotas de golf (créditos: modificación del trabajo de oatsy40, Flickr).

Esquema del capítulo

 Introducción

En Introducción a las aplicaciones de las derivadas (http://openstax.org/books/cálculo-volumen-1/pages/4-introduccion) estudiamos cómo determinar el máximo y el mínimo de una función de una variable sobre un intervalo cerrado. Esta función puede representar la temperatura en un intervalo de tiempo determinado, la posición de un automóvil en función del tiempo o la altitud de un avión en su viaje de Nueva York a San Francisco. En cada uno de estos ejemplos, la función tiene una variable independiente.

Supongamos, sin embargo, que tenemos una cantidad que depende de más de una variable. Por ejemplo, la temperatura puede depender de la ubicación y de la hora del día, o el modelo de beneficios de una empresa puede depender del número de unidades vendidas y de la cantidad de dinero gastada en publicidad. En este capítulo, analizamos una empresa que produce pelotas de golf. Desarrollamos un modelo de beneficios y, bajo varias restricciones, encontramos que el nivel óptimo de producción y la cantidad de dólares gastados en publicidad determinan el máximo beneficio posible. Según la naturaleza de las restricciones, tanto el método de solución como la propia solución cambian (vea el Ejemplo 4.41).

Cuando se trata de una función de más de una variable independiente, naturalmente surgen varias preguntas. Por ejemplo, ¿cómo calculamos los límites de las funciones de más de una variable? La definición de *derivada* que utilizamos antes implicaba un límite. ¿La nueva definición de derivada implica también límites? ¿Se aplican las normas de diferenciación en este contexto? ¿Podemos calcular los extremos relativos de las funciones con derivadas? Todas estas preguntas tienen respuesta en este capítulo.

4.1 Funciones de varias variables

Objetivos de aprendizaje

4.1.1　Reconocer una función de dos variables e identificar su dominio y rango.
4.1.2　Dibujar el gráfico de una función de dos variables.
4.1.3　Trazar varias trazas o curvas de nivel de una función de dos variables.
4.1.4　Reconocer una función de tres o más variables e identificar sus superficies de nivel.

Nuestro primer paso es explicar qué es una función de más de una variable, empezando por las funciones de dos variables independientes. Este paso incluye identificar el dominio y el rango de dichas funciones y aprender a graficarlas. También examinamos las formas de relacionar los gráficos de las funciones en tres dimensiones con los gráficos de las funciones planas más conocidas.

Funciones de dos variables

La definición de una función de dos variables es muy similar a la de una función de una variable. La principal diferencia es que, en vez de aplicar valores de una variable a valores de otra variable, asignamos pares ordenados de variables a otra variable.

Definición

Una **función de dos variables** $z = f(x, y)$ aplica cada par ordenado (x, y) en un subconjunto D del plano real $\mathbb{R}^2$ a un único número real z. El conjunto D se llama el *dominio* de la función. El *rango* de f es el conjunto de todos los números reales z que tiene al menos un par ordenado $(x, y) \in D$ de manera que $f(x, y) = z$ como se muestra en la siguiente figura.

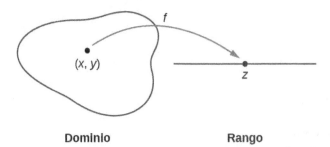

Figura 4.2　El dominio de una función de dos variables está formado por pares ordenados (x, y).

La determinación del dominio de una función de dos variables implica tener en cuenta las restricciones de dominio que puedan existir. Echemos un vistazo.

EJEMPLO 4.1

Dominios y rangos para funciones de dos variables
Halle el dominio y el rango de cada una de las siguientes funciones:

a.　$f(x, y) = 3x + 5y + 2$

b. $g(x, y) = \sqrt{9 - x^2 - y^2}$

⊘ **Solución**

a. Este es un ejemplo de función lineal en dos variables. No hay valores ni combinaciones de x como y que causan que $f(x, y)$ sea indefinido, por lo que el dominio de f ¿es $\mathbb{R}^2$. Para determinar el rango, primero hay que elegir un valor para z. Necesitamos hallar una solución a la ecuación $f(x, y) = z$, o $3x + 5y + 2 = z$. Una de estas soluciones puede obtenerse estableciendo primero $y = 0$, que da lugar a la ecuación $3x + 2 = z$. La solución de esta ecuación es $x = \frac{z-2}{3}$, que da el par ordenado $\left(\frac{z-2}{3}, 0\right)$ como solución a la ecuación $f(x, y) = z$ para cualquier valor de z. Por lo tanto, el rango de la función son todos los números reales, o $\mathbb{R}$.

b. Para que la función $g(x, y)$ tenga un valor real, la cantidad bajo la raíz cuadrada no debe ser negativa
$$9 - x^2 - y^2 \geq 0.$$

Esta desigualdad se puede escribir de la forma
$$x^2 + y^2 \leq 9.$$

Por lo tanto, el dominio de $g(x, y)$ ¿es $\left\{(x, y) \in \mathbb{R}^2 \middle| x^2 + y^2 \leq 9\right\}$. El gráfico de este conjunto de puntos puede describirse como un disco de radio 3 centrado en el origen. El dominio incluye el círculo límite como se muestra en el siguiente gráfico.

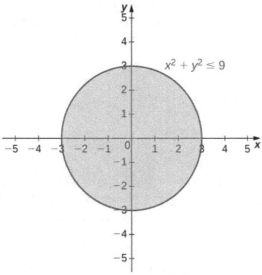

Figura 4.3 El dominio de la función $g(x, y) = \sqrt{9 - x^2 - y^2}$ es un disco cerrado de radio 3.

Para determinar el rango de $g(x, y) = \sqrt{9 - x^2 - y^2}$ comenzamos con un punto (x_0, y_0) en el borde del dominio, que se define por la relación $x^2 + y^2 = 9$. Se deduce que $x_0^2 + y_0^2 = 9$ y
$$g(x_0, y_0) = \sqrt{9 - x_0^2 - y_0^2} = \sqrt{9 - \left(x_0^2 + y_0^2\right)} = \sqrt{9 - 9} = 0.$$

Si $x_0^2 + y_0^2 = 0$ (en otras palabras, $x_0 = y_0 = 0$), entonces
$$g(x_0, y_0) = \sqrt{9 - x_0^2 - y_0^2} = \sqrt{9 - \left(x_0^2 + y_0^2\right)} = \sqrt{9 - 0} = 3.$$

Este es el valor máximo de la función. Dado cualquier valor c entre 0 y 3, podemos hallar un conjunto completo de puntos dentro del dominio de g de manera que $g(x, y) = c$:
$$\sqrt{9 - x^2 - y^2} = c$$
$$9 - x^2 - y^2 = c^2$$
$$x^2 + y^2 = 9 - c^2.$$

Dado que $9 - c^2 > 0$, esto describe un círculo de radio $\sqrt{9 - c^2}$ centrado en el origen. Cualquier punto de este círculo satisface la ecuación $g(x, y) = c$. Por lo tanto, el rango de esta función se puede escribir en notación de intervalo como $[0, 3]$.

✓ 4.1   Calcule el dominio y el rango de la función $f(x, y) = \sqrt{36 - 9x^2 - 9y^2}$.

Graficar funciones de dos variables

Supongamos que deseamos graficar la función $z = (x, y)$. Esta función tiene dos variables independientes (x y y) y una variable dependiente (z). Al graficar una función $y = f(x)$ de una variable, utilizamos el plano cartesiano. Podemos graficar cualquier par ordenado (x, y) en el plano, y cada punto del plano tiene un par ordenado (x, y) asociado a él. Con una función de dos variables, cada par ordenado (x, y) en el dominio de la función se asigna a un número real z. Por lo tanto, el gráfico de la función f se compone de triples ordenados (x, y, z). El gráfico de una función $z = (x, y)$ de dos variables se llama **superficie**.

Para entender mejor el concepto de trazar un conjunto de triples ordenadas para obtener una superficie en el espacio tridimensional, imagine el sistema de coordenadas (x, y) en plano. Entonces, cada punto del dominio de la función f tiene un único valor z asociado a él. Si los valores de z es positivo, entonces el punto graficado se encuentra por encima del plano xy, si z es negativo, entonces el punto graficado se encuentra por debajo del plano xy. El conjunto de todos los puntos graficados se convierte en la superficie bidimensional que es el gráfico de la función f.

EJEMPLO 4.2

Graficar funciones de dos variables

Cree un gráfico de cada una de las siguientes funciones:

a. $g(x, y) = \sqrt{9 - x^2 - y^2}$
b. $f(x, y) = x^2 + y^2$

⊘ **Solución**

a. En el Ejemplo 4.1, determinamos que el dominio de $g(x, y) = \sqrt{9 - x^2 - y^2}$ ¿es $\left\{(x, y) \in \mathbb{R}^2 \,\middle|\, x^2 + y^2 \leq 9\right\}$ y el rango es $\left\{z \in \mathbb{R}^2 \,\middle|\, 0 \leq z \leq 3\right\}$. Cuando $x^2 + y^2 = 9$ tenemos $g(x, y) = 0$. Por lo tanto, cualquier punto del círculo de radio 3 centrado en el origen en el plano x, y se aplica a $z = 0$ en $\mathbb{R}^3$. Si $x^2 + y^2 = 8$, entonces $g(x, y) = 1$, por lo que cualquier punto del círculo de radio $2\sqrt{2}$ centrado en el origen en el plano x, y se aplica a $z = 1$ en $\mathbb{R}^3$. Dado que $x^2 + y^2$ se acerca a cero, el valor de z se aproxima a 3. Cuando $x^2 + y^2 = 0$, entonces $g(x, y) = 3$. Este es el origen en el plano x, y. Si $x^2 + y^2$ es igual a cualquier otro valor entre 0 y 9, entonces $g(x, y)$ es igual a alguna otra constante entre 0 y 3. La superficie descrita por esta función es una semiesfera centrada en el origen con radio 3 como se muestra en el siguiente gráfico.

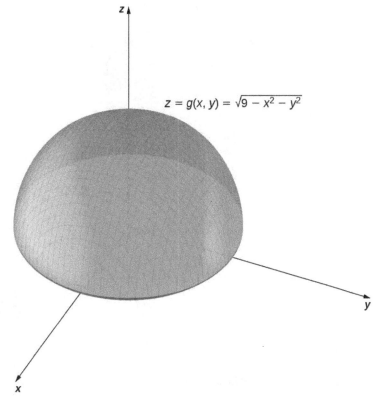

$$z = g(x, y) = \sqrt{9 - x^2 - y^2}$$

Figura 4.4 Gráfico de la semiesfera representada por la función dada de dos variables.

b. Esta función también contiene la expresión $x^2 + y^2$. Al igualar esta expresión a varios valores que empiezan en cero obtenemos círculos de radio creciente. El valor mínimo de $f(x, y) = x^2 + y^2$ es cero (se alcanza cuando $x = y = 0.$). Cuando $x = 0$, la función se convierte en $z = y^2$, y cuando $y = 0$, entonces la función se convierte en $z = x^2$. Son secciones transversales del gráfico, y son parábolas. Recordemos de <u>Introducción a vectores en el espacio</u> que el nombre del gráfico de $f(x, y) = x^2 + y^2$ es un *paraboloide*. El gráfico de f aparece en el siguiente gráfico.

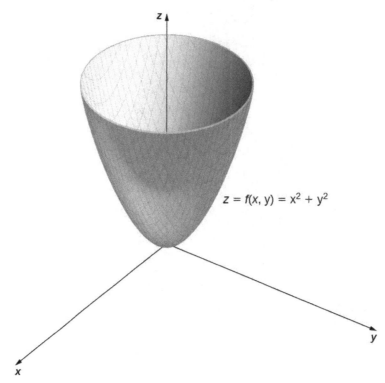

$$z = f(x, y) = x^2 + y^2$$

Figura 4.5 Un paraboloide es el gráfico de la función dada de dos variables.

Tuercas y tornillos

Una función de ganancias para un fabricante de herramientas viene dada por

$$f(x, y) = 16 - (x - 3)^2 - (y - 2)^2,$$

donde x es el número de tuercas vendidas al mes (medido en miles) y y representa el número de tornillos vendidos por mes (medido en miles). La ganancia se mide en miles de dólares. Dibuje un gráfico de esta función.

⊘ **Solución**

Esta es una función polinómica en dos variables. El dominio de f se compone de pares de coordenadas (x, y) que producen una ganancia no negativa:

$$16 - (x - 3)^2 - (y - 2)^2 \geq 0$$
$$(x - 3)^2 + (y - 2)^2 \leq 16.$$

Se trata de un disco de radio 4 centrado en $(3, 2)$. Otra restricción es que ambos, x y y deben ser no negativos. Cuando $x = 3$ y $y = 2$, $f(x, y) = 16$. Observe que es posible que alguno de los dos valores no sea un número entero; por ejemplo, es posible vender 2,5 mil tuercas en un mes. El dominio, por tanto, contiene miles de puntos, por lo que podemos considerar todos los puntos dentro del disco. para cualquier $z < 16$, podemos resolver la ecuación $f(x, y) = z$:

$$16 - (x - 3)^2 - (y - 2)^2 = z$$
$$(x - 3)^2 + (y - 2)^2 = 16 - z.$$

Dado que $z < 16$, sabemos que $16 - z > 0$, por lo que la ecuación anterior describe un círculo de radio $\sqrt{16 - z}$ centrado en el punto $(3, 2)$. Por lo tanto, el rango de $f(x, y)$ ¿es $\{z \in \mathbb{R} | z \leq 16\}$. El gráfico de $f(x, y)$ es también un paraboloide, y este paraboloide apunta hacia abajo como se muestra.

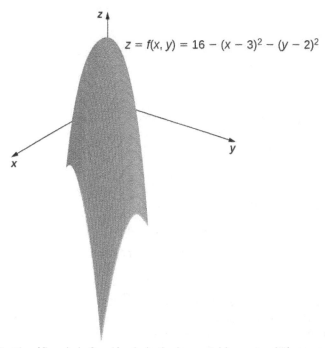

Figura 4.6 El gráfico de la función dada de dos variables es también un paraboloide.

Curvas de nivel

Si los excursionistas caminan por senderos escarpados, pueden utilizar un mapa topográfico que muestre la inclinación de los senderos. Un mapa topográfico contiene líneas curvas llamadas *curvas de nivel.* Cada línea de contorno corresponde a los puntos del mapa que tienen igual elevación (Figura 4.7). La curva de nivel de una función de dos variables $f(x, y)$ es completamente análoga a una línea de contorno en un mapa topográfico.

(a)   (b)

Figura 4.7 (a) Un mapa topográfico de la Torre del Diablo, Wyoming. Las líneas que están muy juntas indican un terreno muy escarpado. (b) Una foto en perspectiva de la Torre del Diablo muestra lo escarpados que son sus lados. Observe que la parte superior de la torre tiene la misma forma que el centro del mapa topográfico.

Definición

Dada una función $f(x, y)$ y un número c en el rango de f, a **curva de nivel de una función de dos variables** para el valor c se define como el conjunto de puntos que satisfacen la ecuación $f(x, y) = c$.

Volviendo a la función $g(x, y) = \sqrt{9 - x^2 - y^2}$, podemos determinar las curvas de nivel de esta función. El rango de g es el intervalo cerrado $[0, 3]$. En primer lugar, elegimos un número cualquiera en este intervalo cerrado, por ejemplo, $c = 2$. La curva de nivel correspondiente a $c = 2$ se describe mediante la ecuación

$$\sqrt{9 - x^2 - y^2} = 2.$$

Para simplificar, eleve al cuadrado ambos lados de esta ecuación:

$$9 - x^2 - y^2 = 4.$$

Ahora, multiplique ambos lados de la ecuación por -1 y añada 9 a cada lado:

$$x^2 + y^2 = 5.$$

Esta ecuación describe un círculo centrado en el origen con radio $\sqrt{5}$. Utilizando los valores de c entre 0 y 3 da lugar a otros círculos también centrados en el origen. Si los valores de $c = 3$, entonces el círculo tiene radio 0, por lo que consiste únicamente en el origen. La Figura 4.8 es un gráfico de las curvas de nivel de esta función correspondiente a $c = 0, 1, 2,$ y 3. Observe que en la derivación anterior es posible que hayamos introducido soluciones adicionales al elevar al cuadrado ambos lados. Este no es el caso porque el rango de la función de raíz cuadrada es no negativo.

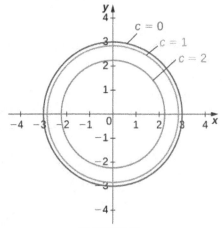

Figura 4.8 Curvas de nivel de la función $g(x, y) = \sqrt{9 - x^2 - y^2}$, utilizando $c = 0, 1, 2,$ y 3 ($c = 3$ corresponde al origen).

El gráfico de las distintas curvas de nivel de una función se denomina **líneas de contorno**.

EJEMPLO 4.4

Hacer un mapa de líneas de contorno
Dada la función $f(x, y) = \sqrt{8 + 8x - 4y - 4x^2 - y^2}$, halle la curva de nivel correspondiente a $c = 0$. A continuación, cree un mapa de líneas de contorno para esta función. ¿Cuáles son el dominio y el rango de f?

⊘ **Solución**
Para hallar la curva de nivel para $c = 0$, establecemos $f(x, y) = 0$ y resolvemos. Esto da

$$0 = \sqrt{8 + 8x - 4y - 4x^2 - y^2}.$$

A continuación, elevamos al cuadrado ambos lados y multiplicamos ambos lados de la ecuación por -1:

$$4x^2 + y^2 - 8x + 4y - 8 = 0.$$

Ahora, reordenamos los términos, poniendo los términos x juntos y los términos y juntos, y añadimos 8 a cada lado:

$$4x^2 - 8x + y^2 + 4y = 8.$$

A continuación, agrupamos los pares de términos que contienen la misma variable entre paréntesis, y factorizamos 4 del primer par:

$$4\left(x^2 - 2x\right) + \left(y^2 + 4y\right) = 8.$$

A continuación, completamos el cuadrado en cada par de paréntesis y añadimos el valor correcto al lado derecho:

$$4\left(x^2 - 2x + 1\right) + \left(y^2 + 4y + 4\right) = 8 + 4\,(1) + 4.$$

A continuación, factorizamos el lado izquierdo y simplificamos el lado derecho:

$$4(x-1)^2 + (y+2)^2 = 16.$$

Por último, dividimos ambos lados entre 16:

$$\frac{(x-1)^2}{4} + \frac{(y+2)^2}{16} = 1. \tag{4.1}$$

Esta ecuación describe una elipse centrada en $(1, -2)$. El gráfico de esta elipse aparece en el siguiente gráfico.

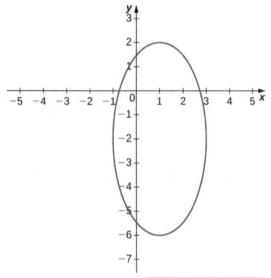

Figura 4.9 Curva de nivel de la función $f(x, y) = \sqrt{8 + 8x - 4y - 4x^2 - y^2}$ correspondiente a $c = 0$.

Podemos repetir la misma derivación para valores de c menos de 4. Entonces, la Ecuación 4.1 se convierte en

$$\frac{4(x-1)^2}{16 - c^2} + \frac{(y+2)^2}{16 - c^2} = 1$$

para un valor arbitrario de c. La Figura 4.10 muestra un mapa de línea de contorno para $f(x, y)$ utilizando los valores $c = 0, 1, 2,$ y 3. Cuando $c = 4$, la curva de nivel es el punto $(-1, 2)$.

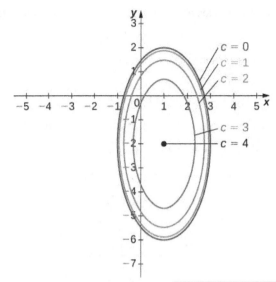

Figura 4.10 Mapa de línea de contorno de la función $f(x, y) = \sqrt{8 + 8x - 4y - 4x^2 - y^2}$ utilizando los valores $c = 0, 1, 2, 3,$ y 4.

☑️   4.2   Halle y grafique la curva de nivel de la función $g(x, y) = x^2 + y^2 - 6x + 2y$ correspondiente a $c = 15$.

Otra herramienta útil para entender el gráfico de una función de dos variables se llama traza vertical. Las curvas de nivel siempre se grafican en el plano xy, pero como su nombre indica, las trazas verticales se grafican en los planos xz o yz.

Definición

Considere una función $z = f(x, y)$ con dominio $D \subseteq \mathbb{R}^2$. Una **traza vertical** de la función puede ser el conjunto de puntos que resuelve la ecuación $f(a, y) = z$ para una constante dada $x = a$ o $f(x, b) = z$ para una constante dada $y = b$.

EJEMPLO 4.5

Hallar trazas verticales

Halle las trazas verticales de la función $f(x, y) = \operatorname{sen} x \cos y$ correspondiente a $x = -\frac{\pi}{4}, 0,$ y $\frac{\pi}{4},$ y $y = -\frac{\pi}{4}, 0,$ y $\frac{\pi}{4}$.

⊘ **Solución**

Primero establezca $x = -\frac{\pi}{4}$ en la ecuación $z = \operatorname{sen} x \cos y$:

$$z = \operatorname{sen}\left(-\frac{\pi}{4}\right) \cos y = -\frac{\sqrt{2} \cos y}{2} \approx -0{,}7071 \cos y.$$

Esto describe un gráfico del coseno en el plano $x = -\frac{\pi}{4}$. Los demás valores de z aparecen en la siguiente tabla.

c	Traza vertical para $x = c$
$-\frac{\pi}{4}$	$z = -\dfrac{\sqrt{2} \cos y}{2}$

Tabla 4.1   Trazas verticales paralelas al plano xz, para la función $f(x, y) = \operatorname{sen} x \cos y$

c	Traza vertical para $x = c$
0	$z = 0$
$\frac{\pi}{4}$	$z = \dfrac{\sqrt{2}\cos y}{2}$

Tabla 4.1 Trazas verticales paralelas al plano xz**, para la función** $f(x, y) = \text{sen }x\cos y$

De forma similar, podemos sustituir los valores de y en la ecuación $f(x, y)$ para obtener las trazas en el plano yz, como se indica en la siguiente tabla.

d	Traza vertical para $y = d$
$-\frac{\pi}{4}$	$z = \dfrac{\sqrt{2}\text{ sen }x}{2}$
0	$z = \text{sen }x$
$\frac{\pi}{4}$	$z = \dfrac{\sqrt{2}\text{ sen }x}{2}$

Tabla 4.2 Trazas verticales paralelas al plano yz**, para la función** $f(x, y) = \text{sen }x\cos y$

Las tres trazas en el plano xz son funciones de coseno; las tres trazas en el plano yz son funciones de seno. Estas curvas aparecen en las intersecciones de la superficie con los planos $x = -\frac{\pi}{4}, x = 0, x = \frac{\pi}{4}$ en tanto que $y = -\frac{\pi}{4}, y = 0, y = \frac{\pi}{4}$ como se muestra en la siguiente figura.

$$f(x, y) = \text{sen }x\cos y$$

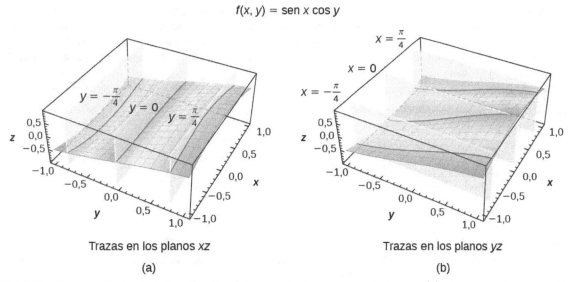

Figura 4.11 Trazas verticales de la función $f(x, y)$ son curvas de coseno en el plano xz (a) y las curvas de seno en el plano yz (b).

4.3   Determine la ecuación de la traza vertical de la función $g(x, y) = -x^2 - y^2 + 2x + 4y - 1$ correspondiente a $y = 3$, y describa su gráfico.

Las funciones de dos variables pueden producir algunas superficies de aspecto llamativo. La siguiente figura muestra dos ejemplos.

$f(x, y) = x^2 \operatorname{sen} y$

$f(x, y) = \operatorname{sen}(e^x) \cos(\ln y)$

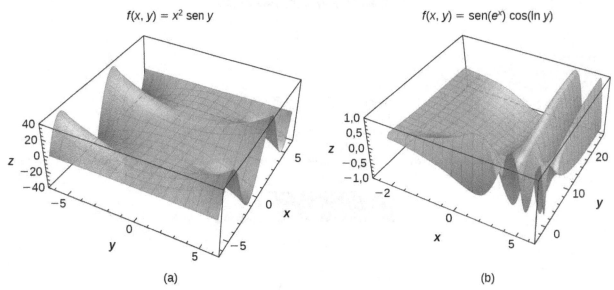

(a)

(b)

Figura 4.12 Ejemplos de superficies que representan funciones de dos variables: (a) una combinación de una función potencia y una función de seno y (b) una combinación de funciones trigonométricas, exponenciales y logarítmicas.

Funciones de más de dos variables

Hasta ahora, solo hemos examinado funciones de dos variables. Sin embargo, es útil echar un breve vistazo a las funciones de más de dos variables. Dos de estos ejemplos son

$$f(x, y, z) = x^2 - 2xy + y^2 + 3yz - z^2 + 4x - 2y + 3x - 6 \text{ (un polinomio en tres variables)}$$

y

$$g(x, y, t) = \left(x^2 - 4xy + y^2\right) \operatorname{sen} t - (3x + 5y) \cos t.$$

En la primera función, (x, y, z) representa un punto en el espacio, y la función f aplica a cada punto del espacio a una cuarta cantidad, como la temperatura o la velocidad del viento. En la segunda función, (x, y) puede representar un punto en el plano, y t puede representar el tiempo. La función podría asignar un punto del plano a una tercera cantidad (por ejemplo, la presión) en un tiempo determinado t. El método para hallar el dominio de una función de más de dos variables es análogo al método para funciones de una o dos variables.

EJEMPLO 4.6

Dominios de funciones de tres variables
Halle el dominio de cada una de las siguientes funciones:

a. $f(x, y, z) = \dfrac{3x - 4y + 2z}{\sqrt{9 - x^2 - y^2 - z^2}}$

b. $g(x, y, t) = \dfrac{\sqrt{2t - 4}}{x^2 - y^2}$

⊘ **Solución**

a. Para que la función $f(x, y, z) = \dfrac{3x - 4y + 2z}{\sqrt{9 - x^2 - y^2 - z^2}}$ ser defina (y tenga un valor real), deben cumplirse dos condiciones:

   1. El denominador no puede ser cero.
   2. El radicando no puede ser negativo.

   La combinación de estas condiciones conduce a la inecuación
$$9 - x^2 - y^2 - z^2 > 0.$$

   Moviendo las variables al otro lado e invirtiendo la inecuación se obtiene el dominio como

$$\text{dominio}\,(f) = \left\{ (x, y, z) \in \mathbb{R}^3 \,\big|\, x^2 + y^2 + z^2 < 9 \right\},$$

que describe una bola de radio 3 centrado en el origen. (*Nota*: La superficie de la bola no está incluida en este dominio).

b. Para que la función $g\,(x, y, t) = \dfrac{\sqrt{2t-4}}{x^2-y^2}$ ser defina (y tenga un valor real), deben cumplirse dos condiciones:

1. El radicando no puede ser negativo.
2. El denominador no puede ser cero.

Como el radicando no puede ser negativo, esto implica $2t - 4 \geq 0$, y por lo tanto que $t \geq 2$. Ya que el denominador no puede ser cero, $x^2 - y^2 \neq 0$, o $x^2 \neq y^2$, Que se puede reescribir como $y \neq \pm x$, que son las ecuaciones de dos rectas que pasan por el origen. Por lo tanto, el dominio de g es
$$\text{dominio}\,(g) = \{(x, y, t) \,|\, y \neq \pm x, t \geq 2\}.$$

☑ 4.4   Calcule el dominio de la función $h\,(x, y, t) = (3t - 6)\,\sqrt{y - 4x^2 + 4}$.

Las funciones de dos variables tienen curvas de nivel, que se muestran como curvas en el plano xy. Sin embargo, cuando la función tiene tres variables, las curvas se convierten en superficies, por lo que podemos definir superficies de nivel para funciones de tres variables.

Definición

Dada una función $f\,(x, y, z)$ y un número c en el rango de f, una **superficie de nivel de una función de tres variables** se define como el conjunto de puntos que satisfacen la ecuación $f\,(x, y, z) = c$.

EJEMPLO 4.7

Hallar una superficie de nivel
Halle la superficie de nivel para la función $f\,(x, y, z) = 4x^2 + 9y^2 - z^2$ correspondiente a $c = 1$.

⊘ **Solución**
La superficie de nivel se define por la ecuación $4x^2 + 9y^2 - z^2 = 1$. Esta ecuación describe un hiperboloide de una hoja como se muestra en la siguiente figura.

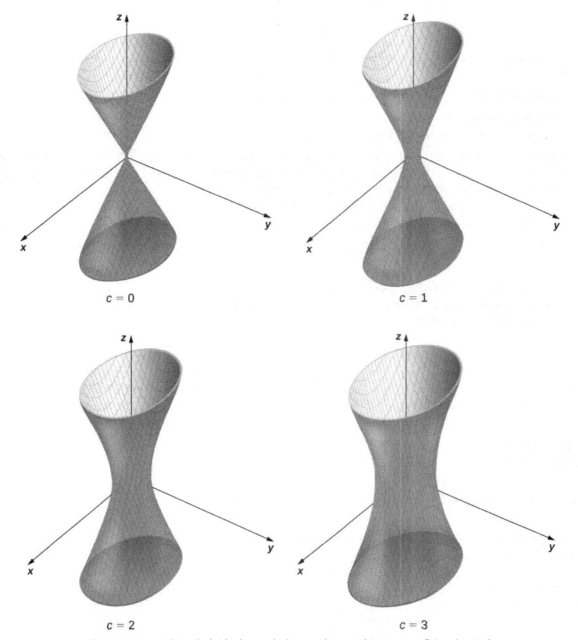

$c = 0$

$c = 1$

$c = 2$

$c = 3$

Figura 4.13   Un hiperboloide de una hoja con algunas de sus superficies de nivel.

4.5   Halle la ecuación de la superficie de nivel de la función

$$g(x, y, z) = x^2 + y^2 + z^2 - 2x + 4y - 6z$$

correspondiente a $c = 2$, y describa la superficie, si es posible.

SECCIÓN 4.1 EJERCICIOS

En los siguientes ejercicios, evalúe cada función en los valores indicados.

1. $W(x, y) = 4x^2 + y^2$. Calcule $W(2, -1)$, $W(-3, 6)$.

2. $W(x, y) = 4x^2 + y^2$. Calcule $W(2 + h, 3 + h)$.

3. El volumen de un cilindro circular recto se calcula mediante una función de dos variables, $V(x, y) = \pi x^2 y$, donde x es el radio del cilindro circular recto e y representa la altura del cilindro. Evalúe $V(2, 5)$ y explique lo que significa.

4. Un tanque de oxígeno está construido con un cilindro recto de altura y, y el radio x con dos hemisferios de radio x montado en la parte superior e inferior del cilindro. Exprese el volumen del tanque como una función de dos variables, x y y, halle $V(10, 2)$, y explique lo que significa.

En los siguientes ejercicios, halle el dominio de la función.

5. $V(x, y) = 4x^2 + y^2$

6. $f(x, y) = \sqrt{x^2 + y^2 - 4}$

7. $f(x, y) = 4 \ln(y^2 - x)$ grandes.

8. $g(x, y) = \sqrt{16 - 4x^2 - y^2}$

9. $z(x, y) = y^2 - x^2$

10. $f(x, y) = \frac{y + 2}{x^2}$

Halle el rango de las funciones.

11. $g(x, y) = \sqrt{16 - 4x^2 - y^2}$

12. $V(x, y) = 4x^2 + y^2$

13. $z = y^2 - x^2$

En los siguientes ejercicios, halle las curvas de nivel de cada función en el valor indicado de c para visualizar la función dada.

14. $z(x, y) = y^2 - x^2, c = 1$

15. $z(x, y) = y^2 - x^2, c = 4$

16. $g(x, y) = x^2 + y^2; c = 4, c = 9$

17. $g(x, y) = 4 - x - y; c = 0, 4$

18. $f(x, y) = xy; c = 1; c = -1$

19. $h(x, y) = 2x - y; c = 0, -2, 2$

20. $f(x, y) = x^2 - y; c = 1, 2$

21. $g(x, y) = \frac{x}{x + y}; c = -1, 0, 2$

22. $g(x, y) = x^3 - y; c = -1, 0, 2$

23. $g(x, y) = e^{xy}; c = \frac{1}{2}, 3$

24. $f(x, y) = x^2; c = 4, 9$

25. $f(x, y) = xy - x; c = -2, 0, 2$

26. $h(x,y) = \ln(x^2 + y^2); c = -1, 0, 1$ **27.** $g(x,y) = \ln\left(\frac{y}{x^2}\right); c = -2, 0, 2$ **28.** $z = f(x,y) = \sqrt{x^2 + y^2},$
$c = 3$

29. $f(x,y) = \frac{y+2}{x^2}, c = $
cualquier constante

En los siguientes ejercicios, halle las trazas verticales de las funciones en los valores indicados de x y y, y trace las trazas.

30. $z = 4 - x - y; x = 2$ **31.** $f(x,y) = 3x + y^3, x = 1$ **32.** $z = \cos\sqrt{x^2 + y^2} \ x = 1$

Halle el dominio de las siguientes funciones.

33. $z = \sqrt{100 - 4x^2 - 25y^2}$ **34.** $z = \ln\left(x - y^2\right)$ grandes.   **35.** $f(x,y,z) = \dfrac{1}{\sqrt{36 - 4x^2 - 9y^2 - z^2}}$

36. $f(x,y,z) = \sqrt{49 - x^2 - y^2 - z^2}$ **37.** $f(x,y,z) = \sqrt[3]{16 - x^2 - y^2 - z^2}$ **38.** $f(x,y) = \cos\sqrt{x^2 + y^2}$

En los siguientes ejercicios, trace un gráfico de la función.

39. $z = f(x,y) = \sqrt{x^2 + y^2}$ **40.** $z = x^2 + y^2$ **41.** Utilice la tecnología para
graficar $z = x^2 y$.

Dibuje lo siguiente encontrando las curvas de nivel. Verifique el gráfico mediante tecnología.

42. $f(x,y) = \sqrt{4 - x^2 - y^2}$ **43.** $f(x,y) = 2 - \sqrt{x^2 + y^2}$ **44.** $z = 1 + e^{-x^2 - y^2}$

45. $z = \cos\sqrt{x^2 + y^2}$ **46.** $z = y^2 - x^2$ **47.** Describa las curvas de nivel
para varios valores de c por
$z = x^2 + y^2 - 2x - 2y$.

Halle la superficie de nivel de las funciones de tres variables y descríbala.

48. $w(x,y,z) = x - 2y + z, c = 4$ **49.** $w(x,y,z) = x^2 + y^2 + z^2, c = 9$ **50.** $w(x,y,z) = x^2 + y^2 - z^2, c = -4$

51. $w(x,y,z) = x^2 + y^2 - z^2, c = 4$ **52.** $w(x,y,z) = 9x^2 - 4y^2 + 36z^2, c = 0$

En los siguientes ejercicios, halle una ecuación de la curva de nivel de f que contiene el punto P.

53. $f(x,y) = 1 - 4x^2 - y^2, P(0,1)$
grandes.   **54.** $g(x,y) = y^2 \arctan x, P(1,2)$
grandes.   **55.** $g(x,y) = e^{xy}(x^2 + y^2), P(1,0)$
grandes.

56. La fuerza E de un campo eléctrico en un punto (x, y, z) resultante de un cable cargado de longitud infinita tendido a lo largo del eje y viene dada por $E(x, y, z) = k/\sqrt{x^2 + y^2}$, donde k es una constante positiva. Para simplificar, supongamos que $k = 1$ y hallemos las ecuaciones de las superficies de nivel para $E = 10$ y $E = 100$.

57. Una fina placa de hierro se encuentra en el plano xy. La temperatura T en grados Celsius en un punto $P(x, y)$ es inversamente proporcional al cuadrado de su distancia al origen. Exprese T en función de x y y.

58. Consulte el problema anterior. Utilizando la función de temperatura encontrada, determine la constante de proporcionalidad si la temperatura en el punto $P(1, 2)$ es 50 °C. Utilice esta constante para determinar la temperatura en el punto $Q(3, 4)$.

59. Consulte el problema anterior. Halle las curvas de nivel para $T = 40°C$ y $T = 100°C$, y describa lo que representan las curvas de nivel.

4.2 Límites y continuidad

Objetivos de aprendizaje

4.2.1 Calcular el límite de una función de dos variables.

4.2.2 Aprender cómo una función de dos variables puede aproximarse a diferentes valores en un punto límite, dependiendo del camino de aproximación.

4.2.3 Indicar las condiciones de continuidad de una función de dos variables.

4.2.4 Comprobar la continuidad de una función de dos variables en un punto.

4.2.5 Calcular el límite de una función de tres o más variables y verificar la continuidad de la función en un punto.

Ya hemos examinado las funciones de más de una variable y hemos visto cómo graficarlas. En este apartado vemos cómo tomar el límite de una función de más de una variable, y qué significa que una función de más de una variable sea continua en un punto de su dominio. Resulta que estos conceptos tienen aspectos que simplemente no se dan con funciones de una variable.

Límite de una función de dos variables

Recuerde de El límite de una función (http://openstax.org/books/cálculo-volumen-1/pages/2-2-el-limite-de-una-funcion) la definición de límite de una función de una variable:

Supongamos que $f(x)$ se define para todos los $x \neq a$ en un intervalo abierto que contiene a. Supongamos que L es un número real. Entonces

$$\lim_{x \to a} f(x) = L$$

si para cada $\varepsilon > 0$, existe un $\delta > 0$, tal que si $0 < |x - a| < \delta$ para todas las x en el dominio de f, entonces

$$|f(x) - L| < \varepsilon.$$

Antes de poder adaptar esta definición para definir un límite de una función de dos variables, tenemos que ver primero cómo extender la idea de un intervalo abierto en una variable a un intervalo abierto en dos variables.

Definición

Considere un punto $(a, b) \in \mathbb{R}^2$. Un disco δ, centrado en el punto (a, b), se define como un disco abierto de radio δ centrado en el punto (a, b), es decir,

$$\left\{ (x, y) \in \mathbb{R}^2 \middle| (x-a)^2 + (y-b)^2 < \delta^2 \right\}$$

como se muestra en el siguiente gráfico.

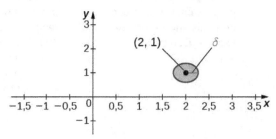

Figura 4.14 Un disco δ centrado alrededor del punto $(2, 1)$.

La idea de un disco δ aparece en la definición del límite de una función de dos variables. Si los valores de δ es pequeño, entonces todos los puntos (x, y) en el disco δ están cerca de (a, b). Esto es completamente análogo a x estando cerca de a en la definición de límite de una función de una variable. En una dimensión, expresamos esta restricción como

$$a - \delta < x < a + \delta.$$

En más de una dimensión, utilizamos un disco δ.

Definición

Supongamos que f es una función de dos variables, x como y. El límite de $f(x, y)$ cuando (x, y) se aproxima a (a, b) ¿es L, escrito

$$\lim_{(x,y) \to (a,b)} f(x, y) = L$$

si para cada $\varepsilon > 0$ existe una cantidad suficientemente pequeña $\delta > 0$ tal que para todos los puntos (x, y) en un disco δ alrededor de (a, b), excepto posiblemente para (a, b) mismo, el valor de $f(x, y)$ no es más que ε lejos de L (Figura 4.15). Utilizando símbolos, escribimos lo siguiente: para cualquier $\varepsilon > 0$, existe un número $\delta > 0$ tal que

$$|f(x, y) - L| < \varepsilon \text{ siempre que } 0 < \sqrt{(x-a)^2 + (y-b)^2} < \delta.$$

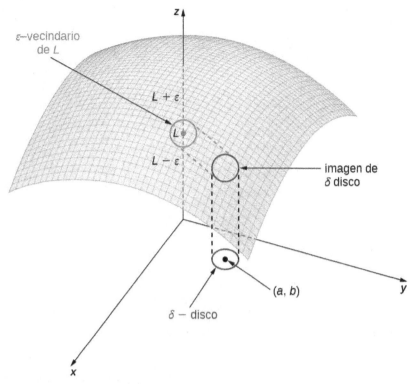

Figura 4.15 El límite de una función con dos variables requiere que $f(x, y)$ esté dentro de ε de L siempre que (x, y) esté dentro de δ de (a, b). Cuanto menor sea el valor de ε, menor será el valor de δ.

Demostrar que existe un límite utilizando la definición de límite de una función de dos variables puede ser un reto. En su lugar, utilizamos el siguiente teorema, que nos da atajos para hallar los límites. Las fórmulas de este teorema son una extensión de las fórmulas del teorema de las leyes de límites en Las leyes de límite (http://openstax.org/books/cálculo-volumen-1/pages/2-3-las-leyes-de-los-limites).

Teorema 4.1

Leyes de límite para funciones de dos variables

Supongamos que $f(x, y)$ y $g(x, y)$ se definen para todos los $(x, y) \neq (a, b)$ en una zona alrededor de (a, b), y asumamos que la zona está contenida completamente dentro del dominio de f. Supongamos que L y M son números reales de modo que $\lim\limits_{(x,y)\to(a,b)} f(x, y) = L$ y $\lim\limits_{(x,y)\to(a,b)} g(x, y) = M$, y supongamos que c es una constante.

Entonces cada una de las siguientes afirmaciones es válida:

Ley de constante:

$$\lim_{(x,y)\to(a,b)} c = c \tag{4.2}$$

Leyes de identidad:

$$\lim_{(x,y)\to(a,b)} x = a \tag{4.3}$$

$$\lim_{(x,y)\to(a,b)} y = b \tag{4.4}$$

Ley de la suma:

$$\lim_{(x,y)\to(a,b)} (f(x, y) + g(x, y)) = L + M \tag{4.5}$$

Ley de la diferencia:

$$\lim_{(x,y)\to(a,b)} (f(x, y) - g(x, y)) = L - M \tag{4.6}$$

Ley de múltiple constante:

$$\lim_{(x,y)\to(a,b)} (cf(x,y)) = cL \tag{4.7}$$

Ley de productos:

$$\lim_{(x,y)\to(a,b)} (f(x,y)\,g(x,y)) = LM \tag{4.8}$$

Ley del cociente:

$$\lim_{(x,y)\to(a,b)} \frac{f(x,y)}{g(x,y)} = \frac{L}{M} \text{ para } M \neq 0 \tag{4.9}$$

Ley de potencia:

$$\lim_{(x,y)\to(a,b)} (f(x,y))^n = L^n \tag{4.10}$$

para cualquier número entero positivo n.

Ley de raíces:

$$\lim_{(x,y)\to(a,b)} \sqrt[n]{f(x,y)} = \sqrt[n]{L} \tag{4.11}$$

para todos los L si n es impar y positivo, y para los $L \geq 0$ si n es par y positivo.

Las pruebas de estas propiedades son similares a las de los límites de las funciones de una variable. Podemos aplicar estas leyes para hallar los límites de varias funciones.

EJEMPLO 4.8

Hallar el límite de una función de dos variables
Halle cada uno de los siguientes límites:

a. $\lim_{(x,y)\to(2,-1)} \left(x^2 - 2xy + 3y^2 - 4x + 3y - 6\right)$ grandes.

b. $\lim_{(x,y)\to(2,-1)} \dfrac{2x+3y}{4x-3y}$

⊘ **Solución**

a. Primero utilice las leyes de la suma y la diferencia para separar los términos

$$\lim_{(x,y)\to(2,-1)} \left(x^2 - 2xy + 3y^2 - 4x + 3y - 6\right)$$

$$= \left(\lim_{(x,y)\to(2,-1)} x^2\right) - \left(\lim_{(x,y)\to(2,-1)} 2xy\right) + \left(\lim_{(x,y)\to(2,-1)} 3y^2\right) - \left(\lim_{(x,y)\to(2,-1)} 4x\right)$$

$$+ \left(\lim_{(x,y)\to(2,-1)} 3y\right) - \left(\lim_{(x,y)\to(2,-1)} 6\right).$$

A continuación, utilice la ley de múltiplo constante en los límites segundo, tercero, cuarto y quinto

$$= \left(\lim_{(x,y)\to(2,-1)} x^2\right) - 2\left(\lim_{(x,y)\to(2,-1)} xy\right) + 3\left(\lim_{(x,y)\to(2,-1)} y^2\right) - 4\left(\lim_{(x,y)\to(2,-1)} x\right)$$

$$+ 3\left(\lim_{(x,y)\to(2,-1)} y\right) - \lim_{(x,y)\to(2,-1)} 6.$$

Ahora, utilice la ley de potencia en el primer y tercer límite y la ley de producto en el segundo límite:

$$= \left(\lim_{(x,y)\to(2,-1)} x \right)^2 - 2 \left(\lim_{(x,y)\to(2,-1)} x \right) \left(\lim_{(x,y)\to(2,-1)} y \right) + 3 \left(\lim_{(x,y)\to(2,-1)} y \right)^2$$

$$- 4 \left(\lim_{(x,y)\to(2,-1)} x \right) + 3 \left(\lim_{(x,y)\to(2,-1)} y \right) - \lim_{(x,y)\to(2,-1)} 6.$$

Por último, utilice las leyes de identidad en los seis primeros límites y la ley de constante en el último límite

$$\lim_{(x,y)\to(2,-1)} \left(x^2 - 2xy + 3y^2 - 4x + 3y - 6 \right) = (2)^2 - 2(2)(-1) + 3(-1)^2 - 4(2) + 3(-1) - 6$$

$$= -6.$$

b. Antes de aplicar la ley del cociente, debemos comprobar que el límite del denominador es distinto de cero. Utilizando la ley de la diferencia, la ley del múltiplo constante y la ley de la identidad,

$$\lim_{(x,y)\to(2,-1)} (4x - 3y) = \lim_{(x,y)\to(2,-1)} 4x - \lim_{(x,y)\to(2,-1)} 3y$$

$$= 4 \left(\lim_{(x,y)\to(2,-1)} x \right) - 3 \left(\lim_{(x,y)\to(2,-1)} y \right)$$

$$= 4(2) - 3(-1) = 11.$$

Como el límite del denominador es distinto de cero, se aplica la ley del cociente. Ahora calculamos el límite del numerador utilizando la ley de la diferencia, la ley del múltiplo constante y la ley de la identidad

$$\lim_{(x,y)\to(2,-1)} (2x + 3y) = \lim_{(x,y)\to(2,-1)} 2x + \lim_{(x,y)\to(2,-1)} 3y$$

$$= 2 \left(\lim_{(x,y)\to(2,-1)} x \right) + 3 \left(\lim_{(x,y)\to(2,-1)} y \right)$$

$$= 2(2) + 3(-1)$$

$$= 1$$

Por lo tanto, según la ley del cociente tenemos

$$\lim_{(x,y)\to(2,-1)} \frac{2x + 3y}{4x - 3y} = \frac{\lim\limits_{(x,y)\to(2,-1)} (2x + 3y)}{\lim\limits_{(x,y)\to(2,-1)} (4x - 3y)} = \frac{1}{11}.$$

☑ 4.6   Evalúe el siguiente límite:

$$\lim_{(x,y)\to(5,-2)} \sqrt[3]{\frac{x^2 - y}{y^2 + x - 1}}.$$

Como estamos tomando el límite de una función de dos variables, el punto (a, b) está en $\mathbb{R}^2$, y es posible acercarse a este punto desde un número infinito de direcciones. A veces, al calcular un límite, la respuesta varía según la trayectoria que se tome hacia (a, b). Si este es el caso, entonces el límite no existe. En otras palabras, el límite debe ser único, independientemente de la trayectoria que se tome.

EJEMPLO 4.9

Límites que no existen

Demuestre que no existe ninguno de los siguientes límites:

a. $\lim\limits_{(x,y)\to(0,0)} \dfrac{2xy}{3x^2 + y^2}$

b. $\lim\limits_{(x,y)\to(0,0)} \dfrac{4xy^2}{x^2+3y^4}$

Solución

a. El dominio de la función $f(x,y) = \dfrac{2xy}{3x^2+y^2}$ consiste en todos los puntos del plano xy excepto el punto $(0,0)$ (Figura 4.16). Para demostrar que el límite no existe cuando (x,y) se aproxima a $(0,0)$, observamos que es imposible satisfacer la definición de límite de una función de dos variables por el hecho de que la función toma diferentes valores a lo largo de diferentes líneas que pasan por el punto $(0,0)$. Primero, considere la línea $y=0$ en el plano xy. Al sustituir $y=0$ en $f(x,y)$ da

$$f(x,0) = \frac{2x(0)}{3x^2+0^2} = 0$$

para cualquier valor de x. Por lo tanto, el valor de f permanece constante para cualquier punto del eje x, y dado que y se acerca a cero, la función se mantiene fija en cero.

A continuación, considere la línea $y=x$. Al sustituir $y=x$ en $f(x,y)$ da

$$f(x,x) = \frac{2x(x)}{3x^2+x^2} = \frac{2x^2}{4x^2} = \frac{1}{2}.$$

Esto es cierto para cualquier punto de la línea $y=x$. Si dejamos que x se acerque a cero mientras se mantiene en esta línea, el valor de la función se mantiene fijo en $\frac{1}{2}$, independientemente de cuán pequeño es x.

Elija un valor para ε que es menor que $1/2$ —digamos, $1/4$—. Entonces, por muy pequeño que sea un disco δ que dibujamos alrededor de $(0,0)$, los valores de $f(x,y)$ por puntos dentro de ese disco δ incluirán tanto 0 y $\frac{1}{2}$. Por lo tanto, la definición de límite en un punto nunca se satisface y el límite no existe.

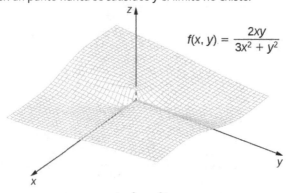

Figura 4.16 Gráfico de la función $f(x,y) = (2xy)/\left(3x^2+y^2\right)$. A lo largo de la línea $y=0$, la función es igual a cero; a lo largo de la línea $y=x$, la función es igual a $\frac{1}{2}$.

De forma similar al apartado a., podemos acercarnos al origen a lo largo de cualquier línea recta que pase por el origen. Si probamos el eje x (es decir, $y=0$), entonces la función permanece fija en cero. Lo mismo ocurre con el eje y. Supongamos que nos acercamos al origen a lo largo de una línea recta de pendiente k. La ecuación de esta línea es $y=kx$. Entonces el límite se convierte en

$$\begin{aligned}
\lim_{(x,y)\to(0,0)} \frac{4xy^2}{x^2+3y^4} &= \lim_{(x,y)\to(0,0)} \frac{4x(kx)^2}{x^2+3(kx)^4}\\[6pt]
&= \lim_{(x,y)\to(0,0)} \frac{4k^2x^3}{x^2+3k^4x^4}\\[6pt]
&= \lim_{(x,y)\to(0,0)} \frac{4k^2x}{1+3k^4x^2}\\[6pt]
&= \frac{\lim\limits_{(x,y)\to(0,0)}\left(4k^2x\right)}{\lim\limits_{(x,y)\to(0,0)}\left(1+3k^4x^2\right)}\\[6pt]
&= 0
\end{aligned}$$

independientemente del valor de k. Parece que el límite es igual a cero. ¿Y si elegimos una curva que pase por el origen? Por ejemplo, podemos considerar la parábola dada por la ecuación $x = y^2$. Al sustituir y^2 en vez de x en $f(x, y)$ da

$$
\begin{aligned}
\lim_{(x,y)\to(0,0)} \frac{4xy^2}{x^2+3y^4} &= \lim_{(x,y)\to(0,0)} \frac{4\left(y^2\right)y^2}{\left(y^2\right)^2+3y^4} \\
&= \lim_{(x,y)\to(0,0)} \frac{4y^4}{y^4+3y^4} \\
&= \lim_{(x,y)\to(0,0)} 1 \\
&= 1
\end{aligned}
$$

Por la misma lógica en el apartado a., es imposible encontrar un disco δ alrededor del origen que satisfaga la definición del límite para cualquier valor de $\varepsilon < 1$. Por lo tanto, $\displaystyle\lim_{(x,y)\to(0,0)} \frac{4xy^2}{x^2+3y^4}$ no existe.

✓   4.7   Demuestre que

$$
\lim_{(x,y)\to(2,1)} \frac{(x-2)(y-1)}{(x-2)^2+(y-1)^2}
$$

no existe.

Puntos interiores y puntos límite

Para estudiar la continuidad y la diferenciabilidad de una función de dos o más variables, primero tenemos que aprender algo de terminología nueva.

Definición

Supongamos que S es un subconjunto de $\mathbb{R}^2$ ([Figura 4.17](#)).

1. Un punto P_0 se llama **punto interior** de S si hay un disco δ centrado en P_0 contenido completamente en S.
2. Un punto P_0 se llama **punto límite** de S si cada disco δ centrado en P_0 contiene puntos tanto dentro como fuera de S.

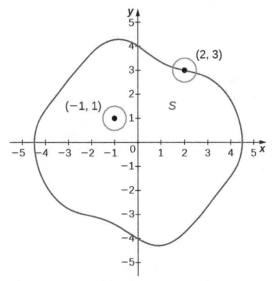

Figura 4.17   En el conjunto S mostrado, $(-1, 1)$ es un punto interior y $(2, 3)$ es un punto límite.

Definición

Supongamos que S es un subconjunto de $\mathbb{R}^2$ (Figura 4.17).

1. S se llama **conjunto abierto** si cada punto de S es un punto interior.
2. S se llama **conjunto cerrado** si contiene todos sus puntos límite.

Un ejemplo de conjunto abierto es un disco δ. Si incluimos el borde del disco, entonces se convierte en un conjunto cerrado. Un conjunto que contiene algunos de sus puntos límite, pero no todos, no es ni abierto ni cerrado. Por ejemplo, si incluimos la mitad del borde de un disco δ pero no la otra mitad, entonces el conjunto no está ni abierto ni cerrado.

Definición

Supongamos que S es un subconjunto de $\mathbb{R}^2$ (Figura 4.17).

1. Un conjunto abierto S es un **conjunto conectado** si no puede representarse como la unión de dos o más subconjuntos abiertos no vacíos.
2. Un conjunto S es una **región** si es abierto, conectado y no vacío.

La definición de un límite de una función de dos variables requiere el disco δ que debe estar contenido dentro del dominio de la función. Sin embargo, si queremos calcular el límite de una función en un punto límite del dominio, el disco δ no se encuentra dentro del dominio. Por definición, algunos de los puntos del disco δ están dentro del dominio y otros están fuera. Por lo tanto, solo tenemos que considerar los puntos que están, tanto dentro del disco δ como del dominio de la función. Esto nos lleva a la definición del límite de una función en un punto límite.

Definición

Supongamos que f es una función de dos variables, x como y, y supongamos que (a, b) está en la frontera del dominio de f. Entonces, el límite de $f(x, y)$ cuando (x, y) se aproxima a (a, b) ¿es L, escrito

$$\lim_{(x,y)\to(a,b)} f(x, y) = L,$$

si para cualquier $\varepsilon > 0$, existe un número $\delta > 0$ tal que para cualquier punto (x, y) dentro del dominio de f y dentro de una distancia convenientemente pequeña positiva δ de (a, b), el valor de $f(x, y)$ no es más que ε lejos de L (Figura 4.15). Usando símbolos, podemos escribir: para cualquier $\varepsilon > 0$, existe un número $\delta > 0$ tal que

$$|f(x, y) - L| < \varepsilon \text{ siempre que } 0 < \sqrt{(x-a)^2 + (y-b)^2} < \delta.$$

EJEMPLO 4.10

Límite de una función en un punto límite

Pruebe que $\displaystyle\lim_{(x,y)\to(4,3)} \sqrt{25 - x^2 - y^2} = 0$.

⊘ **Solución**

El dominio de la función $f(x, y) = \sqrt{25 - x^2 - y^2}$ ¿es $\left\{ (x, y) \in \mathbb{R}^2 \,\middle|\, x^2 + y^2 \le 25 \right\}$, que es un círculo de radio 5 centrado en el origen, junto con su interior como se muestra en el siguiente gráfico.

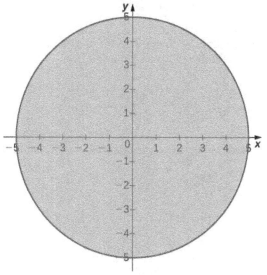

Figura 4.18 Dominio de la función $f(x, y) = \sqrt{25 - x^2 - y^2}$.

Podemos utilizar las leyes de límite, que se aplican tanto a los límites en el borde de los dominios como a los puntos interiores:

$$
\begin{aligned}
\lim_{(x,y)\to(4,3)} \sqrt{25 - x^2 - y^2} &= \sqrt{\lim_{(x,y)\to(4,3)} \left(25 - x^2 - y^2\right)} \\
&= \sqrt{\lim_{(x,y)\to(4,3)} 25 - \lim_{(x,y)\to(4,3)} x^2 - \lim_{(x,y)\to(4,3)} y^2} \\
&= \sqrt{25 - 4^2 - 3^2} \\
&= 0,
\end{aligned}
$$

Vea el siguiente gráfico.

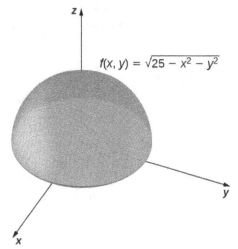

Figura 4.19 Gráfico de la función $f(x, y) = \sqrt{25 - x^2 - y^2}$.

☑ 4.8   Evalúe el siguiente límite:

$$
\lim_{(x,y)\to(5,-2)} \sqrt{29 - x^2 - y^2}.
$$

Continuidad de funciones de dos variables

En Continuidad (http://openstax.org/books/cálculo-volumen-1/pages/2-4-continuidad), definimos la continuidad de una función de una variable y vimos cómo se basaba en el límite de una función de una variable. En particular, son necesarias tres condiciones para que $f(x)$ sea continua en el punto $x = a$:

1. $f(a)$.
2. $\lim\limits_{x \to a} f(x)$.
3. $\lim\limits_{x \to a} f(x) = f(a)$.

Estas tres condiciones son necesarias también para la continuidad de una función de dos variables.

Definición

Una función $f(x, y)$ es continua en un punto (a, b) en su dominio si se cumplen las siguientes condiciones:

1. $f(a, b)$.
2. $\lim\limits_{(x,y) \to (a,b)} f(x, y)$.
3. $\lim\limits_{(x,y) \to (a,b)} f(x, y) = f(a, b)$.

EJEMPLO 4.11

Demostrar continuidad de una función de dos variables

Demuestre que la función $f(x, y) = \frac{3x+2y}{x+y+1}$ es continua en el punto $(5, -3)$.

Solución

Hay tres condiciones que deben cumplirse, según la definición de continuidad. En este ejemplo, $a = 5$ y $b = -3$.

1. $f(a, b)$. Esto es cierto porque el dominio de la función f consiste en aquellos pares ordenados para los que el denominador es distinto de cero (es decir, $x + y + 1 \neq 0$). El punto $(5, -3)$ satisface esta condición. Además,
$$f(a, b) = f(5, -3) = \frac{3(5) + 2(-3)}{5 + (-3) + 1} = \frac{15 - 6}{2 + 1} = 3.$$

2. $\lim\limits_{(x,y) \to (a,b)} f(x, y)$. Esto también es cierto:
$$\begin{aligned}
\lim\limits_{(x,y) \to (a,b)} f(x, y) &= \lim\limits_{(x,y) \to (5,-3)} \frac{3x+2y}{x+y+1} \\
&= \frac{\lim\limits_{(x,y) \to (5,-3)} (3x+2y)}{\lim\limits_{(x,y) \to (5,-3)} (x+y+1)} \\
&= \frac{15-6}{5-3+1} \\
&= 3.
\end{aligned}$$

3. $\lim\limits_{(x,y) \to (a,b)} f(x, y) = f(a, b)$. Esto es cierto porque acabamos de demostrar que ambos lados de esta ecuación son iguales a tres.

☑ 4.9   Demuestre que la función $f(x, y) = \sqrt{26 - 2x^2 - y^2}$ es continua en el punto $(2, -3)$.

La continuidad de una función de cualquier número de variables también puede definirse en términos de delta y épsilon. Una función de dos variables es continua en un punto (x_0, y_0) en su dominio si para cada $\varepsilon > 0$ existe un $\delta > 0$ de manera que, siempre que $\sqrt{(x-x_0)^2 + (y-y_0)^2} < \delta$ sea cierto, $|f(x, y) - f(a, b)| < \varepsilon$. Esta definición puede combinarse con la definición formal (es decir, la *definición épsilon-delta*) de continuidad de una función de una variable para demostrar los siguientes teoremas:

Teorema 4.2

La suma de funciones continuas es continua
Si los valores de $f(x, y)$ es continua en (x_0, y_0), y $g(x, y)$ es continua en (x_0, y_0), entonces $f(x, y) + g(x, y)$ es continua en (x_0, y_0).

Teorema 4.3

El producto de funciones continuas es continuo
Si los valores de $g(x)$ es continua en x_0 y $h(y)$ es continua en y_0, entonces $f(x, y) = g(x) h(y)$ es continua en (x_0, y_0).

Teorema 4.4

La composición de funciones continuas es continua
Supongamos que g es una función de dos variables de un dominio $D \subseteq \mathbb{R}^2$ a un rango $R \subseteq \mathbb{R}$. Supongamos que g es continua en algún punto $(x_0, y_0) \in D$ y define $z_0 = g(x_0, y_0)$. Supongamos que f es una función que aplica a $\mathbb{R}$ al $\mathbb{R}$ de manera que z_0 está en el dominio de f. Por último, asuma que f es continua en z_0. Entonces $f \circ g$ es continua en (x_0, y_0) como se muestra en la siguiente figura.

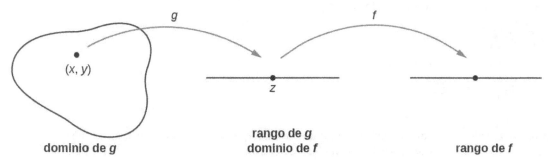

Figura 4.20   La composición de dos funciones continuas es continua.

Utilicemos ahora los teoremas anteriores para demostrar la continuidad de las funciones en los siguientes ejemplos.

EJEMPLO 4.12

Más ejemplos de continuidad de una función de dos variables
Demuestre que las funciones $f(x, y) = 4x^3 y^2$ y $g(x, y) = \cos\left(4x^3 y^2\right)$ son continuas en todas partes.

⊘ **Solución**
Los polinomios $g(x) = 4x^3$ y $h(y) = y^2$ son continuos en todo número real, y por tanto por el teorema del producto de funciones continuas, $f(x, y) = 4x^3 y^2$ es continua en cada punto (x, y) en el plano xy. Dado que $f(x, y) = 4x^3 y^2$ es continua en cada punto (x, y) en el plano xy y $g(x) = \cos x$ es continua en todo número real x, la continuidad de la composición de funciones nos dice que $g(x, y) = \cos\left(4x^3 y^2\right)$ es continua en cada punto (x, y) en el plano xy.

☑ 4.10   Demuestre que las funciones $f(x, y) = 2x^2 y^3 + 3$ y $g(x, y) = \left(2x^2 y^3 + 3\right)^4$ son continuas en todas partes.

Funciones de tres o más variables

El límite de una función de tres o más variables se da fácilmente en las aplicaciones. Por ejemplo, supongamos que tenemos una función $f(x, y, z)$ que da la temperatura en un lugar físico (x, y, z) en tres dimensiones. O quizás una función $g(x, y, z, t)$ puede indicar la presión del aire en un lugar (x, y, z) en el momento t. ¿Cómo podemos tomar un límite en un punto de $\mathbb{R}^3$? ¿Qué significa ser continuo en un punto en cuatro dimensiones?

Las respuestas de estas preguntas se basan en la ampliación del concepto del disco δ en más de dos dimensiones. Entonces, las ideas de límite de una función de tres o más variables y de continuidad de una función de tres o más variables son muy similares a las definiciones dadas anteriormente para una función de dos variables.

Definición

Supongamos que (x_0, y_0, z_0) es un punto en $\mathbb{R}^3$. Entonces, una **bola** δ en tres dimensiones consiste en todos los puntos en $\mathbb{R}^3$ que se encuentran a una distancia inferior a δ a partir de (x_0, y_0, z_0), es decir,

$$\left\{ (x, y, z) \in \mathbb{R}^3 \,\middle|\, \sqrt{(x-x_0)^2 + (y-y_0)^2 + (z-z_0)^2} < \delta \right\}.$$

Para definir una bola δ en dimensiones superiores, añadimos términos adicionales bajo el radical para corresponder a cada dimensión adicional. Por ejemplo, dado un punto $P = (w_0, x_0, y_0, z_0)$ en $\mathbb{R}^4$, una bola δ alrededor de P puede describirse por

$$\left\{ (w, x, y, z) \in \mathbb{R}^4 \,\middle|\, \sqrt{(w-w_0)^2 + (x-x_0)^2 + (y-y_0)^2 + (z-z_0)^2} < \delta \right\}.$$

Para demostrar que existe un límite de una función de tres variables en un punto (x_0, y_0, z_0), basta con demostrar que para cualquier punto de una bola δ centrada en (x_0, y_0, z_0), el valor de la función en ese punto se acerca arbitrariamente a un valor fijo (el valor límite). Todas las leyes de los límites de las funciones de dos variables son válidas también para las funciones de más de dos variables.

EJEMPLO 4.13

Hallar el límite de una función de tres variables

Halle $\lim\limits_{(x,y,z)\to(4,1,-3)} \dfrac{x^2 y - 3z}{2x + 5y - z}$.

Solución

Antes de poder aplicar la ley del cociente, tenemos que verificar que el límite del denominador es distinto de cero. Utilizando la ley de la diferencia, la ley de la identidad y la ley de constante,

$$\lim_{(x,y,z)\to(4,1,-3)} (2x + 5y - z) = 2\left(\lim_{(x,y,z)\to(4,1,-3)} x\right) + 5\left(\lim_{(x,y,z)\to(4,1,-3)} y\right) - \left(\lim_{(x,y,z)\to(4,1,-3)} z\right)$$
$$= 2(4) + 5(1) - (-3)$$
$$= 16.$$

Como esto es distinto de cero, a continuación hallamos el límite del numerador. Utilizando la ley del producto, la ley de la diferencia, la ley del múltiplo constante y la ley de la identidad,

$$\lim_{(x,y,z)\to(4,1,-3)} (x^2 y - 3z) = \left(\lim_{(x,y,z)\to(4,1,-3)} x\right)^2 \left(\lim_{(x,y,z)\to(4,1,-3)} y\right) - 3\lim_{(x,y,z)\to(4,1,-3)} z$$
$$= (4^2)(1) - 3(-3)$$
$$= 16 + 9$$
$$= 25.$$

Por último, aplicando la ley del cociente:

$$\lim_{(x,y,z)\to(4,1,-3)} \frac{x^2 y - 3z}{2x + 5y - z} = \frac{\lim\limits_{(x,y,z)\to(4,1,-3)} (x^2 y - 3z)}{\lim\limits_{(x,y,z)\to(4,1,-3)} (2x + 5y - z)}$$
$$= \frac{25}{16}.$$

✓   4.11   Halle $\displaystyle\lim_{(x,y,z)\to(4,-1,3)} \sqrt{13 - x^2 - 2y^2 + z^2}$.

SECCIÓN 4.2 EJERCICIOS

En los siguientes ejercicios, halle el límite de la función.

60. $\displaystyle\lim_{(x,y)\to(1,2)} x$

61. $\displaystyle\lim_{(x,y)\to(1,2)} \frac{5x^2 y}{x^2+y^2}$

62. Demuestre que el límite

$\displaystyle\lim_{(x,y)\to(0,0)} \frac{5x^2 y}{x^2+y^2}$ existe y es el mismo a lo largo de las trayectorias: eje y y eje $x-$eje, y a lo largo de $y = x$.

En los siguientes ejercicios, evalúe los límites en los valores indicados de x y y. Si el límite no existe, indíquelo y explique por qué no existe.

63. $\displaystyle\lim_{(x,y)\to(0,0)} \frac{4x^2+10y^2+4}{4x^2-10y^2+6}$

64. $\displaystyle\lim_{(x,y)\to(11,13)} \sqrt{\frac{1}{xy}}$

65. $\displaystyle\lim_{(x,y)\to(0,1)} \frac{y^2 \operatorname{sen} x}{x}$

66. $\displaystyle\lim_{(x,y)\to(0,0)} \operatorname{sen}\left(\frac{x^8+y^7}{x-y+10}\right)$ grandes.

67. $\displaystyle\lim_{(x,y)\to(\pi/4,1)} \frac{y \tan x}{y+1}$

68. $\displaystyle\lim_{(x,y)\to(0,\pi/4)} \frac{\sec x+2}{3x-\tan y}$

69. $\displaystyle\lim_{(x,y)\to(2,5)} \left(\frac{1}{x} - \frac{5}{y}\right)$ grandes.

70. $\displaystyle\lim_{(x,y)\to(4,4)} x \ln y$

71. $\displaystyle\lim_{(x,y)\to(4,4)} e^{-x^2-y^2}$

72. $\displaystyle\lim_{(x,y)\to(0,0)} \sqrt{9 - x^2 - y^2}$

73. $\displaystyle\lim_{(x,y)\to(1,2)} \left(x^2 y^3 - x^3 y^2 + 3x + 2y\right)$ grandes.

74. $\displaystyle\lim_{(x,y)\to(\pi,\pi)} x \operatorname{sen}\left(\frac{x+y}{4}\right)$ grandes.

75. $\displaystyle\lim_{(x,y)\to(0,0)} \frac{xy+1}{x^2+y^2+1}$

76. $\displaystyle\lim_{(x,y)\to(0,0)} \frac{x^2+y^2}{\sqrt{x^2+y^2+1}-1}$

77. $\displaystyle\lim_{(x,y)\to(0,0)} \ln\left(x^2 + y^2\right)$

En los siguientes ejercicios, complete el enunciado.

78. Un punto (x_0, y_0) en la región de un plano R es un punto interior de R si _____.

79. Un punto (x_0, y_0) en la región de un plano R se llama punto límite de R si _____.

En los siguientes ejercicios, utilice técnicas algebraicas para evaluar el límite.

80. $\displaystyle\lim_{(x,y)\to(2,1)} \frac{x-y-1}{\sqrt{x-y}-1}$

81. $\displaystyle\lim_{(x,y)\to(0,0)} \frac{x^4-4y^4}{x^2+2y^2}$

82. $\displaystyle\lim_{(x,y)\to(0,0)} \frac{x^3-y^3}{x-y}$

83. $\displaystyle\lim_{(x,y)\to(0,0)} \frac{x^2-xy}{\sqrt{x}-\sqrt{y}}$

En los siguientes ejercicios, evalúe los límites de las funciones de tres variables.

84. $\displaystyle\lim_{(x,y,z)\to(1,2,3)} \frac{xz^2-y^2z}{xyz-1}$

85. $\displaystyle\lim_{(x,y,z)\to(0,0,0)} \frac{x^2-y^2-z^2}{x^2+y^2-z^2}$

En los siguientes ejercicios, evalúe el límite de la función determinando el valor al que se aproxima la función a lo largo de los trayectorias indicadas. Si el límite no existe, explique por qué no.

86. $\displaystyle\lim_{(x,y)\to(0,0)} \frac{xy+y^3}{x^2+y^2}$

   a. A lo largo del eje x $(y=0)$

   b. A lo largo del eje y $(x=0)$

   c. A lo largo de la trayectoria $y=2x$

87. Evalúe $\displaystyle\lim_{(x,y)\to(0,0)} \frac{xy+y^3}{x^2+y^2}$ utilizando los resultados del problema anterior.

88. $\displaystyle\lim_{(x,y)\to(0,0)} \frac{x^2 y}{x^4+y^2}$

   a. A lo largo del eje x $(y=0)$

   b. A lo largo del eje y $(x=0)$

   c. A lo largo de la trayectoria $y=x^2$

89. Evalúe $\displaystyle\lim_{(x,y)\to(0,0)} \frac{x^2 y}{x^4+y^2}$ utilizando los resultados del problema anterior.

Discuta la continuidad de las siguientes funciones. Halle la región más grande del plano xy en la que las siguientes funciones son continuas.

90. $f(x,y)=\text{sen}(xy)$ grandes.

91. $f(x,y)=\ln(x+y)$

92. $f(x,y)=e^{3xy}$

93. $f(x,y)=\frac{1}{xy}$

En los siguientes ejercicios, determine la región en la que la función es continua. Explique su respuesta.

94. $f(x,y)=\frac{x^2 y}{x^2+y^2}$

95. $f(x,y)=\begin{cases} \dfrac{x^2 y}{x^2+y^2} & \text{si } (x,y)\neq(0,0) \\ 0 & \text{si } (x,y)=(0,0) \end{cases}$

(*Pista*: Demuestra que la función se acerca a valores diferentes por dos trayectorias distintas).

96. $f(x,y)=\frac{\text{sen}(x^2+y^2)}{x^2+y^2}$

97. Determine si $g(x,y)=\frac{x^2-y^2}{x^2+y^2}$ es continua en $(0,0)$.

98. Cree un gráfico utilizando un programa de gráficos para determinar dónde no existe el límite. Halle en qué punto del plano de coordenadas $f(x,y)=\frac{1}{x^2-y}$ es continuo.

99. Determine la región del plano xy en la que la función compuesta $g(x,y)=\arctan\left(\frac{xy^2}{x+y}\right)$ es continuo. Utilice la tecnología para respaldar su conclusión.

100. Determine la región del plano xy en la que $f(x,y) = \ln(x^2 + y^2 - 1)$ es continuo. Utilice la tecnología para respaldar su conclusión. (*Pista*: Elija el rango de valores para x y y con cuidado).

101. ¿En qué puntos del espacio $g(x,y,z) = x^2 + y^2 - 2z^2$ es continua?

102. ¿En qué puntos del espacio $g(x,y,z) = \frac{1}{x^2 + z^2 - 1}$ es continua?

103. Demuestre que $\lim\limits_{(x,y) \to (0,0)} \frac{1}{x^2 + y^2}$ no existe en $(0,0)$ trazando el gráfico de la función.

104. **[T]** Evalúe $\lim\limits_{(x,y) \to (0,0)} \frac{-xy^2}{x^2 + y^4}$ trazando la función mediante un CAS. Determine de forma analítica el límite a lo largo de la trayectoria $x = y^2$.

105. **[T]**
   a. Utilice un CAS para dibujar un mapa de líneas de contorno de $z = \sqrt{9 - x^2 - y^2}$.
   b. ¿Cómo se llama la forma geométrica de las curvas de nivel?
   c. Dé la ecuación general de las curvas de nivel.
   d. ¿Cuál es el valor máximo de z?
   e. ¿Cuál es el dominio de la función?
   f. ¿Cuál es el rango de la función?

106. *Verdadero o falso*: Si evaluamos $\lim\limits_{(x,y) \to (0,0)} f(x)$ a lo largo de varias trayectorias y cada vez que el límite es 1, podemos concluir que $\lim\limits_{(x,y) \to (0,0)} f(x) = 1$.

107. Utilice las coordenadas polares para hallar $\lim\limits_{(x,y) \to (0,0)} \frac{\operatorname{sen}\sqrt{x^2 + y^2}}{\sqrt{x^2 + y^2}}$. También se puede calcular el límite utilizando la regla de L'Hôpital.

108. Utilice las coordenadas polares para hallar $\lim\limits_{(x,y) \to (0,0)} \cos\left(x^2 + y^2\right)$.

109. Discuta la continuidad de $f(g(x,y))$ donde $f(t) = 1/t$ y $g(x,y) = 2x - 5y$.

110. Dado que $f(x,y) = x^2 - 4y$, calcule $\lim\limits_{h \to 0} \frac{f(x+h,y) - f(x,y)}{h}$.

111. Dado que $f(x,y) = x^2 - 4y$, calcule $\lim\limits_{h \to 0} \frac{f(1+h,y) - f(1,y)}{h}$.

4.3 Derivadas parciales

Objetivos de aprendizaje

 4.3.1 Calcular las derivadas parciales de una función de dos variables.
 4.3.2 Calcular las derivadas parciales de una función de más de dos variables.
 4.3.3 Determinar las derivadas de orden superior de una función de dos variables.
 4.3.4 Explicar el significado de una ecuación diferencial parcial y dar un ejemplo.

Ahora que hemos examinado los límites y la continuidad de las funciones de dos variables, podemos pasar a estudiar las derivadas. Calcular derivadas de funciones de dos variables es el concepto clave de este capítulo, con tantas aplicaciones en matemáticas, ciencia e ingeniería como la diferenciación de funciones de una sola variable. Sin embargo, ya hemos visto que los límites y la continuidad de las funciones multivariables presentan nuevos problemas y requieren una nueva terminología e ideas para tratarlos. Esto se traslada también a la diferenciación.

Derivadas de una función de dos variables

Al estudiar las derivadas de funciones de una variable, hallamos que una interpretación de la derivada es una tasa instantánea de cambio de y en función de x. La notación de Leibniz para la derivada es dy/dx, lo que implica que y es la variable dependiente y x es la variable independiente. Para una función $z = f(x, y)$ de dos variables, x como y son las variables independientes y z es la variable dependiente. Esto plantea de inmediato dos preguntas: ¿Cómo adaptamos la notación de Leibniz a las funciones de dos variables? Además, ¿qué es una interpretación de la derivada? La respuesta está en las derivadas parciales.

Definición

Supongamos que $f(x, y)$ es una función de dos variables. Entonces la **derivada parcial** de f con respecto a x, escrita como $\partial f/\partial x$, o f_x, se define como

$$\frac{\partial f}{\partial x} = \lim_{h \to 0} \frac{f(x+h, y) - f(x, y)}{h}. \tag{4.12}$$

La derivada parcial de f con respecto a y, escrita como $\partial f/\partial y$, o f_y, se define como

$$\frac{\partial f}{\partial y} = \lim_{k \to 0} \frac{f(x, y+k) - f(x, y)}{k}. \tag{4.13}$$

Esta definición muestra ya dos diferencias. Primero, la notación cambia, en el sentido de que seguimos utilizando una versión de la notación de Leibniz, pero la d en la notación original se sustituye por el símbolo ∂. (Esta "d" redondeada suele llamarse "parcial", por lo que $\partial f/\partial x$ se expresa como el "parcial de f con respecto a x".) Este es el primer indicio de que se trata de derivadas parciales. En segundo lugar, ahora tenemos dos derivadas diferentes que podemos tomar, ya que hay dos variables independientes diferentes. Dependiendo de la variable que elijamos, podemos obtener diferentes derivadas parciales en conjunto, y a menudo lo hacemos.

EJEMPLO 4.14

Calcular las derivadas parciales a partir de la definición
Utilice la definición de la derivada parcial como límite para calcular $\partial f/\partial x$ y $\partial f/\partial y$ para la función

$$f(x, y) = x^2 - 3xy + 2y^2 - 4x + 5y - 12.$$

⊘ **Solución**
En primer lugar, calcule $f(x + h, y)$.

$$\begin{aligned}
f(x+h, y) &= (x+h)^2 - 3(x+h)y + 2y^2 - 4(x+h) + 5y - 12 \\
&= x^2 + 2xh + h^2 - 3xy - 3hy + 2y^2 - 4x - 4h + 5y - 12.
\end{aligned}$$

Luego, sustituya esto en la Ecuación 4.12 y simplifique:

$$\begin{aligned}
\frac{\partial f}{\partial x} &= \lim_{h \to 0} \frac{f(x+h, y) - f(x, y)}{h} \\
&= \lim_{h \to 0} \frac{\left(x^2 + 2xh + h^2 - 3xy - 3hy + 2y^2 - 4x - 4h + 5y - 12\right) - \left(x^2 - 3xy + 2y^2 - 4x + 5y - 12\right)}{h} \\
&= \lim_{h \to 0} \frac{x^2 + 2xh + h^2 - 3xy - 3hy + 2y^2 - 4x - 4h + 5y - 12 - x^2 + 3xy - 2y^2 + 4x - 5y + 12}{h} \\
&= \lim_{h \to 0} \frac{2xh + h^2 - 3hy - 4h}{h} \\
&= \lim_{h \to 0} \frac{h(2x + h - 3y - 4)}{h} \\
&= \lim_{h \to 0} (2x + h - 3y - 4) \\
&= 2x - 3y - 4.
\end{aligned}$$

Para calcular $\frac{\partial f}{\partial y}$, calcule primero $f(x, y+h)$:

$$\begin{aligned} f(x, y+h) &= x^2 - 3x(y+h) + 2(y+h)^2 - 4x + 5(y+h) - 12 \\ &= x^2 - 3xy - 3xh + 2y^2 + 4yh + 2h^2 - 4x + 5y + 5h - 12. \end{aligned}$$

Luego, sustituya esto en la Ecuación 4.13 y simplifique:

$$\begin{aligned} \frac{\partial f}{\partial y} &= \lim_{k\to 0} \frac{f(x,y+h)-f(x,y)}{k} \\ &= \lim_{k\to 0} \frac{\left(x^2-3xy-3xk+2y^2+4yk+2k^2-4x+5y+5k-12\right)-\left(x^2-3xy+2y^2-4x+5y-12\right)}{k} \\ &= \lim_{k\to 0} \frac{x^2-3xy-3xk+2y^2+4yk+2k^2-4x+5y+5k-12-x^2+3xy-2y^2+4x-5y+12}{k} \\ &= \lim_{k\to 0} \frac{-3xk+4yk+2k^2+5k}{k} \\ &= \lim_{k\to 0} \frac{h(-3x+4y+2k+5)}{k} \\ &= \lim_{k\to 0} (-3x+4y+2k+5) \\ &= -3x + 4y + 5. \end{aligned}$$

☑ 4.12   Utilice la definición de la derivada parcial como límite para calcular $\partial f/\partial x$ y $\partial f/\partial y$ para la función

$$f(x, y) = 4x^2 + 2xy - y^2 + 3x - 2y + 5.$$

La idea que se debe tener en cuenta cuando se calculan derivadas parciales es tratar todas las variables independientes, distintas de la variable con respecto a la cual estamos diferenciando, como constantes. Luego se procede a diferenciar como con una función de una sola variable. Para ver por qué esto es cierto, primero hay que fijar y y definir $g(x) = f(x, y)$ en función de x. Entonces

$$g'(x) = \lim_{h\to 0} \frac{g(x+h) - g(x)}{h} = \lim_{h\to 0} \frac{f(x+h, y) - f(x, y)}{h} = \frac{\partial f}{\partial x}.$$

Lo mismo ocurre con el cálculo de la derivada parcial de f con respecto a y. Esta vez, fije x y definir $h(y) = f(x, y)$ en función de y. Entonces

$$h'(x) = \lim_{k\to 0} \frac{h(x+k) - h(x)}{k} = \lim_{k\to 0} \frac{f(x, y+k) - f(x, y)}{k} = \frac{\partial f}{\partial y}.$$

Se aplican todas las reglas de diferenciación de Introducción a las derivadas (http://openstax.org/books/cálculo-volumen-1/pages/3-introduccion).

EJEMPLO 4.15

Calcular derivadas parciales

Calcule $\partial f/\partial x$ y $\partial f/\partial y$ para las siguientes funciones manteniendo constante la variable opuesta y luego diferenciando:

a. $f(x, y) = x^2 - 3xy + 2y^2 - 4x + 5y - 12$
b. $g(x, y) = \mathrm{sen}\left(x^2 y - 2x + 4\right)$

⊘ **Solución**

a. Para calcular $\partial f/\partial x$, trate la variable y como constante. Luego diferencie $f(x, y)$ con respecto a x utilizando las reglas de suma, diferencia y potencia:

$$\begin{aligned} \frac{\partial f}{\partial x} &= \frac{\partial}{\partial x}\left[x^2 - 3xy + 2y^2 - 4x + 5y - 12\right] \\ &= \frac{\partial}{\partial x}\left[x^2\right] - \frac{\partial}{\partial x}\left[3xy\right] + \frac{\partial}{\partial x}\left[2y^2\right] - \frac{\partial}{\partial x}\left[4x\right] + \frac{\partial}{\partial x}\left[5y\right] - \frac{\partial}{\partial x}\left[12\right] \\ &= 2x - 3y + 0 - 4 + 0 - 0 \\ &= 2x - 3y - 4. \end{aligned}$$

Las derivadas de los términos tercero, quinto y sexto son todas cero porque no contienen la variable x, por lo que se tratan como términos constantes. La derivada del segundo término es igual al coeficiente de x, que es $-3y$. Si calculamos $\partial f/\partial y$:

$$\begin{aligned}
\frac{\partial f}{\partial y} &= \frac{\partial}{\partial y}\left[x^2 - 3xy + 2y^2 - 4x + 5y - 12\right]\\
&= \frac{\partial}{\partial y}\left[x^2\right] - \frac{\partial}{\partial y}\left[3xy\right] + \frac{\partial}{\partial y}\left[2y^2\right] - \frac{\partial}{\partial y}\left[4x\right] + \frac{\partial}{\partial y}\left[5y\right] - \frac{\partial}{\partial y}\left[12\right]\\
&= -3x + 4y - 0 + 5 - 0\\
&= -3x + 4y + 5.
\end{aligned}$$

Estas son las mismas respuestas obtenidas en el Ejemplo 4.14.

b. Para calcular $\partial g/\partial x$, trate la variable y como una constante. Luego diferencie $g(x, y)$ con respecto a x utilizando la regla de la cadena y la regla de la potencia:

$$\begin{aligned}
\frac{\partial g}{\partial x} &= \frac{\partial}{\partial x}\left[\operatorname{sen}\left(x^2 y - 2x + 4\right)\right]\\
&= \cos\left(x^2 y - 2x + 4\right)\frac{\partial}{\partial x}\left[x^2 y - 2x + 4\right]\\
&= (2xy - 2)\cos\left(x^2 y - 2x + 4\right).
\end{aligned}$$

Para calcular $\partial g/\partial y$, trate la variable x como constante. Luego diferencie $g(x, y)$ con respecto a y utilizando la regla de la cadena y la regla de la potencia:

$$\begin{aligned}
\frac{\partial g}{\partial y} &= \frac{\partial}{\partial y}\left[\operatorname{sen}\left(x^2 y - 2x + 4\right)\right]\\
&= \cos\left(x^2 y - 2x + 4\right)\frac{\partial}{\partial y}\left[x^2 y - 2x + 4\right]\\
&= x^2\cos\left(x^2 y - 2x + 4\right).
\end{aligned}$$

☑ 4.13   Calcule $\partial f/\partial x$ y $\partial f/\partial y$ para la función $f(x, y) = \tan\left(x^3 - 3x^2 y^2 + 2y^4\right)$ manteniendo constante la variable opuesta, y luego diferenciando.

¿Cómo podemos interpretar estas derivadas parciales? Recordemos que el gráfico de una función de dos variables es una superficie en $\mathbb{R}^3$. Si eliminamos el límite de la definición de la derivada parcial con respecto a x, el cociente de diferencia se mantiene:

$$\frac{f(x + h, y) - f(x, y)}{h}.$$

Se parece al cociente de diferencia para la derivada de una función de una variable, excepto por la presencia de la variable y. La Figura 4.21 ilustra una superficie descrita por una función arbitraria $z = f(x, y)$.

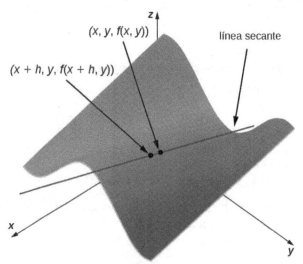

Figura 4.21   Línea secante que pasa por los puntos $(x, y, f(x, y))$ y $(x + h, y, f(x + h, y))$.

En la Figura 4.21, el valor de h es positivo. Si graficamos $f(x, y)$ y $f(x + h, y)$ para un punto arbitrario (x, y), entonces la pendiente de la línea secante que pasa por estos dos puntos está dada por

$$\frac{f(x+h,y) - f(x,y)}{h}.$$

Esta línea es paralela al eje x. Por lo tanto, la pendiente de la línea secante representa una tasa media de cambio de la función f mientras nos trasladamos en paralelo al eje x. A medida que h se acerca a cero, la pendiente de la línea secante se acerca a la pendiente de la línea tangente.

Si elegimos cambiar y en vez de x por el mismo valor progresivo h, entonces la línea secante es paralela al eje y y también lo es la línea tangente. Por lo tanto, $\partial f/\partial x$ representa la pendiente de la línea tangente que pasa por el punto $(x, y, f(x, y))$ paralelo al eje x y $\partial f/\partial y$ representa la pendiente de la línea tangente que pasa por el punto $(x, y, f(x, y))$ paralelo al eje y. Si deseamos calcular la pendiente de una línea tangente que pasa por el mismo punto en cualquier otra dirección, entonces necesitamos lo que se llama *derivadas direccionales*, lo cual estudiamos en la sección Derivadas direccionales y el gradiente.

Volvemos ahora a la idea de las líneas de contorno, que introdujimos en la sección Funciones de varias variables. Podemos utilizar líneas de contorno para estimar las derivadas parciales de una función $g(x, y)$.

EJEMPLO 4.16

Derivadas parciales a partir de líneas de contorno

Utilice líneas de contorno para estimar $\partial g/\partial x$ en el punto $\left(\sqrt{5}, 0\right)$ para la función $g(x, y) = \sqrt{9 - x^2 - y^2}$.

⊘ **Solución**

El siguiente gráfico representa unas líneas de contorno para la función $g(x, y) = \sqrt{9 - x^2 - y^2}$.

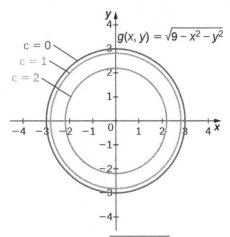

Figura 4.22 Líneas de contorno de la función $g(x, y) = \sqrt{9 - x^2 - y^2}$, utilizando c $= 0, 1, 2$, y 3 ($c = 3$ corresponde al origen).

El círculo interior de las líneas de contorno corresponde a $c = 2$ y el siguiente círculo fuera corresponde a $c = 1$. El primer círculo está dado por la ecuación $2 = \sqrt{9 - x^2 - y^2}$; el segundo círculo está dado por la ecuación $1 = \sqrt{9 - x^2 - y^2}$. La primera ecuación se simplifica a $x^2 + y^2 = 5$ y la segunda ecuación se simplifica a $x^2 + y^2 = 8$. La intersección en x del primer círculo es $\left(\sqrt{5}, 0\right)$ y la intersección en eje x del segundo círculo es $\left(2\sqrt{2}, 0\right)$. Podemos estimar el valor de $\partial g/\partial x$ evaluado en el punto $\left(\sqrt{5}, 0\right)$ utilizando la fórmula de la pendiente:

$$\left.\frac{\partial g}{\partial x}\right|_{(x,y)=\left(\sqrt{5},0\right)} \approx \frac{g\left(\sqrt{5},0\right) - g\left(2\sqrt{2},0\right)}{\sqrt{5} - 2\sqrt{2}} = \frac{2-1}{\sqrt{5} - 2\sqrt{2}} = \frac{1}{\sqrt{5} - 2\sqrt{2}} \approx -1{,}688.$$

Para calcular el valor exacto de $\partial g/\partial x$ evaluado en el punto $\left(\sqrt{5}, 0\right)$, empezamos por hallar $\partial g/\partial x$ utilizando la regla de la cadena. Primero, reescribimos la función como $g(x, y) = \sqrt{9 - x^2 - y^2} = \left(9 - x^2 - y^2\right)^{1/2}$ y luego diferenciamos con respecto a x mientras se mantiene y constante:

$$\frac{\partial g}{\partial x} = \frac{1}{2}\left(9 - x^2 - y^2\right)^{-1/2}(-2x) = -\frac{x}{\sqrt{9 - x^2 - y^2}}.$$

A continuación, evaluamos esta expresión con $x = \sqrt{5}$ y la intersección $y = 0$:

$$\left.\frac{\partial g}{\partial x}\right|_{(x,y)=\left(\sqrt{5},0\right)} = -\frac{\sqrt{5}}{\sqrt{9 - \left(\sqrt{5}\right)^2 - (0)^2}} = -\frac{\sqrt{5}}{\sqrt{4}} = -\frac{\sqrt{5}}{2} \approx -1{,}118.$$

La estimación de la derivada parcial corresponde a la pendiente de la línea secante que pasa por los puntos $\left(\sqrt{5}, 0, g\left(\sqrt{5}, 0\right)\right)$ y $\left(2\sqrt{2}, 0, g\left(2\sqrt{2}, 0\right)\right)$. Representa una aproximación a la pendiente de la línea tangente a la superficie que pasa por el punto $\left(\sqrt{5}, 0, g\left(\sqrt{5}, 0\right)\right)$, que es paralelo al eje x.

☑ 4.14   Utilice líneas de contorno para estimar $\partial f/\partial y$ en el punto $\left(0, \sqrt{2}\right)$ para la función

$$f(x, y) = x^2 - y^2.$$

Compare esto con la respuesta exacta.

Funciones de más de dos variables

Supongamos que tenemos una función de tres variables, como $w = f(x, y, z)$. Podemos calcular las derivadas parciales de w con respecto a cualquiera de las variables independientes, simplemente como extensiones de las definiciones de las derivadas parciales de funciones de dos variables.

Definición

Supongamos que $f(x, y, z)$ sea una función de tres variables. Entonces, la *derivada parcial de f con respecto a x*, escrita como $\partial f/\partial x$, o f_x, se define como

$$\frac{\partial f}{\partial x} = \lim_{h \to 0} \frac{f(x + h, y, z) - f(x, y, z)}{h}. \tag{4.14}$$

La *derivada parcial de f con respecto a y*, escrita como $\partial f/\partial y$, o f_y, se define como

$$\frac{\partial f}{\partial y} = \lim_{k \to 0} \frac{f(x, y + k, z) - f(x, y, z)}{k}. \tag{4.15}$$

La *derivada parcial de f con respecto a z*, escrita como $\partial f/\partial z$, o f_z, se define como

$$\frac{\partial f}{\partial z} = \lim_{m \to 0} \frac{f(x, y, z + m) - f(x, y, z)}{m}. \tag{4.16}$$

Podemos calcular una derivada parcial de una función de tres variables usando la misma idea que usamos para una función de dos variables. Por ejemplo, si tenemos una función f de x, y, y z, y queremos calcular $\partial f/\partial x$, entonces tratamos las otras dos variables independientes como si fueran constantes, luego diferenciamos con respecto a x.

EJEMPLO 4.17

Calcular las derivadas parciales de una función de tres variables
Utilice la definición de límite de las derivadas parciales para calcular $\partial f/\partial x$ para la función

$$f(x, y, z) = x^2 - 3xy + 2y^2 - 4xz + 5yz^2 - 12x + 4y - 3z.$$

Luego, calcule $\partial f/\partial y$ y $\partial f/\partial z$ estableciendo las otras dos variables constantes y diferenciando como corresponda.

⊘ **Solución**
Primero calculamos $\partial f/\partial x$ utilizando la Ecuación 4.14, luego calculamos las otras dos derivadas parciales manteniendo

constantes las variables restantes. Para utilizar la ecuación para calcular $\partial f/\partial x$, primero tenemos que calcular $f(x+h, y, z)$:

$$
\begin{aligned}
f(x+h, y, z) &= (x+h)^2 - 3(x+h)y + 2y^2 - 4(x+h)z + 5yz^2 - 12(x+h) + 4y - 3z \\
&= x^2 + 2xh + h^2 - 3xy - 3xh + 2y^2 - 4xz - 4hz + 5yz^2 - 12x - 12h + 4y - 3z
\end{aligned}
$$

y recuerde que $f(x, y, z) = x^2 - 3xy + 2y^2 - 4zx + 5yz^2 - 12x + 4y - 3z$. Luego, sustituimos estas dos expresiones en la ecuación:

$$
\begin{aligned}
\frac{\partial f}{\partial x} &= \lim_{h \to 0} \left[\frac{x^2 + 2xh + h^2 - 3xy - 3hy + 2y^2 - 4xz - 4hz + 5yz^2 - 12x - 12h + 4y - 3z}{h} \right. \\
&\qquad \left. - \frac{x^2 - 3xy + 2y^2 - 4xz + 5yz^2 - 12x + 4y - 3z}{h} \right] \\
&= \lim_{h \to 0} \left[\frac{2xh + h^2 - 3hy - 4hz - 12h}{h} \right] \\
&= \lim_{h \to 0} \left[\frac{h(2x + h - 3y - 4z - 12)}{h} \right] \\
&= \lim_{h \to 0} (2x + h - 3y - 4z - 12) \\
&= 2x - 3y - 4z - 12.
\end{aligned}
$$

Luego calculamos $\partial f/\partial y$ manteniendo x y z constantes. Por lo tanto, cualquier término que no incluya la variable y es constante, y su derivada es cero. Podemos aplicar las reglas de la suma, la diferencia y la potencia para funciones de una variable:

$$
\begin{aligned}
&\frac{\partial}{\partial y} \left[x^2 - 3xy + 2y^2 - 4xz + 5yz^2 - 12x + 4y - 3z \right] \\
&= \frac{\partial}{\partial y}[x^2] - \frac{\partial}{\partial y}[3xy] + \frac{\partial}{\partial y}[2y^2] - \frac{\partial}{\partial y}[4xz] + \frac{\partial}{\partial y}[5yz^2] - \frac{\partial}{\partial y}[12x] + \frac{\partial}{\partial y}[4y] - \frac{\partial}{\partial y}[3z] \\
&= 0 - 3x + 4y - 0 + 5z^2 - 0 + 4 - 0 \\
&= -3x + 4y + 5z^2 + 4.
\end{aligned}
$$

Para calcular $\partial f/\partial z$, mantenemos x y y constantes y aplicamos las reglas de suma, diferencia y potencia para funciones de una variable:

$$
\begin{aligned}
&\frac{\partial}{\partial z} \left[x^2 - 3xy + 2y^2 - 4xz + 5yz^2 - 12x + 4y - 3z \right] \\
&= \frac{\partial}{\partial z}[x^2] - \frac{\partial}{\partial z}[3xy] + \frac{\partial}{\partial z}[2y^2] - \frac{\partial}{\partial z}[4xz] + \frac{\partial}{\partial z}[5yz^2] - \frac{\partial}{\partial z}[12x] + \frac{\partial}{\partial z}[4y] - \frac{\partial}{\partial z}[3z] \\
&= 0 - 0 + 0 - 4x + 10yz - 0 + 0 - 3 \\
&= -4x + 10yz - 3,
\end{aligned}
$$

☑ 4.15   Utilice la definición de límite de las derivadas parciales para calcular $\partial f/\partial x$ para la función

$$
f(x, y, z) = 2x^2 - 4x^2 y + 2y^2 + 5xz^2 - 6x + 3z - 8.
$$

Luego calcule $\partial f/\partial y$ y $\partial f/\partial z$ estableciendo las otras dos variables constantes y diferenciando como corresponda.

EJEMPLO 4.18

Calcular las derivadas parciales de una función de tres variables
Calcule las tres derivadas parciales de las siguientes funciones.

a. $f(x, y, z) = \dfrac{x^2 y - 4xz + y^2}{x - 3yz}$

b. $g(x, y, z) = \operatorname{sen}\left(x^2 y - z\right) + \cos\left(x^2 - yz\right)$

⊘ **Solución**

En cada caso, trate todas las variables como constantes excepto aquella cuya derivada parcial está calculando.

a.

$$\frac{\partial f}{\partial x} = \frac{\partial}{\partial x}\left[\frac{x^2y-4xz+y^2}{x-3yz}\right]$$

$$= \frac{\frac{\partial}{\partial x}\left(x^2y-4xz+y^2\right)(x-3yz)-\left(x^2y-4xz+y^2\right)\frac{\partial}{\partial x}(x-3yz)}{(x-3yz)^2}$$

$$= \frac{(2xy-4z)(x-3yz)-\left(x^2y-4xz+y^2\right)(1)}{(x-3yz)^2}$$

$$= \frac{2x^2y-6xy^2z-4xz+12yz^2-x^2y+4xz-y^2}{(x-3yz)^2}$$

$$= \frac{x^2y-6xy^2z-4xz+12yz^2+4xz-y^2}{(x-3yz)^2}$$

$$\frac{\partial f}{\partial y} = \frac{\partial}{\partial y}\left[\frac{x^2y-4xz+y^2}{x-3yz}\right]$$

$$= \frac{\frac{\partial}{\partial y}\left(x^2y-4xz+y^2\right)(x-3yz)-\left(x^2y-4xz+y^2\right)\frac{\partial}{\partial y}(x-3yz)}{(x-3yz)^2}$$

$$= \frac{\left(x^2+2y\right)(x-3yz)-\left(x^2y-4xz+y^2\right)(-3z)}{(x-3yz)^2}$$

$$= \frac{x^3-3x^2yz+2xy-6y^2z+3x^2yz-12xz^2+3y^2z}{(x-3yz)^2}$$

$$= \frac{x^3+2xy-3y^2z-12xz^2}{(x-3yz)^2}$$

$$\frac{\partial f}{\partial z} = \frac{\partial}{\partial z}\left[\frac{x^2y-4xz+y^2}{x-3yz}\right]$$

$$= \frac{\frac{\partial}{\partial z}\left(x^2y-4xz+y^2\right)(x-3yz)-\left(x^2y-4xz+y^2\right)\frac{\partial}{\partial z}(x-3yz)}{(x-3yz)^2}$$

$$= \frac{(-4x)(x-3yz)-\left(x^2y-4xz+y^2\right)(-3y)}{(x-3yz)^2}$$

$$= \frac{-4x^2+12xyz+3x^2y^2-12xyz+3y^3}{(x-3yz)^2}$$

$$= \frac{-4x^2+3x^2y^2+3y^3}{(x-3yz)^2}$$

b.

$$\frac{\partial f}{\partial x} = \frac{\partial}{\partial x}\left[\operatorname{sen}\left(x^2y-z\right)+\cos\left(x^2-yz\right)\right]$$

$$= \left(\cos\left(x^2y-z\right)\right)\frac{\partial}{\partial x}\left(x^2y-z\right)-\left(\operatorname{sen}\left(x^2-yz\right)\right)\frac{\partial}{\partial x}\left(x^2-yz\right)$$

$$= 2xy\cos\left(x^2y-z\right)-2x\operatorname{sen}\left(x^2-yz\right)$$

$$\frac{\partial f}{\partial y} = \frac{\partial}{\partial y}\left[\operatorname{sen}\left(x^2y-z\right)+\cos\left(x^2-yz\right)\right]$$

$$= \left(\cos\left(x^2y-z\right)\right)\frac{\partial}{\partial y}\left(x^2y-z\right)-\left(\operatorname{sen}\left(x^2-yz\right)\right)\frac{\partial}{\partial y}\left(x^2-yz\right)$$

$$= x^2\cos\left(x^2y-z\right)+z\operatorname{sen}\left(x^2-yz\right)$$

$$\frac{\partial f}{\partial z} = \frac{\partial}{\partial z}\left[\operatorname{sen}\left(x^2y-z\right)+\cos\left(x^2-yz\right)\right]$$

$$= \left(\cos\left(x^2y-z\right)\right)\frac{\partial}{\partial z}\left(x^2y-z\right)-\left(\operatorname{sen}\left(x^2-yz\right)\right)\frac{\partial}{\partial z}\left(x^2-yz\right)$$

$$= -\cos\left(x^2y-z\right)+y\operatorname{sen}\left(x^2-yz\right)$$

☑   4.16   Calcule $\partial f/\partial x$, $\partial f/\partial y$, y $\partial f/\partial z$ para la función $f\left(x,y,z\right)=\sec\left(x^2y\right)-\tan\left(x^3yz^2\right)$.

Derivadas parciales de orden superior

Considere la función

$$f(x,y) = 2x^3 - 4xy^2 + 5y^3 - 6xy + 5x - 4y + 12.$$

Sus derivadas parciales son

$$\frac{\partial f}{\partial x} = 6x^2 - 4y^2 - 6y + 5 \text{ y } \frac{\partial f}{\partial y} = -8xy + 15y^2 - 6x - 4.$$

Cada una de estas derivadas parciales es una función de dos variables, por lo que podemos calcular las derivadas parciales de estas funciones. Al igual que con las derivadas de funciones de una sola variable, podemos llamarlas *derivadas de segundo orden, de tercer orden*, etc. En general, se denominan **derivadas parciales de orden superior**. Hay cuatro derivadas parciales de segundo orden para cualquier función (siempre que existan todas):

$$\frac{\partial^2 f}{\partial x^2} = \frac{\partial}{\partial x}\left[\frac{\partial f}{\partial x}\right], \quad \frac{\partial^2 f}{\partial x \partial y} = \frac{\partial}{\partial x}\left[\frac{\partial f}{\partial y}\right], \quad \frac{\partial^2 f}{\partial y \partial x} = \frac{\partial}{\partial y}\left[\frac{\partial f}{\partial x}\right], \quad \frac{\partial^2 f}{\partial y^2} = \frac{\partial}{\partial y}\left[\frac{\partial f}{\partial y}\right].$$

Una notación alternativa para cada una es f_{xx}, f_{yx}, f_{xy}, y f_{yy}, respectivamente. Las derivadas parciales de orden superior calculadas con respecto a diferentes variables, como f_{xy} y f_{yx}, se denominan comúnmente **derivadas parciales mixtas**.

EJEMPLO 4.19

Calcular derivadas parciales de segundo orden
Calcule las cuatro derivadas parciales de segundo orden de la función

$$f(x, y) = xe^{-3y} + \text{sen}\,(2x - 5y).$$

⊘ **Solución**
Para calcular $\partial^2 f / dx^2$ y $\partial^2 f / \partial y \partial x$, primero calculamos $\partial f / \partial x$:

$$\frac{\partial f}{\partial x} = e^{-3y} + 2\cos(2x - 5y).$$

Para calcular $\partial^2 f / dx^2$, diferencie $\partial f / \partial x$ con respecto a x:

$$\begin{aligned}
\frac{\partial^2 f}{\partial x^2} &= \frac{\partial}{\partial x}\left[\frac{\partial f}{\partial x}\right] \\
&= \frac{\partial}{\partial x}\left[e^{-3y} + 2\cos(2x - 5y)\right] \\
&= -4\,\text{sen}\,(2x - 5y).
\end{aligned}$$

Para calcular $\partial^2 f / \partial y \partial x$, diferencie $\partial f / \partial x$ con respecto a y:

$$\begin{aligned}
\frac{\partial^2 f}{\partial y \partial x} &= \frac{\partial}{\partial y}\left[\frac{\partial f}{\partial x}\right] \\
&= \frac{\partial}{\partial y}\left[e^{-3y} + 2\cos(2x - 5y)\right] \\
&= -3e^{-3y} + 10\,\text{sen}\,(2x - 5y).
\end{aligned}$$

Para calcular $\partial^2 f / \partial x \partial y$ y $\partial^2 f / dy^2$, calcule primero $\partial f / \partial y$:

$$\frac{\partial f}{\partial y} = -3xe^{-3y} - 5\cos(2x - 5y).$$

Para calcular $\partial^2 f / \partial x \partial y$, diferencie $\partial f / \partial y$ con respecto a x:

$$\begin{aligned}
\frac{\partial^2 f}{\partial x \partial y} &= \frac{\partial}{\partial x}\left[\frac{\partial f}{\partial y}\right] \\
&= \frac{\partial}{\partial x}\left[-3xe^{-3y} - 5\cos(2x - 5y)\right] \\
&= -3e^{-3y} + 10\,\text{sen}\,(2x - 5y).
\end{aligned}$$

Para calcular $\partial^2 f / dy^2$, diferencie $\partial f / \partial y$ con respecto a y:

$$\begin{aligned}
\frac{\partial^2 f}{\partial y^2} &= \frac{\partial}{\partial y}\left[\frac{\partial f}{\partial y}\right] \\
&= \frac{\partial}{\partial y}\left[-3xe^{-3y} - 5\cos(2x - 5y)\right] \\
&= 9xe^{-3y} - 25\,\text{sen}\,(2x - 5y).
\end{aligned}$$

☑   4.17   Calcule las cuatro derivadas parciales de segundo orden de la función
$$f(x, y) = \text{sen}(3x - 2y) + \cos(x + 4y).$$

En este punto debemos observar que, tanto en el Ejemplo 4.19 como en el punto de control, era cierto que $\partial^2 f / \partial x \partial y = \partial^2 f / \partial y \partial x$. En ciertas condiciones, esto es siempre cierto. De hecho, es una consecuencia directa del siguiente teorema.

> **Teorema 4.5**
>
> **Igualdad de las derivadas parciales mixtas (teorema de Clairaut)**
> Supongamos que $f(x, y)$ se define en un disco abierto D que contiene el punto (a, b). Si las funciones f_{xy} y f_{yx} son continuas en D, entonces $f_{xy} = f_{yx}$.

El teorema de Clairaut garantiza que mientras las derivadas mixtas de segundo orden sean continuas, no importa el orden en el que elijamos diferenciar las funciones (es decir, qué variable va primero, luego de segunda, y así sucesivamente). También puede extenderse a las derivadas de orden superior. La demostración del teorema de Clairaut se puede encontrar en la mayoría de los libros de cálculo avanzado.

Se pueden calcular otras dos derivadas parciales de segundo orden para cualquier función $f(x, y)$. La derivada parcial f_{xx} es igual a la derivada parcial de f_x con respecto a x, y f_{yy} es igual a la derivada parcial de f_y con respecto a y.

Ecuaciones diferenciales parciales

En Introducción a las ecuaciones diferenciales (http://openstax.org/books/cálculo-volumen-2/pages/4-introduccion), estudiamos las ecuaciones diferenciales en las que la función desconocida tenía una variable independiente. Una **ecuación diferencial parcial** es una ecuación que implica una función desconocida de más de una variable independiente y una o más de sus derivadas parciales. Algunos ejemplos de ecuaciones diferenciales parciales son

$$u_t = c^2 \left(u_{xx} + u_{yy}\right) \qquad (4.17)$$

(ecuación del calor en dos dimensiones)

$$u_{tt} = c^2 \left(u_{xx} + u_{yy}\right) \qquad (4.18)$$

(ecuación de onda en dos dimensiones)

$$u_{xx} + u_{yy} = 0 \qquad (4.19)$$

(ecuación de Laplace en dos dimensiones)

En las dos primeras ecuaciones, la función desconocida u tiene tres variables independientes, t, x, y y, y c es una constante arbitraria. Las variables independientes x y y se consideran variables espaciales, y la variable t representa el tiempo. En la ecuación de Laplace, la función desconocida u tiene dos variables independientes x y y.

EJEMPLO 4.20

Una solución a la ecuación de onda
Verifique que
$$u(x, y, t) = 5 \,\text{sen}(3\pi x)\,\text{sen}(4\pi y)\cos(10\pi t)$$

es una solución a la ecuación de onda
$$u_{tt} = 4 \left(u_{xx} + u_{yy}\right). \qquad (4.20)$$

⊘ **Solución**
En primer lugar, calculamos u_{tt}, u_{xx}, y u_{yy}:

$$u_{tt} = \frac{\partial}{\partial t}\left[\frac{\partial u}{\partial t}\right]$$
$$= \frac{\partial}{\partial t}\left[5 \operatorname{sen}(3\pi x)\operatorname{sen}(4\pi y)(-10\pi \operatorname{sen}(10\pi t))\right]$$
$$= \frac{\partial}{\partial t}\left[-50\pi \operatorname{sen}(3\pi x)\operatorname{sen}(4\pi y)\operatorname{sen}(10\pi t)\right]$$
$$= -500\pi^2 \operatorname{sen}(3\pi x)\operatorname{sen}(4\pi y)\cos(10\pi t)$$

$$u_{xx} = \frac{\partial}{\partial x}\left[\frac{\partial u}{\partial x}\right]$$
$$= \frac{\partial}{\partial x}\left[15\pi \cos(3\pi x)\operatorname{sen}(4\pi y)\cos(10\pi t)\right]$$
$$= -45\pi^2 \operatorname{sen}(3\pi x)\operatorname{sen}(4\pi y)\cos(10\pi t)$$

$$u_{yy} = \frac{\partial}{\partial y}\left[\frac{\partial u}{\partial y}\right]$$
$$= \frac{\partial}{\partial y}\left[5 \operatorname{sen}(3\pi x)(4\pi \cos(4\pi y))\cos(10\pi t)\right]$$
$$= \frac{\partial}{\partial y}\left[20\pi \operatorname{sen}(3\pi x)\cos(4\pi y)\cos(10\pi t)\right]$$
$$= -80\pi^2 \operatorname{sen}(3\pi x)\operatorname{sen}(4\pi y)\cos(10\pi t).$$

A continuación, sustituimos cada uno de ellos en el lado derecho de la Ecuación 4.20 y simplificamos:

$$4\left(u_{xx} + u_{yy}\right) = 4\left(-45\pi^2 \operatorname{sen}(3\pi x)\operatorname{sen}(4\pi y)\cos(10\pi t) + -80\pi^2 \operatorname{sen}(3\pi x)\operatorname{sen}(4\pi y)\cos(10\pi t)\right)$$
$$= 4\left(-125\pi^2 \operatorname{sen}(3\pi x)\operatorname{sen}(4\pi y)\cos(10\pi t)\right)$$
$$= -500\pi^2 \operatorname{sen}(3\pi x)\operatorname{sen}(4\pi y)\cos(10\pi t)$$
$$= u_{tt}.$$

Esto verifica la solución.

☑ 4.18   Verifique que $u(x, y, t) = 2 \operatorname{sen}\left(\frac{x}{3}\right)\operatorname{sen}\left(\frac{y}{4}\right)e^{-25t/16}$ es una solución a la ecuación del calor

$$u_t = 9\left(u_{xx} + u_{yy}\right). \tag{4.21}$$

Dado que la solución de la ecuación del calor bidimensional es una función de tres variables, no es fácil crear una representación visual de la solución. Podemos graficar la solución para valores fijos de t, lo que equivale a cantidades de imágenes instantáneas de las distribuciones de calor en tiempos fijos. Estas imágenes instantáneas muestran cómo se distribuye el calor en una superficie bidimensional a medida que avanza el tiempo. El gráfico de la solución anterior en el tiempo $t = 0$ aparece en la siguiente figura. A medida que avanza el tiempo, los extremos se nivelan, acercándose a cero cuando t se acerca al infinito.

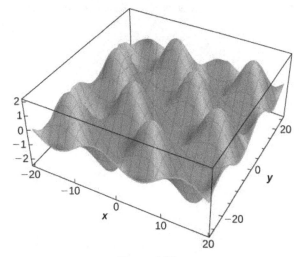

Figura 4.23

Si consideramos la ecuación del calor en una dimensión, es posible graficar la solución en el tiempo. La ecuación del calor en una dimensión se convierte en

$$u_t = c^2 u_{xx},$$

donde c^2 representa la difusividad térmica del material en cuestión. La solución de esta ecuación diferencial se puede escribir de la forma

$$u_{\mathrm{ma}}(x, t) = e^{-\pi^2 m^2 c^2 t} \operatorname{sen}(m\pi x) \tag{4.22}$$

donde m es cualquier número entero positivo. Un gráfico de esta solución utilizando $m = 1$ aparece en la Figura 4.24, donde la distribución inicial de la temperatura sobre un cable de longitud 1 viene dada por $u(x, 0) = \operatorname{sen} \pi x$. Observe que, a medida que avanza el tiempo, el cable se enfría. Esto se ve porque, de izquierda a derecha, la temperatura más alta (que se produce en el centro del cable) disminuye y cambia de color de rojo a azul.

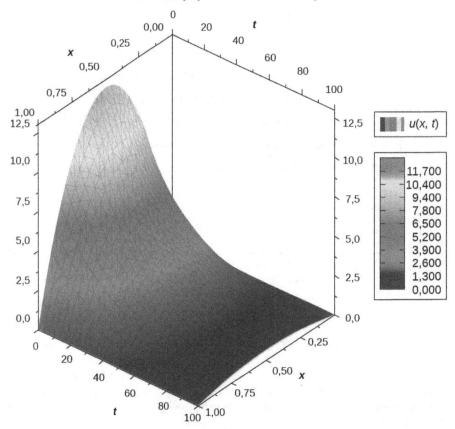

Figura 4.24   Gráfico de una solución de la ecuación del calor en una dimensión a lo largo del tiempo.

PROYECTO DE ESTUDIANTE

Lord Kelvin y la edad de la Tierra

(a) (b)

Figura 4.25 (a) William Thomson (Lord Kelvin), 1824-1907, fue un físico e ingeniero eléctrico británico; (b) Kelvin utilizó la ecuación de difusión del calor para estimar la edad de la Tierra (créditos: modificación del trabajo de la NASA).

A finales del siglo XIX, los científicos del nuevo campo de la geología llegaron a la conclusión de que la Tierra debía tener "millones y millones" de años. Más o menos al mismo tiempo, Charles Darwin había publicado su tratado sobre la evolución. La opinión de Darwin era que la evolución necesitaba muchos millones de años para producirse, e hizo la audaz afirmación de que los campos de tiza del Weald, donde se encontraron importantes fósiles, eran el resultado de 300 millones de años de erosión.

En aquella época, el eminente físico William Thomson (Lord Kelvin) utilizó una importante ecuación diferencial parcial, conocida como *ecuación de difusión del calor*, para estimar la edad de la Tierra determinando el tiempo que tardaría la Tierra en enfriarse desde la roca fundida hasta lo que teníamos en ese momento. Su conclusión fue un rango de 20 para 400 millones de años, pero lo más probable es que 50 millones de años. Durante muchas décadas, las proclamas de este ícono irrefutable de la ciencia no sentaron bien a los geólogos ni a Darwin.

▶ **MEDIOS**

Lea el artículo (http://www.openstax.org/l/20_KelEarthAge) de Kelvin sobre la estimación de la edad de la Tierra.

Kelvin hizo suposiciones razonables basadas en lo que se sabía en su época, pero también hizo varias suposiciones que resultaron ser erróneas. Una de las suposiciones incorrectas era que la Tierra es sólida y que, por tanto, el enfriamiento se producía únicamente por conducción, lo que justificaba el uso de la ecuación de difusión. Pero el error más grave fue uno perdonable: la omisión del hecho de que la Tierra contiene elementos radioactivos que suministran continuamente calor bajo el manto terrestre. El descubrimiento de la radioactividad llegó casi al final de la vida de Kelvin y este reconoció que su cálculo tendría que ser modificado.

Kelvin utilizó el sencillo modelo unidimensional aplicado solo a la capa exterior de la Tierra, y derivó la edad a partir de gráficos y del gradiente de temperatura aproximadamente conocido cerca de la superficie terrestre. Veamos una versión más adecuada de la ecuación de difusión en coordenadas radiales, que tiene la forma

$$\frac{\partial T}{\partial t} = K \left[\frac{\partial^2 T}{\partial^2 r} + \frac{2}{r} \frac{\partial T}{\partial r} \right]. \tag{4.23}$$

Aquí, $T(r, t)$ es la temperatura como una función de r (medido desde el centro de la Tierra) y el tiempo t. K es la conductividad térmica, en este caso de la roca fundida. El método estándar para resolver una ecuación diferencial parcial de este tipo es por separación de variables, donde expresamos la solución como el producto de funciones que contienen cada variable por separado. En este caso, escribiríamos la temperatura como

$$T(r, t) = R(r) f(t).$$

1. Sustituya esta forma en la Ecuación 4.13 y, observando que $f(t)$ es constante con respecto a la distancia (r) y $R(r)$ es constante con respecto al tiempo (t), demuestre que

$$\frac{1}{f} \frac{\partial f}{\partial t} = \frac{K}{R} \left[\frac{\partial^2 R}{\partial r^2} + \frac{2}{r} \frac{\partial R}{\partial r} \right].$$

2. Esta ecuación representa la separación de variables que queremos. El lado izquierdo es solo una función de t y el lado derecho es solo una función de r, y deben ser iguales para todos los valores de r y t. Por lo tanto, ambos deben ser iguales a una constante. Llamemos a esa constante $-\lambda^2$. (La conveniencia de esta elección se ve en la sustitución). Por lo tanto, tenemos

$$\frac{1}{f} \frac{\partial f}{\partial t} = -\lambda^2 \quad \text{y} \quad \frac{K}{R} \left[\frac{\partial^2 R}{\partial r^2} + \frac{2}{r} \frac{\partial R}{\partial r} \right] = -\lambda^2.$$

Ahora, podemos verificar mediante la sustitución directa de cada ecuación que las soluciones son $f(t) = Ae^{-\lambda^2 t}$ y $R(r) = B \left(\frac{\operatorname{sen} \alpha r}{r} \right) + C \left(\frac{\cos \alpha r}{r} \right)$, donde $\alpha = \lambda/\sqrt{K}$. Observe que $f(t) = Ae^{+\lambda n^2 t}$ también es una solución válida, por lo que podríamos elegir $+\lambda^2$ para nuestra constante. ¿Puede ver por qué no sería válido para este caso al aumentar el tiempo?

3. Apliquemos ahora las condiciones de frontera.

   a. La temperatura debe ser finita en el centro de la Tierra, $r = 0$. ¿Cuál de las dos constantes, B o C, debe ser, por tanto, cero para mantener R finito en $r = 0$? (Recordemos que $\operatorname{sen}(\alpha r)/r \to \alpha =$ a medida que $r \to 0$, pero $\cos(\alpha r)/r$ se comporta de manera muy diferente).

   b. Kelvin argumentó que cuando el magma llega a la superficie de la Tierra, se enfría muy rápidamente. A menudo, una persona puede tocar la superficie a las pocas semanas del flujo. Por lo tanto, la superficie alcanzó una temperatura moderada muy pronto y se mantuvo casi constante a una temperatura superficial T_s. Para simplificar, supongamos que $T = 0$ a $r = R_E$ y halle α de tal manera que esta es la temperatura allí para todo el tiempo t. (Kelvin tomó el valor como $300\,\mathrm{K} \approx 80\,°\mathrm{F}$. Podemos añadir esta constante de $300\,\mathrm{K}$ a nuestra solución más adelante). Para que esto sea cierto, el argumento del seno debe ser cero en $r = R_E$. Observe que α tiene una serie infinita de valores que satisfacen esta condición. Cada valor de α representa una solución válida (cada una con su propio valor para A). La solución total o general es la suma de todas estas soluciones.

   c. A $t = 0$, suponemos que toda la Tierra estaba a una temperatura inicial caliente T_0 (Kelvin consideró que se trataba de $7.000\,\mathrm{K}$.) La aplicación de esta condición de frontera implica la aplicación más avanzada de los coeficientes de Fourier. Como se indica en la parte b. cada valor de α_n representa una solución válida, y la solución general es una suma de todas estas soluciones. El resultado es una solución en serie:

   $$T(r, t) = \left(\frac{T_0 R_E}{\pi} \right) \sum_n \frac{(-1)^{n-1}}{n} e^{-\lambda n^2 t} \frac{\operatorname{sen}(\alpha_n r)}{r}, \text{donde } \alpha_n = n\pi/R_E.$$

Observe cómo los valores de α_n provienen de la condición de frontera aplicada en la parte b. El término $\frac{-1^{n-1}}{n}$ es la constante A_n para cada término de la serie, determinado a partir de la aplicación del método de Fourier. Suponiendo que $\beta = \frac{\pi}{R_E}$, examine los primeros términos de esta solución que se muestra aquí y observe cómo λ^2 en la exponencial hace que los términos superiores disminuyan rápidamente a medida que avanza el tiempo:

$$T(r, t) = \frac{T_0 R_E}{\pi r} \left(\begin{array}{l} e^{-K\beta^2 t} (\operatorname{sen} \beta r) - \frac{1}{2} e^{-4K\beta^2 t} (\operatorname{sen} 2\beta r) + \frac{1}{3} e^{-9K\beta^2 t} (\operatorname{sen} 3\beta r) \\ -\frac{1}{4} e^{-16K\beta^2 t} (\operatorname{sen} 4\beta r) + \frac{1}{5} e^{-25K\beta^2 t} (\operatorname{sen} 5\beta r) \dots \end{array} \right).$$

Cerca al tiempo $t = 0$, muchos términos de la solución son necesarios para la exactitud. Insertar los valores de la conductividad K y $\beta = \pi/R_E$ para el tiempo que se aproxima meramente a los miles de años, solo los primeros términos hacen una contribución significativa. Kelvin solo tuvo que observar la solución cerca de la superficie de la Tierra (Figura 4.26) y, después de mucho tiempo, determinar qué tiempo daba mejor resultado que el gradiente de temperatura estimado conocido durante su época ($1°F$ por 50 pies). Simplemente eligió un rango de tiempos con un gradiente cercano a este valor. En la Figura 4.26, las soluciones se trazan y escalan, con $300 - K$, la temperatura de la superficie añadida. Observe que el centro de la Tierra estaría relativamente frío. En ese momento, se pensaba que la Tierra debía ser sólida.

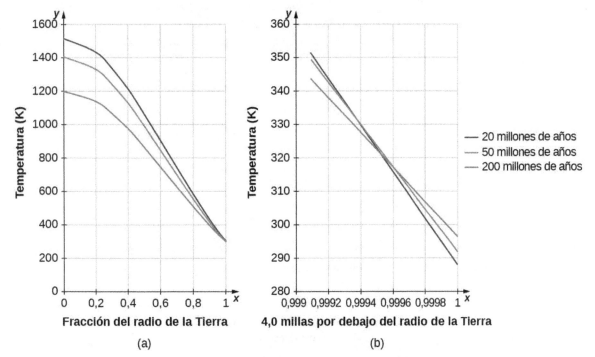

Figura 4.26 Temperatura versus distancia radial desde el centro de la Tierra. (a) Resultados de Kelvin, trazados a escala. (b) Un acercamiento de los resultados a una profundidad de 4,0 mi debajo de la superficie de la Tierra.

Epílogo

El 20 de mayo de 1904, el físico Ernest Rutherford habló en la Royal Institution para anunciar un cálculo revisado que incluía la contribución de la radioactividad como fuente de calor de la Tierra. En palabras del propio Rutherford:

"Entré en la sala, que estaba medio oscura, y enseguida vi a Lord Kelvin entre el público, y me di cuenta de que me iba a meter en un lío en la última parte de mi discurso sobre la edad de la Tierra, en la que mis opiniones entraban en conflicto con las suyas. Para mi alivio, Kelvin se quedó profundamente dormido, pero cuando llegué al punto importante, vi que el viejo pájaro se incorporaba, abría un ojo y me lanzaba una mirada funesta.

Entonces llegó una inspiración repentina y dije que Lord Kelvin había limitado la edad de la Tierra, *siempre que no se descubriera una nueva fuente* [*de calor*]. Esa expresión profética se refería a lo que estamos considerando esta noche, ¡el radio! ¡Contemplen! El anciano me sonrió".

Rutherford calculó una edad para la Tierra de aproximadamente 500 millones de años. El valor aceptado hoy en día de la edad de la Tierra es de aproximadamente 4,6 mil millones de años.

SECCIÓN 4.3 EJERCICIOS

En los siguientes ejercicios, calcule la derivada parcial utilizando únicamente las definiciones de límite.

112. $\frac{\partial z}{\partial x}$ por $z = x^2 - 3xy + y^2$ **113.** $\frac{\partial z}{\partial y}$ por $z = x^2 - 3xy + y^2$

En los siguientes ejercicios, calcule el signo de la derivada parcial utilizando el gráfico de la superficie.

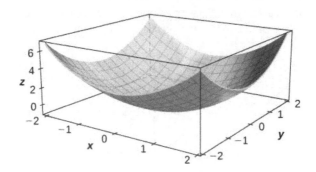

114. $f_x(1,1)$ grandes.

115. $f_x(-1,1)$

116. $f_y(1,1)$ grandes.

117. $f_x(0,0)$

En los siguientes ejercicios, calcule las derivadas parciales.

118. $\frac{\partial z}{\partial x}$ por $z = \text{sen}(3x)\cos(3y)$ grandes.

119. $\frac{\partial z}{\partial y}$ por $z = \text{sen}(3x)\cos(3y)$ grandes.

120. $\frac{\partial z}{\partial x}$ y $\frac{\partial z}{\partial y}$ por $z = x^8 e^{3y}$

121. $\frac{\partial z}{\partial x}$ y $\frac{\partial z}{\partial y}$ por $z = \ln\left(x^6 + y^4\right)$ grandes.

122. Calcule $f_y(x,y)$ por $f(x,y) = e^{xy}\cos(x)\text{sen}(y)$.

123. Supongamos que $z = e^{xy}$. Calcule $\frac{\partial z}{\partial x}$ y $\frac{\partial z}{\partial y}$.

124. Supongamos que $z = \ln\left(\frac{x}{y}\right)$. Calcule $\frac{\partial z}{\partial x}$ y $\frac{\partial z}{\partial y}$.

125. Supongamos que $z = \tan(2x - y)$. Calcule $\frac{\partial z}{\partial x}$ y $\frac{\partial z}{\partial y}$.

126. Supongamos que $z = \text{senoh}\,(2x + 3y)$. Calcule $\frac{\partial z}{\partial x}$ y $\frac{\partial z}{\partial y}$.

127. Supongamos que $f(x,y) = \arctan\left(\frac{y}{x}\right)$. Evalúe $f_x(2,-2)$ y $f_y(2,-2)$.

128. Supongamos que $f(x,y) = \frac{xy}{x-y}$. Calcule $f_x(2,-2)$ y $f_y(2,-2)$.

Evalúe las derivadas parciales en el punto $P(0,1)$.

129. Calcule $\frac{\partial z}{\partial x}$ a las $(0,1)$ por $z = e^{-x}\cos(y)$.

130. Dado que $f(x,y,z) = x^3 yz^2$, calcule $\frac{\partial^2 f}{\partial x \partial y}$ y $f_z(1,1,1)$.

131. Dado que $f(x,y,z) = 2\,\text{sen}\,(x+y)$, calcule $f_x\left(0, \frac{\pi}{2}, -4\right)$, $f_y\left(0, \frac{\pi}{2}, -4\right)$, y $f_z\left(0, \frac{\pi}{2}, -4\right)$.

132. El área de un paralelogramo con longitudes laterales adyacentes que son a y b, y en el que el ángulo entre estos dos lados es θ, viene dada por la función $A(a, b, \theta) = ba \, \text{sen}(\theta)$. Calcule la tasa de cambio del área del paralelogramo con respecto a lo siguiente:

    a. Lado a
    b. Lado b
    c. Ángulo θ

133. Exprese el volumen de un cilindro circular recto en función de dos variables:

    a. su radio r y su altura h.
    b. Demuestre que la tasa de cambio del volumen del cilindro con respecto a su radio es el producto de su circunferencia por su altura.
    c. Demuestre que la tasa de cambio del volumen del cilindro con respecto a su altura es igual al área de la base circular.

134. Calcule $\frac{\partial w}{\partial z}$ por
$$w = z \, \text{sen}(xy^2 + 2z).$$

Halle las derivadas parciales de orden superior indicadas.

135. f_{xy} por $z = \ln(x - y)$ grandes.

136. f_{yx} por $z = \ln(x - y)$

137. Supongamos que $z = x^2 + 3xy + 2y^2$. Calcule $\frac{\partial^2 z}{\partial x^2}$ y $\frac{\partial^2 z}{\partial y^2}$.

138. Dados $z = e^x \tan y$, calcule $\frac{\partial^2 z}{\partial x \partial y}$ y $\frac{\partial^2 z}{\partial y \partial x}$.

139. Dado que $f(x, y, z) = xyz$, calcule f_{xyy}, f_{yxy}, y f_{yyx}.

140. Dado que $f(x, y, z) = e^{-2x} \, \text{sen}\left(z^2 y\right)$, demuestre que $f_{xyy} = f_{yxy}$.

141. Demuestre que $z = \frac{1}{2}\left(e^y - e^{-y}\right) \text{sen} \, x$ es una solución de la ecuación diferencial $\frac{\partial^2 z}{\partial x^2} + \frac{\partial^2 z}{\partial y^2} = 0$.

142. Calcule $f_{xx}(x, y)$ por
$$f(x, y) = \frac{4x^2}{y} + \frac{y^2}{2x}.$$

143. Supongamos que $f(x, y, z) = x^2 y^3 z - 3xy^2 z^3 + 5x^2 z - y^3 z$. Calcule f_{xyz}.

144. Supongamos que $F(x, y, z) = x^3 yz^2 - 2x^2 yz + 3xz - 2y^3 z$. Calcule F_{xyz}.

145. Dado que $f(x, y) = x^2 + x - 3xy + y^3 - 5$, calcule todos los puntos en los que $f_x = f_y = 0$ simultáneamente.

146. Dado que $f(x, y) = 2x^2 + 2xy + y^2 + 2x - 3$, calcule todos los puntos en los que $\frac{\partial f}{\partial x} = 0$ y $\frac{\partial f}{\partial y} = 0$ simultáneamente.

147. Dados $f(x, y) = y^3 - 3yx^2 - 3y^2 - 3x^2 + 1$, calcule todos los puntos en f en los que $f_x = f_y = 0$ simultáneamente.

148. Dado que $f(x, y) = 15x^3 - 3xy + 15y^3$, calcule todos los puntos en los que $f_x(x, y) = f_y(x, y) = 0$ simultáneamente.

149. Demuestre que $z = e^x \operatorname{sen} y$ satisface la ecuación $\frac{\partial^2 z}{\partial x^2} + \frac{\partial^2 z}{\partial y^2} = 0$.

150. Demuestre que $f(x,y) = \ln\left(x^2 + y^2\right)$ resuelve la ecuación de Laplace $\frac{\partial^2 z}{\partial x^2} + \frac{\partial^2 z}{\partial y^2} = 0$.

151. Demuestre que $z = e^{-t}\cos\left(\frac{x}{c}\right)$ satisface la ecuación del calor $\frac{\partial z}{\partial t} = -e^{-t}\cos\left(\frac{x}{c}\right)$.

152. Halle $\lim\limits_{\Delta x \to 0} \frac{f(x+\Delta x) - f(x,y)}{\Delta x}$ por $f(x,y) = -7x - 2xy + 7y$.

153. Halle $\lim\limits_{\Delta y \to 0} \frac{f(x, y+\Delta y) - f(x,y)}{\Delta y}$ por $f(x,y) = -7x - 2xy + 7y$.

154. Halle $\lim\limits_{\Delta x \to 0} \frac{\Delta f}{\Delta x} = \lim\limits_{\Delta x \to 0} \frac{f(x+\Delta x, y) - f(x,y)}{\Delta x}$ por $f(x,y) = x^2 y^2 + xy + y$.

155. Halle $\lim\limits_{\Delta x \to 0} \frac{\Delta f}{\Delta x} = \lim\limits_{\Delta x \to 0} \frac{f(x+\Delta x, y) - f(x,y)}{\Delta x}$ por $f(x,y) = \operatorname{sen}(xy)$.

156. La función $P(T,V) = \frac{nRT}{V}$ da la presión en un punto de un gas en función de la temperatura T y el volumen V. Las letras n y R son constantes. Calcule $\frac{\partial P}{\partial V}$ y $\frac{\partial P}{\partial T}$, y explique lo que representan estas cantidades.

157. La ecuación del flujo de calor en el plano xy es $\frac{\partial f}{\partial t} = \frac{\partial^2 f}{\partial x^2} + \frac{\partial^2 f}{\partial y^2}$. Demuestre que $f(x,y,t) = e^{-2t} \operatorname{sen} x \operatorname{sen} y$ es una solución.

158. La ecuación de onda básica es $f_{tt} = f_{xx}$. Verifique que $f(x,t) = \operatorname{sen}(x+t)$ y $f(x,t) = \operatorname{sen}(x-t)$ son soluciones.

159. La ley de los cosenos se puede considerar como una función de tres variables. Supongamos que x, y, y θ sean dos lados de cualquier triángulo en el que el ángulo θ es el ángulo incluido entre los dos lados. Entonces, $F(x,y,\theta) = x^2 + y^2 - 2xy \cos\theta$ da el cuadrado del tercer lado del triángulo. Calcule $\frac{\partial F}{\partial \theta}$ y $\frac{\partial F}{\partial x}$ cuando $x = 2$, $y = 3$, y $\theta = \frac{\pi}{6}$.

160. Supongamos que los lados de un rectángulo cambian con respecto al tiempo. El primer lado está cambiando a un ritmo de 2 in/s mientras que el segundo lado está cambiando a la velocidad de 4 in/s. ¿Qué tan rápido cambia la diagonal del rectángulo cuando el primer lado mide 16 in y el segundo lado mide 20 in? (Redondee la respuesta a tres decimales).

161. Una función de producción Cobb-Douglas es $f(x,y) = 200x^{0,7}y^{0,3}$, donde x y y representan la cantidad de mano de obra y capital disponibles. Supongamos que $x = 500$ y $y = 1.000$. Calcule $\frac{\delta f}{\delta x}$ y $\frac{\delta f}{\delta y}$ para estos valores, que representan la productividad marginal del trabajo y del capital, respectivamente.

162. El índice de temperatura aparente es una medida de cómo se siente la temperatura, y se basa en dos variables h, que es la humedad relativa y t, que es la temperatura del aire.

$A = 0,885t - 22,4h + 1,20th - 0,544$. Calcule $\frac{\partial A}{\partial t}$ y $\frac{\partial A}{\partial h}$ cuando $t = 20°F$ y $h = 0,90$.

4.4 Planos tangentes y aproximaciones lineales

Objetivos de aprendizaje

4.4.1 Determinar la ecuación de un plano tangente a una superficie dada en un punto.

4.4.2 Utilizar el plano tangente para aproximar una función de dos variables en un punto.

4.4.3 Explicar cuándo una función de dos variables es diferenciable.

4.4.4 Utilizar la diferencial total para aproximar el cambio de una función de dos variables.

En esta sección consideramos el problema de hallar el plano tangente a una superficie, que es análogo a hallar la ecuación de una línea tangente a una curva cuando esta está definida por el gráfico de una función de una variable, $y = f(x)$. La pendiente de la línea tangente en el punto $x = a$ viene dada por $m = f'(a)$; ¿cuál es la pendiente de un plano tangente? Aprendimos sobre la ecuación de un plano en <u>Ecuaciones de líneas y planos en el espacio</u>; en esta sección, vemos cómo se puede aplicar al problema que nos ocupa.

Planos tangentes

Intuitivamente, parece claro que, en un plano, solo una línea puede ser tangente a una curva en un punto. Sin embargo, en el espacio tridimensional, muchas líneas pueden ser tangentes a un punto determinado. Si estas líneas se encuentran en el mismo plano, determinan el plano tangente en ese punto. Un plano tangente a un punto regular contiene todas las líneas tangentes a ese punto. Una forma más intuitiva de pensar en un plano tangente es suponer que la superficie es lisa en ese punto (sin esquinas). Entonces, una línea tangente a la superficie en ese punto en cualquier dirección no tiene cambios bruscos de pendiente porque la dirección cambia suavemente.

> **Definición**
>
> Supongamos que $P_0 = (x_0, y_0, z_0)$ es un punto de una superficie S, y supongamos que C es cualquier curva que pase por P_0 y que se encuentre totalmente en S. Si las líneas tangentes a todas esas curvas C a las P_0 se encuentran en el mismo plano, entonces este plano se llama **plano tangente** a S a las P_0 (<u>Figura 4.27</u>).

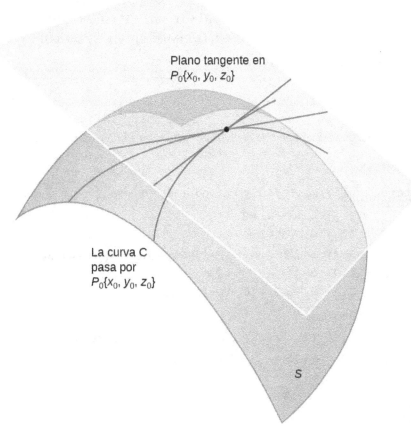

Figura 4.27   El plano tangente a una superficie S en un punto P_0 contiene todas las líneas tangentes a las curvas en S

que pasan por P_0.

Para que exista un plano tangente a una superficie en un punto de la misma, basta con que la función que define la superficie sea diferenciable en ese punto, definido más adelante en esta sección. Definimos aquí el término plano tangente y luego exploramos la idea de forma intuitiva.

Definición

Supongamos que S es una superficie definida por una función diferenciable $z = f(x, y)$, y supongamos que $P_0 = (x_0, y_0)$ es un punto en el dominio de f. Entonces, la ecuación del plano tangente a S a las P_0 está dada por

$$z = f(x_0, y_0) + f_x(x_0, y_0)(x - x_0) + f_y(x_0, y_0)(y - y_0). \qquad (4.24)$$

Para ver por qué esta fórmula es correcta, hallemos primero dos líneas tangentes a la superficie S. La ecuación de la línea tangente a la curva que está representada por la intersección de S con la traza vertical dada por $x = x_0$ ¿es $z = f(x_0, y_0) + f_y(x_0, y_0)(y - y_0)$. Igualmente, la ecuación de la línea tangente a la curva que está representada por la intersección de S con la traza vertical dada por $y = y_0$ ¿es $z = f(x_0, y_0) + f_x(x_0, y_0)(x - x_0)$. Un vector paralelo a la primera línea tangente es $\mathbf{a} = \mathbf{j} + f_y(x_0, y_0)\mathbf{k}$; un vector paralelo a la segunda línea tangente es $\mathbf{b} = \mathbf{i} + f_x(x_0, y_0)\mathbf{k}$. Podemos tomar el producto vectorial de estos dos vectores:

$$
\begin{aligned}
\mathbf{a} \times \mathbf{b} &= \left(\mathbf{j} + f_y(x_0, y_0)\mathbf{k}\right) \times \left(\mathbf{i} + f_x(x_0, y_0)\mathbf{k}\right) \\
&= \begin{vmatrix} \mathbf{i} & \mathbf{j} & \mathbf{k} \\ 0 & 1 & f_y(x_0, y_0) \\ 1 & 0 & f_x(x_0, y_0) \end{vmatrix} \\
&= f_x(x_0, y_0)\mathbf{i} + f_y(x_0, y_0)\mathbf{j} - \mathbf{k}.
\end{aligned}
$$

Este vector es perpendicular a ambas líneas y, por tanto, es perpendicular al plano tangente. Podemos utilizar este vector como vector normal al plano tangente, junto con el punto $P_0 = (x_0, y_0, f(x_0, y_0))$ en la ecuación de un plano:

$$
\begin{aligned}
\mathbf{n} \cdot ((x - x_0)\mathbf{i} + (y - y_0)\mathbf{j} + (z - f(x_0, y_0))\mathbf{k}) &= 0 \\
\left(f_x(x_0, y_0)\mathbf{i} + f_y(x_0, y_0)\mathbf{j} - \mathbf{k}\right) \cdot ((x - x_0)\mathbf{i} + (y - y_0)\mathbf{j} + (z - f(x_0, y_0))\mathbf{k}) &= 0 \\
f_x(x_0, y_0)(x - x_0) + f_y(x_0, y_0)(y - y_0) - (z - f(x_0, y_0)) &= 0.
\end{aligned}
$$

Resolviendo esta ecuación para z nos da la Ecuación 4.24.

EJEMPLO 4.21

Hallar un plano tangente

Halle la ecuación del plano tangente a la superficie definida por la función $f(x, y) = 2x^2 - 3xy + 8y^2 + 2x - 4y + 4$ en el punto $(2, -1)$.

⊘ **Solución**

En primer lugar, debemos calcular $f_x(x, y)$ y $f_y(x, y)$, y luego utilice la Ecuación 4.24 con $x_0 = 2$ y $y_0 = -1$:

$$
\begin{aligned}
f_x(x, y) &= 4x - 3y + 2 \\
f_y(x, y) &= -3x + 16y - 4 \\
f(2, -1) &= 2(2)^2 - 3(2)(-1) + 8(-1)^2 + 2(2) - 4(-1) + 4 = 34. \\
f_x(2, -1) &= 4(2) - 3(-1) + 2 = 13 \\
f_y(2, -1) &= -3(2) + 16(-1) - 4 = -26.
\end{aligned}
$$

Entonces la Ecuación 4.24 se convierte en

$$
\begin{aligned}
z &= f(x_0, y_0) + f_x(x_0, y_0)(x - x_0) + f_y(x_0, y_0)(y - y_0) \\
z &= 34 + 13(x - 2) - 26(y - (-1)) \\
z &= 34 + 13x - 26 - 26y - 26 \\
z &= 13x - 26y - 18.
\end{aligned}
$$

(Vea la siguiente figura).

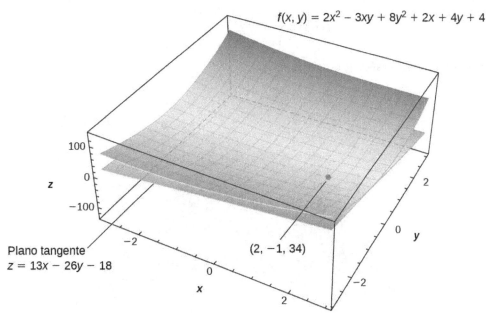

$f(x, y) = 2x^2 - 3xy + 8y^2 + 2x + 4y + 4$

Plano tangente
$z = 13x - 26y - 18$

$(2, -1, 34)$

Figura 4.28 Calculando la ecuación de un plano tangente a una superficie dada en un punto determinado.

☑ 4.19   Halle la ecuación del plano tangente a la superficie definida por la función
$f(x, y) = x^3 - x^2 y + y^2 - 2x + 3y - 2$ en el punto $(-1, 3)$.

EJEMPLO 4.22

Hallar otro plano tangente
Halle la ecuación del plano tangente a la superficie definida por la función $f(x, y) = \operatorname{sen}(2x)\cos(3y)$ en el punto $(\pi/3, \pi/4)$.

⊘ **Solución**
En primer lugar, calcule $f_x(x, y)$ y $f_y(x, y)$, y luego utilice la Ecuación 4.24 con $x_0 = \pi/3$ y $y_0 = \pi/4$:

$$
\begin{aligned}
f_x(x, y) &= 2\cos(2x)\cos(3y) \\
f_y(x, y) &= -3\operatorname{sen}(2x)\operatorname{sen}(3y) \\
f\left(\tfrac{\pi}{3}, \tfrac{\pi}{4}\right) &= \operatorname{sen}\left(2\left(\tfrac{\pi}{3}\right)\right)\cos\left(3\left(\tfrac{\pi}{4}\right)\right) = \left(\tfrac{\sqrt{3}}{2}\right)\left(-\tfrac{\sqrt{2}}{2}\right) = -\tfrac{\sqrt{6}}{4} \\
f_x\left(\tfrac{\pi}{3}, \tfrac{\pi}{4}\right) &= 2\cos\left(2\left(\tfrac{\pi}{3}\right)\right)\cos\left(3\left(\tfrac{\pi}{4}\right)\right) = 2\left(-\tfrac{1}{2}\right)\left(-\tfrac{\sqrt{2}}{2}\right) = \tfrac{\sqrt{2}}{2} \\
f_y\left(\tfrac{\pi}{3}, \tfrac{\pi}{4}\right) &= -3\operatorname{sen}\left(2\left(\tfrac{\pi}{3}\right)\right)\operatorname{sen}\left(3\left(\tfrac{\pi}{4}\right)\right) = -3\left(\tfrac{\sqrt{3}}{2}\right)\left(\tfrac{\sqrt{2}}{2}\right) = -\tfrac{3\sqrt{6}}{4}.
\end{aligned}
$$

Entonces la Ecuación 4.24 se convierte en

$$z = f(x_0, y_0) + f_x(x_0, y_0)(x - x_0) + f_y(x_0, y_0)(y - y_0)$$

$$z = -\tfrac{\sqrt{6}}{4} + \tfrac{\sqrt{2}}{2}\left(x - \tfrac{\pi}{3}\right) - \tfrac{3\sqrt{6}}{4}\left(y - \tfrac{\pi}{4}\right)$$

$$z = \tfrac{\sqrt{2}}{2}x - \tfrac{3\sqrt{6}}{4}y - \tfrac{\sqrt{6}}{4} - \tfrac{\pi\sqrt{2}}{6} + \tfrac{3\pi\sqrt{6}}{16}.$$

Un plano tangente a una superficie no siempre existe en todos los puntos de la superficie. Considere la función

$$f(x, y) = \begin{cases} \dfrac{xy}{\sqrt{x^2+y^2}} & (x, y) \neq (0, 0) \\ 0 & (x, y) = (0, 0) . \end{cases}$$

A continuación se muestra el gráfico de esta función.

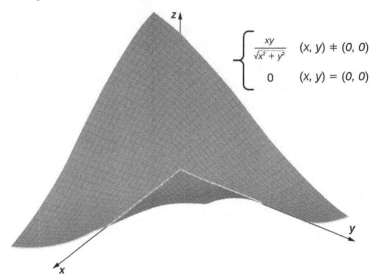

Figura 4.29   Gráfico de una función que no tiene plano tangente en el origen.

Si $x = 0$ o $y = 0$, entonces $f(x, y) = 0$, para que el valor de la función no cambie ni en el eje x ni en el eje y. Por lo tanto, $f_x(x, 0) = f_y(0, y) = 0$, así como x i y se acercan a cero, estas derivadas parciales se mantienen iguales a cero. Sustituyéndolas en la Ecuación 4.24 se obtiene $z = 0$ como la ecuación de la línea tangente. Sin embargo, si nos acercamos el origen desde una dirección diferente, obtenemos una historia distinta. Por ejemplo, supongamos que nos acercamos al origen por la línea $y = x$. Si ponemos $y = x$ en la función original, se convierte en

$$f(x, x) = \frac{x(x)}{\sqrt{x^2 + (x)^2}} = \frac{x^2}{\sqrt{2x^2}} = \frac{|x|}{\sqrt{2}}.$$

Cuando $x > 0$, la pendiente de esta curva es igual a $\sqrt{2}/2$; cuando $x < 0$, la pendiente de esta curva es igual a $-\left(\sqrt{2}/2\right)$. Esto plantea un problema. En la definición de *plano tangente*, hemos supuesto que todas las líneas tangentes que pasan por el punto P (en este caso, el origen) estaban en el mismo plano. Es evidente que este no es el caso. Cuando estudiemos las funciones diferenciables, veremos que esta función no es diferenciable en el origen.

Aproximaciones lineales

Recordemos que en Aproximaciones lineales y diferenciales (http://openstax.org/books/cálculo-volumen-1/pages/4-2-aproximaciones-lineales-y-diferenciales) la fórmula para la aproximación lineal de una función $f(x)$ en el punto $x = a$ viene dada por

$$y \approx f(a) + f'(a)(x - a).$$

El diagrama para la aproximación lineal de una función de una variable aparece en el siguiente gráfico.

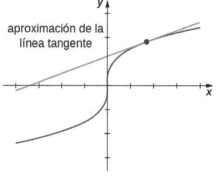

Figura 4.30   Aproximación lineal de una función en una variable.

La línea tangente puede utilizarse como una aproximación a la función $f(x)$ para los valores de x razonablemente cerca de $x = a$. Cuando se trabaja con una función de dos variables, la línea tangente se sustituye por un plano tangente, pero la idea de aproximación es muy parecida.

Definición

Dada una función $z = f(x, y)$ con derivadas parciales continuas que existen en el punto (x_0, y_0), la **aproximación lineal** de f en el punto (x_0, y_0) está dada por la ecuación

$$L(x, y) = f(x_0, y_0) + f_x(x_0, y_0)(x - x_0) + f_y(x_0, y_0)(y - y_0).$$ (4.25)

Observe que esta ecuación también representa el plano tangente a la superficie definida por $z = f(x, y)$ en el punto (x_0, y_0). La idea de utilizar una aproximación lineal es que, si hay un punto (x_0, y_0) en el que el valor preciso de $f(x, y)$ es conocido, entonces para valores de (x, y) razonablemente cerca de (x_0, y_0), la aproximación lineal (es decir, el plano tangente) arroja un valor que también se aproxima razonablemente al valor exacto de $f(x, y)$ (Figura 4.31). Además el plano que se utiliza para hallar la aproximación lineal es también el plano tangente a la superficie en el punto (x_0, y_0).

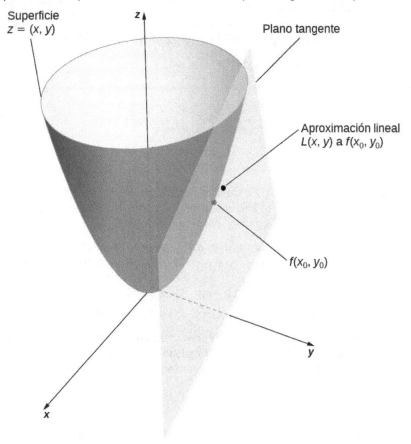

Figura 4.31   Uso de un plano tangente para la aproximación lineal en un punto.

EJEMPLO 4.23

Usar una aproximación al plano tangente

Dada la función $f(x, y) = \sqrt{41 - 4x^2 - y^2}$, aproxime $f(2.1, 2.9)$ utilizando el punto $(2, 3)$ por (x_0, y_0). ¿Cuál es el valor aproximado de $f(2.1, 2.9)$ con cuatro decimales?

⊘ **Solución**

Para aplicar la Ecuación 4.25, primero debemos calcular $f(x_0, y_0)$, $f_x(x_0, y_0)$, y $f_y(x_0, y_0)$ utilizando $x_0 = 2$ y $y_0 = 3$:

$$f(x_0, y_0) = f(2,3) = \sqrt{41 - 4(2)^2 - (3)^2} = \sqrt{41 - 16 - 9} = \sqrt{16} = 4$$

$$f_x(x,y) = -\frac{4x}{\sqrt{41-4x^2-y^2}} \text{ por lo que } f_x(x_0,y_0) = -\frac{4(2)}{\sqrt{41-4(2)^2-(3)^2}} = -2$$

$$f_y(x,y) = -\frac{y}{\sqrt{41-4x^2-y^2}} \text{ por lo que } f_y(x_0,y_0) = -\frac{3}{\sqrt{41-4(2)^2-(3)^2}} = -\frac{3}{4}.$$

Ahora sustituimos estos valores en la Ecuación 4.25:

$$\begin{aligned} L(x,y) &= f(x_0,y_0) + f_x(x_0,y_0)(x-x_0) + f_y(x_0,y_0)(y-y_0) \\ &= 4 - 2(x-2) - \tfrac{3}{4}(y-3) \\ &= \tfrac{41}{4} - 2x - \tfrac{3}{4}y. \end{aligned}$$

Por último, sustituimos $x = 2,1$ y $y = 2,9$ en $L(x,y)$:

$$L(2,1,2,9) = \frac{41}{4} - 2(2,1) - \frac{3}{4}(2,9) = 10,25 - 4,2 - 2,175 = 3,875.$$

El valor aproximado de $f(2,1,2,9)$ con cuatro decimales es

$$f(2,1,2,9) = \sqrt{41 - 4(2,1)^2 - (2,9)^2} = \sqrt{14,95} \approx 3,8665,$$

que corresponde a un 0,2 % de error de aproximación.

☑   4.20   Dada la función $f(x,y) = e^{5-2x+3y}$, aproxime $f(4,1,0,9)$ utilizando el punto $(4,1)$ por (x_0, y_0). ¿Cuál es el valor aproximado de $f(4,1,0,9)$ con cuatro decimales?

Diferenciabilidad

Cuando se trabaja con una función $y = f(x)$ de una variable, se dice que la función es diferenciable en un punto $x = a$ si $f'(a)$. Además, si una función de una variable es diferenciable en un punto, el gráfico es "regular" en ese punto (es decir, no existen vértices) y una línea tangente está bien definida en ese punto.

La idea de diferenciabilidad de una función de dos variables está relacionada con la idea de regularidad en ese punto. En este caso, se considera que una superficie es regular en el punto P si existe un plano tangente a la superficie en ese punto. Si una función es diferenciable en un punto, entonces existe un plano tangente a la superficie en ese punto. Recordemos que la fórmula de un plano tangente en un punto (x_0, y_0) está dada por

$$z = f(x_0, y_0) + f_x(x_0, y_0)(x-x_0) + f_y(x_0, y_0)(y-y_0),$$

Para que exista un plano tangente en el punto (x_0, y_0), las derivadas parciales deben, por tanto, existir en ese punto. Sin embargo, esta no es una condición suficiente para la regularidad, como se ilustró en la Figura 4.29. En ese caso, las derivadas parciales existían en el origen, pero la función también tenía una esquina en el gráfico en el origen.

Definición

Una función $f(x,y)$ es **diferenciable** en un punto $P(x_0, y_0)$ si, para todos los puntos (x,y) en un disco δ alrededor de P, podemos escribir

$$f(x,y,z) = f(x_0,y_0) + f_x(x_0,y_0)(x-x_0) + f_y(x_0,y_0)(y-y_0) + E(x,y), \qquad (4.26)$$

donde el término de error E satisface

$$\lim_{(x,y)\to(x_0,y_0)} \frac{E(x,y)}{\sqrt{(x-x_0)^2 + (y-y_0)^2}} = 0.$$

El último término en la Ecuación 4.26 se denomina *término de error* y representa la proximidad del plano tangente a la superficie en una pequeña zona (δ) del punto P. Para que la función f sea diferenciable en P, la función debe ser regular, es decir, el gráfico de f debe estar cerca del plano tangente para los puntos cercanos a P.

EJEMPLO 4.24

Demostrar la diferenciación

Demuestre que la función $f(x, y) = 2x^2 - 4y$ es diferenciable en el punto $(2, -3)$.

⊘ **Solución**

En primer lugar, calculamos $f(x_0, y_0)$, $f_x(x_0, y_0)$, y $f_y(x_0, y_0)$ utilizando $x_0 = 2$ y $y_0 = -3$, entonces utilizamos la Ecuación 4.26:

$$
\begin{aligned}
f(2, -3) &= 2(2)^2 - 4(-3) = 8 + 12 = 20 \\
f_x(2, -3) &= 4(2) = 8 \\
f_y(2, -3) &= -4.
\end{aligned}
$$

Por lo tanto, $m_1 = 8$ y $m_2 = -4$, y la Ecuación 4.26 se convierte en

$$
\begin{aligned}
f(x, y) &= f(2, -3) + f_x(2, -3)(x - 2) + f_y(2, -3)(y + 3) + E(x, y) \\
2x^2 - 4y &= 20 + 8(x - 2) - 4(y + 3) + E(x, y) \\
2x^2 - 4y &= 20 + 8x - 16 - 4y - 12 + E(x, y) \\
2x^2 - 4y &= 8x - 4y - 8 + E(x, y) \\
E(x, y) &= 2x^2 - 8x + 8.
\end{aligned}
$$

A continuación, calculamos $\displaystyle\lim_{(x,y)\to(x_0,y_0)} \frac{E(x,y)}{\sqrt{(x-x_0)^2+(y-y_0)^2}}$:

$$
\begin{aligned}
\lim_{(x,y)\to(x_0,y_0)} \frac{E(x,y)}{\sqrt{(x-x_0)^2+(y-y_0)^2}} &= \lim_{(x,y)\to(2,-3)} \frac{2x^2-8x+8}{\sqrt{(x-2)^2+(y+3)^2}} \\
&= \lim_{(x,y)\to(2,-3)} \frac{2\left(x^2-4x+4\right)}{\sqrt{(x-2)^2+(y+3)^2}} \\
&= \lim_{(x,y)\to(2,-3)} \frac{2(x-2)^2}{\sqrt{(x-2)^2+(y+3)^2}} \\
&\leq \lim_{(x,y)\to(2,-3)} \frac{2\left((x-2)^2+(y+3)^2\right)}{\sqrt{(x-2)^2+(y+3)^2}} \\
&= \lim_{(x,y)\to(2,-3)} 2\sqrt{(x-2)^2+(y+3)^2} \\
&= 0,
\end{aligned}
$$

Dado que $E(x, y) \geq 0$ para cualquier valor de x o y, el límite original debe ser igual a cero. Por lo tanto, $f(x, y) = 2x^2 - 4y$ es diferenciable en el punto $(2, -3)$.

☑ 4.21   Demuestre que la función $f(x, y) = 3x - 4y^2$ es diferenciable en el punto $(-1, 2)$.

La función $f(x, y) = \begin{cases} \dfrac{xy}{\sqrt{x^2+y^2}} & (x, y) \neq (0, 0) \\ 0 & (x, y) = (0, 0) \end{cases}$ no es diferenciable en el origen. Podemos comprobarlo calculando las

derivadas parciales. Esta función apareció anteriormente en la sección, donde demostramos que $f_x(0, 0) = f_y(0, 0) = 0$. Sustituyendo esta información en la Ecuación 4.26 mediante $x_0 = 0$ y $y_0 = 0$, obtenemos

$$
\begin{aligned}
f(x, y) &= f(0, 0) + f_x(0, 0)(x - 0) + f_y(0, 0)(y - 0) + E(x, y) \\
E(x, y) &= \frac{xy}{\sqrt{x^2+y^2}}.
\end{aligned}
$$

Si calculamos $\displaystyle\lim_{(x,y)\to(x_0,y_0)} \frac{E(x,y)}{\sqrt{(x-x_0)^2+(y-y_0)^2}}$ obtenemos

$$\lim_{(x,y)\to(x_0,y_0)} \frac{E(x,y)}{\sqrt{(x-x_0)^2+(y-y_0)^2}} = \lim_{(x,y)\to(0,0)} \frac{\frac{xy}{\sqrt{x^2+y^2}}}{\sqrt{x^2+y^2}}$$

$$= \lim_{(x,y)\to(0,0)} \frac{xy}{x^2+y^2}.$$

Dependiendo de la trayectoria seguida hacia el origen, este límite toma diferentes valores. Por lo tanto, el límite no existe y la función f no es diferenciable en el origen como se muestra en la siguiente figura.

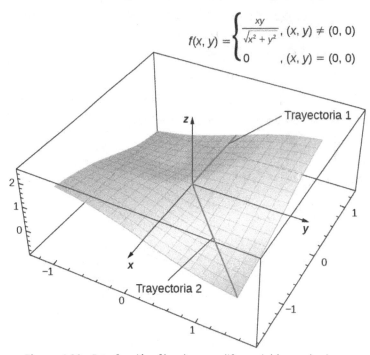

$$f(x,y) = \begin{cases} \dfrac{xy}{\sqrt{x^2+y^2}}, & (x,y) \neq (0,0) \\ 0 & , (x,y) = (0,0) \end{cases}$$

Figura 4.32 Esta función $f(x,y)$ no es diferenciable en el origen.

La diferenciabilidad y la continuidad para funciones de dos o más variables están conectadas, igual que para las funciones de una variable. De hecho, con algunos ajustes de notación, el teorema básico es el mismo.

Teorema 4.6

La Diferenciabilidad implica continuidad
Supongamos que $z = f(x,y)$ es una función de dos variables con (x_0, y_0) en el dominio de f. Si $f(x,y)$ es diferenciable en (x_0, y_0), entonces $f(x,y)$ es continua en (x_0, y_0).

La Diferenciabilidad implica continuidad demuestre que si una función es diferenciable en un punto, entonces es continua allí. Sin embargo, si una función es continua en un punto, no es necesariamente diferenciable en ese punto. Por ejemplo,

$$f(x,y) = \begin{cases} \dfrac{xy}{\sqrt{x^2+y^2}} & (x,y) \neq (0,0) \\ 0 & (x,y) = (0,0) \end{cases}$$

es continua en el origen, pero no es diferenciable en el origen. Esta observación también es similar a la situación en el cálculo de una sola variable.

La continuidad de las primeras parciales implica la diferenciabilidad explora además la conexión entre la continuidad y la diferenciabilidad en un punto. Este teorema dice que si la función y sus derivadas parciales son continuas en un punto, la función es diferenciable.

Teorema 4.7

La continuidad de las primeras parciales implica la diferenciabilidad

Supongamos que $z = f(x, y)$ es una función de dos variables con (x_0, y_0) en el dominio de f. Si $f(x, y)$, $f_x(x, y)$, y $f_y(x, y)$ existen todas en una zona de (x_0, y_0) y son continuas en (x_0, y_0), entonces $f(x, y)$ es diferenciable allí.

Recordemos que antes demostramos que la función

$$f(x, y) = \begin{cases} \dfrac{xy}{\sqrt{x^2+y^2}} & (x, y) \neq (0, 0) \\ 0 & (x, y) = (0, 0) \end{cases}$$

no era diferenciable en el origen. Calculemos las derivadas parciales f_x y f_y:

$$\frac{\partial f}{\partial x} = \frac{y^3}{\left(x^2 + y^2\right)^{3/2}} \quad \text{y} \quad \frac{\partial f}{\partial y} = \frac{x^3}{\left(x^2 + y^2\right)^{3/2}}.$$

El contrapositivo del teorema anterior afirma que si una función no es diferenciable, entonces al menos una de las hipótesis debe ser falsa. Exploremos la condición de que $f_x(0, 0)$ debe ser continua. Para que esto sea cierto, debe ser verdad que $\lim\limits_{(x,y)\to(0,0)} f_x(0, 0) = f_x(0, 0)$:

$$\lim_{(x,y)\to(0,0)} f_x(x, y) = \lim_{(x,y)\to(0,0)} \frac{y^3}{\left(x^2 + y^2\right)^{3/2}}.$$

Supongamos que $x = ky$. Entonces

$$\begin{aligned} \lim_{(x,y)\to(0,0)} \frac{y^3}{\left(x^2+y^2\right)^{3/2}} &= \lim_{y\to0} \frac{y^3}{\left((ky)^2+y^2\right)^{3/2}} \\ &= \lim_{y\to0} \frac{y^3}{\left(k^2y^2+y^2\right)^{3/2}} \\ &= \lim_{y\to0} \frac{y^3}{|y|^3\left(k^2+1\right)^{3/2}} \\ &= \frac{1}{\left(k^2+1\right)^{3/2}} \lim_{y\to0} \frac{|y|}{y}. \end{aligned}$$

Si $y > 0$, entonces esta expresión es igual a $1/\left(k^2 + 1\right)^{3/2}$; si $y < 0$, entonces es igual a $-\left(1/\left(k^2 + 1\right)^{3/2}\right)$. En cualquier caso, el valor depende de k, por lo que el límite no existe.

Diferenciales

En Aproximaciones lineales y diferenciales (http://openstax.org/books/cálculo-volumen-1/pages/4-2-aproximaciones-lineales-y-diferenciales) estudiamos primero el concepto de diferenciales. El diferencial de y, se escribe como dy, se define como $f'(x)\,dx$. El diferencial se utiliza para aproximar $\Delta y = f(x + \Delta x) - f(x)$, donde $\Delta x = dx$. Extendiendo esta idea a la aproximación lineal de una función de dos variables en el punto (x_0, y_0) se obtiene la fórmula de la diferencial total para una función de dos variables.

Definición

Supongamos que $z = f(x, y)$ es una función de dos variables con (x_0, y_0) en el dominio de f, y supongamos que Δx y Δy se elija de forma que $(x_0 + \Delta x, y_0 + \Delta y)$ también está en el dominio de f. Si f es diferenciable en el punto (x_0, y_0), entonces los diferenciales dx y dy se definen como

$$dx = \Delta x \text{ y } dy = \Delta y.$$

El diferencial dz, también llamado el **diferencial total** de $z = f(x, y)$ a las (x_0, y_0), se define como

$$dz = f_x(x_0, y_0)\,dx + f_y(x_0, y_0)\,dy. \tag{4.27}$$

Observe que el símbolo ∂ no se utiliza para denotar el diferencial total, sino, d aparece frente a z. Ahora, definamos $\Delta z = f(x + \Delta x, y + \Delta y) - f(x, y)$. Utilizamos dz para aproximar Δz, así que

$$\Delta z \approx dz = f_x(x_0, y_0)\, dx + f_y(x_0, y_0)\, dy.$$

Por lo tanto, el diferencial se utiliza para aproximar el cambio en la función $z = f(x_0, y_0)$ en el punto (x_0, y_0) para determinados valores de Δx y Δy. Dado que $\Delta z = f(x + \Delta x, y + \Delta y) - f(x, y)$, esto se puede utilizar más para aproximar $f(x + \Delta x, y + \Delta y)$:

$$
\begin{aligned}
f(x + \Delta x, y + \Delta y) &= f(x, y) + \Delta z \\
&\approx f(x, y) + f_x(x_0, y_0)\, \Delta x + f_y(x_0, y_0)\, \Delta y.
\end{aligned}
$$

Vea la siguiente figura.

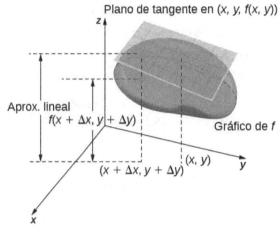

Figura 4.33   La aproximación lineal se calcula mediante la fórmula
$f(x + \Delta x, y + \Delta y) \approx f(x, y) + f_x(x_0, y_0)\, \Delta x + f_y(x_0, y_0)\, \Delta y.$

Una de las aplicaciones de esta idea es determinar la propagación de errores. Por ejemplo, si estamos fabricando un aparato y nos equivocamos en una cierta cantidad al medir una cantidad determinada, el diferencial puede utilizarse para estimar el error en su volumen total.

EJEMPLO 4.25

Aproximación por diferenciales
Calcule el diferencial dz de la función $f(x, y) = 3x^2 - 2xy + y^2$ y utilícela para aproximar Δz en el punto $(2, -3)$. Utilice $\Delta x = 0,1$ y $\Delta y = -0,05$. ¿Cuál es el valor exacto de Δz?

⊘ **Solución**
En primer lugar, debemos calcular $f(x_0, y_0)$, $f_x(x_0, y_0)$, y $f_y(x_0, y_0)$ utilizando $x_0 = 2$ y $y_0 = -3$:

$$
\begin{aligned}
f(x_0, y_0) &= f(2, -3) = 3(2)^2 - 2(2)(-3) + (-3)^2 = 12 + 12 + 9 = 33 \\
f_x(x, y) &= 6x - 2y \\
f_y(x, y) &= -2x + 2y \\
f_x(x_0, y_0) &= f_x(2, -3) = 6(2) - 2(-3) = 12 + 6 = 18 \\
f_y(x_0, y_0) &= f_y(2, -3) = -2(2) + 2(-3) = -4 - 6 = -10.
\end{aligned}
$$

A continuación, sustituimos estas cantidades en la Ecuación 4.27:

$$
\begin{aligned}
dz &= f_x(x_0, y_0)\, dx + f_y(x_0, y_0)\, dy \\
dz &= 18(0,1) - 10(-0,05) = 1,8 + 0,5 = 2,3.
\end{aligned}
$$

Esta es la aproximación a $\Delta z = f(x_0 + \Delta x, y_0 + \Delta y) - f(x_0, y_0)$. El valor exacto de Δz viene dado por

$$\begin{aligned}
\Delta z &= f(x_0 + \Delta x, y_0 + \Delta y) - f(x_0, y_0) \\
&= f(2 + 0{,}1, -3 - 0{,}05) - f(2, -3) \\
&= f(2{,}1, -3{,}05) - f(2, -3) \\
&= 2{,}3425.
\end{aligned}$$

4.22   Calcule el diferencial dz de la función $f(x, y) = 4y^2 + x^2 y - 2xy$ y utilícela para aproximar Δz en el punto $(1, -1)$. Utilice $\Delta x = 0{,}03$ y $\Delta y = -0{,}02$. ¿Cuál es el valor exacto de Δz?

Diferenciabilidad de una función de tres variables

Todos los resultados anteriores sobre la diferenciabilidad de las funciones de dos variables pueden generalizarse a las funciones de tres variables. Primero, la definición:

Definición

Una función $f(x, y, z)$ es diferenciable en un punto $P(x_0, y_0, z_0)$ si para todos los puntos (x, y, z) en un disco δ alrededor de P podemos escribir

$$\begin{aligned}
f(x, y, z) &= f(x_0, y_0, z_0) + f_x(x_0, y_0, z_0)(x - x_0) + f_y(x_0, y_0, z_0)(y - y_0) \\
&\quad + f_z(x_0, y_0, z_0)(z - z_0) + E(x, y, z),
\end{aligned} \tag{4.28}$$

donde el término de error E satisface

$$\lim_{(x,y,z) \to (x_0, y_0, z_0)} \frac{E(x, y, z)}{\sqrt{(x - x_0)^2 + (y - y_0)^2 + (z - z_0)^2}} = 0.$$

Si una función de tres variables es diferenciable en un punto (x_0, y_0, z_0), entonces es continuo allí. Además, la continuidad de las primeras derivadas parciales en ese punto garantiza la diferenciabilidad.

SECCIÓN 4.4 EJERCICIOS

En los siguientes ejercicios, halle un vector normal unitario a la superficie en el punto indicado.

163. $f(x, y) = x^3, (2, -1, 8)$ grandes.

164. $\ln\left(\frac{x}{y - z}\right) = 0$ cuando $x = y = 1$

En los siguientes ejercicios, como repaso útil para las técnicas utilizadas en esta sección, halle un vector normal y un vector tangente en el punto P.

165. $x^2 + xy + y^2 = 3, P(-1, -1)$

166. $\left(x^2 + y^2\right)^2 = 9\left(x^2 - y^2\right), P(\sqrt{2}, 1)$ grandes.

167. $xy^2 - 2x^2 + y + 5x = 6, P(4, 2)$

168. $2x^3 - x^2 y^2 = 3x - y - 7, P(1, -2)$ grandes.

169. $ze^{x^2 - y^2} - 3 = 0,$ $P(2, 2, 3)$ grandes.

En los siguientes ejercicios, halle la ecuación del plano tangente a la superficie en el punto indicado. (Sugerencia: Resuelva para z en términos de x como y.) grandes.

170. $-8x - 3y - 7z = -19, P(1, -1, 2)$ grandes.

171. $z = -9x^2 - 3y^2, P(2, 1, -39)$ grandes.

172. $x^2 + 10xyz + y^2 + 8z^2 = 0, P(-1,-1,-1)$ grandes.

173. $z = \ln(10x^2 + 2y^2 + 1), P(0,0,0)$ grandes.

174. $z = e^{7x^2+4y^2}, P(0,0,1)$ grandes.

175. $xy + yz + zx = 11, P(1,2,3)$ grandes.

176. $x^2 + 4y^2 = z^2, P(3,2,5)$ grandes.

177. $x^3 + y^3 = 3xyz, P\left(1,2,\frac{3}{2}\right)$ grandes.

178. $z = axy, P\left(1,\frac{1}{a},1\right)$ grandes.

179. $z = \operatorname{sen} x + \operatorname{sen} y + \operatorname{sen}(x+y), P(0,0,0)$ grandes.

180. $h(x,y) = \ln\sqrt{x^2+y^2}, P(3,4)$ grandes.

181. $z = x^2 - 2xy + y^2, P(1,2,1)$ grandes.

En los siguientes ejercicios, halle las ecuaciones paramétricas de la línea normal a la superficie en el punto indicado. (Recuerde que para hallar la ecuación de una línea en el espacio, necesita un punto en ella, $P_0\left(x_0,y_0,z_0\right)$, y un vector $\mathbf{n} = \langle a,b,c\rangle$ que es paralelo a la línea. Entonces la ecuación de la línea es $x - x_0 = at, y - y_0 = bt, z - z_0 = ct$.) grandes.

182. $-3x + 9y + 4z = -4, P(1,-1,2)$ grandes.

183. $z = 5x^2 - 2y^2, P(2,1,18)$ grandes.

184. $x^2 - 8xyz + y^2 + 6z^2 = 0, P(1,1,1)$ grandes.

185. $z = \ln\left(3x^2 + 7y^2 + 1\right), P(0,0,0)$ grandes.

186. $z = e^{4x^2+6y^2}, P(0,0,1)$ grandes.

187. $z = x^2 - 2xy + y^2$ en el punto $P(1,2,1)$ grandes.

En los siguientes ejercicios, utilice la figura que se muestra aquí.

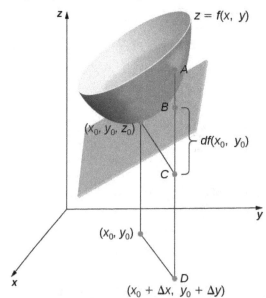

188. La longitud del segmento de línea AC es igual a ¿qué expresión matemática?

189. La longitud del segmento de línea BC es igual a ¿qué expresión matemática?

190. Utilizando la figura, explique qué representa la longitud del segmento de línea AB.

En los siguientes ejercicios, complete cada tarea.

191. Demuestre que $f(x, y) = e^{xy}x$ es diferenciable en el punto $(1, 0)$.

192. Calcule la diferencial total de la función $w = e^y \cos(x) + z^2$.

193. Demuestre que $f(x, y) = x^2 + 3y$ es diferenciable en cada punto. En otras palabras, demuestre que
$\Delta z = f(x + \Delta x, y + \Delta y) - f(x, y) = f_x \Delta x + f_y \Delta y + \varepsilon_1 \Delta x + \varepsilon_2 \Delta y$,
donde ε_1 y ε_2 se acercan a cero a medida que $(\Delta x, \Delta y)$ se aproxima a $(0, 0)$.

194. Calcule la diferencial total de la función $z = \frac{xy}{y+x}$ donde x cambia de 10 para 10,5 e y cambia de 15 para 13.

195. Supongamos que $z = f(x, y) = xe^y$. Calcule Δz a partir de $P(1, 2)$ al $Q(1,05, 2,1)$ y luego halle el cambio aproximado en z desde el punto P al punto Q. Recuerde que
$\Delta z = f(x + \Delta x, y + \Delta y) - f(x, y)$,
y dz y Δz son aproximadamente iguales.

196. El volumen de un cilindro circular recto viene dado por $V(r, h) = \pi r^2 h$. Calcule el diferencial dV. Interprete la fórmula geométricamente.

197. Vea el problema anterior. Utilice los diferenciales para estimar el volumen de aluminio en una lata de aluminio cerrada con diámetro 8,0 cm y altura 12 cm si el aluminio es 0,04 cm de espesor.

198. Utilice el diferencial dz para aproximar el cambio en $z = \sqrt{4 - x^2 - y^2}$ cuando (x, y) se mueve desde el punto $(1, 1)$ al punto $(1,01, 0,97)$. Compare esta aproximación con el cambio real de la función.

199. Supongamos que $z = f(x, y) = x^2 + 3xy - y^2$. Halle el cambio exacto de la función y el cambio aproximado de la función mientras x cambia de 2,00 para 2,05 e y cambia de 3,00 para 2,96.

200. La aceleración centrípeta de una partícula que se mueve en un círculo viene dada por $a(r, v) = \frac{v^2}{r}$, donde v es la velocidad y r es el radio del círculo. Aproxime el porcentaje máximo de error en la medición de la aceleración resultante de los errores de 3 % en v y 2 % en r. (Recordemos que el porcentaje de error es la relación de la cantidad de error sobre la cantidad original. Así que, en este caso, el porcentaje de error en a viene dada por $\frac{da}{a}$.)

201. El radio r y altura h de un cilindro circular recto se miden con posibles errores de 4 % y 5 %, respectivamente. Aproxime el máximo porcentaje de error posible en la medición del volumen (recordemos que el porcentaje de error es la relación de la cantidad de error sobre la cantidad original. Así que, en este caso, el porcentaje de error en V viene dado por $\frac{dV}{V}$.) grandes.

202. El radio de la base y la altura de un cono circular recto se miden como 10 pulgadas y 25 pulgadas, respectivamente, con un posible error de medición de hasta 0,1 pulgadas cada uno. Utilice los diferenciales para estimar el error máximo en el volumen calculado del cono.

203. La resistencia eléctrica R producida por el cableado de los resistores R_1 y R_2 en paralelo se puede calcular a partir de la fórmula $\frac{1}{R} = \frac{1}{R_1} + \frac{1}{R_2}$. Si R_1 y R_2 se miden en 7Ω y 6Ω, respectivamente, y si estas mediciones tienen una precisión de $0,05\Omega$, estime el máximo error posible en el cálculo de R. (El símbolo Ω representa un ohmio, la unidad de resistencia eléctrica).

204. El área de una elipse con ejes de longitud $2a$ y $2b$ viene dado por la fórmula $A = \pi ab$. Aproxime el porcentaje de cambio en el área cuando a aumenta en 2 % y b aumenta en 1,5 %.

205. El periodo T de un péndulo simple con pequeñas oscilaciones se calcula a partir de la fórmula $T = 2\pi\sqrt{\frac{L}{g}}$, donde L es la longitud del péndulo y g es la aceleración resultante de la gravedad. Supongamos que L y g tienen errores de, como máximo, 0,5 % y 0,1 %, respectivamente. Utilice los diferenciales para aproximar el porcentaje máximo de error en el valor calculado de T.

206. La energía eléctrica P viene dada por $P = \frac{V^2}{R}$, donde V es el voltaje y R es la resistencia. Aproxime el porcentaje máximo de error en el cálculo de la potencia si $120\ V$ se aplica a un resistor de $2000 - \Omega$ y los posibles errores porcentuales en la medición V y R son 3 % y 4 %, respectivamente.

En los siguientes ejercicios, halle la aproximación lineal de cada función en el punto indicado.

207. $f(x, y) = x\sqrt{y}, \quad P(1, 4)$ grandes.

208. $f(x, y) = e^x\cos y; P(0, 0)$ grandes.

209. $f(x, y) = \arctan(x + 2y), P(1, 0)$ grandes.

210. $f(x, y) = \sqrt{20 - x^2 - 7y^2}, \quad P(2, 1)$ grandes.

211. $f(x, y, z) = \sqrt{x^2 + y^2 + z^2}, \quad P(3, 2, 6)$ grandes.

212. **[T]** Halle la ecuación del plano tangente a la superficie $f(x, y) = x^2 + y^2$ en el punto $(1, 2, 5)$, y grafique la superficie y el plano tangente en el punto.

213. **[T]** Halle la ecuación del plano tangente a la superficie en el punto indicado y grafique la superficie y el plano tangente $z = \ln(10x^2 + 2y^2 + 1), P(0, 0, 0)$.

214. **[T]** Halle la ecuación del plano tangente a la superficie $z = f(x, y) = \text{sen}(x + y^2)$ en el punto $\left(\frac{\pi}{4}, 0, \frac{\sqrt{2}}{2}\right)$, y grafique la superficie y el plano tangente.

4.5 La regla de la cadena

Objetivos de aprendizaje

4.5.1 Indicar las reglas de la cadena para una o dos variables independientes.

4.5.2 Utilizar los diagramas de árbol como ayuda para comprender la regla de la cadena para varias variables independientes e intermedias.

4.5.3 Realizar la diferenciación implícita de una función de dos o más variables.

En el cálculo de una sola variable, encontramos que una de las reglas de diferenciación más útiles es la regla de la cadena, que nos permite calcular la derivada de la composición de dos funciones. Lo mismo ocurre con el cálculo multivariable, pero esta vez tenemos que tratar con más de una forma de la regla de la cadena. En esta sección, estudiamos extensiones de la regla de la cadena y aprendemos a tomar derivadas de composiciones de funciones de más de una variable.

Reglas de la cadena para una o dos variables independientes

Recordemos que la regla de la cadena para la derivada de un compuesto de dos funciones puede escribirse de la forma

$$\frac{d}{dx}(f(g(x))) = f'(g(x))g'(x).$$

En esta ecuación, tanto $f(x)$ y $g(x)$ son funciones de una variable. Supongamos ahora que f es una función de dos variables y g es una función de una variable. O tal vez sean ambas funciones de dos variables, o incluso más. ¿Cómo calcularíamos la derivada en estos casos? El siguiente teorema nos da la respuesta para el caso de una variable independiente.

Teorema 4.8

Regla de la cadena para una variable independiente

Supongamos que $x = g(t)$ y de $y = h(t)$ son funciones diferenciables de t y $z = f(x, y)$ es una función diferenciable de x y y. Entonces $z = f(x(t), y(t))$ es una función diferenciable de t y

$$\frac{dz}{dt} = \frac{\partial z}{\partial x} \cdot \frac{dx}{dt} + \frac{\partial z}{\partial y} \cdot \frac{dy}{dt}, \tag{4.29}$$

donde las derivadas ordinarias se evalúan en t y las derivadas parciales se evalúan en (x, y).

Prueba

La demostración de este teorema utiliza la definición de diferenciabilidad de una función de dos variables. Supongamos que f es diferenciable en el punto $P(x_0, y_0)$, donde $x_0 = g(t_0)$ y de $y_0 = h(t_0)$ para un valor fijo de t_0. Queremos comprobar que $z = f(x(t), y(t))$ es diferenciable en $t = t_0$ y que la Ecuación 4.29 también se mantiene en ese punto.

Dado que f es diferenciable en P, sabemos que

$$z(t) = f(x, y) = f(x_0, y_0) + f_x(x_0, y_0)(x - x_0) + f_y(x_0, y_0)(y - y_0) + E(x, y), \tag{4.30}$$

donde $\lim\limits_{(x,y)\to(x_0,y_0)} \dfrac{E(x,y)}{\sqrt{(x-x_0)^2+(y-y_0)^2}} = 0$. A continuación, restamos $z_0 = f(x_0, y_0)$ de ambos lados de esta ecuación:

$$z(t) - z(t_0) = f(x(t), y(t)) - f(x(t_0), y(t_0))$$
$$= f_x(x_0, y_0)(x(t) - x(t_0)) + f_y(x_0, y_0)(y(t) - y(t_0)) + E(x(t), y(t)).$$

A continuación, dividimos ambos lados entre $t - t_0$:

$$\frac{z(t) - z(t_0)}{t - t_0} = f_x(x_0, y_0)\left(\frac{x(t) - x(t_0)}{t - t_0}\right) + f_y(x_0, y_0)\left(\frac{y(t) - y(t_0)}{t - t_0}\right) + \frac{E(x(t), y(t))}{t - t_0}.$$

Entonces tomamos el límite mientras t se acerca a t_0:

$$\lim_{t\to t_0} \frac{z(t)-z(t_0)}{t-t_0} = f_x(x_0, y_0)\lim_{t\to t_0}\left(\frac{x(t)-x(t_0)}{t-t_0}\right) + f_y(x_0, y_0)\lim_{t\to t_0}\left(\frac{y(t)-y(t_0)}{t-t_0}\right)$$
$$+ \lim_{t\to t_0}\frac{E(x(t),y(t))}{t-t_0}.$$

El lado izquierdo de esta ecuación es igual a dz/dt, que lleva a

$$\frac{dz}{dt} = f_x(x_0, y_0) \frac{dx}{dt} + f_y(x_0, y_0) \frac{dy}{dt} + \lim_{t \to t_0} \frac{E(x(t), y(t))}{t - t_0}.$$

El último término puede reescribirse como

$$\lim_{t \to t_0} \frac{E(x(t), y(t))}{t - t_0} = \lim_{t \to t_0} \left(\frac{E(x, y)}{\sqrt{(x - x_0)^2 + (y - y_0)^2}} \frac{\sqrt{(x - x_0)^2 + (y - y_0)^2}}{t - t_0} \right)$$

$$= \lim_{t \to t_0} \left(\frac{E(x, y)}{\sqrt{(x - x_0)^2 + (y - y_0)^2}} \right) \lim_{t \to t_0} \left(\frac{\sqrt{(x - x_0)^2 + (y - y_0)^2}}{t - t_0} \right).$$

Dado que t se acerca a t_0, $(\dot{x}(t), y(t))$ se aproxima a $(x(t_0), y(t_0))$, por lo que podemos reescribir el último producto como

$$\lim_{(x,y) \to (x_0, y_0)} \left(\frac{E(x, y)}{\sqrt{(x - x_0)^2 + (y - y_0)^2}} \right) \lim_{(x,y) \to (x_0, y_0)} \left(\frac{\sqrt{(x - x_0)^2 + (y - y_0)^2}}{t - t_0} \right).$$

Como el primer límite es igual a cero, solo tenemos que demostrar que el segundo límite es finito:

$$\lim_{(x,y) \to (x_0, y_0)} \left(\frac{\sqrt{(x - x_0)^2 + (y - y_0)^2}}{t - t_0} \right) = \lim_{(x,y) \to (x_0, y_0)} \left(\sqrt{\frac{(x - x_0)^2 + (y - y_0)^2}{(t - t_0)^2}} \right)$$

$$= \lim_{(x,y) \to (x_0, y_0)} \left(\sqrt{\left(\frac{x - x_0}{t - t_0} \right)^2 + \left(\frac{y - y_0}{t - t_0} \right)^2} \right)$$

$$= \sqrt{\left(\lim_{(x,y) \to (x_0, y_0)} \left(\frac{x - x_0}{t - t_0} \right) \right)^2 + \left(\lim_{(x,y) \to (x_0, y_0)} \left(\frac{y - y_0}{t - t_0} \right) \right)^2}.$$

Dado que $x(t)$ y de $y(t)$ son ambas funciones diferenciables de t, ambos límites existen dentro del último radical. Por lo tanto, este valor es finito. Esto demuestra la regla de la cadena en $t = t_0$; el resto del teorema se desprende de la suposición de que todas las funciones son diferenciables sobre sus dominios enteros.

□

Un análisis más detallado de la Ecuación 4.29 revela un patrón interesante. El primer término de la ecuación es $\frac{\partial f}{\partial x} \cdot \frac{dx}{dt}$ y el segundo término es $\frac{\partial f}{\partial y} \cdot \frac{dy}{dt}$. Recuerde que al multiplicar fracciones se puede utilizar la cancelación. Si tratamos estas derivadas como fracciones, entonces cada producto se "simplifica" a algo parecido a $\partial f/dt$. Las variables x y y que desaparecen en esta simplificación suelen llamarse **variables intermedias**: son variables independientes para la función f, pero son variables dependientes de la variable t. En el lado derecho de la fórmula aparecen dos términos, y f es una función de dos variables. Este patrón también funciona con funciones de más de dos variables, como veremos más adelante en esta sección.

EJEMPLO 4.26

Usar la regla de la cadena
Calcule dz/dt para cada una de las siguientes funciones:

a. $z = f(x, y) = 4x^2 + 3y^2, x = x(t) = \operatorname{sen} t, y = y(t) = \cos t$
b. $z = f(x, y) = \sqrt{x^2 - y^2}, x = x(t) = e^{2t}, y = y(t) = e^{-t}$

⊘ **Solución**
a. Para utilizar la regla de la cadena, necesitamos cuatro cantidades —$\partial z/\partial x, \partial z/\partial y, dx/dt,$ y dy/dt:

$$\frac{\partial z}{\partial x} = 8x \qquad \frac{\partial z}{\partial y} = 6y$$

$$\frac{dx}{dt} = \cos t \qquad \frac{dy}{dt} = -\operatorname{sen} t$$

Ahora, sustituimos cada una de ellas en la Ecuación 4.29:

$$\frac{dz}{dt} = \frac{\partial z}{\partial x} \cdot \frac{dx}{dt} + \frac{\partial z}{\partial y} \cdot \frac{dy}{dt}$$

$$= (8x)(\cos t) + (6y)(-\text{sen } t)$$

$$= 8x \cos t - 6y \text{ sen } t.$$

Esta respuesta tiene tres variables. Para reducirlo a una sola variable, utilice el hecho de que $x(t) = \text{sen } t$ y $y(t) = \cos t$. Obtenemos

$$\frac{dz}{dt} = 8x \cos t - 6y \text{ sen } t$$

$$= 8(\text{sen } t) \cos t - 6(\cos t) \text{ sen } t$$

$$= 2 \text{ sen } t \cos t.$$

Esta derivada también se puede calcular sustituyendo primero $x(t)$ y de $y(t)$ en $f(x, y)$, y luego diferenciando con respecto a t:

$$z = f(x, y)$$

$$= f(x(t), y(t))$$

$$= 4(x(t))^2 + 3(y(t))^2$$

$$= 4\text{sen}^2 t + 3\cos^2 t.$$

Entonces

$$\frac{dz}{dt} = 2(4 \text{ sen } t)(\cos t) + 2(3 \cos t)(-\text{sen } t)$$

$$= 8 \text{ sen } t \cos t - 6 \text{ sen } t \cos t$$

$$= 2 \text{ sen } t \cos t,$$

que es la misma solución. Sin embargo, no siempre es tan fácil diferenciar en esta forma.

b. Para utilizar la regla de la cadena, necesitamos de nuevo cuatro cantidades $-\partial z/\partial x$, $\partial z/\partial y$, dx/dt, y dy/dt:

$$\frac{\partial z}{\partial x} = \frac{x}{\sqrt{x^2 - y^2}} \qquad \frac{\partial z}{\partial y} = \frac{-y}{\sqrt{x^2 - y^2}}$$

$$\frac{dx}{dt} = 2e^{2t} \qquad \frac{dx}{dt} = -e^{-t}.$$

Sustituimos cada una de ellas en la Ecuación 4.29:

$$\frac{dz}{dt} = \frac{\partial z}{\partial x} \cdot \frac{dx}{dt} + \frac{\partial z}{\partial y} \cdot \frac{dy}{dt}$$

$$= \left(\frac{x}{\sqrt{x^2 - y^2}}\right)(2e^{2t}) + \left(\frac{-y}{\sqrt{x^2 - y^2}}\right)(-e^{-t})$$

$$= \frac{2xe^{2t} - ye^{-t}}{\sqrt{x^2 - y^2}}.$$

Para reducir esto a una sola variable, utilizamos el hecho de que $x(t) = e^{2t}$ y $y(t) = e^{-t}$. Por lo tanto,

$$\frac{dz}{dt} = \frac{2xe^{2t} + ye^{-t}}{\sqrt{x^2 - y^2}}$$

$$= \frac{2\left(e^{2t}\right)e^{2t} + \left(e^{-t}\right)e^{-t}}{\sqrt{e^{4t} - e^{-2t}}}$$

$$= \frac{2e^{4t} + e^{-2t}}{\sqrt{e^{4t} - e^{-2t}}}.$$

Para eliminar los exponentes negativos, multiplicamos la parte de arriba por e^{2t} y la parte inferior por $\sqrt{e^{4t}}$:

$$\begin{aligned}
\frac{dz}{dt} &= \frac{2e^{4t}+e^{-2t}}{\sqrt{e^{4t}-e^{-2t}}} \cdot \frac{e^{2t}}{\sqrt{e^{4t}}} \\
&= \frac{2e^{6t}+1}{\sqrt{e^{8t}-e^{2t}}} \\
&= \frac{2e^{6t}+1}{\sqrt{e^{2t}\left(e^{6t}-1\right)}} \\
&= \frac{2e^{6t}+1}{e^{t}\sqrt{e^{6t}-1}}.
\end{aligned}$$

De nuevo, esta derivada también se puede calcular sustituyendo primero $x(t)$ y de $y(t)$ en $f(x,y)$, y luego diferenciando con respecto a t:

$$\begin{aligned}
z &= f(x,y) \\
&= f(x(t),y(t)) \\
&= \sqrt{(x(t))^2 - (y(t))^2} \\
&= \sqrt{e^{4t} - e^{-2t}} \\
&= \left(e^{4t} - e^{-2t}\right)^{1/2}.
\end{aligned}$$

Entonces

$$\begin{aligned}
\frac{dz}{dt} &= \tfrac{1}{2}\left(e^{4t} - e^{-2t}\right)^{-1/2}\left(4e^{4t} + 2e^{-2t}\right) \\
&= \frac{2e^{4t}+e^{-2t}}{\sqrt{e^{4t}-e^{-2t}}}.
\end{aligned}$$

Esta es la misma solución.

☑ 4.23   Calcule dz/dt dadas las siguientes funciones. Exprese la respuesta final en términos de t.

$$z = f(x,y) = x^2 - 3xy + 2y^2, \quad x = x(t) = 3\,\mathrm{sen}\,2t, \quad y = y(t) = 4\cos 2t$$

A menudo es útil crear una representación visual de la [Ecuación 4.29](#) para la regla de la cadena. Esto se llama un **diagrama de árbol** para la regla de la cadena para funciones de una variable y proporciona una manera de recordar la fórmula ([Figura 4.34](#)). Este diagrama puede ampliarse para funciones de más de una variable, como veremos en breve.

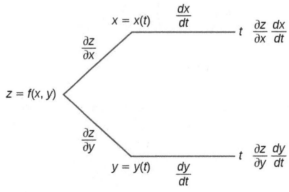

Figura 4.34 Diagrama de árbol para el caso $\frac{dz}{dt} = \frac{\partial z}{\partial x} \cdot \frac{dx}{dt} + \frac{\partial z}{\partial y} \cdot \frac{dy}{dt}$.

En este diagrama, la esquina más a la izquierda corresponde a $z = f(x,y)$. Dado que f tiene dos variables independientes, hay dos líneas que salen de esta esquina. La rama superior corresponde a la variable x y la rama inferior corresponde a la variable y. Como cada una de estas variables depende entonces de una variable t, una rama proviene entonces de x y una rama proviene de y. Por último, cada una de las ramas del extremo derecho tiene una marca que representa el camino recorrido para llegar a esa rama. La rama superior se alcanza siguiendo la rama x, luego la rama t, por lo tanto, se marca $(\partial z/\partial x) \times (dx/dt)$. La rama inferior es similar: primero la rama y, luego la rama t.

Esta rama está marcada como $(\partial z/\partial y) \times (dy/dt)$. Para obtener la fórmula de dz/dt, añada todos los términos que aparecen en el lado derecho del diagrama. Esto nos da la Ecuación 4.29.

En Regla de la cadena para dos variables independientes, $z = f(x, y)$ es una función de x y y, y ambas $x = g(u, v)$ y de $y = h(u, v)$ son funciones de las variables independientes u y v.

Teorema 4.9

Regla de la cadena para dos variables independientes
Supongamos que $x = g(u, v)$ y de $y = h(u, v)$ son funciones diferenciables de u y v, y $z = f(x, y)$ es una función diferenciable de x y y. Entonces, $z = f(g(u, v), h(u, v))$ es una función diferenciable de u y v, y

$$\frac{\partial z}{\partial u} = \frac{\partial z}{\partial x}\frac{\partial x}{\partial u} + \frac{\partial z}{\partial y}\frac{\partial y}{\partial u} \tag{4.31}$$

y

$$\frac{\partial z}{\partial v} = \frac{\partial z}{\partial x}\frac{\partial x}{\partial v} + \frac{\partial z}{\partial y}\frac{\partial y}{\partial v}. \tag{4.32}$$

Podemos dibujar un diagrama de árbol para cada una de estas fórmulas como sigue.

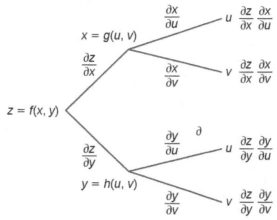

Figura 4.35 Diagrama de árbol para $\frac{\partial z}{\partial u} = \frac{\partial z}{\partial x}\cdot\frac{\partial x}{\partial u} + \frac{\partial z}{\partial y}\cdot\frac{\partial y}{\partial u}$ y $\frac{\partial z}{\partial v} = \frac{\partial z}{\partial x}\cdot\frac{\partial x}{\partial v} + \frac{\partial z}{\partial y}\cdot\frac{\partial y}{\partial v}$.

Para derivar la fórmula para $\partial z/\partial u$, empiece desde el lado izquierdo del diagrama, y luego siga solo las ramas que terminan con u y sume los términos que aparecen al final de esas ramas. Para la fórmula de $\partial z/\partial v$, siga solo las ramas que terminan con v y sume los términos que aparecen al final de esas ramas.

Hay una diferencia importante entre estos dos teoremas de la regla de la cadena. En Regla de la cadena para una variable independiente, el lado izquierdo de la fórmula de la derivada no es una derivada parcial, pero en Regla de la cadena para dos variables independientes sí lo es. La razón es que, en la Regla de la cadena para una variable independiente, z es, en última instancia, una función de t solamente, mientras que en Regla de la cadena para dos variables independientes, z es una función de ambas u y v.

EJEMPLO 4.27

Usar la regla de la cadena para dos variables
Calcule $\partial z/\partial u$ y $\partial z/\partial v$ utilizando las siguientes funciones:

$$z = f(x, y) = 3x^2 - 2xy + y^2, x = x(u, v) = 3u + 2v, y = y(u, v) = 4u - v.$$

⊘ **Solución**
Para implementar la regla de la cadena para dos variables, necesitamos seis derivadas parciales—$\partial z/\partial x, \partial z/\partial y, \partial x/\partial u, \partial x/\partial v, \partial y/\partial u,$ y $\partial y/\partial v$:

$$\frac{\partial z}{\partial x} = 6x - 2y \qquad \frac{\partial z}{\partial y} = -2x + 2y$$

$$\frac{\partial x}{\partial u} = 3 \qquad \frac{\partial x}{\partial v} = 2$$

$$\frac{\partial y}{\partial u} = 4 \qquad \frac{\partial y}{\partial v} = -1.$$

Para hallar $\partial z/\partial u$, utilizamos la Ecuación 4.31:

$$\begin{aligned} \frac{\partial z}{\partial u} &= \frac{\partial z}{\partial x}\frac{\partial x}{\partial u} + \frac{\partial z}{\partial y}\frac{\partial y}{\partial u} \\ &= 3(6x - 2y) + 4(-2x + 2y) \\ &= 10x + 2y. \end{aligned}$$

A continuación, sustituimos $x(u, v) = 3u + 2v$ y $y(u, v) = 4u - v$:

$$\begin{aligned} \frac{\partial z}{\partial u} &= 10x + 2y \\ &= 10(3u + 2v) + 2(4u - v) \\ &= 38u + 18v. \end{aligned}$$

Para hallar $\partial z/\partial v$, utilizamos la Ecuación 4.32:

$$\begin{aligned} \frac{\partial z}{\partial v} &= \frac{\partial z}{\partial x}\frac{\partial x}{\partial v} + \frac{\partial z}{\partial y}\frac{\partial y}{\partial v} \\ &= 2(6x - 2y) + (-1)(-2x + 2y) \\ &= 14x - 6y. \end{aligned}$$

Luego sustituimos $x(u, v) = 3u + 2v$ y $y(u, v) = 4u - v$:

$$\begin{aligned} \frac{\partial z}{\partial v} &= 14x - 6y \\ &= 14(3u + 2v) - 6(4u - v) \\ &= 18u + 34v. \end{aligned}$$

☑ 4.24   Calcule $\partial z/\partial u$ y $\partial z/\partial v$ dadas las siguientes funciones:

$$z = f(x, y) = \frac{2x - y}{x + 3y}, \ x(u, v) = e^{2u}\cos 3v, \ y(u, v) = e^{2u}\operatorname{sen} 3v.$$

La regla de la cadena generalizada

Ahora que hemos visto cómo extender la regla de la cadena original a funciones de dos variables, es natural preguntarse: ¿podemos ampliar la regla a más de dos variables? La respuesta es sí, tal y como establece la **regla de la cadena generalizada**.

Teorema 4.10

Regla de la cadena generalizada

Supongamos que $w = f(x_1, x_2, \ldots, x_m)$ es una función diferenciable de m variables independientes, y para cada $i \in \{1, \ldots, m\}$, supongamos que $x_i = x_i(t_1, t_2, \ldots, t_n)$ es una función diferenciable de n variables independientes. Entonces

$$\frac{\partial w}{\partial t_j} = \frac{\partial w}{\partial x_1}\frac{\partial x_1}{\partial t_j} + \frac{\partial w}{\partial x_2}\frac{\partial x_2}{\partial t_j} + \cdots + \frac{\partial w}{\partial x_m}\frac{\partial x_m}{\partial t_j} \tag{4.33}$$

para cualquier $j \in \{1, 2, \ldots, n\}$.

En el siguiente ejemplo calculamos la derivada de una función de tres variables independientes en la que cada una de las tres variables depende de otras dos.

EJEMPLO 4.28

Usar la regla de la cadena generalizada

Calcule $\partial w / \partial u$ y $\partial w / \partial v$ utilizando las siguientes funciones:

$$\begin{aligned}
w &= f(x, y, z) = 3x^2 - 2xy + 4z^2 \\
x &= x(u, v) = e^u \operatorname{sen} v \\
y &= y(u, v) = e^u \cos v \\
z &= z(u, v) = e^u.
\end{aligned}$$

⊘ **Solución**

Las fórmulas para $\partial w / \partial u$ y $\partial w / \partial v$ son

$$\frac{\partial w}{\partial u} = \frac{\partial w}{\partial x} \cdot \frac{\partial x}{\partial u} + \frac{\partial w}{\partial y} \cdot \frac{\partial y}{\partial u} + \frac{\partial w}{\partial z} \cdot \frac{\partial z}{\partial u}$$

$$\frac{\partial w}{\partial v} = \frac{\partial w}{\partial x} \cdot \frac{\partial x}{\partial v} + \frac{\partial w}{\partial y} \cdot \frac{\partial y}{\partial v} + \frac{\partial w}{\partial z} \cdot \frac{\partial z}{\partial v}.$$

Por lo tanto, hay nueve derivadas parciales diferentes que hay que calcular y sustituir. Tenemos que calcular cada una de ellas:

$$\begin{array}{lll}
\dfrac{\partial w}{\partial x} = 6x - 2y & \dfrac{\partial w}{\partial y} = -2x & \dfrac{\partial w}{\partial z} = 8z \\[2mm]
\dfrac{\partial x}{\partial u} = e^u \operatorname{sen} v & \dfrac{\partial y}{\partial u} = e^u \cos v & \dfrac{\partial z}{\partial u} = e^u \\[2mm]
\dfrac{\partial x}{\partial v} = e^u \cos v & \dfrac{\partial y}{\partial v} = -e^u \operatorname{sen} v & \dfrac{\partial z}{\partial v} = 0.
\end{array}$$

Ahora, sustituimos cada una de ellas en la primera fórmula para calcular $\partial w / \partial u$:

$$\begin{aligned}
\frac{\partial w}{\partial u} &= \frac{\partial w}{\partial x} \cdot \frac{\partial x}{\partial u} + \frac{\partial w}{\partial y} \cdot \frac{\partial y}{\partial u} + \frac{\partial w}{\partial z} \cdot \frac{\partial z}{\partial u} \\
&= (6x - 2y) e^u \operatorname{sen} v - 2x e^u \cos v + 8z e^u,
\end{aligned}$$

entonces se sustituye $x(u, v) = e^u \operatorname{sen} v$, $y(u, v) = e^u \cos v$, y $z(u, v) = e^u$ en esta ecuación:

$$\begin{aligned}
\frac{\partial w}{\partial u} &= (6x - 2y) e^u \operatorname{sen} v - 2x e^u \cos v + 8z e^u \\
&= (6e^u \operatorname{sen} v - 2e^u \cos v) e^u \operatorname{sen} v - 2 (e^u \operatorname{sen} v) e^u \cos v + 8e^{2u} \\
&= 6e^{2u} \operatorname{sen}^2 v - 4e^{2u} \operatorname{sen} v \cos v + 8e^{2u} \\
&= 2e^{2u} \left(3 \operatorname{sen}^2 v - 2 \operatorname{sen} v \cos v + 4\right).
\end{aligned}$$

A continuación, calculamos $\partial w / \partial v$:

$$\begin{aligned}
\frac{\partial w}{\partial v} &= \frac{\partial w}{\partial x} \cdot \frac{\partial x}{\partial v} + \frac{\partial w}{\partial y} \cdot \frac{\partial y}{\partial v} + \frac{\partial w}{\partial z} \cdot \frac{\partial z}{\partial v} \\
&= (6x - 2y) e^u \cos v - 2x (-e^u \operatorname{sen} v) + 8z (0),
\end{aligned}$$

luego sustituimos $x(u, v) = e^u \operatorname{sen} v$, $y(u, v) = e^u \cos v$, y $z(u, v) = e^u$ en esta ecuación:

$$\begin{aligned}
\frac{\partial w}{\partial v} &= (6x - 2y) e^u \cos v - 2x (-e^u \operatorname{sen} v) \\
&= (6e^u \operatorname{sen} v - 2e^u \cos v) e^u \cos v + 2 (e^u \operatorname{sen} v)(e^u \operatorname{sen} v) \\
&= 2e^{2u} \operatorname{sen}^2 v + 6e^{2u} \operatorname{sen} v \cos v - 2e^{2u} \cos^2 v \\
&= 2e^{2u} \left(\operatorname{sen}^2 v + \operatorname{sen} v \cos v - \cos^2 v\right).
\end{aligned}$$

☑ 4.25   Calcule $\partial w / \partial u$ y $\partial w / \partial v$ dadas las siguientes funciones:

$$w \;=\; f(x,y,z) = \frac{x+2y-4z}{2x-y+3z}$$
$$x \;=\; x(u,v) = e^{2u}\cos 3v$$
$$y \;=\; y(u,v) = e^{2u}\operatorname{sen} 3v$$
$$z \;=\; z(u,v) = e^{2u}.$$

EJEMPLO 4.29

Dibujar un diagrama de árbol

Cree un diagrama de árbol para el caso en que

$$w = f(x,y,z)\,, x = x(t,u,v)\,, y = y(t,u,v)\,, z = z(t,u,v)$$

y escriba las fórmulas de las tres derivadas parciales de w.

⊘ **Solución**

Empezando por la izquierda, la función f tiene tres variables independientes: x, y, y z. Por lo tanto, tres ramas deben emanar del primer nodo. Cada una de estas tres ramas tiene también tres ramas, para cada una de las variables t, u, y v.

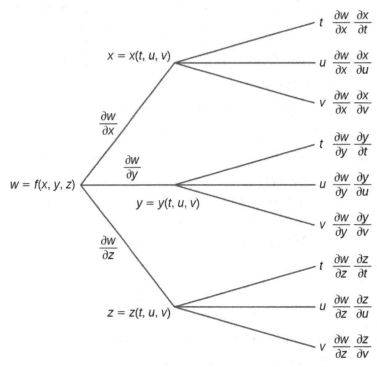

Figura 4.36 Diagrama de árbol para una función de tres variables, cada una de las cuales es función de tres variables independientes.

Las tres fórmulas son

$$\frac{\partial w}{\partial t} = \frac{\partial w}{\partial x}\frac{\partial x}{\partial t} + \frac{\partial w}{\partial y}\frac{\partial y}{\partial t} + \frac{\partial w}{\partial z}\frac{\partial z}{\partial t}$$

$$\frac{\partial w}{\partial u} = \frac{\partial w}{\partial x}\frac{\partial x}{\partial u} + \frac{\partial w}{\partial y}\frac{\partial y}{\partial u} + \frac{\partial w}{\partial z}\frac{\partial z}{\partial u}$$

$$\frac{\partial w}{\partial v} = \frac{\partial w}{\partial x}\frac{\partial x}{\partial v} + \frac{\partial w}{\partial y}\frac{\partial y}{\partial v} + \frac{\partial w}{\partial z}\frac{\partial z}{\partial v}.$$

☑ 4.26   Cree un diagrama de árbol para el caso en que

$$w = f(x,y)\,, x = x(t,u,v)\,, y = y(t,u,v)$$

y escriba las fórmulas de las tres derivadas parciales de w.

Diferenciación implícita

Recordemos que la diferenciación implícita (http://openstax.org/books/cálculo-volumen-1/pages/3-8-diferenciacion-implicita) proporciona un método para hallar dy/dx cuando y se define implícitamente como una función de x. El método consiste en diferenciar ambos lados de la ecuación que define la función con respecto a x, y luego resolver para dy/dx. Las derivadas parciales ofrecen una alternativa a este método.

Considere la elipse definida por la ecuación $x^2 + 3y^2 + 4y - 4 = 0$ de la siguiente forma.

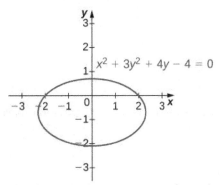

Figura 4.37   Gráfico de la elipse definida por $x^2 + 3y^2 + 4y - 4 = 0$.

Esta ecuación define implícitamente y en función de x. Así, podemos hallar la derivada dy/dx utilizando el método de diferenciación implícita:

$$\frac{d}{dx}\left(x^2 + 3y^2 + 4y - 4\right) = \frac{d}{dx}(0)$$
$$2x + 6y\frac{dy}{dx} + 4\frac{dy}{dx} = 0$$
$$(6y + 4)\frac{dy}{dx} = -2x$$
$$\frac{dy}{dx} = -\frac{x}{3y+2}.$$

También podemos definir una función $z = f(x, y)$ utilizando el lado izquierdo de la ecuación que define la elipse. Luego $f(x, y) = x^2 + 3y^2 + 4y - 4$. La elipse $x^2 + 3y^2 + 4y - 4 = 0$ puede describirse entonces mediante la ecuación $f(x, y) = 0$. El uso de esta función y el siguiente teorema nos da un enfoque alternativo para calcular dy/dx.

Teorema 4.11

Diferenciación implícita de una función de dos o más variables
Supongamos que la función $z = f(x, y)$ define y implícitamente como una función $y = g(x)$ de x mediante la ecuación $f(x, y) = 0$. Entonces

$$\frac{dy}{dx} = -\frac{\partial f/\partial x}{\partial f/\partial y} \tag{4.34}$$

siempre que $f_y(x, y) \neq 0$.

Si la ecuación $f(x, y, z) = 0$ define z implícitamente como una función diferenciable de x y y, entonces

$$\frac{\partial z}{\partial x} = -\frac{\partial f/\partial x}{\partial f/\partial z} \quad \text{y} \quad \frac{\partial z}{\partial y} = -\frac{\partial f/\partial y}{\partial f/\partial z} \tag{4.35}$$

siempre y cuando $f_z(x, y, z) \neq 0$.

Ecuación 4.34 sea una consecuencia directa de Ecuación 4.31. En particular, si suponemos que y se define implícitamente como una función de x mediante la ecuación $f(x, y) = 0$, podemos aplicar la regla de la cadena para hallar dy/dx:

$$\frac{d}{dx} f(x, y) = \frac{d}{dx}(0)$$

$$\frac{\partial f}{\partial x} \cdot \frac{dx}{dx} + \frac{\partial f}{\partial y} \cdot \frac{dy}{dx} = 0$$

$$\frac{\partial f}{\partial x} + \frac{\partial f}{\partial y} \cdot \frac{dy}{dx} = 0,$$

Resolviendo esta ecuación para *dy/dx* da la Ecuación 4.34. La Ecuación 4.35 puede derivarse de forma similar.

Volvamos ahora al problema que iniciamos antes del teorema anterior. Mediante la Diferenciación implícita de una función de dos o más variables y la función $f(x, y) = x^2 + 3y^2 + 4y - 4$, obtenemos

$$\frac{\partial f}{\partial x} = 2x$$

$$\frac{\partial f}{\partial y} = 6y + 4.$$

Entonces la Ecuación 4.34 da

$$\frac{dy}{dx} = -\frac{\partial f/\partial x}{\partial f/\partial y} = -\frac{2x}{6y+4} = -\frac{x}{3y+2},$$

que es el mismo resultado obtenido por el uso anterior de la diferenciación implícita.

EJEMPLO 4.30

Diferenciación implícita por derivadas parciales

a. Calcule *dy/dx* si *y* se define implícitamente como una función de *x* mediante la ecuación $3x^2 - 2xy + y^2 + 4x - 6y - 11 = 0$. ¿Cuál es la ecuación de la línea tangente al gráfico de esta curva en el punto $(2, 1)$?

b. Calcule *∂z/∂x* y *∂z/∂y*, dado que $x^2 e^y - yze^x = 0$.

Solución

a. Establezca $f(x, y) = 3x^2 - 2xy + y^2 + 4x - 6y - 11 = 0$, luego calcule f_x y f_y: $\begin{aligned} f_x &= 6x - 2y + 4 \\ f_y &= -2x + 2y - 6. \end{aligned}$

La derivada es dada por

$$\frac{dy}{dx} = -\frac{\partial f/\partial x}{\partial f/\partial y} = -\frac{6x - 2y + 4}{-2x + 2y - 6} = \frac{3x - y + 2}{x - y + 3}.$$

La pendiente de la línea tangente en el punto $(2, 1)$ está dada por

$$\left.\frac{dy}{dx}\right|_{(x,y)=(2,1)} = \frac{3(2) - 1 + 2}{2 - 1 + 3} = \frac{7}{4}.$$

Para hallar la ecuación de la línea tangente utilizamos la forma punto-pendiente (Figura 4.38)

$$y - y_0 = m(x - x_0)$$

$$y - 1 = \frac{7}{4}(x - 2)$$

$$y = \frac{7}{4}x - \frac{7}{2} + 1$$

$$y = \frac{7}{4}x - \frac{5}{2}.$$

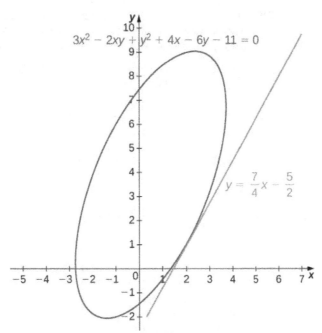

Figura 4.38 Gráfico de la elipse rotada definida por $3x^2 - 2xy + y^2 + 4x - 6y - 11 = 0$.

b. Tenemos $f(x, y, z) = x^2 e^y - yze^x$. Por lo tanto,

$$\frac{\partial f}{\partial x} = 2xe^y - yze^x$$

$$\frac{\partial f}{\partial y} = x^2 e^y - ze^x$$

$$\frac{\partial f}{\partial z} = -ye^x.$$

Mediante la Ecuación 4.35,

$$\frac{\partial z}{\partial x} = -\frac{\partial f/\partial x}{\partial f/\partial y} \qquad\qquad \frac{\partial z}{\partial y} = -\frac{\partial f/\partial y}{\partial f/\partial z}$$

$$= -\frac{2xe^y - yze^x}{-ye^x} \qquad\text{y}\qquad = -\frac{x^2 e^y - ze^x}{-ye^x}$$

$$= \frac{2xe^y - yze^x}{ye^x} \qquad\qquad = \frac{x^2 e^y - ze^x}{ye^x}.$$

☑ 4.27   Halle dy/dx si y se define implícitamente como una función de x por la ecuación
$x^2 + xy - y^2 + 7x - 3y - 26 = 0$. ¿Cuál es la ecuación de la línea tangente al gráfico de esta curva en el
punto $(3, -2)$?

📑 SECCIÓN 4.5 EJERCICIOS

En los siguientes ejercicios, utilice la información proporcionada para resolver el problema.

215. Supongamos que
$w(x, y, z) = xy \cos z$,
donde $x = t$, $y = t^2$, y
$z = \arcsen t$. Halle $\frac{dw}{dt}$.

216. Supongamos que
$w(t, v) = e^{tv}$ donde
$t = r + s$ y $v = rs$. Calcule
$\frac{\partial w}{\partial r}$ y $\frac{\partial w}{\partial s}$.

217. Si los valores de
$w = 5x^2 + 2y^2$, $x = -3s + t$,
y $y = s - 4t$, calcule $\frac{\partial w}{\partial s}$ y
$\frac{\partial w}{\partial t}$.

218. Si los valores de $w = xy^2, x = 5\cos(2t),$ y $y = 5\,\text{sen}(2t),$ calcule $\frac{dw}{dt}$.

219. Si $f(x, y) = xy, x = r\cos\theta,$ y $y = r\,\text{sen}\,\theta,$ calcule $\frac{\partial f}{\partial r}$ y exprese la respuesta en términos de r y θ.

220. Supongamos que $f(x, y) = x + y,$ donde $x = r\cos\theta$ y $y = r\,\text{sen}\,\theta.$ Calcule $\frac{\partial f}{\partial \theta}$.

En los siguientes ejercicios, calcule $\frac{df}{dt}$ utilizando la regla de la cadena y la sustitución directa.

221. $f(x, y) = x^2 + y^2,$ $x = t, y = t^2$

222. $f(x, y) = \sqrt{x^2 + y^2}, y = t^2, x = t$

223. $f(x, y) = xy, x = 1 - \sqrt{t}, y = 1 + \sqrt{t}$ **224.** $f(x, y) = \frac{x}{y}, x = e^t, y = 2e^t$ **225.** $f(x, y) = \ln(x + y),$ $x = e^t, y = e^t$

226. $f(x, y) = x^4, x = t, y = t$

227. Supongamos que $w(x, y, z) = x^2 + y^2 + z^2,$ $x = \cos t, y = \text{sen}\,t,$ y $z = e^t.$ Exprese w en función de t y halle $\frac{dw}{dt}$ directamente. Luego, calcule $\frac{dw}{dt}$ utilizando la regla de la cadena.

228. Supongamos que $z = x^2 y,$ donde $x = t^2$ y $y = t^3.$ Halle $\frac{dz}{dt}$.

229. Supongamos que $u = e^x\,\text{sen}\,y,$ donde $x = -\ln 2t$ y $y = \pi t.$ Halle $\frac{du}{dt}$ cuando $x = \ln 2$ y $y = \frac{\pi}{4}$.

En los siguientes ejercicios, calcule $\frac{dy}{dx}$ utilizando derivadas parciales.

230. $\text{sen}(6x) + \tan(8y) + 5 = 0$ **231.** $x^3 + y^2 x - 3 = 0$ **232.** $\text{sen}(x + y) + \cos(x - y) = 4$

233. $x^2 - 2xy + y^4 = 4$ **234.** $xe^y + ye^x - 2x^2 y = 0$ **235.** $x^{2/3} + y^{2/3} = a^{2/3}$

236. $x\cos(xy) + y\cos x = 2$ **237.** $e^{xy} + ye^y = 1$ **238.** $x^2 y^3 + \cos y = 0$

239. Halle $\frac{dz}{dt}$ utilizando la regla de la cadena donde $z = 3x^2 y^3, x = t^4,$ y $y = t^2$.

240. Supongamos que $z = 3\cos x - \text{sen}(xy), x = \frac{1}{t},$ y $y = 3t.$ Halle $\frac{dz}{dt}$.

241. Supongamos que $z = e^{1-xy}, x = t^{1/3},$ y $y = t^3.$ Halle $\frac{dz}{dt}$.

242. Halle $\frac{dz}{dt}$ por la regla de la cadena donde $z = \cosh^2(xy), x = \frac{1}{2}t,$ y $y = e^t$.

243. Supongamos que $z = \frac{x}{y}, x = 2\cos u,$ y $y = 3\,\text{sen}\,v.$ Calcule $\frac{\partial z}{\partial u}$ y $\frac{\partial z}{\partial v}$.

244. Supongamos que $z = e^{x^2 y},$ donde $x = \sqrt{uv}$ y $y = \frac{1}{v}.$ Calcule $\frac{\partial z}{\partial u}$ y $\frac{\partial z}{\partial v}$.

245. Si los valores de $z = xye^{x/y}$, $x = r \cos \theta$, y $y = r \operatorname{sen} \theta$, calcule $\frac{\partial z}{\partial r}$ y $\frac{\partial z}{\partial \theta}$ cuando $r = 2$ y $\theta = \frac{\pi}{6}$.

246. Calcule $\frac{\partial w}{\partial s}$ si $w = 4x + y^2 + z^3$, $x = e^{rs^2}$, $y = \ln\left(\frac{r+s}{t}\right)$, y $z = rst^2$.

247. Si los valores de $w = \operatorname{sen}(xyz)$, $x = 1 - 3t$, $y = e^{1-t}$, y $z = 4t$, calcule $\frac{\partial w}{\partial t}$.

En los siguientes ejercicios, utilice esta información: Una función $f(x, y)$ se dice que es homogénea de grado n si $f(tx, ty) = t^n f(x, y)$. Para todas las funciones homogéneas de grado n, la siguiente ecuación es verdadera: $x\frac{\partial f}{\partial x} + y\frac{\partial f}{\partial y} = nf(x, y)$. Demuestre que la función dada es homogénea y verifique que $x\frac{\partial f}{\partial x} + y\frac{\partial f}{\partial y} = nf(x, y)$.

248. $f(x, y) = 3x^2 + y^2$

249. $f(x, y) = \sqrt{x^2 + y^2}$

250. $f(x, y) = x^2 y - 2y^3$

251. El volumen de un cilindro circular recto viene dado por $V(x, y) = \pi x^2 y$, donde x es el radio del cilindro y y es la altura del cilindro. Supongamos que x como y son funciones de t dadas por $x = \frac{1}{2}t$ y $y = \frac{1}{3}t$ por lo que x y y aumentan con el tiempo. ¿Qué tan rápido aumenta el volumen cuando $x = 2$ y $y = \frac{4}{3}$?

252. La presión P de un gas se relaciona con el volumen y la temperatura mediante la fórmula $PV = kT$, donde la temperatura se expresa en kelvins. Exprese la presión del gas en función de ambos V y T. Halle $\frac{dP}{dt}$ cuando $k = 1$, $\frac{dV}{dt} = 2$ cm³/min, $\frac{dT}{dt} = \frac{1}{2}$ K/min, $V = 20$ cm³, y $T = 20°$F.

253. El radio de un cono circular derecho es creciente en 3 cm/min mientras que la altura del cono disminuye a 2 cm/min. Calcule la tasa de cambio del volumen del cono cuando el radio es 13 cm y la altura es 18 cm.

254. El volumen del tronco de un cono viene dado por la fórmula $V = \frac{1}{3}\pi z \left(x^2 + y^2 + xy\right)$, donde x es el radio del círculo más pequeño, y es el radio del círculo más grande y z es la altura del tronco (vea la figura). Halle la tasa de cambio del volumen de este frustro cuando $x = 10$ in, $y = 12$ in, y $z = 18$ in.

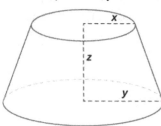

255. Una caja cerrada tiene la forma de un sólido rectangular con dimensiones $x, y,$ y z. (Las dimensiones están en pulgadas). Supongamos que cada dimensión cambia a la velocidad de 0,5 pulg/min. Calcule la tasa de cambio de la superficie total de la caja cuando $x = 2$ in, $y = 3$ pulg, y $z = 1$ in.

256. La resistencia total en un circuito que tiene tres resistencias individuales representadas por $x, y,$ y z está dado por la fórmula $R(x, y, z) = \frac{xyz}{yz + xz + xy}$. Supongamos que en un momento dado la resistencia x es de 100Ω, la resistencia y es 200Ω, y la resistencia z es de 300Ω. Además, supongamos que la resistencia x está cambiando a un ritmo de 2Ω/min, la columna y está cambiando a un ritmo de 1Ω/min, y la resistencia z no tiene ningún cambio. Halle la tasa de cambio de la resistencia total en este circuito en este momento.

257. La temperatura T en un punto (x, y) es $T(x, y)$ y se mide utilizando la escala Celsius. Una mosca se arrastra para que su posición después de t segundos viene dada por $x = \sqrt{1 + t}$ y $y = 2 + \frac{1}{3}t$, donde x y y se mide en centímetros. La función de temperatura satisface $T_x(2, 3) = 4$ y $T_y(2, 3) = 3$. ¿Qué tan rápido aumenta la temperatura en el recorrido de la mosca después de 3 s?

258. Las intersecciones en x y y de un fluido que se mueve en dos dimensiones están dadas por las siguientes funciones $u(x, y) = 2y$ y $v(x, y) = -2x$; $x \geq 0; y \geq 0$. La rapidez del fluido en el punto (x, y) ¿es $s(x, y) = \sqrt{u(x, y)^2 + v(x, y)^2}$. Calcule $\frac{\partial s}{\partial x}$ y $\frac{\partial s}{\partial y}$ utilizando la regla de la cadena.

259. Supongamos que $u = u(x, y, z)$, donde $x = x(w, t), y = y(w, t), z = z(w, t), w = w(r, s),$ y $t = t(r, s)$. Utilice un diagrama de árbol y la regla de la cadena para hallar una expresión para $\frac{\partial u}{\partial r}$.

4.6 Derivadas direccionales y el gradiente

Objetivos de aprendizaje

4.6.1 Determinar la derivada direccional en una dirección dada para una función de dos variables.

4.6.2 Determinar el vector gradiente de una función de valor real dada.

4.6.3 Explicar el significado del vector gradiente con respecto a la dirección de cambio a lo largo de una superficie.

4.6.4 Utilizar el gradiente para hallar la tangente a una curva de nivel de una función dada.

4.6.5 Calcular derivadas direccionales y gradientes en tres dimensiones.

En Derivadas parciales introducimos la derivada parcial. Una función $z = f(x, y)$ tiene dos derivadas parciales $\partial z/\partial x$ y $\partial z/\partial y$. Estas derivadas corresponden a cada una de las variables independientes y pueden interpretarse como tasas de cambio instantáneas (es decir, como pendientes de una línea tangente). Por ejemplo, $\partial z/\partial x$ representa la pendiente de una línea tangente que pasa por un punto determinado de la superficie definida por $z = f(x, y)$, asumiendo que la línea tangente es paralela al eje x. De la misma manera, $\partial z/\partial y$ representa la pendiente de la línea tangente paralela al eje y. Ahora consideramos la posibilidad de una línea tangente paralela a ninguno de los dos ejes.

Derivadas direccionales

Partimos del gráfico de una superficie definida por la ecuación $z = f(x, y)$. Dado un punto (a, b) en el dominio de f, elegimos una dirección para viajar desde ese punto. Medimos la dirección utilizando un ángulo θ, que se mide en el sentido contrario a las agujas del reloj en el plano x, y, comenzando en el cero del eje x positivo (Figura 4.39). La distancia que recorremos es h y la dirección en la que viajamos viene dada por el vector unitario $\mathbf{u} = (\cos \theta)\mathbf{i} + (\text{sen } \theta)\mathbf{j}$. Por lo tanto, la coordenada z del segundo punto de el gráfico viene dada por $z = f(a + h\cos \theta, b + h\,\text{sen } \theta)$.

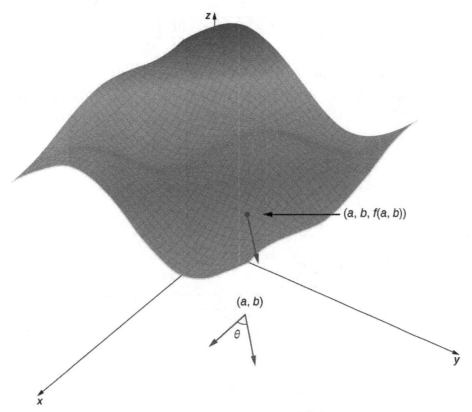

Figura 4.39 Hallar la derivada direccional en un punto del gráfico de $z = f(x, y)$. La pendiente de la flecha negra del gráfico indica el valor de la derivada direccional en ese punto.

Podemos calcular la pendiente de la línea secante dividiendo la diferencia en valores z entre la longitud del segmento de línea que une los dos puntos del dominio. La longitud del segmento de línea es h. Por lo tanto, la pendiente de la línea secante es

$$m_{\text{sec}} = \frac{f(a + h\cos\theta, b + h\operatorname{sen}\theta) - f(a, b)}{h}.$$

Para hallar la pendiente de la línea tangente en la misma dirección, tomamos el límite mientras h se acerca a cero.

> **Definición**
>
> Supongamos que $z = f(x, y)$ es una función de dos variables con un dominio de D. Supongamos que $(a, b) \in D$ y definamos $\mathbf{u} = \cos\theta\mathbf{i} + \operatorname{sen}\theta\mathbf{j}$. Entonces la **derivada direccional** de f en la dirección de $\mathbf{u}$ viene dada por
>
> $$D_{\mathbf{u}} f(a, b) = \lim_{h \to 0} \frac{f(a + h\cos\theta, b + h\operatorname{sen}\theta) - f(a, b)}{h}, \tag{4.36}$$
>
> siempre que exista el límite.

La Ecuación 4.36 proporciona una definición formal de la derivada direccional que puede utilizarse en muchos casos para calcular una derivada direccional.

EJEMPLO 4.31

Hallar una derivada direccional a partir de la definición

Supongamos que $\theta = \arccos(3/5)$. Calcule la derivada direccional $D_{\mathbf{u}} f(x, y)$ de $f(x, y) = x^2 - xy + 3y^2$ en dirección a $\mathbf{u} = (\cos\theta)\mathbf{i} + (\operatorname{sen}\theta)\mathbf{j}$. ¿Qué es $D_{\mathbf{u}} f(-1, 2)$?

⊘ **Solución**

En primer lugar, ya que $\cos\theta = 3/5$ y θ es un ángulo agudo, esto implica

$$\operatorname{sen}\theta = \sqrt{1 - \left(\frac{3}{5}\right)^2} = \sqrt{\frac{16}{25}} = \frac{4}{5}.$$

Utilizando $f(x, y) = x^2 - xy + 3y^2$, primero calculamos $f(x + h\cos\theta, y + h\operatorname{sen}\theta)$:

$$
\begin{aligned}
f(x + h\cos\theta, y + h\operatorname{sen}\theta) &= (x + h\cos\theta)^2 - (x + h\cos\theta)(y + h\operatorname{sen}\theta) + 3(y + h\operatorname{sen}\theta)^2 \\
&= x^2 + 2xh\cos\theta + h^2\cos^2\theta - xy - xh\operatorname{sen}\theta - yh\cos\theta \\
&\quad -h^2\operatorname{sen}\theta\cos\theta + 3y^2 + 6yh\operatorname{sen}\theta + 3h^2\operatorname{sen}^2\theta \\
&= x^2 + 2xh\left(\frac{3}{5}\right) + \frac{9h^2}{25} - xy - \frac{4xh}{5} - \frac{3yh}{5} - \frac{12h^2}{25} + 3y^2 \\
&\quad + 6yh\left(\frac{4}{5}\right) + 3h^2\left(\frac{16}{25}\right) \\
&= x^2 - xy + 3y^2 + \frac{2xh}{5} + \frac{9h^2}{5} + \frac{21yh}{5}.
\end{aligned}
$$

Sustituimos esta expresión en la [Ecuación 4.36](#):

$$
\begin{aligned}
D_{\mathbf{u}} f(a, b) &= \lim_{h \to 0} \frac{f(a + h\cos\theta, b + h\operatorname{sen}\theta) - f(a,b)}{h} \\
&= \lim_{h \to 0} \frac{\left(x^2 - xy + 3y^2 + \frac{2xh}{5} + \frac{9h^2}{5} + \frac{21yh}{5}\right) - \left(x^2 - xy + 3y^2\right)}{h} \\
&= \lim_{h \to 0} \frac{\frac{2xh}{5} + \frac{9h^2}{5} + \frac{21yh}{5}}{h} \\
&= \lim_{h \to 0} \frac{2x}{5} + \frac{9h}{5} + \frac{21y}{5} \\
&= \frac{2x + 21y}{5}.
\end{aligned}
$$

Para calcular $D_{\mathbf{u}} f(-1, 2)$, sustituimos $x = -1$ y $y = 2$ en esta respuesta:

$$
\begin{aligned}
D_{\mathbf{u}} f(-1, 2) &= \frac{2(-1) + 21(2)}{5} \\
&= \frac{-2 + 42}{5} \\
&= 8.
\end{aligned}
$$

(Vea la siguiente figura).

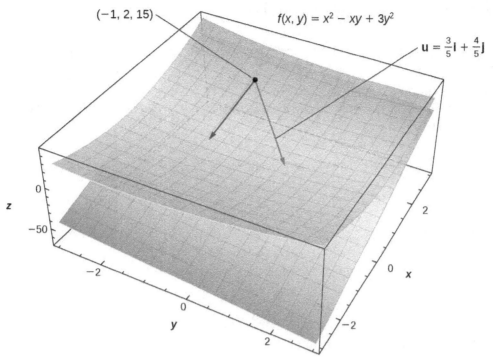

Figura 4.40 Hallar la derivada direccional en una dirección dada **u** en un punto determinado de una superficie. El plano es tangente a la superficie en el punto dado $(-1, 2, 15)$.

Otro enfoque para calcular una derivada direccional implica derivadas parciales, como se indica en el siguiente teorema.

Teorema 4.12

Derivada direccional de una función de dos variables

Supongamos que $z = f(x, y)$ es una función de dos variables x y y, y supongamos que f_x y f_y existe y $f(x, y)$ es diferenciable en todas partes. Entonces la derivada direccional de f en la dirección de $u = \cos\theta i + \text{sen}\,\theta j$ viene dada por

$$D_u f(x, y) = f_x(x, y)\cos\theta + f_y(x, y)\,\text{sen}\,\theta. \tag{4.37}$$

Prueba

La Ecuación 4.36 afirma que la derivada direccional de f en la dirección de $\mathbf{u} = \cos\theta i + \text{sen}\,\theta j$ viene dada por

$$D_u f(a, b) = \lim_{t \to 0} \frac{f(a + t\cos\theta, b + t\,\text{sen}\,\theta) - f(a, b)}{t}.$$

Supongamos que $x = a + t\cos\theta$ y $y = b + t\,\text{sen}\,\theta$, y definir $g(t) = f(x, y)$. Dado que f_x y f_y ambos existen, y por lo tanto f es diferenciable, podemos utilizar la regla de la cadena para funciones de dos variables para calcular $g'(t)$:

$$\begin{aligned} g'(t) &= \frac{\partial f}{\partial x}\frac{dx}{dt} + \frac{\partial f}{\partial y}\frac{dy}{dt} \\ &= f_x(x, y)\cos\theta + f_y(x, y)\,\text{sen}\,\theta. \end{aligned}$$

Si los valores de $t = 0$, entonces $x = x_0 (= a)$ y de $y = y_0 (= b)$, así que

$$g'(0) = f_x(x_0, y_0)\cos\theta + f_y(x_0, y_0)\,\text{sen}\,\theta.$$

Según la definición de $g'(t)$, también es cierto que

$$\begin{aligned} g'(0) &= \lim_{t \to 0} \frac{g(t) - g(0)}{t} \\ &= \lim_{t \to 0} \frac{f(x_0 + t\cos\theta, y_0 + t\,\text{sen}\,\theta) - f(x_0, y_0)}{t}. \end{aligned}$$

Por lo tanto, $D_{\mathbf{u}} f(x_0, y_0) = f_x(x, y) \cos \theta + f_y(x, y) \operatorname{sen} \theta$.

□

EJEMPLO 4.32

Hallar una derivada direccional: Método alternativo

Supongamos que $\theta = \arccos(3/5)$. Calcule la derivada direccional $D_{\mathbf{u}} f(x, y)$ de $f(x, y) = x^2 - xy + 3y^2$ en dirección a $\mathbf{u} = (\cos \theta)\mathbf{i} + (\operatorname{sen} \theta)\mathbf{j}$. ¿Qué es $D_{\mathbf{u}} f(-1, 2)$?

⊘ **Solución**

En primer lugar, debemos calcular las derivadas parciales de f:

$$f_x = 2x - y$$
$$f_y = -x + 6y,$$

A continuación, utilizamos la Ecuación 4.37 con $\theta = \arccos(3/5)$:

$$\begin{aligned} D_{\mathbf{u}} f(x, y) &= f_x(x, y) \cos \theta + f_y(x, y) \operatorname{sen} \theta \\ &= (2x - y)\tfrac{3}{5} + (-x + 6y)\tfrac{4}{5} \\ &= \tfrac{6x}{5} - \tfrac{3y}{5} - \tfrac{4x}{5} + \tfrac{24y}{5} \\ &= \tfrac{2x + 21y}{5}. \end{aligned}$$

Para calcular $D_{\mathbf{u}} f(-1, 2)$, supongamos que $x = -1$ y $y = 2$:

$$D_{\mathbf{u}} f(-1, 2) = \frac{2(-1) + 21(2)}{5} = \frac{-2 + 42}{5} = 8.$$

Esta es la misma respuesta que obtuvimos en el Ejemplo 4.31.

✓ 4.28   Halle la derivada direccional $D_{\mathbf{u}} f(x, y)$ de $f(x, y) = 3x^2 y - 4xy^3 + 3y^2 - 4x$ en dirección a $\mathbf{u} = \left(\cos \tfrac{\pi}{3}\right)\mathbf{i} + \left(\operatorname{sen} \tfrac{\pi}{3}\right)\mathbf{j}$ utilizando la Ecuación 4.37. ¿Cuál es el valor de $D_{\mathbf{u}} f(3, 4)$?

Si el vector que se da para la dirección de la derivada no es un vector unitario, entonces solo es necesario dividir entre la norma del vector. Por ejemplo, si quisiéramos hallar la derivada direccional de la función en el Ejemplo 4.32 en la dirección del vector $\langle -5, 12 \rangle$, primero dividiríamos entre su magnitud para obtener $\mathbf{u}$. Esto nos da $\mathbf{u} = \langle -(5/13), 12/13 \rangle$. Entonces

$$\begin{aligned} D_{\mathbf{u}} f(x, y) &= \nabla f(x, y) \cdot \mathbf{u} \\ &= -\tfrac{5}{13}(2x - y) + \tfrac{12}{13}(-x + 6y) \\ &= -\tfrac{22}{13}x + \tfrac{17}{13}y. \end{aligned}$$

Gradiente

El lado derecho de la Ecuación 4.37 es igual a $f_x(x, y) \cos \theta + f_y(x, y) \operatorname{sen} \theta$, que se puede escribir como el producto escalar de dos vectores. Defina el primer vector como $\nabla f(x, y) = f_x(x, y)\mathbf{i} + f_y(x, y)\mathbf{j}$ y el segundo vector como $\mathbf{u} = (\cos \theta)\mathbf{i} + (\operatorname{sen} \theta)\mathbf{j}$. Entonces el lado derecho de la ecuación se puede escribir como el producto escalar de estos dos vectores:

$$D_{\mathbf{u}} f(x, y) = \nabla f(x, y) \cdot \mathbf{u}. \tag{4.38}$$

El primer vector en la Ecuación 4.38 tiene un nombre especial: el gradiente de la función f. El símbolo ∇ se llama *nabla* y el vector ∇f se lee "del f".

Definición

Supongamos que $z = f(x, y)$ es una función de x y y de manera que f_x y f_y existen. El vector $\nabla f(x, y)$ se llama el **gradiente** de f y se define como

---

$$\nabla f(x, y) = f_x(x, y)\mathbf{i} + f_y(x, y)\mathbf{j}. \tag{4.39}$$

El vector $\nabla f(x, y)$ también se escribe como "grad f".

EJEMPLO 4.33

Hallar gradientes

Halle el gradiente $\nabla f(x, y)$ de cada una de las siguientes funciones:

a. $f(x, y) = x^2 - xy + 3y^2$
b. $f(x, y) = \text{sen } 3x \cos 3y$

⊘ Solución

Para ambas partes a. y b., primero calculamos las derivadas parciales f_x y f_y, y luego usamos la Ecuación 4.39.

a.
$$
\begin{aligned}
f_x(x, y) &= 2x - y \text{ y } f_y(x, y) = -x + 6y, \text{ por lo que} \\
\nabla f(x, y) &= f_x(x, y)\mathbf{i} + f_y(x, y)\mathbf{j} \\
&= (2x - y)\mathbf{i} + (-x + 6y)\mathbf{j}.
\end{aligned}
$$

b.
$$
\begin{aligned}
f_x(x, y) &= 3\cos 3x \cos 3y \text{ y } f_y(x, y) = -3\text{ sen } 3x \text{ sen } 3y, \text{ por lo que} \\
\nabla f(x, y) &= f_x(x, y)\mathbf{i} + f_y(x, y)\mathbf{j} \\
&= (3\cos 3x \cos 3y)\mathbf{i} - (3\text{ sen } 3x \text{ sen } 3y)\mathbf{j}.
\end{aligned}
$$

☑ 4.29   Halle el gradiente $\nabla f(x, y)$ de $f(x, y) = \left(x^2 - 3y^2\right)/(2x + y)$.

El gradiente tiene algunas propiedades importantes. Ya hemos visto una fórmula que utiliza el gradiente: la fórmula de la derivada direccional. Recordemos que el producto escalar dice que si el ángulo entre dos vectores $\mathbf{a}$ y $\mathbf{b}$ ¿es φ, entonces $\mathbf{a} \cdot \mathbf{b} = \|\mathbf{a}\| \|\mathbf{b}\| \cos \varphi$. Por lo tanto, si el ángulo entre $\nabla f(x_0, y_0)$ y $\mathbf{u} = (\cos \theta)\mathbf{i} + (\text{sen } \theta)\mathbf{j}$ ¿es φ, tenemos

$$D_{\mathbf{u}} f(x_0, y_0) = \nabla f(x_0, y_0) \cdot \mathbf{u} = \|\nabla f(x_0, y_0)\| \|\mathbf{u}\| \cos \varphi = \|\nabla f(x_0, y_0)\| \cos \varphi.$$

El $\|\mathbf{u}\|$ desaparece porque $\mathbf{u}$ es un vector unitario. Por lo tanto, la derivada direccional es igual a la magnitud del gradiente evaluado en (x_0, y_0) multiplicado por $\cos \varphi$. Recordemos que $\cos \varphi$ oscila de -1 al 1. Si $\varphi = 0$, entonces $\cos \varphi = 1$ y $\nabla f(x_0, y_0)$ y $\mathbf{u}$ ambos apuntan en la misma dirección. Si los valores de $\varphi = \pi$, entonces $\cos \varphi = -1$ y $\nabla f(x_0, y_0)$ y $\mathbf{u}$ apuntan en direcciones opuestas. En el primer caso, el valor de $D_{\mathbf{u}} f(x_0, y_0)$ se maximiza; en el segundo caso, el valor de $D_{\mathbf{u}} f(x_0, y_0)$ se minimiza. Si los valores de $\nabla f(x_0, y_0) = 0$, entonces $D_{\mathbf{u}} f(x_0, y_0) = \nabla f(x_0, y_0) \cdot \mathbf{u} = 0$ para cualquier vector $\mathbf{u}$. Estos tres casos se resumen en el siguiente teorema.

Teorema 4.13

Propiedades del gradiente

Supongamos que la función $z = f(x, y)$ es diferenciable en (x_0, y_0) (Figura 4.41).

i. Si los valores de $\nabla f(x_0, y_0) = \mathbf{0}$, entonces $D_{\mathbf{u}} f(x_0, y_0) = 0$ para cualquier vector unitario $\mathbf{u}$.

ii. Si los valores de $\nabla f(x_0, y_0) \neq \mathbf{0}$, entonces $D_{\mathbf{u}} f(x_0, y_0)$ se maximiza cuando $\mathbf{u}$ apunta en la misma dirección que $\nabla f(x_0, y_0)$. El valor máximo de $D_{\mathbf{u}} f(x_0, y_0)$ ¿es $\|\nabla f(x_0, y_0)\|$.

iii. Si los valores de $\nabla f(x_0, y_0) \neq \mathbf{0}$, entonces $D_{\mathbf{u}} f(x_0, y_0)$ se minimiza cuando $\mathbf{u}$ apunta en la dirección opuesta a $\nabla f(x_0, y_0)$. El valor mínimo de $D_{\mathbf{u}} f(x_0, y_0)$ ¿es $-\|\nabla f(x_0, y_0)\|$.

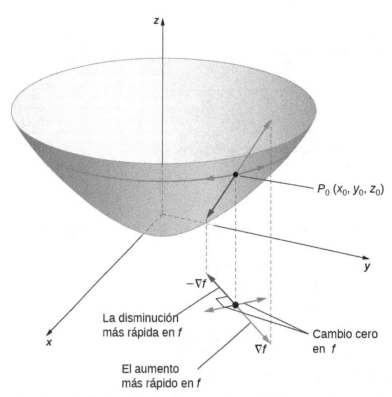

Figura 4.41   El gradiente indica los valores máximo y mínimo de la derivada direccional en un punto.

EJEMPLO 4.34

Hallar una derivada direccional máxima

Halle la dirección del vector para la cual la derivada direccional de $f(x, y) = 3x^2 - 4xy + 2y^2$ en $(-2, 3)$ es un máximo. ¿Cuál es el valor máximo?

⊘ **Solución**

El valor máximo de la derivada direccional se produce cuando ∇f y el vector unitario apuntan en la misma dirección. Por lo tanto, empezamos por calcular $\nabla f(x, y)$:

$$f_x(x, y) = 6x - 4y \text{ y } f_y(x, y) = -4x + 4y, \text{ por lo que}$$
$$\nabla f(x, y) = f_x(x, y)\mathbf{i} + f_y(x, y)\mathbf{j} = (6x - 4y)\mathbf{i} + (-4x + 4y)\mathbf{j}.$$

A continuación, evaluamos el gradiente en $(-2, 3)$:

$$\nabla f(-2, 3) = (6(-2) - 4(3))\mathbf{i} + (-4(-2) + 4(3))\mathbf{j} = -24\mathbf{i} + 20\mathbf{j}.$$

Necesitamos hallar un vector unitario que apunte en la misma dirección que $\nabla f(-2, 3)$, así que el siguiente paso es dividir $\nabla f(-2, 3)$ entre su magnitud, que es $\sqrt{(-24)^2 + (20)^2} = \sqrt{976} = 4\sqrt{61}$. Por lo tanto,

$$\frac{\nabla f(-2, 3)}{\|\nabla f(-2, 3)\|} = \frac{-24}{4\sqrt{61}}\mathbf{i} + \frac{20}{4\sqrt{61}}\mathbf{j} = \frac{-6\sqrt{61}}{61}\mathbf{i} + \frac{5\sqrt{61}}{61}\mathbf{j}.$$

Es el vector unitario que apunta en la misma dirección que $\nabla f(-2, 3)$. Para hallar el ángulo correspondiente a este vector unitario, resolvemos las ecuaciones

$$\cos\theta = \frac{-6\sqrt{61}}{61} \text{ y sen } \theta = \frac{5\sqrt{61}}{61}$$

por θ. Como el coseno es negativo y el seno es positivo, el ángulo debe estar en el segundo cuadrante. Por lo tanto, $\theta = \pi - \arcsen\left(\left(5\sqrt{61}\right)/61\right) \approx 2{,}45 \text{ rad}$.

El valor máximo de la derivada direccional en $(-2, 3)$ ¿es $\|\nabla f(-2, 3)\| = 4\sqrt{61}$ (vea la siguiente figura).

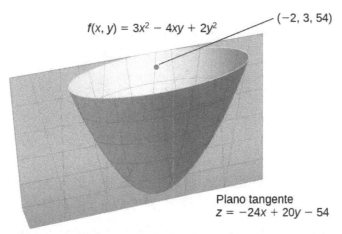

Figura 4.42   El valor máximo de la derivada direccional en $(-2, 3)$ está en la dirección del gradiente.

☑ 4.30   Halle la dirección del vector para la cual la derivada direccional de $g(x, y) = 4x - xy + 2y^2$ en $(-2, 3)$ es un
            máximo. ¿Cuál es el valor máximo?

La Figura 4.43 muestra una parte del gráfico de la función $f(x, y) = 3 + \operatorname{sen} x \operatorname{sen} y$. Dado un punto (a, b) en el dominio
de f, el valor máximo del gradiente en ese punto viene dado por $\|\nabla f(a, b)\|$. Esto equivaldría a la tasa de mayor
ascenso si la superficie representara un mapa topográfico. Si fuéramos en dirección contraria, sería la tasa de mayor
descenso.

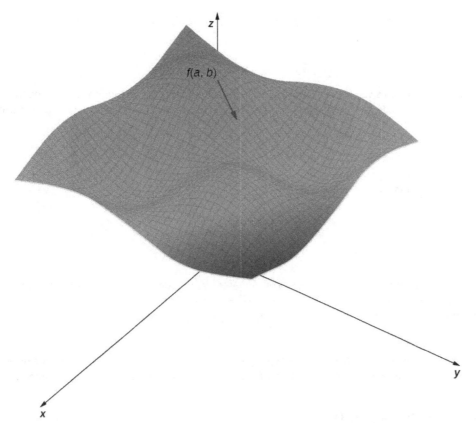

Figura 4.43   Una superficie típica en $\mathbb{R}^3$. Dado un punto de la superficie, se puede calcular la derivada direccional
mediante el gradiente.

Cuando se utiliza un mapa topográfico, la pendiente más pronunciada está siempre en la dirección en la que las curvas
de nivel están más juntas (vea la Figura 4.44). Esto es análogo al mapa de líneas de contorno de una función,
suponiendo que las curvas de nivel se obtienen para valores igualmente espaciados en todo el rango de esa función.

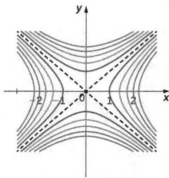

Figura 4.44 Mapa de líneas de contorno de la función $f(x, y) = x^2 - y^2$ utilizando valores de nivel entre -5 y 5.

Gradientes y curvas de nivel

Recordemos que si una curva está definida paramétricamente por el par de funciones $(x(t), y(t))$, entonces el vector $x'(t)\mathbf{i} + y'(t)\mathbf{j}$ es tangente a la curva para cualquier valor de t en el dominio. Supongamos ahora que $z = f(x, y)$ es una función diferenciable de x y y, y (x_0, y_0) está en su dominio. Supongamos además que $x_0 = x(t_0)$ y de $y_0 = y(t_0)$ para algún valor de t, y consideremos la curva de nivel $f(x, y) = k$. Defina $g(t) = f(x(t), y(t))$ y calcule $g'(t)$ en la curva de nivel. Según la regla de la cadena,

$$g'(t) = f_x(x(t), y(t))x'(t) + f_y(x(t), y(t))y'(t).$$

Pero $g'(t) = 0$ porque $g(t) = k$ para todos los t. Por lo tanto, por un lado,

$$f_x(x(t), y(t))x'(t) + f_y(x(t), y(t))y'(t) = 0;$$

por el otro,

$$f_x(x(t), y(t))x'(t) + f_y(x(t), y(t))y'(t) = \nabla f(x, y) . \langle x'(t), y'(t) \rangle.$$

Por lo tanto,

$$\nabla f(x, y) . \langle x'(t), y'(t) \rangle = 0.$$

Así, el producto escalar de estos vectores es igual a cero, lo que implica que son ortogonales. Sin embargo, el segundo vector es tangente a la curva de nivel, lo que implica que el gradiente debe ser normal a la curva de nivel, lo que da lugar al siguiente teorema.

Teorema 4.14

El gradiente es normal a la curva de nivel

Supongamos que la función $z = f(x, y)$ tiene derivadas parciales continuas de primer orden en un disco abierto centrado en un punto (x_0, y_0). Si $\nabla f(x_0, y_0) \neq \mathbf{0}$, entonces $\nabla f(x_0, y_0)$ es normal a la curva de nivel de f a las (x_0, y_0).

Podemos utilizar este teorema para hallar los vectores tangentes y normales a las curvas de nivel de una función.

EJEMPLO 4.35

Hallar las tangentes de las curvas de nivel

Para que la función $f(x, y) = 2x^2 - 3xy + 8y^2 + 2x - 4y + 4$, halle un vector tangente a la curva de nivel en el punto $(-2, 1)$. Grafique la curva de nivel correspondiente a $f(x, y) = 18$ y dibuje $\nabla f(-2, 1)$ y un vector tangente.

⊘ **Solución**

En primer lugar, debemos calcular $\nabla f(x, y)$:

$$f_x(x, y) = 4x - 3y + 2 \text{ y } f_y = -3x + 16y - 4 \text{ por lo que } \nabla f(x, y) = (4x - 3y + 2)\mathbf{i} + (-3x + 16y - 4)\mathbf{j}.$$

A continuación, evaluamos $\nabla f(x, y)$ a las $(-2, 1)$:

$$\nabla f(-2, 1) = (4(-2) - 3(1) + 2)\mathbf{i} + (-3(-2) + 16(1) - 4)\mathbf{j} = -9\mathbf{i} + 18\mathbf{j}.$$

Este vector es ortogonal a la curva en el punto $(-2, 1)$. Podemos obtener un vector tangente invirtiendo las componentes y multiplicando cualquiera de ellas por -1. Así, por ejemplo, $-18\mathbf{i} - 9\mathbf{j}$ es un vector tangente (vea el siguiente gráfico).

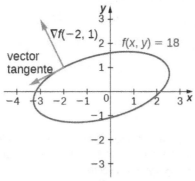

Figura 4.45 Una elipse rotada con ecuación f(x, y) = 18. En el punto (-2, 1) de la elipse se dibujan dos flechas, un vector tangente y un vector normal. El vector normal está marcado ∇f(-2, 1) y es perpendicular al vector tangente.

☑ 4.31   Para que la función $f(x, y) = x^2 - 2xy + 5y^2 + 3x - 2y + 4$, halle la tangente a la curva de nivel en el punto $(1, 1)$. Dibuje el gráfico de la curva de nivel correspondiente a $f(x, y) = 9$ y dibuje $\nabla f(1, 1)$ y un vector tangente.

Gradientes tridimensionales y derivadas direccionales

La definición de gradiente puede extenderse a funciones de más de dos variables.

Definición

Supongamos que $w = f(x, y, z)$ es una función de tres variables tal que $f_x, f_y,$ y f_z existen. El vector $\nabla f(x, y, z)$ se llama el gradiente de f y se define como

$$\nabla f(x, y, z) = f_x(x, y, z)\mathbf{i} + f_y(x, y, z)\mathbf{j} + f_z(x, y, z)\mathbf{k}. \qquad (4.40)$$

$\nabla f(x, y, z)$ también puede escribirse como grad $f(x, y, z)$.

El cálculo del gradiente de una función en tres variables es muy similar al cálculo del gradiente de una función en dos variables. En primer lugar, calculamos las derivadas parciales $f_x, f_y,$ y $f_z,$ y luego utilizamos la Ecuación 4.40.

EJEMPLO 4.36

Hallar gradientes en tres dimensiones
Halle el gradiente $\nabla f(x, y, z)$ de cada una de las siguientes funciones:

a. $f(x, y, z) = 5x^2 - 2xy + y^2 - 4yz + z^2 + 3xz$
b. $f(x, y, z) = e^{-2z} \operatorname{sen} 2x \cos 2y$

⊘ **Solución**
Para ambas partes a. y b., primero calculamos las derivadas parciales $f_x, f_y,$ y $f_z,$ y luego usamos la Ecuación 4.40.

a.
$$f_x(x, y, z) = 10x - 2y + 3z, \ f_y(x, y, z) = -2x + 2y - 4z \ \text{y} \ f_z(x, y, z) = 3x - 4y + 2z, \text{ por lo que}$$
$$\nabla f(x, y, z) = f_x(x, y, z)\mathbf{i} + f_y(x, y, z)\mathbf{j} + f_z(x, y, z)\mathbf{k}$$
$$= (10x - 2y + 3z)\mathbf{i} + (-2x + 2y - 4z)\mathbf{j} + (-4x + 3y + 2z)\mathbf{k}.$$

b.

$$f_x(x, y, z) = -2e^{-2z}\cos 2x \cos 2y, \ f_y(x, y, z) = -2e^{-2z}\operatorname{sen} 2x \operatorname{sen} 2y \ y$$

$$f_z(x, y, z) = -2e^{-2z}\operatorname{sen} 2x \cos 2y, \text{ por lo que}$$

$$\nabla f(x, y, z) = f_x(x, y, z)\mathbf{i} + f_y(x, y, z)\mathbf{j} + f_z(x, y, z)\mathbf{k}$$

$$= \left(2e^{-2z}\cos 2x \cos 2y\right)\mathbf{i} + \left(-2e^{-2z}\right)\mathbf{j} + \left(-2e^{-2z}\right)$$

$$= 2e^{-2z}\left(\cos 2x \cos 2y\,\mathbf{i} - \operatorname{sen} 2x \operatorname{sen} 2y\,\mathbf{j} - \operatorname{sen} 2x \cos 2y\,\mathbf{k}\right).$$

☑ 4.32   Halle el gradiente $\nabla f(x, y, z)$ de $f(x, y, z) = \frac{x^2 - 3y^2 + z^2}{2x + y - 4z}$.

La derivada direccional también puede generalizarse a funciones de tres variables. Para determinar una dirección en tres dimensiones, se necesita un vector con tres componentes. Este vector es un vector unitario, y las componentes del vector unitario se llaman *cosenos direccionales*. Dado un vector unitario tridimensional $\mathbf{u}$ en forma estándar (es decir, el punto inicial está en el origen), este vector forma tres ángulos diferentes con los ejes positivos $x-$, $y-$, y z. Llamemos a estos ángulos α, β, y γ. Entonces los cosenos direccionales vienen dados por $\cos \alpha$, $\cos \beta$, y $\cos \gamma$. Estas son las componentes del vector unitario $\mathbf{u}$; dado que $\mathbf{u}$ es un vector unitario, es cierto que $\cos^2 \alpha + \cos^2 \beta + \cos^2 \gamma = 1$.

Definición

Supongamos que $w = f(x, y, z)$ es una función de tres variables con un dominio de D. Supongamos que $(x_0, y_0, z_0) \in D$ y supongamos que $u = \cos \alpha\mathbf{i} + \cos \beta\mathbf{j} + \cos \gamma\mathbf{k}$ es un vector unitario. Entonces, la derivada direccional de f en la dirección de u viene dada por

$$D_{\mathbf{u}}f(x_0, y_0, z_0) = \lim_{t \to 0} \frac{f(x_0 + t\cos \alpha, y_0 + t\cos \beta, z_0 + t\cos \gamma) - f(x_0, y_0, z_0)}{t}, \tag{4.41}$$

siempre que exista el límite.

Podemos calcular la derivada direccional de una función de tres variables utilizando el gradiente, lo que nos lleva a una fórmula análoga a la Ecuación 4.38.

Teorema 4.15

Derivada direccional de una función de tres variables
Supongamos que $f(x, y, z)$ es una función diferenciable de tres variables y que $\mathbf{u} = \cos \alpha\mathbf{i} + \cos \beta\mathbf{j} + \cos \gamma\mathbf{k}$ es un vector unitario. Entonces, la derivada direccional de f en la dirección de $\mathbf{u}$ viene dada por

$$D_{\mathbf{u}}f(x, y, z) = \nabla f(x, y, z) \cdot \mathbf{u}$$

$$= f_x(x, y, z)\cos \alpha + f_y(x, y, z)\cos \beta + f_z(x, y, z)\cos \gamma. \tag{4.42}$$

Los tres ángulos $\alpha, \beta,$ y γ determinan el vector unitario $\mathbf{u}$. En la práctica, podemos utilizar un vector arbitrario (no unitario) y dividirlo entre su magnitud para obtener un vector unitario en la dirección deseada.

EJEMPLO 4.37

Hallar una derivada direccional en tres dimensiones
Calcule $D_{\mathbf{u}}f(1, -2, 3)$ en dirección a $v = -\mathbf{i} + 2\mathbf{j} + 2\mathbf{k}$ para la función

$$f(x, y, z) = 5x^2 - 2xy + y^2 - 4yz + z^2 + 3xz.$$

⊘ **Solución**
En primer lugar, hallamos la magnitud de $\mathbf{v}$:

$$\|\mathbf{v}\| = \sqrt{(-1)^2 + (2)^2 + (2)^2} = 3.$$

Por lo tanto, $\frac{\mathbf{v}}{\|\mathbf{v}\|} = \frac{-\mathbf{i}+2\mathbf{j}+2\mathbf{k}}{3} = -\frac{1}{3}\mathbf{i} + \frac{2}{3}\mathbf{j} + \frac{2}{3}\mathbf{k}$ es un vector unitario en la dirección de $\mathbf{v}$, por lo que $\cos\alpha = -\frac{1}{3}, \cos\beta = \frac{2}{3}$, y $\cos\gamma = \frac{2}{3}$. A continuación, calculamos las derivadas parciales de f:

$$f_x(x,y,z) = 10x - 2y + 3z$$
$$f_y(x,y,z) = -2x + 2y - 4z$$
$$f_z(x,y,z) = -4y + 2z + 3x,$$

y luego sustituirlos en Ecuación 4.42:

$$D_{\mathbf{u}}f(x,y,z) = f_x(x,y,z)\cos\alpha + f_y(x,y,z)\cos\beta + f_z(x,y,z)\cos\gamma$$
$$= (10x - 2y + 3z)\left(-\frac{1}{3}\right) + (-2x + 2y - 4z)\left(\frac{2}{3}\right) + (-4y + 2z + 3x)\left(\frac{2}{3}\right)$$
$$= -\frac{10x}{3} + \frac{2y}{3} - \frac{3z}{3} - \frac{4x}{3} + \frac{4y}{3} - \frac{8z}{3} - \frac{8y}{3} + \frac{4z}{3} + \frac{6x}{3}$$
$$= -\frac{8x}{3} - \frac{2y}{3} - \frac{7z}{3}.$$

Por último, para hallar $D_{\mathbf{u}}f(1,-2,3)$, sustituimos $x = 1, y = -2$, y $z = 3$:

$$D_{\mathbf{u}}f(1,-2,3) = -\frac{8(1)}{3} - \frac{2(-2)}{3} - \frac{7(3)}{3}$$
$$= -\frac{8}{3} + \frac{4}{3} - \frac{21}{3}$$
$$= -\frac{25}{3}.$$

☑ 4.33   Calcule $D_{\mathbf{u}}f(x,y,z)$ y $D_{\mathbf{u}}f(0,-2,5)$ en dirección a $\mathbf{v} = -3\mathbf{i} + 12\mathbf{j} - 4\mathbf{k}$ para la función $f(x,y,z) = 3x^2 + xy - 2y^2 + 4yz - z^2 + 2xz$.

🖱 SECCIÓN 4.6 EJERCICIOS

En los siguientes ejercicios, halle la derivada direccional utilizando únicamente la definición de límite.

260. $f(x,y) = 5 - 2x^2 - \frac{1}{2}y^2$ en el punto $P(3,4)$ en dirección a $\mathbf{u} = \left(\cos\frac{\pi}{4}\right)\mathbf{i} + \left(\operatorname{sen}\frac{\pi}{4}\right)\mathbf{j}$

261. $f(x,y) = y^2\cos(2x)$ en el punto $P\left(\frac{\pi}{3},2\right)$ en dirección a $\mathbf{u} = \left(\cos\frac{\pi}{4}\right)\mathbf{i} + \left(\operatorname{sen}\frac{\pi}{4}\right)\mathbf{j}$

262. Halle la derivada direccional de $f(x,y) = y^2\operatorname{sen}(2x)$ en el punto $P\left(\frac{\pi}{4},2\right)$ en dirección a $\mathbf{u} = 5\mathbf{i} + 12\mathbf{j}$.

En los siguientes ejercicios, halle la derivada direccional de la función en el punto P en dirección a $\mathbf{u}$ o $\mathbf{v}$ según corresponda.

263. $f(x,y) = xy, P(0,-2)$, $\mathbf{v} = \frac{1}{2}\mathbf{i} + \frac{\sqrt{3}}{2}\mathbf{j}$

264. $h(x,y) = e^x\operatorname{sen} y, P\left(1,\frac{\pi}{2}\right), \mathbf{v} = -\mathbf{i}$

265. $h(x,y,z) = xyz, P(2,1,1), \mathbf{v} = 2\mathbf{i} + \mathbf{j} - \mathbf{k}$

266. $f(x,y) = xy, P(1,1), \mathbf{u} = \left\langle \frac{\sqrt{2}}{2}, \frac{\sqrt{2}}{2} \right\rangle$

267. $f(x,y) = x^2 - y^2, \mathbf{u} = \left\langle \frac{\sqrt{3}}{2}, \frac{1}{2} \right\rangle$, $P(1,0)$ grandes.

268. $f(x,y) = 3x + 4y + 7, \mathbf{u} = \left\langle \frac{3}{5}, \frac{4}{5} \right\rangle$, $P\left(0,\frac{\pi}{2}\right)$ grandes.

269. $f(x,y) = e^x\cos y, \mathbf{u} = \langle 0,1 \rangle$, $P = \left(0,\frac{\pi}{2}\right)$ grandes.

270. $f(x,y) = y^{10}, \mathbf{u} = \langle 0,-1 \rangle$, $P = (1,-1)$ grandes.

271. $f(x, y) = \ln(x^2 + y^2)$, $\mathbf{u} = \left\langle \frac{3}{5}, \frac{4}{5} \right\rangle$, $P(1, 2)$
grandes.

272. $f(x, y) = x^2 y$, $P(-5, 5)$, $\mathbf{v} = 3\mathbf{i} - 4\mathbf{j}$

273. $f(x, y, z) = y^2 + xz$, $P(1, 2, 2)$, $\mathbf{v} = \langle 2, -1, 2 \rangle$

En los siguientes ejercicios, halle la derivada direccional de la función en la dirección del vector unitario
$\mathbf{u} = \cos\theta\mathbf{i} + \sin\theta\mathbf{j}$.

274. $f(x, y) = x^2 + 2y^2, \theta = \frac{\pi}{6}$

275. $f(x, y) = \frac{y}{x+2y}, \theta = -\frac{\pi}{4}$

276. $f(x, y) = \cos(3x + y), \theta = \frac{\pi}{4}$

277. $w(x, y) = ye^x, \theta = \frac{\pi}{3}$

278. $f(x, y) = x \arctan(y), \theta = \frac{\pi}{2}$

279. $f(x, y) = \ln(x + 2y), \theta = \frac{\pi}{3}$

En los siguientes ejercicios, calcule el gradiente.

280. Calcule el gradiente de
$f(x, y) = \frac{14 - x^2 - y^2}{3}$.
Entonces, halle el
gradiente en el punto
$P(1, 2)$.

281. Calcule el gradiente de
$f(x, y, z) = xy + yz + xz$
en el punto $P(1, 2, 3)$.

282. Calcule el gradiente de $f(x, y, z)$ a las P y en la dirección de $\mathbf{u}$:
$f(x, y, z) = \ln(x^2 + 2y^2 + 3z^2)$, $P(2, 1, 4)$, $\mathbf{u} = \frac{-3}{13}\mathbf{i} - \frac{4}{13}\mathbf{j} - \frac{12}{13}\mathbf{k}$.

283. $f(x, y, z) = 4x^5 y^2 z^3$, $P(2, -1, 1)$, $\mathbf{u} = \frac{1}{3}\mathbf{i} + \frac{2}{3}\mathbf{j} - \frac{2}{3}\mathbf{k}$

En los siguientes ejercicios, halle la derivada direccional de la función en el punto P en dirección a Q.

284. $f(x, y) = x^2 + 3y^2$, $P(1, 1)$, $Q(4, 5)$
grandes.

285. $f(x, y, z) = \frac{y}{x+z}$, $P(2, 1, -1)$, $Q(-1, 2, 0)$
grandes.

En los siguientes ejercicios, halle la derivada de la función en P en dirección a $\mathbf{u}$.

286. $f(x, y) = -7x + 2y$, $P(2, -4)$, $\mathbf{u} = 4\mathbf{i} - 3\mathbf{j}$

287. $f(x, y) = \ln(5x + 4y)$, $P(3, 9)$, $\mathbf{u} = 6\mathbf{i} + 8\mathbf{j}$

288. **[T]** Utilice la tecnología
para dibujar la curva de
nivel de
$f(x, y) = 4x - 2y + 3$ que
pasa por $P(1, 2)$ y dibuje
el vector gradiente en P.

289. **[T]** Utilice la tecnología
para dibujar la curva de
nivel de
$f(x, y) = x^2 + 4y^2$ que
pasa por $P(-2, 0)$ y dibuje
el vector gradiente en P.

En los siguientes ejercicios, halle el vector gradiente en el punto indicado.

290. $f(x, y) = xy^2 - yx^2, P(-1, 1)$
grandes.

291. $f(x, y) = xe^y - \ln(x), P(-3, 0)$
grandes.

292. $f(x, y, z) = xy - \ln(z), P(2, -2, 2)$
grandes.

293. $f(x, y, z) = x\sqrt{y^2 + z^2}, P(-2, -1, -1)$
grandes.

En los siguientes ejercicios, halle la derivada de la función.

294. $f(x, y) = x^2 + xy + y^2$ en el punto $(-5, -4)$ en la dirección en que la función aumenta más rápidamente

295. $f(x, y) = e^{xy}$ en el punto $(6, 7)$ en la dirección en que la función aumenta más rápidamente

296. $f(x, y) = \arctan\left(\frac{y}{x}\right)$ en el punto $(-9, 9)$ en la dirección en que la función aumenta más rápidamente

297. $f(x, y, z) = \ln(xy + yz + zx)$ en el punto $(-9, -18, -27)$ en la dirección en que la función aumenta más rápidamente

298. $f(x, y, z) = \frac{x}{y} + \frac{y}{z} + \frac{z}{x}$ en el punto $(5, -5, 5)$ en la dirección en que la función aumenta más rápidamente

En los siguientes ejercicios, halle la tasa de cambio máxima de f en el punto dado y la dirección en la que se produce.

299. $f(x, y) = xe^{-y}$, $(1, 0)$ grandes.

300. $f(x, y) = \sqrt{x^2 + 2y}$, $(4, 10)$ grandes.

301. $f(x, y) = \cos(3x + 2y)$, $\left(\frac{\pi}{6}, -\frac{\pi}{8}\right)$ grandes.

En los siguientes ejercicios, halle las ecuaciones de

a. el plano tangente y
b. la línea normal a la superficie dada en el punto dado.

302. La superficie de nivel $f(x, y, z) = 12$ por $f(x, y, z) = 4x^2 - 2y^2 + z^2$ en el punto $(2, 2, 2)$.

303. $f(x, y, z) = xy + yz + xz = 3$ en el punto $(1, 1, 1)$

304. $f(x, y, z) = xyz = 6$ en el punto $(1, 2, 3)$ grandes.

305. $f(x, y, z) = xe^y \cos z - z = 1$ en el punto $(1, 0, 0)$

En los siguientes ejercicios, resuelva el problema.

306. La temperatura T en una esfera de metal es inversamente proporcional a la distancia desde el centro de la esfera (el origen: $(0, 0, 0)$). La temperatura en el punto $(1, 2, 2)$ ¿es $120\ °C$.

a. Halle la tasa de cambio de la temperatura en el punto $(1, 2, 2)$ en la dirección hacia el punto $(2, 1, 3)$.

b. Demuestre que, en cualquier punto de la esfera, la dirección en la que aumenta más la temperatura viene dada por un vector que apunta hacia el origen.

307. El potencial eléctrico (voltaje) en una determinada región del espacio viene dado por la función $V(x, y, z) = 5x^2 - 3xy + xyz$.

a. Halle la tasa de cambio del voltaje en el punto $(3, 4, 5)$ en la dirección del vector $\langle 1, 1, -1 \rangle$.

b. ¿En qué dirección cambia más rápidamente el voltaje en el punto $(3, 4, 5)$?

c. ¿Cuál es la máxima tasa de cambio del voltaje en el punto $(3, 4, 5)$?

308. Si el potencial eléctrico en un punto (x, y) en el plano xy es $V(x, y) = e^{-2x}\cos(2y)$, entonces el vector de intensidad eléctrica en (x, y) ¿es $\mathbf{E} = -\nabla V(x, y)$.

a. Halle el vector de intensidad eléctrica en $\left(\frac{\pi}{4}, 0\right)$.

b. Demuestre que, en cada punto del plano, el potencial eléctrico disminuye más rápidamente en la dirección del vector $\mathbf{E}$.

309. En dos dimensiones, el movimiento de un fluido ideal se rige por un potencial de velocidad φ. Las componentes de la velocidad del fluido u en la dirección x y v en la dirección y, vienen dadas por $\langle u, v \rangle = \nabla\varphi$. Halle las componentes de la velocidad asociadas al potencial de velocidad $\varphi(x, y) = \operatorname{sen} \pi x \operatorname{sen} 2\pi y$.

4.7 Problemas con máximos/mínimos

Objetivos de aprendizaje

4.7.1 Utilizar las derivadas parciales para localizar los puntos críticos de una función de dos variables.

4.7.2 Aplicar una prueba de segunda derivada para identificar un punto crítico como máximo local, mínimo local o punto de silla para una función de dos variables.

4.7.3 Examinar los puntos críticos y los puntos límite para calcular los valores máximos y mínimos absolutos de una función de dos variables.

Una de las aplicaciones más útiles de las derivadas de una función de una variable es la determinación de los valores máximos o mínimos. Esta aplicación también es importante para las funciones de dos o más variables, pero como hemos visto en secciones anteriores de este capítulo, la introducción de más variables independientes conduce a más resultados posibles para los cálculos. Las ideas principales de hallar puntos críticos y utilizar pruebas derivadas siguen siendo válidas, pero aparecen giros inesperados al evaluar los resultados.

Puntos críticos

Para las funciones de una sola variable, definimos los puntos críticos como los valores de la función cuando la derivada es igual a cero o no existe. Para las funciones de dos o más variables, el concepto es esencialmente el mismo, excepto por el hecho de que ahora estamos trabajando con derivadas parciales.

Definición

Supongamos que $z = f(x, y)$ es una función de dos variables definida en un conjunto abierto que contiene el punto (x_0, y_0). El punto (x_0, y_0) se llama **punto crítico de una función de dos variables** f si se cumple una de las dos condiciones siguientes:

1. $f_x(x_0, y_0) = f_y(x_0, y_0) = 0$
2. O bien $f_x(x_0, y_0)$ o $f_y(x_0, y_0)$ no existe.

EJEMPLO 4.38

Hallar los puntos críticos

Halle los puntos críticos de cada una de las siguientes funciones:

a. $f(x, y) = \sqrt{4y^2 - 9x^2 + 24y + 36x + 36}$
b. $g(x, y) = x^2 + 2xy - 4y^2 + 4x - 6y + 4$

⊘ **Solución**

a. En primer lugar, calculamos $f_x(x, y)$ y $f_y(x, y)$:

$$
\begin{aligned}
f_x(x, y) &= \tfrac{1}{2}(-18x + 36)\left(4y^2 - 9x^2 + 24y + 36x + 36\right)^{-1/2} \\
&= \frac{-9x + 18}{\sqrt{4y^2 - 9x^2 + 24y + 36x + 36}} \\
f_y(x, y) &= \tfrac{1}{2}(8y + 24)\left(4y^2 - 9x^2 + 24y + 36x + 36\right)^{-1/2} \\
&= \frac{4y + 12}{\sqrt{4y^2 - 9x^2 + 24y + 36x + 36}}.
\end{aligned}
$$

A continuación, llevamos cada una de estas expresiones a cero

$$
\frac{-9x + 18}{\sqrt{4y^2 - 9x^2 + 24y + 36x + 36}} = 0
$$

$$
\frac{4y + 12}{\sqrt{4y^2 - 9x^2 + 24y + 36x + 36}} = 0.
$$

Luego, multiplicamos cada ecuación por su denominador común

$$
\begin{aligned}
-9x + 18 &= 0 \\
4y + 12 &= 0.
\end{aligned}
$$

Por lo tanto, $x = 2$ y $y = -3$, tal que $(2, -3)$ es un punto crítico de f.

También debemos comprobar la posibilidad de que el denominador de cada derivada parcial sea igual a cero, provocando así que la derivada parcial no exista. Como el denominador es el mismo en cada derivada parcial, solo tenemos que hacerlo una vez

$$
4y^2 - 9x^2 + 24y + 36x + 36 = 0.
$$

Esta ecuación representa una hipérbola. También debemos tener en cuenta que el dominio de f consiste en puntos que satisfacen la desigualdad

$$
4y^2 - 9x^2 + 24y + 36x + 36 \geq 0.
$$

Por lo tanto, cualquier punto de la hipérbola no solo es un punto crítico, sino que también está en el límite del dominio. Para poner la hipérbola en forma estándar, utilizamos el método de completar el cuadrado

$$4y^2 - 9x^2 + 24y + 36x + 36 \;=\; 0$$
$$4y^2 - 9x^2 + 24y + 36x \;=\; -36$$
$$4y^2 + 24y - 9x^2 + 36x \;=\; -36$$
$$4\left(y^2 + 6y\right) - 9\left(x^2 - 4x\right) \;=\; -36$$
$$4\left(y^2 + 6y + 9\right) - 9\left(x^2 - 4x + 4\right) \;=\; -36 + 36 - 36$$
$$4(y + 3)^2 - 9(x - 2)^2 \;=\; -36.$$

Dividir ambos lados entre -36 pone la ecuación en forma estándar

$$\frac{4(y+3)^2}{-36} - \frac{9(x-2)^2}{-36} \;=\; 1$$
$$\frac{(x-2)^2}{4} - \frac{(y+3)^2}{9} \;=\; 1.$$

Observe que el punto $(2, -3)$ es el centro de la hipérbola.

b.   En primer lugar, calculamos $g_x\,(x, y)$ y $g_y\,(x, y)$:

$$g_x\,(x, y) \;=\; 2x + 2y + 4$$
$$g_y\,(x, y) \;=\; 2x - 8y - 6.$$

A continuación, llevamos cada una de estas expresiones igual a cero, lo que da un sistema de ecuaciones en x y y:

$$2x + 2y + 4 \;=\; 0$$
$$2x - 8y - 6 \;=\; 0.$$

Restando la segunda ecuación de la primera se obtiene $10y + 10 = 0$, por lo que $y = -1$. Sustituyendo esto en la primera ecuación se obtiene $2x + 2(-1) + 4 = 0$, por lo que $x = -1$. Por lo tanto $(-1, -1)$ es un punto crítico de g (Figura 4.46). No hay puntos en $\mathbb{R}^2$ que hacen que no exista alguna derivada parcial

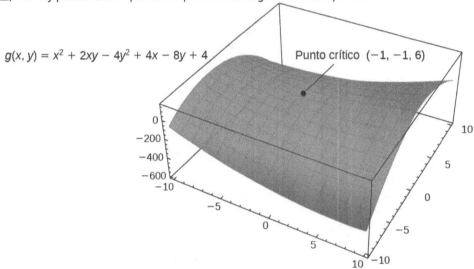

Figura 4.46   La función $g\,(x, y)$ tiene un punto crítico en $(-1, -1, 5)$.

✓   4.34   Halle el punto crítico de la función $f\,(x, y) = x^3 + 2xy - 2x - 4y$.

El objetivo principal para determinar los puntos críticos es localizar los máximos y mínimos relativos, como en el cálculo de una sola variable. Cuando se trabaja con una función de una variable, la definición de un extremo local implica hallar un intervalo alrededor del punto crítico tal que el valor de la función sea mayor o menor que todos los demás valores de la función en ese intervalo. Cuando se trabaja con una función de dos o más variables, se trabaja con un disco abierto alrededor del punto.

Definición

Supongamos que $z = f(x, y)$ es una función de dos variables definida y continua en un conjunto abierto que contenga el punto (x_0, y_0). Entonces f tiene un *máximo local* en (x_0, y_0) si

$$f(x_0, y_0) \geq f(x, y)$$

para todos los puntos (x, y) dentro de un disco centrado en (x_0, y_0). El número $f(x_0, y_0)$ se denomina *valor máximo local*. Si la desigualdad anterior se cumple para cada punto (x, y) en el dominio de f, entonces f tiene un *máximo global* (también llamado *máximo absoluto*) en (x_0, y_0).

La función f tiene un *mínimo local* en (x_0, y_0) si

$$f(x_0, y_0) \leq f(x, y)$$

para todos los puntos (x, y) dentro de un disco centrado en (x_0, y_0). El número $f(x_0, y_0)$ se denomina *valor mínimo local*. Si la desigualdad anterior se cumple para cada punto (x, y) en el dominio de f, entonces f tiene un *mínimo global* (también llamado *mínimo absoluto*) en (x_0, y_0).

Si $f(x_0, y_0)$ es un valor máximo o mínimo local, entonces se llama *extremos locales* (vea la figura siguiente).

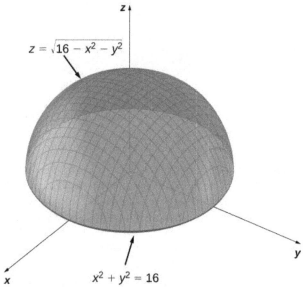

Figura 4.47 El gráfico de $z = \sqrt{16 - x^2 - y^2}$ tiene un valor máximo cuando $(x, y) = (0, 0)$. Alcanza su valor mínimo en el borde de su dominio, que es el círculo $x^2 + y^2 = 16$.

En Máximos y mínimos (http://openstax.org/books/cálculo-volumen-1/pages/4-3-maximos-y-minimos) demostramos que los extremos de las funciones de una variable se dan en los puntos críticos. Lo mismo ocurre con las funciones de más de una variable, como se indica en el siguiente teorema.

Teorema 4.16

Teorema de Fermat para funciones de dos variables
Supongamos que $z = f(x, y)$ es una función de dos variables definida y continua en un conjunto abierto que contenga el punto (x_0, y_0). Supongamos que f_x y f_y existen en (x_0, y_0). Si f tiene un extremo local en (x_0, y_0), entonces (x_0, y_0) es un punto crítico de f.

Prueba de la segunda derivada

Considere la función $f(x) = x^3$. Esta función tiene un punto crítico en $x = 0$, dado que $f'(0) = 3(0)^2 = 0$. Sin embargo, el que f no tiene un valor extremo en $x = 0$. Por lo tanto, la existencia de un valor crítico en $x = x_0$ no garantiza un extremo local en $x = x_0$. Lo mismo ocurre con una función de dos o más variables. Una de las formas en que esto puede ocurrir es en un **punto de silla**. En la siguiente figura aparece un ejemplo de punto de silla.

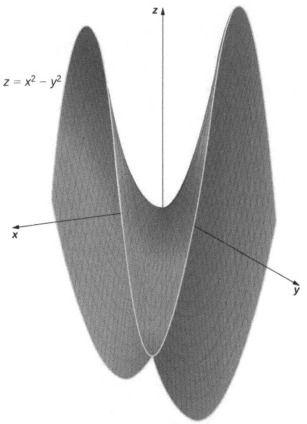

$$z = x^2 - y^2$$

Figura 4.48   Gráfico de la función $z = x^2 - y^2$. Esta gráfico tiene un punto de silla en el origen.

En este gráfico, el origen es un punto de silla. Esto se debe a que las primeras derivadas parciales de $f(x, y) = x^2 - y^2$ son ambos iguales a cero en este punto, pero no es ni un máximo ni un mínimo para la función. Además, la traza vertical correspondiente a $y = 0$ ¿es $z = x^2$ (una parábola que se abre hacia arriba), pero la traza vertical correspondiente a $x = 0$ ¿es $z = -y^2$ (una parábola que se abre hacia abajo). Por lo tanto, es tanto un máximo global para una traza como un mínimo global para otra.

Definición

Dada la función $z = f(x, y)$, el punto $(x_0, y_0, f(x_0, y_0))$ es un punto de silla si $f_x(x_0, y_0) = 0$ y $f_y(x_0, y_0) = 0$, pero f no tienen un extremo local en (x_0, y_0).

La prueba de la segunda derivada para una función de una variable proporciona un método para determinar si ocurre un extremo en un punto crítico de una función. Al extender este resultado a una función de dos variables, surge un problema relacionado con el hecho de que hay, de hecho, cuatro derivadas parciales de segundo orden diferentes, aunque la igualdad de las parciales mixtas lo reduce a tres. La prueba de la segunda derivada para una función de dos variables, enunciada en el siguiente teorema, utiliza un **discriminante** D que sustituye a $f''(x_0)$ en la prueba de la segunda derivada para una función de una variable.

Teorema 4.17

Prueba de la segunda derivada
Supongamos que $z = f(x, y)$ es una función de dos variables para la que las derivadas parciales de primer y segundo orden son continuas en algún disco que contenga el punto (x_0, y_0). Supongamos que $f_x(x_0, y_0) = 0$ y $f_y(x_0, y_0) = 0$. Definamos la cantidad

$$D = f_{xx}(x_0, y_0) f_{yy}(x_0, y_0) - \left(f_{xy}(x_0, y_0)\right)^2. \qquad (4.43)$$

i.   Si los valores de $D > 0$ y $f_{xx}(x_0, y_0) > 0$, entonces f tiene un mínimo local en (x_0, y_0).
ii. Si los valores de $D > 0$ y $f_{xx}(x_0, y_0) < 0$, entonces f tiene un máximo local en (x_0, y_0).
iii. Si los valores de $D < 0$, entonces f tiene un punto de silla en (x_0, y_0).
iv. Si los valores de $D = 0$, entonces la prueba no es concluyente.

Vea el Figura 4.49.

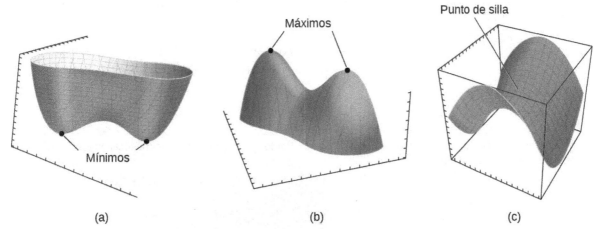

Figura 4.49 A menudo, la prueba de la segunda derivada puede determinar si una función de dos variables tiene un mínimo local (a), un máximo local (b) o un punto de silla (c).

Para aplicar la prueba de la segunda derivada, es necesario que primero hallemos los puntos críticos de la función. Todo el procedimiento consta de varios pasos, que se resumen en una estrategia de resolución de problemas.

Estrategia de resolución de problemas

Estrategia para la resolución de problemas: Usar la prueba de la segunda derivada para funciones de dos variables
Supongamos que $z = f(x, y)$ es una función de dos variables para la que las derivadas parciales de primer y segundo orden son continuas en algún disco que contenga el punto (x_0, y_0). Para aplicar la prueba de la segunda derivada para hallar los extremos locales, siga los siguientes pasos:

1. Determine los puntos críticos (x_0, y_0) de la función f donde $f_x(x_0, y_0) = f_y(x_0, y_0) = 0$. Descarte los puntos en los que no existe al menos una de las derivadas parciales.
2. Calcule el discriminante $D = f_{xx}(x_0, y_0) f_{yy}(x_0, y_0) - \left(f_{xy}(x_0, y_0)\right)^2$ para cada punto crítico de f.
3. Aplique la Prueba de la segunda derivada para determinar si cada punto crítico es un máximo local, un mínimo local o un punto de silla, o si el teorema no es concluyente.

EJEMPLO 4.39

Usar la prueba de la segunda derivada
Halle los puntos críticos de cada una de las siguientes funciones y utilice la prueba de la segunda derivada para hallar los extremos locales:

a. $f(x, y) = 4x^2 + 9y^2 + 8x - 36y + 24$
b. $g(x, y) = \frac{1}{3}x^3 + y^2 + 2xy - 6x - 3y + 4$

⊘ **Solución**

a. El paso 1 de la estrategia de resolución de problemas consiste en hallar los puntos críticos de f. Para ello, primero calculamos $f_x(x, y)$ y $f_y(x, y)$, y luego llevemos cada una de ellas a cero:

$$f_x(x, y) = 8x + 8$$
$$f_y(x, y) = 18y - 36.$$

Cuando se igualan a cero obtenemos el sistema de ecuaciones

$$8x + 8 = 0$$
$$18y - 36 = 0.$$

La solución de este sistema es $x = -1$ y $y = 2$. Por lo tanto $(-1, 2)$ es un punto crítico de f.

El paso 2 de la estrategia de resolución de problemas consiste en calcular D. Para ello, primero calculamos las segundas derivadas parciales de f:

$$f_{xx}(x, y) = 8$$
$$f_{xy}(x, y) = 0$$
$$f_{yy}(x, y) = 18.$$

Por lo tanto, $D = f_{xx}(-1, 2) f_{yy}(-1, 2) - \left(f_{xy}(-1, 2)\right)^2 = (8)(18) - (0)^2 = 144$.

El paso 3 indica que hay que comprobar la <u>Prueba de la segunda derivada para funciones de dos variables</u>. Dado que $D > 0$ y $f_{xx}(-1, 2) > 0$, esto corresponde al caso 1. Por lo tanto, f tiene un mínimo local en $(-1, 2)$ como se muestra en la siguiente figura.

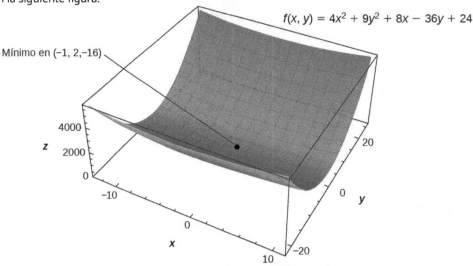

Figura 4.50 La función $f(x, y)$ tiene un mínimo local en $(-1, 2, -16)$.

b. Para el paso 1, primero calculamos $g_x(x, y)$ y $g_y(x, y)$, y luego llevemos cada una de ellas a cero:

$$g_x(x, y) = x^2 + 2y - 6$$
$$g_y(x, y) = 2y + 2x - 3.$$

Cuando se igualan a cero obtenemos el sistema de ecuaciones

$$x^2 + 2y - 6 = 0$$
$$2y + 2x - 3 = 0.$$

Para resolver este sistema, primero resolvemos la segunda ecuación para y. Esto da $y = \frac{3-2x}{2}$. Sustituyendo esto en la primera ecuación obtenemos

$$x^2 + 3 - 2x - 6 = 0$$
$$x^2 - 2x - 3 = 0$$
$$(x - 3)(x + 1) = 0.$$

Por lo tanto, $x = -1$ o $x = 3$. Sustituir estos valores en la ecuación $y = \frac{3-2x}{2}$ da lugar a los puntos críticos $\left(-1, \frac{5}{2}\right)$ y

$\left(3, -\frac{3}{2}\right)$.

El paso 2 consiste en calcular las segundas derivadas parciales de g:

$$g_{xx}(x, y) = 2x$$
$$g_{xy}(x, y) = 2$$
$$g_{yy}(x, y) = 2.$$

Entonces, hallamos una fórmula general para D:

$$\begin{aligned} D &= g_{xx}(x_0, y_0)\, g_{yy}(x_0, y_0) - \left(g_{xy}(x_0, y_0)\right)^2 \\ &= (2x_0)(2) - 2^2 \\ &= 4x_0 - 4. \end{aligned}$$

A continuación, sustituimos cada punto crítico en esta fórmula

$$D\left(-1, \tfrac{5}{2}\right) = (2(-1))(2) - (2)^2 = -4 - 4 = -8$$
$$D\left(3, -\tfrac{3}{2}\right) = (2(3))(2) - (2)^2 = 12 - 4 = 8.$$

En el paso 3, observamos que, aplicando la <u>Prueba de la segunda derivada para funciones de dos variables</u> al punto $\left(-1, \tfrac{5}{2}\right)$ lleva al caso 3, lo que significa que $\left(-1, \tfrac{5}{2}\right)$ es un punto de silla. Aplicar el teorema al punto $\left(3, -\tfrac{3}{2}\right)$ lleva al caso 1, lo que significa que $\left(3, -\tfrac{3}{2}\right)$ corresponde a un mínimo local como se muestra en la siguiente figura

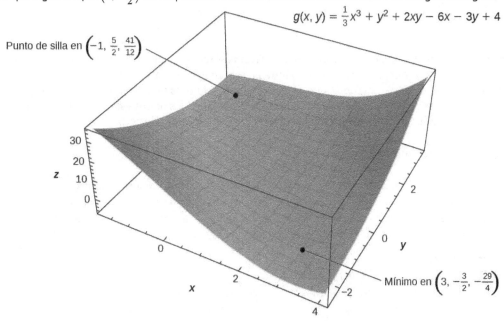

Figura 4.51 La función $g(x, y)$ tiene un mínimo local y un punto de silla.

4.35   Utilice la segunda derivada para hallar los extremos locales de la función

$$f(x, y) = x^3 + 2xy - 6x - 4y^2.$$

Máximos y mínimos absolutos

Para hallar los extremos globales de las funciones de una variable en un intervalo cerrado, empezamos comprobando los valores críticos sobre ese intervalo y luego evaluamos la función en sus puntos extremos. Cuando se trabaja con una función de dos variables, el intervalo cerrado se sustituye por un conjunto cerrado y delimitado. Un conjunto está *delimitado* si todos los puntos de ese conjunto pueden estar contenidos en una bola (o disco) de radio finito. En primer lugar, tenemos que hallar los puntos críticos dentro del conjunto y calcular los valores críticos correspondientes.

Entonces, es necesario hallar el valor máximo y mínimo de la función en el borde del conjunto. Cuando tenemos todos estos valores, el mayor valor de la función corresponde al máximo global y el menor valor de la función corresponde al mínimo absoluto. Sin embargo, en primer lugar hay que asegurarse de que esos valores existen. El siguiente teorema lo hace.

Teorema 4.18

Teorema del valor extremo
Una función continua $f(x, y)$ en un conjunto cerrado y delimitado D en el plano alcanza un valor máximo absoluto en algún punto de D y un valor mínimo absoluto en algún punto de D.

Ahora que sabemos que cualquier función continua f definida en un conjunto cerrado y delimitado alcanza sus valores extremos, necesitamos saber cómo hallarlos.

Teorema 4.19

Hallar los valores extremos de una función de dos variables
Supongamos que $z = f(x, y)$ es una función diferenciable de dos variables definida en un conjunto cerrado y delimitado D. Entonces f alcanzará el valor máximo absoluto y el valor mínimo absoluto, que son, respectivamente, los valores más grandes y más pequeños encontrados entre los siguientes:

  i. Los valores de f en los puntos críticos de f en D.
  ii. Los valores de f en el borde de D.

La demostración de este teorema es una consecuencia directa del teorema del valor extremo y del teorema de Fermat. En particular, si alguno de los extremos no se encuentra en el borde de D, entonces se encuentra en un punto interior de D. Pero un punto interior (x_0, y_0) de D, que es un extremo absoluto, es también un extremo local; por lo tanto, (x_0, y_0) es un punto crítico de f por el teorema de Fermat. Por lo tanto, los únicos valores posibles para los extremos globales de f sobre D son los valores extremos de f en el interior o en el borde de D.

Estrategia de resolución de problemas

Estrategia para la resolución de problemas: Calcular valores máximos y mínimos absolutos
Supongamos que $z = f(x, y)$ es una función continua de dos variables definida en un conjunto cerrado y delimitado D, y asumamos que f es diferenciable en D. Para hallar los valores máximos y mínimos absolutos de f sobre D, haga lo siguiente:

  1. Determine los puntos críticos de f en D.
  2. Calcule f en cada uno de estos puntos críticos.
  3. Determine los valores máximos y mínimos de f en el borde de su dominio.
  4. Los valores máximos y mínimos de f se producirán en uno de los valores obtenidos en los pasos 2 y 3.

Calcular los valores máximos y mínimos de f en el borde de D puede ser un reto. Si el borde es un rectángulo o un conjunto de líneas rectas, entonces es posible parametrizar los segmentos de línea y determinar los máximos en cada uno de estos segmentos, como se ve en el Ejemplo 4.40. El mismo enfoque puede utilizarse para otras formas, como los círculos y las elipses.

Si el límite del conjunto D es una curva más complicada definida por una función $g(x, y) = c$ para alguna constante c, y las derivadas parciales de primer orden de g existen, entonces el método de los multiplicadores de Lagrange puede ser útil para determinar los extremos de f en el borde. El método de los multiplicadores de Lagrange se introduce en Multiplicadores de Lagrange.

EJEMPLO 4.40

Hallar los extremos absolutos

Utilice la estrategia de resolución de problemas para hallar los extremos absolutos de una función para determinar los extremos absolutos de cada una de las siguientes funciones:

a. $f(x, y) = x^2 - 2xy + 4y^2 - 4x - 2y + 24$ en el dominio definido por $0 \le x \le 4$ y $0 \le y \le 2$
b. $g(x, y) = x^2 + y^2 + 4x - 6y$ en el dominio definido por $x^2 + y^2 \le 16$

⊘ **Solución**

a. Utilizando la estrategia de resolución de problemas, el paso 1 consiste en hallar los puntos críticos de f en su dominio. Por lo tanto, primero calculamos $f_x(x, y)$ y $f_y(x, y)$, y luego las igualamos a cero:

$$f_x(x, y) = 2x - 2y - 4$$
$$f_y(x, y) = -2x + 8y - 2.$$

Cuando se igualan a cero obtenemos el sistema de ecuaciones

$$2x - 2y - 4 = 0$$
$$-2x + 8y - 2 = 0.$$

La solución de este sistema es $x = 3$ y $y = 1$. Por lo tanto $(3, 1)$ es un punto crítico de f. Si calculamos $f(3, 1)$ da como resultado $f(3, 1) = 17$.

El siguiente paso consiste en hallar los extremos de f en el borde de su dominio. El borde de su dominio está formado por cuatro segmentos de línea como se muestra en la siguiente gráfico:

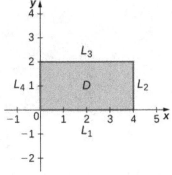

Figura 4.52 Gráfico del dominio de la función $f(x, y) = x^2 - 2xy + 4y^2 - 4x - 2y + 24$.

L_1 es el segmento de línea que une $(0, 0)$ y $(4, 0)$, y se puede parametrizar mediante las ecuaciones $x(t) = t$, $y(t) = 0$ por $0 \le t \le 4$. Defina $g(t) = f(x(t), y(t))$. Esto da como resultado $g(t) = t^2 - 4t + 24$. La diferenciación de g conduce a $g'(t) = 2t - 4$. Por lo tanto, g tiene un valor crítico en $t = 2$, que corresponde al punto $(2, 0)$. Si calculamos $f(2, 0)$ da el valor $z\ 20$.

L_2 es el segmento de línea que une $(4, 0)$ y $(4, 2)$, y se puede parametrizar mediante las ecuaciones $x(t) = 4$, $y(t) = t$ por $0 \le t \le 2$. De nuevo, defina $g(t) = f(x(t), y(t))$. Esto da como resultado $g(t) = 4t^2 - 10t + 24$. Entonces, $g'(t) = 8t - 10$. g tiene un valor crítico en $t = \frac{5}{4}$, que corresponde al punto $\left(4, \frac{5}{4}\right)$. Si calculamos $f\left(4, \frac{5}{4}\right)$ da el valor $z\ 17{,}75$.

L_3 es el segmento de línea que une $(0, 2)$ y $(4, 2)$, y se puede parametrizar mediante las ecuaciones $x(t) = t$, $y(t) = 2$ para $0 \le t \le 4$. De nuevo, defina $g(t) = f(x(t), y(t))$. Esto da como resultado $g(t) = t^2 - 8t + 36$. El valor crítico corresponde al punto $(4, 2)$. Así que, al calcular $f(4, 2)$ da el valor $z\ 20$.

L_4 es el segmento de línea que une $(0, 0)$ y $(0, 2)$, y se puede parametrizar mediante las ecuaciones $x(t) = 0$, $y(t) = t$ por $0 \le t \le 2$. Esta vez, $g(t) = 4t^2 - 2t + 24$ y el valor crítico $t = \frac{1}{4}$ corresponden al punto $\left(0, \frac{1}{4}\right)$. Si calculamos $f\left(0, \frac{1}{4}\right)$ da el valor $z\ 23{,}75$.

También necesitamos hallar los valores de $f(x, y)$ en las esquinas de su dominio. Estas esquinas están situadas en $(0, 0), (4, 0), (4, 2)$ y $(0, 2)$:

$$f(0,0) = (0)^2 - 2(0)(0) + 4(0)^2 - 4(0) - 2(0) + 24 = 24$$
$$f(4,0) = (4)^2 - 2(4)(0) + 4(0)^2 - 4(4) - 2(0) + 24 = 24$$
$$f(4,2) = (4)^2 - 2(4)(2) + 4(2)^2 - 4(4) - 2(2) + 24 = 20$$
$$f(0,2) = (0)^2 - 2(0)(2) + 4(2)^2 - 4(0) - 2(2) + 24 = 36.$$

El valor máximo absoluto es 36, que se produce en $(0,2)$, y el valor mínimo global es 17, que se produce en $(3,1)$ como se muestra en la siguiente figura.

$$f(x, y) = x^2 - 2xy - 4x + 4y^2 - 2y + 24$$

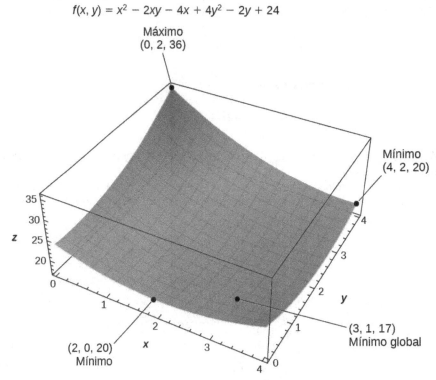

Figura 4.53 La función $f(x, y)$ tiene un mínimo y un máximo global en su dominio.

b. Utilizando la estrategia de resolución de problemas, el paso 1 consiste en hallar los puntos críticos de g en su dominio. Por lo tanto, primero calculamos $g_x(x, y)$ y $g_y(x, y)$, y luego las igualamos a cero:

$$g_x(x, y) = 2x + 4$$
$$g_y(x, y) = 2y - 6.$$

Cuando se igualan a cero obtenemos el sistema de ecuaciones

$$2x + 4 = 0$$
$$2y - 6 = 0.$$

La solución de este sistema es $x = -2$ y $y = 3$. Por lo tanto, $(-2, 3)$ es un punto crítico de g. Si calculamos $g(-2, 3)$, obtenemos

$$g(-2, 3) = (-2)^2 + 3^2 + 4(-2) - 6(3) = 4 + 9 - 8 - 18 = -13.$$

El siguiente paso consiste en hallar los extremos de g en el borde de su dominio. El borde de su dominio consiste en un círculo de radio 4 centrado en el origen como se muestra en el siguiente gráfico.

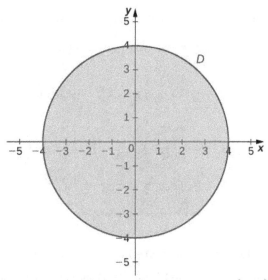

Figura 4.54 Gráfica del dominio de la función $g(x, y) = x^2 + y^2 + 4x - 6y$.

El borde del dominio de g puede parametrizarse mediante las funciones $x(t) = 4\cos t$, $y(t) = 4\sen t$ por $0 \le t \le 2\pi$. Defina $h(t) = g(x(t), y(t))$:

$$
\begin{aligned}
h(t) &= g(x(t), y(t)) \\
&= (4\cos t)^2 + (4\sen t)^2 + 4(4\cos t) - 6(4\sen t) \\
&= 16\cos^2 t + 16\sen^2 t + 16\cos t - 24\sen t \\
&= 16 + 16\cos t - 24\sen t.
\end{aligned}
$$

Ajustar $h'(t) = 0$ lleva a

$$
\begin{aligned}
-16\sen t - 24\cos t &= 0 \\
-16\sen t &= 24\cos t \\
\frac{-16\sen t}{-16\cos t} &= \frac{24\cos t}{-16\cos t} \\
\tan t &= -\frac{3}{2}.
\end{aligned}
$$

Esta ecuación tiene dos soluciones en el intervalo $0 \le t \le 2\pi$. Uno es $t = \pi - \arctan\left(\frac{3}{2}\right)$ y el otro es $t = 2\pi - \arctan\left(\frac{3}{2}\right)$. Para el primer ángulo,

$$
\begin{aligned}
\sen t &= \sen\left(\pi - \arctan\left(\tfrac{3}{2}\right)\right) = \sen\left(\arctan\left(\tfrac{3}{2}\right)\right) = \frac{3\sqrt{13}}{13} \\
\cos t &= \cos\left(\pi - \arctan\left(\tfrac{3}{2}\right)\right) = -\cos\left(\arctan\left(\tfrac{3}{2}\right)\right) = -\frac{2\sqrt{13}}{13}.
\end{aligned}
$$

Por lo tanto, $x(t) = 4\cos t = -\frac{8\sqrt{13}}{13}$ y $y(t) = 4\sen t = \frac{12\sqrt{13}}{13}$, tal que $\left(-\frac{8\sqrt{13}}{13}, \frac{12\sqrt{13}}{13}\right)$ es un punto crítico en el borde y

$$
\begin{aligned}
g\left(-\frac{8\sqrt{13}}{13}, \frac{12\sqrt{13}}{13}\right) &= \left(-\frac{8\sqrt{13}}{13}\right)^2 + \left(\frac{12\sqrt{13}}{13}\right)^2 + 4\left(-\frac{8\sqrt{13}}{13}\right) - 6\left(\frac{12\sqrt{13}}{13}\right) \\
&= \frac{144}{13} + \frac{64}{13} - \frac{32\sqrt{13}}{13} - \frac{72\sqrt{13}}{13} \\
&= \frac{208 - 104\sqrt{13}}{13} \approx -12{,}844.
\end{aligned}
$$

Para el segundo ángulo,

$$\operatorname{sen} t = \operatorname{sen}\left(2\pi - \arctan\left(\tfrac{3}{2}\right)\right) = -\operatorname{sen}\left(\arctan\left(\tfrac{3}{2}\right)\right) = -\frac{3\sqrt{13}}{13}$$

$$\cos t = \cos\left(2\pi - \arctan\left(\tfrac{3}{2}\right)\right) = \cos\left(\arctan\left(\tfrac{3}{2}\right)\right) = \frac{2\sqrt{13}}{13}.$$

Por lo tanto, $x\,(t) = 4\cos t = \frac{8\sqrt{13}}{13}$ y $y\,(t) = 4\operatorname{sen} t = -\frac{12\sqrt{13}}{13}$, tal que $\left(\frac{8\sqrt{13}}{13}, -\frac{12\sqrt{13}}{13}\right)$ es un punto crítico en el borde y

$$\begin{aligned} g\left(\frac{8\sqrt{13}}{13}, -\frac{12\sqrt{13}}{13}\right) &= \left(\frac{8\sqrt{13}}{13}\right)^2 + \left(-\frac{12\sqrt{13}}{13}\right)^2 + 4\left(\frac{8\sqrt{13}}{13}\right) - 6\left(-\frac{12\sqrt{13}}{13}\right) \\ &= \frac{144}{13} + \frac{64}{13} + \frac{32\sqrt{13}}{13} + \frac{72\sqrt{13}}{13} \\ &= \frac{208 + 104\sqrt{13}}{13} \approx 44{,}844. \end{aligned}$$

El mínimo absoluto de g es -13, que se alcanza en el punto $(-2, 3)$, que es un punto interior de D. El máximo absoluto de g es aproximadamente igual a 44,844, que se alcanza en el punto límite $\left(\frac{8\sqrt{13}}{13}, -\frac{12\sqrt{13}}{13}\right)$. Estos son los extremos absolutos de g en D como se muestra en la siguiente figura

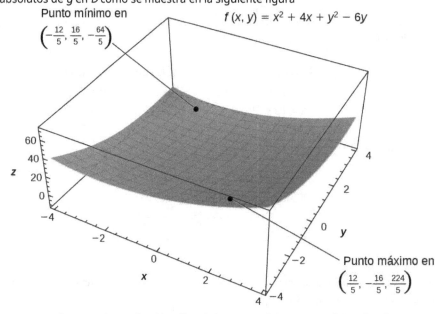

Figura 4.55 La función $f(x, y)$ tiene un mínimo y un máximo local.

4.36   Utilice la estrategia de resolución de problemas para hallar los extremos absolutos de una función para encontrar los extremos absolutos de la función

$$f\,(x, y) = 4x^2 - 2xy + 6y^2 - 8x + 2y + 3$$

en el dominio definido por $0 \le x \le 2$ y $-1 \le y \le 3$.

EJEMPLO 4.41

Inicio del capítulo: Pelotas de golf rentables

Figura 4.56   (créditos: modificación del trabajo de oatsy40, Flickr).

La compañía Pro-T ha desarrollado un modelo de ganancias que depende del número x de pelotas de golf vendidas al mes (medido en miles) y del número de horas al mes de publicidad y, según la función

$$z = f(x, y) = 48x + 96y - x^2 - 2xy - 9y^2,$$

donde z se mide en miles de dólares. El número máximo de pelotas de golf que se pueden producir y vender es 50 000, y el número máximo de horas de publicidad que se puede adquirir es 25. Halle los valores de x como y que maximizan la ganancia y halle la ganancia máxima.

⊘ **Solución**

Utilizando la estrategia de resolución de problemas, el paso 1 consiste en hallar los puntos críticos de f en su dominio. Por lo tanto, primero calculamos $f_x(x, y)$ y $f_y(x, y)$, y luego las igualamos a cero:

$$
\begin{aligned}
f_x(x, y) &= 48 - 2x - 2y \\
f_y(x, y) &= 96 - 2x - 18y.
\end{aligned}
$$

Si se igualan a cero se obtiene el sistema de ecuaciones

$$
\begin{aligned}
48 - 2x - 2y &= 0 \\
96 - 2x - 18y &= 0.
\end{aligned}
$$

La solución a este sistema es $x = 21$ y $y = 3$. Por lo tanto $(21, 3)$ es un punto crítico de f. Si calculamos $f(21, 3)$ da como resultado $f(21, 3) = 48(21) + 96(3) - 21^2 - 2(21)(3) - 9(3)^2 = 648$.

El dominio de esta función es $0 \leq x \leq 50$ y $0 \leq y \leq 25$ como se muestra en el siguiente gráfico.

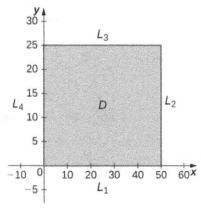

Figura 4.57   Gráfico del dominio de la función $f(x, y) = 48x + 96y - x^2 - 2xy - 9y^2$.

L_1 es el segmento de línea que une $(0, 0)$ y $(50, 0)$, y se puede parametrizar mediante las ecuaciones $x(t) = t, y(t) = 0$ por $0 \leq t \leq 50$. A continuación, definimos $g(t) = f(x(t), y(t))$:

$$g(t) = f(x(t), y(t))$$
$$= f(t, 0)$$
$$= 48t + 96(0) - y^2 - 2(t)(0) - 9(0)^2$$
$$= 48t - t^2.$$

Si establecemos que $g'(t) = 0$ da lugar al punto crítico $t = 24$, que corresponde al punto $(24, 0)$ en el dominio de f. Si calculamos $f(24, 0)$ da como resultado 576.

L_2 es el segmento de línea que une y $(50, 25)$, y se puede parametrizar mediante las ecuaciones $x(t) = 50$, $y(t) = t$ por $0 \leq t \leq 25$. Una vez más, definimos $g(t) = f(x(t), y(t))$:

$$g(t) = f(x(t), y(t))$$
$$= f(50, t)$$
$$= 48(50) + 96t - 50^2 - 2(50)t - 9t^2$$
$$= -9t^2 - 4t - 100.$$

Esta función tiene un punto crítico en $t = -\frac{2}{9}$, que corresponde al punto $\left(50, -\frac{2}{9}\right)$. Este punto no es del dominio de f.

L_3 es el segmento de línea que une $(0, 25)$ y $(50, 25)$, y se puede parametrizar mediante las ecuaciones $x(t) = t$, $y(t) = 25$ por $0 \leq t \leq 50$. Definimos $g(t) = f(x(t), y(t))$:

$$g(t) = f(x(t), y(t))$$
$$= f(t, 25)$$
$$= 48t + 96(25) - t^2 - 2t(25) - 9(25^2)$$
$$= -t^2 - 2t - 3225.$$

Esta función tiene un punto crítico en $t = -1$, que corresponde al punto $(-1, 25)$, que no está en el dominio.

L_4 es el segmento de línea que une $(0, 0)$ para $(0, 25)$, y se puede parametrizar mediante las ecuaciones $x(t) = 0$, $y(t) = t$ por $0 \leq t \leq 25$. Definimos $g(t) = f(x(t), y(t))$:

$$g(t) = f(x(t), y(t))$$
$$= f(0, t)$$
$$= 48(0) + 96t - (0)^2 - 2(0)t - 9t^2$$
$$= 96t - t^2.$$

Esta función tiene un punto crítico en $t = \frac{16}{3}$, que corresponde al punto $\left(0, \frac{16}{3}\right)$, que está en el borde del dominio. Si calculamos $f\left(0, \frac{16}{3}\right)$ da como resultado 256.

También tenemos que hallar los valores de $f(x, y)$ en las esquinas de su dominio. Estas esquinas están situadas en $(0, 0)$, $(50, 0)$, $(50, 25)$ y $(0, 25)$:

$$f(0, 0) = 48(0) + 96(0) - (0)^2 - 2(0)(0) - 9(0)^2 = 0$$
$$f(50, 0) = 48(50) + 96(0) - (50)^2 - 2(50)(0) - 9(0)^2 = -100$$
$$f(50, 25) = 48(50) + 96(25) - (50)^2 - 2(50)(25) - 9(25)^2 = -5.825$$
$$f(0, 25) = 48(0) + 96(25) - (0)^2 - 2(0)(25) - 9(25)^2 = -3.225.$$

El valor crítico máximo es 648, que se produce en $(21, 3)$. Por lo tanto, una ganancia máxima de \$648.000 se realiza cuando se venden 21.000 pelotas de golf y 3 horas de publicidad se compran al mes, como se muestra en la siguiente figura.

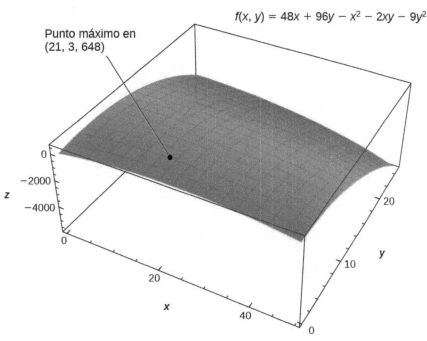

Figura 4.58 La función de ganancia $f(x, y)$ tiene un máximo en $(21, 3, 648)$.

SECCIÓN 4.7 EJERCICIOS

En los siguientes ejercicios, halle todos los puntos críticos.

310. $f(x, y) = 1 + x^2 + y^2$ **311.** $f(x, y) = (3x - 2)^2 + (y - 4)^2$ **312.** $f(x, y) = x^4 + y^4 - 16xy$

313. $f(x, y) = 15x^3 - 3xy + 15y^3$

En los siguientes ejercicios, halle los puntos críticos de la función utilizando técnicas algebraicas (completando el cuadrado) o examinando la forma de la ecuación. Verifique sus resultados utilizando la prueba de las derivadas parciales.

314. $f(x, y) = \sqrt{x^2 + y^2 + 1}$ **315.** $f(x, y) = -x^2 - 5y^2 + 8x - 10y - 13$

316. $f(x, y) = x^2 + y^2 + 2x - 6y + 6$ **317.** $f(x, y) = \sqrt{x^2 + y^2} + 1$

En los siguientes ejercicios utilice la Prueba de la segunda derivada para clasificar cualquier punto crítico y determine si cada punto crítico es un máximo, un mínimo, un punto de silla o ninguno de ellos.

318. $f(x, y) = -x^3 + 4xy - 2y^2 + 1$ **319.** $f(x, y) = x^2 y^2$ **320.** $f(x, y) = x^2 - 6x + y^2 + 4y - 8$

321. $f(x, y) = 2xy + 3x + 4y$ **322.** $f(x, y) = 8xy(x + y) + 7$ **323.** $f(x, y) = x^2 + 4xy + y^2$

324. $f(x, y) = x^3 + y^3 - 300x - 75y - 3$ **325.** $f(x, y) = 9 - x^4 y^4$ **326.** $f(x, y) = 7x^2 y + 9xy^2$

327. $f(x, y) = 3x^2 - 2xy + y^2 - 8y$ **328.** $f(x, y) = 3x^2 + 2xy + y^2$ **329.** $f(x, y) = y^2 + xy + 3y + 2x + 3$

330. $f(x, y) = x^2 + xy + y^2 - 3x$ **331.** $f(x, y) = x^2 + 2y^2 - x^2 y$ **332.** $f(x, y) = x^2 + y - e^y$

333. $f(x, y) = e^{-(x^2 + y^2 + 2x)}$ **334.** $f(x, y) = x^2 + xy + y^2 - x - y + 1$ **335.** $f(x, y) = x^2 + 10xy + y^2$
grandes.

336. $f(x, y) = -x^2 - 5y^2 + 10x - 30y - 62$ **337.** $f(x, y) = 120x + 120y - xy - x^2 - y^2$

338. $f(x, y) = 2x^2 + 2xy + y^2 + 2x - 3$ **339.** $f(x, y) = x^2 + x - 3xy + y^3 - 5$

340. $f(x, y) = 2xye^{-x^2 - y^2}$

En los siguientes ejercicios, determine los valores extremos y los puntos de equilibrio. Utilice un CAS para graficar la función.

341. **[T]** $f(x, y) = ye^x - e^y$ **342.** **[T]** $f(x, y) = x \operatorname{sen}(y)$

343. **[T]**
$f(x, y) = \operatorname{sen}(x)\operatorname{sen}(y), x \in (0, 2\pi), y \in (0, 2\pi)$

Halle el extremo absoluto de la función dada en el conjunto cerrado y delimitado indicado R.

344. $f(x, y) = xy - x - 3y; R$ es la región triangular con vértices $(0, 0), (0, 4),$ y $(5, 0)$.

345. Halle los valores máximos y mínimos absolutos de $f(x, y) = x^2 + y^2 - 2y + 1$ en la región $R = \left\{(x, y) \middle| x^2 + y^2 \le 4\right\}$.

346. $f(x, y) = x^3 - 3xy - y^3$ sobre $R = \{(x, y): -2 \le x \le 2, -2 \le y \le 2\}$

347. $f(x, y) = \dfrac{-2y}{x^2 + y^2 + 1}$ sobre $R = \left\{(x, y): x^2 + y^2 \le 4\right\}$

348. Halle tres números positivos cuya suma es 27, de manera que la suma de sus cuadrados sea lo más pequeña posible.

349. Halle los puntos de la superficie $x^2 - yz = 5$ que están más cerca del origen.

350. Halla el volumen máximo de una caja rectangular con tres caras en los planos de coordenadas y un vértice en el primer octante del plano $x + y + z = 1$.

351. La suma de la longitud y la circunferencia (perímetro de una sección transversal) de un paquete transportado por un servicio de entrega no puede superar 108 pulgadas Halle las dimensiones del paquete rectangular de mayor volumen que se puede enviar.

352. Una caja de cartón sin tapa debe hacerse con un volumen de 4 pies³. Halle las dimensiones de la caja que requiere la menor cantidad de cartón.

353. Halle el punto de la superficie $f(x, y) = x^2 + y^2 + 10$ más cercano al plano $x + 2y - z = 0$. Identifique el punto del plano.

354. Halle el punto en el plano $2x - y + 2z = 16$ que está más cerca del origen.

355. Una empresa que fabrica dos tipos de calzado deportivo: las zapatillas de correr y las zapatillas de crossfit. Los ingresos totales de x unidades de zapatillas para correr y y unidades de entrenadores cruzados viene dada por $R(x, y) = -5x^2 - 8y^2 - 2xy + 42x + 102y$, donde x como y están en miles de unidades. Halle los valores de x y de y para maximizar los ingresos totales.

356. Una empresa de transporte maneja cajas rectangulares siempre que la suma de la longitud, la anchura y la altura de la caja no supere 96 pulgadas Halle las dimensiones de la caja que cumple esta condición y tiene el mayor volumen.

357. Halle el volumen máximo de una lata de refresco cilíndrica tal que la suma de su altura y su circunferencia sea 120 cm.

4.8 Multiplicadores de Lagrange

Objetivos de aprendizaje

4.8.1   Utilizar el método de los multiplicadores de Lagrange para resolver problemas de optimización con una restricción.

4.8.2   Utilizar el método de los multiplicadores de Lagrange para resolver problemas de optimización con dos restricciones.

La resolución de problemas de optimización para funciones de dos o más variables puede ser similar a la resolución de estos problemas en el cálculo de una sola variable. Sin embargo, las técnicas para tratar con múltiples variables nos permiten resolver problemas de optimización más variados para los que necesitamos tratar con condiciones o restricciones adicionales. En esta sección, examinamos uno de los métodos más comunes y útiles para resolver problemas de optimización con restricciones.

Multiplicadores de Lagrange

El Ejemplo 4.41 era una situación aplicada que implicaba la maximización de una función de ganancia, sujeta a ciertas **restricciones**. En ese ejemplo, las restricciones se referían a un número máximo de pelotas de golf que podían producirse y venderse en 1 mes (x), y un número máximo de horas de publicidad que se pueden comprar al mes (y). Supongamos que se combinan en una restricción de presupuesto, como $20x + 4y \leq 216$, que tuvo en cuenta el costo de producción de las pelotas de golf y el número de horas de publicidad compradas al mes. El objetivo sigue siendo maximizar la ganancia, pero ahora hay un tipo diferente de restricción en los valores de x como y. Esta restricción, cuando se combina con la función de ganancia $f(x, y) = 48x + 96y - x^2 - 2xy - 9y^2$, es un ejemplo de **problema de optimización**, y la función $f(x, y)$ se denomina **función objetivo**. Un gráfico de varias curvas de nivel de la función $f(x, y)$ es el siguiente.

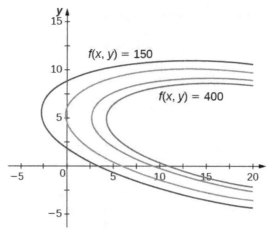

Figura 4.59 Gráfico de las curvas de nivel de la función $f(x, y) = 48x + 96y - x^2 - 2xy - 9y^2$ correspondiente a $c = 150, 250, 350,$ y 400.

En la Figura 4.59, el valor c representa diferentes niveles de ganancia (es decir, valores de la función f). Como el valor de c aumenta, la curva se desplaza hacia la derecha. Como nuestro objetivo es maximizar la ganancia, queremos elegir una curva lo más a la derecha posible. Si no hubiera ninguna restricción en el número de pelotas de golf que puede producir la compañía o en el número de unidades de publicidad disponibles, entonces podríamos producir todas las pelotas de golf que quisiéramos y hacer toda la publicidad que quisiéramos, y no habría una ganancia máxima para la compañía. Por desgracia, tenemos una restricción de presupuesto que se modela mediante la desigualdad $20x + 4y \leq 216$. Para ver cómo interactúa esta restricción con la función de ganancias, la Figura 4.60 muestra el gráfico de la línea $20x + 4y = 216$ superpuesta al gráfico anterior.

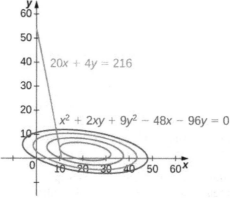

Figura 4.60 Gráfica de las curvas de nivel de la función $f(x, y) = 48x + 96y - x^2 - 2xy - 9y^2$ correspondiente a $c = 150, 250, 350,$ y 395. El gráfico rojo es la función de restricción.

Como se ha mencionado anteriormente, la ganancia máxima se produce cuando la curva de nivel está lo más a la derecha posible. Sin embargo, el nivel de producción correspondiente a esta ganancia máxima también debe satisfacer la restricción de presupuesto, por lo que el punto en el que se produce esta ganancia también debe situarse en (o a la izquierda de) la línea roja en la Figura 4.60. La inspección de este gráfico revela que este punto existe donde la línea es tangente a la curva de nivel de f. La prueba y el error revelan que este nivel de ganancias parece estar en torno a 395, cuando x como y son ambos poco menos que 5. Volveremos a la solución de este problema más adelante en esta sección. Desde un punto de vista teórico, en el punto en el que la curva de ganancias es tangente a la línea de restricción, el gradiente de ambas funciones evaluadas en ese punto debe apuntar en la misma dirección (o en la opuesta). Recordemos que el gradiente de una función de más de una variable es un vector. Si dos vectores apuntan en la misma dirección (o en direcciones opuestas), uno de ellos debe ser un múltiplo constante del otro. Esta idea es la base del **método de los multiplicadores de Lagrange**.

Teorema 4.20

Método de los multiplicadores de Lagrange: una restricción

Supongamos que f y g son funciones de dos variables con derivadas parciales continuas en cada punto de algún conjunto abierto que contenga la curva suave $g(x, y) = 0$. Supongamos que f, cuando se restringe a los puntos de la curva $g(x, y) = 0$, tiene un extremo local en el punto (x_0, y_0) y que $\nabla g(x_0, y_0) \neq 0$. Entonces hay un número λ llamado **multiplicador de Lagrange**, para el cual

$$\nabla f(x_0, y_0) = \lambda \nabla g(x_0, y_0).$$

Prueba

Supongamos que un extremo restringido se produce en el punto (x_0, y_0). Además, suponemos que la ecuación $g(x, y) = 0$ se puede parametrizar suavemente como

$$x = x(s) \text{ y } y = y(s)$$

donde s es un parámetro de longitud de arco con punto de referencia (x_0, y_0) a las $s = 0$. Por lo tanto, la cantidad $z = f(x(s), y(s))$ tiene un máximo o un mínimo relativos en $s = 0$, y esto implica que $\frac{dz}{ds} = 0$ en ese punto. Según la regla de la cadena,

$$\frac{dz}{ds} = \frac{\partial f}{\partial x} \cdot \frac{\partial x}{\partial s} + \frac{\partial f}{\partial y} \cdot \frac{\partial y}{\partial s} = \left(\frac{\partial f}{\partial x} \mathbf{\hat{i}} + \frac{\partial f}{\partial y} \mathbf{\hat{j}} \right) \cdot \left(\frac{\partial x}{\partial s} \mathbf{\hat{i}}. \frac{\partial y}{\partial s} \mathbf{\hat{j}} \right) = 0,$$

donde las derivadas se evalúan todas en $s = 0$. Sin embargo, el primer factor del producto escalar es el gradiente de f, y el segundo factor es el vector tangente unitario $\mathbf{T}(0)$ a la curva de restricción. Dado que el punto (x_0, y_0) corresponde a $s = 0$, se deduce de esta ecuación que

$$\nabla f(x_0, y_0) . \mathbf{T}(0) = 0,$$

lo que implica que el gradiente es $\mathbf{0}$ o es normal a la curva de restricción en un extremo relativo restringido. Sin embargo, la curva de restricción $g(x, y) = 0$ es una curva de nivel para la función $g(x, y)$ de modo que si $\nabla g(x_0, y_0) \neq 0$ entonces $\nabla g(x_0, y_0)$ es normal a esta curva en (x_0, y_0) Se deduce, entonces, que hay algún escalar λ tal que

$$\nabla f(x_0, y_0) = \lambda \nabla g(x_0, y_0)$$

□

Para aplicar el Método de los multiplicadores de Lagrange: una restricción a un problema de optimización similar al del fabricante de pelotas de golf, necesitamos una estrategia de resolución de problemas.

Estrategia de resolución de problemas

Estrategia de resolución de problemas: Pasos para utilizar los multiplicadores de Lagrange

1. Determine la función objetivo $f(x, y)$ y la función de restricción $g(x, y)$. ¿El problema de optimización consiste en maximizar o minimizar la función objetivo?
2. Establezca un sistema de ecuaciones utilizando la siguiente plantilla
$$\nabla f(x_0, y_0) = \lambda \nabla g(x_0, y_0)$$
$$g(x_0, y_0) = 0.$$
3. Resuelva para x_0 y y_0.
4. El mayor de los valores de f en las soluciones encontradas en el paso 3 maximiza f; el menor de esos valores minimiza f.

EJEMPLO 4.42

Usar los multiplicadores de Lagrange

Utilice el método de los multiplicadores de Lagrange para hallar el valor mínimo de $f(x, y) = x^2 + 4y^2 - 2x + 8y$ sujeto a la restricción $x + 2y = 7$.

⊘ Solución

Sigamos la estrategia de resolución de problemas:

1. La función de optimización es $f(x, y) = x^2 + 4y^2 - 2x + 8y$. Para determinar la función de restricción, primero debemos restar 7 de ambos lados de la restricción. Esto da $x + 2y - 7 = 0$. La función de restricción es igual al lado izquierdo, por lo que $g(x, y) = x + 2y - 7$. El problema nos pide que resolvamos el valor mínimo de f, sujeto a la restricción (vea el siguiente gráfico).

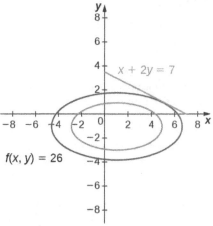

Figura 4.61 Gráfica de las curvas de nivel de la función $f(x, y) = x^2 + 4y^2 - 2x + 8y$ correspondiente a $c = 10$ y 26. La gráfica roja es la función de restricción.

2. A continuación, debemos calcular los gradientes tanto de f como de g:
$$\nabla f(x, y) = (2x - 2)\mathbf{i} + (8y + 8)\mathbf{j}$$
$$\nabla g(x, y) = \mathbf{i} + 2\mathbf{j}.$$

La ecuación $\nabla f(x_0, y_0) = \lambda \nabla g(x_0, y_0)$ se convierte en
$$(2x_0 - 2)\mathbf{i} + (8y_0 + 8)\mathbf{j} = \lambda(\mathbf{i} + 2\mathbf{j}),$$

que se puede reescribir como
$$(2x_0 - 2)\mathbf{i} + (8y_0 + 8)\mathbf{j} = \lambda\mathbf{i} + 2\lambda\mathbf{j}.$$

A continuación, establecemos los coeficientes de $\mathbf{i}$ y $\mathbf{j}$ iguales entre sí:
$$2x_0 - 2 = \lambda$$
$$8y_0 + 8 = 2\lambda.$$

La ecuación $g(x_0, y_0) = 0$ se convierte en $x_0 + 2y_0 - 7 = 0$. Por tanto, el sistema de ecuaciones que hay que resolver es
$$2x_0 - 2 = \lambda$$
$$8y_0 + 8 = 2\lambda$$
$$x_0 + 2y_0 - 7 = 0,$$

3. Se trata de un sistema lineal de tres ecuaciones en tres variables. Comenzamos resolviendo la segunda ecuación para λ y sustituyéndolo en la primera ecuación. Esto da $\lambda = 4y_0 + 4$, por lo que sustituyendo esto en la primera ecuación se obtiene
$$2x_0 - 2 = 4y_0 + 4.$$

Al resolver esta ecuación para x_0 da como resultado $x_0 = 2y_0 + 3$. A continuación, sustituimos esto en la tercera ecuación:
$$(2y_0 + 3) + 2y_0 - 7 = 0$$
$$4y_0 - 4 = 0$$
$$y_0 = 1$$

Dado que $x_0 = 2y_0 + 3$, esto da $x_0 = 5$.

4. A continuación, sustituimos $(5, 1)$ en $f(x, y) = x^2 + 4y^2 - 2x + 8y$, y da como resultado $f(5, 1) = 5^2 + 4(1)^2 - 2(5) + 8(1) = 27$. Para asegurarnos de que esto corresponde a un valor mínimo en la función de restricción, probemos con otros valores, como la intersección de $g(x, y) = 0$, Que son $(7, 0)$ y $(0, 3.5)$. Obtenemos $f(7, 0) = 35$ y $f(0, 3.5) = 77$, por lo que parece que f tiene un mínimo en $(5, 1)$.

☑ 4.37   Utilice el método de los multiplicadores de Lagrange para hallar el valor máximo de $f(x, y) = 9x^2 + 36xy - 4y^2 - 18x - 8y$ sujeto a la restricción $3x + 4y = 32$.

Volvamos ahora al problema planteado al principio de la sección.

EJEMPLO 4.43

Pelotas de golf y multiplicadores de Lagrange

El fabricante de pelotas de golf Pro-T ha desarrollado un modelo de ganancias que depende del número x de pelotas de golf vendidas al mes (medidas en miles), y el número de horas al mes de publicidad y, según la función

$$z = f(x, y) = 48x + 96y - x^2 - 2xy - 9y^2,$$

donde z se mide en miles de dólares. La función de restricción de presupuesto que relaciona el costo de producción de miles de pelotas de golf y las unidades de publicidad viene dada por $20x + 4y = 216$. Halle los valores de x como y que maximizan la ganancia y halle la ganancia máxima.

⊘ **Solución**

Una vez más, seguimos la estrategia de resolución de problemas:

1. La función de optimización es $f(x, y) = 48x + 96y - x^2 - 2xy - 9y^2$. Para determinar la función de restricción, primero restamos 216 a ambos lados de la restricción, y luego dividimos ambos lados entre 4, que da $5x + y - 54 = 0$. La función de restricción es igual al lado izquierdo, por lo que $g(x, y) = 5x + y - 54$. El problema nos pide que resolvamos el valor máximo de f, con esta restricción.

2. Por lo tanto, calculamos los gradientes de ambos f y g:
$$\nabla f(x, y) = (48 - 2x - 2y)\mathbf{i} + (96 - 2x - 18y)\mathbf{j}$$
$$\nabla g(x, y) = 5\mathbf{i} + \mathbf{j}.$$

La ecuación $\nabla f(x_0, y_0) = \lambda \nabla g(x_0, y_0)$ se convierte en
$$(48 - 2x_0 - 2y_0)\mathbf{i} + (96 - 2x_0 - 18y_0)\mathbf{j} = \lambda(5\mathbf{i} + \mathbf{j}),$$

que se puede reescribir como
$$(48 - 2x_0 - 2y_0)\mathbf{i} + (96 - 2x_0 - 18y_0)\mathbf{j} = \lambda 5\mathbf{i} + \lambda\mathbf{j}.$$

A continuación, fijamos los coeficientes de $\mathbf{i}$ y $\mathbf{j}$ iguales entre sí:
$$48 - 2x_0 - 2y_0 = 5\lambda$$
$$96 - 2x_0 - 18y_0 = \lambda.$$

La ecuación $g(x_0, y_0) = 0$ se convierte en $5x_0 + y_0 - 54 = 0$. Por tanto, el sistema de ecuaciones que hay que resolver es
$$48 - 2x_0 - 2y_0 = 5\lambda$$
$$96 - 2x_0 - 18y_0 = \lambda$$
$$5x_0 + y_0 - 54 = 0,$$

3. Utilizamos el lado izquierdo de la segunda ecuación para sustituir λ en la primera ecuación

$$48 - 2x_0 - 2y_0 = 5(96 - 2x_0 - 18y_0)$$
$$48 - 2x_0 - 2y_0 = 480 - 10x_0 - 90y_0$$
$$8x_0 = 432 - 88y_0$$
$$x_0 = 54 - 11y_0.$$

Entonces sustituimos esto en la tercera ecuación
$$5(54 - 11y_0) + y_0 - 54 = 0$$
$$270 - 55y_0 + y_0 = 0$$
$$216 - 54y_0 = 0$$
$$y_0 = 4.$$

Dado que $x_0 = 54 - 11y_0$, esto da $x_0 = 10$.

4. A continuación, sustituimos $(10, 4)$ en $f(x, y) = 48x + 96y - x^2 - 2xy - 9y^2$, que da
$$f(10, 4) = 48(10) + 96(4) - (10)^2 - 2(10)(4) - 9(4)^2$$
$$= 480 + 384 - 100 - 80 - 144 = 540.$$

Por lo tanto, la ganancia máxima que se puede alcanzar, con las restricciones presupuesto, es $540.000 con un nivel de producción de 10 000 pelotas de golf y 4 horas de publicidad comprada al mes. Comprobemos que esto es realmente un máximo. Los puntos finales de la línea que define la restricción son $(10,8, 0)$ y $(0, 54)$ Evaluemos f en estos dos puntos
$$f(10,8, 0) = 48(10,8) + 96(0) - 10,8^2 - 2(10,8)(0) - 9(0^2) = 401,76$$
$$f(0, 54) = 48(0) + 96(54) - 0^2 - 2(0)(54) - 9(54^2) = -21,060.$$

El segundo valor representa una pérdida, ya que no se producen pelotas de golf. Ninguno de estos valores supera 540, por lo que parece que nuestro extremo es un valor máximo de f.

☑ 4.38   Una empresa ha determinado que su nivel de producción viene dado por la función Cobb-Douglas $f(x, y) = 2,5x^{0,45} y^{0,55}$ donde x representa el número total de horas de trabajo en 1 año y y representa el aporte total de capital para la compañía. Supongamos que 1 unidad de trabajo cuesta $40 y 1 unidad de capital cuesta $50. Utilice el método de los multiplicadores de Lagrange para hallar el valor máximo de $f(x, y) = 2,5x^{0,45} y^{0,55}$ con una restricción de presupuesto de $500 000 por año.

En el caso de una función de optimización con tres variables y una única función de restricción, también es posible utilizar el método de los multiplicadores de Lagrange para resolver un problema de optimización. Un ejemplo de función de optimización con tres variables podría ser la función Cobb-Douglas del ejemplo anterior $f(x, y, z) = x^{0,2} y^{0,4} z^{0,4}$, donde x representa el costo de la mano de obra, y representa la aportación de capital, y z representa el costo de la publicidad. El método es el mismo que para el método con una función de dos variables; las ecuaciones a resolver son
$$\nabla f(x, y, z) = \lambda \nabla g(x, y, z)$$
$$g(x, y, z) = 0,$$

EJEMPLO 4.44

Multiplicadores de Lagrange con una función de optimización de tres variables
Halle el mínimo de la función $f(x, y, z) = x^2 + y^2 + z^2$ sujeto a la restricción $x + y + z = 1$.

⊘ **Solución**
1. La función de optimización es $f(x, y, z) = x^2 + y^2 + z^2$. Para determinar la función de restricción, restamos 1 de cada lado de la restricción $x + y + z - 1 = 0$ que da la función de restricción como $g(x, y, z) = x + y + z - 1$.
2. A continuación, calculamos $\nabla f(x, y, z)$ y $\nabla g(x, y, z)$:
$$\nabla f(x, y, z) = \langle 2x, 2y, 2z \rangle$$
$$\nabla g(x, y, z) = \langle 1, 1, 1 \rangle.$$

Esto lleva a las ecuaciones

$$\langle 2x_0, 2y_0, 2z_0 \rangle = \lambda \langle 1, 1, 1 \rangle$$
$$x_0 + y_0 + z_0 - 1 = 0$$

que se pueden reescribir de la siguiente forma

$$2x_0 = \lambda$$
$$2y_0 = \lambda$$
$$2z_0 = \lambda$$
$$x_0 + y_0 + z_0 - 1 = 0,$$

3. Como cada una de las tres primeras ecuaciones tiene λ en el lado derecho, sabemos que $2x_0 = 2y_0 = 2z_0$ y las tres variables son iguales entre sí. Al sustituir $y_0 = x_0$ y $z_0 = x_0$ en la última ecuación da como resultado $3x_0 - 1 = 0$, por lo que $x_0 = \frac{1}{3}$ y $y_0 = \frac{1}{3}$ y $z_0 = \frac{1}{3}$ que corresponde a un punto crítico de la curva de restricción.

4. Entonces, evaluamos f en el punto $\left(\frac{1}{3}, \frac{1}{3}, \frac{1}{3}\right)$:

$$f\left(\frac{1}{3}, \frac{1}{3}, \frac{1}{3}\right) = \left(\frac{1}{3}\right)^2 + \left(\frac{1}{3}\right)^2 + \left(\frac{1}{3}\right)^2 = \frac{3}{9} = \frac{1}{3}.$$

Por lo tanto, un extremo de la función es $\frac{1}{3}$. Para comprobar que es un mínimo, elija otros puntos que satisfagan la restricción y calcule f en ese punto. Por ejemplo,

$$f(1, 0, 0) = 1^2 + 0^2 + 0^2 = 1$$
$$f(0, -2, 3) = 0^2 + (-2)^2 + 3^2 = 13.$$

Ambos valores son mayores que $\frac{1}{3}$, lo que nos lleva a creer que el extremo es un mínimo.

☑ 4.39   Utilice el método de los multiplicadores de Lagrange para hallar el valor mínimo de la función

$$f(x, y, z) = x + y + z$$

sujeto a la restricción $x^2 + y^2 + z^2 = 1$.

Problemas con dos restricciones

El método de los multiplicadores de Lagrange puede aplicarse a problemas con más de una restricción. En este caso la función de optimización, w es una función de tres variables:

$$w = f(x, y, z)$$

y está sujeta a dos restricciones:

$$g(x, y, z) = 0 \text{ y } h(x, y, z) = 0.$$

Hay dos multiplicadores de Lagrange, λ_1 y λ_2, y el sistema de ecuaciones se convierte en

$$\nabla f(x_0, y_0, z_0) = \lambda_1 \nabla g(x_0, y_0, z_0) + \lambda_2 \nabla h(x_0, y_0, z_0)$$
$$g(x_0, y_0, z_0) = 0$$
$$h(x_0, y_0, z_0) = 0,$$

EJEMPLO 4.45

Multiplicadores de Lagrange con dos restricciones
Halle los valores máximos y mínimos de la función

$$f(x, y, z) = x^2 + y^2 + z^2$$

sujeta a las condiciones $z^2 = x^2 + y^2$ y $x + y - z + 1 = 0$.

✓ **Solución**

Sigamos la estrategia de resolución de problemas:

1. La función de optimización es $f(x, y, z) = x^2 + y^2 + z^2$. Para determinar las funciones de restricción, primero restamos z^2 de ambos lados de la primera restricción, lo que da $x^2 + y^2 - z^2 = 0$, por lo que $g(x, y, z) = x^2 + y^2 - z^2$. La segunda función de restricción es $h(x, y, z) = x + y - z + 1$.

2. A continuación, calculamos los gradientes de $f, g,$ y h:

$$\nabla f(x, y, z) = 2x\mathbf{i} + 2y\mathbf{j} + 2z\mathbf{k}$$
$$\nabla g(x, y, z) = 2x\mathbf{i} + 2y\mathbf{j} - 2z\mathbf{k}$$
$$\nabla h(x, y, z) = \mathbf{i} + \mathbf{j} - \mathbf{k}.$$

La ecuación $\nabla f(x_0, y_0, z_0) = \lambda_1 \nabla g(x_0, y_0, z_0) + \lambda_2 \nabla h(x_0, y_0, z_0)$ se convierte en

$$2x_0\mathbf{i} + 2y_0\mathbf{j} + 2z_0\mathbf{k} = \lambda_1 (2x_0\mathbf{i} + 2y_0\mathbf{j} - 2z_0\mathbf{k}) + \lambda_2 (\mathbf{i} + \mathbf{j} - \mathbf{k}),$$

que se puede reescribir como

$$2x_0\mathbf{i} + 2y_0\mathbf{j} + 2z_0\mathbf{k} = (2\lambda_1 x_0 + \lambda_2)\mathbf{i} + (2\lambda_1 y_0 + \lambda_2)\mathbf{j} - (2\lambda_1 z_0 + \lambda_2)\mathbf{k}.$$

A continuación, establecemos los coeficientes de $\mathbf{i}$, $\mathbf{j}$, y $\mathbf{k}$ iguales entre sí:

$$2x_0 = 2\lambda_1 x_0 + \lambda_2$$
$$2y_0 = 2\lambda_1 y_0 + \lambda_2$$
$$2z_0 = -2\lambda_1 z_0 - \lambda_2.$$

Las dos ecuaciones que surgen de las restricciones son $z_0^2 = x_0^2 + y_0^2$ y $x_0 + y_0 - z_0 + 1 = 0$. Combinando estas ecuaciones con las tres anteriores se obtiene

$$
\begin{aligned}
2x_0 &= 2\lambda_1 x_0 + \lambda_2 \\
2y_0 &= 2\lambda_1 y_0 + \lambda_2 \\
2z_0 &= -2\lambda_1 z_0 - \lambda_2 \\
z_0^2 &= x_0^2 + y_0^2 \\
x_0 + y_0 - z_0 + 1 &= 0,
\end{aligned}
$$

3. Las tres primeras ecuaciones contienen la variable λ_2. Resolver la tercera ecuación para λ_2 y sustituyendo en las ecuaciones primera y segunda se reduce el número de ecuaciones a cuatro

$$
\begin{aligned}
2x_0 &= 2\lambda_1 x_0 - 2\lambda_1 z_0 - 2z_0 \\
2y_0 &= 2\lambda_1 y_0 - 2\lambda_1 z_0 - 2z_0 \\
z_0^2 &= x_0^2 + y_0^2 \\
x_0 + y_0 - z_0 + 1 &= 0,
\end{aligned}
$$

A continuación, resolvemos la primera y la segunda ecuación para λ_1. La primera ecuación da $\lambda_1 = \frac{x_0 + z_0}{x_0 - z_0}$, la segunda ecuación da $\lambda_1 = \frac{y_0 + z_0}{y_0 - z_0}$.. Establecemos el lado derecho de cada ecuación igual a la otra y hacemos una multiplicación cruzada

$$
\begin{aligned}
\frac{x_0 + z_0}{x_0 - z_0} &= \frac{y_0 + z_0}{y_0 - z_0} \\
(x_0 + z_0)(y_0 - z_0) &= (x_0 - z_0)(y_0 + z_0) \\
x_0 y_0 - x_0 z_0 + y_0 z_0 - z_0^2 &= x_0 y_0 + x_0 z_0 - y_0 z_0 - z_0^2 \\
2y_0 z_0 - 2x_0 z_0 &= 0 \\
2z_0 (y_0 - x_0) &= 0,
\end{aligned}
$$

Por lo tanto, o bien $z_0 = 0$ o $y_0 = x_0$. Si $z_0 = 0$, entonces la primera restricción se convierte en $0 = x_0^2 + y_0^2$. La única solución real a esta ecuación es $x_0 = 0$ y $y_0 = 0$, que da la triple ordenada $(0, 0, 0)$. Este punto no satisface la segunda restricción, por lo que no es una solución.

A continuación, consideramos $y_0 = x_0$, que reduce el número de ecuaciones a tres

$$y_0 = x_0$$
$$z_0{}^2 = x_0{}^2 + y_0{}^2$$
$$x_0 + y_0 - z_0 + 1 = 0,$$

Sustituimos la primera ecuación en las ecuaciones segunda y tercera
$$z_0{}^2 = x_0{}^2 + x_0{}^2$$
$$x_0 + x_0 - z_0 + 1 = 0,$$

Entonces, resolvemos la segunda ecuación para z_0, que da $z_0 = 2x_0 + 1$. A continuación, sustituimos esto en la primera ecuación,

$$z_0{}^2 = 2x_0{}^2$$
$$(2x_0 + 1)^2 = 2x_0{}^2$$
$$4x_0{}^2 + 4x_0 + 1 = 2x_0{}^2$$
$$2x_0{}^2 + 4x_0 + 1 = 0,$$

y utilizamos la fórmula cuadrática para resolver x_0:

$$x_0 = \frac{-4 \pm \sqrt{4^2 - 4(2)(1)}}{2(2)} = \frac{-4 \pm \sqrt{8}}{4} = \frac{-4 \pm 2\sqrt{2}}{4} = -1 \pm \frac{\sqrt{2}}{2}.$$

Recuerdo que $y_0 = x_0$, por lo que esto resuelve y_0 también. Entonces, $z_0 = 2x_0 + 1$, así que

$$z_0 = 2x_0 + 1 = 2\left(-1 \pm \frac{\sqrt{2}}{2}\right) + 1 = -2 + 1 \pm \sqrt{2} = -1 \pm \sqrt{2}.$$

Por lo tanto, hay dos soluciones de triple ordenadas

$$\left(-1 + \frac{\sqrt{2}}{2}, -1 + \frac{\sqrt{2}}{2}, -1 + \sqrt{2}\right) \text{ y } \left(-1 - \frac{\sqrt{2}}{2}, -1 - \frac{\sqrt{2}}{2}, -1 - \sqrt{2}\right).$$

4. Sustituimos $\left(-1 + \frac{\sqrt{2}}{2}, -1 + \frac{\sqrt{2}}{2}, -1 + \sqrt{2}\right)$ en $f(x, y, z) = x^2 + y^2 + z^2$, que da

$$\begin{aligned} f\left(-1 + \tfrac{\sqrt{2}}{2}, -1 + \tfrac{\sqrt{2}}{2}, -1 + \sqrt{2}\right) &= \left(-1 + \tfrac{\sqrt{2}}{2}\right)^2 + \left(-1 + \tfrac{\sqrt{2}}{2}\right)^2 + \left(-1 + \sqrt{2}\right)^2 \\ &= \left(1 - \sqrt{2} + \tfrac{1}{2}\right) + \left(1 - \sqrt{2} + \tfrac{1}{2}\right) + \left(1 - 2\sqrt{2} + 2\right) \\ &= 6 - 4\sqrt{2}. \end{aligned}$$

Entonces, sustituimos $\left(-1 - \frac{\sqrt{2}}{2}, -1 - \frac{\sqrt{2}}{2}, -1 - \sqrt{2}\right)$ en $f(x, y, z) = x^2 + y^2 + z^2$, que da

$$\begin{aligned} f\left(-1 - \tfrac{\sqrt{2}}{2}, -1 - \tfrac{\sqrt{2}}{2}, -1 - \sqrt{2}\right) &= \left(-1 - \tfrac{\sqrt{2}}{2}\right)^2 + \left(-1 - \tfrac{\sqrt{2}}{2}\right)^2 + \left(-1 - \sqrt{2}\right)^2 \\ &= \left(1 + \sqrt{2} + \tfrac{1}{2}\right) + \left(1 + \sqrt{2} + \tfrac{1}{2}\right) + \left(1 + 2\sqrt{2} + 2\right) \\ &= 6 + 4\sqrt{2}. \end{aligned}$$

$6 + 4\sqrt{2}$ es el valor máximo y $6 - 4\sqrt{2}$ es el valor mínimo de $f(x, y, z)$, con las restricciones dadas.

☑ 4.40   Utilice el método de los multiplicadores de Lagrange para hallar el valor mínimo de la función

$$f(x, y, z) = x^2 + y^2 + z^2$$

sujeta a las condiciones $2x + y + 2z = 9$ y $5x + 5y + 7z = 29$.

SECCIÓN 4.8 EJERCICIOS

En los siguientes ejercicios, utilice el método de los multiplicadores de Lagrange para hallar los valores máximos y mínimos de la función sujeta a las restricciones dadas.

358. $f(x, y) = x^2 y; x^2 + 2y^2 = 6$ **359.** $f(x, y, z) = xyz, x^2 + 2y^2 + 3z^2 = 6$

360. $f(x, y) = xy; 4x^2 + 8y^2 = 16$ **361.** $f(x, y) = 4x^3 + y^2; 2x^2 + y^2 = 1$

362. $f(x, y, z) = x^2 + y^2 + z^2, x^4 + y^4 + z^4 = 1$ **363.** $f(x, y, z) = yz + xy, xy = 1, y^2 + z^2 = 1$

364. $f(x, y) = x^2 + y^2, (x-1)^2 + 4y^2 = 4$ **365.** $f(x, y) = 4xy, \frac{x^2}{9} + \frac{y^2}{16} = 1$

366. $f(x, y, z) = x + y + z, \frac{1}{x} + \frac{1}{y} + \frac{1}{z} = 1$ **367.** $f(x, y, z) = x + 3y - z, x^2 + y^2 + z^2 = 4$

368. $f(x, y, z) = x^2 + y^2 + z^2, xyz = 4$

369. Minimice $f(x, y) = x^2 + y^2$ en la hipérbola $xy = 1$.

370. Minimice $f(x, y) = xy$ en la elipse $b^2 x^2 + a^2 y^2 = a^2 b^2$.

371. Maximice $f(x, y, z) = 2x + 3y + 5z$ en la esfera $x^2 + y^2 + z^2 = 19$.

372. Maximice $f(x, y) = x^2 - y^2; x > 0, y > 0;$ $g(x, y) = y - x^2 = 0$

373. La curva $x^3 - y^3 = 1$ es asintótica a la línea $y = x$. Halle el punto o puntos de la curva $x^3 - y^3 = 1$ más alejados de la línea $y = x$.

374. Maximice $U(x, y) = 8x^{4/5} y^{1/5}; 4x + 2y = 12$

375. Minimice $f(x, y) = x^2 + y^2, x + 2y - 5 = 0$.

376. Maximice $f(x, y) = \sqrt{6 - x^2 - y^2}, x + y - 2 = 0$.

377. Minimice $f(x, y, z) = x^2 + y^2 + z^2, x + y + z = 1$.

378. Minimice $f(x, y) = x^2 - y^2$ sujeto a la restricción $x - 2y + 6 = 0$.

379. Minimice $f(x, y, z) = x^2 + y^2 + z^2$ cuando $x + y + z = 9$ y $x + 2y + 3z = 20$.

En el siguiente grupo de ejercicios, utilice el método de los multiplicadores de Lagrange para resolver los siguientes problemas aplicados.

380. Un pentágono se forma al colocar un triángulo isósceles sobre un rectángulo, como se muestra en el diagrama. Si el perímetro del pentágono es 10 pulgadas, halle las longitudes de los lados del pentágono que maximizarán el área del pentágono.

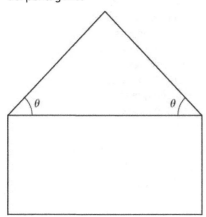

381. Una caja rectangular sin tapa (una caja sin tapa) debe hacerse de 12 pies^2 de cartón. Halle el volumen máximo de dicha caja.

382. Halle las distancias mínima y máxima entre la elipse $x^2 + xy + 2y^2 = 1$ y el origen.

383. Halle el punto de la superficie $x^2 - 2xy + y^2 - x + y = 0$ más cercano al punto $(1, 2, -3)$.

384. Demuestre que, de todos los triángulos inscritos en una circunferencia de radio R (vea el diagrama), el triángulo equilátero tiene el mayor perímetro.

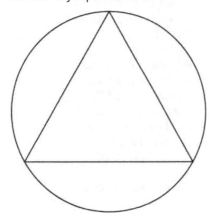

385. Halle la distancia mínima del punto $(0, 1)$ a la parábola $x^2 = 4y$.

386. Halle la distancia mínima de la parábola $y = x^2$ al punto $(0, 3)$.

387. Halle la distancia mínima del plano $x + y + z = 1$ al punto $(2, 1, 1)$.

388. Un gran contenedor con forma de sólido rectangular debe tener un volumen de 480m³. La construcción del fondo del contenedor cuesta 5 dólares por metro cuadrado, mientras que la parte superior y los laterales cuestan 3 dólares por metro cuadrado. Utilice los multiplicadores de Lagrange para calcular las dimensiones del contenedor de este tamaño que tenga el mínimo costo.

389. Hale el punto de la línea $y = 2x + 3$ que está más cerca del punto $(4, 2)$.

390. Halle el punto en el plano $4x + 3y + z = 2$ que está más cerca del punto $(1, -1, 1)$.

391. Halle el valor máximo de $f(x, y) = \text{sen } x \text{ sen } y$, donde x y y denota los ángulos agudos de un triángulo rectángulo. Dibuje los contornos de la función utilizando un CAS.

392. Un sólido rectangular está contenido en un tetraedro con vértices en

$(1, 0, 0), (0, 1, 0), (0, 0, 1)$, y el origen. La base de la caja tiene unas dimensiones x, y, y la altura de la caja es z. Si la suma de $x, y,$ y z es 1,0, halle las dimensiones que maximizan el volumen del sólido rectangular.

393. **[T]** Invirtiendo x unidades de trabajo y y unidades de capital, un fabricante de relojes puede producir $P(x, y) = 50x^{0,4}y^{0,6}$ relojes. Calcule el número máximo de relojes que se pueden producir con un presupuesto de $20 000 si la mano de obra cuesta 100 dólares/unidad y el capital 200 dólares/ unidad. Utilice un CAS para trazar un gráfico de contorno de la función.

Revisión del capítulo
Términos clave

aproximación lineal   dada una función $f(x, y)$ y un plano tangente a la función en un punto (x_0, y_0), podemos aproximar $f(x, y)$ para los puntos cercanos a (x_0, y_0) utilizando la fórmula del plano tangente

conjunto abierto   un conjunto S que no contiene ninguno de sus puntos límite

conjunto cerrado   un conjunto S que contiene todos sus puntos límite

conjunto conectado   un conjunto abierto S que no puede representarse como la unión de dos o más subconjuntos abiertos no vacíos

curva de nivel de una función de dos variables   el conjunto de puntos que satisfacen la ecuación $f(x, y) = c$ para algún número real c en el rango de f

derivada direccional   la derivada de una función en la dirección de un vector unitario dado

derivada parcial   una derivada de una función de más de una variable independiente en la que todas las variables menos una se mantienen constantes

derivadas parciales de orden superior   derivadas parciales de segundo orden o superiores, independientemente de que sean derivadas parciales mixtas

derivadas parciales mixtas   derivadas parciales de segundo orden o superiores, en las que al menos dos de las diferenciaciones son con respecto a variables diferentes

diagrama de árbol   ilustra y deriva fórmulas para la regla de la cadena generalizada, en la que se contabiliza cada variable independiente

diferenciable   una función $f(x, y, z)$ es diferenciable en (x_0, y_0) si $f(x, y)$ puede expresarse en la forma
$$f(x, y) = f(x_0, y_0) + f_x(x_0, y_0)(x - x_0) + f_y(x_0, y_0)(y - y_0) + E(x, y),$$
donde el término de error $E(x, y)$ satisface $\lim\limits_{(x,y) \to (x_0, y_0)} \dfrac{E(x,y)}{\sqrt{(x-x_0)^2 + (y-y_0)^2}} = 0$

diferencial total   el diferencial total de la función $f(x, y)$ a las (x_0, y_0) está dado por la fórmula
$$dz = f_x(x_0, y_0)\, dx + f_y(x_0, y_0)\, dy$$

discriminante   el discriminante de la función $f(x, y)$ está dado por la fórmula
$$D = f_{xx}(x_0, y_0) f_{yy}(x_0, y_0) - \left(f_{xy}(x_0, y_0)\right)^2$$

ecuación diferencial parcial   una ecuación que implica una función desconocida de más de una variable independiente y una o más de sus derivadas parciales

función de dos variables   una función $z = f(x, y)$ que aplica cada par ordenado (x, y) en un subconjunto D de $\mathbb{R}^2$ a un único número real z

función objetivo   la función que debe ser maximizada o minimizada en un problema de optimización

gradiente   el gradiente de la función $f(x, y)$ se define como $\nabla f(x, y) = (\partial f / \partial x)\mathbf{i} + (\partial f / \partial y)\mathbf{j}$, que puede generalizarse a una función de cualquier número de variables independientes

gráfico de una función de dos variables   un conjunto de triples ordenadas (x, y, z) que satisface la ecuación $z = f(x, y)$ trazado en el espacio cartesiano tridimensional

líneas de contorno   un gráfico de las distintas curvas de nivel de una función determinada $f(x, y)$

método de los multiplicadores de Lagrange   un método para resolver un problema de optimización sujeto a una o más restricciones

Multiplicador de Lagrange   la constante (o constantes) utilizada en el método de los multiplicadores de Lagrange; en el caso de una constante, se representa por la variable λ

plano tangente   dada una función $f(x, y)$ que es diferenciable en un punto (x_0, y_0), la ecuación del plano tangente a la superficie $z = f(x, y)$ viene dada por $z = f(x_0, y_0) + f_x(x_0, y_0)(x - x_0) + f_y(x_0, y_0)(y - y_0)$

problema de optimización   cálculo de un valor máximo o mínimo de una función de varias variables, a menudo utilizando multiplicadores de Lagrange

punto crítico de una función de dos variables   el punto (x_0, y_0) se llama punto crítico de $f(x, y)$ si se cumple una de las dos condiciones siguientes

1. $f_x(x_0, y_0) = f_y(x_0, y_0) = 0$
2.   Al menos uno de $f_x(x_0, y_0)$ y $f_y(x_0, y_0)$ no existe

punto de silla   dada la función $z = f(x, y)$, el punto $(x_0, y_0, f(x_0, y_0))$ es un punto de silla si $f_x(x_0, y_0) = 0$ y $f_y(x_0, y_0) = 0$, pero f no tienen un extremo local en (x_0, y_0)

punto interior   un punto P_0 de R es un punto límite si existe un disco δ centrado en P_0 contenido completamente en R

punto límite   un punto P_0 de R es un punto límite si cada disco δ centrado en P_0 contiene puntos tanto dentro como fuera de R

región   un subconjunto abierto, conectado y no vacío de $\mathbb{R}^2$

regla de la cadena generalizada   la regla de la cadena ampliada a las funciones de más de una variable independiente, en las que cada variable independiente puede depender de una o varias otras variables

restricción   una desigualdad o ecuación que implica una o más variables que se utiliza en un problema de optimización; la restricción impone un límite a las posibles soluciones del problema

superficie   el gráfico de una función de dos variables, $z = f(x, y)$

superficie de nivel de una función de tres variables   el conjunto de puntos que satisfacen la ecuación $f(x, y, z) = c$ para algún número real c en el rango de f

traza vertical   el conjunto de triples ordenadas (c, y, z) que resuelve la ecuación $f(c, y) = z$ para una constante dada $x = c$ o el conjunto de triples ordenadas (x, d, z) que resuelve la ecuación $f(x, d) = z$ para una constante dada $y = d$

variable intermedia   dada una composición de funciones (por ejemplo $f(x(t), y(t))$), las variables intermedias son las variables que son independientes en la función externa pero que dependen de otras variables también; en la función $f(x(t), y(t))$, las variables x y y son ejemplos de variables intermedias

δ bola   todos los puntos de $\mathbb{R}^3$ que se encuentran a una distancia inferior a δ a partir de (x_0, y_0, z_0)

δ disco   un disco abierto de radio δ centrado en el punto (a, b)

Ecuaciones clave

Traza vertical $f(a, y) = z$ por $x = a$ o $f(x, b) = z$ por $y = b$

Superficie de nivel de una función de tres variables $f(x, y, z) = c$

Derivada parcial de f con respecto a x $\frac{\partial f}{\partial x} = \lim_{h \to 0} \frac{f(x+h, y) - f(x,y)}{h}$

Derivada parcial de f con respecto a y $\frac{\partial f}{\partial y} = \lim_{k \to 0} \frac{f(x, y+k) - f(x,y)}{k}$

Plano tangente $z = f(x_0, y_0) + f_x(x_0, y_0)(x - x_0) + f_y(x_0, y_0)(y - y_0)$

Aproximación lineal $L(x, y) = f(x_0, y_0) + f_x(x_0, y_0)(x - x_0) + f_y(x_0, y_0)(y - y_0)$

Diferencial total $dz = f_x(x_0, y_0)\, dx + f_y(x_0, y_0)\, dy.$

Diferenciabilidad (dos variables) $f(x, y) = f(x_0, y_0) + f_x(x_0, y_0)(x - x_0) + f_y(x_0, y_0)(y - y_0) + E(x, y),$ donde el término de error E satisface $\lim_{(x,y) \to (x_0, y_0)} \frac{E(x,y)}{\sqrt{(x-x_0)^2 + (y-y_0)^2}} = 0.$

Diferenciabilidad (tres variables) $f(x, y) = f(x_0, y_0, z_0) + f_x(x_0, y_0, z_0)(x - x_0) + f_y(x_0, y_0, z_0)(y - y_0) + f_z(x_0, y_0, z_0)(z - z_0) + E(x, y, z),$ donde el término de error E satisface $\lim_{(x,y,z) \to (x_0, y_0, z_0)} \frac{E(x,y,z)}{\sqrt{(x-x_0)^2 + (y-y_0)^2 + (z-z_0)^2}} = 0.$

Regla de la cadena, una variable independiente $\frac{dz}{dt} = \frac{\partial z}{\partial x} \cdot \frac{dx}{dt} + \frac{\partial z}{\partial y} \cdot \frac{dy}{dt}$

Regla de la cadena, dos variables independientes $\frac{dz}{du} = \frac{\partial z}{\partial x} \frac{\partial x}{\partial u} + \frac{\partial z}{\partial y} \frac{\partial x}{\partial u}$ $\frac{dz}{dv} = \frac{\partial z}{\partial x} \frac{\partial x}{\partial v} + \frac{\partial z}{\partial y} \frac{\partial y}{\partial v}$

Regla de la cadena generalizada	$\frac{\partial w}{\partial t_j} = \frac{\partial w}{\partial x_1}\frac{\partial x_1}{\partial t_j} + \frac{\partial w}{\partial x_2}\frac{\partial x_1}{\partial t_j} + \cdots + \frac{\partial w}{\partial x_m}\frac{\partial x_m}{\partial t_j}$
derivada direccional (dos dimensiones)	$D_{\mathbf{u}}f(a,b) = \lim\limits_{h\to 0}\frac{f(a+h\cos\theta, b+h\operatorname{sen}\theta)-f(a,b)}{h}$ o $D_{\mathbf{u}}f(x,y) = f_x(x,y)\cos\theta + f_y(x,y)\operatorname{sen}\theta$
gradiente (dos dimensiones)	$\nabla f(x,y) = f_x(x,y)\mathbf{i} + f_y(x,y)\mathbf{j}$
gradiente (tres dimensiones)	$\nabla f(x,y,z) = f_x(x,y,z)\mathbf{i} + f_y(x,y,z)\mathbf{j} + f_z(x,y,z)\mathbf{k}$
derivada direccional (tres dimensiones)	$\begin{aligned} D_{\mathbf{u}}f(x,y,z) &= \nabla f(x,y,z).\mathbf{u} \\ &= f_x(x,y,z)\cos\alpha + f_y(x,y,z)\cos\beta + f_x(x,y,z)\cos\gamma \end{aligned}$
Discriminante	$D = f_{xx}(x_0,y_0)f_{yy}(x_0,y_0) - \left(f_{xy}(x_0,y_0)\right)^2$
Método de los multiplicadores de Lagrange, una restricción	$\begin{aligned} \nabla f(x_0,y_0) &= \lambda\nabla g(x_0,y_0) \\ g(x_0,y_0) &= 0 \end{aligned}$
Método de los multiplicadores de Lagrange, dos restricciones	$\begin{aligned} \nabla f(x_0,y_0,z_0) &= \lambda_1\nabla g(x_0,y_0,z_0) + \lambda_2\nabla h(x_0,y_0,z_0) \\ g(x_0,y_0,z_0) &= 0 \\ h(x_0,y_0,z_0) &= 0 \end{aligned}$

Conceptos clave

4.1 Funciones de varias variables

- El gráfico de una función de dos variables es una superficie en $\mathbb{R}^3$ y puede estudiarse mediante curvas de nivel y trazas verticales.
- Un conjunto de curvas de nivel se denomina mapa de líneas de contorno.

4.2 Límites y continuidad

- Para estudiar los límites y la continuidad de las funciones de dos variables, utilizamos un disco δ centrado en un punto determinado.
- Una función de varias variables tiene un límite si para cualquier punto en una bola δ centrada en un punto P, el valor de la función en ese punto se acerca arbitrariamente a un valor fijo (el valor límite).
- Las leyes de límites establecidas para una función de una variable tienen extensiones naturales a funciones de más de una variable.
- Una función de dos variables es continua en un punto si el límite existe en ese punto, la función existe en ese punto y el límite y la función son iguales en ese punto.

4.3 Derivadas parciales

- Una derivada parcial es una derivada que implica una función de más de una variable independiente.
- Para calcular una derivada parcial con respecto a una variable dada, trate todas las demás variables como constantes y utilice las reglas de diferenciación habituales.
- Las derivadas parciales de orden superior se pueden calcular de la misma manera que las derivadas de orden superior.

4.4 Planos tangentes y aproximaciones lineales

- El análogo de una línea tangente a una curva es un plano tangente a una superficie para funciones de dos variables.
- Los planos tangentes pueden utilizarse para aproximar los valores de las funciones cerca de los valores conocidos.

- Una función es diferenciable en un punto si es "regular" en ese punto (es decir, no existen esquinas o discontinuidades en ese punto).
- La diferencial total puede utilizarse para aproximar el cambio de una función $z = f(x_0, y_0)$ en el punto (x_0, y_0) para determinados valores de Δx y Δy.

4.5 La regla de la cadena

- La regla de la cadena para funciones de más de una variable implica las derivadas parciales con respecto a todas las variables independientes.
- Los diagramas de árbol son útiles para derivar fórmulas de la regla de la cadena para funciones de más de una variable, donde cada variable independiente también depende de otras variables.

4.6 Derivadas direccionales y el gradiente

- Una derivada direccional representa la tasa de cambio de una función en cualquier dirección.
- El gradiente puede utilizarse en una fórmula para calcular la derivada direccional.
- El gradiente indica la dirección del mayor cambio de una función de más de una variable.

4.7 Problemas con máximos/mínimos

- Un punto crítico de la función $f(x, y)$ es cualquier punto (x_0, y_0) en el que $f_x(x_0, y_0) = f_y(x_0, y_0) = 0$, o al menos uno de $f_x(x_0, y_0)$ y $f_y(x_0, y_0)$ no existen.
- Un punto de silla es un punto (x_0, y_0) donde $f_x(x_0, y_0) = f_y(x_0, y_0) = 0$, pero (x_0, y_0) no es ni un máximo ni un mínimo en ese punto.
- Para hallar los extremos de las funciones de dos variables, primero hay que hallar los puntos críticos, luego calcular el discriminante y aplicar la prueba de la segunda derivada.

4.8 Multiplicadores de Lagrange

- Una función objetivo combinada con una o varias restricciones es un ejemplo de problema de optimización.
- Para resolver los problemas de optimización, aplicamos el método de los multiplicadores de Lagrange utilizando una estrategia de resolución de problemas en cuatro pasos.

Ejercicios de repaso

En los siguientes ejercicios, determine si la afirmación es verdadera o falsa. Justifique su respuesta con una prueba o un contraejemplo.

394. El dominio de $f(x, y) = x^3 \operatorname{sen}^{-1}(y)$ ¿es $x = $ todos los números reales, y $-\pi \leq y \leq \pi$.

395. Si se grafica la función $f(x, y)$ es continua en todas partes, entonces $f_{xy} = f_{yx}$.

396. La aproximación lineal a la función de $f(x, y) = 5x^2 + x \tan(y)$ a las $(2, \pi)$ está dada por $L(x, y) = 22 + 21(x - 2) + (y - \pi)$.

397. $\left(\frac{3}{4}, \frac{9}{16}\right)$ es un punto crítico de $g(x, y) = 4x^3 - 2x^2 y + y^2 - 2$.

En los siguientes ejercicios, dibuje la función en una gráfico y, en una segunda, dibuje varias curvas de nivel.

398. $f(x, y) = e^{-\left(x^2 + 2y^2\right)}$.

399. $f(x, y) = x + 4y^2$.

En los siguientes ejercicios, evalúe los siguientes límites, si existen. Si no existen, demuéstrelo.

400. $\displaystyle\lim_{(x,y)\to(1,1)} \frac{4xy}{x - 2y^2}$

401. $\displaystyle\lim_{(x,y)\to(0,0)} \frac{4xy}{x - 2y^2}$

En los siguientes ejercicios, halle el mayor intervalo de continuidad de la función.

402. $f(x, y) = x^3 \operatorname{sen}^{-1}(y)$ grandes.

403. $g(x, y) = \ln\left(4 - x^2 - y^2\right)$

En los siguientes ejercicios, halle todas las primeras derivadas parciales.

404. $f(x, y) = \sqrt{x^2 - y^2}$

405. $u(x, y) = x^4 - 3xy + 1, x = 2t, y = t^3$

En los siguientes ejercicios, halle todas las segundas derivadas parciales.

406. $g(t, x) = 3t^2 - \operatorname{sen}(x + t)$ grandes.

407. $h(x, y, z) = \dfrac{x^3 e^{2y}}{z}$

En los siguientes ejercicios, halle la ecuación del plano tangente a la superficie especificada en el punto dado.

408. $z = x^3 - 2y^2 + y - 1$ en el punto $(1, 1, -1)$ grandes.

409. $z = e^x + \dfrac{2}{y}$ en el punto $(0, 1, 3)$ grandes.

410. Aproxime $f(x, y) = e^{x^2} + \sqrt{y}$ a las $(0,1,9,1)$. Escriba su función de aproximación lineal $L(x, y)$. ¿Qué precisión tiene la aproximación a la respuesta exacta, redondeada a cuatro dígitos?

411. Calcule el diferencial dz de $h(x, y) = 4x^2 + 2xy - 3y$ y aproxímelo Δz en el punto $(1, -2)$. Supongamos que $\Delta x = 0{,}1$ y $\Delta y = 0{,}01$.

412. Halle la derivada direccional de $f(x, y) = x^2 + 6xy - y^2$ en la dirección $\mathbf{v} = \mathbf{i} + 4\mathbf{j}$.

413. Halle la magnitud y la dirección de la derivada direccional máxima de la función $f(x, y) = x^3 + 2xy - \cos(\pi y)$ en el punto $(3, 0)$.

En los siguientes ejercicios, calcule el gradiente.

414. $c(x, t) = e(t - x)^2 + 3\cos(t)$ grandes.

415. $f(x, y) = \dfrac{\sqrt{x} + y^2}{xy}$

En los siguientes ejercicios, halle y clasifica los puntos críticos.

416. $z = x^3 - xy + y^2 - 1$

En los siguientes ejercicios, utilice los multiplicadores de Lagrange para hallar los valores máximos y mínimos de las funciones con las restricciones dadas.

417. $f(x, y) = x^2 y, x^2 + y^2 = 4$ **418**. $f(x, y) = x^2 - y^2, x + 6y = 4$

419. Un maquinista está construyendo un cono circular recto a partir de un bloque de aluminio. La máquina da un error de 5 % en altura y 2 % en el radio. Halle el máximo error en el volumen del cono si el maquinista crea un cono de altura 6 cm y radio 2 cm.

420. Un compactador de basura tiene forma de cubo. Supongamos que el compactador está lleno de un líquido incompresible. La longitud y la anchura disminuyen a ritmos de 2 ft/s y 3 ft/s, respectivamente. Halle la velocidad a la que sube el nivel del líquido cuando la longitud es 14 pies, la anchura es 10 pies, y la altura es 4 pies.

5

INTEGRACIÓN MÚLTIPLE

Figura 5.1 La Ciudad de las Artes y las Ciencias en Valencia (España) cuenta con una estructura única a lo largo de un eje de apenas dos kilómetros que antiguamente era el cauce del río Turia. El Hemisfèric cuenta con una sala de cine IMAX con tres sistemas de proyecciones digitales modernas sobre una pantalla cóncava de 900 metros cuadrados. Un techo ovalado de más de 100 metros de largo se ha hecho para que parezca un enorme ojo humano que cobra vida y se abre al mundo como el "Ojo de la Sabiduría" (créditos: modificación de la obra de Javier Yaya Tur, Wikimedia Commons).

Esquema del capítulo

Introducción

En este capítulo ampliamos el concepto de integral definida de una sola variable a las integrales dobles y triples de funciones de dos y tres variables, respectivamente. Examinamos aplicaciones que implican la integración para calcular volúmenes, masas y centroides de regiones más generales. También veremos cómo el uso de otros sistemas de coordenadas (como las coordenadas polares, cilíndricas y esféricas) simplifica el cálculo de integrales múltiples sobre algunos tipos de regiones y funciones. Como ejemplo, utilizaremos las coordenadas polares para calcular el volumen de estructuras como el Hemisfèric (vea el Ejemplo 5.51).

En el capítulo anterior hemos hablado del cálculo diferencial con múltiples variables independientes. Ahora examinamos el cálculo integral en múltiples dimensiones. Al igual que una derivada parcial nos permite diferenciar una función con respecto a una variable manteniendo las otras variables constantes, veremos que una integral iterada nos permite integrar una función con respecto a una variable manteniendo las otras variables constantes.

5.1 Integrales dobles sobre regiones rectangulares

Objetivos de aprendizaje

5.1.1 Reconocer cuándo una función de dos variables es integrable sobre una región rectangular.

5.1.2 Reconocer y utilizar algunas de las propiedades de las integrales dobles.

5.1.3 Evaluar una integral doble sobre una región rectangular escribiéndola como una integral iterada.

5.1.4 Utilizar una integral doble para calcular el área de una región, el volumen bajo una superficie o el valor medio de una función sobre una región plana.

En esta sección investigamos las integrales dobles y mostramos cómo podemos utilizarlas para calcular el volumen de un sólido sobre una región rectangular en el plano xy. Muchas de las propiedades de las integrales dobles son similares a las que ya hemos estudiado para las integrales simples.

Volúmenes e integrales dobles

Comenzamos considerando el espacio sobre una región rectangular R. Consideremos una función continua $f(x, y) \geq 0$ de dos variables definidas en el rectángulo cerrado R:

$$R = [a, b] \times [c, d] = \left\{ (x, y) \in \mathbb{R}^2 \mid a \leq x \leq b, c \leq y \leq d \right\}$$

Aquí $[a, b] \times [c, d]$ denota el producto cartesiano de los dos intervalos cerrados $[a, b]$ y $[c, d]$. Se compone de pares rectangulares (x, y) de manera que $a \leq x \leq b$ y $c \leq y \leq d$. El gráfico de f representa una superficie por encima del plano xy con ecuación $z = f(x, y)$ donde z es la altura de la superficie en el punto (x, y). Supongamos que S es el sólido que está por encima de R y por debajo del gráfico de f (Figura 5.2). La base del sólido es el rectángulo R en el plano xy. Queremos calcular el volumen V del sólido S.

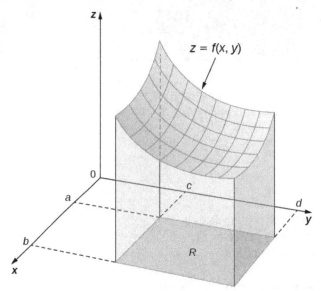

Figura 5.2   El gráfico de $f(x, y)$ sobre el rectángulo R en el plano xy es una superficie curva.

Dividimos la región R en pequeños rectángulos R_{ij}, cada uno de ellos con área ΔA y con lados Δx y Δy (Figura 5.3). Para ello, dividimos el intervalo $[a, b]$ en m subintervalos y dividimos el intervalo $[c, d]$ en n subintervalos. Por lo tanto, $\Delta x = \frac{b-a}{m}$, $\Delta y = \frac{d-c}{n}$, y $\Delta A = \Delta x \Delta y$.

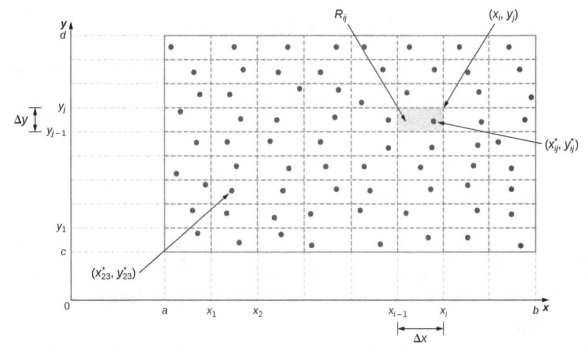

Figura 5.3   El rectángulo R se divide en pequeños rectángulos R_{ij}, cada uno de ellos con área ΔA.

El volumen de una caja rectangular delgada sobre R_{ij} es $f(x_{ij}^*, y_{ij}^*)\Delta A$, donde (x_{ij}^*, y_{ij}^*) es un punto de muestra arbitrario en cada R_{ij} como se muestra en la siguiente figura.

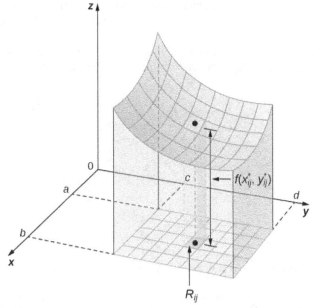

Figura 5.4   Una caja rectangular delgada sobre R_{ij} con altura $f\left(x_{ij}^*, y_{ij}^*\right)$.

Utilizando la misma idea para todos los subrectángulos, obtenemos un volumen aproximado del sólido S cuando

$V \approx \sum_{i=1}^{m} \sum_{j=1}^{n} f(x_{ij}^*, y_{ij}^*)\Delta A$. Esta suma se conoce como **suma doble de Riemann** y se puede usar para aproximar el valor

del volumen del sólido. Aquí la suma doble significa que para cada subrectángulo evaluamos la función en el punto elegido, multiplicamos por el área de cada rectángulo y luego sumamos todos los resultados.

Como hemos visto en el caso de una sola variable, obtenemos una mejor aproximación al volumen real si m y n son mayores.

$$V = \lim_{m,n\to\infty} \sum_{i=1}^{m} \sum_{j=1}^{n} f(x_{ij}^*, y_{ij}^*)\Delta A \quad \text{o} \quad V = \lim_{\Delta x, \Delta y\to 0} \sum_{i=1}^{m} \sum_{j=1}^{n} f(x_{ij}^*, y_{ij}^*)\Delta A.$$

Observe que la suma se aproxima a un límite en cualquiera de los dos casos y el límite es el volumen del sólido con la base R. Ahora estamos preparados para definir la integral doble.

Definición

La **integral doble** de la función $f(x, y)$ sobre la región rectangular R en el plano xy se define como

$$\iint_{R} f(x, y)dA = \lim_{m,n\to\infty} \sum_{i=1}^{m} \sum_{j=1}^{n} f(x_i^*, y_j^*)\Delta A. \tag{5.1}$$

Si $f(x, y) \geq 0$, entonces el volumen V del sólido S, que se encuentra por encima de R en el plano xy y por debajo del gráfico de f, es la integral doble de la función $f(x, y)$ sobre el rectángulo R. Si la función es alguna vez negativa, entonces la integral doble puede considerarse un volumen "señalado" de forma similar a como definimos el área neta señalada en La integral definida (http://openstax.org/books/cálculo-volumen-1/pages/5-2-la-integral-definida).

EJEMPLO 5.1

Establecer una integral doble y aproximarla mediante sumas dobles
Considere la función $z = f(x, y) = 3x^2 - y$ sobre la región rectangular $R = [0, 2] \times [0, 2]$ (Figura 5.5).

a. Establezca una integral doble para calcular el valor del volumen señalado del sólido S que se encuentra por encima de R y "bajo" el gráfico de f.
b. Divida R en cuatro cuadrados con $m = n = 2$, y elija el punto de muestra como el vértice superior derecho de cada cuadrado $(1, 1), (2, 1), (1, 2)$, y $(2, 2)$ (Figura 5.6) para aproximar el volumen señalado del sólido S que se encuentra por encima de R y "bajo" el gráfico de f.
c. Divida R en cuatro cuadrados con $m = n = 2$, y elija el punto de muestra como punto medio de cada cuadrado: $(1/2, 1/2), (3/2, 1/2), (1/2, 3/2)$, y $(3/2, 3/2)$ para aproximarse al volumen señalado.

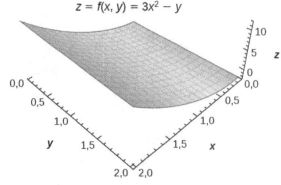

Figura 5.5   La función $z = f(x, y)$ graficada sobre la región rectangular $R = [0, 2] \times [0, 2]$.

Solución

a. Como podemos ver, la función $z = f(x, y) = 3x^2 - y$ está por encima del plano. Para calcular el volumen señalado de S, tenemos que dividir la región R en pequeños rectángulos R_{ij}, cada uno de ellos con área ΔA y con lados Δx y Δy, y elegir (x_{ij}^*, y_{ij}^*) como puntos de muestra en cada R_{ij}. Por lo tanto, se establece una integral doble como

$$V = \iint_{R} \left(3x^2 - y\right) dA = \lim_{m,n\to\infty} \sum_{i=1}^{m} \sum_{j=1}^{n} \left[3\left(x_{ij}^*\right)^2 - y_{ij}^*\right]\Delta A.$$

b. Aproximar el volumen señalado mediante una suma de Riemann con $m = n = 2$ tenemos $\Delta A = \Delta x \Delta y = 1 \times 1 = 1$. Además, los puntos de muestra son $(1, 1), (2, 1), (1, 2)$ y $(2, 2)$ como se muestra en la siguiente figura.

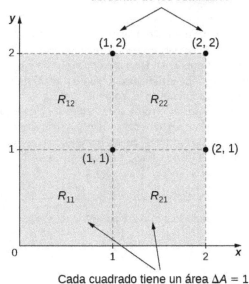

Figura 5.6 Subrectángulos para la región rectangular $R = [0, 2] \times [0, 2]$.

Por lo tanto,

$$
\begin{aligned}
V &= \sum_{i=1}^{2} \sum_{j=1}^{2} f(x_{ij}^*, y_{ij}^*) \Delta A \\
&= \sum_{i=1}^{2} (f(x_{i1}^*, y_{i1}^*) + f(x_{i2}^*, y_{i2}^*)) \Delta A \\
&= f(x_{11}^*, y_{11}^*) \Delta A + f(x_{21}^*, y_{21}^*) \Delta A + f(x_{12}^*, y_{12}^*) \Delta A + f(x_{22}^*, y_{22}^*) \Delta A \\
&= f(1, 1)(1) + f(2, 1)(1) + f(1, 2)(1) + f(2, 2)(1) \\
&= (3 - 1)(1) + (12 - 1)(1) + (3 - 2)(1) + (12 - 2)(1) \\
&= 2 + 11 + 1 + 10 = 24.
\end{aligned}
$$

c. Aproximar el volumen señalado mediante una suma de Riemann con $m = n = 2$, tenemos $\Delta A = \Delta x \Delta y = 1 \times 1 = 1$. En este caso los puntos de muestra son (1/2, 1/2), (3/2, 1/2), (1/2, 3/2) y (3/2, 3/2).
Por lo tanto

$$
\begin{aligned}
V &= \sum_{i=1}^{2} \sum_{j=1}^{2} f(x_{ij}^*, y_{ij}^*) \Delta A \\
&= f(x_{11}^*, y_{11}^*) \Delta A + f(x_{21}^*, y_{21}^*) \Delta A + f(x_{12}^*, y_{12}^*) \Delta A + f(x_{22}^*, y_{22}^*) \Delta A \\
&= f(1/2, 1/2)(1) + f(3/2, 1/2)(1) + f(1/2, 3/2)(1) + f(3/2, 3/2)(1) \\
&= \left(\tfrac{3}{4} - \tfrac{1}{4} \right)(1) + \left(\tfrac{27}{4} - \tfrac{1}{2} \right)(1) + \left(\tfrac{3}{4} - \tfrac{3}{2} \right)(1) + \left(\tfrac{27}{4} - \tfrac{3}{2} \right)(1) \\
&= \tfrac{2}{4} + \tfrac{25}{4} + \left(-\tfrac{3}{4} \right) + \tfrac{21}{4} = \tfrac{45}{4}
\end{aligned}
$$

Análisis

Observe que las respuestas aproximadas difieren debido a la elección de los puntos de muestra. En cualquier caso, estamos introduciendo algún error porque estamos utilizando solo unos pocos puntos de muestra. Por lo tanto, tenemos que investigar cómo podemos conseguir una respuesta precisa.

5.1 Utilice la misma función $z = f(x, y) = 3x^2 - y$ sobre la región rectangular $R = [0, 2] \times [0, 2]$.

Divida R en los mismos cuatro cuadrados con $m = n = 2$, y elija los puntos de muestra como el vértice superior izquierdo de cada cuadrado $(0, 1), (1, 1), (0, 2),$ y $(1, 2)$ (Figura 5.6) para aproximar el volumen señalado del sólido S que se encuentra por encima de R y "bajo" el gráfico de f.

Observe que desarrollamos el concepto de integral doble utilizando una región rectangular R. Este concepto puede extenderse a cualquier región general. Sin embargo, cuando una región no es rectangular, es posible que los subrectángulos no encajen todos perfectamente en R, sobre todo si el área base es curva. Examinamos esta situación con más detalle en la siguiente sección, donde estudiamos regiones que no siempre son rectangulares y los subrectángulos pueden no encajar perfectamente en la región R. Además, las alturas pueden no ser exactas si la superficie $z = f(x, y)$ es curva. Sin embargo, los errores en los lados y la altura donde las piezas pueden no encajar perfectamente dentro del sólido S se acercan a 0 a medida que m y n se acercan al infinito. Además, la integral doble de la función $z = f(x, y)$ existe siempre que la función f no sea demasiado discontinua. Si la función está delimitada y es continua sobre R excepto en un número finito de curvas suaves, entonces la integral doble existe y decimos que f es integrable sobre R.

Dado que $\Delta A = \Delta x \Delta y = \Delta y \Delta x$, podemos expresar dA cuando $dx\,dy$ o $dy\,dx$. Esto significa que, cuando utilizamos coordenadas rectangulares, la integral doble sobre una región R denotada por $\iint\limits_R f(x, y)dA$ se puede escribir como

$$\iint\limits_R f(x, y)dx\,dy \text{ o } \iint\limits_R f(x, y)dy\,dx.$$

Ahora vamos a enumerar algunas de las propiedades que pueden ser útiles para calcular integrales dobles.

Propiedades de las integrales dobles

Las propiedades de las integrales dobles son muy útiles a la hora de calcularlas o de trabajar con ellas. Enumeramos aquí seis propiedades de las integrales dobles. Las propiedades 1 y 2 se denominan linealidad de la integral, la propiedad 3 es la aditividad de la integral, la propiedad 4 es la monotonicidad de la integral y la propiedad 5 se utiliza para hallar los límites de la integral. La propiedad 6 se utiliza si $f(x, y)$ es el producto de dos funciones $g(x)$ y $h(y)$.

Teorema 5.1

Propiedades de las integrales dobles

Supongamos que las funciones $f(x, y)$ y $g(x, y)$ son integrables sobre la región rectangular R; S y T son subregiones de R, y supongamos que m y M son números reales.

i.   La suma $f(x, y) + g(x, y)$ es integrable y

$$\iint\limits_R [f(x, y) + g(x, y)]\,dA = \iint\limits_R f(x, y)dA + \iint\limits_R g(x, y)dA.$$

ii. Si c es una constante, entonces $cf(x, y)$ es integrable y

$$\iint\limits_R cf(x, y)dA = c\iint\limits_R f(x, y)dA.$$

iii. Si los valores de $R = S \cup T$ y $S \cap T = \varnothing$ exceptuando una superposición en los límites, entonces

$$\iint\limits_R f(x, y)dA = \iint\limits_S f(x, y)dA + \iint\limits_T f(x, y)dA.$$

iv. Si $f(x, y) \geq g(x, y)$ por (x, y) en R, entonces

$$\iint\limits_R f(x, y)dA \geq \iint\limits_R g(x, y)dA.$$

v.   Si los valores de $m \leq f(x, y) \leq M$, entonces

$$m \times A(R) \leq \iint\limits_R f(x, y)dA \leq M \times A(R).$$

vi. En caso de que $f(x, y)$ se pueda factorizar como un producto de una función $g(x)$ de x solamente y una función

$h(y)$ de y solamente, entonces sobre la región $R = \{(x, y)\,|\,a \le x \le b, c \le y \le d\}$, la integral doble se puede escribir como

$$\iint\limits_{R} f(x, y)dA = \left(\int_{a}^{b} g(x)dx\right)\left(\int_{c}^{d} h(y)dy\right).$$

Estas propiedades se utilizan en la evaluación de integrales dobles, como veremos más adelante. Seremos hábiles en el uso de estas propiedades una vez que nos familiaricemos con las herramientas de cálculo de las integrales dobles. Así que vamos a eso ahora.

Integrales iteradas

Hasta ahora hemos visto cómo establecer una integral doble y cómo obtener un valor aproximado para esta. También podemos imaginar que la evaluación de integrales dobles mediante la definición puede ser un proceso muy largo si elegimos valores mayores para *m* y *n*. Por lo tanto, necesitamos una técnica práctica y conveniente para calcular integrales dobles. En otras palabras, tenemos que aprender a calcular integrales dobles sin emplear la definición que utiliza límites y sumas dobles.

La idea básica es que la evaluación se hace más fácil si podemos dividir una integral doble en integrales simples integrando primero con respecto a una variable y luego con respecto a la otra. La herramienta clave que necesitamos se llama integral iterada.

Definición

Supongamos que $a, b, c,$ y d son números reales. Definimos una **integral iterada** para una función $f(x, y)$ sobre la región rectangular $R = [a, b] \times [c, d]$ cuando

a.

$$\int_{a}^{b} \int_{c}^{d} f(x, y)dy\, dx = \int_{a}^{b} \left[\int_{c}^{d} f(x, y)dy\right] dx \qquad (5.2)$$

b.

$$\int_{c}^{d} \int_{a}^{b} f(x, y)dx\, dy = \int_{c}^{d} \left[\int_{a}^{b} f(x, y)dx\right] dy. \qquad (5.3)$$

La notación $\int_{a}^{b}\left[\int_{c}^{d} f(x, y)dy\right]dx$ significa que integramos $f(x, y)$ con respecto a y manteniendo constante x. Del mismo modo, la notación $\int_{c}^{d}\left[\int_{a}^{b} f(x, y)dx\right]dy$ significa que integramos $f(x, y)$ con respecto a x manteniendo constante y. El hecho de que las integrales dobles puedan dividirse en integrales iteradas se expresa en el teorema de Fubini. Piense en este teorema como una herramienta esencial para evaluar integrales dobles.

Teorema 5.2

Teorema de Fubini

Supongamos que $f(x, y)$ es una función de dos variables que es continua sobre una región rectangular $R = \{(x, y) \in \mathbb{R}^2 \,|\, a \le x \le b, c \le y \le d\}$. Entonces vemos en la <u>Figura 5.7</u> que la integral doble de f sobre la región es igual a una integral iterada,

$$\iint\limits_{R} f(x,y)dA = \iint\limits_{R} f(x,y)dx\,dy = \int\limits_{a}^{b}\int\limits_{c}^{d} f(x,y)dy\,dx = \int\limits_{c}^{d}\int\limits_{a}^{b} f(x,y)dx\,dy.$$

De forma más general, el **teorema de Fubini** es cierto si f está delimitada en R y f es discontinua solo en un número finito de curvas continuas. En otras palabras, f tiene que ser integrable sobre R.

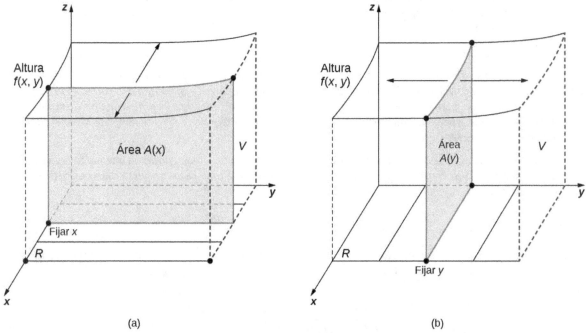

(a)   (b)

Figura 5.7   (a) Integrando primero con respecto a y y luego con respecto a x para calcular el área $A(x)$ y luego el volumen V; (b) integrando primero con respecto a x y luego con respecto a y para calcular el área $A(y)$ y luego el volumen V.

EJEMPLO 5.2

Utilizar el teorema de Fubini

Utilice el teorema de Fubini para calcular la integral doble $\iint\limits_{R} f(x,y)dA$ donde $f(x,y) = x$ y $R = [0,2] \times [0,1]$.

✓ **Solución**
El teorema de Fubini ofrece una forma más fácil de evaluar la integral doble mediante el uso de una integral iterada. Observe cómo los valores límite de la región R se convierten en los límites superior e inferior de la integración.

$$\begin{aligned}
\iint\limits_{R} f(x,y)dA &= \iint\limits_{R} f(x,y)dx\,dy \\
&= \int_{y=0}^{y=1}\int_{x=0}^{x=2} x\,dx\,dy \\
&= \int_{y=0}^{y=1}\left[\frac{x^2}{2}\Big|_{x=0}^{x=2}\right]dy \\
&= \int_{y=0}^{y=1} 2dy = 2y\big|_{y=0}^{y=1} = 2.
\end{aligned}$$

La integración doble de este ejemplo es lo suficientemente sencilla como para utilizar directamente el teorema de Fubini, lo que nos permite convertir una integral doble en una integral iterada. En consecuencia, ahora estamos preparados para convertir todas las integrales dobles en integrales iteradas y demostrar cómo las propiedades enumeradas anteriormente pueden ayudarnos a evaluar integrales dobles cuando la función $f(x, y)$ es más compleja. Observe que el orden de integración puede cambiarse (vea el Ejemplo 5.7).

EJEMPLO 5.3

Ilustrar las propiedades i y ii

Evalúe la integral doble $\iint\limits_R \left(xy - 3xy^2 \right) dA$ donde $R = \{(x, y) \,|\, 0 \leq x \leq 2, 1 \leq y \leq 2\}$.

⊘ **Solución**

Esta función tiene dos trozos: uno es xy y el otro es $3xy^2$. Además, el segundo trozo tiene una constante 3. Observe cómo utilizamos las propiedades i y ii para ayudar a evaluar la integral doble.

$$\iint\limits_R \left(xy - 3xy^2 \right) dA$$

$$= \iint\limits_R xy\, dA + \iint\limits_R \left(-3xy^2 \right) dA \qquad \text{Propiedad i: La integral de una suma es la suma de las integrales.}$$

$$= \int_{y=1}^{y=2} \int_{x=0}^{x=2} xy\, dx\, dy - \int_{y=1}^{y=2} \int_{x=0}^{x=2} 3xy^2\, dx\, dy \qquad \text{Convierta las integrales dobles en integrales iteradas.}$$

$$= \int_{y=1}^{y=2} \left(\frac{x^2}{2} y \right) \Big|_{x=0}^{x=2} dy - 3 \int_{y=1}^{y=2} \left(\frac{x^2}{2} y^2 \right) \Big|_{x=0}^{x=2} dy \qquad \text{Integre con respecto a } x, \text{ manteniendo } y \text{ constante.}$$

$$= \int_{y=1}^{y=2} 2y\, dy - \int_{y=1}^{y=2} 6y^2\, dy \qquad \text{Propiedad ii: Colocar la constante antes de la integral.}$$

$$= 2 \int_1^2 y\, dy - 6 \int_1^2 y^2\, dy \qquad \text{Integre con respecto a } y.$$

$$= 2 \frac{y^2}{2} \Big|_1^2 - 6 \frac{y^3}{3} \Big|_1^2$$

$$= y^2 \Big|_1^2 - 2y^3 \Big|_1^2$$

$$= (4 - 1) - 2(8 - 1)$$

$$= 3 - 2(7) = 3 - 14 = -11.$$

EJEMPLO 5.4

Ilustrar la propiedad v.

Sobre la región $R = \{(x, y) \,|\, 1 \leq x \leq 3, 1 \leq y \leq 2\}$, tenemos $2 \leq x^2 + y^2 \leq 13$. Halle un límite inferior y superior para la integral $\iint\limits_R \left(x^2 + y^2 \right) dA$.

⊘ **Solución**

Para un límite inferior, integre la función constante 2 sobre la región R. Para un límite superior, integre la función constante 13 sobre la región R.

$$\int_1^2 \int_1^3 2dx\, dy = \int_1^2 \left[2x|_1^3 \right] dy = \int_1^2 2(2)dy = 4y|_1^2 = 4(2-1) = 4$$

$$\int_1^2 \int_1^3 13dx\, dy = \int_1^2 \left[13x|_1^3 \right] dy = \int_1^2 13(2)dy = 26y|_1^2 = 26(2-1) = 26.$$

Por lo tanto, obtenemos $4 \le \iint\limits_R \left(x^2 + y^2 \right) dA \le 26$.

EJEMPLO 5.5

Ilustrar la propiedad vi

Evalúe la integral $\iint\limits_R e^y \cos x\, dA$ sobre la región $R = \left\{ (x,y) \middle| 0 \le x \le \frac{\pi}{2}, 0 \le y \le 1 \right\}$.

⊘ **Solución**

Este es un gran ejemplo para la propiedad vi porque la función $f(x,y)$ es claramente el producto de dos funciones de una sola variable e^y y $\cos x$. Así podemos dividir la integral en dos partes y luego integrar cada una como un problema de integración de una sola variable.

$$\iint\limits_R e^y \cos x\, dA = \int_0^1 \int_0^{\pi/2} e^y \cos x\, dx\, dy$$

$$= \left(\int_0^1 e^y dy \right) \left(\int_0^{\pi/2} \cos x\, dx \right)$$

$$= \left(e^y|_0^1 \right) \left(\operatorname{sen} x|_0^{\pi/2} \right)$$

$$= e - 1$$

☑ 5.2   a.   Utilice las propiedades de la integral doble y el teorema de Fubini para evaluar la integral

$$\int_0^1 \int_{-1}^3 (3 - x + 4y)\, dy\, dx.$$

b.   Demuestre que $0 \le \iint\limits_R \operatorname{sen} \pi x \cos \pi y\, dA \le \frac{1}{32}$ donde $R = \left(0, \frac{1}{4} \right) \left(\frac{1}{4}, \frac{1}{2} \right)$.

Como hemos dicho antes, cuando utilizamos coordenadas rectangulares, la integral doble sobre una región R denotada por $\iint\limits_R f(x,y)dA$ se puede escribir como $\iint\limits_R f(x,y)dx\, dy$ o $\iint\limits_R f(x,y)dy\, dx$. El siguiente ejemplo muestra que los resultados son los mismos independientemente del orden de integración que elijamos.

EJEMPLO 5.6

Evaluar una integral iterada de dos maneras

Volvamos a la función $f(x,y) = 3x^2 - y$ del Ejemplo 5.1, esta vez sobre la región rectangular $R = [0,2] \times [0,3]$. Utilice el teorema de Fubini para evaluar $\iint\limits_R f(x,y)dA$ de dos maneras diferentes:

a.   Primero integre con respecto a y y luego con respecto a x;
b.   Primero integre con respecto a x y luego con respecto a y.

⊘ **Solución**

La Figura 5.7 muestra cómo funciona el cálculo de dos maneras diferentes.

a. Primero integre con respecto a y y luego integre con respecto a x:

$$\iint\limits_{R} f(x,y)dA = \int_{x=0}^{x=2} \int_{y=0}^{y=3} (3x^2 - y)dy\,dx$$

$$= \int_{x=0}^{x=2} \left(\int_{y=0}^{y=3} (3x^2 - y)dy \right) dx = \int_{x=0}^{x=2} \left[3x^2 y - \frac{y^2}{2} \Big|_{y=0}^{y=3} \right] dx$$

$$= \int_{x=0}^{x=2} \left(9x^2 - \frac{9}{2} \right) dx = 3x^3 - \frac{9}{2}x \Big|_{x=0}^{x=2} = 15.$$

b. Primero integre con respecto a x y luego integre con respecto a y:

$$\iint\limits_{R} f(x,y)dA = \int_{y=0}^{y=3} \int_{x=0}^{x=2} (3x^2 - y)dx\,dy$$

$$= \int_{y=0}^{y=3} \left(\int_{x=0}^{x=2} (3x^2 - y)dx \right) dy = \int_{y=0}^{y=3} \left[x^3 - xy \Big|_{x=0}^{x=2} \right] dy$$

$$= \int_{y=0}^{y=3} (8 - 2y)\,dy = 8y - y^2 \Big|_{y=0}^{y=3} = 15.$$

◎ Análisis

Con cualquier orden de integración, la integral doble nos da una respuesta de 15. Podríamos interpretar esta respuesta como un volumen en unidades cúbicas del sólido S debajo de la función $f(x,y) = 3x^2 - y$ sobre la región $R = [0,2] \times [0,3]$. Sin embargo, recuerde que la interpretación de una integral doble como un volumen (no señalado) solo funciona cuando la integración f es una función no negativa sobre la región base R.

☑ 5.3   Evalúe $\displaystyle\int_{y=-3}^{y=2} \int_{x=3}^{x=5} \left(2 - 3x^2 + y^2 \right) dx\,dy.$

En el siguiente ejemplo vemos que puede ser beneficioso cambiar el orden de integración para facilitar el cálculo. Volveremos sobre esta idea varias veces en este capítulo.

EJEMPLO 5.7

Cambiar el orden de integración

Consideremos la integral doble $\displaystyle\iint\limits_{R} x\,\mathrm{sen}(xy)dA$ sobre la región $R = \{(x,y)\,|\,0 \le x \le 3, 0 \le y \le 2\}$ (Figura 5.8).

a. Exprese la integral doble de dos maneras diferentes.
b. Analice si evaluar la integral doble de una forma es más fácil que la otra y por qué.
c. Evalúe la integral.

Figura 5.8 La función $z = f(x, y) = x\,\text{sen}(xy)$ sobre la región rectangular $R = [0, \pi] \times [1, 2]$.

⊘ **Solución**

a. Podemos expresar $\displaystyle\iint\limits_{R} x\,\text{sen}(xy)dA$ de las siguientes dos maneras: primero integrando con respecto a y y luego con respecto a x; segundo integrando con respecto a x y luego con respecto a y.

$$\iint\limits_{R} x\,\text{sen}(xy)dA$$

$$= \int\limits_{x=0}^{x=\pi} \int\limits_{y=1}^{y=2} x\,\text{sen}(xy)dy\,dx \qquad \text{Integramos primero con respecto a } y.$$

$$= \int\limits_{y=1}^{y=2} \int\limits_{x=0}^{x=\pi} x\,\text{sen}(xy)dx\,dy \qquad \text{Integramos primero con respecto a } x.$$

b. Si queremos integrar primero con respecto a y y luego integrar con respecto a x, vemos que podemos utilizar la sustitución $u = xy$, que da $du = x\,dy$. Por lo tanto, la integral interna es simplemente $\int \text{sen}\,u\,du$ y podemos cambiar los límites para que sean funciones de x,

$$\iint\limits_{R} x\,\text{sen}(xy)dA = \int\limits_{x=0}^{x=\pi} \int\limits_{y=1}^{y=2} x\,\text{sen}(xy)dy\,dx = \int\limits_{x=0}^{x=\pi} \left[\int\limits_{u=x}^{u=2x} \text{sen}(u)du\right]dx.$$

Sin embargo, integrar con respecto a x primero y luego integrar con respecto a y requiere integración por partes para la integral interna, con $u = x$ y $dv = \text{sen}(xy)dx$.
Entonces $du = dx$ y $v = -\frac{\cos(xy)}{y}$, así que

$$\iint_R x\,\text{sen}(xy)dA = \int_{y=1}^{y=2} \int_{x=0}^{x=\pi} x\,\text{sen}(xy)dx\,dy = \int_{y=1}^{y=2}\left[-\frac{x\cos(xy)}{y}\Big|_{x=0}^{x=\pi} + \frac{1}{y}\int_{x=0}^{x=\pi}\cos(xy)dx \right]dy.$$

Como la evaluación se complica, solo haremos el cálculo que es más fácil de hacer, que es claramente el primer método.

c. Evalúe la integral doble utilizando la manera más fácil.

$$\iint_R x\,\text{sen}(xy)dA = \int_{x=0}^{x=\pi}\int_{y=1}^{y=2} x\,\text{sen}(xy)dy\,dx$$

$$= \int_{x=0}^{x=\pi}\left[\int_{u=x}^{u=2x} \text{sen}(u)du\right]dx = \int_{x=0}^{x=\pi}\left[-\cos u\big|_{u=x}^{u=2x}\right]dx = \int_{x=0}^{x=\pi}(-\cos 2x + \cos x)\,dx$$

$$= -\tfrac{1}{2}\text{sen}\,2x + \text{sen}\,x\Big|_{x=0}^{x=\pi} = 0,$$

✓ 5.4   Evalúe la integral $\displaystyle\iint_R xe^{xy}\,dA$ donde $R = [0,1] \times [0, \ln 5]$.

Aplicaciones de las integrales dobles

Las integrales dobles son muy útiles para calcular el área de una región delimitada por curvas de funciones. Describimos esta situación con más detalle en la siguiente sección. Sin embargo, si la región tiene forma rectangular, podemos calcular su área integrando la función constante $f(x, y) = 1$ sobre la región R.

Definición

El área de la región R viene dada por $A(R) = \displaystyle\iint_R 1dA.$

Esta definición tiene sentido porque usar $f(x, y) = 1$ y evaluar la integral la convierten en un producto de la longitud y la anchura. Comprobemos esta fórmula con un ejemplo y veamos cómo funciona.

EJEMPLO 5.8

Calcular el área mediante una integral doble

Calcule el área de la región $R = \{(x, y)\,|0 \leq x \leq 3, 0 \leq y \leq 2\}$ utilizando una integral doble, es decir, integrando 1 sobre la región R.

⊘ **Solución**

La región es rectangular con longitud 3 y anchura 2, por lo que sabemos que el área es 6. Obtenemos la misma respuesta cuando utilizamos una integral doble:

$$A(R) = \int_0^2 \int_0^3 1dx\,dy = \int_0^2 \left[x\big|_0^3\right]dy = \int_0^2 3dy = 3\int_0^2 dy = 3y\big|_0^2 = 3(2) = 6.$$

Ya hemos visto cómo se pueden utilizar las integrales dobles para calcular el volumen de un sólido limitado por encima por una función $f(x, y)$ sobre una región R siempre que $f(x, y) \geq 0$ para todos los (x, y) en R. He aquí otro ejemplo para ilustrar este concepto.

EJEMPLO 5.9

Volumen de un paraboloide elíptico

Calcular el volumen V del sólido S que está delimitado por el paraboloide elíptico $2x^2 + y^2 + z = 27$, los planos $x = 3$ y $y = 3$, y los tres planos de coordenadas.

⊘ **Solución**

Primero, observe el gráfico de la superficie $z = 27 - 2x^2 - y^2$ en la Figura 5.9(a) y sobre la región cuadrada $R_1 = [-3, 3] \times [-3, 3]$. Sin embargo, necesitamos el volumen del sólido delimitado por el paraboloide elíptico $2x^2 + y^2 + z = 27$, los planos $x = 3$ y $y = 3$, y los tres planos de coordenadas.

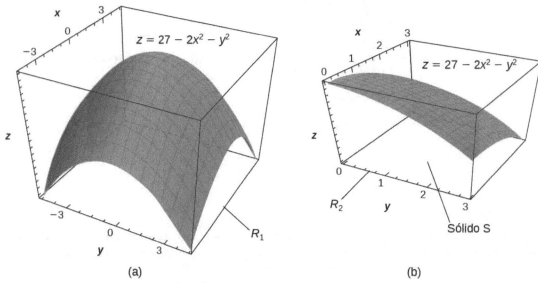

(a)   (b)

Figura 5.9   (a) La superficie $z = 27 - 2x^2 - y^2$ por encima de la región cuadrada $R_1 = [-3, 3] \times [-3, 3]$. (b) El sólido S se encuentra debajo de la superficie $z = 27 - 2x^2 - y^2$ por encima de la región cuadrada $R_2 = [0, 3] \times [0, 3]$.

Ahora veamos el gráfico de la superficie en la Figura 5.9(b). Determinamos el volumen V evaluando la integral doble sobre R_2:

$$
\begin{aligned}
V &= \iint_R z\, dA = \iint_R \left(27 - 2x^2 - y^2\right) dA \\[2mm]
&= \int_{y=0}^{y=3} \int_{x=0}^{x=3} \left(27 - 2x^2 - y^2\right) dx\, dy && \text{Convierta a integral iterada.} \\[2mm]
&= \int_{y=0}^{y=3} \left[27x - \frac{2}{3}x^3 - y^2 x\right]\Big|_{x=0}^{x=3} dy && \text{Integre con respecto a } x. \\[2mm]
&= \int_{y=0}^{y=3} \left(63 - 3y^2\right) dy = 63y - y^3 \Big|_{y=0}^{y=3} = 162.
\end{aligned}
$$

☑ 5.5   Calcule el volumen del sólido delimitado arriba por el gráfico de $f(x, y) = xy\,\mathrm{sen}(x^2 y)$ y abajo por el plano xy en la región rectangular $R = [0, 1] \times [0, \pi]$.

Recordemos que hemos definido el valor medio de una función de una variable en un intervalo $[a, b]$ cuando

$$
f_{\text{ave}} = \frac{1}{b-a} \int_a^b f(x)\, dx.
$$

De forma similar, podemos definir el valor medio de una función de dos variables sobre una región R. La principal diferencia es que dividimos entre un área en vez de entre la anchura de un intervalo.

Definición

El valor medio de una función de dos variables en una región R es

$$f_{\text{ave}} = \frac{1}{\text{Área } R} \iint\limits_{R} f(x, y)\, dA. \tag{5.4}$$

En el siguiente ejemplo calculamos el valor medio de una función sobre una región rectangular. Este es un buen ejemplo de cómo obtener información útil para una integración haciendo mediciones individuales sobre una cuadrícula, en vez de intentar hallar una expresión algebraica para una función.

EJEMPLO 5.10

Calcular la precipitación media de tormentas

El mapa meteorológico en la Figura 5.10 muestra un sistema de tormentas inusualmente húmedo asociado a los restos del huracán Karl, que arrojó entre 4 y 8 pulgadas (100 a 200 mm) de lluvia en algunas partes del Medio Oeste el 22 y el 23 de septiembre de 2010. El área de precipitaciones medía 300 millas de este a oeste y 250 millas de norte a sur. Calcule la precipitación media en toda la zona en esos dos días.

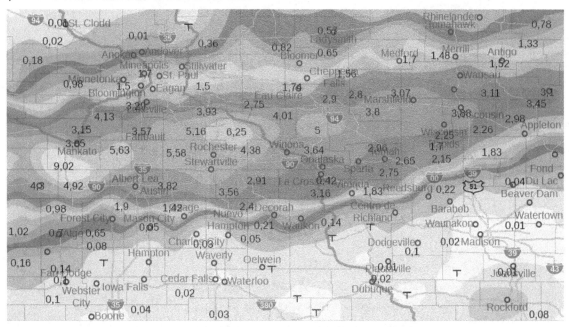

Figura 5.10 Efectos del huracán Karl, que arrojó entre 4 y 8 pulgadas (100 a 200 mm) de lluvia en algunas partes del suroeste de Wisconsin, el sur de Minnesota y el sureste de Dakota del Sur en un tramo de 300 millas de este a oeste y 250 millas de norte a sur.

⊘ **Solución**

Coloque el origen en la esquina suroeste del mapa para que todos los valores puedan considerarse en el primer cuadrante y, por tanto, todos sean positivos. Ahora divida todo el mapa en seis rectángulos ($m = 2$ y $n = 3$), como se muestra en la Figura 5.11. Supongamos que $f(x, y)$ denota la precipitación de la tormenta en pulgadas en un punto aproximadamente x millas al este del origen y y millas al norte del origen. Supongamos que R representa toda el área de $250 \times 300 = 75.000$ millas cuadradas. Entonces el área de cada subrectángulo es

$$\Delta A = \frac{1}{6}(75.000) = 12.500.$$

Supongamos que (x_{ij}^*, y_{ij}^*) son aproximadamente los puntos medios de cada subrectángulo R_{ij}. Observe la región codificada por colores en cada uno de estos puntos y estime las precipitaciones. La precipitación en cada uno de estos puntos se puede estimar como:

A (x_{11}, y_{11}) la precipitación es de 0,08.

A (x_{12}, y_{12}) la precipitación es de 0,08.

A (x_{13}, y_{13}) la precipitación es de 0,01.

A (x_{21}, y_{21}) la precipitación es de 1,70.

A (x_{22}, y_{22}) la precipitación es de 1,74.

A (x_{23}, y_{23}) la precipitación es de 3,00.

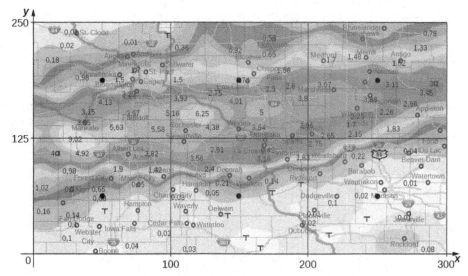

Figura 5.11   Precipitación de tormentas con ejes rectangulares y mostrando los puntos medios de cada subrectángulo.

Según nuestra definición, la precipitación media de la tormenta en toda el área durante esos dos días fue de

$$
f_{\text{ave}} = \frac{1}{\text{Área } R} \iint\limits_R f(x, y)dx\, dy = \frac{1}{75.000} \iint\limits_R f(x, y)dx\, dy
$$

$$
\cong \frac{1}{75.000} \sum_{i=1}^{3} \sum_{j=1}^{2} f(x_{ij}^*, y_{ij}^*)\Delta A
$$

$$
\cong \frac{1}{75.000} \left[f(x_{11}^*, y_{11}^*)\Delta A + f(x_{12}^*, y_{12}^*)\Delta A \right.
$$
$$
\left. + f(x_{13}^*, y_{13}^*)\Delta A + f(x_{21}^*, y_{21}^*)\Delta A + f(x_{22}^*, y_{22}^*)\Delta A + f(x_{23}^*, y_{23}^*)\Delta A \right]
$$

$$
\cong \frac{1}{75.000}[0,08 + 0,08 + 0,01 + 1,70 + 1,74 + 3,00]\,\Delta A
$$

$$
\cong \frac{1}{75.000}[0,08 + 0,08 + 0,01 + 1,70 + 1,74 + 3,00]\,12.500
$$

$$
\cong \frac{5}{30}[0,08 + 0,08 + 0,01 + 1,70 + 1,74 + 3,00]
$$

$$
\cong 1,10.
$$

Durante el 22 y el 23 de septiembre de 2010, esta área tuvo una precipitación de tormenta media de aproximadamente 1,10 pulgadas.

☑   5.6   Se muestran líneas de contorno para una función $f(x, y)$ en el rectángulo $R = [-3, 6] \times [-1, 4]$.

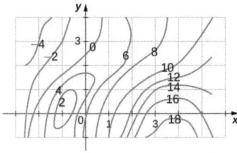

a. Utilice la regla del punto medio con $m = 3$ y $n = 2$ para estimar el valor de $\iint\limits_R f(x, y)dA$.

b. Estime el valor medio de la función $f(x, y)$.

SECCIÓN 5.1 EJERCICIOS

En los siguientes ejercicios, utilice la regla del punto medio con $m = 4$ y $n = 2$ para estimar el volumen del sólido delimitado por la superficie $z = f(x, y)$, los planos verticales $x = 1$, $x = 2$, $y = 1$, y $y = 2$, y el plano horizontal $z = 0$.

1. $f(x, y) = 4x + 2y + 8xy$ **2.** $f(x, y) = 16x^2 + \frac{y}{2}$

En los siguientes ejercicios, estime el volumen del sólido debajo de la superficie $z = f(x, y)$ y por encima de la región rectangular R mediante una suma de Riemann con $m = n = 2$ y que los puntos de muestra sean las esquinas inferiores izquierdas de los subrectángulos de la partición.

3. $f(x, y) = \text{sen } x - \cos y,$
$R = [0, \pi] \times [0, \pi]$

4. $f(x, y) = \cos x + \cos y,$
$R = [0, \pi] \times \left[0, \frac{\pi}{2}\right]$

5. Utilice la regla del punto medio con $m = n = 2$ para estimar $\iint\limits_R f(x, y)dA$, donde los valores de la función *f* en $R = [8, 10] \times [9, 11]$ se indican en la siguiente tabla.

	y				
x	9	9,5	10	10,5	11
8	9,8	5	6,7	5	5,6
8,5	9,4	4,5	8	5,4	3,4
9	8,7	4,6	6	5,5	3,4
9,5	6,7	6	4,5	5,4	6,7
10	6,8	6,4	5,5	5,7	6,8

6. Los valores de la función f en el rectángulo $R = [0,2] \times [7,9]$ se indican en la siguiente tabla. Estime la integral doble $\iint\limits_{R} f(x,y)\,dA$ utilizando una suma de Riemann con $m = n = 2$. Seleccione los puntos de la muestra para que sean las esquinas superiores derechas de los subcuadrados de R.

	$y_0 = 7$	$y_1 = 8$	$y_2 = 9$
$x_0 = 0$	10,22	10,21	9,85
$x_1 = 1$	6,73	9,75	9,63
$x_2 = 2$	5,62	7,83	8,21

7. La profundidad de una piscina infantil de 4 ft por 4 ft, medida a intervalos de 1 ft, se indica en la siguiente tabla.

   a. Estime el volumen de agua de la piscina mediante una suma de Riemann con $m = n = 2$. Seleccione los puntos de muestra utilizando la regla del punto medio en $R = [0,4] \times [0,4]$.

   b. Aproxime la profundidad media de la piscina.

		y			
x	0	1	2	3	4
0	1	1,5	2	2,5	3
1	1	1,5	2	2,5	3
2	1	1,5	1,5	2,5	3
3	1	1	1,5	2	2,5
4	1	1	1	1,5	2

8. En la siguiente tabla se da la profundidad de un agujero de 3 ft por 3 ft en el suelo, medido a intervalos de 1 ft.

    a. Estime el volumen del agujero mediante una suma de Riemann con $m = n$ n = 3 y que los puntos de la muestra sean las esquinas superiores izquierdas de los subcuadrados de R.

    b. Aproxime la profundidad media del agujero.

		y		
x	0	1	2	3
0	6	6,5	6,4	6
1	6,5	7	7,5	6,5
2	6,5	6,7	6,5	6
3	6	6,5	5	5,6

9. Las curvas de nivel $f(x, y) = k$ de la función f se dan en el siguiente gráfico, donde k es una constante.

    a. Aplique la regla del punto medio con $m = n = 2$ para estimar la integral doble $\iint_R f(x, y)dA$, donde $R = [0,2, 1] \times [0, 0,8]$.

    b. Estime el valor medio de la función f en R.

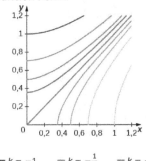

$- k = -1$ $- k = -\frac{1}{2}$ $- k = -\frac{1}{4}$

$- k = -\frac{1}{8}$ $- k = 0$ $- k = \frac{1}{8}$

$- k = \frac{1}{4}$ $- k = \frac{1}{2}$ $- k = 1$

10. Las curvas de nivel $f(x, y) = k$ de la función f se dan en el siguiente gráfico, donde k es una constante.

    a. Aplique la regla del punto medio con $m = n = 2$ para estimar la integral doble $\iint_R f(x, y)dA$, donde $R = [0,1, 0,5] \times [0,1, 0,5]$.

    b. Estime el valor medio de la función f en R.

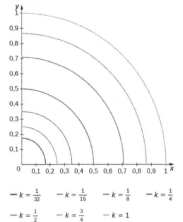

$- k = \frac{1}{32}$ $- k = \frac{1}{16}$ $- k = \frac{1}{8}$ $- k = \frac{1}{4}$

$- k = \frac{1}{2}$ $- k = \frac{3}{4}$ $- k = 1$

11. El sólido que se encuentra debajo de la superficie $z = \sqrt{4 - y^2}$ y por encima de la región rectangular $R = [0, 2] \times [0, 2]$ se ilustra en el siguiente gráfico. Evalúe la integral doble $\iint_R f(x, y)dA$, donde $f(x, y) = \sqrt{4 - y^2}$, al calcular el volumen del sólido correspondiente.

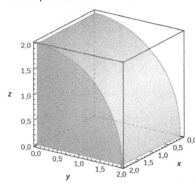

12. El sólido que se encuentra debajo del plano $z = y + 4$ y por encima de la región rectangular $R = [0, 2] \times [0, 4]$ se ilustra en el siguiente gráfico. Evalúe la integral doble $\iint_R f(x, y)dA$, donde $f(x, y) = y + 4$, al calcular el volumen del sólido correspondiente.

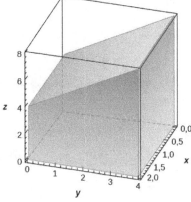

En los siguientes ejercicios, calcule las integrales intercambiando el orden de integración.

13. $\displaystyle\int_{-1}^{1}\left(\int_{-2}^{2}(2x+3y+5)\,dx\right)dy$ **14.** $\displaystyle\int_{0}^{2}\left(\int_{0}^{1}(x+2e^{y}-3)\,dx\right)dy$ **15.** $\displaystyle\int_{1}^{27}\left(\int_{1}^{2}\left(\sqrt[3]{x}+\sqrt[3]{y}\right)dy\right)dx$

16. $\displaystyle\int_{1}^{16}\left(\int_{1}^{8}\left(\sqrt[4]{x}+2\sqrt[3]{y}\right)dy\right)dx$ **17.** $\displaystyle\int_{\ln 2}^{\ln 3}\left(\int_{0}^{1}e^{x+y}\,dy\right)dx$ **18.** $\displaystyle\int_{0}^{2}\left(\int_{0}^{1}3^{x+y}\,dy\right)dx$

19. $\displaystyle\int_{1}^{6}\left(\int_{2}^{9}\frac{\sqrt{y}}{x^{2}}\,dy\right)dx$ **20.** $\displaystyle\int_{1}^{9}\left(\int_{4}^{2}\frac{\sqrt{x}}{y^{2}}\,dy\right)dx$

En los siguientes ejercicios, evalúe las integrales iteradas eligiendo el orden de integración.

21. $\displaystyle\int_{0}^{\pi}\int_{0}^{\pi/2}\operatorname{sen}(2x)\cos(3y)\,dx\,dy$ **22.** $\displaystyle\int_{\pi/12}^{\pi/8}\int_{\pi/4}^{\pi/3}[\cot x+\tan(2y)]\,dx\,dy$

23. $\displaystyle\int_{1}^{e}\int_{1}^{e}\left[\frac{1}{x}\operatorname{sen}(\ln x)+\frac{1}{y}\cos(\ln y)\right]dx\,dy$ **24.** $\displaystyle\int_{1}^{e}\int_{1}^{e}\frac{\operatorname{sen}(\ln x)\cos(\ln y)}{xy}\,dx\,dy$

25. $\displaystyle\int_{1}^{2}\int_{1}^{2}\left(\frac{\ln y}{x}+\frac{x}{2y+1}\right)dy\,dx$ **26.** $\displaystyle\int_{1}^{e}\int_{1}^{2}x^{2}\ln(x)\,dy\,dx$ **27.** $\displaystyle\int_{1}^{\sqrt{3}}\int_{1}^{2}y\arctan\left(\frac{1}{x}\right)dy\,dx$

28. $\displaystyle\int_{0}^{1}\int_{0}^{1/2}(\operatorname{arcsen}x+\operatorname{arcsen}y)\,dy\,dx$ **29.** $\displaystyle\int_{0}^{1}\int_{1}^{2}xe^{x+4y}\,dy\,dx$ **30.** $\displaystyle\int_{1}^{2}\int_{0}^{1}xe^{x-y}\,dy\,dx$

31. $\displaystyle\int_{1}^{e}\int_{1}^{e}\left(\frac{\ln y}{\sqrt{y}}+\frac{\ln x}{\sqrt{x}}\right)dy\,dx$ **32.** $\displaystyle\int_{1}^{e}\int_{1}^{e}\left(\frac{x\ln y}{\sqrt{y}}+\frac{y\ln x}{\sqrt{x}}\right)dy\,dx$ **33.** $\displaystyle\int_{0}^{1}\int_{1}^{2}\left(\frac{x}{x^{2}+y^{2}}\right)dy\,dx$

34. $\displaystyle\int_{0}^{1}\int_{1}^{2}\frac{y}{x+y^{2}}\,dy\,dx$

En los siguientes ejercicios, calcule el valor medio de la función sobre los rectángulos dados.

35. $f(x,y)=-x+2y$, $R=[0,1]\times[0,1]$ **36.** $f(x,y)=x^{4}+2y^{3}$, $R=[1,2]\times[2,3]$ **37.** $f(x,y)=\operatorname{senoh}x+\operatorname{senoh}y$, $R=[0,1]\times[0,2]$

38. $f(x, y) = \arctan(xy)$,
   $R = [0, 1] \times [0, 1]$

39. Supongamos que f y g son dos funciones continuas tales que
   $0 \leq m_1 \leq f(x) \leq M_1$ para cualquier $x \in [a, b]$ y
   $0 \leq m_2 \leq g(y) \leq M_2$ para cualquier $y \in [c, d]$. Demuestre que la siguiente desigualdad es verdadera:

$$m_1 m_2 (b-a)(c-d) \leq \int\limits_a^b \int\limits_c^d f(x)g(y) dy\, dx \leq M_1 M_2 (b-a)(c-d).$$

En los siguientes ejercicios, utilice la propiedad v. de las integrales dobles y la respuesta del ejercicio anterior para demostrar que las siguientes inecuaciones son verdaderas.

40. $\dfrac{1}{e^2} \leq \iint\limits_R e^{-x^2 - y^2}\, dA \leq 1$,
   donde $R = [0, 1] \times [0, 1]$

41. $\dfrac{\pi^2}{144} \leq \iint\limits_R \operatorname{sen} x \cos y\, dA \leq \dfrac{\pi^2}{48}$,
   donde $R = \left[\frac{\pi}{6}, \frac{\pi}{3}\right] \times \left[\frac{\pi}{6}, \frac{\pi}{3}\right]$

42. $0 \leq \iint\limits_R e^{-y} \cos x\, dA \leq \left(\frac{\pi}{2}\right)^2$,
   donde $R = \left[0, \frac{\pi}{2}\right] \times \left[0, \frac{\pi}{2}\right]$

43. $0 \leq \iint\limits_R (\ln x)(\ln y)\, dA \leq (e-1)^2$,
   donde $R = [1, e] \times [1, e]$

44. Supongamos que f y g son dos funciones continuas tales que
   $0 \leq m_1 \leq f(x) \leq M_1$ para cualquier $x \in [a, b]$ y $0 \leq m_2 \leq g(y) \leq M_2$ para cualquier $y \in [c, d]$. Demuestre que la siguiente desigualdad es verdadera:

$$(m_1 + m_2)(b-a)(c-d) \leq \int\limits_a^b \int\limits_c^d [f(x) + g(y)]\, dy\, dx \leq (M_1 + M_2)(b-a)(c-d).$$

En los siguientes ejercicios, utilice la propiedad v. de las integrales dobles y la respuesta del ejercicio anterior para demostrar que las siguientes inecuaciones son verdaderas.

45. $\dfrac{2}{e} \leq \iint\limits_R \left(e^{-x^2} + e^{-y^2}\right) dA \leq 2$,
   donde $R = [0, 1] \times [0, 1]$

46. $\dfrac{\pi^2}{36} \leq \iint\limits_R (\operatorname{sen} x + \cos y)\, dA \leq \dfrac{\pi^2 \sqrt{3}}{36}$,
   donde $R = \left[\frac{\pi}{6}, \frac{\pi}{3}\right] \times \left[\frac{\pi}{6}, \frac{\pi}{3}\right]$

47. $\dfrac{\pi}{2} e^{-\pi/2} \leq \iint\limits_R \left(\cos x + e^{-y}\right) dA \leq \pi$,
   donde $R = \left[0, \frac{\pi}{2}\right] \times \left[0, \frac{\pi}{2}\right]$

48. $\dfrac{1}{e} \leq \iint\limits_R \left(e^{-y} - \ln x\right) dA \leq 2$,
   donde $R = [0, 1] \times [0, 1]$

En los siguientes ejercicios, la función f está dada en términos de integrales dobles.

a. Determine la forma explícita de la función f.
b. Calcule el volumen del sólido bajo la superficie $z = f(x, y)$ y por encima de la región R.
c. Calcule el valor medio de la función f en R.
d. Utilice un sistema de álgebra computacional (CAS) para trazar $z = f(x, y)$ y $z = f_{\text{ave}}$ en el mismo sistema de coordenadas.

49. **[T]**

$$f(x, y) = \int\limits_0^y \int\limits_0^x (xs + yt)ds\, dt,$$

donde
$(x, y) \in R = [0, 1] \times [0, 1]$

50. **[T]**

$$f(x, y) = \int\limits_0^x \int\limits_0^y [\cos(s) + \cos(t)]\, dt\, ds,$$

donde $(x, y) \in R = [0, 3] \times [0, 3]$

51. Demuestre que si f y g son continuas en $[a, b]$ y $[c, d]$, respectivamente, entonces

$$\int\limits_a^b \int\limits_c^d [f(x) + g(y)]\, dy\, dx = (d - c) \int\limits_a^b f(x)dx$$

$$+ \int\limits_a^b \int\limits_c^d g(y)dy\, dx = (b-a) \int\limits_c^d g(y)dy + \int\limits_c^d \int\limits_a^b f(x)dx\, dy.$$

52. Demuestre que

$$\int\limits_a^b \int\limits_c^d yf(x) + xg(y)dy\, dx = \tfrac{1}{2}\left(d^2 - c^2\right)\left(\int\limits_a^b f(x)dx\right) + \tfrac{1}{2}\left(b^2 - a^2\right)\left(\int\limits_c^d g(y)dy\right).$$

53. **[T]** Considere la función
$f(x, y) = e^{-x^2 - y^2}$, donde
$(x, y) \in R = [-1, 1] \times [-1, 1]$.

a. Utilice la regla del punto medio con
$m = n = 2, 4, \ldots, 10$ para estimar la integral doble
$$I = \iint\limits_R e^{-x^2 - y^2}\, dA.$$
Redondee sus respuestas a las centésimas más cercanas.

b. Para $m = n = 2$, calcule el valor medio de f sobre la región R. Redondee su respuesta a las centésimas más cercanas.

c. Utilice un CAS para graficar en el mismo sistema de coordenadas el sólido cuyo volumen está dado por
$$\iint\limits_R e^{-x^2 - y^2}\, dA$$ y el plano
$z = f_{\text{ave}}$.

54. **[T]** Considere la función
$f(x, y) = \operatorname{sen}\left(x^2\right)\cos\left(y^2\right)$,
donde
$(x, y) \in R = [-1, 1] \times [-1, 1]$.

a. Utilice la regla del punto medio con
$m = n = 2, 4, \ldots, 10$ para estimar la integral doble
$$I = \iint\limits_R \operatorname{sen}\left(x^2\right)\cos\left(y^2\right)\, dA.$$
Redondee sus respuestas a las centésimas más cercanas.

b. Para $m = n = 2$, calcule el valor medio de f sobre la región R. Redondee su respuesta a las centésimas más cercanas.

c. Utilice un CAS para graficar en el mismo sistema de coordenadas el sólido cuyo volumen está dado por
$$\iint\limits_R \operatorname{sen}\left(x^2\right)\cos\left(y^2\right)\, dA$$ y el
plano $z = f_{\text{ave}}$.

En los siguientes ejercicios, las funciones f_n están dadas, donde $n \geq 1$ es un número natural.

a. Calcule el volumen de los sólidos S_n debajo de las superficies $z = f_n(x, y)$ y por encima de la región R.

b. Determinar el límite de los volúmenes de los sólidos S_n a medida que n aumenta sin límite.

55. $f(x, y) = x^n + y^n + xy, (x, y) \in R = [0, 1] \times [0, 1]$ **56.** $f(x, y) = \frac{1}{x^n} + \frac{1}{y^n}, (x, y) \in R = [1, 2] \times [1, 2]$

57. Demuestre que el valor medio de una función f en una región rectangular $R = [a, b] \times [c, d]$ es

$$f_{\text{ave}} \approx \frac{1}{mn} \sum_{i=1}^{m} \sum_{j=1}^{n} f\left(x_{ij}^*, y_{ij}^*\right),$$

donde $\left(x_{ij}^*, y_{ij}^*\right)$ son los puntos de muestra de la partición de R, donde $1 \leq i \leq m$ y $1 \leq j \leq n$.

58. Utilice la regla del punto medio con $m = n$ para demostrar que el valor medio de una función f en una región rectangular $R = [a, b] \times [c, d]$ se aproxima por

$$f_{\text{ave}} \approx \frac{1}{n^2} \sum_{i,j=1}^{n} f\left(\frac{1}{2}\left(x_{i-1} + x_i\right), \frac{1}{2}\left(y_{j-1} + y_j\right)\right).$$

59. Un mapa de isotermas es un gráfico que conecta los puntos que tienen la misma temperatura en un momento dado durante un periodo determinado. Utilice el ejercicio anterior y aplique la regla del punto medio con $m = n = 2$ para hallar la temperatura media en la región indicada en la siguiente figura.

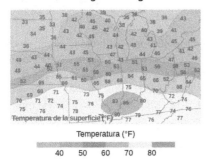

Temperatura (°F)

40   50   60   70   80

5.2 Integrales dobles sobre regiones generales

Objetivos de aprendizaje

5.2.1 Reconocer cuándo una función de dos variables es integrable sobre una región general.

5.2.2 Evaluar una integral doble calculando una integral iterada sobre una región acotada por dos líneas verticales y dos funciones de x, o dos líneas horizontales y dos funciones de y.

5.2.3 Simplificar el cálculo de una integral iterada cambiando el orden de integración.

5.2.4 Utilizar las integrales dobles para calcular el volumen de una región entre dos superficies o el área de una región plana.

5.2.5 Resolver problemas que impliquen integrales dobles impropias.

En Integrales dobles sobre regiones rectangulares, estudiamos el concepto de integrales dobles y examinamos las herramientas necesarias para calcularlas. Hemos aprendido técnicas y propiedades para integrar funciones de dos variables sobre regiones rectangulares. También discutimos varias aplicaciones, como calcular el volumen acotado por una función sobre una región rectangular, hallar el área por integración y calcular el valor medio de una función de dos variables.

En esta sección consideramos integrales dobles de funciones definidas sobre una región limitada general D en el plano. La mayor parte de los resultados anteriores también son válidos en esta situación, pero hay que ampliar algunas técnicas para cubrir este caso más general.

Regiones generales de integración

Un ejemplo de región limitada general D en un plano se muestra en la Figura 5.12. Dado que D está acotada en el plano, debe existir una región rectangular R en el mismo plano que encierra la región D, es decir, una región rectangular R existe tal que D es un subconjunto de $R\,(D \subseteq R)$.

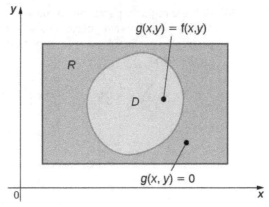

Figura 5.12 Para una región D que es un subconjunto de R, podemos definir una función $g(x, y)$ para igualar $f(x, y)$ en cada punto en D y 0 en cada punto de R no en D.

Supongamos que $z = f(x, y)$ se define en una región limitada general plana D como en la Figura 5.12. Para desarrollar las integrales dobles de f en D, ampliamos la definición de la función para incluir todos los puntos de la región rectangular R y, a continuación, utilizamos los conceptos y herramientas de la sección anterior. Pero ¿cómo ampliamos la definición de f para incluir todos los puntos de R? Lo hacemos definiendo una nueva función $g(x, y)$ sobre R de la siguiente forma:

$$g(x, y) = \begin{cases} f(x, y) & \text{si } (x, y) \text{ está en } D \\ 0 & \text{si } (x, y) \text{ está en } R \text{ pero no en } D \end{cases}$$

Observe que podríamos tener algunas dificultades técnicas si el límite de D es complicado. Por lo tanto, suponemos que el límite es una curva cerrada simple, continua y suave a trozos. Además, como todos los resultados desarrollados en Integrales dobles sobre regiones rectangulares utilizaban una función integrable $f(x, y)$, debemos tener cuidado con $g(x, y)$ y verificar que $g(x, y)$ es una función integrable sobre la región rectangular R. Esto ocurre mientras la región D está acotada por curvas cerradas simples. Por ahora nos concentraremos en las descripciones de las regiones más que en la función y ampliaremos nuestra teoría de forma adecuada para la integración.

Consideramos dos tipos de regiones planas acotadas.

Definición

Una región D en el plano (x, y) es de **Tipo I** si se encuentra entre dos líneas verticales y los gráficos de dos funciones continuas $g_1(x)$ y $g_2(x)$. Es decir (Figura 5.13),

$$D = \{(x, y) | a \leq x \leq b, g_1(x) \leq y \leq g_2(x)\}.$$

Una región D en el plano xy es de **Tipo II** si se encuentra entre dos líneas horizontales y los gráficos de dos funciones continuas $h_1(y)$ y $h_2(y)$. Es decir (Figura 5.14),

$$D = \{(x, y) | c \leq y \leq d, h_1(y) \leq x \leq h_2(y)\}.$$

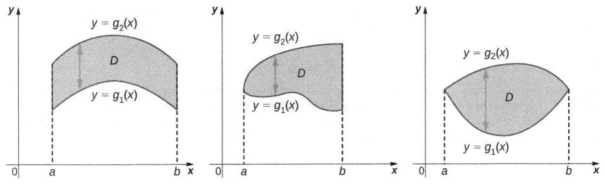

Figura 5.13   Una región de Tipo I se encuentra entre dos líneas verticales y los gráficos de dos funciones de x.

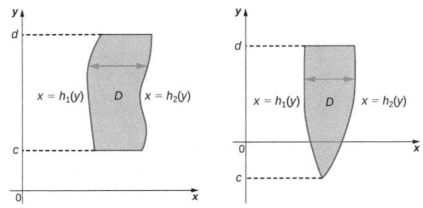

Figura 5.14   Una región de Tipo II se encuentra entre dos líneas horizontales y los gráficos de dos funciones de y.

EJEMPLO 5.11

Describir una región como Tipo I y también como Tipo II.

Consideremos la región del primer cuadrante entre las funciones $y = \sqrt{x}$ como $y = x^3$ (Figura 5.15). Describa la región primero como Tipo I y luego como Tipo II.

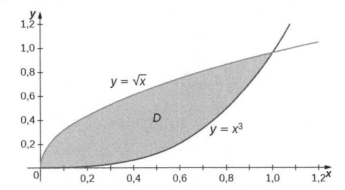

Figura 5.15   La región D puede describirse como Tipo I o como Tipo II.

⊘ **Solución**

Cuando describimos una región como de Tipo I, tenemos que identificar la función que se encuentra por encima de la región y la función que se encuentra por debajo de la región. Aquí, la región D está acotada por encima de $y = \sqrt{x}$ y más abajo por $y = x^3$ en el intervalo para x in $[0, 1]$. Por lo tanto, como Tipo I, D se describe como el conjunto $\{(x, y) | 0 \leq x \leq 1, x^3 \leq y \leq \sqrt{x}\}$.

Sin embargo, cuando describimos una región como de Tipo II, tenemos que identificar la función que se encuentra a la izquierda de la región y la que se encuentra a la derecha. Aquí, la región D está acotada a la izquierda por $x = y^2$ y a la derecha por $x = \sqrt[3]{y}$ en el intervalo para y en $[0, 1]$. Por lo tanto, como Tipo II, D se describe como el conjunto $\{(x, y) | 0 \leq y \leq 1, y^2 \leq x \leq \sqrt[3]{y}\}$.

☑   5.7   Consideremos la región del primer cuadrante entre las funciones $y = 2x$ como $y = x^2$. Describa la región primero como Tipo I y luego como Tipo II.

Integrales dobles sobre regiones no rectangulares

Para desarrollar el concepto y las herramientas de evaluación de una integral doble sobre una región general no rectangular, necesitamos primero entender la región y ser capaces de expresarla como Tipo I o Tipo II, o una combinación de ambos. Sin entender las regiones, no podremos decidir los límites de las integraciones en las integrales dobles. Como primer paso, veamos el siguiente teorema.

Teorema 5.3

Integrales dobles sobre regiones no rectangulares

Supongamos que $g(x, y)$ es la extensión del rectángulo R de la función $f(x, y)$ definido en las regiones D y R como se muestra en la Figura 5.12 dentro de R. Entonces $g(x, y)$ es integrable y definimos la integral doble de $f(x, y)$ en D mediante

$$\iint_D f(x, y)\, dA = \iint_R g(x, y)\, dA.$$

El lado derecho de esta ecuación es el que hemos visto antes, así que este teorema es razonable porque R es un rectángulo y $\iint_R g(x, y)\, dA$ se discutió en la sección anterior. Además, la igualdad funciona porque los valores de $g(x, y)$ son 0 para cualquier punto (x, y) que se encuentra fuera de D, y por lo tanto estos puntos no añaden nada a la integral. Sin embargo, es importante que el rectángulo R contenga la región D.

De hecho, si la región D está acotada por curvas suaves en un plano y podemos describirla como Tipo I o Tipo II, o una mezcla de ambos, entonces podemos utilizar el siguiente teorema y no tener que hallar un rectángulo R que contenga la región.

Teorema 5.4

Teorema de Fubini (forma fuerte)

Para una función $f(x, y)$ que es continua en una región D del Tipo I, tenemos

$$\iint_D f(x, y)dA = \iint_D f(x, y)dy\, dx = \int_a^b \left[\int_{g_1(x)}^{g_2(x)} f(x, y)dy \right] dx. \tag{5.5}$$

Del mismo modo, para una función $f(x, y)$ que es continua en una región D del Tipo II, tenemos

$$\iint_D f(x, y)dA = \iint_D f(x, y)dx\, dy = \int_c^d \left[\int_{h_1(y)}^{h_2(y)} f(x, y)dx \right] dy. \tag{5.6}$$

La integral en cada una de estas expresiones es una integral iterada, similar a las que hemos visto antes. Observe que, en la integral interna de la primera expresión, integramos $f(x, y)$ con el valor x que se mantiene constante y los límites de integración son $g_1(x)$ y $g_2(x)$. En la integral interna de la segunda expresión, integramos $f(x, y)$ con la y que se mantiene constante y los límites de integración son $h_1(x)$ y $h_2(x)$.

EJEMPLO 5.12

Evaluar una integral iterada sobre una región de Tipo I

Evalúe la integral $\iint\limits_D x^2 e^{xy} dA$ donde D se muestra en la Figura 5.16.

⊘ **Solución**

Primero construya la región D como región de Tipo I (Figura 5.16). Aquí $D = \left\{ (x, y) | 0 \leq x \leq 2, \frac{1}{2}x \leq y \leq 1 \right\}$. Entonces tenemos

$$\iint\limits_D x^2 e^{xy} dA = \int\limits_{x=0}^{x=2} \int\limits_{y=1/2x}^{y=1} x^2 e^{xy} \, dy \, dx.$$

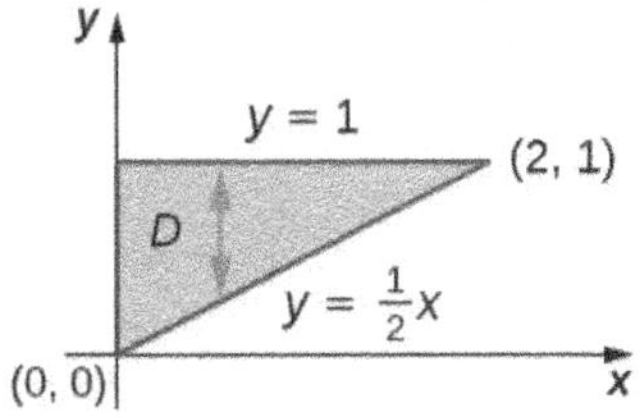

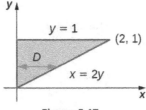

Figura 5.16 Podemos expresar la región D como una región de Tipo I e integrar desde $y = \frac{1}{2}x$ al $y = 1$, entre las líneas $x = 0$ y $x = 2$.

Por lo tanto, tenemos

$$\int\limits_{x=0}^{x=2} \int\limits_{y=\frac{1}{2}x}^{y=1} x^2 e^{xy} \, dy \, dx = \int\limits_{x=0}^{x=2} \left[\int\limits_{y=1/2x}^{y=1} x^2 e^{xy} \, dy \right] dx \qquad \text{Integral iterada para una región de Tipo I.}$$

$$= \int\limits_{x=0}^{x=2} \left[x^2 \frac{e^{xy}}{x} \right]\Big|_{y=1/2x}^{y=1} dx \qquad \begin{array}{l}\text{Integre con respecto a } y \text{ utilizando sustitución de} \\ u \text{con } u = xy \text{ donde } x \text{ se mantiene} \\ \text{constante.}\end{array}$$

$$= \int\limits_{x=0}^{x=2} \left[xe^x - xe^{x^2/2} \right] dx \qquad \begin{array}{l}\text{Integre con respecto a } x \text{ utilizando sustitución de} \\ u \text{con } u = \frac{1}{2}x^2.\end{array}$$

$$= \left[xe^x - e^x - e^{\frac{1}{2}x^2} \right]\Big|_{x=0}^{x=2} = 2$$

En el Ejemplo 5.12, Podríamos haber visto la región de otra manera, como $D = \{(x, y) | 0 \leq y \leq 1, 0 \leq x \leq 2y\}$ (Figura 5.17).

Figura 5.17

Se trata de una región de Tipo II y la integral quedaría entonces como

$$\iint\limits_D x^2 e^{xy} dA = \int\limits_{y=0}^{y=1} \int\limits_{x=0}^{x=2y} x^2 e^{xy} \, dx \, dy.$$

Sin embargo, si integramos primero con respecto a x, esta integral es larga de calcular porque tenemos que usar la integración por partes dos veces.

EJEMPLO 5.13

Evaluar una integral iterada sobre una región de tipo II

Evalúe la integral $\iint\limits_{D} \left(3x^2 + y^2\right) dA$ donde $= \left\{(x,y)\mid -2 \le y \le 3, y^2 - 3 \le x \le y + 3\right\}$.

⊘ **Solución**

Observe que D puede verse como una región de Tipo I o de Tipo II, como se muestra en la Figura 5.18. Sin embargo, en este caso describir D como Tipo I es más complicado que describirla como Tipo II. Por lo tanto, utilizamos D como región de Tipo II para la integración.

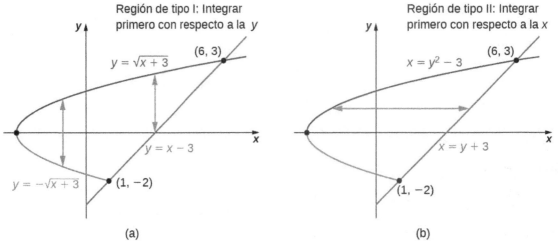

Figura 5.18   La región D en este ejemplo puede ser (a) de Tipo I o (b) de Tipo II.

Al elegir este orden de integración, tenemos

$$
\iint\limits_{D} \left(3x^2 + y^2\right) dA = \int\limits_{y=-2}^{y=3} \int\limits_{x=y^2-3}^{x=y+3} \left(3x^2 + y^2\right) dx\, dy
$$

Integral iterada, región Tipo II.

$$
= \int\limits_{y=-2}^{y=3} \left(x^3 + xy^2\right)\Bigg|_{y^2-3}^{y+3} dy
$$

Integre con respecto a x.

$$
= \int\limits_{y=-2}^{y=3} \left((y+3)^3 + (y+3)\, y^2 - \left(y^2-3\right)^3 - \left(y^2-3\right) y^2\right) dy
$$

$$
= \int\limits_{-2}^{3} \left(54 + 27y - 12y^2 + 2y^3 + 8y^4 - y^6\right) dy
$$

Integre con respecto a y.

$$
= \left[54y + \frac{27y^2}{2} - 4y^3 + \frac{y^4}{2} + \frac{8y^5}{5} - \frac{y^7}{7}\right]\Bigg|_{-2}^{3}
$$

$$
= \frac{2375}{7}.
$$

☑   5.8   Dibuje la región D y evalúe la integral iterada $\iint\limits_{D} xy\, dy\, dx$ donde D es la región acotada por las curvas

$y = \cos x$ como $y = \operatorname{sen} x$ en el intervalo $[-3\pi/4, \pi/4]$.

Recordemos las propiedades de las integrales dobles de <u>Integrales dobles sobre regiones rectangulares</u>. Como hemos visto en los ejemplos, todas estas propiedades son también válidas para una función definida en una región acotada no rectangular en un plano. En particular, la propiedad 3 afirma:

Si los valores de $R = S \cup T$ y $S \cap T = \varnothing$ excepto en sus límites, entonces

$$\iint_R f(x, y)\, dA = \iint_S f(x, y)\, dA + \iint_T f(x, y)\, dA.$$

Del mismo modo, tenemos la siguiente propiedad de las integrales dobles sobre una región acotada no rectangular en un plano.

Teorema 5.5

Descomponer las regiones en otras más pequeñas
Supongamos que la región D puede expresarse como $D = D_1 \cup D_2$ donde D_1 y D_2 no se superponen salvo en sus límites. Entonces

$$\iint_D f(x, y)\, dA = \iint_{D_1} f(x, y)\, dA + \iint_{D_2} f(x, y)\, dA. \tag{5.7}$$

Este teorema es particularmente útil para las regiones no rectangulares porque nos permite dividir una región en una unión de regiones de Tipo I y de Tipo II. Entonces podemos calcular la integral doble en cada trozo de forma conveniente, como en el siguiente ejemplo.

EJEMPLO 5.14

Descomponer regiones
Exprese la región D que se muestra en la <u>Figura 5.19</u> como una unión de regiones de Tipo I o de Tipo II, y evalúe la integral

$$\iint_D (2x + 5y)\, dA.$$

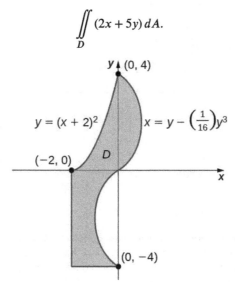

Figura 5.19 Esta región puede descomponerse en una unión de tres regiones de Tipo I o de Tipo II.

⊘ **Solución**
La región D no es fácil de descomponer en un solo tipo; en realidad es una combinación de diferentes tipos. Así que podemos escribirlo como una unión de tres regiones $D_1, D_2,$ y D_3 donde,
$D_1 = \left\{ (x, y) | -2 \leq x \leq 0, 0 \leq y \leq (x + 2)^2 \right\}$, $D_2 = \left\{ (x, y) | 0 \leq y \leq 4, 0 \leq x \leq \left(y - \frac{1}{16} y^3 \right) \right\}$. Estas regiones se ilustran más claramente en la <u>Figura 5.20</u>.

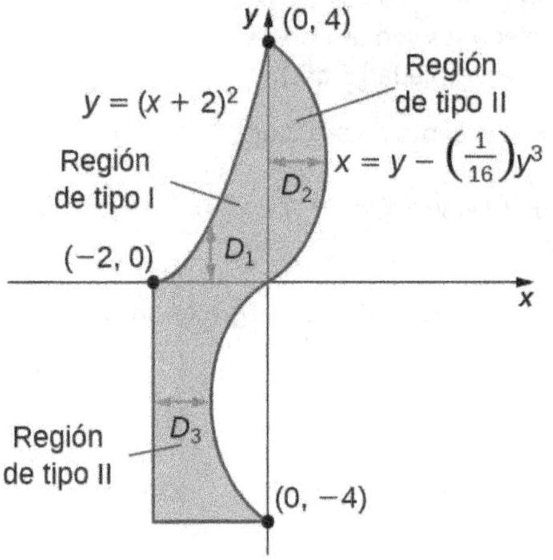

Figura 5.20 La división de la región en tres subregiones facilita el establecimiento de la integración.

Aquí D_1 es Tipo I y D_2 y D_3 son ambos de Tipo II. Por lo tanto,

$$\iint\limits_{D}(2x+5y)dA = \iint\limits_{D_1}(2x+5y)dA + \iint\limits_{D_2}(2x+5y)dA + \iint\limits_{D_3}(2x+5y)dA$$

$$= \int\limits_{x=-2}^{x=0}\int\limits_{y=0}^{y=(x+2)^2}(2x+5y)dy\,dx + \int\limits_{y=0}^{y=4}\int\limits_{x=0}^{x=y-(1/16)y^3}(2+5y)dx\,dy + \int\limits_{y=-4}^{y=0}\int\limits_{x=-2}^{x=y-(1/16)y^3}(2x+5y)dx\,dy$$

$$= \int\limits_{x=-2}^{x=0}\left[\frac{1}{2}(2+x)^2(20+24x+5x^2)\right] + \int\limits_{y=0}^{y=4}\left[\frac{1}{256}y^6 - \frac{7}{16}y^4 + 6y^2\right]$$

$$+ \int\limits_{y=-4}^{y=0}\left[\frac{1}{256}y^6 - \frac{7}{16}y^4 + 6y^2 + 10y - 4\right]$$

$$= \frac{40}{3} + \frac{1664}{35} - \frac{1696}{35} = \frac{1304}{105}.$$

Ahora podríamos rehacer este ejemplo utilizando una unión de dos regiones de Tipo II (vea el Punto de control).

☑ 5.9   Considere la región acotada por las curvas $y = \ln x$ como $y = e^x$ en el intervalo $[1, 2]$. Descomponga la región en otras más pequeñas de Tipo II.

☑ 5.10   Rehaga el Ejemplo 5.14 utilizando una unión de dos regiones de Tipo II.

Cambiar el orden de la integración

Como ya hemos visto cuando evaluamos una integral iterada, a veces un orden de integración conduce a un cálculo que es significativamente más simple que el otro orden de integración. A veces el orden de integración no importa, pero es importante aprender a reconocer cuándo un cambio de orden simplificará nuestro trabajo.

EJEMPLO 5.15

Cambiar el orden de la integración

Invierta el orden de integración en la integral iterada $\displaystyle\int\limits_{x=0}^{x=\sqrt{2}}\int\limits_{y=0}^{y=2-x^2} xe^{x^2}\,dy\,dx$. A continuación, evalúe la nueva integral iterada.

⊘ **Solución**

La región tal como se presenta es de Tipo I. Para invertir el orden de integración, debemos expresar primero la región como de Tipo II. Consulte la [Figura 5.21](#).

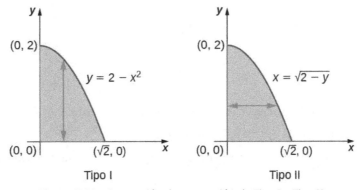

Figura 5.21   Conversión de una región de Tipo I a Tipo II.

Podemos ver en los límites de integración que la región está acotada por encima de $y = 2 - x^2$ y más abajo por $y = 0$, donde x esté en el intervalo $\left[0, \sqrt{2}\right]$. Invirtiendo el orden, tenemos la región acotada a la izquierda por $x = 0$ y a la derecha por $x = \sqrt{2 - y}$ donde y esté en el intervalo $[0, 2]$. Resolvimos $y = 2 - x^2$ en términos de x para obtener $x = \sqrt{2 - y}$.

Por lo tanto,

$$\int_0^{\sqrt{2}} \int_0^{2-x^2} xe^{x^2} \, dy \, dx = \int_0^2 \int_0^{\sqrt{2-y}} xe^{x^2} \, dx \, dy$$

Invierta el orden de integración, luego utilice la sustitución.

$$= \int_0^2 \left[\frac{1}{2} e x^2 \Big|_0^{\sqrt{2-y}} \right] dy = \int_0^2 \frac{1}{2} \left(e^{2-y} - 1 \right) dy = -\frac{1}{2} \left(e^{2-y} + y \right) \Big|_0^2$$

$$= \frac{1}{2} \left(e^2 - 3 \right).$$

EJEMPLO 5.16

Evaluar una integral iterada invirtiendo el orden de integración

Consideremos la integral iterada $\iint\limits_R f(x, y) \, dx \, dy$ donde $z = f(x, y) = x - 2y$ sobre una región triangular R que tiene lados en $x = 0$, $y = 0$, y la línea $x + y = 1$. Dibuje la región, y luego evalúe la integral iterada

a. integrando primero con respecto a y y luego
b. integrando primero con respecto a x.

⊘ **Solución**

Un esquema de la región aparece en la [Figura 5.22](#).

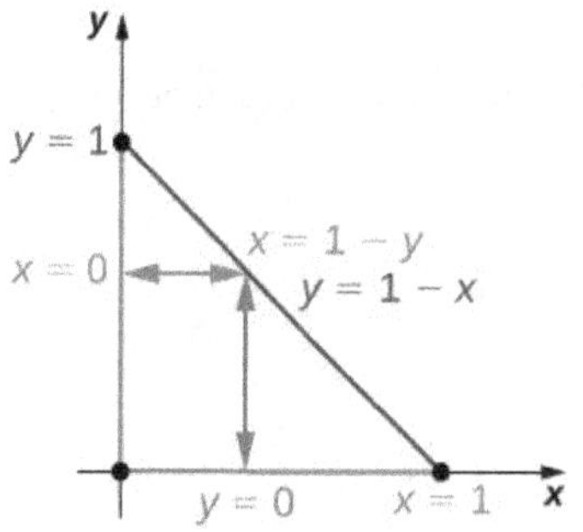

Figura 5.22 Una región triangular R para integrarse de dos maneras.

Podemos completar esta integración de dos maneras diferentes.

a. Una forma de verlo es integrando primero y a partir de $y = 0$ para $y = 1 - x$ verticalmente y luego integrando x de $x = 0$ a $x = 1$:

$$\iint\limits_{R} f(x, y)\, dx\, dy = \int_{x=0}^{x=1} \int_{y=0}^{y=1-x} (x - 2y)\, dy\, dx = \int_{x=0}^{x=1} \left[xy - 2y^2 \right]_{y=0}^{y=1-x} dx$$

$$= \int_{x=0}^{x=1} \left[x(1 - x) - (1 - x)^2 \right] dx = \int_{x=0}^{x=1} \left[-1 + 3x - 2x^2 \right] dx = \left[-x + \frac{3}{2}x^2 - \frac{2}{3}x^3 \right]_{x=0}^{x=1} = -\frac{1}{6}.$$

b. La otra forma de hacer este problema es integrando primero x de $x = 0$ a $x = 1 - y$ horizontalmente y luego integrando y a partir de $y = 0$ para $y = 1$:

$$\iint\limits_{R} f(x, y)\, dx\, dy = \int_{y=0}^{y=1} \int_{x=0}^{x=1-y} (x - 2y)\, dx\, dy = \int_{y=0}^{y=1} \left[\frac{1}{2}x^2 - 2xy \right]_{x=0}^{x=1-y} dy$$

$$= \int_{y=0}^{y=1} \left[\frac{1}{2}(1 - y)^2 - 2y(1 - y) \right] dy = \int_{y=0}^{y=1} \left[\frac{1}{2} - 3y + \frac{5}{2}y^2 \right] dy$$

$$= \left[\frac{1}{2}y - \frac{3}{2}y^2 + \frac{5}{6}y^3 \right]_{y=0}^{y=1} = -\frac{1}{6}.$$

✓ 5.11   Evalúe la integral iterada $\iint\limits_{D} \left(x^2 + y^2 \right) dA$ sobre la región D en el primer cuadrante entre las funciones $y = 2x$ como $y = x^2$. Evalúe la integral iterada integrando primero con respecto a y y luego integrando primero con la resección para x.

Calcular volúmenes, áreas y valores promedio

Podemos utilizar integrales dobles sobre regiones generales para calcular volúmenes, áreas y valores promedio. Los métodos son los mismos que en Integrales dobles sobre regiones rectangulares, pero sin la restricción de una región rectangular, ahora podemos resolver una mayor variedad de problemas.

EJEMPLO 5.17

Calcular el volumen de un tetraedro
Calcule el volumen del sólido acotado por los planos $x = 0$, $y = 0$, $z = 0$, y $2x + 3y + z = 6$.

⊘ **Solución**
El sólido es un tetraedro con la base en el plano xy y una altura $z = 6 - 2x - 3y$. La base es la región D acotada por las líneas, $x = 0$, $y = 0$ y $2x + 3y = 6$ donde $z = 0$ (Figura 5.23). Observe que podemos considerar la región D como Tipo I o como Tipo II, y podemos integrarlas de ambas maneras.

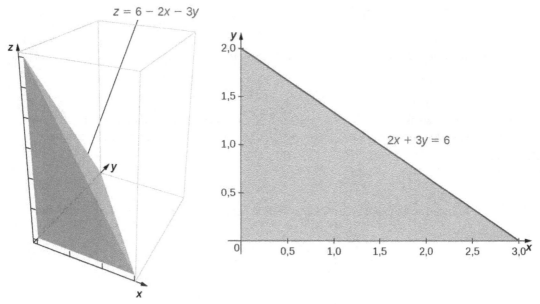

Figura 5.23 Un tetraedro formado por los tres planos de coordenadas y el plano $z = 6 - 2x - 3y$, con la base limitada por $x = 0$, $y = 0$, y $2x + 3y = 6$.

En primer lugar, considere D como una región de Tipo I, y por lo tanto $D = \left\{ (x, y) | 0 \le x \le 3, 0 \le y \le 2 - \frac{2}{3}x \right\}$.

Por lo tanto, el volumen es

$$V = \int\limits_{x=0}^{x=3} \int\limits_{y=0}^{y=2-(2x/3)} (6 - 2x - 3y)dy\, dx = \int\limits_{x=0}^{x=3} \left[\left(6y - 2xy - \frac{3}{2}y^2 \right) \Big|_{y=0}^{y=2-(2x/3)} \right] dx$$

$$= \int\limits_{x=0}^{x=3} \left[\frac{2}{3}(x - 3)^2 \right] dx = 6.$$

Ahora considere D como una región de Tipo II, por lo que $D = \left\{ (x, y) | 0 \le y \le 2, 0 \le x \le 3 - \frac{3}{2}y \right\}$. En este cálculo, el volumen es

$$V = \int\limits_{y=0}^{y=2} \int\limits_{x=0}^{x=3-(3y/2)} (6 - 2x - 3y)dx\, dy = \int\limits_{y=0}^{y=2} \left[\left(6x - x^2 - 3xy \right) \Big|_{x=0}^{x=3-(3y/2)} \right] dy$$

$$= \int\limits_{y=0}^{y=2} \left[\frac{9}{4}(y - 2)^2 \right] dy = 6.$$

Por lo tanto, el volumen es 6 unidades cúbicas.

☑ 5.12   Halle el volumen del sólido acotado arriba por $f(x, y) = 10 - 2x + y$ sobre la región limitada por las curvas $y = 0$ y $y = e^x$, donde x esté en el intervalo $[0, 1]$.

Encontrar el área de una región rectangular es fácil, pero encontrar el área de una región no rectangular no es tan fácil. Como hemos visto, podemos utilizar integrales dobles para encontrar un área rectangular. De hecho, esto es muy útil para encontrar el área de una región general no rectangular, como se indica en la siguiente definición.

Definición

El área de una región acotado por un plano D se define como la integral doble $\iint\limits_{D} 1\,dA$.

Ya hemos visto cómo hallar áreas en términos de integración única. Aquí vemos otra forma de hallar áreas mediante el uso de integrales dobles, que puede ser muy útil, como veremos en las últimas secciones de este capítulo.

EJEMPLO 5.18

Hallar el área de una región

Calcule el área de una región acotada por la curva $y = x^2$ y arriba por la línea $y = 2x$ en el primer cuadrante (Figura 5.24).

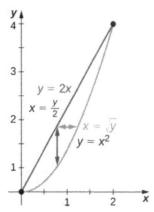

Figura 5.24 La región acotada por $y = x^2$ y $y = 2x$.

⊘ **Solución**

Solo tenemos que integrar la función constante $f(x, y) = 1$ sobre la región. Así, el área A de la región acotada es

$$\int\limits_{x=0}^{x=2} \int\limits_{y=x^2}^{y=2x} dy\,dx \text{ o } \int\limits_{y=0}^{x=4} \int\limits_{x=y/2}^{x=\sqrt{y}} dx\,dy:$$

$$A = \iint\limits_{D} 1\,dx\,dy = \int\limits_{x=0}^{x=2} \int\limits_{y=x^2}^{y=2x} 1\,dy\,dx = \int\limits_{x=0}^{x=2} \left[y\Big|_{y=x^2}^{y=2x} \right] dx = \int\limits_{x=0}^{x=2} \left(2x - x^2 \right) dx = x^2 - \frac{x^3}{3}\Big|_{0}^{2} = \frac{4}{3}.$$

☑ 5.13   Halle el área de una región acotada arriba por la curva $y = x^3$ y más abajo por $y = 0$ en el intervalo $[0, 3]$.

También podemos utilizar una integral doble para hallar el valor medio de una función en una región general. La definición es una extensión directa de la fórmula anterior.

Definición

Si $f(x, y)$ es integrable en una región acotada por el plano D con área positiva $A(D)$, entonces el valor medio de la función es

$$f_{ave} = \frac{1}{A(D)} \iint\limits_{D} f(x, y)\,dA.$$

Observe que el área es $A(D) = \iint\limits_{D} 1\, dA$.

Hallar un valor medio

Halle el valor medio de la función $f(x,y) = 7xy^2$ en la región acotada por la línea $x = y$ y la curva $x = \sqrt{y}$ ([Figura 5.25](#)).

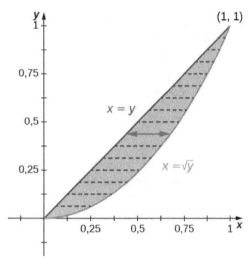

Figura 5.25 La región acotada por $x = y$ y $x = \sqrt{y}$.

⊘ **Solución**

Primero halle el área $A(D)$ donde la región D viene dada por la figura. Tenemos

$$A(D) = \iint\limits_{D} 1\,dA = \int\limits_{y=0}^{y=1}\int\limits_{x=y}^{x=\sqrt{y}} 1\,dx\,dy = \int\limits_{y=0}^{y=1}\left[x\Big|_{x=y}^{x=\sqrt{y}}\right]dy = \int\limits_{y=0}^{y=1}\left(\sqrt{y}-y\right)dy = \frac{2}{3}y^{3/2} - \frac{y^2}{2}\Big|_{0}^{1} = \frac{1}{6}.$$

Entonces el valor medio de la función dada sobre esta región es

$$f_{ave} = \frac{1}{A(D)}\iint\limits_{D} f(x,y)\,dA = \frac{1}{A(D)}\int\limits_{y=0}^{y=1}\int\limits_{x=y}^{x=\sqrt{y}} 7xy^2\,dx\,dy = \frac{1}{1/6}\int\limits_{y=0}^{y=1}\left[\frac{7}{2}x^2y^2\Big|_{x=y}^{x=\sqrt{y}}\right]dy$$

$$= 6\int\limits_{y=0}^{y=1}\left[\frac{7}{2}y^2\left(y-y^2\right)\right]dy = 6\int\limits_{y=0}^{y=1}\left[\frac{7}{2}\left(y^3 - y^4\right)\right]dy = \frac{42}{2}\left(\frac{y^4}{4} - \frac{y^5}{5}\right)\Big|_{0}^{1} = \frac{42}{40} = \frac{21}{20}.$$

✓ 5.14   Calcule el valor promedio de la función $f(x,y) = xy$ sobre el triángulo con vértices $(0,0), (1,0)$ y $(1,3)$.

Integrales dobles impropias

Una **integral doble impropia** es una integral $\iint\limits_{D} f\,dA$ en la que D es una región no acotada o f es una función no acotada. Por ejemplo, $D = \{(x,y)\mid |x-y| \geq 2\}$ es una región no acotada, y la función $f(x,y) = 1/\left(1 - x^2 - 2y^2\right)$ sobre la elipse $x^2 + 3y^2 \leq 1$ es una función no acotada. Por lo tanto, las dos integrales siguientes son integrales impropias:

i. $\iint\limits_{D} xy\,dA$ donde $D = \{(x,y)\mid |x-y| \geq 2\}$;

ii. $\displaystyle\iint\limits_{D} \frac{1}{1-x^2-2y^2}\,dA$ donde $D = \left\{(x,y)|x^2+3y^2\leq 1\right\}.$

En esta sección queremos tratar las integrales impropias de funciones sobre rectángulos o regiones simples tales que f solo tiene un número finito de discontinuidades. No todas estas integrales impropias pueden evaluarse; sin embargo, una forma del teorema de Fubini se aplica a algunos tipos de integrales impropias.

Teorema 5.6

Teorema de Fubini para integrales impropias
Si los valores de D es un rectángulo acotado o una región simple en el plano definida por
$\{(x,y): a \leq x \leq b, g(x) \leq y \leq h(x)\}$ y también por $\{(x,y): c \leq y \leq d, j(y) \leq x \leq k(y)\}$ y f es una función no negativa sobre D con un número finito de discontinuidades en el interior de D, entonces

$$\iint\limits_{D} f\,dA = \int\limits_{x=a}^{x=b}\int\limits_{y=g(x)}^{y=h(x)} f(x,y)\,dy\,dx = \int\limits_{y=c}^{y=d}\int\limits_{x=j(y)}^{x=k(y)} f(x,y)\,dx\,dy.$$

Es muy importante tener en cuenta que exigimos que la función sea no negativa en D para que el teorema funcione. Consideramos solo el caso en que la función tiene un número finito de discontinuidades dentro de D.

EJEMPLO 5.20

Evaluar una integral doble impropia
Considere la función $f(x,y) = \frac{e^y}{y}$ sobre la región $D = \left\{(x,y): 0 \leq x \leq 1, x \leq y \leq \sqrt{x}\right\}.$

Observe que la función es no negativa y continua en todos los puntos de D excepto $(0,0)$. Utilice el teorema de Fubini para evaluar la integral impropia.

⊘ **Solución**
En primer lugar, trazamos la región D (Figura 5.26); entonces la expresamos de otra manera.

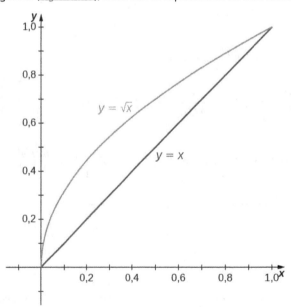

Figura 5.26 La función f es continua en todos los puntos de la región D excepto $(0,0)$.

La otra forma de expresar la misma región D se

$$D = \left\{(x,y): 0 \leq y \leq 1, y^2 \leq x \leq y\right\}.$$

Así, podemos utilizar el teorema de Fubini para integrales impropias y evaluar la integral como

$$\int\limits_{y=0}^{y=1} \int\limits_{x=y^2}^{x=y} \frac{e^y}{y} dx\, dy.$$

Por lo tanto, tenemos

$$\int\limits_{y=0}^{y=1} \int\limits_{x=y^2}^{x=y} \frac{e^y}{y} dx\, dy = \int\limits_{y=0}^{y=1} \frac{e^y}{y} x\Big|_{x=y^2}^{x=y}\, dy = \int\limits_{y=0}^{y=1} \frac{ey}{y}\left(y-y^2\right) dy = \int\limits_{0}^{1} \left(ey - ye^y\right) dy = e - 2.$$

Como ya se ha dicho, también tenemos una integral impropia si la región de integración no está acotada. Supongamos ahora que la función f es continua en un rectángulo no acotado R.

Teorema 5.7

Integrales impropias en una región no acotada

Si los valores de R es un rectángulo no acotado como $R = \left\{(x, y): a \le x \le \infty, c \le y \le \infty\right\}$, entonces cuando existe

el límite, tenemos $\iint\limits_{R} f(x, y)\, dA = \lim\limits_{(b,d)\to(\infty,\infty)} \int\limits_{a}^{b}\left(\int\limits_{c}^{d} f(x, y)\, dy\right) dx = \lim\limits_{(b,d)\to(\infty,\infty)} \int\limits_{c}^{d}\left(\int\limits_{a}^{b} f(x, y)\, dx\right) dy.$

El siguiente ejemplo muestra cómo se puede utilizar este teorema en ciertos casos de integrales impropias.

EJEMPLO 5.21

Evaluar una integral doble impropia

Evalúe la integral $\iint\limits_{R} xye^{-x^2-y^2}\, dA$ donde R es el primer cuadrante del plano.

⊘ **Solución**

La región R es el primer cuadrante del plano, que no está acotado. Así que

$$\iint\limits_{R} xye^{-x^2-y^2}\, dA = \lim\limits_{(b,d)\to(\infty,\infty)} \int\limits_{x=0}^{x=b}\left(\int\limits_{y=0}^{y=d} xye^{-x^2-y^2}\, dy\right) dx = \lim\limits_{(b,d)\to(\infty,\infty)} \int\limits_{y=0}^{y=d}\left(\int\limits_{x=0}^{x=b} xye^{-x^2-y^2}\, dy\right) dy$$

$$= \lim\limits_{(b,d)\to(\infty,\infty)} \frac{1}{4}\left(1-e^{-b^2}\right)\left(1-e^{-d^2}\right) = \frac{1}{4}$$

Así, $\iint\limits_{R} xye^{-x^2-y^2}\, dA$ es convergente y el valor es $\frac{1}{4}$.

✓ 5.15   Evalúe la integral impropia $\iint\limits_{D} \frac{y}{\sqrt{1-x^2-y^2}} dA$ donde $D = \left\{(x, y)\big| x \ge 0, y \ge 0, x^2 + y^2 \le 1\right\}$.

En algunos casos en la teoría de la probabilidad, podemos obtener una visión de un problema cuando somos capaces de utilizar integrales dobles sobre regiones generales. Antes de repasar un ejemplo con una integral doble, debemos establecer algunas definiciones y familiarizarnos con algunas propiedades importantes.

Definición

Consideremos un par de variables aleatorias continuas X y Y, como los cumpleaños de dos personas o el número de días de sol y lluvia en un mes. La función de densidad conjunta f de X y Y satisface la probabilidad de que (X, Y) se encuentra en una región determinada D:

$$P((X, Y) \in D) = \iint\limits_{D} f(x, y)\, dA.$$

Como las probabilidades nunca pueden ser negativas y deben estar entre 0 y 1, la función de densidad conjunta satisface la siguiente inecuación y ecuación:

$$f(x, y) \geq 0 \text{ y } \iint\limits_{R^2} f(x, y)\, dA = 1.$$

Definición

Las variables X y Y se dice que son variables aleatorias independientes si su función de densidad conjunta es el producto de sus funciones de densidad individuales:

$$f(x, y) = f_1(x)\, f_2(y).$$

EJEMPLO 5.22

Aplicar a la probabilidad

En Sydney's Restaurant, los clientes deben esperar en promedio 15 minutos para una mesa. Desde el momento en que se sientan hasta que terminan su comida se requieren 40 minutos, en promedio. ¿Cuál es la probabilidad de que un cliente pase menos de una hora y media en el restaurante, suponiendo que la espera de una mesa y la finalización de la comida son eventos independientes?

⊘ **Solución**

Los tiempos de espera se modelan matemáticamente mediante funciones de densidad exponencial, siendo m el tiempo promedio de espera, como

$$f(t) = \begin{cases} 0 & \text{si } t < 0, \\ \frac{1}{m} e^{-t/m} & \text{si } t \geq 0, \end{cases}$$

Si los valores de X y Y son variables aleatorias para "esperar una mesa" y "completar la comida", entonces las funciones de densidad de probabilidad son, respectivamente,

$$f_1(x) = \begin{cases} 0 & \text{si } x < 0, \\ \frac{1}{15} e^{-x/15} & \text{si } x \geq 0, \end{cases} \text{ y } f_2(y) = \begin{cases} 0 & \text{si } y < 0, \\ \frac{1}{40} e^{-y/40} & \text{si } y \geq 0, \end{cases}$$

Claramente, los eventos son independientes y, por tanto, la función de densidad conjunta es el producto de las funciones individuales

$$f(x, y) = f_1(x) f_2(y) = \begin{cases} 0 & \text{si } x < 0 \text{ o } y < 0, \\ \frac{1}{600} e^{-x/15} e^{-y/60} & \text{si } x, y \geq 0, \end{cases}$$

Queremos hallar la probabilidad de que el tiempo combinado $X + Y$ es menor que 90 minutos. En términos de geometría, significa que la región D está en el primer cuadrante acotado por la línea $x + y = 90$ (Figura 5.27).

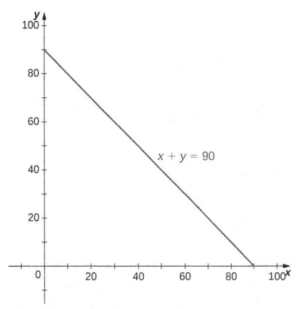

Figura 5.27 La región de integración para una función de densidad de probabilidad conjunta.

Por lo tanto, la probabilidad de que (X, Y) está en la región D se

$$P(X + Y \leq 90) = P((X, Y) \in D) = \iint\limits_{D} f(x, y) \, dA = \iint\limits_{D} \frac{1}{600} e^{-x/15} e^{-y/40} \, dA.$$

Dado que $x + y = 90$ es lo mismo que $y = 90 - x$, tenemos una región de Tipo I, por lo que

$$D = \{(x, y) \mid 0 \leq x \leq 90, 0 \leq y \leq 90 - x\},$$

$$P(X + Y \leq 90) = \frac{1}{600} \int\limits_{x=0}^{x=90} \int\limits_{y=0}^{y=90-x} e^{-x/15} e^{-y/40} \, dx \, dy = \frac{1}{600} \int\limits_{x=0}^{x=90} \int\limits_{y=0}^{y=90-x} e^{-x/15} e^{-y/40} \, dx \, dy$$

$$= \frac{1}{600} \int\limits_{x=0}^{x=90} \int\limits_{y=0}^{y=90-x} e^{-(x/15 + y/40)} \, dx \, dy = 0{,}8328.$$

Por lo tanto, hay un 83,2 % de posibilidad de que un cliente pase menos de una hora y media en el restaurante.

___

Otra aplicación importante en probabilidad que puede implicar integrales dobles impropias es el cálculo de valores esperados. Primero definimos este concepto y luego mostramos un ejemplo de cálculo.

Definición

En la teoría de la probabilidad, denotamos los valores esperados $E(X)$ y $E(Y)$, respectivamente, como los resultados más probables de los acontecimientos. Los valores esperados $E(X)$ y $E(Y)$ vienen dados por

$$E(X) = \iint\limits_{S} x f(x, y) \, dA \text{ y } E(Y) = \iint\limits_{S} y f(x, y) \, dA,$$

donde S es el espacio de muestra de las variables aleatorias X y Y.

EJEMPLO 5.23

Encontrar el valor esperado

Calcule el tiempo previsto para los eventos "esperar una mesa" y "completar la comida" en el Ejemplo 5.22.

✓ **Solución**

Utilizando el primer cuadrante del plano de coordenadas rectangular como espacio de muestra, tenemos integrales impropias para $E(X)$ y $E(Y)$. El tiempo previsto para una mesa es

$$
\begin{aligned}
E(X) &= \iint\limits_{S} x \frac{1}{600} e^{-x/15} e^{-y/40} dA = \frac{1}{600} \int\limits_{x=0}^{x=\infty} \int\limits_{y=0}^{y=\infty} x e^{-x/15} e^{-y/40} dA \\
&= \frac{1}{600} \lim_{(a,b) \to (\infty, \infty)} \int\limits_{x=0}^{x=a} \int\limits_{y=0}^{y=b} x e^{-x/15} e^{-y/40} dx\, dy \\
&= \frac{1}{600} \left(\lim_{a \to \infty} \int\limits_{x=0}^{x=a} x e^{-x/15} dx \right) \left(\lim_{b \to \infty} \int\limits_{y=0}^{y=b} e^{-y/40} dy \right) \\
&= \frac{1}{600} \left(\lim_{a \to \infty} \left(-15 e^{-x/15} (x+15) \right) \Big|_{x=0}^{x=a} \right) \left(\lim_{b \to \infty} \left(-40 e^{-y/40} \right) \Big|_{y=0}^{y=b} \right) \\
&= \frac{1}{600} \left(\lim_{a \to \infty} \left(-15 e^{-a/15} (x+15) + 225 \right) \right) \left(\lim_{b \to \infty} \left(-40 e^{-b/40} + 40 \right) \right) \\
&= \frac{1}{600} (225)(40) \\
&= 15.
\end{aligned}
$$

Un cálculo similar muestra que $E(Y) = 40$. Esto significa que los valores esperados de los dos eventos aleatorios son el tiempo medio de espera y el tiempo medio en comedor, respectivamente.

✓ 5.16   La función de densidad conjunta de dos variables aleatorias X y Y viene dada por

$$
f(x, y) = \begin{array}{ll} \frac{1}{16250}(x^2 + y^2) & \text{si } 0 \le x \le 15, 0 \le y \le 10 \\ 0 & \text{de otro modo} \end{array}
$$

Halle la probabilidad de que X es como máximo 10 y Y es al menos 5.

SECCIÓN 5.2 EJERCICIOS

En los siguientes ejercicios, especifique si la región es de Tipo I o de Tipo II.

60. La región D acotada por $y = x^3$, $y = x^3 + 1$, $x = 0$, y $x = 1$ como se indica en la siguiente figura.

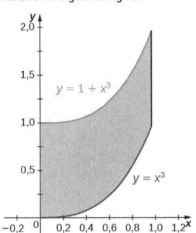

61. Calcule el valor promedio de la función $f(x, y) = 3xy$ en la región graficada en el ejercicio anterior.

62. Calcule el área de la región D dada en el ejercicio anterior.

63. La región D acotada por $y = \operatorname{sen} x$, $y = 1 + \operatorname{sen} x$, $x = 0$, y $x = \frac{\pi}{2}$ como se indica en la siguiente figura.

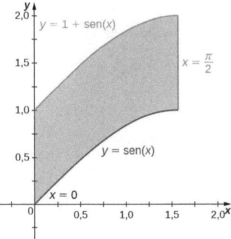

64. Calcule el valor promedio de la función $f(x, y) = \cos x$ en la región graficada en el ejercicio anterior.

65. Calcule el área de la región D dada en el ejercicio anterior.

66. La región D limitado por $x = y^2 - 1$
y $x = \sqrt{1 - y^2}$ como se indica en la
siguiente figura.

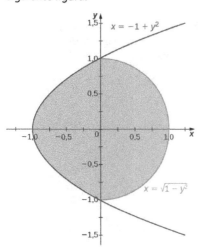

67. Calcule el volumen del
sólido bajo el gráfico de la
función $f(x, y) = xy + 1$ y
por encima de la región de
la figura del ejercicio
anterior.

68. La región D acotada por
$y = 0$, $x = -10 + y$, y $x = 10 - y$
como se indica en la siguiente figura.

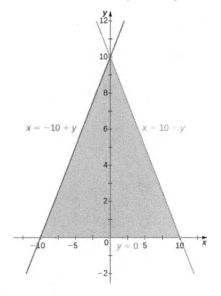

69. Calcule el volumen del
sólido bajo el gráfico de la
función $f(x, y) = x + y$ y
por encima de la región de
la figura del ejercicio
anterior.

70. La región D acotada por
$y = 0, x = y - 1, x = \frac{\pi}{2}$ como
se indica en la siguiente figura.

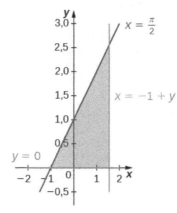

71. La región D acotada por
$y = 0$ y $y = x^2 - 1$ como se
indica en la siguiente
figura.

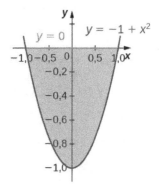

72. Supongamos que D es la
región acotada por las
curvas de las ecuaciones
$y = x, y = -x$, y
$y = 2 - x^2$. Explique por
qué D no es ni del Tipo I ni
del II.

73. Supongamos que D es la
región acotada por las
curvas de las ecuaciones
$y = \cos x$ como $y = 4 - x^2$
y el eje x. Explique por qué
D no es ni del Tipo I ni del
II.

En los siguientes ejercicios, evalúe la integral doble $\displaystyle\iint\limits_{D} f(x, y)\, dA$ *sobre la región D.*

74. $f(x, y) = 2x + 5y$ y
$D = \left\{(x, y) | 0 \le x \le 1, x^3 \le y \le x^3 + 1\right\}$

75. $f(x, y) = 1$ y
$D = \left\{(x, y) | 0 \le x \le \frac{\pi}{2}, \operatorname{sen} x \le y \le 1 + \operatorname{sen} x\right\}$

76. $f(x,y) = 2y$
$D = \{(x,y) | 0 \le y \le 1, y - 1 \le x \le \arccos y\}$

77. $f(x,y) = xy\,y$
$D = \left\{(x,y) | -1 \le y \le 1, y^2 - 1 \le x \le \sqrt{1-y^2}\right\}$

78. $f(x,y) = \operatorname{sen} y$ y D es la región triangular con vértices $(0,0), (0,3)$, y $(3,0)$ grandes.

79. $f(x,y) = -x + 1$ y D es la región triangular con vértices $(0,0), (0,2)$, y $(2,2)$ grandes.

Evalúe las integrales iteradas.

80. $\displaystyle\int_0^1 \int_{2x}^{3x} \left(\dot{x} + y^2\right) dy\, dx$

81. $\displaystyle\int_0^1 \int_{2\sqrt{x}}^{2\sqrt{x}+1} (xy + 1)\, dy\, dx$

82. $\displaystyle\int_e^{e^2} \int_{\ln u}^{2} (v + \ln u)\, dv\, du$

83. $\displaystyle\int_1^2 \int_{-u^2-1}^{-u} (8uv)\, dv\, du$

84. $\displaystyle\int_0^1 \int_{-\sqrt{1-y^2}}^{\sqrt{1-y^2}} \left(2x + 4x^3\right) dx\, dy$

85. $\displaystyle\int_0^{1/2} \int_{-\sqrt{1-4y^2}}^{\sqrt{1-4y^2}} 4\, dx\, dy$

86. Supongamos que D es la región acotada por $y = 1 - x^2$, $y = 4 - x^2$, y la intersección en x y y.

   a. Demuestre que
   $$\iint_D x\, dA = \int_0^1 \int_{1-x^2}^{4-x^2} x\, dy\, dx + \int_1^2 \int_0^{4-x^2} x\, dy\, dx$$
   dividiendo la región D en dos regiones de Tipo I.

   b. Evalúe la integral $\displaystyle\iint_D x\, dA$.

87. Supongamos que D es la región acotada por $y = 1$, $y = x$, $y = \ln x$, y la intersección en x.

   a. Demuestre que
   $$\iint_D y\, dA = \int_0^1 \int_0^x y\, dy\, dx + \int_1^e \int_{\ln x}^1 y\, dy\, dx$$
   dividiendo D en dos regiones de Tipo I.

   b. Evalúe la integral $\displaystyle\iint_D y\, dA$.

88. a. Demuestre que
   $$\iint_D y^2\, dA = \int_{-1}^0 \int_{-x}^{2-x^2} y^2\, dy\, dx + \int_0^1 \int_x^{2-x^2} y^2\, dy\, dx$$
   dividiendo la región D en dos regiones de Tipo I, donde $D = \left\{(x,y) | y \ge x, y \ge -x, y \le 2 - x^2\right\}$.

   b. Evalúe la integral $\displaystyle\iint_D y^2\, dA$.

89. Supongamos que D es la región acotada por $y = x^2$, $y = x + 2$, y $y = -x$.

   a. Demuestre que
   $$\iint_D x\, dA = \int_0^1 \int_{-y}^{\sqrt{y}} x\, dx\, dy + \int_1^4 \int_{y-2}^{\sqrt{y}} x\, dx\, dy$$
   dividiendo la región D en dos regiones de Tipo II, donde $D = \left\{(x,y) | y \ge x^2, y \ge -x, y \le x + 2\right\}$.

   b. Evalúe la integral $\displaystyle\iint_D x\, dA$.

90. La región D limitado por $x = 0$, $y = x^5 + 1$, y $y = 3 - x^2$ se muestra en la siguiente figura. Halle el área $A(D)$ de la región D.

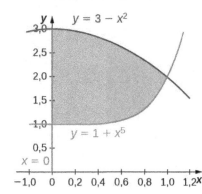

91. La región D acotada por $y = \cos x$, $y = 4 + \cos x$, y $x = \pm\frac{\pi}{3}$ se muestra en la siguiente figura. Halle el área $A(D)$ de la región D.

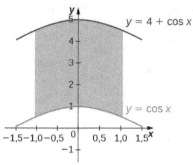

92. Halle el área $A(D)$ de la región $D = \left\{ (x, y) \middle| y \geq 1 - x^2, y \leq 4 - x^2, y \geq 0, x \geq 0 \right\}$.

93. Supongamos que D es la región acotada por $y = 1$, $y = x$, $y = \ln x$, y la intersección en x. Halle el área $A(D)$ de la región D.

94. Calcule el valor promedio de la función $f(x, y) = \operatorname{sen} y$ en la región triangular con vértices $(0, 0)$, $(0, 3)$, y $(3, 0)$.

95. Calcule el valor promedio de la función $f(x, y) = -x + 1$ en la región triangular con vértices $(0, 0)$, $(0, 2)$, y $(2, 2)$.

En los siguientes ejercicios, cambie el orden de integración y evalúe la integral.

96. $\displaystyle\int_{-1}^{\pi/2} \int_{0}^{x+1} \operatorname{sen} x \, dy \, dx$

97. $\displaystyle\int_{0}^{1} \int_{x-1}^{1-x} x \, dy \, dx$

98. $\displaystyle\int_{-1}^{0} \int_{-\sqrt{y+1}}^{\sqrt{y+1}} y^2 \, dx \, dy$

99. $\displaystyle\int_{-1}^{1}\int_{-\sqrt{1-y^2}}^{\sqrt{1-y^2}} y\,dx\,dy$

100. La región D se muestra en la siguiente figura. Evalúe la integral doble $\displaystyle\iint_{D}\left(x^2 + y\right)dA$ utilizando el orden de integración más fácil.

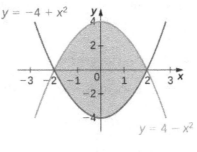

101. La región D se muestra en la siguiente figura. Evalúe la integral doble $\displaystyle\iint_{D}\left(x^2 - y^2\right)dA$ utilizando el orden de integración más fácil.

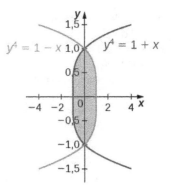

102. Calcule el volumen del sólido bajo la superficie $z = 2x + y^2$ y por encima de la región acotada por $y = x^5$ y la intersección $y = x$.

103. Calcule el volumen del sólido bajo el plano $z = 3x + y$ y por encima de la región determinada por $y = x^7$ y $y = x$.

104. Calcule el volumen del sólido bajo el plano $z = x - y$ y por encima de la región acotada por $x = \tan y, x = -\tan y$, y $x = 1$.

105. Calcule el volumen del sólido bajo la superficie $z = x^3$ y por encima de la región plana acotada por $x = \mathrm{sen}\, y, x = -\mathrm{sen}\, y$, y $x = 1$ para los valores de y entre $y = \frac{-\pi}{2}$ y $y = \frac{\pi}{2}$

106. Supongamos que g es una función positiva, creciente y diferenciable en el intervalo $[a, b]$. Demuestre que el volumen del sólido bajo la superficie $z = g'(x)$ y por encima de la región acotada por $y = 0$, $y = g(x), x = a$, y $x = b$ viene dada por $\frac{1}{2}\left(g^2(b) - g^2(a)\right)$.

107. Supongamos que g es una función positiva, creciente y diferenciable en el intervalo $[a, b]$, y supongamos que k es un número real positivo. Demuestre que el volumen del sólido bajo la superficie $z = g'(x)$ y por encima de la región acotada por $y = g(x), y = g(x) + k, x = a$, y $x = b$ viene dada por $k\left(g(b) - g(a)\right)$.

108. Calcule el volumen del sólido situado en el primer octante y determinado por los planos $z = 2$, $z = 0, x + y = 1, x = 0$, y $y = 0$.

109. Halla el volumen del sólido situado en el primer octante y acotado por los planos $x + 2y = 1$, $x = 0, y = 0, z = 4$, y $z = 0$.

110. Calcule el volumen del sólido acotado por los planos $x + y = 1, x - y = 1, x = 0, z = 0$, y $z = 10$.

111. Calcule el volumen del sólido acotado por los planos $x + y = 1, x - y = 1, x + y = -1$, $x - y = -1, z = 1$ y $z = 0$.

112. Supongamos que S_1 y S_2 son los sólidos situados en el primer octante bajo los planos $x + y + z = 1$ y $x + y + 2z = 1$, respectivamente y supongamos que S es el sólido situado entre $S_1, S_2, x = 0$, y $y = 0$.

a. Calcule el volumen del sólido S_1.
b. Calcule el volumen del sólido S_2.
c. Calcule el volumen del sólido S restando los volúmenes de los sólidos S_1 y S_2.

113. Supongamos que S_1 y S_2 son los sólidos situados en el primer octante bajo los planos $2x + 2y + z = 2$ y $x + y + z = 1$, respectivamente y supongamos que S es el sólido situado entre $S_1, S_2, x = 0$, y $y = 0$.

a. Calcule el volumen del sólido S_1.
b. Calcule el volumen del sólido S_2.
c. Calcule el volumen del sólido S restando los volúmenes de los sólidos S_1 y S_2.

114. Supongamos que S_1 y S_2 son los sólidos situados en el primer octante bajo el plano $x + y + z = 2$ y bajo la esfera $x^2 + y^2 + z^2 = 4$, respectivamente. Si el volumen del sólido S_2 es $\frac{4\pi}{3}$, determine el volumen del sólido S situado entre S_1 y S_2 restando los volúmenes de estos sólidos.

115. Supongamos que S_1 y S_2 son los sólidos situados en el primer octante bajo el plano $x + y + z = 2$ y acotados por el cilindro $x^2 + y^2 = 4$, respectivamente.

a. Calcule el volumen del sólido S_1.
b. Calcule el volumen del sólido S_2.
c. Calcule el volumen del sólido S situado entre S_1 y S_2 restando los volúmenes de los sólidos S_1 y S_2.

116. [T] La siguiente figura muestra la región D acotada por las curvas $y = \operatorname{sen} x$, $x = 0$, y $y = x^4$. Utilice una calculadora gráfica o un CAS para encontrar la coordenada x de los puntos de intersección de las curvas y para determinar el área de la región D. Redondee sus respuestas a seis decimales.

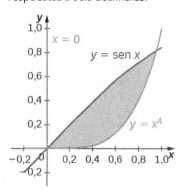

117. [T] La región D acotada por las curvas $y = \cos x$, $x = 0$, y $y = x^3$ se muestra en la siguiente figura. Utilice una calculadora gráfica o un CAS para hallar las coordenadas x de los puntos de intersección de las curvas y para determinar el área de la región D. Redondee sus respuestas a seis decimales.

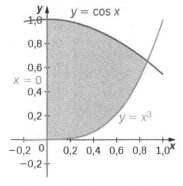

118. Supongamos que (X, Y) es el resultado de un experimento que debe ocurrir en una región determinada S en el plano xy. En este contexto, la región S se denomina espacio de muestra del experimento y X y Y son variables aleatorias. Si los valores de D es una región incluida en S, entonces la probabilidad de que (X, Y) esté en D se define como

$$P[(X, Y) \in D] = \iint\limits_{D} p(x, y)dx\, dy,$$

donde $p(x, y)$ es la densidad de probabilidad conjunta del experimento. Aquí, $p(x, y)$ es una función no negativa para la que $\iint\limits_{S} p(x, y)dx\, dy = 1$.

Supongamos que un punto (X, Y) se elige arbitrariamente en el cuadrado $[0, 3] \times [0, 3]$ con la densidad de probabilidad

$$p(x, y) = \begin{cases} \frac{1}{9} & (x, y) \in [0, 3] \times [0, 3], \\ 0 & \text{por lo contrario.} \end{cases}$$

Halle la probabilidad de que el punto (X, Y) está dentro del cuadrado de la unidad e interprete el resultado.

119. Considere que X y Y como dos variables aleatorias de densidades de probabilidad $p_1(x)$ y $p_2(x)$, respectivamente. Las variables aleatorias X y Y se dice que son independientes si su función de densidad conjunta viene dada por $p(x, y) = p_1(x)p_2(y)$. En un restaurante de comida para llevar, los clientes tardan, en promedio, 3 minutos haciendo sus pedidos y otros 5 minutos pagando y recogiendo sus comidas. Supongamos que hacer el pedido y pagar/recoger la comida son dos hechos independientes X y Y. Si los tiempos de espera se modelan mediante las densidades de probabilidad exponenciales

$$p_1(x) = \begin{cases} \frac{1}{3}e^{-x/3} & x \geq 0, \\ 0 & \text{de lo contrario,} \end{cases} \qquad \text{y} \qquad p_2(y) = \begin{cases} \frac{1}{5}e^{-y/5} & y \geq 0, \\ 0 & \text{de lo contrario,} \end{cases}$$

respectivamente, la probabilidad de que un cliente pase menos de 6 minutos en la cola del pedidos viene dada por $P[X + Y \leq 6] = \iint\limits_{D} p(x, y)dx\, dy$, donde $D = \{(x, y)\}|x \geq 0, y \geq 0, x + y \leq 6\}$. Calcule $P[X + Y \leq 6]$ e interprete el resultado.

120. **[T]** El triángulo de Reuleaux está formado por un triángulo equilátero y tres regiones, cada una de ellas acotada por un lado del triángulo y un arco de círculo de radio s centrado en el vértice opuesto del triángulo. Se muestra que el área del triángulo de Reuleaux de la siguiente figura de lado s es $\frac{s^2}{2}\left(\pi - \sqrt{3}\right)$.

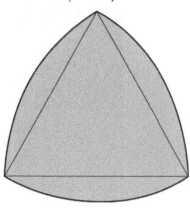

121. **[T]** Demuestre que el área de las lúnulas de Alhacén, las dos lúnulas azules de la siguiente figura, es igual al área del triángulo rectángulo ABC. Los límites exteriores de las lúnulas son semicírculos de diámetros AB y AC, respectivamente, y los límites interiores están formados por la circunferencia del triángulo ABC.

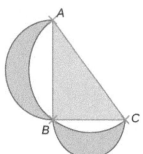

5.3 Integrales dobles en coordenadas polares

Objetivos de aprendizaje

  5.3.1 Reconocer el formato de una integral doble sobre una región rectangular polar.
  5.3.2 Evaluar una integral doble en coordenadas polares utilizando una integral iterada.
  5.3.3 Reconocer el formato de una integral doble sobre una región polar general.
  5.3.4 Utilizar las integrales dobles en coordenadas polares para calcular áreas y volúmenes.

Las integrales dobles son a veces mucho más fáciles de evaluar si cambiamos las coordenadas rectangulares por coordenadas polares. Sin embargo, antes de describir cómo realizar este cambio, necesitamos establecer el concepto de integral doble en una región rectangular polar.

Regiones polares rectangulares de integración

Cuando definimos la integral doble para una función continua en coordenadas rectangulares, digamos g sobre una región R en el plano xy, dividimos R en subrectángulos con lados paralelos a los ejes de coordenadas. Estos lados tienen valores constantes de x o valores constantes de y. En coordenadas polares, la forma con la que trabajamos es un **rectángulo polar**, cuyos lados tienen valores constantes de r o valores constantes de θ. Esto significa que podemos describir un rectángulo polar como en la Figura 5.28(a), con $R = \{(r, \theta) | a \le r \le b, \alpha \le \theta \le \beta\}$.

En esta sección, buscamos integrar sobre rectángulos polares. Considere una función $f(r, \theta)$ sobre un rectángulo polar R. Dividimos el intervalo $[a, b]$ en m subintervalos $[r_{i-1}, r_i]$ de longitud $\Delta r = (b - a)/m$ y dividimos el intervalo $[\alpha, \beta]$ en n subintervalos $[\theta_{j-1}, \theta_j]$ de ancho $\Delta \theta = (\beta - \alpha)/n$. Esto significa que los círculos $r = r_i$ y rayas $\theta = \theta_j$ por $1 \le i \le m$ y $1 \le j \le n$ dividimos el rectángulo polar R en subrectángulos polares más pequeños R_{ij} (Figura 5.28(b)).

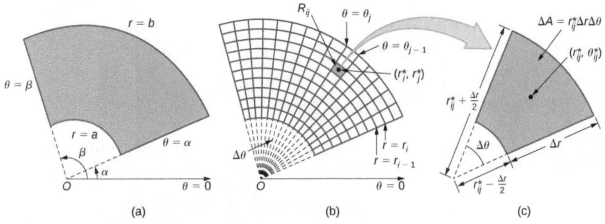

Figura 5.28   (a) Un rectángulo polar R (b) dividido en subrectángulos R_{ij}. (c) Primer plano de un subrectángulo.

Como antes, tenemos que calcular el área ΔA del subrectángulo polar R_{ij} y el volumen "polar" de la caja delgada de arriba R_{ij}. Recordemos que, en un círculo de radio r, la longitud s de un arco subtendido por un ángulo central de θ radianes es $s = r\theta$. Observe que el rectángulo polar R_{ij} se parece mucho a un trapecio con lados paralelos $r_{i-1}\Delta\theta$ y $r_i\Delta\theta$ y con una anchura Δr. Por lo tanto, el área del subrectángulo polar R_{ij} se

$$\Delta A = \frac{1}{2}\Delta r \left(r_{i-1}\Delta\theta + r_1\Delta\theta\right).$$

Al simplificar y dejar $r_{ij}^* = \frac{1}{2}(r_{i-1} + r_i)$, tenemos $\Delta A = r_{ij}^*\Delta r\Delta\theta$. Por lo tanto, el volumen polar de la caja delgada de arriba R_{ij} (Figura 5.29) es

$$f(r_{ij}^*, \theta_{ij}^*)\Delta A = f(r_{ij}^*, \theta_{ij}^*)r_{ij}^*\Delta r\Delta\theta.$$

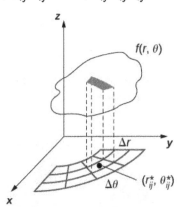

Figura 5.29   Hallar el volumen de la caja delgada sobre el rectángulo polar R_{ij}.

Utilizando la misma idea para todos los subrectángulos y sumando los volúmenes de las cajas rectangulares, obtenemos una suma doble de Riemann como

$$\sum_{i=1}^{m}\sum_{j=1}^{n} f(r_{ij}^*, \theta_{ij}^*)r_{ij}^*\Delta r\Delta\theta.$$

Como hemos visto antes, obtenemos una mejor aproximación al volumen polar del sólido sobre la región R cuando dejamos que m y n se hacen más grandes. Por lo tanto, definimos el volumen polar como el límite de la suma doble de Riemann,

$$V = \lim_{m,n\to\infty} \sum_{i=1}^{m}\sum_{j=1}^{n} f(r_{ij}^*, \theta_{ij}^*)r_{ij}^*\Delta r\Delta\theta.$$

Esto se convierte en la expresión de la integral doble.

Definición

La integral doble de la función $f(r, \theta)$ sobre la región rectangular polar R en el plano $r\theta$ se define como

$$\iint_R f(r,\theta)\,dA = \lim_{m,n\to\infty} \sum_{i=1}^{m}\sum_{j=1}^{n} f(r_{ij}^*, \theta_{ij}^*)\Delta A = \lim_{m,n\to\infty} \sum_{i=1}^{m}\sum_{j=1}^{n} f(r_{ij}^*, \theta_{ij}^*)r_{ij}^*\Delta r\Delta\theta. \qquad (5.8)$$

De nuevo, al igual que en [Integrales dobles sobre regiones rectangulares](#), la integral doble sobre una región rectangular polar puede expresarse como una integral iterada en coordenadas polares. Por lo tanto,

$$\iint_R f(r,\theta)\,dA = \iint_R f(r,\theta)\,r\,dr\,d\theta = \int_{\theta=\alpha}^{\theta=\beta}\int_{r=a}^{r=b} f(r,\theta)\,r\,dr\,d\theta.$$

Observe que la expresión para dA se sustituye por $r\,dr\,d\theta$ cuando se trabaja en coordenadas polares. Otra forma de ver la integral doble polar es cambiar la integral doble en coordenadas rectangulares por sustitución. Cuando la función f se da en términos de x como y, utilizando $x = r\cos\theta$, $y = r\,\text{sen}\,\theta$, y $dA = r\,dr\,d\theta$ cambia a

$$\iint_R f(x,y)\,dA = \iint_R f(r\cos\theta, r\,\text{sen}\,\theta)\,r\,dr\,d\theta.$$

Observe que todas las propiedades enumeradas en [Integrales dobles sobre regiones rectangulares](#) para la integral doble en coordenadas rectangulares son válidas también para la integral doble en coordenadas polares, por lo que podemos utilizarlas sin dudarlo.

EJEMPLO 5.24

Trazar una región rectangular polar
Dibuje la región rectangular polar $R = \{(r,\theta)|1 \le r \le 3, 0 \le \theta \le \pi\}$.

⊘ **Solución**
Como podemos ver en la [Figura 5.30](#), $r = 1$ y $r = 3$ son círculos de radio 1 y 3 y $0 \le \theta \le \pi$ cubre toda la mitad superior del plano. De ahí que la región R parece una banda semicircular.

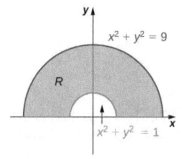

Figura 5.30   La región polar R se encuentra entre dos semicírculos.

Ahora que hemos dibujado una región rectangular polar, vamos a demostrar cómo evaluar una integral doble sobre esta región utilizando coordenadas polares.

EJEMPLO 5.25

Evaluar una integral doble en una región rectangular polar
Evalúe la integral $\iint_R 3x\,dA$ sobre la región $R = \{(r,\theta)|1 \le r \le 2, 0 \le \theta \le \pi\}$.

Solución

Primero dibujamos una figura similar a la Figura 5.30 pero con radio exterior 2. En la figura podemos ver que tenemos

$$\iint\limits_{R} 3x \, dA = \int\limits_{\theta=0}^{\theta=\pi} \int\limits_{r=1}^{r=2} 3r \cos\theta r \, dr \, d\theta$$

Utilizamos una integral iterada con límites correctos de integración.

$$= \int\limits_{\theta=0}^{\theta=\pi} \cos\theta \left[r^3 \big|_{r=1}^{r=2} \right] d\theta$$

Integramos primero con respecto a r.

$$= \int\limits_{\theta=0}^{\theta=\pi} 7 \cos\theta \, d\theta = 7 \operatorname{sen}\theta \big|_{\theta=0}^{\theta=\pi} = 0.$$

☑ 5.17   Dibuje la región $R = \left\{ (r,\theta) \big| 1 \leq r \leq 2, -\frac{\pi}{2} \leq \theta \leq \frac{\pi}{2} \right\}$, y evalúe $\iint\limits_{R} x \, dA$.

EJEMPLO 5.26

Evaluar una integral doble mediante la conversión de coordenadas rectangulares

Evalúe la integral $\iint\limits_{R} \left(1 - x^2 - y^2 \right) dA$ donde R es el círculo unitario en el plano xy.

Solución

La región R es un círculo unitario, por lo que podemos describirlo como $R = \{ (r,\theta) | 0 \leq r \leq 1, 0 \leq \theta \leq 2\pi \}$.

Utilizando la conversión $x = r \cos\theta, y = r \operatorname{sen}\theta$, y $dA = r \, dr \, d\theta$, tenemos

$$\iint\limits_{R} \left(1 - x^2 - y^2 \right) dA = \int\limits_{0}^{2\pi} \int\limits_{0}^{1} \left(1 - r^2 \right) r \, dr \, d\theta = \int\limits_{0}^{2\pi} \int\limits_{0}^{1} \left(r - r^3 \right) dr \, d\theta$$

$$= \int\limits_{0}^{2\pi} \left[\frac{r^2}{2} - \frac{r^4}{4} \right]_{0}^{1} d\theta = \int\limits_{0}^{2\pi} \frac{1}{4} d\theta = \frac{\pi}{2}.$$

EJEMPLO 5.27

Evaluar una integral doble mediante la conversión de coordenadas rectangulares

Evalúe la integral $\iint\limits_{R} (x + y) \, dA$ donde $R = \left\{ (x,y) | 1 \leq x^2 + y^2 \leq 4, x \leq 0 \right\}$.

Solución

Podemos ver que R es una región anular que puede convertirse a coordenadas polares y describirse como $R = \left\{ (r,\theta) | 1 \leq r \leq 2, \frac{\pi}{2} \leq \theta \leq \frac{3\pi}{2} \right\}$ (vea el siguiente gráfico).

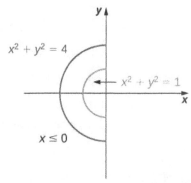

Figura 5.31   La región anular de integración R.

Por lo tanto, utilizando la conversión $x = r \cos \theta$, $y = r \operatorname{sen} \theta$, y $dA = r\,dr\,d\theta$, tenemos

$$
\begin{aligned}
\iint\limits_{R} (x + y)\,dA &= \int\limits_{\theta=\pi/2}^{\theta=3\pi/2} \int\limits_{r=1}^{r=2} (r \cos \theta + r \operatorname{sen} \theta)\, r\, dr\, d\theta \\
&= \left(\int\limits_{r=1}^{r=2} r^2\, dr \right)\left(\int\limits_{\pi/2}^{3\pi/2} (\cos \theta + \operatorname{sen} \theta)\, d\theta \right) \\
&= \left[\frac{r^3}{3} \right]_1^2 [\operatorname{sen} \theta - \cos \theta]\big|_{\pi/2}^{3\pi/2} \\
&= -\frac{14}{3}.
\end{aligned}
$$

☑   5.18   Evalúe la integral $\displaystyle\iint\limits_{R} \left(4 - x^2 - y^2\right) dA$ donde R es el círculo de radio 2 en el plano xy.

Regiones polares generales de integración

Para evaluar la integral doble de una función continua mediante integrales iteradas sobre regiones polares generales, consideramos dos tipos de regiones, análogas a las de Tipo I y Tipo II, tal y como se discute para coordenadas rectangulares en <u>Integrales dobles sobre regiones generales</u>. Es más común escribir las ecuaciones polares como $r = f(\theta)$ que $\theta = f(r)$, por lo que describimos una región polar general como $R = \{(r, \theta) | \alpha \le \theta \le \beta, h_1(\theta) \le r \le h_2(\theta)\}$ (vea la siguiente figura).

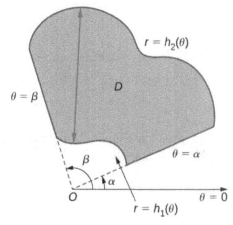

Figura 5.32   Una región polar general entre $\alpha < \theta < \beta$ y $h_1(\theta) < r < h_2(\theta)$.

Teorema 5.8

Integrales dobles sobre regiones polares generales
Si los valores de $f(r, \theta)$ es continua en una región polar general D como se ha descrito anteriormente, entonces

$$\iint\limits_{D} f(r, \theta)\, r\, dr\, d\theta = \int_{\theta=\alpha}^{\theta=\beta} \int_{r=h_1(\theta)}^{r=h_2(\theta)} f(r, \theta)\, r\, dr\, d\theta \tag{5.9}$$

EJEMPLO 5.28

Evaluar una integral doble en una región polar general
Evalúe la integral $\displaystyle\iint\limits_{D} r^2 \operatorname{sen}\theta r\, dr\, d\theta$ donde D es la región delimitada por el eje polar y la mitad superior del cardioide $r = 1 + \cos\theta$.

⊘ **Solución**
Podemos describir la región D cuando $\{(r, \theta)|0 \le \theta \le \pi, 0 \le r \le 1 + \cos\theta\}$ como se muestra en la siguiente figura.

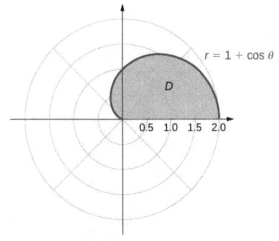

Figura 5.33   La región D es la mitad superior de un cardioide.

Por lo tanto, tenemos

$$\iint\limits_{D} r^2 \operatorname{sen}\theta r\, dr\, d\theta = \int_{\theta=0}^{\theta=\pi} \int_{r=0}^{r=1+\cos\theta} \left(r^2 \operatorname{sen}\theta\right) r\, dr\, d\theta$$

$$= \frac{1}{4} \int_{\theta=0}^{\theta=\pi} \left[r^4\right]_{r=0}^{r=1+\cos\theta} \operatorname{sen}\theta\, d\theta$$

$$= \frac{1}{4} \int_{\theta=0}^{\theta=\pi} (1 + \cos\theta)^4 \operatorname{sen}\theta\, d\theta$$

$$= -\frac{1}{4}\left[\frac{(1+\cos\theta)^5}{5}\right]_0^{\pi} = \frac{8}{5}.$$

☑ 5.19   Evalúe la integral

$$\iint\limits_{D} r^2 \, \text{sen}^2 \, 2\theta r \, dr \, d\theta \text{ donde } D = \left\{ (r, \theta) \Big| -\frac{\pi}{4} \le \theta \le \frac{\pi}{4}, \ 0 \le r \le 2\sqrt{\cos 2\theta} \right\}.$$

Áreas y volúmenes polares

Como en las coordenadas rectangulares, si un sólido S está limitado por la superficie $z = f(r, \theta)$, así como por las superficies $r = a, r = b, \theta = \alpha$, y $\theta = \beta$, podemos calcular el volumen V de S mediante la doble integración, ya que

$$V = \iint\limits_{R} f(r, \theta) \, r \, dr \, d\theta = \int\limits_{\theta = \alpha}^{\theta = \beta} \int\limits_{r=a}^{r=b} f(r, \theta) \, r \, dr \, d\theta.$$

Si la base del sólido puede describirse como $D = \{(r, \theta) | \alpha \le \theta \le \beta, h_1(\theta) \le r \le h_2(\theta)\}$, entonces la integral doble para el volumen se convierte en

$$V = \iint\limits_{D} f(r, \theta) \, r \, dr \, d\theta = \int\limits_{\theta = \alpha}^{\theta = \beta} \int\limits_{r = h_1(\theta)}^{r = h_2(\theta)} f(r, \theta) \, r \, dr \, d\theta.$$

Ilustramos esta idea con algunos ejemplos.

EJEMPLO 5.29

Hallar un volumen utilizando una integral doble

Calcule el volumen del sólido que se encuentra bajo el paraboloide $z = 1 - x^2 - y^2$ y por encima del círculo de la unidad en el plano xy (vea la siguiente figura).

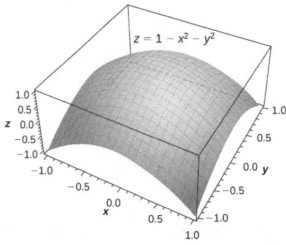

Figura 5.34 El paraboloide $z = 1 - x^2 - y^2$.

⊘ **Solución**

Por el método de la doble integración, podemos ver que el volumen es la integral iterada de la forma

$$\iint\limits_{R} \left(1 - x^2 - y^2\right) dA \text{ donde } R = \{(r, \theta) | 0 \le r \le 1, 0 \le \theta \le 2\pi\}.$$

Esta integración se mostró antes en el Ejemplo 5.26, por lo que el volumen es $\frac{\pi}{2}$ unidades cúbicas.

EJEMPLO 5.30

Hallar un volumen utilizando la integración doble

Calcule el volumen del sólido que se encuentra bajo el paraboloide $z = 4 - x^2 - y^2$ y por encima del disco $(x - 1)^2 + y^2 = 1$ en el plano xy. Vea el paraboloide en la Figura 5.35 que interseca el cilindro $(x - 1)^2 + y^2 = 1$ por encima del plano xy.

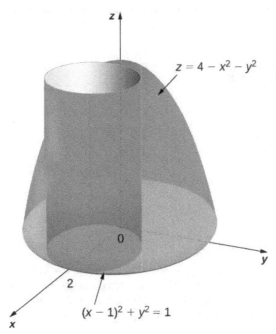

Figura 5.35   Hallar el volumen de un sólido con tope paraboloide y base circular.

⊘ **Solución**

Primero cambie el disco $(x-1)^2 + y^2 = 1$ a coordenadas polares. Expandiendo el término cuadrado, tenemos $x^2 - 2x + 1 + y^2 = 1$. Entonces simplifique para obtener $x^2 + y^2 = 2x$, que en coordenadas polares se convierte en $r^2 = 2r \cos \theta$ y luego $r = 0$ o $r = 2 \cos \theta$. Del mismo modo, la ecuación del paraboloide cambia a $z = 4 - r^2$. Por lo tanto, podemos describir el disco $(x-1)^2 + y^2 = 1$ en el plano xy como la región

$$D = \{(r, \theta) | 0 \le \theta \le \pi, 0 \le r \le 2 \cos \theta \}.$$

Por lo tanto, el volumen del sólido delimitado arriba por el paraboloide $z = 4 - x^2 - y^2$ y más abajo por $r = 2 \cos \theta$ se

$$
\begin{aligned}
V &= \iint\limits_{D} f(r, \theta)\, r\, dr\, d\theta = \int\limits_{\theta=0}^{\theta=\pi} \int\limits_{r=0}^{r=2 \cos \theta} \left(4 - r^2\right) r\, dr\, d\theta \\
&= \int\limits_{\theta=0}^{\theta=\pi} \left[4\frac{r^2}{2} - \frac{r^4}{4}\Big|_{0}^{2 \cos \theta}\right] d\theta \\
&= \int\limits_{0}^{\pi} \left[8 \cos^2 \theta - 4 \cos^2 \theta\right] d\theta = \left[\tfrac{5}{2}\theta + \tfrac{5}{2}\operatorname{sen} \theta \cos \theta - \operatorname{sen} \theta \cos^3 \theta\right]_{0}^{\pi} = \tfrac{5}{2}\pi.
\end{aligned}
$$

Observe en el siguiente ejemplo que la integración no siempre es fácil con coordenadas polares. La complejidad de la integración depende de la función y también de la región sobre la que tenemos que realizar la integración. Si la región tiene una expresión más natural en coordenadas polares o si f tiene una antiderivada más sencilla en coordenadas polares, entonces el cambio en coordenadas polares es apropiado; de lo contrario, utilice coordenadas rectangulares.

EJEMPLO 5.31

Hallar un volumen utilizando una integral doble

Halle el volumen de la región que se encuentra bajo el paraboloide $z = x^2 + y^2$ y por encima del triángulo delimitado por las líneas $y = x, x = 0$, y $x + y = 2$ en el plano xy (Figura 5.36).

⊘ **Solución**

En primer lugar, examinamos la región sobre la que tenemos que establecer la integral doble y el paraboloide que la acompaña.

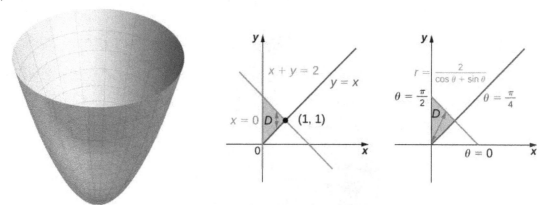

Figura 5.36   Hallar el volumen de un sólido bajo un paraboloide y sobre un triángulo dado.

La región D ¿es $\{(x, y)|0 \le x \le 1, x \le y \le 2 - x\}$. Al convertir las líneas $y = x, x = 0$, y $x + y = 2$ en el plano xy a funciones de r y θ, tenemos $\theta = \pi/4, \theta = \pi/2$, y $r = 2/(\cos \theta + \operatorname{sen} \theta)$, respectivamente. Al graficar la región en el plano xy, vemos que parece $D = \{(r, \theta)|\pi/4 \le \theta \le \pi/2, 0 \le r \le 2/(\cos \theta + \operatorname{sen} \theta)\}$. Ahora, al convertir la ecuación de la superficie se obtiene $z = x^2 + y^2 = r^2$. Por tanto, el volumen del sólido viene dado por la integral doble

$$V = \iint_D f(r, \theta) r \, dr \, d\theta = \int_{\theta=\pi/4}^{\theta=\pi/2} \int_{r=0}^{r=2/(\cos \theta + \operatorname{sen} \theta)} r^2 r \, dr \, d\theta = \int_{\pi/4}^{\pi/2} \left[\frac{r^4}{4}\right]_0^{2/(\cos \theta + \operatorname{sen} \theta)} d\theta$$

$$= \frac{1}{4} \int_{\pi/4}^{\pi/2} \left(\frac{2}{\cos \theta + \operatorname{sen} \theta}\right)^4 d\theta = \frac{16}{4} \int_{\pi/4}^{\pi/2} \left(\frac{1}{\cos \theta + \operatorname{sen} \theta}\right)^4 d\theta = 4 \int_{\pi/4}^{\pi/2} \left(\frac{1}{\cos \theta + \operatorname{sen} \theta}\right)^4 d\theta.$$

Como puede ver, esta integral es muy complicada. Por lo tanto, podemos evaluar esta integral doble en coordenadas rectangulares como

$$V = \int_0^1 \int_x^{2-x} \left(x^2 + y^2\right) dy \, dx.$$

La evaluación nos da

$$V = \int_0^1 \int_x^{2-x} \left(x^2 + y^2\right) dy \, dx = \int_0^1 \left[x^2 y + \frac{y^3}{3}\right]\Bigg|_x^{2-x} dx$$

$$= \int_0^1 \frac{8}{3} - 4x + 4x^2 - \frac{8x^3}{3} dx$$

$$= \left[\frac{8x}{3} - 2x^2 + \frac{4x^3}{3} - \frac{2x^4}{3}\right]\Bigg|_0^1 = \frac{4}{3}.$$

Para responder la pregunta de cómo se hallan las fórmulas de los volúmenes de diferentes sólidos estándar como una esfera, un cono o un cilindro, queremos demostrar un ejemplo y calcular el volumen de un cono arbitrario.

EJEMPLO 5.32

Hallar un volumen utilizando una integral doble

Utilice las coordenadas polares para hallar el volumen dentro del cono $z = 2 - \sqrt{x^2 + y^2}$ y por encima del plano xy.

Solución

La región D para la integración es la base del cono, que parece ser un círculo en el plano xy (vea la siguiente figura).

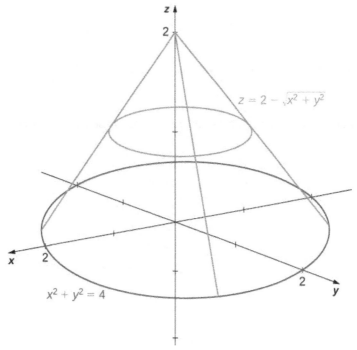

Figura 5.37 Hallar el volumen de un sólido dentro del cono y por encima del plano xy.

Encontramos la ecuación del círculo estableciendo $z = 0$:

$$\begin{aligned} 0 &= 2 - \sqrt{x^2 + y^2} \\ 2 &= \sqrt{x^2 + y^2} \\ x^2 + y^2 &= 4. \end{aligned}$$

Esto significa que el radio del círculo es 2, por lo que para la integración tenemos $0 \leq \theta \leq 2\pi$ y $0 \leq r \leq 2$. Al sustituir $x = r \cos \theta$ y $y = r \, \text{sen}\, \theta$ en la ecuación $z = 2 - \sqrt{x^2 + y^2}$ tenemos $z = 2 - r$. Por lo tanto, el volumen del cono es

$$\int_{\theta=0}^{\theta=2\pi} \int_{r=0}^{r=2} (2-r) \, r \, dr \, d\theta = 2\pi \frac{4}{3} = \frac{8\pi}{3} \text{ unidades cúbicas.}$$

Análisis

Observe que si tuviéramos que hallar el volumen de un cono arbitrario de radio a unidades y altura h unidades, entonces la ecuación del cono sería $z = h - \frac{h}{a} \sqrt{x^2 + y^2}$.

Podemos seguir utilizando la <u>Figura 5.37</u> y configurar la integral como $\displaystyle\int_{\theta=0}^{\theta=2\pi} \int_{r=0}^{r=a} \left(h - \frac{h}{a} r \right) r \, dr \, d\theta.$

Evaluando la integral, obtenemos $\frac{1}{3} \pi a^2 h$.

☑ 5.20   Utilice las coordenadas polares para hallar una integral iterada para hallar el volumen del sólido encerrado por los paraboloides $z = x^2 + y^2$ y $z = 16 - x^2 - y^2$.

Al igual que con las coordenadas rectangulares, también podemos utilizar las coordenadas polares para hallar las áreas de ciertas regiones utilizando una integral doble. Al igual que antes, tenemos que conocer la región cuya área queremos calcular. Trazar un gráfico e identificar la región puede ser útil para darse cuenta de los límites de la integración. Generalmente, la fórmula del área en la integración doble será

$$\text{Área } A = \int_{\alpha}^{\beta} \int_{h_1(\theta)}^{h_2(\theta)} 1r \, dr \, d\theta.$$

EJEMPLO 5.33

Calcular un área mediante una integral doble en coordenadas polares
Evaluar el área delimitada por la curva $r = \cos 4\theta$.

⊘ **Solución**
Trazar el gráfico de la función $r = \cos 4\theta$ revela que se trata de una rosa polar con ocho pétalos (vea la siguiente figura).

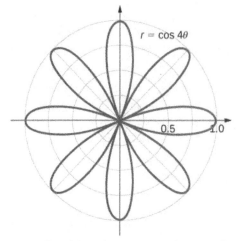

Figura 5.38   Hallar el área de una rosa polar con ocho pétalos.

Usando la simetría podemos ver que necesitamos calcular el área de un pétalo y luego multiplicarlo por 8. Observe que los valores de θ cuyo gráfico pasa por el origen son los ceros de la función $\cos 4\theta$, y estos son impares múltiplos de $\pi/8$. Así, uno de los pétalos corresponde a los valores de θ en el intervalo $[-\pi/8, \pi/8]$. Por lo tanto, el área delimitada por la curva $r = \cos 4\theta$ se

$$
\begin{aligned}
A \; &= 8 \int_{\theta=-\pi/8}^{\theta=\pi/8} \int_{r=0}^{r=\cos 4\theta} 1r \, dr \, d\theta \\
&= 8 \int_{-\pi/8}^{\pi/8} \left[\frac{1}{2} r^2 \Big|_0^{\cos 4\theta} \right] d\theta = 8 \int_{-\pi/8}^{\pi/8} \frac{1}{2} \cos^2 4\theta \, d\theta = 8 \left[\frac{1}{4}\theta + \frac{1}{16} \operatorname{sen} 4\theta \cos 4\theta \Big|_{-\pi/8}^{\pi/8} \right] = 8 \left[\frac{\pi}{16} \right] = \frac{\pi}{2}.
\end{aligned}
$$

EJEMPLO 5.34

Hallar el área entre dos curvas polares
Halle el área encerrada por el círculo $r = 3 \cos \theta$ y el cardioide $r = 1 + \cos \theta$.

⊘ **Solución**
En primer lugar, dibuje los gráficos de la región (Figura 5.39).

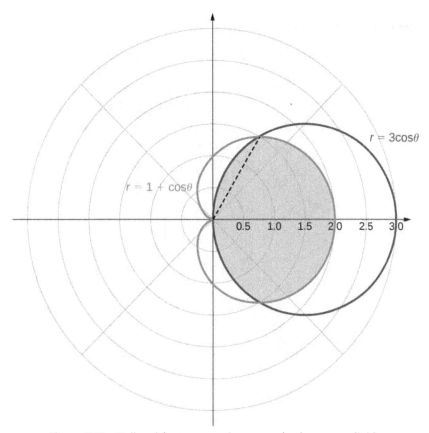

Figura 5.39 Hallar el área encerrada por un círculo y un cardioide.

Podemos ver la simetría del gráfico que necesitamos para hallar los puntos de intersección. Al igualar las dos ecuaciones se obtiene

$$3\cos\theta = 1 + \cos\theta.$$

Uno de los puntos de intersección es $\theta = \pi/3$. La zona por encima del eje polar consta de dos partes, una de ellas definida por la cardioide de $\theta = 0$ a $\theta = \pi/3$ y la otra parte definida por el círculo de $\theta = \pi/3$ al $\theta = \pi/2$. Por simetría, el área total es el doble del área sobre el eje polar. Por lo tanto, tenemos

$$A = 2\left[\int_{\theta=0}^{\theta=\pi/3}\int_{r=0}^{r=1+\cos\theta} 1r\,dr\,d\theta + \int_{\theta=\pi/3}^{\theta=\pi/2}\int_{r=0}^{r=3\cos\theta} 1r\,dr\,d\theta\right].$$

Evaluando cada pieza por separado, encontramos que el área es

$$A = 2\left(\frac{1}{4}\pi + \frac{9}{16}\sqrt{3} + \frac{3}{8}\pi - \frac{9}{16}\sqrt{3}\right) = 2\left(\frac{5}{8}\pi\right) = \frac{5}{4}\pi \text{ unidades cuadradas.}$$

☑ 5.21   Halle el área encerrada dentro de la cardioide $r = 3 - 3\,\mathrm{sen}\,\theta$ y fuera de la cardioide $r = 1 + \mathrm{sen}\,\theta$.

EJEMPLO 5.35

Evaluar una integral doble impropia en coordenadas polares

Evalúe la integral $\displaystyle\iint_{\mathbf{R}^2} e^{-10\left(x^2+y^2\right)}\,dx\,dy.$

⊘ **Solución**

Esta es una integral impropia porque estamos integrando sobre una región no limitada $\mathbf{R}^2$. En coordenadas polares, todo el plano $\mathbf{R}^2$ puede considerarse como $0 \leq \theta \leq 2\pi, 0 \leq r \leq \infty$.

Utilizando los cambios de variables de coordenadas rectangulares a coordenadas polares, tenemos

$$\iint\limits_{\mathbf{R}^2} e^{-10\left(x^2+y^2\right)} dx\, dy = \int\limits_{\theta=0}^{\theta=2\pi} \int\limits_{r=0}^{r=\infty} e^{-10r^2} r\, dr\, d\theta = \int\limits_{\theta=0}^{\theta=2\pi} \left(\lim_{a\to\infty} \int\limits_{r=0}^{r=a} e^{-10r^2} r\, dr \right) d\theta$$

$$= \left(\int\limits_{\theta=0}^{\theta=2\pi} d\theta \right) \left(\lim_{a\to\infty} \int\limits_{r=0}^{r=a} e^{-10r^2} r\, dr \right)$$

$$= 2\pi \left(\lim_{a\to\infty} \int\limits_{r=0}^{r=a} e^{-10r^2} r\, dr \right)$$

$$= 2\pi \lim_{a\to\infty} \left(-\frac{1}{20} \right) \left(e^{-10r^2} \Big|_0^a \right)$$

$$= 2\pi \left(-\frac{1}{20} \right) \lim_{a\to\infty} \left(e^{-10a^2} - 1 \right)$$

$$= \frac{\pi}{10}.$$

☑ 5.22   Evalúe la integral $\iint\limits_{\mathbf{R}^2} e^{-4\left(x^2+y^2\right)} dx\, dy.$

📖 SECCIÓN 5.3 EJERCICIOS

En los siguientes ejercicios, exprese la región D en coordenadas polares.

122. D es la región del disco de radio 2 centrado en el origen que se encuentra en el primer cuadrante.

123. D es la región comprendida entre los círculos de radio 4 y radio 5 centrada en el origen que se encuentra en el segundo cuadrante.

124. D es la región delimitada por el eje y, y $x = \sqrt{1 - y^2}$.

125. D es la región delimitada por el eje x y para el eje $y = \sqrt{2 - x^2}$.

126. $D = \left\{ (x, y) | x^2 + y^2 \leq 4x \right\}$

127. $D = \left\{ (x, y) | x^2 + y^2 \leq 4y \right\}$

En los siguientes ejercicios, el gráfico de la región rectangular polar D está dada Exprese D en coordenadas polares.

128.

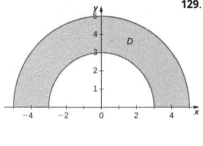

129.

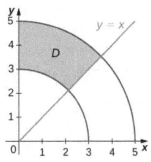

130.

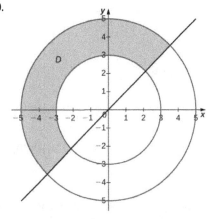

131.

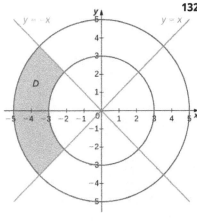

132. En el siguiente gráfico, la región D se encuentra a continuación $y = x$ y está delimitado por $x = 1, x = 5$, y $y = 0$.

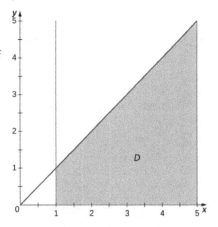

133. En el siguiente gráfico, la región D está delimitada por $y = x$ como $y = x^2$.

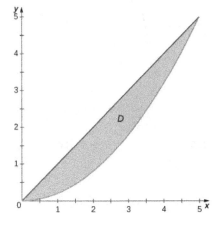

En los siguientes ejercicios, evalúe la integral doble $\iint\limits_{R} f(x, y)\, dA$ sobre la región rectangular polar D.

134. $f(x, y) = x^2 + y^2$, $D = \{(r, \theta) | 3 \leq r \leq 5, 0 \leq \theta \leq 2\pi\}$

135. $f(x, y) = x + y$, $D = \{(r, \theta) | 3 \leq r \leq 5, 0 \leq \theta \leq 2\pi\}$

136. $f(x, y) = x^2 + xy$, $D = \{(r, \theta) | 1 \leq r \leq 2, \pi \leq \theta \leq 2\pi\}$

137. $f(x, y) = x^4 + y^4$, $D = \left\{(r, \theta) | 1 \leq r \leq 2, \frac{3\pi}{2} \leq \theta \leq 2\pi\right\}$ **138.** $f(x, y) = \sqrt[3]{x^2 + y^2}$, donde $D = \left\{(r, \theta) | 0 \leq r \leq 1, \frac{\pi}{2} \leq \theta \leq \pi\right\}$.

139. $f(x, y) = x^4 + 2x^2 y^2 + y^4$, donde $D = \left\{(r, \theta) | 3 \leq r \leq 4, \frac{\pi}{3} \leq \theta \leq \frac{2\pi}{3}\right\}$.   **140.** $f(x, y) = \operatorname{sen}\left(\arctan \frac{y}{x}\right)$, donde $D = \left\{(r, \theta) | 1 \leq r \leq 2, \frac{\pi}{6} \leq \theta \leq \frac{\pi}{3}\right\}$

141. $f(x, y) = \arctan\left(\frac{y}{x}\right)$, donde $D = \left\{(r, \theta) | 2 \leq r \leq 3, \frac{\pi}{4} \leq \theta \leq \frac{\pi}{3}\right\}$

142. $\iint\limits_{D} e^{x^2 + y^2}\left[1 + 2\arctan\left(\frac{y}{x}\right)\right] dA$, $D = \left\{(r, \theta) | 1 \leq r \leq 2, \frac{\pi}{6} \leq \theta \leq \frac{\pi}{3}\right\}$

143. $\iint\limits_{D} \left(e^{x^2 + y^2} + x^4 + 2x^2 y^2 + y^4\right) \arctan\left(\frac{y}{x}\right) dA$, $D = \left\{(r, \theta) | 1 \leq r \leq 2, \frac{\pi}{4} \leq \theta \leq \frac{\pi}{3}\right\}$

En los siguientes ejercicios, las integrales se han convertido a coordenadas polares. Compruebe que las identidades son ciertas y elige la forma más fácil de evaluar las integrales, en coordenadas rectangulares o polares.

144. $\displaystyle\int_{1}^{2}\int_{0}^{x} \left(x^2 + y^2\right) dy\, dx = \int_{0}^{\frac{\pi}{4}}\int_{\sec\theta}^{2\operatorname{s}\theta} r^3\, dr\, d\theta$ **145.** $\displaystyle\int_{2}^{3}\int_{0}^{x} \frac{x}{\sqrt{x^2 + y^2}} dy\, dx = \int_{0}^{\pi/4}\int_{2\operatorname{s}\theta}^{3\sec\theta} r\cos\theta\, dr\, d\theta$

146. $\displaystyle\int_{0}^{1}\int_{x^2}^{x} \frac{1}{\sqrt{x^2 + y^2}} dy\, dx = \int_{0}^{\pi/4}\int_{0}^{\tan\theta\sec\theta} dr\, d\theta$ **147.** $\displaystyle\int_{0}^{1}\int_{x^2}^{x} \frac{y}{\sqrt{x^2 + y^2}} dy\, dx = \int_{0}^{\pi/4}\int_{0}^{\tan\theta\sec\theta} r\operatorname{sen}\theta\, dr\, d\theta$

En los siguientes ejercicios, convierta las integrales a coordenadas polares y evalúalas.

148. $\displaystyle\int_{0}^{3}\int_{0}^{\sqrt{9-y^2}} \left(x^2 + y^2\right) dx\, dy$ **149.** $\displaystyle\int_{0}^{2}\int_{-\sqrt{4-y^2}}^{\sqrt{4-y^2}} \left(x^2 + y^2\right)^2 dx\, dy$ **150.** $\displaystyle\int_{0}^{1}\int_{0}^{\sqrt{1-x^2}} (x + y)\, dy\, dx$

151. $\displaystyle\int_{0}^{4}\int_{-\sqrt{16-x^2}}^{\sqrt{16-x^2}} \operatorname{sen}\left(x^2 + y^2\right) dy\, dx$

152. Evalúe la integral $\displaystyle\iint_{D} r\, dA$ donde D es la región delimitada por el eje polar y la mitad superior del cardioide $r = 1 + \cos\theta$.

153. Calcule el área de la región D delimitado por el eje polar y la mitad superior de la cardioide $r = 1 + \cos\theta$.

154. Evalúe la integral $\displaystyle\iint_{D} r\, dA$, donde D es la región delimitada por la parte de la rosa de cuatro hojas $r = \operatorname{sen} 2\theta$ situado en el primer cuadrante (vea la siguiente figura).

155. Halle el área total de la región encerrada por la rosa de cuatro hojas $r = \operatorname{sen} 2\theta$ (vea la figura del ejercicio anterior).

156. Calcule el área de la región D, que es la región delimitada por
$y = \sqrt{4 - x^2}, x = \sqrt{3}$,
$x = 2$, y $y = 0$.

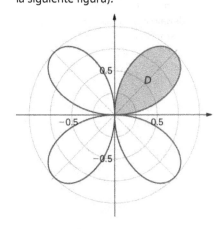

157. Calcule el área de la región D, que es la región dentro del disco $x^2 + y^2 \le 4$ y a la derecha de la línea $x = 1$.

158. Determine el valor promedio de la función $f(x, y) = x^2 + y^2$ sobre la región D delimitada por la curva polar $r = \cos 2\theta$, donde $-\frac{\pi}{4} \le \theta \le \frac{\pi}{4}$ (vea la siguiente gráfica).

159. Determine el valor promedio de la función $f(x, y) = \sqrt{x^2 + y^2}$ sobre la región D delimitada por la curva polar $r = 3\operatorname{sen} 2\theta$, donde $0 \le \theta \le \frac{\pi}{2}$ (vea la siguiente gráfica).

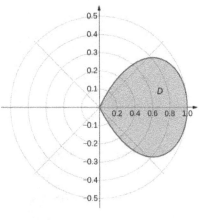

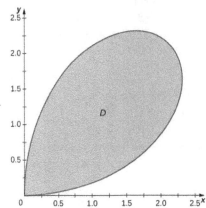

160. Halle el volumen del sólido situado en el primer octante y limitado por el paraboloide $z = 1 - 4x^2 - 4y^2$ y los planos $x = 0, y = 0,$ y $z = 0$.

161. Halle el volumen del sólido delimitado por el paraboloide $z = 2 - 9x^2 - 9y^2$ y el plano $z = 1$.

162. a. Calcule el volumen del sólido S_1 delimitado por el cilindro $x^2 + y^2 = 1$ y los planos $z = 0$ y $z = 1$.

b. Calcule el volumen del sólido S_2 fuera del doble cono $z^2 = x^2 + y^2$, dentro del cilindro $x^2 + y^2 = 1$, y por encima del plano $z = 0$.

c. Halle el volumen del sólido dentro del cono $z^2 = x^2 + y^2$ y por debajo del plano $z = 1$ restando los volúmenes de los sólidos S_1 y S_2.

163. a. Calcule el volumen del sólido S_1 dentro de la esfera de la unidad $x^2 + y^2 + z^2 = 1$ y por encima del plano $z = 0$.

b. Calcule el volumen del sólido S_2 dentro del doble cono $(z-1)^2 = x^2 + y^2$ y por encima del plano $z = 0$.

c. Halle el volumen del sólido fuera del doble cono $(z-1)^2 = x^2 + y^2$ y al interior de la esfera $x^2 + y^2 + z^2 = 1$.

En los dos ejercicios siguientes, considere un anillo esférico, que es una esfera con un agujero cilíndrico cortado de forma que el eje del cilindro pasa por el centro de la esfera (vea la siguiente figura).

164. Si la esfera tiene radio 4 y el cilindro tiene radio 2, halle el volumen del anillo esférico.

165. Un agujero cilíndrico de diámetro 6 cm se perfora a través de una esfera de radio 5 cm tal que el eje del cilindro pasa por el centro de la esfera. Halle el volumen del anillo esférico resultante.

166. Halle el volumen del sólido que se encuentra bajo el doble cono $z^2 = 4x^2 + 4y^2$, dentro del cilindro $x^2 + y^2 = x$, y por encima del plano $z = 0$.

167. Calcule el volumen del sólido que se encuentra bajo el paraboloide $z = x^2 + y^2$, dentro del cilindro $x^2 + y^2 = x$, y por encima del plano $z = 0$.

168. Calcule el volumen del sólido que se encuentra bajo el plano $x + y + z = 10$ y por encima del disco $x^2 + y^2 = 4x$.

169. Calcule el volumen del sólido que se encuentra bajo el plano $2x + y + 2z = 8$ y por encima del disco de la unidad $x^2 + y^2 = 1$.

170. Una función radial f es una función cuyo valor en cada punto depende solo de la distancia entre ese punto y el origen del sistema de coordenadas; es decir, $f(x, y) = g(r)$, donde $r = \sqrt{x^2 + y^2}$. Demuestre que si f es una función radial continua, entonces

$$\iint_D f(x, y)\, dA = (\theta_2 - \theta_1)\,[G(R_2) - G(R_1)],$$

donde $G'(r) = rg(r)$ y $(x, y) \in D = \{(r, \theta) | R_1 \le r \le R_2, 0 \le \theta \le 2\pi\}$, con la $0 \le R_1 < R_2$ y $0 \le \theta_1 < \theta_2 \le 2\pi$.

171. Utilice la información del ejercicio anterior para calcular la integral

$$\iint_D \left(x^2 + y^2\right)^3 dA,\text{ donde}$$

D es el disco de la unidad.

172. Supongamos que $f(x, y) = \dfrac{F'(r)}{r}$ es una función radial continua definida en la región anular $D = \{(r, \theta) | R_1 \le r \le R_2, 0 \le \theta \le 2\pi\}$, donde $r = \sqrt{x^2 + y^2}$, $0 < R_1 < R_2$, y F es una función diferenciable. Demuestre que

$$\iint_D f(x, y)\, dA = 2\pi\,[F(R_2) - F(R_1)].$$

173. Aplique el ejercicio anterior para calcular la integral

$$\iint_D \frac{e^{\sqrt{x^2+y^2}}}{\sqrt{x^2 + y^2}}\, dx\, dy,$$

donde D es la región anular entre los círculos de radios 1 y 2 situado en el tercer cuadrante.

174. Supongamos que f es una función continua que pueda expresarse en coordenadas polares como función de θ solamente; es decir, $f(x, y) = h(\theta)$, donde $(x, y) \in D = \{(r, \theta) | R_1 \le r \le R_2, \theta_1 \le \theta \le \theta_2\}$, con la $0 \le R_1 < R_2$ y $0 \le \theta_1 < \theta_2 \le 2\pi$. Demuestre que

$$\iint_D f(x, y)\, dA = \tfrac{1}{2}\left(R_2^2 - R_1^2\right)[H(\theta_2) - H(\theta_1)],$$

donde H es una antiderivada de h.

175. Aplique el ejercicio anterior para calcular la integral $\displaystyle\iint_D \frac{y^2}{x^2}\, dA$, donde

$$D = \left\{(r, \theta)\,\middle|\, 1 \le r \le 2, \tfrac{\pi}{6} \le \theta \le \tfrac{\pi}{3}\right\}.$$

176. Supongamos que f es una función continua que pueda expresarse en coordenadas polares como función de θ solamente; es decir, $f(x, y) = g(r)h(\theta)$, donde

$(x, y) \in D = \{(r, \theta) | R_1 \leq r \leq R_2, \theta_1 \leq \theta \leq \theta_2\}$ con la $0 \leq R_1 < R_2$ y $0 \leq \theta_1 < \theta_2 \leq 2\pi$. Demuestre que

$$\iint\limits_{D} f(x, y) \, dA = [G(R_2) - G(R_1)] \, [H(\theta_2) - H(\theta_1)],$$

donde G y H son antiderivadas de g y h, respectivamente.

177. Evalúe

$$\iint\limits_{D} \arctan\left(\frac{y}{x}\right) \sqrt{x^2 + y^2} \, dA,$$

donde

$$D = \left\{(r, \theta) \Big| 2 \leq r \leq 3, \frac{\pi}{4} \leq \theta \leq \frac{\pi}{3}\right\}.$$

178. Un tope esférico es la región de una esfera que se encuentra por encima o por debajo de un plano determinado.

    a. Demuestre que el volumen del tope esférico de la figura siguiente es $\frac{1}{6}\pi h\left(3a^2 + h^2\right)$.

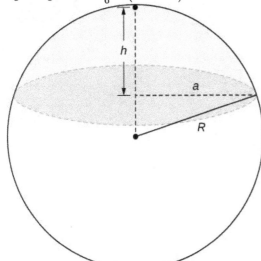

    b. Un segmento esférico es el sólido definido por la intersección de una esfera con dos planos paralelos. Si la distancia entre los planos es h, muestran que el volumen del segmento esférico de la figura siguiente es $\frac{1}{6}\pi h\left(3a^2 + 3b^2 + h^2\right)$.

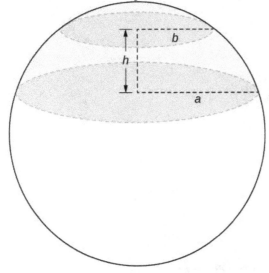

179. En estadística, la densidad conjunta de dos
sucesos independientes, normalmente
distribuidos, con una media $\mu = 0$ y una
distribución estándar σ se define por
$p(x, y) = \frac{1}{2\pi\sigma^2} e^{-\frac{x^2+y^2}{2\sigma^2}}$. Considere que (X, Y),
las coordenadas cartesianas de una bola en
posición de reposo después de haber sido
liberada desde una posición en el eje z hacia el
plano xy. Supongamos que las coordenadas de
la bola están distribuidas normalmente de forma
independiente con una media $\mu = 0$ y una
desviación típica de σ (en pies). La probabilidad
de que la bola se detenga no más de a pies
desde el origen viene dado por
$P\left[X^2 + Y^2 \leq a^2\right] = \iint\limits_{D} p(x, y) dy\, dx$, donde D
es el disco de radio a centrado en el origen.
Demuestre que
$P\left[X^2 + Y^2 \leq a^2\right] = 1 - e^{-a^2/2\sigma^2}$.

180. La doble integral impropia $\displaystyle\int\limits_{-\infty}^{\infty} \int\limits_{-\infty}^{\infty} e^{\left(-x^2+y^2/2\right)} dy\, dx$ puede
definirse como el valor límite de las integrales dobles
$\iint\limits_{D_a} e^{\left(-x^2+y^2/2\right)} dA$ sobre discos D_a de radios a centrados en
el origen, ya que a aumenta sin límite; es decir,
$$\int\limits_{-\infty}^{\infty} \int\limits_{-\infty}^{\infty} e^{\left(-x^2+y^2/2\right)} dy\, dx = \lim_{a\to\infty} \iint\limits_{D_a} e^{\left(-x^2+y^2/2\right)} dA.$$

a. Utilice las coordenadas polares para demostrar que
$$\int\limits_{-\infty}^{\infty} \int\limits_{-\infty}^{\infty} e^{\left(-x^2+y^2/2\right)} dy\, dx = 2\pi.$$

b. Demuestre que $\displaystyle\int\limits_{-\infty}^{\infty} e^{-x^2/2} dx = \sqrt{2\pi}$, utilizando la relación
$$\int\limits_{-\infty}^{\infty} \int\limits_{-\infty}^{\infty} e^{\left(-x^2+y^2/2\right)} dy\, dx = \left(\int\limits_{-\infty}^{\infty} e^{-x^2/2} dx\right)\left(\int\limits_{-\infty}^{\infty} e^{-y^2/2} dy\right).$$

5.4 Integrales triples

Objetivos de aprendizaje

5.4.1 Reconocer cuándo una función de tres variables es integrable sobre una caja rectangular.

5.4.2 Evaluar una integral triple expresándola como una integral iterada.

5.4.3 Reconocer cuándo una función de tres variables es integrable sobre una región cerrada y delimitada.

5.4.4 Simplificar un cálculo cambiando el orden de integración de una integral triple.

5.4.5 Calcular el valor medio de una función de tres variables.

En Integrales dobles sobre regiones rectangulares discutimos la integral doble de una función $f(x, y)$ de dos variables sobre una región rectangular en el plano. En esta sección definimos la integral triple de una función $f(x, y, z)$ de tres variables sobre una caja sólida rectangular en el espacio, $\mathbb{R}^3$. Más adelante en esta sección ampliamos la definición a regiones más generales en $\mathbb{R}^3$.

Funciones integrables de tres variables

Podemos definir una caja rectangular B en $\mathbb{R}^3$ como $B = \{(x, y, z) | a \leq x \leq b, c \leq y \leq d, e \leq z \leq f\}$. Seguimos un procedimiento similar al que hicimos en Integrales dobles sobre regiones rectangulares. Dividimos el intervalo $[a, b]$ en l subintervalos $[x_{i-1}, x_i]$ de igual longitud $\Delta x = \frac{x_i - x_{i-1}}{l}$, dividimos el intervalo $[c, d]$ en m subintervalos $[y_{j-1}, y_j]$ de igual longitud $\Delta y = \frac{y_j - y_{j-1}}{m}$, y dividimos el intervalo $[e, f]$ en n subintervalos $[z_{k-1}, z_i]$ de igual longitud $\Delta z = \frac{z_k - z_{k-1}}{n}$. Entonces la caja rectangular B se subdivide en lmn subcajas $B_{ijk} = [x_{i-1}, x_i] \times [y_{j-1}, y_i] \times [z_{i-1}, z_i]$, como se muestra en la Figura 5.40.

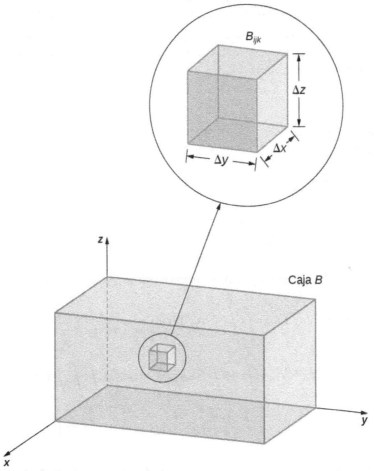

Figura 5.40   Una caja rectangular en $\mathbb{R}^3$ dividida en subcajas por planos paralelos a los planos de coordenadas.

Para cada i, j, y k, considera un punto de muestra $(x_{ijk}^*, y_{ijk}^*, z_{ijk}^*)$ en cada subcaja B_{ijk}. Vemos que su volumen es $\Delta V = \Delta x \Delta y \Delta z$. Forme la triple suma de Riemann

$$\sum_{i=1}^{l}\sum_{j=1}^{m}\sum_{k=1}^{n}f(x_{ijk}^{*}, y_{ijk}^{*}, z_{ijk}^{*})\Delta x \Delta y \Delta z.$$

Definimos la integral triple en términos del límite de una suma triple de Riemann, como hicimos con la integral doble en términos de una suma doble de Riemann.

Definición

La **integral triple** de una función $f(x, y, z)$ sobre una caja rectangular B se define como

$$\lim_{l,m,n\to\infty}\sum_{i=1}^{l}\sum_{j=1}^{m}\sum_{k=1}^{n}f(x_{ijk}^{*}, y_{ijk}^{*}, z_{ijk}^{*})\Delta x \Delta y \Delta z = \iiint_{B} f(x, y, z)\, dV \qquad (5.10)$$

si existe este límite.

Cuando la integral triple existe en B, la función $f(x, y, z)$ se dice que es integrable en B. Además, la integral triple existe si $f(x, y, z)$ es continuo en B. Por lo tanto, utilizaremos funciones continuas para nuestros ejemplos. Sin embargo, la continuidad es suficiente pero no necesaria; en otras palabras, f está delimitada en B y continua excepto posiblemente en el borde de B. El punto de muestreo $(x_{ijk}^{*}, y_{ijk}^{*}, z_{ijk}^{*})$ puede ser cualquier punto de la subcaja rectangular B_{ijk} y todas las propiedades de una integral doble se aplican a una integral triple. Al igual que la integral doble tiene muchas aplicaciones prácticas, la integral triple también tiene muchas aplicaciones, que trataremos en secciones posteriores.

Ahora que hemos desarrollado el concepto de integral triple, necesitamos saber cómo calcularla. Al igual que en el caso de la integral doble, podemos tener una integral triple iterada, y en consecuencia, existe una versión del teorema de Fubini para integrales triples.

Teorema 5.9

Teorema de Fubini para integrales triples
Si los valores de $f(x, y, z)$ es continua en una caja rectangular $B = [a, b] \times [c, d] \times [e, f]$, entonces

$$\iiint_{B} f(x, y, z)dV = \int_{e}^{f}\int_{c}^{d}\int_{a}^{b} f(x, y, z)dx\, dy\, dz.$$

Esta integral también es igual a cualquiera de las otras cinco ordenaciones posibles para la integral triple iterada.

Para los números reales a, b, c, d, e, y f, la integral triple iterada puede expresarse en seis ordenamientos diferentes:

$$\int_{e}^{f}\int_{c}^{d}\int_{a}^{b} f(x, y, z)dx\, dy\, dz = \int_{e}^{f}(\int_{c}^{d}(\int_{a}^{b} f(x, y, z)dx)dy)dz = \int_{c}^{d}(\int_{e}^{f}(\int_{a}^{b} f(x, y, z)dx)dz)dy$$

$$= \int_{a}^{b}(\int_{e}^{f}(\int_{c}^{d} f(x, y, z)dy)dz)dx = \int_{e}^{f}(\int_{a}^{b}(\int_{c}^{d} f(x, y, z)dy)dx)dz$$

$$= \int_{c}^{d}(\int_{a}^{b}(\int_{e}^{f} f(x, y, z)dz)dx)dy = \int_{a}^{b}(\int_{c}^{d}(\int_{e}^{f} f(x, y, z)dz)dy)dx.$$

Para una caja rectangular, el orden de integración no supone una diferencia significativa en el nivel de dificultad del cálculo. Calculamos las integrales triples utilizando el teorema de Fubini en vez de utilizar la definición de suma de Riemann. Seguimos el orden de integración de la misma manera que lo hicimos para las integrales dobles (es decir, de dentro a fuera).

EJEMPLO 5.36

Evaluar una integral triple

Evalúe la integral triple $\displaystyle\int_{z=0}^{z=1}\int_{y=2}^{y=4}\int_{x=-1}^{x=5}(x+yz^2)\,dx\,dy\,dz$.

⊘ **Solución**

El orden de integración se especifica en el problema, por lo que se integra con respecto a x primero, luego y, después z.

$$\int_{z=0}^{z=1}\int_{y=2}^{y=4}\int_{x=-1}^{x=5}(x+yz^2)\,dx\,dy\,dz$$

$$=\int_{z=0}^{z=1}\int_{y=2}^{y=4}\left[\frac{x^2}{2}+xyz^2\Big|_{x=-1}^{x=5}\right]dy\,dz \qquad \text{Integre con respecto a }x.$$

$$=\int_{z=0}^{z=1}\int_{y=2}^{y=4}\left[12+6yz^2\right]dy\,dz \qquad \text{Evalúe.}$$

$$=\int_{z=0}^{z=1}\left[12y+6\frac{y^2}{2}z^2\Big|_{y=2}^{y=4}\right]dz \qquad \text{Integre con respecto a }y.$$

$$=\int_{z=0}^{z=1}\left[24+36z^2\right]dz \qquad \text{Evalúe.}$$

$$=\left[24z+36\frac{z^3}{3}\right]_{z=0}^{z=1}=36. \qquad \text{Integre con respecto a }z.$$

EJEMPLO 5.37

Evaluar una integral triple

Evalúe la integral triple $\displaystyle\iiint_B x^2yz\,dV$ donde $B=\{(x,y,z)|-2\leq x\leq 1, 0\leq y\leq 3, 1\leq z\leq 5\}$ como se muestra en la siguiente figura.

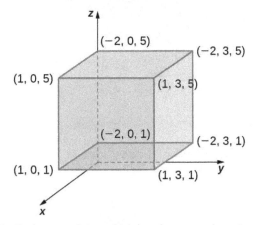

Figura 5.41 Evaluar una integral triple sobre una caja rectangular dada.

⊘ **Solución**

No se especifica el orden, pero podemos utilizar la integral iterada en cualquier orden sin cambiar el nivel de dificultad. Elija, por ejemplo, integrar primero y, luego x y después z.

$$\iiint\limits_B x^2 yz\, dV = \int_1^5 \int_{-2}^1 \int_0^3 \left[x^2 yz \right] dy\, dx\, dz = \int_1^5 \int_{-2}^1 \left[x^2 \frac{y^2}{2} z \Big|_0^3 \right] dx\, dz$$

$$= \int_1^5 \int_{-2}^1 \frac{9}{2} x^2 z\, dx\, dz = \int_1^5 \left[\frac{9}{2} \frac{x^3}{3} z \Big|_{-2}^1 \right] dz = \int_1^5 \frac{27}{2} z\, dz = \frac{27}{2} \frac{z^2}{2} \Big|_1^5 = 162.$$

Ahora trate de integrar en un orden diferente solo para ver que obtenemos la misma respuesta. Elija integrar con respecto a x primero, luego z, y luego y.

$$\iiint\limits_B x^2 yz\, dV = \int_0^3 \int_1^5 \int_{-2}^1 \left[x^2 yz \right] dx\, dz\, dy = \int_0^3 \int_1^5 \left[\frac{x^3}{3} yz \Big|_{-2}^1 \right] dz\, dy$$

$$= \int_0^3 \int_1^5 3yz\, dz\, dy = \int_0^3 \left[3y \frac{z^2}{2} \Big|_1^5 \right] dy = \int_0^3 36y\, dy = 36 \frac{y^2}{2} \Big|_0^3 = 18(9 - 0) = 162.$$

☑ 5.23   Evalúe la integral triple $\iiint\limits_B z \operatorname{sen} x \cos y\, dV$ donde $B = \left\{ (x, y, z) \middle| 0 \le x \le \pi, \frac{3\pi}{2} \le y \le 2\pi, 1 \le z \le 3 \right\}$.

Integrales triples sobre una región limitada general

Ahora ampliamos la definición de la integral triple para calcular una integral triple sobre una región limitada general E en $\mathbb{R}^3$. Las regiones limitadas generales que consideraremos son de tres tipos. En primer lugar, supongamos que D es la región limitada que es una proyección de E en el plano xy. Supongamos que la región E en $\mathbb{R}^3$ tiene la forma

$$E = \{ (x, y, z) | (x, y) \in D, u_1(x, y) \le z \le u_2(x, y) \}.$$

Para dos funciones $z = u_1(x, y)$ y $z = u_2(x, y)$, tal que $u_1(x, y) \le u_2(x, y)$ para todos los (x, y) en D como se muestra en la siguiente figura.

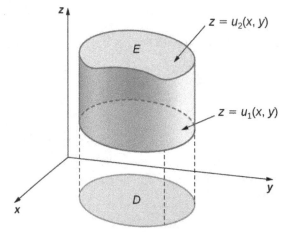

Figura 5.42 Podemos describir la región E como el espacio entre $u_1(x, y)$ y $u_2(x, y)$ por encima de la proyección D de E en el plano xy.

Teorema 5.10

Integral triple sobre una región general

La integral triple de una función continua $f(x, y, z)$ sobre una región general tridimensional

$$E = \{ (x, y, z) | (x, y) \in D, u_1(x, y) \le z \le u_2(x, y) \}$$

en $\mathbb{R}^3$, donde D es la proyección de E en el plano xy, es

$$\iiint\limits_{E} f(x,y,z)dV = \iint\limits_{D}\left[\int\limits_{u_1(x,y)}^{u_2(x,y)} f(x,y,z)dz\right]dA.$$

Del mismo modo, podemos considerar una región limitada general D en el plano xy y dos funciones $y = u_1(x,z)$ y de $y = u_2(x,z)$ de manera que $u_1(x,z) \leq u_2(x,z)$ para todos los (x,z) en D. Entonces podemos describir la región sólida E en $\mathbb{R}^3$ como

$$E = \{(x,y,z)|(x,z) \in D, u_1(x,z) \leq y \leq u_2(x,z)\}$$

donde D es la proyección de E en el plano xy y la integral triple es

$$\iiint\limits_{E} f(x,y,z)dV = \iint\limits_{D}\left[\int\limits_{u_1(x,z)}^{u_2(x,z)} f(x,y,z)dy\right]dA.$$

Por último, si D es una región limitada general en el plano yz y tenemos dos funciones $x = u_1(y,z)$ y $x = u_2(y,z)$ de manera que $u_1(y,z) \leq u_2(y,z)$ para todos los (y,z) en D, entonces la región sólida E en $\mathbb{R}^3$ puede describirse como

$$E = \{(x,y,z)|(y,z) \in D, u_1(y,z) \leq x \leq u_2(y,z)\}$$

donde D es la proyección de E en el plano yz y la integral triple es

$$\iiint\limits_{E} f(x,y,z)dV = \iint\limits_{D}\left[\int\limits_{u_1(y,z)}^{u_2(y,z)} f(x,y,z)dx\right]dA.$$

Tenga en cuenta que la región D en cualquiera de los planos puede ser de Tipo I o de Tipo II, como se describe en Integrales dobles sobre regiones generales. Si los valores de D en el plano xy es de Tipo I (Figura 5.43), entonces

$$E = \{(x,y,z)|a \leq x \leq b, g_1(x) \leq y \leq g_2(x), u_1(x,y) \leq z \leq u_2(x,y)\}.$$

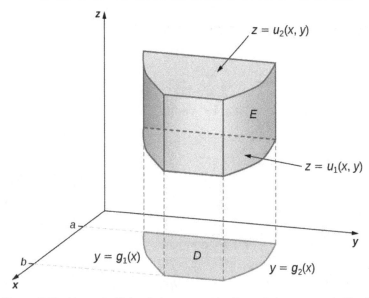

Figura 5.43 Una caja E donde la proyección D en el plano xy es de Tipo I.

Entonces la integral triple se convierte en

$$\iiint\limits_{E} f(x,y,z)dV = \int\limits_{a}^{b}\int\limits_{g_1(x)}^{g_2(x)}\int\limits_{u_1(x,y)}^{u_2(x,y)} f(x,y,z)dz\,dy\,dx.$$

Si los valores de D en el plano xy es de Tipo II (Figura 5.44), entonces

$$E = \{(x, y, z) | c \le x \le d, h_1(x) \le y \le h_2(x), u_1(x, y) \le z \le u_2(x, y)\}.$$

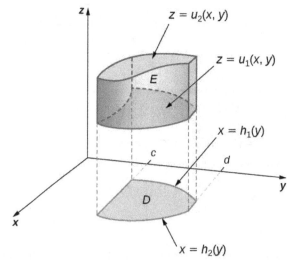

Figura 5.44 Una caja E donde la proyección D en el plano xy es de Tipo II.

Entonces la integral triple se convierte en

$$\iiint\limits_{E} f(x, y, z)dV = \int_{y=c}^{y=d} \int_{x=h_1(y)}^{x=h_2(y)} \int_{z=u_1(x,y)}^{z=u_2(x,y)} f(x, y, z)dz \, dx \, dy.$$

EJEMPLO 5.38

Evaluar una integral triple en una región limitada general
Evalúe la integral triple de la función $f(x, y, z) = 5x - 3y$ sobre el tetraedro sólido delimitado por los planos $x = 0, y = 0, z = 0$, y $x + y + z = 1$.

⊘ **Solución**
La Figura 5.45 muestra el tetraedro sólido E y su proyección D en el plano xy.

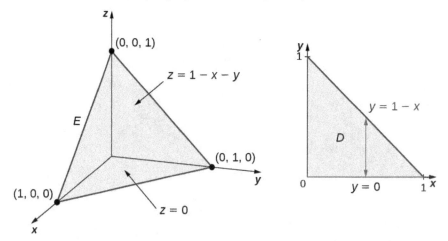

Figura 5.45 El sólido E tiene una proyección D en el plano xy de Tipo I.

Podemos describir el tetraedro de la región sólida como

$$E = \{(x, y, z) | 0 \le x \le 1, 0 \le y \le 1 - x, 0 \le z \le 1 - x - y\}.$$

Por lo tanto, la integral triple es

$$\iiint\limits_{E} f(x, y, z)dV = \int_{x=0}^{x=1} \int_{y=0}^{y=1-x} \int_{z=0}^{z=1-x-y} (5x - 3y) \, dz \, dy \, dx.$$

Para simplificar el cálculo, primero evaluamos la integral $\int_{z=0}^{z=1-x-y} (5x - 3y)dz$. Tenemos

$$\int_{z=0}^{z=1-x-y} (5x - 3y)dz = (5x - 3y)(1 - x - y).$$

Ahora evaluamos la integral $\int_{y=0}^{y=1-x} (5x - 3y)(1 - x - y)\,dy$, obteniendo

$$\int_{y=0}^{y=1-x} (5x - 3y)(1 - x - y)\,dy = \frac{1}{2}(x-1)^2(6x-1).$$

Por último, evaluamos

$$\int_{x=0}^{x=1} \frac{1}{2}(x-1)^2(6x-1)dx = \frac{1}{12}.$$

Si lo juntamos todo, tenemos

$$\iiint\limits_{E} f(x, y, z)dV = \int_{x=0}^{x=1} \int_{y=0}^{y=1-x} \int_{z=0}^{z=1-x-y} (5x - 3y)\,dz\,dy\,dx = \frac{1}{12}.$$

Al igual que utilizamos la integral doble $\iint\limits_{D} 1dA$ para hallar el área de una región limitada general D, podemos utilizar $\iiint\limits_{E} 1dV$ para hallar el volumen de una región limitada general sólida E. El siguiente ejemplo ilustra el método.

EJEMPLO 5.39

Hallar un volumen evaluando una integral triple
Halle el volumen de una pirámide recta que tiene la base cuadrada en el plano xy $[-1, 1] \times [-1, 1]$ y vértice en el punto $(0, 0, 1)$ como se muestra en la siguiente figura.

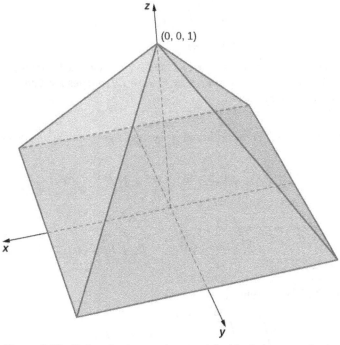

Figura 5.46 Hallar el volumen de una pirámide de base cuadrada.

Solución

En esta pirámide el valor de z cambia de 0 para 1, y en cada altura z, la sección transversal de la pirámide para cualquier valor de z es el cuadrado $[-1+z, 1-z] \times [-1+z, 1-z]$. Por lo tanto, el volumen de la pirámide es $\iiint\limits_E 1dV$ donde

$$E = \{(x, y, z) | 0 \leq z \leq 1, -1+z \leq y \leq 1-z, -1+z \leq x \leq 1-z\}.$$

Por lo tanto, tenemos

$$\iiint\limits_E 1dV = \int_{z=0}^{z=1} \int_{y=-1+z}^{y=1-z} \int_{x=1+z}^{x=1-z} 1dx\,dy\,dz = \int_{z=0}^{z=1} \int_{y=-1+z}^{y=1-z} (2-2z)\,dy\,dz = \int_{z=0}^{z=1} (2-2z)^2\,dz = \frac{4}{3}.$$

Por lo tanto, el volumen de la pirámide es $\frac{4}{3}$ unidades cúbicas.

☑ 5.24   Considere la esfera sólida $E = \{(x, y, z) | x^2 + y^2 + z^2 = 9\}$. Escriba la integral triple $\iiint\limits_E f(x, y, z)dV$ para una función arbitraria f como una integral iterada. A continuación, evalúe esta integral triple con $f(x, y, z) = 1$. Observe que esto da el volumen de una esfera utilizando una integral triple.

Cambiar el orden de la integración

Como ya hemos visto en las integrales dobles sobre regiones limitadas generales, cambiar el orden de la integración se hace con bastante frecuencia para simplificar el cálculo. Con una integral triple sobre una caja rectangular, el orden de integración no cambia el nivel de dificultad del cálculo. Sin embargo, con una integral triple sobre una región limitada general, la elección de un orden de integración adecuado puede simplificar bastante el cálculo. A veces, hacer el cambio a coordenadas polares también puede ser muy útil. Aquí mostramos dos ejemplos.

EJEMPLO 5.40

Cambiar el orden de la integración
Considere la integral iterada

$$\int_{x=0}^{x=1} \int_{y=0}^{y=x^2} \int_{z=0}^{z=y^2} f(x, y, z)\,dz\,dy\,dx.$$

El orden de integración aquí es primero con respecto a z, luego a y, y después a x. Exprese esta integral cambiando el orden de integración para que sea primero con respecto a x, luego a z, y después a y. Compruebe que el valor de la integral es el mismo si dejamos $f(x, y, z) = xyz$.

Solución

La mejor manera de hacer esto es dibujar la región E y sus proyecciones sobre cada uno de los tres planos de coordenadas. Por lo tanto, supongamos que

$$E = \{(x, y, z) | 0 \leq x \leq 1, 0 \leq y \leq x^2, 0 \leq z \leq y^2\}.$$

y

$$\int_{x=0}^{x=1} \int_{y=0}^{y=x^2} \int_{z=0}^{z=y^2} f(x, y, z)\,dz\,dy\,dx = \iiint\limits_E f(x, y, z)\,dV.$$

Tenemos que expresar esta integral triple como

$$\int_{y=c}^{y=d} \int_{z=v_1(y)}^{z=v_2(y)} \int_{x=u_1(y,z)}^{x=u_2(y,z)} f(x, y, z)\,dx\,dz\,dy.$$

Conociendo la región E podemos dibujar las siguientes proyecciones (<u>Figura 5.47</u>):

en el plano xy es $D_1 = \{(x, y)|0 \le x \le 1, 0 \le y \le x^2\} = \{(x, y)|0 \le y \le 1, \sqrt{y} \le x \le 1\}$,

en el plano yz es $D_2 = \{(y, z)|0 \le y \le 1, 0 \le z \le y^2\}$, y

en el plano xz es $D_3 = \{(x, z)|0 \le x \le 1, 0 \le z \le x^2\}$.

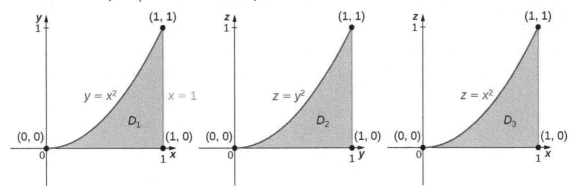

Figura 5.47   Las tres secciones transversales de E en los tres planos de coordenadas.

Ahora podemos describir la misma región E cuando $\{(x, y, z)|0 \le y \le 1, 0 \le z \le y^2, \sqrt{y} \le x \le 1\}$, y, en consecuencia, la integral triple se convierte en

$$\int_{y=c}^{y=d} \int_{z=v_1(y)}^{z=v_2(y)} \int_{x=u_1(y,z)}^{x=u_2(y,z)} f(x, y, z)\,dx\,dz\,dy = \int_{y=0}^{y=1} \int_{z=0}^{z=x^2} \int_{x=\sqrt{y}}^{x=1} f(x, y, z)\,dx\,dz\,dy.$$

Supongamos ahora que $f(x, y, z) = xyz$ en cada una de las integrales. Entonces tenemos

$$\int_{x=0}^{x=1} \int_{y=0}^{y=x^2} \int_{z=0}^{z=y^2} xyz\,dz\,dy\,dx$$

$$= \int_{x=0}^{x=1} \int_{y=0}^{y=x^2} \left[xy\frac{z^2}{2}\Big|_{z=0}^{z=y^2} \right] dy\,dx = \int_{x=0}^{x=1} \int_{y=0}^{y=x^2} \left(x\frac{y^5}{2} \right) dy\,dx = \int_{x=0}^{x=1} \left[x\frac{y^6}{12}\Big|_{y=0}^{y=x^2} \right] dx = \int_{x=0}^{x=1} \frac{x^{13}}{12}\,dx = \frac{1}{168},$$

$$\int_{y=0}^{y=1} \int_{z=0}^{z=y^2} \int_{x=\sqrt{y}}^{x=1} xyz\,dx\,dz\,dy$$

$$= \int_{y=0}^{y=1} \int_{z=0}^{z=y^2} \left[yz\frac{x^2}{2}\Big|_{\sqrt{y}}^{1} \right] dz\,dy$$

$$= \int_{y=0}^{y=1} \int_{z=0}^{z=y^2} \left(\frac{yz}{2} - \frac{y^2 z}{2} \right) dz\,dy = \int_{y=0}^{y=1} \left[\frac{yz^2}{4} - \frac{y^2 z^2}{4}\Big|_{z=0}^{z=y^2} \right] dy = \int_{y=0}^{y=1} \left(\frac{y^5}{4} - \frac{y^6}{4} \right) dy = \frac{1}{168}.$$

Las respuestas coinciden.

✓ 5.25   Escriba cinco integrales iteradas diferentes iguales a la integral dada

$$\int_{z=0}^{z=4} \int_{y=0}^{y=4-z} \int_{x=0}^{x=\sqrt{y}} f(x,y,z)\, dx\, dy\, dz.$$

EJEMPLO 5.41

Modificar el orden de integración y de los sistemas de coordenadas

Evalúe la integral triple $\iiint\limits_{E} \sqrt{x^2 + z^2}\, dV$, donde E es la región limitada por el paraboloide $y = x^2 + z^2$ (Figura 5.48) y el plano $y = 4$.

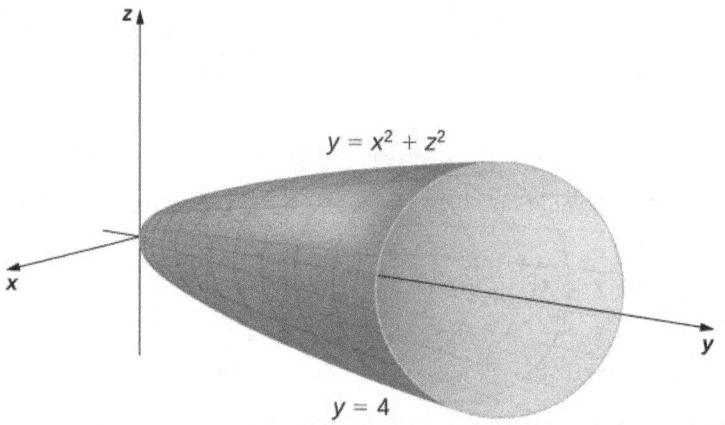

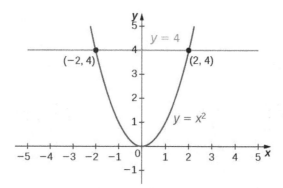

Figura 5.48   Integración de una integral triple sobre un paraboloide.

⊘ **Solución**

La proyección de la región sólida E en el plano xy es la región limitada arriba por $y = 4$ y abajo por la parábola $y = x^2$ como se muestra.

Figura 5.49   Sección transversal en el plano xy del paraboloide en la Figura 5.48.

Por lo tanto, tenemos

$$E = \left\{ (x,y,z)\, |\, -2 \le x \le 2, x^2 \le y \le 4, -\sqrt{y-x^2} \le z \le \sqrt{y-x^2} \right\}.$$

La integral triple se convierte en

$$\iiint\limits_{E} \sqrt{x^2 + z^2}\, dV = \int_{x=-2}^{x=2} \int_{y=x^2}^{y=4} \int_{z=-\sqrt{y-x^2}}^{z=\sqrt{y-x^2}} \sqrt{x^2 + z^2}\, dz\, dy\, dx.$$

Esta expresión es difícil de calcular, así que considere la proyección de E en el plano xz. Se trata de un disco circular $x^2 + z^2 \leq 4$. Así que obtenemos

$$\iiint\limits_{E} \sqrt{x^2 + z^2}\, dV = \int_{x=-2}^{x=2} \int_{y=x^2}^{y=4} \int_{z=-\sqrt{y-x^2}}^{z=\sqrt{y-x^2}} \sqrt{x^2 + z^2}\, dz\, dy\, dx = \int_{x=-2}^{x=2} \int_{z=-\sqrt{4-x^2}}^{z=\sqrt{4-x^2}} \int_{y=x^2+z^2}^{y=4} \sqrt{x^2 + z^2}\, dy\, dz\, dx.$$

Aquí el orden de integración cambia de ser el primero con respecto a z, entonces y, y luego x a ser el primero con respecto a y, entonces a z, y luego a x. Pronto se verá cómo este cambio puede ser beneficioso para la computación. Tenemos

$$\int_{x=-2}^{x=2} \int_{z=-\sqrt{4-x^2}}^{z=\sqrt{4-x^2}} \int_{y=x^2+z^2}^{y=4} \sqrt{x^2 + z^2}\, dy\, dz\, dx = \int_{x=-2}^{x=2} \int_{z=-\sqrt{4-x^2}}^{z=\sqrt{4-x^2}} \left(4 - x^2 - z^2\right) \sqrt{x^2 + z^2}\, dz\, dx.$$

Ahora utilice la sustitución polar $x = r \cos \theta$, $z = r \operatorname{sen} \theta$, y $dz\, dx = r\, dr\, d\theta$ en el plano xz. Esto es esencialmente lo mismo que cuando usamos coordenadas polares en el plano xy, excepto que estamos reemplazando y entre z. En consecuencia, los límites de la integración cambian y tenemos, utilizando $r^2 = x^2 + z^2$,

$$\int_{x=-2}^{x=2} \int_{z=-\sqrt{4-x^2}}^{z=\sqrt{4-x^2}} \left(4 - x^2 - z^2\right) \sqrt{x^2 + z^2}\, dz\, dx = \int_{\theta=0}^{\theta=2\pi} \int_{r=0}^{r=2} \left(4 - r^2\right) r r\, dr\, d\theta$$

$$= \int_{0}^{2\pi} \left[\frac{4r^3}{3} - \frac{r^5}{5} \Big|_{0}^{2} \right] d\theta = \int_{0}^{2\pi} \frac{64}{15} d\theta = \frac{128\pi}{15}.$$

Valor promedio de una función de tres variables

Recordemos que hallamos el valor promedio de una función de dos variables evaluando la integral doble sobre una región del plano y luego dividiendo entre el área de la región. Del mismo modo, podemos encontrar el valor promedio de una función de tres variables evaluando la integral triple sobre una región sólida y dividiendo después entre el volumen del sólido.

Teorema 5.11

Valor promedio de una función de tres variables

Si los valores de $f(x, y, z)$ es integrable en una región limitada sólida E con volumen positivo $V(E)$, entonces el valor medio de la función es

$$f_{\text{ave}} = \frac{1}{V(E)} \iiint\limits_{E} f(x, y, z)\, dV.$$

Observe que el volumen es $V(E) = \iiint\limits_{E} 1\, dV.$

EJEMPLO 5.42

Hallar una temperatura promedio

La temperatura en un punto (x, y, z) de un sólido E limitado por los planos de coordenadas y el plano $x + y + z = 1$ ¿es $T(x, y, z) = (xy + 8z + 20)$ °C. Calcule la temperatura promedio sobre el sólido.

⊘ Solución

Utilice el teorema anterior y la integral triple para encontrar el numerador y el denominador. Entonces haga la división. Observe que el plano $x + y + z = 1$ tiene las intersecciones $(1, 0, 0), (0, 1, 0)$, y $(0, 0, 1)$. La región E se parece a

$$E = \{(x, y, z) | 0 \leq x \leq 1, 0 \leq y \leq 1 - x, 0 \leq z \leq 1 - x - y\}.$$

Por lo tanto, la integral triple de la temperatura es

$$\iiint\limits_{E} f(x, y, z) \, dV = \int\limits_{x=0}^{x=1} \int\limits_{y=0}^{y=1-x} \int\limits_{z=0}^{z=1-x-y} (xy + 8z + 20) \, dz \, dy \, dx = \frac{147}{40}.$$

La evaluación del volumen es $V(E) = \iiint\limits_{E} 1 \, dV = \int\limits_{x=0}^{x=1} \int\limits_{y=0}^{y=1-x} \int\limits_{z=0}^{z=1-x-y} 1 \, dz \, dy \, dx = \frac{1}{6}.$

Por lo tanto, el valor promedio es $T_{\text{ave}} = \frac{147/40}{1/6} = \frac{6(147)}{40} = \frac{441}{20}$ grados Celsius.

☑ 5.26   Calcule el valor promedio de la función $f(x, y, z) = xyz$ sobre el cubo con lados de longitud 4 unidades en el primer octante con un vértice en el origen y aristas paralelas a los ejes de coordenadas.

🗍 SECCIÓN 5.4 EJERCICIOS

En los siguientes ejercicios, evalúe las integrales triples sobre la caja sólida rectangular B.

181. $\iiint\limits_{B} \left(2x + 3y^2 + 4z^3\right) dV$, donde

$B = \{(x, y, z) | 0 \leq x \leq 1, 0 \leq y \leq 2, 0 \leq z \leq 3\}$

182. $\iiint\limits_{B} (xy + yz + xz) \, dV$, donde

$B = \{(x, y, z) | 1 \leq x \leq 2, 0 \leq y \leq 2, 1 \leq z \leq 3\}$

183. $\iiint\limits_{B} (x \cos y + z) \, dV$, donde

$B = \{(x, y, z) | 0 \leq x \leq 1, 0 \leq y \leq \pi, -1 \leq z \leq 1\}$

184. $\iiint\limits_{B} \left(z \operatorname{sen} x + y^2\right) dV$, donde

$B = \{(x, y, z) | 0 \leq x \leq \pi, 0 \leq y \leq 1, -1 \leq z \leq 2\}$

En los siguientes ejercicios, cambie el orden de integración integrando primero con respecto a z, entonces x, entonces y.

185. $\int\limits_{0}^{1} \int\limits_{1}^{2} \int\limits_{2}^{3} \left(x^2 + \ln y + z\right) dx \, dy \, dz$

186. $\int\limits_{0}^{1} \int\limits_{-1}^{1} \int\limits_{0}^{3} \left(ze^x + 2y\right) dx \, dy \, dz$

187. $\int\limits_{-1}^{2} \int\limits_{1}^{3} \int\limits_{0}^{4} \left(x^2 z + \frac{1}{y}\right) dx \, dy \, dz$

188. $\int\limits_{1}^{2} \int\limits_{-2}^{-1} \int\limits_{0}^{1} \frac{x + y}{z} dx \, dy \, dz$

189. Supongamos que $F, G,$ y H son funciones continuas sobre $[a, b], [c, d],$ y $[e, f]$, respectivamente, donde $a, b, c, d, e,$ y f son números reales de modo que $a < b, c < d,$ y $e < f$. Demuestre que

$$\int\limits_{a}^{b} \int\limits_{c}^{d} \int\limits_{e}^{f} F(x) G(y) H(z) \, dz \, dy \, dx = \left(\int\limits_{a}^{b} F(x) \, dx\right)\left(\int\limits_{c}^{d} G(y) \, dy\right)\left(\int\limits_{e}^{f} H(z) \, dz\right).$$

190. Supongamos que $F, G,$ y H son funciones diferenciales sobre $[a, b], [c, d],$ y $[e, f],$ respectivamente, donde $a, b, c, d, e,$ y f son números reales de modo que $a < b, c < d,$ y $e < f.$ Demuestre que

$$\int_a^b \int_c^d \int_e^f F'(x) G'(y) H'(z) \, dz \, dy \, dx = [F(b) - F(a)] \, [G(d) - G(c)] \, [H(f) - H(e)].$$

En los siguientes ejercicios, evalúe las integrales triples sobre la región limitada
$E = \{(x, y, z) | a \leq x \leq b, h_1(x) \leq y \leq h_2(x), e \leq z \leq f\}.$

191. $\iiint\limits_E (2x + 5y + 7z) \, dV,$ donde

$E = \{(x, y, z) | 0 \leq x \leq 1, 0 \leq y \leq -x + 1, 1 \leq z \leq 2\}$

192. $\iiint\limits_E (y \ln x + z) \, dV,$ donde

$E = \{(x, y, z) | 1 \leq x \leq e, 0 \leq y \leq \ln x, 0 \leq z \leq 1\}$

193. $\iiint\limits_E (\operatorname{sen} x + \operatorname{sen} y) \, dV,$ donde

$E = \left\{(x, y, z) | 0 \leq x \leq \frac{\pi}{2}, -\cos x \leq y \leq \cos x, -1 \leq z \leq 1\right\}$

194. $\iiint\limits_E (xy + yz + xz) \, dV,$ donde

$E = \left\{(x, y, z) | 0 \leq x \leq 1, -x^2 \leq y \leq x^2, 0 \leq z \leq 1\right\}$

En los siguientes ejercicios, evalúe las integrales triples sobre la región limitada indicada E.

195. $\iiint\limits_E (x + 2yz) \, dV,$ donde

$E = \{(x, y, z) | 0 \leq x \leq 1, 0 \leq y \leq x, 0 \leq z \leq 5 - x - y\}$

196. $\iiint\limits_E \left(x^3 + y^3 + z^3\right) \, dV,$ donde

$E = \{(x, y, z) | 0 \leq x \leq 2, 0 \leq y \leq 2x, 0 \leq z \leq 4 - x - y\}$

197. $\iiint\limits_E y \, dV,$ donde

$E = \left\{(x, y, z) \middle| -1 \leq x \leq 1, -\sqrt{1 - x^2} \leq y \leq \sqrt{1 - x^2}, 0 \leq z \leq 1 - x^2 - y^2\right\}$

198. $\iiint\limits_E x \, dV,$ donde

$E = \left\{(x, y, z) \middle| -2 \leq x \leq 2, -\sqrt{4 - x^2} \leq y \leq \sqrt{4 - x^2}, 0 \leq z \leq 4 - x^2 - y^2\right\}$

En los siguientes ejercicios, evalúe las integrales triples sobre la región limitada E de la forma
$E = \{(x, y, z) | g_1(y) \leq x \leq g_2(y), c \leq y \leq d, e \leq z \leq f\}.$

199. $\iiint_E x^2 \, dV$, donde

$E = \left\{(x, y, z) \middle| 1 - y^2 \leq x \leq y^2 - 1, -1 \leq y \leq 1, 1 \leq z \leq 2\right\}$

200. $\iiint_E (\operatorname{sen} x + y) \, dV$, donde

$E = \left\{(x, y, z) \middle| -y^4 \leq x \leq y^4, 0 \leq y \leq 2, 0 \leq z \leq 4\right\}$

201. $\iiint_E (x - yz) \, dV$, donde

$E = \left\{(x, y, z) \middle| -y^6 \leq x \leq \sqrt{y}, 0 \leq y \leq 1, -1 \leq z \leq 1\right\}$

202. $\iiint_E z \, dV$, donde

$E = \left\{(x, y, z) \middle| 2 - 2y \leq x \leq 2 + \sqrt{y}, 0 \leq y \leq 1x, 2 \leq z \leq 3\right\}$

En los siguientes ejercicios, evalúe las integrales triples sobre la región limitada

$$E = \{(x, y, z) | g_1(y) \leq x \leq g_2(y), c \leq y \leq d, u_1(x, y) \leq z \leq u_2(x, y)\}.$$

203. $\iiint_E z \, dV$, donde

$E = \left\{(x, y, z) \middle| -y \leq x \leq y, 0 \leq y \leq 1, 0 \leq z \leq 1 - x^4 - y^4\right\}$

204. $\iiint_E (xz + 1) \, dV$, donde

$E = \left\{(x, y, z) \middle| 0 \leq x \leq \sqrt{y}, 0 \leq y \leq 2, 0 \leq z \leq 1 - x^2 - y^2\right\}$

205. $\iiint_E (x - z) \, dV$, donde

$E = \left\{(x, y, z) \middle| -\sqrt{1 - y^2} \leq x \leq 0, 0 \leq y \leq \frac{1}{2}x, 0 \leq z \leq 1 - x^2 - y^2\right\}$

206. $\iiint_E (x + y) \, dV$, donde

$E = \left\{(x, y, z) \middle| 0 \leq x \leq \sqrt{1 - y^2}, 0 \leq y \leq 1, 0 \leq z \leq 1 - x\right\}$

En los siguientes ejercicios, evalúe las integrales triples sobre la región limitada

$E = \{(x, y, z) | (x, y) \in D, u_1 (x, y) x \leq z \leq u_2 (x, y)\}$, *donde D es la proyección de E en el plano xy.*

207. $\iint_D \left(\int_1^2 (x + z) \, dz \right) dA$,
donde
$D = \{(x, y) | x^2 + y^2 \leq 1\}$

208. $\iint_D \left(\int_1^3 x (z + 1) \, dz \right) dA$, donde
$D = \left\{(x, y) \Big| x^2 - y^2 \geq 1, 1 \leq x \leq \sqrt{5} \right\}$

209. $\iint_D \left(\int_0^{10-x-y} (x + 2z) \, dz \right) dA$, donde
$D = \{(x, y) | y \geq 0, x \geq 0, x + y \leq 10\}$

210. $\iint_D \left(\int_0^{4x^2+4y^2} y \, dz \right) dA$, donde
$D = \left\{(x, y) | x^2 + y^2 \leq 4, y \geq 1, x \geq 0 \right\}$

211. El sólido E limitado por $y^2 + z^2 = 9, z = 0, x = 0,$ y $x = 5$ se muestra en la siguiente figura. Evalúe la integral $\iiint_E z \, dV$ integrando primero con respecto a z, entonces y, y luego x.

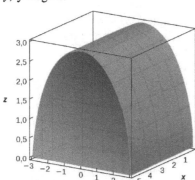

212. El sólido E limitado por $y = \sqrt{x}$, $x = 4, y = 0,$ y $z = 1$ se muestra en la siguiente figura. Evalúe la integral $\iiint_E xyz \, dV$ integrando primero con respecto a x, entonces y, y luego z.

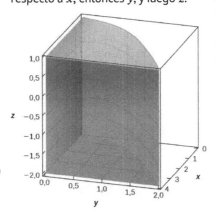

213. **[T]** El volumen de un sólido E está dada por la integral
$$\int_{-2}^0 \int_x^0 \int_0^{x^2+y^2} dz \, dy \, dx.$$
Utilice un sistema de álgebra computacional (CAS) para graficar E y hallar su volumen. Redondee su respuesta a dos decimales.

214. **[T]** El volumen de un sólido E está dada por la integral
$$\int_{-1}^0 \int_{-x^2}^0 \int_0^{1+\sqrt{x^2+y^2}} dz \, dy \, dx.$$
Utilice un CAS para graficar E y hallar su volumen V. Redondee su respuesta a dos decimales.

En los siguientes ejercicios, utilice dos permutaciones circulares de las variables $x, y,$ y z para escribir nuevas integrales cuyos valores sean iguales al valor de la integral original. Una permutación circular de $x, y,$ y z es la disposición de los números en uno de los siguientes órdenes $y, z,$ y x o $z, x,$ y y.

215. $\displaystyle\int_0^1 \int_1^3 \int_2^4 \left(x^2 z^2 + 1\right) dx \, dy \, dz$

216. $\displaystyle\int_1^3 \int_0^1 \int_0^{-x+1} (2x + 5y + 7z) \, dy \, dx \, dz$

217. $\displaystyle\int_0^1 \int_{-y}^y \int_0^{1-x^4-y^4} \ln x \, dz \, dx \, dy$

218. $\displaystyle\int_{-1}^1 \int_0^1 \int_{-y^6}^{\sqrt{y}} (x + yz) \, dx \, dy \, dz$

219. Establezca la integral que da el volumen del sólido E limitado por $y^2 = x^2 + z^2$ y $y = a^2$, donde $a > 0$.

220. Establezca la integral que da el volumen del sólido E limitado por $x = y^2 + z^2$ y $x = a^2$, donde $a > 0$.

221. Calcule el valor promedio de la función $f(x, y, z) = x + y + z$ sobre el paralelepípedo determinado por $x = 0, x = 1, y = 0, y = 3, z = 0$, y $z = 5$.

222. Calcule el valor promedio de la función $f(x, y, z) = xyz$ sobre el sólido $E = [0, 1] \times [0, 1] \times [0, 1]$ situado en el primer octante.

223. Calcule el volumen del sólido E que se encuentra debajo del plano $x + y + z = 9$ y cuya proyección sobre el plano xy está limitado por $x = \sqrt{y-1}, x = 0$, y $x + y = 7$.

224. Halle el volumen del sólido E que se encuentra bajo el plano $2x + y + z = 8$ y cuya proyección sobre el plano xy está limitado por $x = \operatorname{sen}^{-1} y, y = 0$, y $x = \frac{\pi}{2}$.

225. Considere la pirámide con la base en el plano xy de $[-2, 2] \times [-2, 2]$ y el vértice en el punto $(0, 0, 8)$.

a. Demuestre que las ecuaciones de los planos de las caras laterales de la pirámide son
$4y + z = 8$,
$4y - z = -8$,
$4x + z = 8$, y
$-4x + z = 8$.

b. Calcule el volumen de la pirámide.

226. Considere la pirámide con la base en el plano xy de $[-3, 3] \times [-3, 3]$ y el vértice en el punto $(0, 0, 9)$.

    a. Demuestre que las ecuaciones de los planos de las caras laterales de la pirámide son
$3x + z = 9, -3x + z = 9, -3y + z = 9,$ y $3y + z = 9$

    b. Calcule el volumen de la pirámide.

227. El sólido E limitado por la esfera de la ecuación $x^2 + y^2 + z^2 = r^2$ con la $r > 0$ y situado en el primer octante se representa en la siguiente figura.

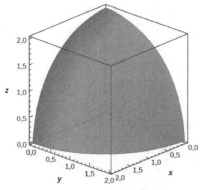

    a. Escriba la integral triple que da el volumen de E integrando primero con respecto a z, entonces con y, y luego con x.

    b. Reescriba la integral de la parte a. como una integral equivalente en otros cinco órdenes.

228. El sólido E limitado por la ecuación $9x^2 + 4y^2 + z^2 = 1$ y situado en el primer octante se representa en la siguiente figura.

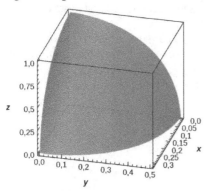

    a. Escriba la integral triple que da el volumen de E integrando primero con respecto a z, entonces con y, y luego con x.

    b. Reescriba la integral de la parte a. como una integral equivalente en otros cinco órdenes.

229. Calcule el volumen del prisma con vértices $(0, 0, 0), (2, 0, 0), (2, 3, 0),$ $(0, 3, 0), (0, 0, 1),$ y $(2, 0, 1)$.

230. Calcule el volumen del prisma con vértices $(0, 0, 0), (4, 0, 0), (4, 6, 0),$ $(0, 6, 0), (0, 0, 1),$ y $(4, 0, 1)$.

231. El sólido E limitado por $z = 10 - 2x - y$ y situado en el primer octante se presenta en la siguiente figura. Calcule el volumen del sólido.

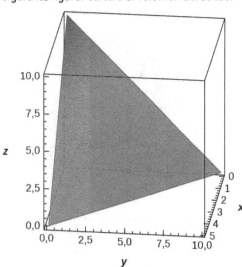

232. El sólido E limitado por $z = 1 - x^2$ y situado en el primer octante se presenta en la siguiente figura. Calcule el volumen del sólido.

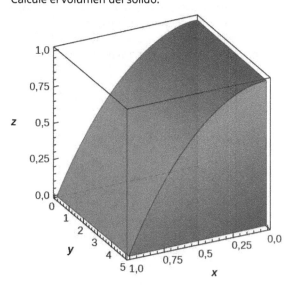

233. La regla del punto medio para la integral triple
$$\iiint_B f(x, y, z)\, dV$$
sobre la caja sólida rectangular B es una generalización de la regla del punto medio para integrales dobles. La región B se divide en subcajas de igual tamaño y la integral se aproxima mediante la triple suma de Riemann
$$\sum_{i=1}^{l}\sum_{j=1}^{m}\sum_{k=1}^{n} f\left(\overline{x}_i, \overline{y}_j, \overline{z}_k\right)\Delta V, \text{ donde}$$
$\left(\overline{x}_i, \overline{y}_j, \overline{z}_k\right)$ es el centro de la caja B_{ijk} y ΔV es el volumen de cada subcaja. Aplique la regla del punto medio para aproximar $\iiint_B x^2\, dV$
sobre el sólido
$B = \{(x, y, z)|0 \leq x \leq 1, 0 \leq y \leq 1, 0 \leq z \leq 1\}$
utilizando una partición de ocho cubos de igual tamaño. Redondee su respuesta a tres decimales.

234. **[T]**

a. Aplique la regla del punto medio para aproximar $\iiint_B e^{-x^2}\, dV$ sobre el sólido
$B = \{(x, y, z)|0 \leq x \leq 1, 0 \leq y \leq 1, 0 \leq z \leq 1\}$
utilizando una partición de ocho cubos de igual tamaño. Redondee su respuesta a tres decimales.

b. Utilice un CAS para mejorar la aproximación integral anterior en el caso de una partición de n^3 cubos de igual tamaño, donde n $n = 3, 4, \ldots, 10$.

235. Supongamos que la temperatura en grados Celsius en un punto (x, y, z) de un sólido E limitado por los planos de coordenadas y $x + y + z = 5$ ¿es $T(x, y, z) = xz + 5z + 10$. Calcule la temperatura promedio sobre el sólido.

236. Supongamos que la temperatura en grados Fahrenheit en un punto (x, y, z) de un sólido E limitado por los planos de coordenadas y $x + y + z = 5$ ¿es $T(x, y, z) = x + y + xy$. Calcule la temperatura promedio sobre el sólido.

237. Demuestre que el volumen de una pirámide cuadrada recta de altura h y longitud del lado a ¿es $v = \frac{ha^2}{3}$ utilizando integrales triples.

238. Demuestre que el volumen de un prisma regular hexagonal recto de longitud de arista a ¿es $\frac{3a^3\sqrt{3}}{2}$ utilizando integrales triples.

239. Demuestre que el volumen de una pirámide hexagonal recta regular de longitud de arista a ¿es $\frac{a^3\sqrt{3}}{2}$ utilizando integrales triples.

240. Si la densidad de carga en un punto arbitrario (x, y, z) de un sólido E viene dada por la función $\rho(x, y, z)$, entonces la carga total dentro del sólido se define como la integral triple

$$\iiint\limits_{E} \rho(x, y, z)\,dV.$$

Supongamos que la densidad de carga del sólido E encerrado por los paraboloides $x = 5 - y^2 - z^2$ y $x = y^2 + z^2 - 5$ es igual a la distancia desde un punto arbitrario de E al origen. Establezca la integral que da la carga total dentro del sólido E.

5.5 Integrales triples en coordenadas cilíndricas y esféricas

Objetivos de aprendizaje

> 5.5.1 Evaluar una integral triple cambiando a coordenadas cilíndricas.
> 5.5.2 Evaluar una integral triple cambiando a coordenadas esféricas.

Anteriormente en este capítulo mostramos cómo convertir una integral doble en coordenadas rectangulares en una integral doble en coordenadas polares para tratar más convenientemente los problemas que implican simetría circular. Una situación similar ocurre con las integrales triples, pero aquí hay que distinguir entre simetría cilíndrica y simetría esférica. En esta sección convertimos integrales triples en coordenadas rectangulares en una integral triple en coordenadas cilíndricas o esféricas.

Recuerde también el inicio del capítulo, que mostraba el teatro de la ópera l'Hemisphèric en Valencia, España. Tiene cuatro secciones, una de las cuales es un teatro en una esfera (bola) de cinco pisos de altura bajo un techo ovalado tan largo como un campo de fútbol. En el interior hay una pantalla IMAX que convierte la esfera en un planetario con un cielo lleno de 9.000 estrellas parpadeantes. Utilizando integrales triples en coordenadas esféricas, podemos hallar los volúmenes de diferentes formas geométricas como estas.

Repaso de coordenadas cilíndricas

Como hemos visto antes, en el espacio bidimensional $\mathbb{R}^2$, un punto con coordenadas rectangulares (x, y) se puede identificar con (r, θ) en coordenadas polares y viceversa, donde $x = r\cos\theta$, $y = r\,\text{sen}\,\theta$, $r^2 = x^2 + y^2$ y $\tan\theta = \left(\frac{y}{x}\right)$ son las relaciones entre las variables.

En el espacio tridimensional $\mathbb{R}^3$, un punto con coordenadas rectangulares (x, y, z) se puede identificar con coordenadas cilíndricas (r, θ, z) y viceversa. Podemos utilizar estas mismas relaciones de conversión, añadiendo z como la distancia vertical al punto desde el plano xy como se muestra en la siguiente figura.

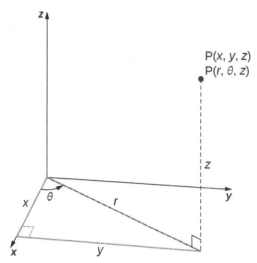

Figura 5.50 Las coordenadas cilíndricas son similares a las coordenadas polares con una coordenada vertical z añadida.

Para convertir de coordenadas rectangulares a cilíndricas, utilizamos la conversión $x = r \cos \theta$ y $y = r \sen \theta$. Para convertir de coordenadas cilíndricas a rectangulares, utilizamos $r^2 = x^2 + y^2$ y $\theta = \tan^{-1}\left(\frac{y}{x}\right)$. La coordenada z sigue siendo la misma en ambos casos.

En el plano bidimensional con un sistema de coordenadas rectangulares, cuando decimos $x = k$ (constante) nos referimos a una línea vertical no delimitada paralela al eje y y cuando $y = l$ (constante) nos referimos a una línea horizontal no delimitada paralela al eje x. Con el sistema de coordenadas polares, cuando decimos $r = c$ (constante), nos referimos a un círculo de radio c unidades y cuando $\theta = \alpha$ (constante) nos referimos a un rayo infinito que hace un ángulo α con el eje x positivo.

Del mismo modo, en el espacio tridimensional con coordenadas rectangulares (x, y, z), las ecuaciones $x = k$, $y = l$, y $z = m$, donde $k, l,$ y m son constantes, representan planos no delimitados paralelos al plano yz, al plano xz y al plano xy, respectivamente. Con las coordenadas cilíndricas (r, θ, z), entre $r = c, \theta = \alpha$, y $z = m$, donde $c, \alpha,$ y m son constantes, nos referimos a un cilindro vertical no delimitado con el eje z como su eje radial; un plano que forma un ángulo constante α con el plano xy, y un plano horizontal no delimitado paralelo al plano xy, respectivamente. Esto significa que el cilindro circular $x^2 + y^2 = c^2$ se puede representar en coordenadas rectangulares simplemente como $r = c$ en coordenadas cilíndricas (consulte Coordenadas cilíndricas y esféricas para ver más repaso).

Integración en coordenadas cilíndricas

Las integrales triples, a menudo, se pueden evaluar más fácilmente utilizando coordenadas cilíndricas en vez de coordenadas rectangulares. Algunas ecuaciones comunes de las superficies en coordenadas rectangulares junto con las ecuaciones correspondientes en coordenadas cilíndricas se enumeran en la Tabla 5.1. Estas ecuaciones serán muy útiles a medida que avancemos en resolver problemas mediante integrales triples.

	Cilindro circular	**Cono circular**	**Esfera**	**Paraboloide**
Rectangular	$x^2 + y^2 = c^2$	$z^2 = c^2\left(x^2 + y^2\right)$ grandes.	$x^2 + y^2 + z^2 = c^2$	$z = c\left(x^2 + y^2\right)$
Cilíndrica	$r = c$	$z = cr$	$r^2 + z^2 = c^2$	$z = cr^2$

Tabla 5.1   Ecuaciones de algunas formas comunes

Como antes, empezamos con la región delimitada más sencilla B en $\mathbb{R}^3$, para describir en coordenadas cilíndricas, en forma de una caja cilíndrica, $B = \{(r, \theta, z) | a \leq r \leq b, \alpha \leq \theta \leq \beta, c \leq z \leq d\}$ (Figura 5.51). Supongamos que dividimos cada intervalo en l, m y n subdivisiones de manera que $\Delta r = \frac{b-a}{l}, \Delta \theta = \frac{\beta-\alpha}{m},$ y $\Delta z = \frac{d-c}{n}$. Luego podemos enunciar la siguiente definición para una integral triple en coordenadas cilíndricas.

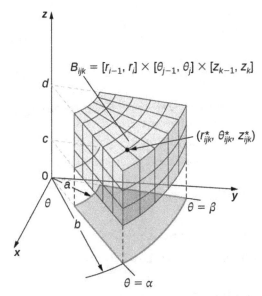

$$B_{ijk} = [r_{i-1}, r_i] \times [\theta_{j-1}, \theta_j] \times [z_{k-1}, z_k]$$

$(r^*_{ijk}, \theta^*_{ijk}, z^*_{ijk})$

$\theta = \beta$

$\theta = \alpha$

Figura 5.51   Una caja cilíndrica B descrita por coordenadas cilíndricas.

Definición

Consideremos la caja cilíndrica (expresada en coordenadas cilíndricas)

$$B = \{(r, \theta, z) | a \leq r \leq b, \alpha \leq \theta \leq \beta, c \leq z \leq d\}.$$

Si se grafica la función $f(r, \theta, z)$ es continuo en B y si $(r^*_{ijk}, \theta^*_{ijk}, z^*_{ijk})$ es cualquier punto de muestra en la subcaja cilíndrica $B_{ijk} = [r_{i-1}, r_i] \times [\theta_{j-1}, \theta_j] \times [z_{k-1}, z_k]$ (Figura 5.51), entonces podemos definir la **integral triple en coordenadas cilíndricas** como el límite de una triple suma de Riemann, siempre que exista el siguiente límite:

$$\lim_{l,m,n \to \infty} \sum_{i=1}^{l} \sum_{j=1}^{m} \sum_{k=1}^{n} f(r^*_{ijk}, \theta^*_{ijk}, z^*_{ijk}) r^*_{ijk} \Delta r \Delta \theta \Delta z.$$

Observe que si $g(x, y, z)$ es la función en coordenadas rectangulares y la caja B se expresa en coordenadas rectangulares, entonces la integral triple $\iiint_B g(x, y, z) \, dV$ es igual a la integral triple $\iiint_B g(r \cos \theta, r \operatorname{sen} \theta, z) r \, dr \, d\theta \, dz$ y tenemos

$$\iiint_B g(x, y, z) \, dV = \iiint_B g(r \cos \theta, r \operatorname{sen} \theta, z) r \, dr \, d\theta \, dz = \iiint_B f(r, \theta, z) r \, dr \, d\theta \, dz. \tag{5.11}$$

Como se ha mencionado en la sección anterior, todas las propiedades de una integral doble funcionan bien en las integrales triples, ya sea en coordenadas rectangulares o cilíndricas. También son válidas para las integrales iteradas. Para reiterar, en coordenadas cilíndricas, el teorema de Fubini toma la siguiente forma:

Teorema 5.12

Teorema de Fubini en coordenadas cilíndricas

Supongamos que $g(x, y, z)$ es continua en una caja rectangular B, que, descrita en coordenadas cilíndricas, tiene el siguiente aspecto $B = \{(r, \theta, z) | a \leq r \leq b, \alpha \leq \theta \leq \beta, c \leq z \leq d\}$.

Luego $g(x, y, z) = g(r \cos \theta, r \operatorname{sen} \theta, z) = f(r, \theta, z)$ y

$$\iiint\limits_{B} g(x, y, z)\, dV = \int\limits_{c}^{d} \int\limits_{\alpha}^{\beta} \int\limits_{a}^{b} f(r, \theta, z)\, r\, dr\, d\theta\, dz.$$

La integral iterada puede sustituirse de forma equivalente por cualquiera de las otras cinco integrales iteradas que se obtienen integrando con respecto a las tres variables en otros órdenes.

Los sistemas de coordenadas cilíndricas funcionan bien para los sólidos que son simétricos alrededor de un eje, como los cilindros y los conos. Veamos algunos ejemplos antes de definir la integral triple en coordenadas cilíndricas sobre regiones cilíndricas generales.

EJEMPLO 5.43

Evaluar una integral triple sobre una caja cilíndrica

Evalúe la integral triple $\iiint\limits_{B} (zr\, \text{sen}\, \theta)\, r\, dr\, d\theta\, dz$ donde la caja cilíndrica B es

$B = \{(r, \theta, z) | 0 \leq r \leq 2, 0 \leq \theta \leq \pi/2, 0 \leq z \leq 4\}$.

⊘ **Solución**

Como se indica en el teorema de Fubini, podemos escribir la integral triple como la integral iterada

$$\iiint\limits_{B} (zr\, \text{sen}\, \theta)\, r\, dr\, d\theta\, dz = \int_{\theta=0}^{\theta=\pi/2} \int_{r=0}^{r=2} \int_{z=0}^{z=4} (zr\, \text{sen}\, \theta)\, r\, dz\, dr\, d\theta.$$

La evaluación de la integral iterada es sencilla. Cada variable de la integral es independiente de las demás, por lo que podemos integrar cada variable por separado y multiplicar los resultados entre sí. Esto facilita mucho el cálculo:

$$\int_{\theta=0}^{\theta=\pi/2} \int_{r=0}^{r=2} \int_{z=0}^{z=4} (zr\, \text{sen}\, \theta)\, r\, dz\, dr\, d\theta$$

$$= \left(\int_{0}^{\pi/2} \text{sen}\, \theta\, d\theta \right) \left(\int_{0}^{2} r^2\, dr \right) \left(\int_{0}^{4} z\, dz \right) = \left(-\cos \theta \big|_{0}^{\pi/2} \right) \left(\frac{r^3}{3} \Big|_{0}^{2} \right) \left(\frac{z^2}{2} \Big|_{0}^{4} \right) = \frac{64}{3}.$$

☑ 5.27   Evalúe la integral triple $\displaystyle\int_{\theta=0}^{\theta=\pi} \int_{r=0}^{r=1} \int_{z=0}^{z=4} rz\, \text{sen}\, \theta r\, dz\, dr\, d\theta$.

Si la región cilíndrica sobre la que tenemos que integrar es un sólido general, miramos las proyecciones sobre los planos de coordenadas. Por lo tanto, la integral triple de una función continua $f(r, \theta, z)$ sobre una región sólida general $E = \{(r, \theta, z) | (r, \theta) \in D, u_1(r, \theta) \leq z \leq u_2(r, \theta)\}$ en $\mathbb{R}^3$, donde D es la proyección de E en el plano $r\theta$, es

$$\iiint\limits_{E} f(r, \theta, z)\, r\, dr\, d\theta\, dz = \iint\limits_{D} \left[\int\limits_{u_1(r,\theta)}^{u_2(r,\theta)} f(r, \theta, z)\, dz \right] r\, dr\, d\theta.$$

En particular, si $D = \{(r, \theta) | g_1(\theta) \leq r \leq g_2(\theta), \alpha \leq \theta \leq \beta\}$, entonces tenemos

$$\iiint\limits_{E} f(r, \theta, z)\, r\, dr\, d\theta = \int_{\theta=\alpha}^{\theta=\beta} \int_{r=g_1(\theta)}^{r=g_2(\theta)} \int_{z=u_1(r,\theta)}^{z=u_2(r,\theta)} f(r, \theta, z)\, r\, dz\, dr\, d\theta.$$

Existen fórmulas similares para las proyecciones sobre los demás planos de coordenadas. Podemos utilizar coordenadas polares en esos planos si es necesario.

EJEMPLO 5.44

Establecer una integral triple en coordenadas cilíndricas sobre una región general

Considere la región E dentro del cilindro circular recto con ecuación $r = 2\operatorname{sen}\theta$, delimitada abajo por el plano $r\theta$ y delimitada por encima por la esfera de radio 4 centrada en el origen (Figura 5.52). Establezca una integral triple sobre esta región con una función $f(r, \theta, z)$ en coordenadas cilíndricas.

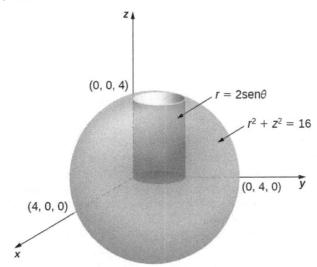

Figura 5.52 Establezca una integral triple en coordenadas cilíndricas sobre una región cilíndrica.

⊘ **Solución**

Primero, identifique que la ecuación de la esfera es $r^2 + z^2 = 16$. Podemos ver que los límites de z son de 0 al $z = \sqrt{16 - r^2}$. Entonces los límites de r son de 0 a $r = 2\operatorname{sen}\theta$. Por último, los límites de θ son de 0 a π. De ahí que la región sea

$$E = \left\{ (r, \theta, z) | 0 \leq \theta \leq \pi, 0 \leq r \leq 2\operatorname{sen}\theta, 0 \leq z \leq \sqrt{16 - r^2} \right\}.$$

Por lo tanto, la integral triple es

$$\iiint\limits_E f(r, \theta, z) \, r \, dz \, dr \, d\theta = \int\limits_{\theta=0}^{\theta=\pi} \int\limits_{r=0}^{r=2\operatorname{sen}\theta} \int\limits_{z=0}^{z=\sqrt{16-r^2}} f(r, \theta, z) \, r \, dz \, dr \, d\theta.$$

☑   5.28   Considere la región E dentro del cilindro circular recto con ecuación $r = 2\operatorname{sen}\theta$, delimitada abajo por el plano $r\theta$ y delimitada por encima por $z = 4 - y$. Establezca una integral triple con una función $f(r, \theta, z)$ en coordenadas cilíndricas.

EJEMPLO 5.45

Establecer una integral triple de dos maneras

Supongamos que E es la región delimitada por debajo por el cono $z = \sqrt{x^2 + y^2}$ y por encima por el paraboloide $z = 2 - x^2 - y^2$. (Figura 5.53). Establezca una integral triple en coordenadas cilíndricas para hallar el volumen de la región, utilizando los siguientes órdenes de integración:

a. $dz \, dr \, d\theta$
b. $dr \, dz \, d\theta$.

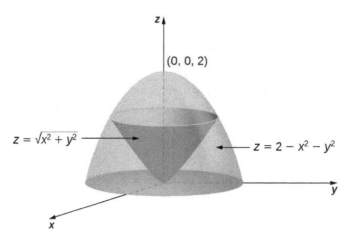

Figura 5.53 Establecer una integral triple en coordenadas cilíndricas sobre una región cónica.

⊘ **Solución**

a. El cono es de radio 1 donde se encuentra con el paraboloide. Dado que $z = 2 - x^2 - y^2 = 2 - r^2$ y
    $z = \sqrt{x^2 + y^2} = r$ (si suponemos que r no es negativo), tenemos $2 - r^2 = r$. Resolviendo, tenemos
    $r^2 + r - 2 = (r + 2)(r - 1) = 0$. Dado que $r \geq 0$, tenemos $r = 1$. Por lo tanto $z = 1$. Así que la intersección de estas
    dos superficies es un círculo de radio 1 en el plano $z = 1$. El cono es el límite inferior de z y el paraboloide es el
    límite superior. La proyección de la región sobre el plano xy es el círculo de radio 1 centrado en el origen.
    Por lo tanto, podemos describir la región como
    $$E = \left\{ (r, \theta, z) | 0 \leq \theta \leq 2\pi, 0 \leq r \leq 1, r \leq z \leq 2 - r^2 \right\}.$$

    Por lo tanto, la integral del volumen es
    $$V = \int_{\theta=0}^{\theta=2\pi} \int_{r=0}^{r=1} \int_{z=r}^{z=2-r^2} r \, dz \, dr \, d\theta.$$

b. También podemos escribir la superficie del cono como $r = z$ y el paraboloide como $r^2 = 2 - z$. El límite inferior de r
    es cero, pero el límite superior es, a veces, el cono y otras veces es el paraboloide. El plano $z = 1$ divide la región en
    dos regiones. Entonces la región se puede describir como
    $$E = \{(r, \theta, z) | 0 \leq \theta \leq 2\pi, 0 \leq z \leq 1, 0 \leq r \leq z\}$$
    $$\cup \left\{ (r, \theta, z) | 0 \leq \theta \leq 2\pi, 1 \leq z \leq 2, 0 \leq r \leq \sqrt{2 - z} \right\}.$$

    Ahora la integral del volumen se convierte en
    $$V = \int_{\theta=0}^{\theta=2\pi} \int_{z=0}^{z=1} \int_{r=0}^{r=z} r \, dr \, dz \, d\theta + \int_{\theta=0}^{\theta=2\pi} \int_{z=1}^{z=2} \int_{r=0}^{r=\sqrt{2-z}} r \, dr \, dz \, d\theta.$$

☑ 5.29   Vuelva a hacer el ejemplo anterior con el orden de integración $d\theta \, dz \, dr$.

EJEMPLO 5.46

Hallar un volumen con integrales triples de dos maneras

Supongamos que E es la región delimitada por debajo por el plano $r\theta$, por arriba por la esfera $x^2 + y^2 + z^2 = 4$, y en los
laterales por el cilindro $x^2 + y^2 = 1$ (Figura 5.54). Establezca una integral triple en coordenadas cilíndricas para hallar el
volumen de la región utilizando los siguientes órdenes de integración, y en cada caso halle el volumen y compruebe que
las respuestas son las mismas:

a. $dz \, dr \, d\theta$

b. *dr dz dθ.*

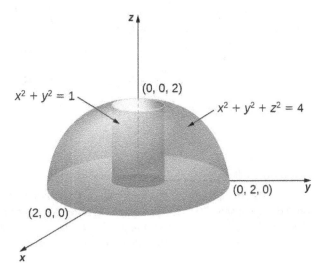

Figura 5.54 Hallar un volumen cilíndrico con una integral triple en coordenadas cilíndricas.

⊘ **Solución**

a. Observe que la ecuación de la esfera es

$$x^2 + y^2 + z^2 = 4 \text{ o } r^2 + z^2 = 4$$

y la ecuación del cilindro es

$$x^2 + y^2 = 1 \text{ o } r^2 = 1.$$

Por lo tanto, tenemos para la región E

$$E = \left\{ (r, \theta, z) | 0 \le z \le \sqrt{4 - r^2}, 0 \le r \le 1, 0 \le \theta \le 2\pi \right\}$$

Por lo tanto, la integral del volumen es

$$\begin{aligned}
V(E) &= \int_{\theta=0}^{\theta=2\pi} \int_{r=0}^{r=1} \int_{z=0}^{z=\sqrt{4-r^2}} r\, dz\, dr\, d\theta \\
&= \int_{\theta=0}^{\theta=2\pi} \int_{r=0}^{r=1} \left[rz \big|_{z=0}^{z=\sqrt{4-r^2}} \right] dr\, d\theta = \int_{\theta=0}^{\theta=2\pi} \int_{r=0}^{r=1} \left(r\sqrt{4 - r^2} \right) dr\, d\theta \\
&= \int_0^{2\pi} \left(\frac{8}{3} - \sqrt{3} \right) d\theta = 2\pi \left(\frac{8}{3} - \sqrt{3} \right) \text{ unidades cúbicas.}
\end{aligned}$$

b. Dado que la esfera es $x^2 + y^2 + z^2 = 4$, que es $r^2 + z^2 = 4$, y el cilindro es $x^2 + y^2 = 1$, que es $r^2 = 1$, tenemos $1 + z^2 = 4$, es decir, $z^2 = 3$. Por lo tanto, tenemos dos regiones, ya que la esfera y el cilindro se intersecan en $\left(1, \sqrt{3} \right)$ en el plano rz

$$E_1 = \left\{ (r, \theta, z) | 0 \le r \le \sqrt{4 - r^2}, \sqrt{3} \le z \le 2, 0 \le \theta \le 2\pi \right\}$$

y

$$E_2 = \left\{ (r, \theta, z) | 0 \le r \le 1, 0 \le z \le \sqrt{3}, 0 \le \theta \le 2\pi \right\}.$$

Por lo tanto, la integral del volumen es

$$V(E) = \int_{\theta=0}^{\theta=2\pi} \int_{z=\sqrt{3}}^{z=2} \int_{r=0}^{r=\sqrt{4-r^2}} r\, dr\, dz\, d\theta + \int_{\theta=0}^{\theta=2\pi} \int_{z=0}^{z=\sqrt{3}} \int_{r=0}^{r=1} r\, dr\, dz\, d\theta$$

$$= \sqrt{3}\pi + \left(\frac{16}{3} - 3\sqrt{3}\right)\pi = 2\pi\left(\frac{8}{3} - \sqrt{3}\right) \text{ unidades cúbicas.}$$

☑ 5.30   Vuelva a hacer el ejemplo anterior con el orden de integración $d\theta\, dz\, dr$.

Repaso de coordenadas esféricas

En el espacio tridimensional $\mathbb{R}^3$ en el sistema de coordenadas esféricas, especificamos un punto P por su distancia ρ desde el origen, el ángulo polar θ del eje positivo de la x (igual que en el sistema de coordenadas cilíndricas), y el ángulo φ del eje positivo de la z y la línea OP (Figura 5.55). Observe que $\rho \geq 0$ y $0 \leq \varphi \leq \pi$. (Consulte Coordenadas cilíndricas y esféricas para ver un repaso). Las coordenadas esféricas son útiles para las integrales triples sobre regiones que son simétricas con respecto al origen.

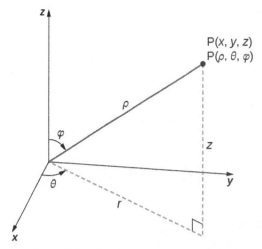

Figura 5.55 El sistema de coordenadas esféricas localiza puntos con dos ángulos y una distancia desde el origen.

Recuerde las relaciones que conectan las coordenadas rectangulares con las coordenadas esféricas.

De coordenadas esféricas a coordenadas rectangulares:

$$x = \rho \operatorname{sen} \varphi \cos \theta,\, y = \rho \operatorname{sen} \varphi \operatorname{sen} \theta,\, \text{y } z = \rho \cos \varphi.$$

De coordenadas rectangulares a coordenadas esféricas:

$$\rho^2 = x^2 + y^2 + z^2,\, \tan \theta = \frac{y}{x},\, \varphi = \arccos\left(\frac{z}{\sqrt{x^2+y^2+z^2}}\right).$$

Otras relaciones que es importante conocer para las conversiones son

- $r = \rho \operatorname{sen} \varphi$
- $\theta = \theta$ Estas ecuaciones se utilizan para convertir de
- $z = \rho \cos \varphi$ coordenadas esféricas a coordenadas cilíndricas

y

- $\rho = \sqrt{r^2 + z^2}$

Estas ecuaciones se utilizan para convertir de coordenadas cilíndricas a coordenadas esféricas.

- $\theta = \theta$

- $\varphi = \arccos\left(\dfrac{z}{\sqrt{r^2+z^2}}\right)$

La siguiente figura muestra algunas regiones sólidas que es conveniente expresar en coordenadas esféricas.

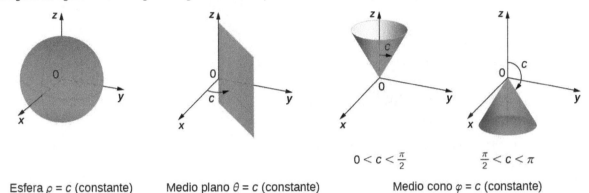

$$0 < c < \frac{\pi}{2} \qquad \frac{\pi}{2} < c < \pi$$

Esfera $\rho = c$ (constante)   Medio plano $\theta = c$ (constante)   Medio cono $\varphi = c$ (constante)

Figura 5.56 Las coordenadas esféricas son especialmente convenientes para trabajar con sólidos limitados por este tipo de superficies. (La letra c indica una constante).

Integración en coordenadas esféricas

Ahora establecemos una integral triple en el sistema de coordenadas esféricas, como hicimos antes en el sistema de coordenadas cilíndricas. Supongamos que la función $f(\rho, \theta, \varphi)$ sea continua en una caja esférica delimitada, $B = \{(\rho, \theta, \varphi) | a \le \rho \le b, \alpha \le \theta \le \beta, \gamma \le \varphi \le \psi\}$. Luego, dividimos cada intervalo en subdivisiones l, m y n subdivisiones de manera que $\Delta\rho = \frac{b-a}{l}, \Delta\theta = \frac{\beta-\alpha}{m}, \Delta\varphi = \frac{\psi-\gamma}{n}$.

Ahora podemos ilustrar el siguiente teorema para integrales triples en coordenadas esféricas con $(\rho^*_{ijk}, \theta^*_{ijk}, \varphi^*_{ijk})$ que sería cualquier punto de muestra en la subcaja esférica B_{ijk}. Para el elemento de volumen de la subcaja ΔV en coordenadas esféricas, tenemos $\Delta V = (\Delta\rho)(\rho\Delta\varphi)(\rho \operatorname{sen} \varphi\Delta\theta)$,, como se muestra en la siguiente figura.

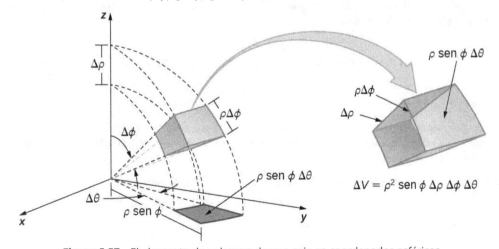

Figura 5.57 El elemento de volumen de una caja en coordenadas esféricas.

Definición

La **integral triple en coordenadas esféricas** es el límite de una triple suma de Riemann,

$$\lim_{l,m,n\to\infty} \sum_{i=1}^{l}\sum_{j=1}^{m}\sum_{k=1}^{n} f(\rho_{ijk}^{*},\theta_{ijk}^{*},\varphi_{ijk}^{*})(\rho_{ijk}^{*})^2 \operatorname{sen}\varphi\,\Delta\rho\,\Delta\theta\,\Delta\varphi$$

siempre que exista el límite.

Al igual que con las otras integrales múltiples que hemos examinado, todas las propiedades funcionan de forma similar para una integral triple en el sistema de coordenadas esféricas, y lo mismo ocurre con las integrales iteradas. El teorema de Fubini tiene la siguiente forma.

Teorema 5.13

Teorema de Fubini para coordenadas esféricas

Si los valores de $f(\rho,\theta,\varphi)$ es continua en una caja sólida esférica $B = [a,b] \times [\alpha,\beta] \times [\gamma,\psi]$, entonces

$$\iiint_{B} f(\rho,\theta,\varphi)\,\rho^2\operatorname{sen}\varphi\,d\rho\,d\varphi\,d\theta = \int_{\varphi=\gamma}^{\varphi=\psi}\int_{\theta=\alpha}^{\theta=\beta}\int_{\rho=a}^{\rho=b} f(\rho,\theta,\varphi)\,\rho^2\operatorname{sen}\varphi\,d\rho\,d\varphi\,d\theta. \tag{5.12}$$

Esta integral iterada puede sustituirse por otras integrales iteradas al integrar con respecto a las tres variables en otros órdenes.

Como ya se ha dicho, los sistemas de coordenadas esféricas funcionan bien para los sólidos que son simétricos alrededor de un punto, como las esferas y los conos. Veamos algunos ejemplos antes de considerar las integrales triples en coordenadas esféricas sobre regiones esféricas generales.

EJEMPLO 5.47

Evaluar una integral triple en coordenadas esféricas

Evalúe la integral triple iterada $\displaystyle\int_{\theta=0}^{\theta=2\pi}\int_{\varphi=0}^{\varphi=\pi/2}\int_{p=0}^{\rho=1} \rho^2\operatorname{sen}\varphi\,d\rho\,d\varphi\,d\theta.$

⊘ Solución

Como antes, en este caso las variables de la integral iterada son en realidad independientes entre sí y, por tanto, podemos integrar cada trozo y multiplicar:

$$\int_{0}^{2\pi}\int_{0}^{\pi/2}\int_{0}^{1} \rho^2\operatorname{sen}\varphi\,d\rho\,d\varphi\,d\theta = \int_{0}^{2\pi} d\theta\int_{0}^{\pi/2}\operatorname{sen}\varphi\,d\varphi\int_{0}^{1}\rho^2\,d\rho = (2\pi)(1)\left(\frac{1}{3}\right) = \frac{2\pi}{3}.$$

El concepto de integración triple en coordenadas esféricas puede extenderse a la integración sobre un sólido general, utilizando las proyecciones sobre los planos de coordenadas. Observe que dV y dA significan incrementos de volumen y área, respectivamente. Las variables V y A se utilizan como variables de integración para expresar las integrales.

La integral triple de una función continua $f(\rho,\theta,\varphi)$ sobre una región sólida general

$$E = \{(\rho,\theta,\varphi)\,|\,(\rho,\theta) \in D, u_1(\rho,\theta) \le \varphi \le u_2(\rho,\theta)\}$$

en $\mathbb{R}^3$, donde D es la proyección de E en el plano $\rho\theta$, es

$$\iiint_{E} f(\rho,\theta,\varphi)\,dV = \iint_{D}\left[\int_{u_1(\rho,\theta)}^{u_2(\rho,\theta)} f(\rho,\theta,\varphi)\,d\varphi\right]dA.$$

En particular, si $D = \{(\rho,\theta)\,|\,g_1(\theta) \le \rho \le g_2(\theta), \alpha \le \theta \le \beta\}$, entonces tenemos

$$\iiint\limits_{E} f(\rho, \theta, \varphi)\, dV = \int\limits_{\alpha}^{\beta} \int\limits_{g_1(\theta)}^{g_2(\theta)} \int\limits_{u_1(\rho,\theta)}^{u_2(\rho,\theta)} f(\rho, \theta, \varphi)\, \rho^2 \operatorname{sen} \varphi\, d\varphi\, d\rho\, d\theta.$$

Fórmulas similares surgen para proyecciones sobre los otros planos de coordenadas.

EJEMPLO 5.48

Establecer una integral triple en coordenadas esféricas

Establezca una integral para el volumen de la región delimitada por el cono $z = \sqrt{3\left(x^2 + y^2\right)}$ y la semiesfera $z = \sqrt{4 - x^2 - y^2}$ (vea la siguiente figura).

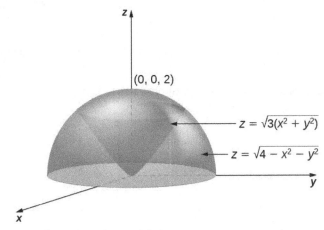

Figura 5.58 Una región delimitada por debajo por un cono y por encima por una semiesfera.

⊘ **Solución**

Utilizando las fórmulas de conversión de coordenadas rectangulares a coordenadas esféricas, tenemos:

Para el cono: $z = \sqrt{3\left(x^2 + y^2\right)}$ o $\rho \cos \varphi = \sqrt{3}\rho \operatorname{sen} \varphi$ o $\tan \varphi = \frac{1}{\sqrt{3}}$ o $\varphi = \frac{\pi}{6}$.

Para la esfera: $z = \sqrt{4 - x^2 - y^2}$ o $z^2 + x^2 + y^2 = 4$ o $\rho^2 = 4$ o $\rho = 2$.

Por lo tanto, la integral triple para el volumen es $V(E) = \int\limits_{\theta=0}^{\theta=2\pi} \int\limits_{\phi=0}^{\varphi=\pi/6} \int\limits_{\rho=0}^{\rho=2} \rho^2 \operatorname{sen} \varphi\, d\rho\, d\varphi\, d\theta.$

☑ 5.31   Establezca una integral triple para el volumen de la región sólida delimitada por encima por la esfera $\rho = 2$ y delimitada por debajo por el cono $\varphi = \pi/3$.

EJEMPLO 5.49

Intercambiar el orden de integración en coordenadas esféricas

Supongamos que E es la región delimitada por debajo por el cono $z = \sqrt{x^2 + y^2}$ y por encima por la esfera $z = x^2 + y^2 + z^2$ (Figura 5.59). Establezca una integral triple en coordenadas esféricas y halle el volumen de la región utilizando los siguientes órdenes de integración:

a. $d\rho\, d\phi\, d\theta,$
b. $d\varphi\, d\rho\, d\theta.$

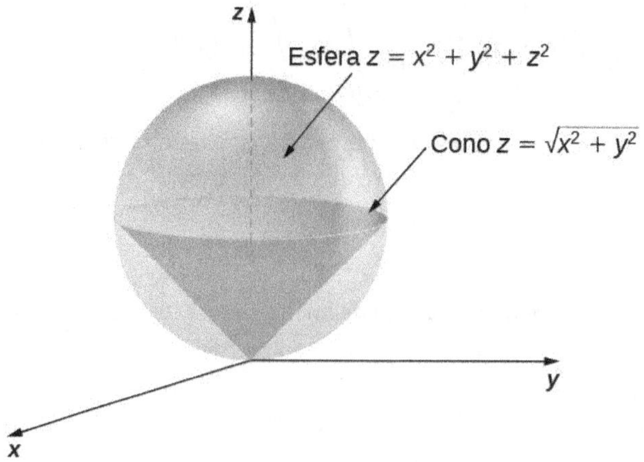

Figura 5.59 Una región delimitada por debajo por un cono y por encima por una esfera.

⊘ **Solución**

a. Utilice las fórmulas de conversión para escribir las ecuaciones de la esfera y el cono en coordenadas esféricas. Para la esfera:

$$
\begin{aligned}
x^2 + y^2 + z^2 &= z \\
\rho^2 &= \rho \cos \varphi \\
\rho &= \cos \varphi.
\end{aligned}
$$

Para el cono:

$$
\begin{aligned}
z &= \sqrt{x^2 + y^2} \\
\rho \cos \varphi &= \sqrt{\rho^2 \operatorname{sen}^2 \varphi \cos^2 \phi + \rho^2 \operatorname{sen}^2 \varphi \operatorname{sen}^2 \phi} \\
\rho \cos \varphi &= \sqrt{\rho^2 \operatorname{sen}^2 \varphi \left(\cos^2 \phi + \operatorname{sen}^2 \phi \right)} \\
\rho \cos \varphi &= \rho \operatorname{sen} \varphi \\
\cos \varphi &= \operatorname{sen} \varphi \\
\varphi &= \pi/4.
\end{aligned}
$$

Por lo tanto, la integral para el volumen de la región sólida E se convierte en

$$
V(E) = \int_{\theta=0}^{\theta=2\pi} \int_{\varphi=0}^{\varphi=\pi/4} \int_{\rho=0}^{\rho=\cos\varphi} \rho^2 \operatorname{sen} \varphi \, d\rho \, d\varphi \, d\theta.
$$

b. Considere el plano $\varphi\rho$. Observe que los rangos de φ y ρ (de la parte a.) son

$$
0 \le \varphi \le \pi/4
$$
$$
0 \le \rho \le \cos \varphi.
$$

La curva $\rho = \cos\varphi$ se encuentra con la línea $\varphi = \pi/4$ en el punto $\left(\pi/4, \sqrt{2}/2 \right)$. Por lo tanto, para cambiar el orden de integración, necesitamos utilizar dos piezas:

$$
\begin{array}{cc}
0 \le \rho \le \sqrt{2}/2 & \sqrt{2}/2 \ \le \ \rho \le 1 \\
0 \le \varphi \le \pi/4 \quad\text{y}\quad & 0 \ \le \ \varphi \le \cos^{-1}\rho.
\end{array}
$$

Por lo tanto, la integral para el volumen de la región sólida E se convierte en

$$
V(E) = \int_{\theta=0}^{\theta=2\pi} \int_{\rho=0}^{\rho=\sqrt{2}/2} \int_{\varphi=0}^{\varphi=\pi/4} \rho^2 \operatorname{sen} \varphi \, d\varphi \, d\rho \, d\theta + \int_{\theta=0}^{\theta=2\pi} \int_{\rho=\sqrt{2}/2}^{\rho=1} \int_{\varphi=0}^{\varphi=\cos^{-1}\rho} \rho^2 \operatorname{sen} \varphi \, d\varphi \, d\rho \, d\theta.
$$

En cada caso, la integración da como resultado $V(E) = \frac{\pi}{8}$.

Antes de terminar esta sección, presentamos un par de ejemplos que pueden ilustrar la conversión de coordenadas rectangulares a coordenadas cilíndricas y de coordenadas rectangulares a coordenadas esféricas.

EJEMPLO 5.50

Convertir coordenadas rectangulares a coordenadas cilíndricas
Convierta la siguiente integral en coordenadas cilíndricas:

$$\int_{y=-1}^{y=1} \int_{x=0}^{x=\sqrt{1-y^2}} \int_{z=x^2+y^2}^{z=\sqrt{x^2+y^2}} xyz\, dz\, dx\, dy.$$

⊘ **Solución**
Los rangos de las variables son

$$\begin{aligned} -1 &\leq y \leq 1 \\ 0 &\leq x \leq \sqrt{1-y^2} \\ x^2 + y^2 &\leq z \leq \sqrt{x^2+y^2}. \end{aligned}$$

Las dos primeras inecuaciones describen la mitad derecha de un círculo de radio 1. Por lo tanto, los rangos de θ y r son

$$-\frac{\pi}{2} \leq \theta \leq \frac{\pi}{2} \text{ y } 0 \leq r \leq 1.$$

Los límites de z son $r^2 \leq z \leq r$, por lo tanto

$$\int_{y=-1}^{y=1} \int_{x=0}^{x=\sqrt{1-y^2}} \int_{z=x^2+y^2}^{z=\sqrt{x^2+y^2}} xyz\, dz\, dx\, dy = \int_{\theta=-\pi/2}^{\theta=\pi/2} \int_{r=0}^{r=1} \int_{z=r^2}^{z=r} r(r\cos\theta)(r\operatorname{sen}\theta)z\, dz\, dr\, d\theta.$$

EJEMPLO 5.51

Convertir de coordenadas rectangulares a coordenadas esféricas
Convierta la siguiente integral en coordenadas esféricas:

$$\int_{y=0}^{y=3} \int_{x=0}^{x=\sqrt{9-y^2}} \int_{z=\sqrt{x^2+y^2}}^{z=\sqrt{18-x^2-y^2}} \left(x^2 + y^2 + z^2\right) dz\, dx\, dy.$$

⊘ **Solución**
Los rangos de las variables son

$$\begin{aligned} 0 &\leq y \leq 3 \\ 0 &\leq x \leq \sqrt{9-y^2} \\ \sqrt{x^2+y^2} &\leq z \leq \sqrt{18-x^2-y^2}. \end{aligned}$$

Los dos primeros rangos de variables describen un cuarto de disco en el primer cuadrante del plano xy. Por lo tanto, el rango para θ es $0 \leq \theta \leq \frac{\pi}{2}$.

El límite inferior $z = \sqrt{x^2+y^2}$ es la mitad superior de un cono y el límite superior $z = \sqrt{18-x^2-y^2}$ es la mitad superior de una esfera. Por lo tanto, tenemos $0 \leq \rho \leq \sqrt{18}$, que es $0 \leq \rho \leq 3\sqrt{2}$.

Para los rangos de φ, necesitamos calcular el punto de intersección entre el cono y la esfera, por lo que hay que despejar la ecuación

$$
\begin{aligned}
r^2 + z^2 &= 18 \\
\left(\sqrt{x^2+y^2}\right)^2 + z^2 &= 18 \\
z^2 + z^2 &= 18 \\
2z^2 &= 18 \\
z^2 &= 9 \\
z &= 3.
\end{aligned}
$$

Esto da

$$
\begin{aligned}
3\sqrt{2}\cos\varphi &= 3 \\
\cos\varphi &= \frac{1}{\sqrt{2}} \\
\varphi &= \frac{\pi}{4}.
\end{aligned}
$$

Uniendo todo esto, obtenemos

$$
\int_{y=0}^{y=3}\int_{x=0}^{x=\sqrt{9-y^2}}\int_{z=\sqrt{x^2+y^2}}^{z=\sqrt{18-x^2-y^2}}\left(x^2+y^2+z^2\right)dz\,dx\,dy = \int_{\varphi=0}^{\varphi=\pi/4}\int_{\theta=0}^{\theta=\pi/2}\int_{\rho=0}^{\rho=3\sqrt{2}}\rho^4\,\mathrm{sen}\,\varphi\,d\rho\,d\theta\,d\varphi.
$$

☑ 5.32   Utilice las coordenadas rectangulares, cilíndricas y esféricas para establecer integrales triples para hallar el volumen de la región dentro de la esfera $x^2 + y^2 + z^2 = 4$ pero fuera del cilindro $x^2 + y^2 = 1$.

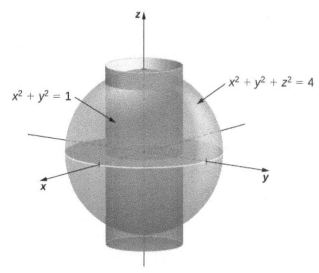

Ahora que estamos familiarizados con el sistema de coordenadas esféricas, vamos a hallar el volumen de algunas figuras geométricas conocidas, como las esferas y los elipsoides.

EJEMPLO 5.52

Inicio del capítulo: Hallar el volumen de l'Hemisphèric

Hallar el volumen del planetario esférico de l'Hemisphèric de Valencia, España, que tiene cinco pisos de altura y un radio de aproximadamente 50 ft, utilizando la ecuación $x^2 + y^2 + z^2 = r^2$.

Figura 5.60   (créditos: modificación del trabajo de Javier Yaya Tur, Wikimedia Commons).

✓ **Solución**

Calculamos el volumen de la bola en el primer octante, donde $x \geq 0$, $y \geq 0$, y $z \geq 0$, utilizando coordenadas esféricas, y luego multiplicamos el resultado por 8 para la simetría. Dado que consideramos la región D como el primer octante de la integral, los rangos de las variables son

$$0 \leq \varphi \leq \frac{\pi}{2}, 0 \leq \rho \leq r, 0 \leq \theta \leq \frac{\pi}{2}.$$

Por lo tanto,

$$
\begin{aligned}
V &= \iiint\limits_{D} dx \, dy \, dz = 8 \int\limits_{\theta=0}^{\theta=\pi/2} \int\limits_{\rho=0}^{\rho=\pi} \int\limits_{\varphi=0}^{\varphi=\pi/2} \rho^2 \operatorname{sen} \theta \, d\varphi \, d\rho \, d\theta \\
&= 8 \int\limits_{\varphi=0}^{\varphi=\pi/2} d\varphi \int\limits_{\rho=0}^{\rho=r} \rho^2 d\rho \int\limits_{\theta=0}^{\theta=\pi/2} \operatorname{sen} \theta \, d\theta \\
&= 8 \left(\tfrac{\pi}{2} \right) \left(\tfrac{r^3}{3} \right) (1) \\
&= \tfrac{4}{3} \pi r^3 .
\end{aligned}
$$

Esto coincide exactamente con lo que sabíamos. Así, para una esfera con un radio de aproximadamente 50 ft, el volumen es $\frac{4}{3} \pi (50)^3 \approx 523.600 \, \text{pies}^3$.

Para el siguiente ejemplo hallaremos el volumen de un elipsoide.

EJEMPLO 5.53

Hallar el volumen de un elipsoide

Halle el volumen del elipsoide $\frac{x^2}{a^2} + \frac{y^2}{b^2} + \frac{z^2}{c^2} = 1$.

✓ **Solución**

Volvemos a utilizar la simetría y evaluamos el volumen del elipsoide utilizando coordenadas esféricas. Como antes, utilizamos el primer octante $x \geq 0$, $y \geq 0$, y $z \geq 0$ y luego multiplicamos el resultado por 8.

En este caso los rangos de las variables son

$$0 \leq \varphi \leq \frac{\pi}{2}, 0 \leq \rho \leq \frac{\pi}{2}, 0 \leq \rho \leq 1, \text{ y } 0 \leq \theta \leq \frac{\pi}{2}.$$

Además, tenemos que cambiar las coordenadas rectangulares a esféricas de esta manera:

$$x = a\rho \cos \varphi \operatorname{sen} \theta, y = b\rho \operatorname{sen} \varphi \operatorname{sen} \theta, \text{ y } z = c\rho \cos \theta.$$

Entonces el volumen del elipsoide se convierte en

$$V = \iiint\limits_{D} dx\, dy\, dz$$

$$= 8 \int\limits_{\theta=0}^{\theta=\pi/2} \int\limits_{\rho=0}^{\rho=1} \int\limits_{\varphi=0}^{\varphi=\pi/2} abc\rho^2 \operatorname{sen}\theta\, d\varphi\, d\rho\, d\theta$$

$$= 8abc \int\limits_{\varphi=0}^{\varphi=\pi/2} d\varphi \int\limits_{\rho=0}^{\rho=1} \rho^2\, d\rho \int\limits_{\theta=0}^{\theta=\pi/2} \operatorname{sen}\theta\, d\theta$$

$$= 8abc \left(\frac{\pi}{2}\right)\left(\frac{1}{3}\right)(1)$$

$$= \frac{4}{3}\pi abc.$$

EJEMPLO 5.54

Hallar el volumen del espacio dentro de un elipsoide y fuera de una esfera

Halle el volumen del espacio dentro del elipsoide $\frac{x^2}{75^2} + \frac{y^2}{80^2} + \frac{z^2}{90^2} = 1$ y fuera de la esfera $x^2 + y^2 + z^2 = 50^2$.

⊘ **Solución**

Este problema está directamente relacionado con la estructura del l'Hemisphèric. El volumen del espacio dentro del elipsoide y fuera de la esfera podría ser útil para hallar el gasto de calefacción o refrigeración de ese espacio. Podemos utilizar los dos ejemplos anteriores para el volumen de la esfera y el elipsoide y luego restar.

Primero hallamos el volumen del elipsoide utilizando $a = 75$ pies, $b = 80$ pies, y $c = 90$ pies en el resultado del Ejemplo 5.53. Por lo tanto, el volumen del elipsoide es

$$V_{\text{elipsoide}} = \frac{4}{3}\pi(75)(80)(90) \approx 2262000 \text{ pies}^3.$$

A partir del Ejemplo 5.52, el volumen de la esfera es

$$V_{\text{esfera}} \approx 523.600 \text{ pies}^3.$$

Por lo tanto, el volumen del espacio dentro del elipsoide $\frac{x^2}{75^2} + \frac{y^2}{80^2} + \frac{z^2}{90^2} = 1$ y fuera de la esfera $x^2 + y^2 + z^2 = 50^2$ es aproximadamente

$$V_{\text{Semiesférico}} = V_{\text{elipsoide}} - V_{\text{esfera}} = 1738400 \text{ pies}^3.$$

PROYECTO DE ESTUDIANTE

Globos aerostáticos

El vuelo en globo aerostático es un pasatiempo relajante y tranquilo que gusta a mucha gente. En todo el mundo se celebran numerosos encuentros de globeros, como la Fiesta Internacional del Globo de Albuquerque. El evento de Albuquerque es el mayor festival de globos aerostáticos del mundo, con más de 500 globos que participan cada año.

Figura 5.61 Globos despegando en la Fiesta Internacional del Globo de Albuquerque de 2001 (créditos: David Herrera, Flickr).

Como su nombre indica, los globos aerostáticos utilizan aire caliente para generar sustentación (el aire caliente es menos denso que el aire frío, por lo que el globo flota mientras el aire caliente se mantenga caliente). El calor lo genera un quemador de propano suspendido bajo la abertura de la cesta. Una vez que el globo despega, el piloto controla la altitud del globo, ya sea utilizando el quemador para calentar el aire y ascender o utilizando un respiradero cerca de la parte superior del globo para liberar el aire calentado y descender. Sin embargo, el piloto tiene muy poco control sobre el rumbo del globo, que está a merced de los vientos. La incertidumbre sobre dónde acabaremos es una de las razones por las que los globeros se sienten atraídos por este deporte.

En este proyecto utilizamos las integrales triples para aprender más sobre los globos aerostáticos. Modelamos el globo en dos piezas. La parte superior del globo está modelada por una media esfera de radio de 28 pies. La parte inferior del globo está modelada por un tronco de un cono (piense en un cono de helado con el extremo puntiagudo cortado). El radio del extremo grande del tronco es de 28 pies y el radio del extremo pequeño del tronco es de 6 pies. En la siguiente figura se muestra un gráfico de nuestro modelo de globo y un diagrama transversal que muestra las dimensiones.

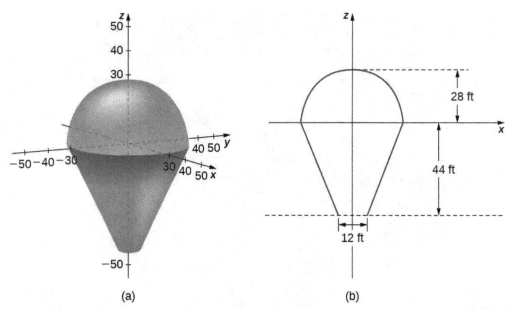

Figura 5.62 (a) Utilice una media esfera para modelar la parte superior del globo y un tronco de un cono para modelar la parte inferior del globo. (b) Una sección transversal del globo mostrando sus dimensiones.

Primero, queremos hallar el volumen del globo. Si observamos la parte superior y la parte inferior del globo por separado, vemos que son sólidos geométricos con fórmulas de volumen conocidas. Sin embargo, sigue siendo conveniente establecer y evaluar las integrales que necesitaríamos para hallar el volumen. Si calculamos el volumen mediante integración, podemos utilizar las fórmulas de volumen conocidas para comprobar nuestras respuestas. Esto ayudará a asegurar que tenemos las integrales correctamente configuradas para las etapas posteriores y más complicadas del proyecto.

1. Halle el volumen del globo de dos maneras.
    a. Utilice las integrales triples para calcular el volumen. Considere cada parte del globo por separado (considere la posibilidad de utilizar coordenadas esféricas para la parte superior y coordenadas cilíndricas para la parte inferior).
    b. Compruebe la respuesta utilizando las fórmulas para el volumen de una esfera, $V = \frac{4}{3}\pi r^3$, y para el volumen de un cono, $V = \frac{1}{3}\pi r^2 h$.

    En realidad, calcular la temperatura en un punto del interior del globo es una tarea tremendamente complicada. De hecho, toda una rama de la física (la termodinámica) se dedica a estudiar el calor y la temperatura. Sin embargo, para los fines de este proyecto, haremos algunas suposiciones simplificadoras sobre cómo varía la temperatura de un punto a otro dentro del globo. Supongamos que justo antes del despegue, la temperatura (en grados Fahrenheit) del aire dentro del globo varía según la función

    $$T_0(r, \theta, z) = \frac{z - r}{10} + 210.$$

2. ¿Cuál es la temperatura media del aire en el globo justo antes del despegue? (De nuevo, mire cada parte del globo por separado, y no olvide convertir la función en coordenadas esféricas cuando mire la parte superior del globo).
    Ahora el piloto activa el quemador durante 10 segundos. Esta acción afecta a la temperatura en una columna de 12 pies de ancho y 20 pies de altura, directamente sobre el quemador. En la siguiente figura se muestra una sección transversal del globo que representa esta columna.

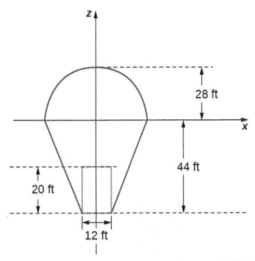

Figura 5.63 La activación del quemador calienta el aire en una columna de 20 pies de altura y 12 de ancho directamente sobre el quemador.

Supongamos que después de que el piloto active el quemador por 10 segundos, la temperatura del aire en la columna descrita *aumenta* según la fórmula

$$H(r, \theta, z) = -2z - 48.$$

Entonces la temperatura del aire en la columna está dada por

$$T_1(r, \theta, z) = \frac{z - r}{10} + 210 + (-2z - 48),$$

mientras que la temperatura en el resto del globo sigue estando dada por

$$T_0(r, \theta, z) = \frac{z - r}{10} + 210.$$

3. Calcule la temperatura media del aire en el globo después de que el piloto haya activado el quemador durante 10 segundos.

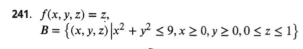

SECCIÓN 5.5 EJERCICIOS

En los siguientes ejercicios, evalúe las integrales triples $\iiint_E f(x, y, z)dV$ *sobre el sólido B.*

241. $f(x, y, z) = z,$
$B = \left\{(x, y, z) \big| x^2 + y^2 \leq 9, x \geq 0, y \geq 0, 0 \leq z \leq 1\right\}$

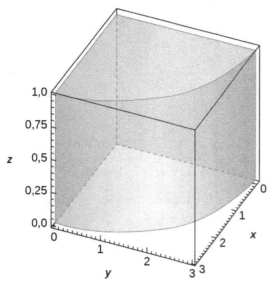

242. $f(x, y, z) = xz^2,$
$B = \left\{(x, y, z) \big| x^2 + y^2 \leq 16, x \geq 0, y \leq 0, -1 \leq z \leq 1\right\}$

243. $f(x, y, z) = xy,$
$B = \left\{(x, y, z) \big| x^2 + y^2 \leq 1, x \geq 0, x \geq y, -1 \leq z \leq 1\right\}$

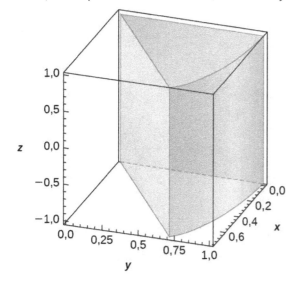

244. $f(x, y, z) = x^2 + y^2,$
$B = \left\{(x, y, z) \big| x^2 + y^2 \leq 4, x \geq 0, x \leq y, 0 \leq z \leq 3\right\}$

245. $f(x, y, z) = e^{\sqrt{x^2+y^2}}$,

$B = \left\{ (x, y, z) \big| 1 \leq x^2 + y^2 \leq 4, y \leq 0, x \leq y\sqrt{3}, 2 \leq z \leq 3 \right\}$

246. $f(x, y, z) = \sqrt{x^2 + y^2}$,

$B = \left\{ (x, y, z) \big| 1 \leq x^2 + y^2 \leq 9, y \leq 0, 0 \leq z \leq 1 \right\}$

247. a. Supongamos que B es una capa cilíndrica con radio interior a, radio exterior b, y altura c, donde $0 < a < b$ y $c > 0$. Supongamos que una función F definida en B puede expresarse en coordenadas cilíndricas como $F(x, y, z) = f(r) + h(z)$, donde f y h son funciones diferenciables. Si los valores de $\int_a^b \widetilde{f}(r)dr = 0$ y $\widetilde{h}(0) = 0$, donde $\widetilde{f}$ y $\widetilde{h}$ son antiderivadas de f y h, respectivamente, demuestre que

$$\iiint_B F(x, y, z)\, dV = 2\pi c \left(b\widetilde{f}(b) - a\widetilde{f}(a) \right) + \pi \left(b^2 - a^2 \right) \widetilde{h}(c).$$

  b. Utilice el resultado anterior para demostrar que

$$\iiint_B \left(z + \operatorname{sen}\sqrt{x^2 + y^2} \right) dx\, dy\, dz = 6\pi^2 \left(\pi - 2 \right),$$ donde B es una capa cilíndrica con radio interior π, radio exterior 2π, y altura 2.

248. a. Supongamos que B es una capa cilíndrica con radio interior a, radio exterior b, y altura c, donde $0 < a < b$ y $c > 0$. Supongamos que una función F definida en B puede expresarse en coordenadas cilíndricas como $F(x, y, z) = f(r)g(\theta)h(z)$, donde $f, g,$ y h son funciones diferenciables. Si los valores de $\int_a^b \widetilde{f}(r)dr = 0$, donde $\widetilde{f}$ es una antiderivada de f, demuestre que

$$\iiint_B F(x, y, z)\, dV = \left[b\widetilde{f}(b) - a\widetilde{f}(a) \right] \left[\widetilde{g}(2\pi) - \widetilde{g}(0) \right] \left[\widetilde{h}(c) - \widetilde{h}(0) \right],$$

donde $\widetilde{g}$ y $\widetilde{h}$ son antiderivadas de g y h, respectivamente.

  b. Utilice el resultado anterior para demostrar que

$$\iiint_B z \operatorname{sen}\sqrt{x^2 + y^2}\, dx\, dy\, dz = -12\pi^2,$$ donde B es una capa cilíndrica con radio interior π, radio exterior 2π, y altura 2.

En los siguientes ejercicios, los límites del sólido E se dan en coordenadas cilíndricas.

a. Exprese la región E en coordenadas cilíndricas.

b. Convierta la integral $\iiint_E f(x, y, z)\, dV$ a coordenadas cilíndricas.

249. E está delimitado por el cilindro circular derecho $r = 4\operatorname{sen}\theta$, el plano $r\theta$, y la esfera $r^2 + z^2 = 16$.

250. E está fuera del cilindro circular derecho $r = \cos\theta$, por encima del plano $x-y$ y al interior de la esfera $r^2 + z^2 = 9$.

251. E se encuentra en el primer octante y está delimitado por el paraboloide circular $z = 9 - 3r^2$, el cilindro $r = \sqrt{3}$, y el plano $r(\cos\theta + \operatorname{sen}\theta) = 20 - z$.

252. E se encuentra en el primer octante fuera del paraboloide circular $z = 10 - 2r^2$ y en el interior del cilindro $r = \sqrt{5}$ y está delimitado también por los planos $z = 20$ y $\theta = \frac{\pi}{4}$.

En los siguientes ejercicios, la función f y la región E están dados.

a. Exprese la región E y la función f en coordenadas cilíndricas.

b. Convierta la integral $\iiint\limits_B f(x, y, z)\, dV$ en coordenadas cilíndricas y evalúela.

253. $f(x, y, z) = \frac{1}{x+3}$,
$E = \left\{ (x, y, z) \middle| 0 \leq x^2 + y^2 \leq 9, x \geq 0, y \geq 0, 0 \leq z \leq x + 3 \right\}$

254. $f(x, y, z) = x^2 + y^2$,
$E = \left\{ (x, y, z) \middle| 0 \leq x^2 + y^2 \leq 4, y \geq 0, 0 \leq z \leq 3 - x \right\}$

255. $f(x, y, z) = x$,
$E = \left\{ (x, y, z) \middle| 1 \leq y^2 + z^2 \leq 9, 0 \leq x \leq 1 - y^2 - z^2 \right\}$

256. $f(x, y, z) = y$,
$E = \left\{ (x, y, z) \middle| 1 \leq x^2 + z^2 \leq 9, 0 \leq y \leq 1 - x^2 - z^2 \right\}$

En los siguientes ejercicios, halle el volumen del sólido E cuyos límites están dados en coordenadas rectangulares.

257. E está por encima del plano xy, dentro del cilindro $x^2 + y^2 = 1$, y por debajo del plano $z = 1$.

258. E está por debajo del plano $z = 1$ y dentro del paraboloide $z = x^2 + y^2$.

259. E está delimitado por el cono circular $z = \sqrt{x^2 + y^2}$ y $z = 1$.

260. E se encuentra por encima del plano xy, debajo de $z = 1$, fuera de la hiperboloide de una hoja $x^2 + y^2 - z^2 = 1$, y en el interior del cilindro $x^2 + y^2 = 2$.

261. E se encuentra en el interior del cilindro $x^2 + y^2 = 1$ y entre los paraboloides circulares $z = 1 - x^2 - y^2$ y $z = x^2 + y^2$.

262. E se encuentra en el interior de la esfera $x^2 + y^2 + z^2 = 1$, por encima del plano xy y en el interior del cono circular $z = \sqrt{x^2 + y^2}$.

263. E se encuentran en el interior del cono circular $x^2 + y^2 = (z-1)^2$ y entre los planos $z = 0$ y $z = 2$.

264. E se encuentra fuera del cono circular $z = 1 - \sqrt{x^2 + y^2}$, por encima del plano xy, debajo del paraboloide circular y entre los planos $z = 0$ y $z = 2$.

265. **[T]** Utilice un sistema de álgebra computacional (CAS) para graficar el sólido cuyo volumen está dado por la integral iterada en coordenadas cilíndricas

$$\int_{-\pi/2}^{\pi/2} \int_0^1 \int_{r^2}^r r\, dz\, dr\, d\theta.$$

Halle el volumen V del sólido. Redondee su respuesta a cuatro decimales.

266. **[T]** Utilice un CAS para graficar el sólido cuyo volumen está dado por la integral iterada en coordenadas cilíndricas

$$\int_0^{\pi/2} \int_0^1 \int_{r^4}^r r\, dz\, dr\, d\theta.$$

Halle el volumen V del sólido. Redondee su respuesta a cuatro decimales.

267. Convierta la integral

$$\int_0^1 \int_{-\sqrt{1-y^2}}^{\sqrt{1-y^2}} \int_{x^2+y^2}^{\sqrt{x^2+y^2}} xz\, dz\, dx\, dy$$

en una integral en coordenadas cilíndricas.

268. Convierta la integral

$$\int_0^2 \int_0^y \int_0^1 (xy + z)\, dz\, dx\, dy$$

en una integral en coordenadas cilíndricas.

En los siguientes ejercicios, evalúe la integral triple $\iiint\limits_B f(x, y, z)dV$ sobre el sólido B.

269. $f(x, y, z) = 1$,
$B = \left\{ (x, y, z) \middle| x^2 + y^2 + z^2 \leq 90, z \geq 0 \right\}$

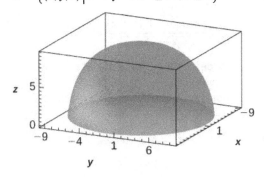

270. $f(x, y, z) = 1 - \sqrt{x^2 + y^2 + z^2}$,
$B = \left\{ (x, y, z) \middle| x^2 + y^2 + z^2 \leq 9, y \geq 0, z \geq 0 \right\}$

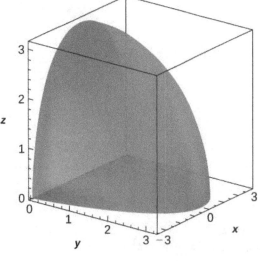

271. $f(x, y, z) = \sqrt{x^2 + y^2}, B$ está delimitado por encima por la semiesfera $x^2 + y^2 + z^2 = 9$ con la $z \geq 0$ y por debajo por el cono $2z^2 = x^2 + y^2$.

272. $f(x, y, z) = z, B$ está delimitado por encima por la semiesfera $x^2 + y^2 + z^2 = 16$ con la $z \geq 0$ y por debajo por el cono $2z^2 = x^2 + y^2$.

273. Demuestre que si $F(\rho, \theta, \varphi) = f(\rho) g(\theta) h(\varphi)$ es una función continua en la caja esférica $B = \{(\rho, \theta, \varphi) | a \leq \rho \leq b, \alpha \leq \theta \leq \beta, \gamma \leq \varphi \leq \psi\}$, entonces

$$\iiint\limits_{B} F \, dV = \left(\int\limits_{a}^{b} \rho^2 f(\rho) \, dr\right)\left(\int\limits_{\alpha}^{\beta} g(\theta) \, d\theta\right)\left(\int\limits_{\gamma}^{\psi} h(\varphi) \operatorname{sen} \varphi \, d\varphi\right).$$

274.
a. Una función F se dice que tiene simetría esférica si solo depende de la distancia al origen, es decir, se puede expresar en coordenadas esféricas como $F(x, y, z) = f(\rho)$, donde $\rho = \sqrt{x^2 + y^2 + z^2}$. Demuestre que

$$\iiint\limits_{B} F(x, y, z) dV = 2\pi \int\limits_{a}^{b} \rho^2 f(\rho) d\rho,$$

donde B es la región entre las semiesferas concéntricas superiores de radios a y b centrada en el origen, con $0 < a < b$ y F una función esférica definida en B.

b. Utilice el resultado anterior para demostrar que

$$\iiint\limits_{B} \left(x^2 + y^2 + z^2\right) \sqrt{x^2 + y^2 + z^2} \, dV = 21\pi,$$

donde
$$B = \left\{(x, y, z) \big| 1 \leq x^2 + y^2 + z^2 \leq 2, z \geq 0\right\}.$$

275.
a. Supongamos que B es la región comprendida entre las semiesferas concéntricas superiores de radios a y b centrados en el origen y situados en el primer octante, donde $0 < a < b$. Considere F una función definida en B cuya forma en coordenadas esféricas (ρ, θ, φ) es $F(x, y, z) = f(\rho)\cos \varphi$. Demuestre que si $g(a) = g(b) = 0$ y $\int\limits_{a}^{b} h(\rho) d\rho = 0$, entonces

$$\iiint\limits_{B} F(x, y, z) dV = \frac{\pi^2}{4}[ah(a) - bh(b)],$$

donde g es una antiderivada de f y h es una antiderivada de g.

b. Utilice el resultado anterior para demostrar que

$$\iiint\limits_{B} \frac{z \cos \sqrt{x^2 + y^2 + z^2}}{\sqrt{x^2 + y^2 + z^2}} dV = \frac{3\pi^2}{2},$$

donde B es la región entre las semiesferas concéntricas superiores de radios π y 2π centrada en el origen y situada en el primer octante.

En los siguientes ejercicios, la función f y la región E están dados.

a. Exprese la región E y la función f en coordenadas esféricas.

b. Convierta la integral $\iiint\limits_{B} f(x, y, z) \, dV$ en coordenadas esféricas y evalúela.

276. $f(x, y, z) = z;$
$E = \left\{(x, y, z) \big| 0 \leq x^2 + y^2 + z^2 \leq 1, z \geq 0\right\}$

277. $f(x, y, z) = x + y;$
$E = \left\{(x, y, z) \big| 1 \leq x^2 + y^2 + z^2 \leq 2, z \geq 0, y \geq 0\right\}$

278. $f(x, y, z) = 2xy$;
$E = \left\{ (x, y, z) \middle| \sqrt{x^2 + y^2} \le z \le \sqrt{1 - x^2 - y^2}, x \ge 0, y \ge 0 \right\}$

279. $f(x, y, z) = z$;
$E = \left\{ (x, y, z) \middle| x^2 + y^2 + z^2 - 2z \le 0, \sqrt{x^2 + y^2} \le z \right\}$

En los siguientes ejercicios, halle el volumen del sólido E cuyos límites están dados en coordenadas rectangulares.

280. $E = \left\{ (x, y, z) \middle| \sqrt{x^2 + y^2} \le z \le \sqrt{16 - x^2 - y^2}, x \ge 0, y \ge 0 \right\}$

281. $E = \left\{ (x, y, z) \middle| x^2 + y^2 + z^2 - 2z \le 0, \sqrt{x^2 + y^2} \le z \right\}$

282. Utilice las coordenadas esféricas para hallar el volumen del sólido situado fuera de la esfera $\rho = 1$ y al interior de la esfera $\rho = \cos\varphi$, con la $\varphi \in \left[0, \frac{\pi}{2}\right]$.

283. Utilice las coordenadas esféricas para hallar el volumen de la bola $\rho \le 3$ que se encuentra entre los conos $\varphi = \frac{\pi}{4}$ y $\varphi = \frac{\pi}{3}$.

284. Convierta la integral
$$\int_{-4}^{4} \int_{-\sqrt{16-y^2}}^{\sqrt{16-y^2}} \int_{-\sqrt{16-x^2-y^2}}^{\sqrt{16-x^2-y^2}} \left(x^2 + y^2 + z^2\right) dz\, dx\, dy$$
en una integral en coordenadas esféricas.

285. Convierta la integral
$$\int_{0}^{4} \int_{0}^{\sqrt{16-x^2}} \int_{-\sqrt{16-x^2-y^2}}^{\sqrt{16-x^2-y^2}} \left(x^2 + y^2 + z^2\right)^2 dz\, dy\, dx$$
en una integral en coordenadas esféricas.

286. Convierta la integral
$$\int_{-2}^{2} \int_{-\sqrt{4-x^2}}^{\sqrt{4-x^2}} \int_{\sqrt{x^2+y^2}}^{\sqrt{16-x^2-y^2}} dz\, dy\, dx$$
en una integral en coordenadas esféricas y evalúela.

287. **[T]** Utilice un CAS para graficar el sólido cuyo volumen está dado por la integral iterada en coordenadas esféricas
$$\int_{\pi/2}^{\pi} \int_{5\pi/6}^{\pi/6} \int_{0}^{2} \rho^2 \operatorname{sen}\varphi\, d\rho\, d\varphi\, d\theta.$$
Halle el volumen V del sólido. Redondee su respuesta a tres decimales.

288. **[T]** Utilice un CAS para graficar el sólido cuyo volumen está dado por la integral iterada en coordenadas esféricas como
$$\int_{0}^{2\pi} \int_{\pi/4}^{3\pi/4} \int_{0}^{1} \rho^2 \operatorname{sen}\varphi\, d\rho\, d\varphi\, d\theta.$$
Halle el volumen V del sólido. Redondee su respuesta a tres decimales.

289. **[T]** Utilice un CAS para evaluar la integral
$$\iiint_{E} \left(x^2 + y^2\right) dV \text{ donde}$$
E se encuentra por encima del paraboloide $z = x^2 + y^2$ y por debajo del plano $z = 3y$.

290. **[T]**

   a. Evalúe la integral
$$\iiint\limits_{E} e^{\sqrt{x^2+y^2+z^2}}\,dV,$$
donde E está delimitada por las esferas $4x^2+4y^2+4z^2=1$ y $x^2+y^2+z^2=1$.

   b. Utilice un CAS para calcular una aproximación de la integral anterior. Redondee su respuesta a dos decimales.

291. Exprese el volumen del sólido dentro de la esfera $x^2+y^2+z^2=16$ y fuera del cilindro $x^2+y^2=4$ como integrales triples en coordenadas cilíndricas y esféricas, respectivamente.

292. Exprese el volumen del sólido dentro de la esfera $x^2+y^2+z^2=16$ y fuera del cilindro $x^2+y^2=4$ que se encuentra en el primer octante como integrales triples en coordenadas cilíndricas y esféricas, respectivamente.

293. La potencia emitida por una antena tiene una densidad de potencia por unidad de volumen dada en coordenadas esféricas por

$$p(\rho,\theta,\varphi)=\frac{P_0}{\rho^2}\cos^2\theta\,\mathrm{sen}^4\varphi,$$donde P_0 es una constante con unidades en vatios. La potencia total dentro de una esfera B de radio r metros se define como

$$P=\iiint\limits_{B} p(\rho,\theta,\varphi)\,dV.$$ Calcule la potencia total P dentro de una esfera de 20 metros de radio.

294. Utilice el ejercicio anterior para calcular la potencia total dentro de una esfera B de 5 metros de radio cuando la densidad de potencia por unidad de volumen está dada por
$$p(\rho,\theta,\varphi)=\frac{30}{\rho^2}\cos^2\theta\,\mathrm{sen}^4\varphi.$$

295. Una nube de carga contenida en una esfera B de radio r centrado en el origen tiene su densidad de carga dada por
$$q(x,y,z)=k\sqrt{x^2+y^2+z^2}\,\frac{\mu\,C}{cm^3},$$
donde $k>0$. La carga total contenida en B viene dada por
$$Q=\iiint\limits_{B} q(x,y,z)\,dV.$$ Calcule la carga total Q.

296. Utilice el ejercicio anterior para hallar la nube de carga total contenida en la esfera unitaria si la densidad de carga es
$$q(x,y,z)=20\sqrt{x^2+y^2+z^2}\,\frac{\mu\,C}{cm^3}.$$

5.6 Cálculo de centros de masa y momentos de inercia

Objetivos de aprendizaje

   5.6.1 Utilizar las integrales dobles para localizar el centro de masa de un objeto bidimensional.
   5.6.2 Utilizar las integrales dobles para calcular el momento de inercia de un objeto bidimensional.
   5.6.3 Utilizar las integrales triples para localizar el centro de masa de un objeto tridimensional.

Ya hemos hablado de algunas aplicaciones de las integrales múltiples, como la búsqueda de áreas, volúmenes y el valor medio de una función en una región limitada. En esta sección desarrollamos técnicas computacionales para calcular el centro de masa y los momentos de inercia de varios tipos de objetos físicos, utilizando integrales dobles para una lámina (placa plana) e integrales triples para un objeto tridimensional con densidad variable. Se suele considerar que la densidad es un número constante cuando la lámina o el objeto son homogéneos; es decir, el objeto tiene una densidad uniforme.

Centro de masa en dos dimensiones

El centro de masa también se conoce como centro de gravedad si el objeto está en un campo gravitacional uniforme. Si el objeto tiene una densidad uniforme, el centro de masa es el centro geométrico del objeto, que se llama centroide. La Figura 5.64 muestra un punto P como centro de masa de una lámina. La lámina está perfectamente equilibrada en torno a su centro de masa.

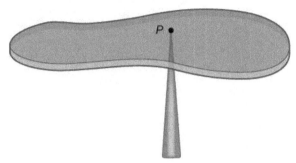

Figura 5.64 Una lámina está perfectamente equilibrada sobre un eje si el centro de masa de la lámina se asienta sobre el eje.

Para hallar las coordenadas del centro de masa $P(\bar{x}, \bar{y})$ de una lámina necesitamos hallar el momento M_x de la lámina sobre el eje x y el momento M_y sobre el eje y. También necesitamos calcular la masa m de la lámina. Entonces

$$\bar{x} = \frac{M_y}{m} \text{ y } \bar{y} = \frac{M_x}{m}.$$

Consulte en Momentos y centros de masa (http://openstax.org/books/cálculo-volumen-1/pages/6-6-momentos-y-centros-de-masa) las definiciones y los métodos de integración simple para calcular el centro de masa de un objeto unidimensional (por ejemplo, una varilla delgada). Vamos a utilizar una idea similar aquí, excepto que el objeto es una lámina bidimensional y utilizamos una integral doble.

Si permitimos una función de densidad constante, entonces $\bar{x} = \frac{M_y}{m}$ y $\bar{y} = \frac{M_x}{m}$ dan el *centroide* de la lámina.

Supongamos que la lámina ocupa una región R en el plano xy, y supongamos que $\rho(x, y)$ es su densidad (en unidades de masa por unidad de superficie) en cualquier punto (x, y). Por lo tanto, $\rho(x, y) = \lim_{\Delta A \to 0} \frac{\Delta m}{\Delta A}$, donde Δm y ΔA son la masa y el área de un pequeño rectángulo que contiene el punto (x, y) y el límite se toma cuando las dimensiones del rectángulo van a 0 (vea la siguiente figura).

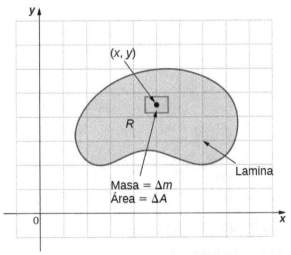

Figura 5.65 La densidad de una lámina en un punto es el límite de su masa por área en un pequeño rectángulo alrededor del punto a medida que el área se hace cero.

Al igual que antes, dividimos la región R en pequeños rectángulos R_{ij} con área ΔA y elegimos $\left(x_{ij}^*, y_{ij}^*\right)$ como puntos de muestra. Entonces la masa m_{ij} de cada R_{ij} es igual a $\rho\left(x_{ij}^*, y_{ij}^*\right)\Delta A$ (Figura 5.66). Supongamos que k y l son el número de subintervalos en x como y, respectivamente. También, observe que la forma puede no ser siempre rectangular, pero el límite funciona igualmente, como se ha visto en secciones anteriores.

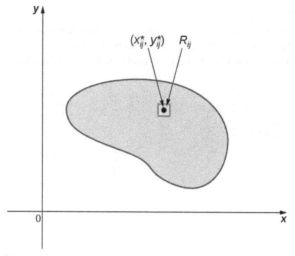

Figura 5.66   Subdivisión de la lámina en pequeños rectángulos R_{ij}, cada uno de los cuales contiene un punto de muestra (x_{ij}^*, y_{ij}^*).

Por lo tanto, la masa de la lámina es

$$m = \lim_{k,l\to\infty}\sum_{i=1}^{k}\sum_{j=1}^{l}m_{ij} = \lim_{k,l\to\infty}\sum_{i=1}^{k}\sum_{j=1}^{l}\rho(x_{ij}^*, y_{ij}^*)\Delta A = \iint\limits_{R}\rho(x, y)dA. \qquad (5.13)$$

Veamos ahora un ejemplo para calcular la masa total de una lámina triangular.

EJEMPLO 5.55

Hallar la masa total de una lámina

Consideremos una lámina triangular R con vértices $(0, 0)$, $(0, 3)$, $(3, 0)$ y con densidad $\rho(x, y) = xy\,\mathrm{kg/m}^2$. Calcule la masa total.

✓ **Solución**

Un dibujo de la región R siempre es útil, como se muestra en la siguiente figura.

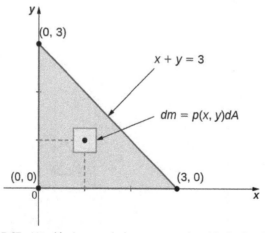

Figura 5.67   Una lámina en el plano xy con densidad $\rho(x, y) = xy$.

Utilizando la expresión desarrollada para la masa, vemos que

$$m = \iint\limits_R dm = \iint\limits_R \rho(x,y)\,dA = \int\limits_{x=0}^{x=3} \int\limits_{y=0}^{y=3-x} xy\,dy\,dx = \int\limits_{x=0}^{x=3} \left[x\frac{y^2}{2}\Big|_{y=0}^{y=3-x} \right] dx$$

$$= \int\limits_{x=0}^{x=3} \frac{1}{2}x(3-x)^2\,dx = \left[\frac{9x^2}{4} - x^3 + \frac{x^4}{8} \right]\Big|_{x=0}^{x=3}$$

$$= \frac{27}{8}.$$

El cálculo es sencillo, dando la respuesta $m = \frac{27}{8}$ kg.

✓   5.33   Considere la misma región R como en el ejemplo anterior, y utilice la función de densidad $\rho(x,y) = \sqrt{xy}$. Calcule la masa total. *Pista:* Utilice la sustitución trigonométrica $\sqrt{x} = \sqrt{3}\,\text{sen}\,\theta$ y luego utilice las fórmulas de reducción de potencia de las funciones trigonométricas.

Ahora que hemos establecido la expresión para la masa, tenemos las herramientas que necesitamos para calcular los momentos y los centros de masa. El momento M_x alrededor del eje x por R es el límite de las sumas de momentos de las regiones R_{ij} alrededor del eje x. Por lo tanto

$$M_x = \lim_{k,l\to\infty} \sum_{i=1}^{k}\sum_{j=1}^{l} \left(y_{ij}^*\right) m_{ij} = \lim_{k,l\to\infty} \sum_{i=1}^{k}\sum_{j=1}^{l} \left(y_{ij}^*\right) \rho\left(x_{ij}^*, y_{ij}^*\right) \Delta A = \iint\limits_R y\rho(x,y)\,dA. \tag{5.14}$$

Del mismo modo, el momento M_y sobre el eje y por R es el límite de las sumas de momentos de las regiones R_{ij} alrededor del eje y. Por lo tanto

$$M_y = \lim_{k,l\to\infty} \sum_{i=1}^{k}\sum_{j=1}^{l} \left(x_{ij}^*\right) m_{ij} = \lim_{k,l\to\infty} \sum_{i=1}^{k}\sum_{j=1}^{l} \left(y_{ij}^*\right) \rho\left(x_{ij}^*, y_{ij}^*\right) \Delta A = \iint\limits_R x\rho(x,y)\,dA. \tag{5.15}$$

EJEMPLO 5.56

Calcular momentos

Considere la misma lámina triangular R con vértices $(0,0), (0,3), (3,0)$ y con densidad $\rho(x,y) = xy$. Calcule los momentos M_x y M_y.

⊘ **Solución**

Utilice integrales dobles para cada momento y calcule sus valores:

$$M_x = \iint\limits_R y\rho(x,y)\,dA = \int\limits_{x=0}^{x=3} \int\limits_{y=0}^{y=3-x} xy^2\,dy\,dx = \frac{81}{20},$$

$$M_y = \iint\limits_R x\rho(x,y)\,dA = \int\limits_{x=0}^{x=3} \int\limits_{y=0}^{y=3-x} x^2y\,dy\,dx = \frac{81}{20}.$$

El cálculo es bastante sencillo.

✓   5.34   Considere la misma lámina R como en el caso anterior, y utilice la función de densidad $\rho(x,y) = \sqrt{xy}$. Calcule los momentos M_x y M_y.

Por último, estamos preparados para replantear las expresiones del centro de masa en términos de integrales. Denotamos la coordenada x del centro de masa por $\bar{x}$ y la coordenada y por $\bar{y}$. Específicamente,

$$\bar{x} = \frac{M_y}{m} = \frac{\displaystyle\iint_R x\rho(x,y)\,dA}{\displaystyle\iint_R \rho(x,y)\,dA} \quad \text{y} \quad \bar{y} = \frac{M_x}{m} = \frac{\displaystyle\iint_R y\rho(x,y)\,dA}{\displaystyle\iint_R \rho(x,y)\,dA}. \tag{5.16}$$

EJEMPLO 5.57

Calcular el centro de masa

Consideremos de nuevo la misma región triangular R con vértices $(0,0)$, $(0,3)$, $(3,0)$ y con función de densidad $\rho(x,y) = xy$. Calcule el centro de masa.

⊘ **Solución**

Utilizando las fórmulas que hemos desarrollado, tenemos

$$\bar{x} = \frac{M_y}{m} = \frac{\displaystyle\iint_R x\rho(x,y)\,dA}{\displaystyle\iint_R \rho(x,y)\,dA} = \frac{81/20}{27/8} = \frac{6}{5},$$

$$\bar{y} = \frac{M_x}{m} = \frac{\displaystyle\iint_R y\rho(x,y)\,dA}{\displaystyle\iint_R \rho(x,y)\,dA} = \frac{81/20}{27/8} = \frac{6}{5}.$$

Por lo tanto, el centro de masa es el punto $\left(\frac{6}{5}, \frac{6}{5}\right)$.

⊘ **Análisis**

Si elegimos que la densidad sea $\rho(x,y)$ en vez de ser uniforme en toda la región (es decir, constante), como el valor 1 (cualquier constante servirá), entonces podemos calcular el centroide,

$$x_c = \frac{M_y}{m} = \frac{\displaystyle\iint_R x\,dA}{\displaystyle\iint_R dA} = \frac{9/2}{9/2} = 1,$$

$$y_c = \frac{M_x}{m} = \frac{\displaystyle\iint_R y\,dA}{\displaystyle\iint_R dA} = \frac{9/2}{9/2} = 1.$$

Observe que el centro de masa $\left(\frac{6}{5}, \frac{6}{5}\right)$ no es exactamente lo mismo que el centroide $(1,1)$ de la región triangular. Esto se debe a la densidad variable de R. Si la densidad es constante, entonces simplemente utilizamos $\rho(x,y) = c$ (constante). Este valor se anula en las fórmulas, por lo que para una densidad constante, el centro de masa coincide con el centroide de la lámina.

✓   5.35   De nuevo, utilice la misma región R como arriba y la función de densidad $\rho(x,y) = \sqrt{xy}$. Calcule el centro de masa.

Una vez más, basándonos en los comentarios del final del Ejemplo 5.57, tenemos expresiones para el centroide de una región en el plano:

$$x_c = \frac{M_y}{m} = \frac{\displaystyle\iint\limits_R x\,dA}{\displaystyle\iint\limits_R dA} \text{ y } y_c = \frac{M_x}{m} = \frac{\displaystyle\iint\limits_R y\,dA}{\displaystyle\iint\limits_R dA}.$$

Debemos utilizar estas fórmulas y verificar el centroide de la región triangular R a la que se refieren los tres últimos ejemplos.

EJEMPLO 5.58

Calcular la masa, los momentos y el centro de masa

Halle la masa, los momentos y el centro de masa de la lámina de densidad $\rho(x, y) = x + y$ que ocupa la región R bajo la curva $y = x^2$ en el intervalo $0 \leq x \leq 2$ (vea la siguiente figura).

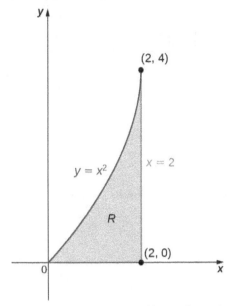

Figura 5.68 Ubicación del centro de masa de una lámina R con densidad $\rho(x, y) = x + y$.

⊘ **Solución**

Primero calculamos la masa m. Necesitamos describir la región entre el gráfico de $y = x^2$ y las líneas verticales $x = 0$ y $x = 2$:

$$m = \iint\limits_R dm = \iint\limits_R \rho(x, y)\,dA = \int_{x=0}^{x=2} \int_{y=0}^{y=x^2} (x + y)\,dy\,dx = \int_{x=0}^{x=2} \left[xy + \frac{y^2}{2}\Big|_{y=0}^{y=x^2} \right] dx$$

$$= \int_{x=0}^{x=2} \left[x^3 + \frac{x^4}{2} \right] dx = \left[\frac{x^4}{4} + \frac{x^5}{10} \right]\Big|_{x=0}^{x=2} = \frac{36}{5}.$$

Ahora calculamos los momentos M_x y M_y:

$$M_x = \iint\limits_R y\rho(x, y)\,dA = \int_{x=0}^{x=2} \int_{y=0}^{y=x^2} y(x + y)\,dy\,dx = \frac{80}{7},$$

$$M_y = \iint\limits_R x\rho(x, y)\,dA = \int_{x=0}^{x=2} \int_{y=0}^{y=x^2} x(x + y)\,dy\,dx = \frac{176}{15}.$$

Por último, evaluamos el centro de masa,

$$\bar{x} = \frac{M_y}{m} = \frac{\displaystyle\iint_R x\rho(x,y)dA}{\displaystyle\iint_R \rho(x,y)dA} = \frac{176/15}{36/5} = \frac{44}{27},$$

$$\bar{y} = \frac{M_x}{m} = \frac{\displaystyle\iint_R y\rho(x,y)dA}{\displaystyle\iint_R \rho(x,y)dA} = \frac{80/7}{36/5} = \frac{100}{63}.$$

Por lo tanto, el centro de masa es $(\bar{x}, \bar{y}) = \left(\frac{44}{27}, \frac{100}{63}\right)$.

☑ 5.36   Calcule la masa, los momentos y el centro de masa de la región entre las curvas $y = x$ como $y = x^2$ con la función de densidad $\rho(x, y) = x$ en el intervalo $0 \le x \le 1$.

EJEMPLO 5.59

Hallar un centroide

Halle el centro de la región bajo la curva $y = e^x$ en el intervalo $1 \le x \le 3$ (vea la siguiente figura).

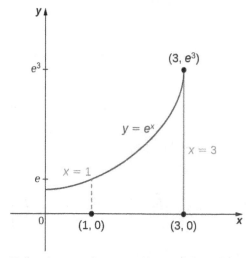

Figura 5.69   Hallar el centro de una región por debajo de la curva $y = e^x$.

⊘ **Solución**

Para calcular el centroide, suponemos que la función de densidad es constante y, por tanto, se anula:

$$x_c = \frac{M_y}{m} = \frac{\iint\limits_R x \, dA}{\iint\limits_R dA} \text{ y } y_c = \frac{M_x}{m} = \frac{\iint\limits_R y \, dA}{\iint\limits_R dA},$$

$$x_c = \frac{M_y}{m} = \frac{\iint\limits_R x \, dA}{\iint\limits_R dA} = \frac{\int\limits_{x=1}^{x=3} \int\limits_{y=0}^{y=e^x} x \, dy \, dx}{\int\limits_{x=1}^{x=3} \int\limits_{y=0}^{y=e^x} dy \, dx} = \frac{\int\limits_{x=1}^{x=3} x e^x \, dx}{\int\limits_{x=1}^{x=3} e^x \, dx} = \frac{2e^3}{e^3 - e} = \frac{2e^2}{e^2 - 1},$$

$$y_c = \frac{M_x}{m} = \frac{\iint\limits_R y \, dA}{\iint\limits_R dA} = \frac{\int\limits_{x=1}^{x=3} \int\limits_{y=0}^{y=e^x} y \, dy \, dx}{\int\limits_{x=1}^{x=3} \int\limits_{y=0}^{y=e^x} dy \, dx} = \frac{\int\limits_{x=1}^{x=3} \frac{e^{2x}}{2} \, dx}{\int\limits_{x=1}^{x=3} e^x \, dx} = \frac{\frac{1}{4} e^2 \left(e^4 - 1 \right)}{e \left(e^2 - 1 \right)} = \frac{1}{4} e \left(e^2 + 1 \right).$$

Así, el centro de la región es

$$(x_c, y_c) = \left(\frac{2e^2}{e^2 - 1}, \frac{1}{4} e \left(e^2 + 1 \right) \right).$$

☑ 5.37   Calcule el centroide de la región entre las curvas $y = x$ como $y = \sqrt{x}$ con densidad uniforme en el intervalo $0 \leq x \leq 1$.

Momentos de inercia

Para entender claramente cómo calcular los momentos de inercia utilizando integrales dobles, tenemos que volver a la definición general de momentos y centros de masa de la Sección 6.6 del Volumen 1. El momento de inercia de una partícula de masa m alrededor de un eje es mr^2, donde r es la distancia de la partícula al eje. Podemos ver en la Figura 5.66 que el momento de inercia del subrectángulo R_{ij} alrededor del eje x ¿es $(y_{ij}^*)^2 \rho(x_{ij}^*, y_{ij}^*) \Delta A$. Asimismo, el momento de inercia del subrectángulo R_{ij} alrededor del eje y ¿es $(x_{ij}^*)^2 \rho(x_{ij}^*, y_{ij}^*) \Delta A$. El momento de inercia está relacionado con la rotación de la masa; concretamente, mide la tendencia de la masa a resistir un cambio en el movimiento de rotación alrededor de un eje.

El momento de inercia I_x alrededor del eje x para la región R es el límite de la suma de los momentos de inercia de las regiones R_{ij} alrededor del eje x. Por lo tanto

$$I_x = \lim_{k,l \to \infty} \sum_{i=1}^{k} \sum_{j=1}^{l} \left(y_{ij}^* \right)^2 m_{ij} = \lim_{k,l \to \infty} \sum_{i=1}^{k} \sum_{j=1}^{l} \left(y_{ij}^* \right)^2 \rho \left(x_{ij}^*, y_{ij}^* \right) \Delta A = \iint\limits_R y^2 \rho (x, y) \, dA.$$

Del mismo modo, el momento de inercia I_y sobre el eje y por R es el límite de la suma de los momentos de inercia de las regiones R_{ij} alrededor del eje y. Por lo tanto

$$I_y = \lim_{k,l \to \infty} \sum_{i=1}^{k} \sum_{j=1}^{l} \left(x_{ij}^* \right)^2 m_{ij} = \lim_{k,l \to \infty} \sum_{i=1}^{k} \sum_{j=1}^{l} \left(x_{ij}^* \right)^2 \rho \left(x_{ij}^*, y_{ij}^* \right) \Delta A = \iint\limits_R x^2 \rho (x, y) \, dA.$$

A veces, necesitamos calcular el momento de inercia de un objeto en torno al origen, que se conoce como momento de inercia polar. Lo denotamos por I_0 y lo obtenemos sumando los momentos de inercia I_x y I_y. Por lo tanto

$$I_0 = I_x + I_y = \iint\limits_{R} \left(x^2 + y^2 \right) \rho\left(x, y\right) dA.$$

Todas estas expresiones se pueden escribir en coordenadas polares sustituyendo $x = r \cos\theta$, $y = r \,\text{sen}\, \theta$, y $dA = r\, dr\, d\theta$. Por ejemplo, $I_0 = \iint\limits_{R} r^2 \rho\left(r \cos\theta, r\, \text{sen}\,\theta\right) dA.$

EJEMPLO 5.60

Hallar los momentos de inercia de una lámina triangular

Utilice la región triangular R con vértices $(0, 0)$, $(2, 2)$, y $(2, 0)$ y con densidad $\rho\left(x, y\right) = xy$ como en los ejemplos anteriores. Halle los momentos de inercia.

⊘ **Solución**

Utilizando las expresiones establecidas anteriormente para los momentos de inercia, tenemos

$$
\begin{aligned}
I_x &= \iint\limits_{R} y^2 \rho\left(x, y\right) dA = \int_{x=0}^{x=2} \int_{y=0}^{y=x} xy^3\, dy\, dx = \tfrac{8}{3}, \\[2mm]
I_y &= \iint\limits_{R} x^2 \rho\left(x, y\right) dA = \int_{x=0}^{x=2} \int_{y=0}^{y=x} x^3 y\, dy\, dx = \tfrac{16}{3}, \\[2mm]
I_0 &= \iint\limits_{R} \left(x^2 + y^2 \right) \rho\left(x, y\right) dA = \int_0^2 \int_0^x \left(x^2 + y^2 \right) xy\, dy\, dx \\[2mm]
&= I_x + I_y = 8.
\end{aligned}
$$

☑ 5.38   De nuevo, utilice la misma región R como arriba y la función de densidad $\rho\left(x, y\right) = \sqrt{xy}$. Halle los momentos de inercia.

Como se mencionó anteriormente, el momento de inercia de una partícula de masa m alrededor de un eje es mr^2 donde r es la distancia de la partícula al eje, también conocida como **radio de giro**.

Por lo tanto, los radios de giro con respecto al eje x—eje, el eje y—eje, y el origen son

$$R_x = \sqrt{\frac{I_x}{m}}, R_y = \sqrt{\frac{I_y}{m}}, \text{y } R_0 = \sqrt{\frac{I_0}{m}},$$

respectivamente. En cada caso, el radio de giro nos indica a qué distancia (distancia perpendicular) del eje de rotación puede concentrarse toda la masa de un objeto. Los momentos de un objeto son útiles para encontrar información sobre el equilibrio y el par del objeto alrededor de un eje, pero los radios de giro se utilizan para describir la distribución de la masa alrededor de su eje centroidal. Hay muchas aplicaciones en ingeniería y física. A veces es necesario calcular el radio de giro, como en el siguiente ejemplo.

EJEMPLO 5.61

Hallar el radio de giro de una lámina triangular

Considere la misma lámina triangular R con vértices $(0, 0)$, $(2, 2)$, y $(2, 0)$ y con densidad $\rho\left(x, y\right) = xy$ como en los ejemplos anteriores. Calcule los radios de giro con respecto al eje x—eje, el eje y—eje, y el origen.

⊘ **Solución**

Si calculamos la masa de esta región encontramos que $m = 2$. Hallamos los momentos de inercia de esta lámina en el Ejemplo 5.58. A partir de estos datos, los radios de giro con respecto a los ejes x—eje, y—eje, y el origen son, respectivamente,

$$R_x = \sqrt{\frac{I_x}{m}} = \sqrt{\frac{8/3}{2}} = \sqrt{\frac{8}{6}} = \frac{2\sqrt{3}}{3},$$

$$R_y = \sqrt{\frac{I_y}{m}} = \sqrt{\frac{16/3}{2}} = \sqrt{\frac{8}{3}} = \frac{2\sqrt{6}}{3},$$

$$R_0 = \sqrt{\frac{I_0}{m}} = \sqrt{\frac{8}{2}} = \sqrt{4} = 2.$$

☑   5.39   Utilice la misma región R del Ejemplo 5.61 y la función de densidad $\rho(x, y) = \sqrt{xy}$. Halle los radios de giro con respecto al eje x–eje, el eje y–eje, y el origen.

Centro de masa y momentos de inercia en tres dimensiones

Todas las expresiones de integrales dobles discutidas hasta ahora pueden modificarse para convertirse en integrales triples.

> **Definición**
>
> Si tenemos un objeto sólido Q con una función de densidad $\rho(x, y, z)$ en cualquier punto (x, y, z) en el espacio, entonces su masa es
>
> $$m = \iiint\limits_Q \rho(x, y, z)\, dV.$$
>
> Sus momentos sobre el plano xy, el plano xz, y el plano yz son
>
> $$M_{xy} = \iiint\limits_Q z\rho(x, y, z)\, dV, \; M_{xz} = \iiint\limits_Q y\rho(x, y, z)\, dV,$$
>
> $$M_{yz} = \iiint\limits_Q x\rho(x, y, z)\, dV.$$
>
> Si el centro de masa del objeto es el punto $\left(\bar{x}, \bar{y}, \bar{z}\right)$, entonces
>
> $$\bar{x} = \frac{M_{yz}}{m}, \; \bar{y} = \frac{M_{xz}}{m}, \; \bar{z} = \frac{M_{xy}}{m}.$$
>
> Además, si el objeto sólido es homogéneo (con densidad constante), entonces el centro de masa se convierte en el centroide del sólido. Por último, los momentos de inercia en torno al plano yz, el plano xz, y el plano xy son
>
> $$I_x = \iiint\limits_Q \left(y^2 + z^2\right) \rho(x, y, z)\, dV,$$
>
> $$I_y = \iiint\limits_Q \left(x^2 + z^2\right) \rho(x, y, z)\, dV,$$
>
> $$I_z = \iiint\limits_Q \left(x^2 + y^2\right) \rho(x, y, z)\, dV.$$

EJEMPLO 5.62

Hallar la masa de un sólido

Supongamos que Q es una región sólida limitada por $x + 2y + 3z = 6$ y los planos de coordenadas, y tiene densidad $\rho(x, y, z) = x^2 yz$. Calcule la masa total.

⊘ **Solución**

La región Q es un tetraedro ([Figura 5.70](#)) que encuentra los ejes en los puntos $(6, 0, 0)$, $(0, 3, 0)$, y $(0, 0, 2)$. Para calcular los límites de la integración, supongamos que $z = 0$ en el plano inclinado $z = \frac{1}{3}(6 - x - 2y)$. Entonces para x como y halle la proyección de Q en el plano xy, que está limitada por los ejes y la línea $x + 2y = 6$. Por lo tanto, la masa es

$$m = \iiint_Q \rho(x, y, z) \, dV = \int_{x=0}^{x=6} \int_{y=0}^{y=1/2(6-x)} \int_{z=0}^{z=1/3(6-x-2y)} x^2 yz \, dz \, dy \, dx = \frac{108}{35} \approx 3{,}086.$$

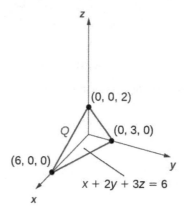

Figura 5.70 Calcular la masa de un sólido tridimensional Q.

✓ 5.40 Considere la misma región Q ([Figura 5.70](#)) y utilice la función de densidad $\rho(x, y, z) = xy^2 z$. Halle la masa.

EJEMPLO 5.63

Hallar el centro de masa de un sólido

Supongamos que Q es una región sólida limitada por el plano $x + 2y + 3z = 6$ y los planos de coordenadas con densidad $\rho(x, y, z) = x^2 yz$ (vea la [Figura 5.70](#)). Halle el centro de masa utilizando la aproximación decimal. Utilice la masa del [Ejemplo 5.62](#).

⊘ **Solución**

Ya hemos utilizado este tetraedro y conocemos los límites de integración, por lo que podemos proceder a los cálculos de inmediato. Primero, tenemos que hallar los momentos sobre el plano xy, el plano xz, y el plano yz:

$$M_{xy} = \iiint_Q z\rho(x, y, z) \, dV = \int_{x=0}^{x=6} \int_{y=0}^{y=1/2(6-x)} \int_{z=0}^{z=1/3(6-x-2y)} x^2 yz^2 \, dz \, dy \, dx = \frac{54}{35} \approx 1{,}543,$$

$$M_{xz} = \iiint_Q y\rho(x, y, z) \, dV = \int_{x=0}^{x=6} \int_{y=0}^{y=1/2(6-x)} \int_{z=0}^{z=1/3(6-x-2y)} x^2 y^2 z \, dz \, dy \, dx = \frac{81}{35} \approx 2{,}314,$$

$$M_{yz} = \iiint_Q x\rho(x, y, z) \, dV = \int_{x=0}^{x=6} \int_{y=0}^{y=1/2(6-x)} \int_{z=0}^{z=1/3(6-x-2y)} x^3 yz \, dz \, dy \, dx = \frac{243}{35} \approx 6{,}943.$$

Por lo tanto, el centro de masa es

$$\bar{x} = \frac{M_{yz}}{m}, \bar{y} = \frac{M_{xz}}{m}, \bar{z} = \frac{M_{xy}}{m},$$

$$\bar{x} = \frac{M_{yz}}{m} = \frac{243/35}{108/35} = \frac{243}{108} = 2{,}25,$$

$$\bar{y} = \frac{M_{xz}}{m} = \frac{81/35}{108/35} = \frac{81}{108} = 0{,}75,$$

$$\bar{z} = \frac{M_{xy}}{m} = \frac{54/35}{108/35} = \frac{54}{108} = 0{,}5.$$

El centro de masa del tetraedro Q es el punto $(2{,}25, 0{,}75, 0{,}5)$.

☑ 5.41   Considere la misma región Q (Figura 5.70) y utilice la función de densidad $\rho(x, y, z) = xy^2 z$. Calcule el centro de masa.

Concluimos esta sección con un ejemplo de búsqueda de momentos de inercia $I_x, I_y,$ y I_z.

EJEMPLO 5.64

Hallar los momentos de inercia de un sólido

Supongamos que Q es una región sólida y está limitada por $x + 2y + 3z = 6$ y los planos de coordenadas con densidad $\rho(x, y, z) = x^2 yz$ (vea la Figura 5.70). Halle los momentos de inercia del tetraedro Q sobre el plano yz, el plano xz, y el plano xy.

⊘ **Solución**

Una vez más, podemos escribir casi inmediatamente los límites de integración y, por tanto, podemos proceder rápidamente a evaluar los momentos de inercia. Utilizando la fórmula anterior, los momentos de inercia del tetraedro Q alrededor del eje xy, el plano xz, y el plano yz son

$$I_x = \iiint\limits_{Q} \left(y^2 + z^2\right) \rho(x, y, z)\, dV,$$

$$I_y = \iiint\limits_{Q} \left(x^2 + z^2\right) \rho(x, y, z)\, dV,$$

y

$$I_z = \iiint\limits_{Q} \left(x^2 + y^2\right) \rho(x, y, z)\, dV \text{ con } \rho(x, y, z) = x^2 yz.$$

Continuando con los cálculos, tenemos

$$I_x = \iiint\limits_Q \left(y^2 + z^2\right) x^2 yz\, dV = \int\limits_{x=0}^{x=6} \int\limits_{y=0}^{y=\frac{1}{2}(6-x)} \int\limits_{z=0}^{z=\frac{1}{3}(6-x-2y)} \left(y^2 + z^2\right) x^2 yz\, dz\, dy\, dx = \tfrac{117}{35} \approx 3{,}343,$$

$$I_y = \iiint\limits_Q \left(x^2 + z^2\right) x^2 yz\, dV = \int\limits_{x=0}^{x=6} \int\limits_{y=0}^{y=\frac{1}{2}(6-x)} \int\limits_{z=0}^{z=\frac{1}{3}(6-x-2y)} \left(x^2 + z^2\right) x^2 yz\, dz\, dy\, dx = \tfrac{684}{35} \approx 19{,}543,$$

$$I_z = \iiint\limits_Q \left(x^2 + y^2\right) x^2 yz\, dV = \int\limits_{x=0}^{x=6} \int\limits_{y=0}^{y=\frac{1}{2}(6-x)} \int\limits_{z=0}^{z=\frac{1}{3}(6-x-2y)} \left(x^2 + y^2\right) x^2 yz\, dz\, dy\, dx = \tfrac{729}{35} \approx 20{,}829.$$

Así, los momentos de inercia del tetraedro Q sobre el plano yz, el plano xz, y el plano xy son $117/35$, $684/35$, y $729/35$, respectivamente.

✓ 5.42   Considere la misma región Q (Figura 5.70) y utilice la función de densidad $\rho(x, y, z) = xy^2 z$. Halle los momentos de inercia alrededor de los tres planos de coordenadas.

SECCIÓN 5.6 EJERCICIOS

En los siguientes ejercicios, la región R ocupada por una lámina se muestra en un gráfico. Calcule la masa de R con la función de densidad ρ.

297. R es la región triangular con vértices $(0,0)$, $(0,3)$, y $(6,0)$; $\rho(x,y) = xy$.

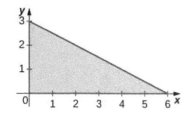

298. R es la región triangular con vértices $(0,0)$, $(1,1)$, $(0,5)$; $\rho(x,y) = x + y$.

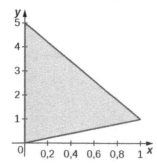

299. R es la región rectangular con vértices $(0,0)$, $(0,3)$, $(6,3)$, y $(6,0)$; $\rho(x,y) = \sqrt{xy}$.

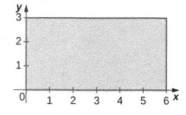

300. R es la región rectangular con vértices $(0,1)$, $(0,3)$, $(3,3)$, y $(3,1)$; $\rho(x,y) = x^2 y$.

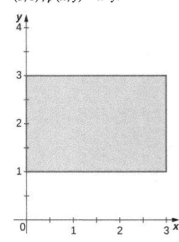

301. R es la región trapezoidal determinada por las líneas $y = -\frac{1}{4}x + \frac{5}{2}$, $y = 0$, $y = 2$, y $x = 0$; $\rho(x,y) = 3xy$.

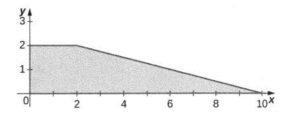

302. R es la región trapezoidal determinada por las líneas $y = 0$, $y = 1$, $y = x$, y $y = -x + 3$; $\rho(x,y) = 2x + y$.

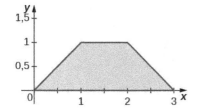

303. R es el disco de radio 2 centrado en $(1,2)$; $\rho(x,y) = x^2 + y^2 - 2x - 4y + 5$.

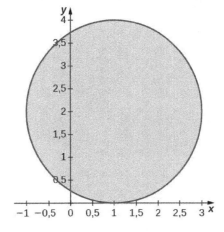

304. R es el disco de la unidad $\rho(x,y) = 3x^4 + 6x^2 y^2 + 3y^4$.

305. R es la región delimitada por la elipse $x^2 + 4y^2 = 1$; $\rho(x,y) = 1$.

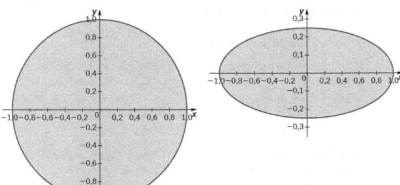

306. $R = \left\{ (x, y) | 9x^2 + y^2 \leq 1, x \geq 0, y \geq 0 \right\}$;
$\rho(x, y) = \sqrt{9x^2 + y^2}$.

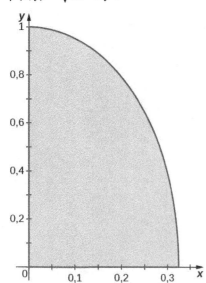

307. R es la región delimitada por
$y = x, y = -x, y = x + 2, y = -x + 2$;
$\rho(x, y) = 1$.

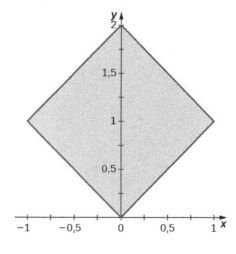

308. R es la región delimitada por
$y = \frac{1}{x}, y = \frac{2}{x}, y = 1$, y
$y = 2; \rho(x, y) = 4(x + y)$.

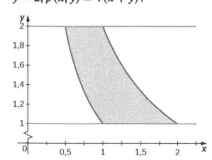

En los siguientes ejercicios, considere una lámina que ocupa la región R y que tiene la función de densidad ρ que se dio en el grupo de ejercicios anterior. Utilice un sistema de álgebra computacional (CAS) para responder las siguientes preguntas.

a.   Calcule los momentos M_x y M_y sobre el plano x y y—eje, respectivamente.

b.   Calcule y trace el centro de masa de la lámina.

c.   **[T]** Utilice un CAS para localizar el centro de masa en el gráfico de R.

309. [T] R es la región triangular con vértices $(0, 0), (0, 3)$, y $(6, 0); \rho(x, y) = xy$.

310. [T] R es la región triangular con vértices $(0, 0), (1, 1)$, y $(0, 5); \rho(x, y) = x + y$.

311. [T] R es la región rectangular con vértices $(0, 0), (0, 3), (6, 3)$, y $(6, 0)$; $\rho(x, y) = \sqrt{xy}$.

312. [T] R es la región rectangular con vértices $(0, 1), (0, 3), (3, 3)$, y $(3, 1)$; $\rho(x, y) = x^2 y$.

313. [T] R es la región trapezoidal determinada por las líneas $y = -\frac{1}{4}x + \frac{5}{2}, y = 0,$ $y = 2,$ y $x = 0$; $\rho(x, y) = 3xy$.

314. [T] R es la región trapezoidal determinada por las líneas $y = 0, y = 1, y = x,$ y $y = -x + 3; \rho(x, y) = 2x + y$.

315. **[T]** R es el disco de radio 2 centrado en $(1, 2)$; $\rho(x, y) = x^2 + y^2 - 2x - 4y + 5.$

316. **[T]** R es el disco de la unidad $\rho(x, y) = 3x^4 + 6x^2y^2 + 3y^4.$

317. **[T]** R es la región delimitada por la elipse $x^2 + 4y^2 = 1; \rho(x, y) = 1.$

318. **[T]**
$R = \{(x, y) | 9x^2 + y^2 \leq 1, x \geq 0, y \geq 0\};$
$\rho(x, y) = \sqrt{9x^2 + y^2}.$

319. **[T]** R es la región delimitada por
$y = x, y = -x, y = x + 2,$
y $y = -x + 2; \rho(x, y) = 1.$

320. **[T]** R es la región delimitada por $y = \frac{1}{x}$,
$y = \frac{2}{x}, y = 1,$ y $y = 2$;
$\rho(x, y) = 4(x + y).$

En los siguientes ejercicios, considere una lámina que ocupa la región R y que tiene la función de densidad ρ que se dan en los dos primeros grupos de ejercicios.

a. Halle los momentos de inercia I_x, I_y, y I_0 alrededor del eje x, y, y origen, respectivamente.
b. Calcule los radios de giro con respecto a los ejes x, y, y origen, respectivamente.

321. R es la región triangular con vértices $(0, 0), (0, 3),$ y $(6, 0); \rho(x, y) = xy.$

322. R es la región triangular con vértices $(0, 0), (1, 1),$ y $(0, 5); \rho(x, y) = x + y.$

323. R es la región rectangular con vértices $(0, 0), (0, 3), (6, 3),$ y $(6, 0); \rho(x, y) = \sqrt{xy}.$

324. R es la región rectangular con vértices $(0, 1), (0, 3), (3, 3),$ y $(3, 1); \rho(x, y) = x^2 y.$

325. R es la región trapezoidal determinada por las líneas $y = -\frac{1}{4}x + \frac{5}{2}, y = 0, y = 2,$ y $x = 0; \rho(x, y) = 3xy.$

326. R es la región trapezoidal determinada por las líneas $y = 0, y = 1, y = x,$ y $y = -x + 3; \rho(x, y) = 2x + y.$

327. R es el disco de radio 2 centrado en $(1, 2)$; $\rho(x, y) = x^2 + y^2 - 2x - 4y + 5.$

328. R es el disco de la unidad $\rho(x, y) = 3x^4 + 6x^2y^2 + 3y^4.$

329. R es la región delimitada por la elipse $x^2 + 4y^2 = 1; \rho(x, y) = 1.$

330. $R = \{(x, y) | 9x^2 + y^2 \leq 1, x \geq 0, y \geq 0\}; \rho(x, y) = \sqrt{9x^2 + y^2}.$

331. R es la región delimitada por $y = x, y = -x, y = x + 2,$ y $y = -x + 2$; $\rho(x, y) = 1.$

332. R es la región delimitada por $y = \frac{1}{x}, y = \frac{2}{x}, y = 1,$ y $y = 2; \rho(x, y) = 4(x + y).$

333. Supongamos que Q es el cubo sólido de la unidad. Calcule la masa del sólido si su densidad ρ es igual al cuadrado de la distancia de un punto arbitrario de Q al plano xy.

334. Supongamos que Q es el hemisferio sólido de la unidad. Calcule la masa del sólido si su densidad ρ es proporcional a la distancia de un punto arbitrario de Q al origen.

335. El sólido Q de densidad constante 1 se encuentra dentro de la esfera $x^2 + y^2 + z^2 = 16$ y fuera de la esfera $x^2 + y^2 + z^2 = 1.$ Demuestre que el centro de masa del sólido no se encuentra dentro del mismo.

336. Halle la masa del sólido
$$Q = \left\{(x,y,z) | 1 \le x^2 + z^2 \le 25, y \le 1 - x^2 - z^2\right\}$$
cuya densidad es $\rho(x,y,z) = k$, donde $k > 0$.

337. **[T]** El sólido
$$Q = \left\{(x,y,z) | x^2 + y^2 \le 9, 0 \le z \le 1, x \ge 0, y \ge 0\right\}$$
tiene una densidad igual a la distancia al plano xy.
Utilice un sistema de álgebra computacional (CAS)
para responder las siguientes preguntas.

  a. Encuentre la masa de Q.
  b. Calcule los momentos $M_{xy}, M_{xz}, $ y M_{yz} sobre
      los planos xy, xz y yz, respectivamente.
  c. Calcule el centro de masa de Q.
  d. Grafique Q y ubique su centro de masa.

338. Considere el sólido
$$Q = \{(x,y,z) | 0 \le x \le 1, 0 \le y \le 2, 0 \le z \le 3\}$$
con la función de densidad
$$\rho(x,y,z) = x + y + 1.$$

  a. Encuentre la masa de Q.
  b. Calcule los momentos $M_{xy}, M_{xz},$ y M_{yz}
      sobre los planos xy, xz y yz,
      respectivamente.
  c. Calcule el centro de masa de Q.

339. **[T]** El sólido Q tiene la
masa dada por la integral
triple

$$\int_{-1}^{1} \int_{0}^{\frac{\pi}{4}} \int_{0}^{1} r^2 \, dr \, d\theta \, dz.$$

Utilice un sistema de
álgebra computacional
(CAS) para responder las
siguientes preguntas.

  a. Demuestre que el
      centro de masa de Q
      se encuentra en el
      plano xy.
  b. Grafique Q y ubique
      su centro de masa.

340. El sólido Q está delimitado por los
planos
$x + 4y + z = 8, x = 0, y = 0,$ y $z = 0.$
Su densidad en cualquier punto es
igual a la distancia al plano xz. Halle
los momentos de inercia I_y del
sólido sobre el plano xz.

341. El sólido Q está
delimitado por los planos
$x + y + z = 3,$
$x = 0, y = 0,$ y $z = 0.$ Su
densidad es
$\rho(x,y,z) = x + ay,$
donde $a > 0$. Demuestre
que el centro de masa del
sólido está situado en el
plano $z = \frac{3}{5}$ para
cualquier valor de a.

342. Supongamos que Q es el
sólido situado fuera de la
esfera $x^2 + y^2 + z^2 = z$ y
dentro del hemisferio
superior
$x^2 + y^2 + z^2 = R^2,$
donde $R > 1$. Si la
densidad del sólido es
$\rho(x,y,z) = \dfrac{1}{\sqrt{x^2+y^2+z^2}},$
calcule R tal que la masa
del sólido es $\frac{7\pi}{2}$.

343. La masa de un sólido Q viene dada por

$$\int_{0}^{2} \int_{0}^{\sqrt{4-x^2}} \int_{\sqrt{x^2+y^2}}^{\sqrt{16-x^2-y^2}} \left(x^2 + y^2 + z^2\right)^n dz \, dy \, dx,$$

donde n es un número entero. Determine n tal la
masa del sólido es $\left(2 - \sqrt{2}\right)\pi$.

344. Supongamos que Q es el sólido limitado sobre el cono $x^2 + y^2 = z^2$ y por debajo de la esfera $x^2 + y^2 + z^2 - 4z = 0$. Su densidad es una constante $k > 0$. Halle k de manera que el centro de masa del sólido se sitúe 7 unidades desde el origen.

345. El sólido
$$Q = \left\{(x, y, z)|0 \le x^2 + y^2 \le 16, x \ge 0, y \ge 0, 0 \le z \le x\right\}$$
tiene la densidad $\rho(x, y, z) = k$. Demuestre que el momento M_{xy} sobre el plano xy es la mitad del momento M_{yz} alrededor del eje yz.

346. El sólido Q está limitado por el cilindro $x^2 + y^2 = a^2$, el paraboloide $b^2 - z = x^2 + y^2$, y la intersección en xy, donde $0 < a < b$. Halle la masa del sólido si su densidad viene dada por $\rho(x, y, z) = \sqrt{x^2 + y^2}$.

347. Supongamos que Q es un sólido de densidad constante k, donde $k > 0$, que se encuentra en el primer octante, dentro del cono circular $x^2 + y^2 = 9(z - 1)^2$, y por encima del plano $z = 0$. Demuestre que el momento M_{xy} sobre el plano xy es lo mismo que el momento M_{yz} sobre los planos xz.

348. El sólido Q tiene la masa dada por la integral triple
$$\int_0^1 \int_0^{\pi/2} \int_0^{r^2} \left(r^4 + r\right) dz\, d\theta\, dr.$$

a. Calcule la densidad del sólido en coordenadas rectangulares.

b. Calcule el momento M_{xy} sobre el plano xy.

349. El sólido Q tiene el momento de inercia I_x alrededor del eje yz dada por la integral triple
$$\int_0^2 \int_{-\sqrt{4-y^2}}^{\sqrt{4-y^2}} \int_{\frac{1}{2}\left(x^2+y^2\right)}^{\sqrt{x^2+y^2}} \left(y^2 + z^2\right)\left(x^2 + y^2\right) dz\, dx\, dy.$$

a. Halle la densidad de Q.

b. Halle el momento de inercia I_z sobre los planos xy.

350. El sólido Q tiene la masa dada por la integral triple
$$\int_0^{\pi/4} \int_0^{2\,s\,\theta} \int_0^1 \left(r^3\cos\theta\, \text{sen}\, \theta + 2r\right) dz\, dr\, d\theta.$$

a. Calcule la densidad del sólido en coordenadas rectangulares.

b. Calcule el momento M_{xz} sobre los planos xz.

351. Supongamos que Q es el sólido limitado por el plano xy, el cilindro $x^2 + y^2 = a^2$, y el plano $z = 1$, donde $a > 1$ es un número real. Calcule el momento M_{xy} del sólido sobre el plano xy si su densidad dada en coordenadas cilíndricas es $\rho(r, \theta, z) = \frac{d^2 f}{dr^2}(r)$, donde f es una función diferenciable con las derivadas primera y segunda continuas y diferenciables en $(0, a)$.

352. Un sólido Q tiene un volumen dado por
$$\iint_D \int_a^b dA\, dz,$$
donde D es la proyección del sólido sobre el plano xy y $a < b$ son números reales, y su densidad no depende de la variable z. Demuestre que su centro de masa se encuentra en el plano $z = \frac{a+b}{2}$.

353. Considere el sólido encerrado por el cilindro $x^2 + z^2 = a^2$ y los planos $y = b$ y $y = c$, donde $a > 0$ y $b < c$ son números reales. La densidad de Q viene dada por $\rho(x, y, z) = f'(y)$, donde f es una función diferencial cuya derivada es continua en (b, c). Demuestre que si $f(b) = f(c)$, entonces el momento de inercia alrededor del plano xz de Q es nulo.

354. **[T]** La densidad media de un sólido Q se define como

$$\rho_{ave} = \frac{1}{V(Q)} \iiint\limits_{Q} \rho(x, y, z)\, dV = \frac{m}{V(Q)},$$

donde $V(Q)$ y m son el volumen y la masa de Q, respectivamente. Si la densidad de la bola unitaria centrada en el origen es $\rho(x, y, z) = e^{-x^2-y^2-z^2}$, utilice un CAS para calcular su densidad media. Redondee su respuesta a tres decimales.

355. Demuestre que los momentos de inercia I_x, I_y, y I_z alrededor del eje yz, xz y xy, respectivamente, de la bola unitaria centrada en el origen cuya densidad es $\rho(x, y, z) = e^{-x^2-y^2-z^2}$ son los mismos. Redondee su respuesta a dos decimales.

5.7 Cambio de variables en integrales múltiples

Objetivos de aprendizaje

> **5.7.1** Determinar la imagen de una región bajo una transformación de variables dada.
> **5.7.2** Calcular el jacobiano de una transformación dada.
> **5.7.3** Evaluar una integral doble utilizando un cambio de variables.
> **5.7.4** Evaluar una integral triple utilizando un cambio de variables.

Recordemos de la Regla de sustitución (http://openstax.org/books/cálculo-volumen-1/pages/5-5-sustitucion) el método de integración por sustitución. Al evaluar una integral como $\int_{2}^{3} x(x^2 - 4)^5\, dx$, sustituimos $u = g(x) = x^2 - 4$. Entonces $du = 2x\, dx$ o $x\, dx = \frac{1}{2}du$ y los límites cambian a $u = g(2) = 2^2 - 4 = 0$ y $u = g(3) = 9 - 4 = 5$. Así, la integral se convierte en $\int_{0}^{5} \frac{1}{2}u^5\, du$ y esta integral es mucho más sencilla de evaluar. En otras palabras, al resolver problemas de integración, realizamos las sustituciones adecuadas para obtener una integral mucho más sencilla que la integral original.

También utilizamos esta idea cuando transformamos integrales dobles en coordenadas rectangulares a coordenadas polares y transformamos integrales triples en coordenadas rectangulares a coordenadas cilíndricas o esféricas para simplificar los cálculos. De manera más general,

$$\int\limits_{a}^{b} f(x)\, dx = \int\limits_{c}^{d} f(g(u))\, g'(u)\, du,$$

Donde $x = g(u)$, $dx = g'(u)\, du$, y $u = c$ y $u = d$ satisfacen $c = g(a)$ y $d = g(b)$.

Un resultado similar ocurre en las integrales dobles cuando sustituimos $x = h(r, \theta) = r\cos\theta$, $y = g(r, \theta) = r\,\text{sen}\,\theta$, y $dA = dx\, dy = r\, dr\, d\theta$. Entonces obtenemos

$$\iint\limits_{R} f(x, y)\, dA = \iint\limits_{S} f(r\cos\theta, r\,\text{sen}\,\theta)\, r\, dr\, d\theta$$

donde el dominio R se sustituye por el dominio S en coordenadas polares. Generalmente, la función que utilizamos para cambiar las variables y hacer la integración más sencilla se llama **transformación** o mapeo.

Transformaciones planares

Una **transformación planar** T es una función que transforma una región G en un plano en una región R en otro plano mediante un cambio de variables. Tanto G como R son subconjuntos de R^2. Por ejemplo, la Figura 5.71 muestra una región G en el plano uv transformado en una región R en el plano xy por el cambio de variables $x = g(u, v)$ y de $y = h(u, v)$, o a veces escribimos $x = x(u, v)$ y de $y = y(u, v)$. Normalmente, supondremos que cada una de estas funciones tiene primeras derivadas parciales continuas, lo que significa g_u, g_v, h_u, y h_v existen y también son continuas. La necesidad de este requisito se pondrá de manifiesto en breve.

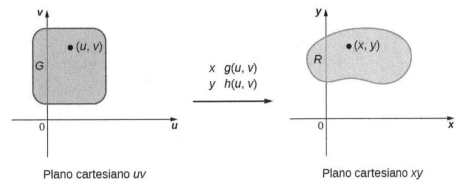

Figura 5.71   La transformación de una región G en el plano uv en una región R en el plano xy.

Definición

Una transformación $T: G \to R$, definida como $T(u, v) = (x, y)$, se dice que es una **transformación uno a uno** si no hay dos puntos que correspondan al mismo punto de la imagen.

Para demostrar que T es una transformación uno a uno, suponemos que $T(u_1, v_1) = T(u_2, v_2)$ y demostramos que como consecuencia obtenemos $(u_1, v_1) = (u_2, v_2)$. Si la transformación T es biunívoca en el dominio G, entonces la inversa T^{-1} existe con el dominio R de manera que $T^{-1} \circ T$ y $T \circ T^{-1}$ son funciones de identidad.

La Figura 5.71 muestra el mapeo $T(u, v) = (x, y)$ donde x como y están relacionados con u y v por las ecuaciones $x = g(u, v)$ y de $y = h(u, v)$. La región G es el dominio de T y la región R es el rango de T, también conocida como la *imagen* de G bajo la transformación T.

EJEMPLO 5.65

Determinar cómo funciona la transformación

Supongamos una transformación T se define como $T(r, \theta) = (x, y)$ donde $x = r \cos \theta$, $y = r \operatorname{sen} \theta$. Halle la imagen del rectángulo polar $G = \{(r, \theta) | 0 < r \leq 1, 0 \leq \theta \leq \pi/2\}$ en el plano $r\theta$ a una región R en el plano xy. Demuestre que T es una transformación uno a uno en G y halle $T^{-1}(x, y)$.

⊘ **Solución**

Dado que r varía de 0 a 1 en el plano $r\theta$, tenemos un disco circular de radio 0 a 1 en el plano xy. Dado que θ varía de 0 a $\pi/2$ en el plano $r\theta$, acabamos obteniendo un cuarto de círculo de radio 1 en el primer cuadrante del plano xy (Figura 5.72). Por lo tanto, R es un cuarto de círculo delimitado por $x^2 + y^2 = 1$ en el primer cuadrante.

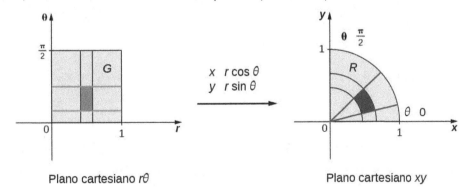

Figura 5.72   Un rectángulo en el plano $r\theta$ se mapea en un cuarto de círculo en el plano xy.

Para demostrar que T es una transformación uno a uno, se supone que $T(r_1, \theta_1) = T(r_2, \theta_2)$ y se muestra como consecuencia que $(r_1, \theta_1) = (r_2, \theta_2)$. En este caso, tenemos

$$\begin{aligned}
T(r_1, \theta_1) &= T(r_2, \theta_2), \\
(x_1, y_1) &= (x_2, y_2), \\
(r_1 \cos \theta_1, r_1 \operatorname{sen} \theta_1) &= (r_2 \cos \theta_2, r_2 \operatorname{sen} \theta_2), \\
r_1 \cos \theta_1 &= r_2 \cos \theta_2 \\
r_1 \operatorname{sen} \theta_1 &= r_2 \operatorname{sen} \theta_2
\end{aligned}$$

Al dividir, obtenemos

$$\begin{aligned}
\frac{r_1 \cos \theta_1}{r_1 \operatorname{sen} \theta_1} &= \frac{r_2 \cos \theta_2}{r_2 \operatorname{sen} \theta_2} \\
\frac{\cos \theta_1}{\operatorname{sen} \theta_1} &= \frac{\cos \theta_2}{\operatorname{sen} \theta_2} \\
\tan \theta_1 &= \tan \theta_2 \\
\theta_1 &= \theta_2
\end{aligned}$$

ya que la función tangente es una función unitaria en el intervalo $0 \le \theta \le \pi/2$. Además, como $0 < r \le 1$, tenemos $r_1 = r_2, \theta_1 = \theta_2$. Por lo tanto, $(r_1, \theta_1) = (r_2, \theta_2)$ y T es una transformación uno a uno de G en R.

Para hallar $T^{-1}(x, y)$ resolver para r, θ en términos de x, y. Ya sabemos que $r^2 = x^2 + y^2$ y $\tan \theta = \frac{y}{x}$. Así que $T^{-1}(x, y) = (r, \theta)$ se define como $r = \sqrt{x^2 + y^2}$ y $\theta = \tan^{-1}\left(\frac{y}{x}\right)$.

EJEMPLO 5.66

Hallar la imagen bajo T

Supongamos que la transformación T se define por $T(u, v) = (x, y)$ donde $x = u^2 - v^2$ y $y = uv$. Halle la imagen del triángulo en el plano uv con vértices $(0, 0), (0, 1),$ y $(1, 1)$.

⊘ Solución

El triángulo y su imagen se muestran en la Figura 5.73. Para entender cómo se transforman los lados del triángulo, llame al lado que une $(0, 0)$ y $(0, 1)$ el lado A, el lado que une $(0, 0)$ y $(1, 1)$ el lado B, y el lado que se une $(1, 1)$ y $(0, 1)$ el lado C.

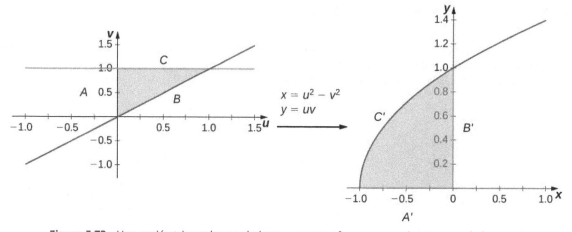

Figura 5.73 Una región triangular en el plano uv se transforma en una imagen en el plano xy.

Para el lado A: $u = 0, 0 \le v \le 1$ se transforma en $x = -v^2, y = 0$ así que este es el lado A' que une $(-1, 0)$ y $(0, 0)$.

Para el lado B: $u = v, 0 \le u \le 1$ se transforma en $x = 0, y = u^2$ así que este es el lado B' que une $(0, 0)$ y $(0, 1)$.

Para el lado C: $0 \le u \le 1, v = 1$ se transforma en $x = u^2 - 1, y = u$ (por lo tanto $x = y^2 - 1$) así que este es el lado C' que hace que la mitad superior del arco parabólico una $(-1, 0)$ y $(0, 1)$.

Todos los puntos de toda la región del triángulo en el plano uv están mapeados dentro de la región parabólica en el plano xy.

<input type="checkbox" checked> 5.43   Supongamos que una transformación T se define como $T(u, v) = (x, y)$ donde $x = u + v$, $y = 3v$. Halle la imagen del rectángulo $G = \{(u, v) : 0 \leq u \leq 1, 0 \leq v \leq 2\}$ del plano uv después de la transformación en una región R en el plano xy. Demuestre que T es una transformación de uno a uno y halle $T^{-1}(x, y)$.

Jacobianos

Recordemos que hemos mencionado al principio de esta sección que cada una de las funciones componentes debe tener primeras derivadas parciales continuas, lo que significa que g_u, g_v, h_u, y h_v existen y también son continuas. Una transformación que tiene esta propiedad se llama transformación C^1 (aquí C denota continuidad). Supongamos que $T(u, v) = (g(u, v), h(u, v))$, donde $x = g(u, v)$ y de $y = h(u, v)$, es una transformación uno a uno C^1. Queremos ver cómo transforma una pequeña región rectangular S, Δu unidades por Δv unidades, en el uv (vea la siguiente figura).

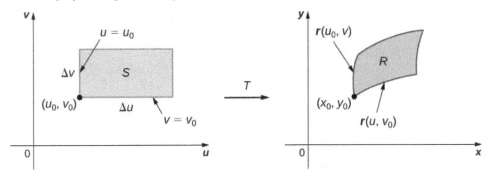

Figura 5.74   Un pequeño rectángulo S en el plano uv se transforma en una región R en el plano xy.

Dado que $x = g(u, v)$ y de $y = h(u, v)$, tenemos el vector de posición $\mathbf{r}(u, v) = g(u, v)\mathbf{i} + h(u, v)\mathbf{j}$ de la imagen del punto (u, v). Supongamos que (u_0, v_0) es la coordenada del punto de la esquina inferior izquierda que se mapea en $(x_0, y_0) = T(u_0, v_0)$. La línea $v = v_0$ mapea a la curva de la imagen con la función vectorial $\mathbf{r}(u, v_0)$, y el vector tangente en (x_0, y_0) a la curva de la imagen es

$$\mathbf{r}_u = g_u(u_0, v_0)\mathbf{i} + h_u(u_0, v_0)\mathbf{j} = \frac{\partial x}{\partial u}\mathbf{i} + \frac{\partial y}{\partial u}\mathbf{j}.$$

Del mismo modo, la línea $u = u_0$ mapea a la curva de la imagen con la función vectorial $\mathbf{r}(u_0, v)$, y el vector tangente en (x_0, y_0) a la curva de la imagen es

$$\mathbf{r}_v = g_v(u_0, v_0)\mathbf{i} + h_v(u_0, v_0)\mathbf{j} = \frac{\partial x}{\partial v}\mathbf{i} + \frac{\partial y}{\partial v}\mathbf{j}.$$

Ahora bien, observe que

$$\mathbf{r}_u = \lim_{\Delta u \to 0} \frac{\mathbf{r}(u_0 + \Delta u, v_0) - \mathbf{r}(u_0, v_0)}{\Delta u} \quad \text{por lo que } \mathbf{r}(u_0 + \Delta u, v_0) - \mathbf{r}(u_0, v_0) \approx \Delta u \mathbf{r}_u.$$

De la misma manera,

$$\mathbf{r}_v = \lim_{\Delta v \to 0} \frac{\mathbf{r}(u_0, v_0 + \Delta v) - \mathbf{r}(u_0, v_0)}{\Delta v} \quad \text{por lo que } \mathbf{r}(u_0, v_0 + \Delta v) - \mathbf{r}(u_0, v_0) \approx \Delta v \mathbf{r}_v.$$

Esto nos permite estimar el área ΔA de la imagen R hallando el área del paralelogramo formado por los lados $\Delta v \mathbf{r}_v$ y $\Delta u \mathbf{r}_u$. Utilizando el producto vectorial de estos dos vectores sumando el componente $\mathbf{k}$–ésimo como 0, el área ΔA de la imagen R (consulte [El producto vectorial](#)) es aproximadamente $|\Delta u \mathbf{r}_u \times \Delta v \mathbf{r}_v| = |\mathbf{r}_u \times \mathbf{r}_v| \Delta u \Delta v$. En forma de determinante, el producto vectorial es

$$\mathbf{r}_u \times \mathbf{r}_v = \begin{vmatrix} \mathbf{i} & \mathbf{j} & \mathbf{k} \\ \frac{\partial x}{\partial u} & \frac{\partial y}{\partial u} & 0 \\ \frac{\partial x}{\partial v} & \frac{\partial y}{\partial v} & 0 \end{vmatrix} = \begin{vmatrix} \frac{\partial x}{\partial u} & \frac{\partial y}{\partial u} \\ \frac{\partial x}{\partial v} & \frac{\partial y}{\partial v} \end{vmatrix} \mathbf{k} = \left(\frac{\partial x}{\partial u} \frac{\partial y}{\partial v} - \frac{\partial x}{\partial v} \frac{\partial y}{\partial u} \right) \mathbf{k}.$$

Dado que $|\mathbf{k}| = 1$, tenemos $\Delta A \approx |\mathbf{r}_u \times \mathbf{r}_v| \Delta u \Delta v = \left(\frac{\partial x}{\partial u} \frac{\partial y}{\partial v} - \frac{\partial x}{\partial v} \frac{\partial y}{\partial u} \right) \Delta u \Delta v.$

Definición

El **jacobiano** de la transformación C^1, $T(u, v) = (g(u, v), h(u, v))$ se denota por $J(u, v)$ y está definido por el determinante 2×2

$$J(u, v) = \left| \frac{\partial(x, y)}{\partial(u, v)} \right| = \begin{vmatrix} \frac{\partial x}{\partial u} & \frac{\partial y}{\partial u} \\ \frac{\partial x}{\partial v} & \frac{\partial y}{\partial v} \end{vmatrix} = \left(\frac{\partial x}{\partial u} \frac{\partial y}{\partial v} - \frac{\partial x}{\partial v} \frac{\partial y}{\partial u} \right).$$

Utilizando la definición, tenemos

$$\Delta A \approx J(u, v) \Delta u \Delta v = \left| \frac{\partial(x, y)}{\partial(u, v)} \right| \Delta u \Delta v.$$

Observe que el jacobiano se suele denotar simplemente por

$$J(u, v) = \frac{\partial(x, y)}{\partial(u, v)}.$$

Observe también que

$$\begin{vmatrix} \frac{\partial x}{\partial u} & \frac{\partial y}{\partial u} \\ \frac{\partial x}{\partial v} & \frac{\partial y}{\partial v} \end{vmatrix} = \left(\frac{\partial x}{\partial u} \frac{\partial y}{\partial v} - \frac{\partial x}{\partial v} \frac{\partial y}{\partial u} \right) = \begin{vmatrix} \frac{\partial x}{\partial u} & \frac{\partial x}{\partial v} \\ \frac{\partial y}{\partial u} & \frac{\partial y}{\partial v} \end{vmatrix}.$$

De ahí la notación $J(u, v) = \frac{\partial(x, y)}{\partial(u, v)}$ sugiere que podemos escribir el determinante jacobiano con parciales de x en la primera fila y los parciales de y en la segunda fila.

EJEMPLO 5.67

Hallar el jacobiano
Halle el jacobiano de la transformación dada en el Ejemplo 5.65.

⊘ **Solución**
La transformación en el ejemplo es $T(r, \theta) = (r \cos \theta, r \, \text{sen} \, \theta)$ donde $x = r \cos \theta$ y $y = r \, \text{sen} \, \theta$. Por lo tanto, el jacobiano es

$$J(r, \theta) = \frac{\partial(x, y)}{\partial(r, \theta)} = \begin{vmatrix} \frac{\partial x}{\partial r} & \frac{\partial x}{\partial \theta} \\ \frac{\partial y}{\partial r} & \frac{\partial y}{\partial \theta} \end{vmatrix} = \begin{vmatrix} \cos \theta & -r \, \text{sen} \, \theta \\ \text{sen} \, \theta & r \cos \theta \end{vmatrix}$$
$$= r \cos^2 \theta + r \, \text{sen}^2 \theta = r \left(\cos^2 \theta + \text{sen}^2 \theta \right) = r.$$

EJEMPLO 5.68

Hallar el jacobiano
Halle el jacobiano de la transformación dada en el Ejemplo 5.66.

⊘ **Solución**
La transformación en el ejemplo es $T(u, v) = \left(u^2 - v^2, uv \right)$ donde $x = u^2 - v^2$ y $y = uv$. Por lo tanto, el jacobiano es

$$J(u, v) = \frac{\partial(x, y)}{\partial(u, v)} = \begin{vmatrix} \frac{\partial x}{\partial u} & \frac{\partial x}{\partial v} \\ \frac{\partial y}{\partial u} & \frac{\partial y}{\partial v} \end{vmatrix} = \begin{vmatrix} 2u & v \\ -2v & u \end{vmatrix} = 2u^2 + 2v^2.$$

✓   5.44   Halle el jacobiano de la transformación dada en el punto de control anterior $T(u, v) = (u + v, 2v)$.

Cambio de variables para integrales dobles

Ya hemos visto que, bajo el cambio de variables $T(u, v) = (x, y)$ donde $x = g(u, v)$ y de $y = h(u, v)$, una pequeña región

ΔA en el plano xy está relacionado con el área formada por el producto $\Delta u \Delta v$ en el plano uv por la aproximación

$$\Delta A \approx J(u, v)\, \Delta u, \Delta v.$$

Ahora volvamos a la definición de integral doble por un minuto:

$$\iint\limits_{R} f(x, y)\, dA = \lim_{m,n \to \infty} \sum_{i=1}^{m} \sum_{j=1}^{n} f\left(x_{ij}, y_{ij}\right) \Delta A.$$

Consultando la <u>Figura 5.75</u>, observe que hemos dividido la región S en el plano uv en pequeños subrectángulos S_{ij} y dejamos que los subrectángulos R_{ij} en el plano xy sean las imágenes de S_{ij} bajo la transformación $T(u, v) = (x, y)$.

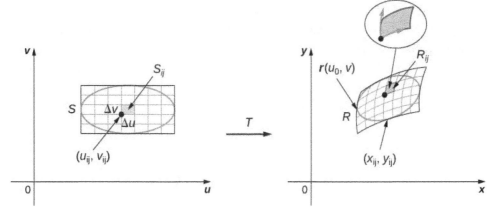

Figura 5.75   Los subrectángulos S_{ij} en el plano uv se transforman en subrectángulos R_{ij} en el plano xy.

Entonces la integral doble se convierte en

$$\iint\limits_{R} f(x, y)\, dA = \lim_{m,n \to \infty} \sum_{i=1}^{m} \sum_{j=1}^{n} f\left(x_{ij}, y_{ij}\right) \Delta A = \lim_{m,n \to \infty} \sum_{i=1}^{m} \sum_{j=1}^{n} f\left(g\left(u_{ij}, v_{ij}\right), h\left(u_{ij}, v_{ij}\right)\right) \left|J\left(u_{ij}, v_{ij}\right)\right| \Delta u \Delta v.$$

Observe que esto es exactamente la suma doble de Riemann para la integral

$$\iint\limits_{S} f(g(u, v), h(u, v)) \left|\frac{\partial(x, y)}{\partial(u, v)}\right| du\, dv.$$

Teorema 5.14

Cambio de variables para integrales dobles
Supongamos que $T(u, v) = (x, y)$ donde $x = g(u, v)$ y de $y = h(u, v)$ es una transformación uno a uno C^1, con un jacobiano no nulo en el interior de la región S en el plano uv; mapea S en la región R en el plano xy. Si f es continuo en R, entonces

$$\iint\limits_{R} f(x, y)\, dA = \iint\limits_{S} f(g(u, v), h(u, v)) \left|\frac{\partial(x, y)}{\partial(u, v)}\right| du\, dv.$$

Con este teorema para integrales dobles, podemos cambiar las variables de (x, y) al (u, v) en una integral doble simplemente sustituyendo

$$dA = dx\, dy = \left|\frac{\partial(x, y)}{\partial(u, v)}\right| du\, dv$$

cuando utilizamos las sustituciones $x = g(u, v)$ y de $y = h(u, v)$ y luego cambiar los límites de integración en consecuencia. Este cambio de variables suele simplificar mucho los cálculos.

EJEMPLO 5.69

Cambiar variables de coordenadas rectangulares a polares

Considere la integral

$$\int_0^2 \int_0^{\sqrt{2x-x^2}} \sqrt{x^2 + y^2}\, dy\, dx.$$

Utilice el cambio de variables $x = r\cos\theta$ y $y = r\,\text{sen}\,\theta$, y calcule la integral resultante.

⊘ **Solución**

Primero tenemos que hallar la región de integración. Esta región está delimitada por $y = 0$ y es superior por $y = \sqrt{2x-x^2}$ (vea la siguiente figura).

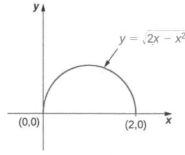

Figura 5.76   Cambiar una región de coordenadas rectangulares a polares.

Elevando al cuadrado y juntando los términos, encontramos que la región es la mitad superior del círculo $x^2 + y^2 - 2x = 0$, es decir, $y^2 + (x-1)^2 = 1$. En coordenadas polares, el círculo es $r = 2\cos\theta$ por lo que la región de integración en coordenadas polares está limitada por $0 \le r \le \cos\theta$ y $0 \le \theta \le \frac{\pi}{2}$.

El jacobiano es $J(r, \theta) = r$, como se muestra en el Ejemplo 5.67. Dado que $r \ge 0$, tenemos $|J(r, \theta)| = r$.

La integración $\sqrt{x^2 + y^2}$ camba a r en coordenadas polares, por lo que la integral doblemente iterada es

$$\int_0^2 \int_0^{\sqrt{2x-x^2}} \sqrt{x^2 + y^2}\, dy\, dx = \int_0^{\pi/2} \int_0^{2\cos\theta} r\,|J(r, \theta)|\, dr\, d\theta = \int_0^{\pi/2} \int_0^{2\cos\theta} r^2\, dr\, d\theta.$$

☑ 5.45   Considerando la integral $\int_0^1 \int_0^{\sqrt{1-x^2}} \left(x^2 + y^2\right) dy\, dx$, utilice el cambio de variables $x = r\cos\theta$ y

$y = r\,\text{sen}\,\theta$, y calcule la integral resultante.

Observe en el siguiente ejemplo que la región sobre la que vamos a integrar puede sugerir una transformación adecuada para la integración. Esta es una situación común e importante.

EJEMPLO 5.70

Cambiar variables

Considere la integral $\iint_R (x - y)\, dy\, dx$, donde R es el paralelogramo que une los puntos $(1, 2)$, $(3, 4)$, $(4, 3)$, y $(6, 5)$

(Figura 5.77). Haga los cambios de variables apropiados y escriba la integral resultante.

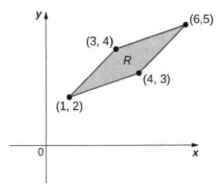

Figura 5.77 La región de integración para la integral dada.

⊘ **Solución**

En primer lugar, tenemos que entender la región en la que vamos a integrar. Los lados del paralelogramo son $x - y + 1 = 0, x - y - 1 = 0, x - 3y + 5 = 0$, y $x - 3y + 9 = 0$ (Figura 5.78). Otra forma de verlos es $x - y = -1, x - y = 1, x - 3y = -5$, y $x - 3y = -9$.

Es evidente que el paralelogramo está limitado por las líneas $y = x + 1, y = x - 1, y = \frac{1}{3}(x + 5)$, y $y = \frac{1}{3}(x + 9)$.

Observe que si hiciéramos $u = x - y$ y $v = x - 3y$, entonces los límites de la integral serían $-1 \le u \le 1$ y $-9 \le v \le -5$.

Para resolver x como y, multiplicamos la primera ecuación por 3 y restamos la segunda ecuación, $3u - v = (3x - 3y) - (x - 3y) = 2x$. Entonces tenemos $x = \frac{3u - v}{2}$. Además, si simplemente restamos la segunda ecuación de la primera, obtenemos $u - v = (x - y) - (x - 3y) = 2y$ y $y = \frac{u-v}{2}$.

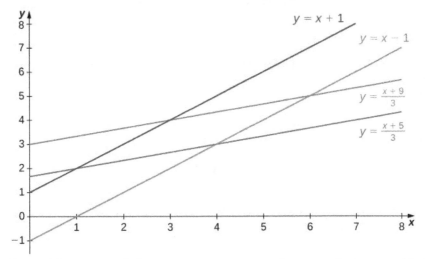

Figura 5.78 Un paralelogramo en el plano xy que queremos transformar mediante un cambio de variables.

Así, podemos elegir la transformación

$$T(u, v) = \left(\frac{3u - v}{2}, \frac{u - v}{2} \right)$$

y calcular el jacobiano $J(u, v)$. Tenemos

$$J(u, v) = \frac{\partial(x, y)}{\partial(u, v)} = \begin{vmatrix} \frac{\partial x}{\partial u} & \frac{\partial x}{\partial v} \\ \frac{\partial y}{\partial u} & \frac{\partial y}{\partial v} \end{vmatrix} = \begin{vmatrix} 3/2 & -1/2 \\ 1/2 & -1/2 \end{vmatrix} = -\frac{3}{4} + \frac{1}{4} = -\frac{1}{2}.$$

Por lo tanto, $|J(u, v)| = \frac{1}{2}$. Además, la integración original se convierte en

$$x - y = \frac{1}{2}[3u - v - u + v] = \frac{1}{2}[3u - u] = \frac{1}{2}[2u] = u.$$

Por lo tanto, mediante el uso de la transformación T, la integral cambia a

$$\iint\limits_{R} (x-y)\,dy\,dx = \int\limits_{-9}^{-5} \int\limits_{-1}^{1} J(u,v)\,u\,du\,dv = \int\limits_{-9}^{-5} \int\limits_{-1}^{1} \left(\frac{1}{2}\right) u\,du\,dv,$$

que es mucho más sencillo de calcular. De hecho, es fácil que sea cero. Y esto es solo un ejemplo de por qué transformamos las integrales así.

☑ 5.46   Realice los cambios adecuados de las variables en la integral $\iint\limits_{R} \dfrac{4}{(x-y)^2}\,dy\,dx$, donde R es el trapecio

limitado por las líneas $x-y=2$, $x-y=4$, $x=0$, y $y=0$. Escriba la integral resultante.

Estamos preparados para dar una estrategia de resolución de problemas de cambio de variables.

Estrategia de resolución de problemas

Estrategia para la resolución de problemas: Cambio de variables
1. Dibuje la región dada por el problema en el plano xy y luego escriba las ecuaciones de las curvas que forman el borde.
2. En función de la región o de la integración, elija las transformaciones $x = g(u,v)$ y de $y = h(u,v)$.
3. Determine los nuevos límites de integración en el plano uv.
4. Halle el jacobiano $J(u,v)$.
5. En la integración, sustituya las variables para obtener el nuevo integrando.
6. Sustituya $dy\,dx$ o $dx\,dy$, lo que ocurra, por $J(u,v)\,du\,dv$.

En el siguiente ejemplo, hallamos una sustitución que hace que la integración sea mucho más sencilla de calcular.

EJEMPLO 5.71

Evaluar una integral
Utilizando el cambio de variables $u = x-y$ y $v = x+y$, evalúe la integral

$$\iint\limits_{R} (x-y)\,e^{x^2-y^2}\,dA,$$

donde R es la región delimitada por las líneas $x+y=1$ y $x+y=3$ y las curvas $x^2-y^2=-1$ y $x^2-y^2=1$ (vea la primera región en la Figura 5.79).

⊘ **Solución**
Como antes, primero hay que hallar la región R e imaginar la transformación para que sea más fácil obtener los límites de integración después de realizar las transformaciones (Figura 5.79).

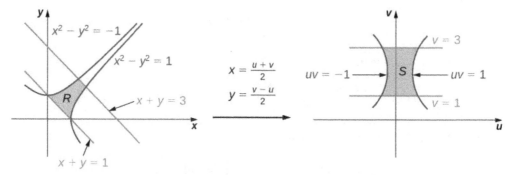

Figura 5.79 Transformación de la región R en la región S para simplificar el cálculo de una integral.

Dados $u = x-y$ y $v = x+y$, tenemos $x = \frac{u+v}{2}$ y $y = \frac{v-u}{2}$ y por lo tanto la transformación a utilizar es

$T(u, v) = \left(\frac{u+v}{2}, \frac{v-u}{2}\right)$. Las líneas $x + y = 1$ y $x + y = 3$ se convierten en $v = 1$ y $v = 3$, respectivamente. Las curvas $x^2 - y^2 = 1$ y $x^2 - y^2 = -1$ se convierten en $uv = 1$ y $uv = -1$, respectivamente.

Así, podemos describir la región S (vea la segunda región, <u>Figura 5.79</u>) como

$$S = \left\{(u, v)|1 \leq v \leq 3, \frac{-1}{v} \leq u \leq \frac{1}{v}\right\}.$$

El jacobiano de esta transformación es

$$J(u, v) = \frac{\partial(x, y)}{\partial(u, v)} = \begin{vmatrix} \frac{\partial x}{\partial u} & \frac{\partial x}{\partial v} \\ \frac{\partial y}{\partial u} & \frac{\partial y}{\partial v} \end{vmatrix} = \begin{vmatrix} 1/2 & -1/2 \\ 1/2 & 1/2 \end{vmatrix} = \frac{1}{2}.$$

Por lo tanto, utilizando la transformación T, la integral cambia a

$$\iint\limits_R (x - y)\, e^{x^2 - y^2}\, dA = \frac{1}{2} \int_1^3 \int_{-1/v}^{1/v} ue^{uv}\, du\, dv.$$

Haciendo la evaluación, tenemos

$$\frac{1}{2} \int_1^3 \int_{-1/v}^{1/v} ue^{uv}\, du\, dv = \frac{4}{3e} \approx 0{,}490.$$

☑   5.47   Usando las sustituciones $x = v$ y $y = \sqrt{u + v}$, evalúe la integral $\iint\limits_R y\, \text{sen}\left(y^2 - x\right) dA$ donde R es la

región delimitada por las líneas $y = \sqrt{x}, x = 2,$ y $y = 0$.

Cambiar variables para integrales triples

Cambiar variables en las integrales triples funciona exactamente igual. Las sustituciones de coordenadas cilíndricas y esféricas son casos especiales de este método, que demostramos aquí.

Supongamos que G es una región en el espacio uvw y se asigna a D en el espacio xyz (<u>Figura 5.80</u>) por una transformación uno a uno C^1, $T(u, v, w) = (x, y, z)$ donde $x = g(u, v, w)$, $y = h(u, v, w)$, y $z = k(u, v, w)$.

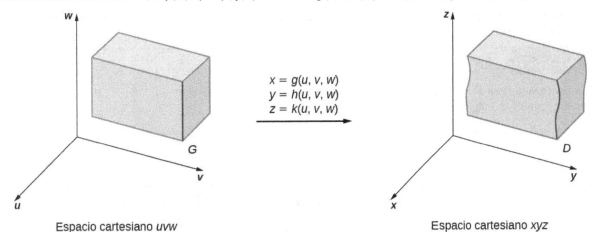

Espacio cartesiano uvw Espacio cartesiano xyz

Figura 5.80   Una región G en uvw asignada a una región D en el espacio xyz.

Entonces cualquier función $F(x, y, z)$ definida en D puede considerarse como otra función $H(u, v, w)$ que se define en G:

$$F(x, y, z) = F(g(u, v, w), h(u, v, w), k(u, v, w)) = H(u, v, w).$$

Ahora tenemos que definir el jacobiano para tres variables.

Definición

El determinante jacobiano $J(u, v, w)$ en tres variables se define como sigue:

$$J(u, v, w) = \begin{vmatrix} \frac{\partial x}{\partial u} & \frac{\partial y}{\partial u} & \frac{\partial z}{\partial u} \\ \frac{\partial x}{\partial v} & \frac{\partial y}{\partial v} & \frac{\partial z}{\partial v} \\ \frac{\partial x}{\partial w} & \frac{\partial y}{\partial w} & \frac{\partial z}{\partial w} \end{vmatrix}.$$

Esto es también lo mismo que

$$J(u, v, w) = \begin{vmatrix} \frac{\partial x}{\partial u} & \frac{\partial x}{\partial v} & \frac{\partial x}{\partial w} \\ \frac{\partial y}{\partial u} & \frac{\partial y}{\partial v} & \frac{\partial y}{\partial w} \\ \frac{\partial z}{\partial u} & \frac{\partial z}{\partial v} & \frac{\partial z}{\partial w} \end{vmatrix}.$$

El jacobiano también se puede denotar simplemente como $\frac{\partial(x,y,z)}{\partial(u,v,w)}$.

Con las transformaciones y el jacobiano para tres variables, estamos listos para establecer el teorema que describe el cambio de variables para integrales triples.

Teorema 5.15

Cambiar variables para integrales triples

Supongamos que $T(u, v, w) = (x, y, z)$ donde $x = g(u, v, w)$, $y = h(u, v, w)$, y $z = k(u, v, w)$, es una transformación uno a uno C^1, con un jacobiano no nulo, que mapea la región G en el plano uvw en la región D en el plano xyz. Como en el caso bidimensional, si F es continuo en D, entonces

$$\iiint\limits_{R} F(x, y, z)\, dV = \iiint\limits_{G} F(g(u, v, w), h(u, v, w), k(u, v, w)) \left| \frac{\partial(x, y, z)}{\partial(u, v, w)} \right| du\, dv\, dw$$

$$= \iiint\limits_{G} H(u, v, w) |J(u, v, w)|\, du\, dv\, dw.$$

Veamos ahora cómo los cambios en las integrales triples para coordenadas cilíndricas y esféricas se ven afectados por este teorema. Esperamos obtener las mismas fórmulas que en <u>Integrales triples en coordenadas cilíndricas y esféricas</u>.

EJEMPLO 5.72

Obtener fórmulas en integrales triples para coordenadas cilíndricas y esféricas

Derive la fórmula en integrales triples para

a. coordinadas cilíndrica y
b. coordenadas esféricas.

⊘ **Solución**

a. Para coordenadas cilíndricas, la transformación es $T(r, \theta, z) = (x, y, z)$ del plano cartesiano $r\theta z$ al plano cartesiano xyz (Figura 5.81). Aquí $x = r\cos\theta$, $y = r\operatorname{sen}\theta$, y $z = z$. El jacobiano de la transformación es

$$J(r, \theta, z) = \frac{\partial(x,y,z)}{\partial(r,\theta,z)} = \begin{vmatrix} \frac{\partial x}{\partial r} & \frac{\partial x}{\partial \theta} & \frac{\partial x}{\partial z} \\ \frac{\partial y}{\partial r} & \frac{\partial y}{\partial \theta} & \frac{\partial y}{\partial z} \\ \frac{\partial z}{\partial r} & \frac{\partial z}{\partial \theta} & \frac{\partial z}{\partial z} \end{vmatrix}$$

$$= \begin{vmatrix} \cos\theta & -r\operatorname{sen}\theta & 0 \\ \operatorname{sen}\theta & r\cos\theta & 0 \\ 0 & 0 & 1 \end{vmatrix} = r\cos^2\theta + r\operatorname{sen}^2\theta = r(\cos^2\theta + \operatorname{sen}^2\theta) = r.$$

Sabemos que $r \geq 0$, así que $|J(r, \theta, z)| = r$. Entonces la integral triple es

$$\iiint_D f(x, y, z)\, dV = \iiint_G f(r\cos\theta, r\,\text{sen}\,\theta, z)\, r\, dr\, d\theta\, dz.$$

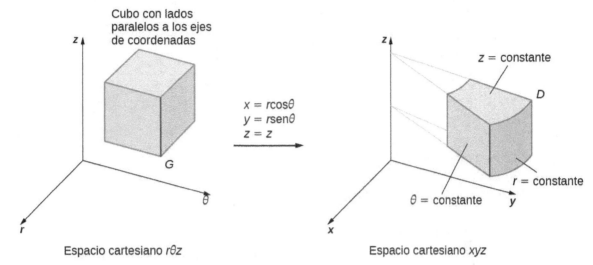

Figura 5.81 La transformación de coordenadas rectangulares a coordenadas cilíndricas puede tratarse como un cambio de variables de la región G en $r\theta z$ a la región D en el espacio xyz.

b. Para las coordenadas esféricas, la transformación es $T(\rho, \theta, \varphi) = (x, y, z)$ del plano cartesiano $\rho\theta\varphi$ al plano cartesiano xyz ([Figura 5.82](#)). Aquí $x = \rho\,\text{sen}\,\varphi\cos\theta$, $y = \rho\,\text{sen}\,\varphi\,\text{sen}\,\theta$, y $z = \rho\cos\varphi$. El jacobiano de la transformación es

$$J(\rho, \theta, \varphi) = \frac{\partial(x, y, z)}{\partial(\rho, \theta, \varphi)} = \begin{vmatrix} \frac{\partial x}{\partial \rho} & \frac{\partial x}{\partial \theta} & \frac{\partial x}{\partial \varphi} \\ \frac{\partial y}{\partial \rho} & \frac{\partial y}{\partial \theta} & \frac{\partial y}{\partial \varphi} \\ \frac{\partial z}{\partial \rho} & \frac{\partial z}{\partial \theta} & \frac{\partial z}{\partial \varphi} \end{vmatrix} = \begin{vmatrix} \text{sen}\,\varphi\cos\theta & -\rho\,\text{sen}\,\varphi\,\text{sen}\,\theta & \rho\cos\varphi\cos\theta \\ \text{sen}\,\varphi\,\text{sen}\,\theta & -\rho\,\text{sen}\,\varphi\cos\theta & \rho\cos\varphi\,\text{sen}\,\theta \\ \cos\theta & 0 & -\rho\,\text{sen}\,\varphi \end{vmatrix}.$$

Expandiendo el determinante con respecto a la tercera fila

$$= \cos\varphi \begin{vmatrix} -\rho\,\text{sen}\,\varphi\,\text{sen}\,\theta & \rho\cos\varphi\cos\theta \\ \rho\,\text{sen}\,\varphi\,\text{sen}\,\theta & \rho\cos\varphi\,\text{sen}\,\theta \end{vmatrix} - \rho\,\text{sen}\,\varphi \begin{vmatrix} \text{sen}\,\varphi\cos\theta & -\rho\,\text{sen}\,\varphi\,\text{sen}\,\theta \\ \text{sen}\,\varphi\,\text{sen}\,\theta & \rho\,\text{sen}\,\varphi\cos\theta \end{vmatrix}$$

$$= \cos\varphi\left(-\rho^2\,\text{sen}\,\varphi\cos\varphi\,\text{sen}^2\theta - \rho^2\,\text{sen}\,\varphi\cos\varphi\cos^2\theta\right)$$

$$\quad - \rho\,\text{sen}\,\varphi\left(\rho\,\text{sen}^2\varphi\cos^2\theta + \rho\,\text{sen}^2\varphi\,\text{sen}^2\theta\right)$$

$$= -\rho^2\,\text{sen}\,\varphi\cos^2\varphi\left(\text{sen}^2\theta + \cos^2\theta\right) - \rho^2\,\text{sen}\,\varphi\,\text{sen}^2\varphi\left(\text{sen}^2\theta + \cos^2\theta\right)$$

$$= -\rho^2\,\text{sen}\,\varphi\cos^2\varphi - \rho^2\,\text{sen}\,\varphi\,\text{sen}^2\varphi$$

$$= -\rho^2\,\text{sen}\,\varphi\left(\cos^2\varphi + \text{sen}^2\varphi\right) = -\rho^2\,\text{sen}\,\varphi.$$

Dado que $0 \leq \varphi \leq \pi$, debemos tener $\text{sen}\,\varphi \geq 0$. Así que $|J(\rho, \theta, \varphi)| = \left|-\rho^2\,\text{sen}\,\varphi\right| = \rho^2\,\text{sen}\,\varphi$.

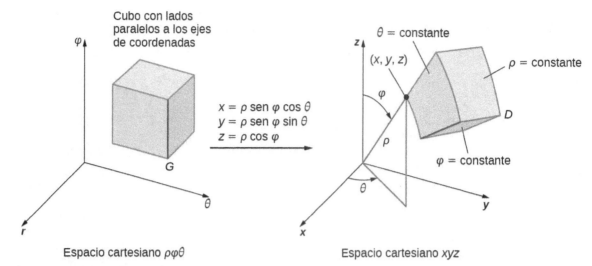

Espacio cartesiano $\rho\varphi\theta$ Espacio cartesiano xyz

Figura 5.82   La transformación de coordenadas rectangulares a coordenadas esféricas puede tratarse como un cambio de variables de la región G en $\rho\theta\varphi$ a la región D en el espacio xyz.

Entonces la integral triple se convierte en

$$\iiint\limits_{D} f(x, y, z)\, dV = \iiint\limits_{G} f(\rho \operatorname{sen} \varphi \cos \theta, \rho \operatorname{sen} \varphi \operatorname{sen} \theta, \rho \cos \varphi)\, \rho^2 \operatorname{sen} \varphi\, d\rho\, d\varphi\, d\theta.$$

Intentemos otro ejemplo con una sustitución diferente.

EJEMPLO 5.73

Evaluar una integral triple con cambio de variables
Evalúe la integral triple

$$\int\limits_{0}^{3} \int\limits_{0}^{4} \int\limits_{y/2}^{(y/2)+1} \left(x + \frac{z}{3}\right) dx\, dy\, dz$$

en xyz utilizando la transformación

$$u = (2x - y)/2,\, v = y/2,\, \text{y } w = z/3.$$

A continuación, integre sobre una región apropiada en el espacio uvw.

⊘ **Solución**
Como antes, algún tipo de esbozo de la región G en xyz sobre la que tenemos que realizar la integración puede ayudar a identificar la región D en uvw (Figura 5.83). Claramente G en xyz está delimitado por los planos $x = y/2$, $x = (y/2) + 1$, $y = 0$, $y = 4$, $z = 0$, y $z = 4$. También sabemos que tenemos que utilizar $u = (2x - y)/2$, $v = y/2$, y $w = z/3$ para las transformaciones. Tenemos que resolver para x, y, y z. Aquí encontramos que $x = u + v$, $y = 2v$, y $z = 3w$.

Utilizando el álgebra elemental, podemos hallar las superficies correspondientes para la región G y los límites de la integración en uvw. Es conveniente enumerar estas ecuaciones en una tabla.

Ecuaciones en xyz para la región D	Las ecuaciones correspondientes en uvw para la región G	Límites para la integración en uvw
$x = y/2$	$u + v = 2v/2 = v$	$u = 0$

Ecuaciones en xyz para la región D	Las ecuaciones correspondientes en uvw para la región G	Límites para la integración en uvw
$x = y/2$	$u + v = (2v/2) + 1 = v + 1$	$u = 1$
$y = 0$	$2v = 0$	$v = 0$
$y = 4$	$2v = 4$	$v = 2$
$z = 0$	$3w = 0$	$w = 0$
$z = 3$	$3w = 3$	$w = 1$

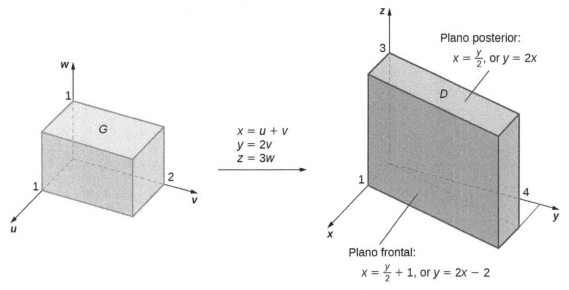

Figura 5.83 La región G en uvw se transforma en región D en el espacio xyz.

Ahora podemos calcular el jacobiano de la transformación:

$$J(u, v, w) = \begin{vmatrix} \frac{\partial x}{\partial u} & \frac{\partial x}{\partial v} & \frac{\partial x}{\partial w} \\ \frac{\partial y}{\partial u} & \frac{\partial y}{\partial v} & \frac{\partial y}{\partial w} \\ \frac{\partial z}{\partial u} & \frac{\partial z}{\partial v} & \frac{\partial z}{\partial w} \end{vmatrix} = \begin{vmatrix} 1 & 1 & 0 \\ 0 & 2 & 0 \\ 0 & 0 & 3 \end{vmatrix} = 6.$$

La función a integrar pasa a ser

$$f(x, y, z) = x + \frac{z}{3} = u + v + \frac{3w}{3} = u + v + w.$$

Ahora estamos listos para poner todo junto y completar el problema.

$$\int\limits_{0}^{3}\int\limits_{0}^{4}\int\limits_{y/2}^{(y/2)+1} \left(x + \frac{z}{3}\right) dx\, dy\, dz$$

$$= \int\limits_{0}^{1}\int\limits_{0}^{2}\int\limits_{0}^{1} (u+v+w)\,|J(u,v,w)|\, du\, dv\, dw = \int\limits_{0}^{1}\int\limits_{0}^{2}\int\limits_{0}^{1} (u+v+w)\,|6|\, du\, dv\, dw$$

$$= 6\int\limits_{0}^{1}\int\limits_{0}^{2}\int\limits_{0}^{1} (u+v+w)\, du\, dv\, dw = 6\int\limits_{0}^{1}\int\limits_{0}^{2} \left[\frac{u^2}{2} + vu + wu\right]_{0}^{1} dv\, dw$$

$$= 6\int\limits_{0}^{1}\int\limits_{0}^{2} \left(\frac{1}{2} + v + w\right) dv\, dw = 6\int\limits_{0}^{1} \left[\frac{1}{2}v + \frac{v^2}{2} + wv\right]_{0}^{2} dw$$

$$= 6\int\limits_{0}^{1} (3 + 2w)\, dw = 6[3w + w^2]_{0}^{1} = 24.$$

☑ 5.48   Supongamos que D es la región en el espacio xyz definidas por $1 \le x \le 2, 0 \le xy \le 2$, y $0 \le z \le 1$.

Evalúe $\iiint\limits_{D} \left(x^2 y + 3xyz\right) dx\, dy\, dz$ utilizando la transformación $u = x, v = xy$, y $w = 3z$.

SECCIÓN 5.7 EJERCICIOS

En los siguientes ejercicios, la función $T : S \to R, T(u,v) = (x,y)$ en la región $S = \{(u,v)|0 \le u \le 1, 0 \le v \le 1\}$ delimitado por el cuadrado unitario, donde $R \subset \mathrm{R}^2$ es la imagen de S bajo T.

a. Justifique que la función T es una matriz C^1.
b. Halle las imágenes de los vértices del cuadrado unitario S a través de la función T.
c. Determine la imagen R del cuadrado de la unidad S y grafique.

356. $x = 2u, y = 3v$

357. $x = \frac{u}{2}, y = \frac{v}{3}$

358. $x = u - v, y = u + v$

359. $x = 2u - v, y = u + 2v$

360. $x = u^2, y = v^2$

361. $x = u^3, y = v^3$

En los siguientes ejercicios, determine si las transformaciones $T : S \to R$ son uno a uno o no.

362. $x = u^2, y = v^2$, donde S es el rectángulo de vértices $(-1,0), (1,0), (1,1)$, y $(-1,1)$.

363. $x = u^4, y = u^2 + v$, donde S es el triángulo de vértices $(-2,0), (2,0)$, y $(0,2)$.

364. $x = 2u, y = 3v$, donde S es el cuadrado de los vértices $(-1,1), (-1,-1), (1,-1)$, y $(1,1)$.

365. $T(u, v) = (2u - v, u)$, donde S es el triángulo de vértices $(-1, 1), (-1, -1),$ y $(1, -1)$.

366. $x = u + v + w, y = u + v, z = w$, donde $S = R = \mathrm{R}^3$.

367. $x = u^2 + v + w, y = u^2 + v, z = w$, donde $S = R = \mathrm{R}^3$.

En los siguientes ejercicios, las transformaciones $T : S \to R$ son uno a uno. Halle sus transformaciones inversas relacionadas $T^{-1} : R \to S$.

368. $x = 4u, y = 5v$, donde $S = R = \mathrm{R}^2$.

369. $x = u + 2v, y = -u + v$, donde $S = R = \mathrm{R}^2$.

370. $x = e^{2u+v}, y = e^{u-v}$, donde $S = \mathrm{R}^2$ y $R = \{(x, y) | x > 0, y > 0\}$

371. $x = \ln u, y = \ln(uv)$, donde $S = \{(u, v) | u > 0, v > 0\}$ y $R = \mathrm{R}^2$.

372. $x = u + v + w, y = 3v, z = 2w$, donde $S = R = \mathrm{R}^3$.

373. $x = u + v, y = v + w, z = u + w$, donde $S = R = \mathrm{R}^3$.

En los siguientes ejercicios, la transformación $T : S \to R, T(u, v) = (x, y)$ y la región $R \subset \mathrm{R}^2$ están dados. Halle la región $S \subset \mathrm{R}^2$.

374. $x = au, y = bv, R = \left\{(x, y) | x^2 + y^2 \le a^2 b^2\right\}$, donde $a, b > 0$

375. $x = au, y = bv, R = \left\{(x, y) | \frac{x^2}{a^2} + \frac{y^2}{b^2} \le 1\right\}$, donde $a, b > 0$

376. $x = \frac{u}{a}, y = \frac{v}{b}, z = \frac{w}{c}$, $R = \left\{(x, y) | x^2 + y^2 + z^2 \le 1\right\}$, donde $a, b, c > 0$

377. $x = au, y = bv, z = cw, R = \left\{(x, y) | \frac{x^2}{a^2} - \frac{y^2}{b^2} - \frac{z^2}{c^2} \le 1, z > 0\right\}$, donde $a, b, c > 0$

En los siguientes ejercicios, halle el jacobiano J de la transformación.

378. $x = u + 2v, y = -u + v$

379. $x = \frac{u^3}{2}, y = \frac{v}{u^2}$

380. $x = e^{2u-v}, y = e^{u+v}$

381. $x = ue^v, y = e^{-v}$

382. $x = u \cos(e^v), y = u \operatorname{sen}(e^v)$ grandes.

383. $x = v \operatorname{sen}(u^2), y = v \cos(u^2)$ grandes.

384. $x = u \cosh v, y = u \operatorname{senoh} v, z = w$

385. $x = v \cosh\left(\frac{1}{u}\right), y = v \operatorname{senoh}\left(\frac{1}{u}\right), z = u + w^2$

386. $x = u + v, y = v + w, z = u$

387. $x = u - v, y = u + v, z = u + v + w$

388. La región triangular R con los vértices $(0, 0)$, $(1, 1)$, y $(1, 2)$ se muestra en la siguiente figura.

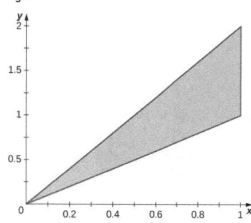

a. Calcule una transformación $T : S \rightarrow R$, $T(u, v) = (x, y) = (au + bv, cu + dv)$, donde $a, b, c,$ y d son números reales con $ad - bc \neq 0$ de manera que $T^{-1}(0, 0) = (0, 0), T^{-1}(1, 1) = (1, 0),$ y $T^{-1}(1, 2) = (0, 1)$.

b. Utilice la transformación T para calcular el área $A(R)$ de la región R.

389. La región triangular R con los vértices $(0, 0)$, $(2, 0)$, y $(1, 3)$ se muestra en la siguiente figura.

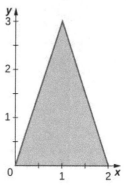

a. Calcule una transformación $T : S \rightarrow R$, $T(u, v) = (x, y) = (au + bv, cu + dv)$, donde a, b, c y d son números reales con $ad - bc \neq 0$ de manera que $T^{-1}(0, 0) = (0, 0),$ $T^{-1}(2, 0) = (1, 0),$ y $T^{-1}(1, 3) = (0, 1)$.

b. Utilice la transformación T para calcular el área $A(R)$ de la región R.

En los siguientes ejercicios, utilice la transformación $u = y - x, v = y$, para evaluar las integrales en el paralelogramo R de vértices $(0, 0)$, $(1, 0)$, $(2, 1)$, y $(1, 1)$ que se muestra en la siguiente figura

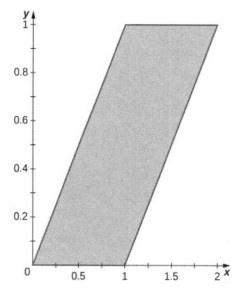

390. $\displaystyle\iint\limits_{R} (y - x) \, dA$

391. $\displaystyle\iint\limits_{R} \left(y^2 - xy\right) \, dA$

En los siguientes ejercicios, utilice la transformación $y - x = u, x + y = v$ para evaluar las integrales en el cuadrado R determinado por las líneas $y = x, y = -x + 2, y = x + 2,$ y $y = -x$ que se muestra en la siguiente figura

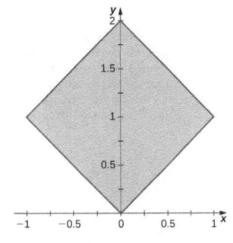

392. $\displaystyle\iint\limits_{R} e^{x+y} \, dA$

393. $\displaystyle\iint\limits_{R} \operatorname{sen}(x - y) \, dA$

En los siguientes ejercicios, utilice la transformación $x = u, 5y = v$ para evaluar las integrales en la región R delimitada por la elipse $x^2 + 25y^2 = 1$ que se muestra en la siguiente figura

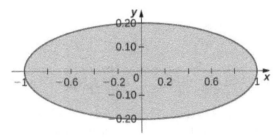

394. $\displaystyle\iint\limits_{R} \sqrt{x^2 + 25y^2} \, dA$

395. $\displaystyle\iint\limits_{R} \left(x^2 + 25y^2\right)^2 dA$

En los siguientes ejercicios, utilice la transformación $u = x + y, v = x - y$ para evaluar las integrales en la región trapezoidal R determinado por los puntos $(1, 0), (2, 0), (0, 2).,$ y $(0, 1)$ que se muestra en la siguiente figura

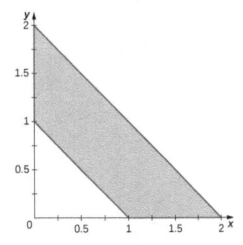

396. $\displaystyle\iint_R \left(x^2 - 2xy + y^2\right) e^{x+y}\, dA$ **397.** $\displaystyle\iint_R \left(x^3 + 3x^2 y + 3xy^2 + y^3\right) dA$

398. El sector circular anular R delimitado por los círculos $4x^2 + 4y^2 = 1$ y $9x^2 + 9y^2 = 64$, la línea $x = y\sqrt{3}$, y la intersección y se muestra en la siguiente figura. Calcule una transformación T de una región rectangular S en el plano $r\theta$ a la región R en el plano xy. Gráfico S.

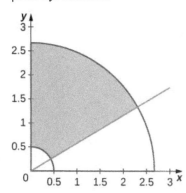

399. El sólido R delimitado por el cilindro circular $x^2 + y^2 = 9$ y los planos $z = 0, z = 1, x = 0$, y $y = 0$ se muestra en la siguiente figura. Calcule una transformación T de una caja cilíndrica S en $r\theta z$ al sólido R en xyz.

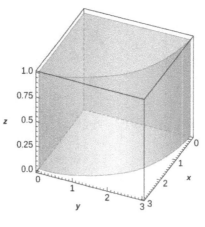

400. Demuestre que

$$\iint_R f\left(\sqrt{\frac{x^2}{3} + \frac{y^2}{3}}\right) dA = 2\pi\sqrt{15} \int_0^1 f(\rho)\, \rho\, d\rho,$$

donde f es una función continua en $[0, 1]$ y R es la región limitada por la elipse $5x^2 + 3y^2 = 15$.

401. Demuestre que

$$\iiint_R f\left(\sqrt{16x^2 + 4y^2 + z^2}\right) dV = \frac{\pi}{2} \int_0^1 f(\rho)\, \rho^2\, d\rho,$$

donde f es una función continua en $[0, 1]$ y R es la región delimitada por el elipsoide $16x^2 + 4y^2 + z^2 = 1$.

402. **[T]** Calcule el área de la región delimitada por las curvas $xy = 1, xy = 3, y = 2x$, y $y = 3x$ utilizando la transformación $u = xy$ y $v = \frac{y}{x}$. Utilizar un sistema de álgebra computacional (CAS) para graficar las curvas límite de la región R.

403. **[T]** Calcule el área de la región delimitada por las curvas $x^2 y = 2, x^2 y = 3, y = x$, y $y = 2x$ utilizando la transformación $u = x^2 y$ y $v = \frac{y}{x}$. Utilizar un CAS para graficar las curvas límite de la región R.

404. Evalúe la integral triple

$$\int_0^1 \int_1^2 \int_z^{z+1} (y + 1)\, dx\, dy\, dz$$

utilizando la transformación $u = x - z$, $v = 3y$, y $w = \frac{z}{2}$.

405. Evalúe la integral triple

$$\int_0^2 \int_4^6 \int_{3z}^{3z+2} (5 - 4y)\, dx\, dz\, dy$$

utilizando la transformación $u = x - 3z, v = 4y,$ y $w = z$.

406. Una transformación $T : \mathrm{R}^2 \to \mathrm{R}^2, T(u, v) = (x, y)$ de la forma $x = au + bv, y = cu + dv,$ donde $a, b, c,$ y d son números reales, se llama lineal. Demuestre que una transformación lineal para la que $ad - bc \neq 0$ mapea paralelogramos a paralelogramos.

407. La transformación $T_\theta : \mathrm{R}^2 \to \mathrm{R}^2, T_\theta(u, v) = (x, y),$ donde $x = u \cos\theta - v \sin\theta,$ $y = u \sin\theta + v \cos\theta,$ se llama una rotación de ángulo θ. Demuestre que la transformación inversa de T_θ satisface $T_\theta^{-1} = T_{-\theta},$ donde $T_{-\theta}$ es la rotación del ángulo $-\theta$.

408. **[T]** Halle la región S en el plano uv cuya imagen a través de una rotación de ángulo $\frac{\pi}{4}$ es la región R encerrado en la elipse $x^2 + 4y^2 = 1$. Utilice un CAS para responder las siguientes preguntas.

   a. Graficar la región S.
   b. Evalúe la integral

   $$\iint_S e^{-2uv}\, du\, dv.$$

   Redondee su respuesta a dos decimales.

409. **[T]** Las transformaciones $T_i : \mathbb{R}^2 \to \mathbb{R}^2,$ $i = 1, \ldots, 4,$ definidas por $T_1(u, v) = (u, -v),$ $T_2(u, v) = (-u, v), T_3(u, v) = (-u, -v),$ y $T_4(u, v) = (v, u)$ se llaman reflexiones sobre el $x, y,$ origen, y la línea $y = x,$ respectivamente.

   a. Hallar la imagen de la región $S = \{(u, v) | u^2 + v^2 - 2u - 4v + 1 \leq 0\}$ en el plano xy a través de la transformación $T_1 \circ T_2 \circ T_3 \circ T_4$.
   b. Utilizar un CAS para hacer un gráfico R.
   c. Evalúe la integral $\iint_S \sin(u^2)\, du\, dv$ utilizando un CAS. Redondee su respuesta a dos decimales.

410. **[T]** La transformación $T_{k,1,1} : \mathbb{R}^3 \to \mathbb{R}^3, T_{k,1,1}(u, v, w) = (x, y, z)$ de la forma $x = ku, y = v, z = w,$ donde $k \neq 1$ es un número real positivo, se llama tramo si $k > 1$ y una compresión si $0 < k < 1$ en el plano x. Utilice un CAS para evaluar la integral

$$\iiint_S e^{-\left(4x^2+9y^2+25z^2\right)}\, dx\, dy\, dz \text{ en el}$$

sólido $S = \left\{(x, y, z) | 4x^2 + 9y^2 + 25z^2 \leq 1\right\}$ considerando la compresión $T_{2,3,5}(u, v, w) = (x, y, z)$ definidas por $x = \frac{u}{2}, y = \frac{v}{3},$ y $z = \frac{w}{5}$. Redondee su respuesta a cuatro decimales.

411. **[T]** La transformación $T_{a,0} : \mathrm{R}^2 \to \mathrm{R}^2, T_{a,0}(u, v) = (u + av, v),$ donde $a \neq 0$ es un número real, se llama cizalla en la dirección x. La transformación, $T_{b,0} : \mathrm{R}^2 \to \mathrm{R}^2, T_{i,b}(u, v) = (u, bu + v),$ donde $b \neq 0$ es un número real, se llama cizalla en la dirección y.

   a. Hallar transformaciones $T_{0,2} \circ T_{3,0}$.
   b. Halle la imagen R de la región trapezoidal S limitada por $u = 0, v = 0, v = 1,$ y $v = 2 - u$ a través de la transformación $T_{0,2} \circ T_{3,0}$.
   c. Utilice un CAS para graficar la imagen R en el plano xy.
   d. Calcule el área de la región R utilizando el área de la región S.

412. Utilice la transformación, $x = au, y = av, z = cw$ y coordenadas esféricas para demostrar que el volumen de una región limitada por el esferoide $\frac{x^2+y^2}{a^2} + \frac{z^2}{c^2} = 1$ ¿es $\frac{4\pi a^2 c}{3}$.

413. Halle el volumen de un balón de fútbol cuya forma es un esferoide $\frac{x^2+y^2}{a^2} + \frac{z^2}{c^2} = 1$ cuya longitud de punta a punta es 11 pulgadas y la circunferencia en el centro es 22 pulgadas. Redondee su respuesta a dos decimales.

414. **[T]** Los óvalos de Lamé (o superelipses) son curvas planas de ecuaciones $\left(\frac{x}{a}\right)^n + \left(\frac{y}{b}\right)^n = 1$, donde a, b y n son números reales positivos.

  a. Utilice un CAS para graficar las regiones R delimitada por los óvalos de Lamé para $a = 1, b = 2, n = 4$ y $n = 6$, respectivamente.

  b. Halle las transformaciones que mapean la región R limitado por el óvalo de Lamé $x^4 + y^4 = 1$, también llamado ardilla y graficado en la siguiente figura, en el disco de la unidad

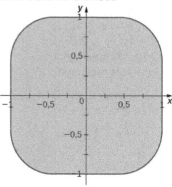

  c. Utilice un CAS para hallar una aproximación del área $A(R)$ de la región R limitado por $x^4 + y^4 = 1$. Redondee su respuesta a dos decimales.

415. **[T]** Los diseñadores y arquitectos han utilizado constantemente los óvalos de Lamé. Por ejemplo, Gerald Robinson, un arquitecto canadiense, ha diseñado un aparcamiento en un centro comercial de Peterborough, Ontario, con la forma de una superelipse de la ecuación $\left(\frac{x}{a}\right)^n + \left(\frac{y}{b}\right)^n = 1$ con la $\frac{a}{b} = \frac{9}{7}$ y $n = e$. Utilice un CAS para hallar una aproximación del área del estacionamiento en el caso $a = 900$ yardas, $b = 700$ yardas, y $n = 2{,}72$ yardas.

Revisión del capítulo

Términos clave

integral doble   de la función $f(x, y)$ sobre la región R en el plano xy se define como el límite de una suma doble de

Riemann, $\displaystyle\iint\limits_{R} f(x, y)dA = \lim_{m,n\to\infty} \sum_{i=1}^{m} \sum_{j=1}^{n} f(x_{ij}^*, y_{ij}^*)\Delta A.$

integral doble impropia   una integral doble sobre una región no limitada o de una función no acotada

integral iterada   para una función $f(x, y)$ sobre la región R ¿es

a. $\displaystyle\int_a^b \int_c^d f(x, y)dx\, dy = \int_a^b \left[\int_c^d f(x, y)dy \right] dx,$

b. $\displaystyle\int_c^d \int_b^a f(x, y)dx\, dy = \int_c^d \left[\int_a^b f(x, y)dx \right] dy,$

donde $a, b, c,$ y d son números reales cualquiera y $R = [a, b] \times [c, d]$

integral triple   la integral triple de una función continua $f(x, y, z)$ sobre una caja sólida rectangular B es el límite de una suma de Riemann para una función de tres variables, si este límite existe

integral triple en coordenadas cilíndricas   el límite de una triple suma de Riemann, siempre que exista el siguiente límite:

$$\lim_{l,m,n\to\infty} \sum_{i=1}^{l} \sum_{j=1}^{m} \sum_{k=1}^{n} f(r_{ijk}^*, \theta_{ijk}^*, z_{ijk}^*)r_{ijk}^* \Delta r \Delta\theta\Delta z$$

integral triple en coordenadas esféricas   el límite de una triple suma de Riemann, siempre que exista el siguiente límite:

$$\lim_{l,m,n\to\infty} \sum_{i=1}^{l} \sum_{j=1}^{m} \sum_{k=1}^{n} f(\rho_{ijk}^*, \theta_{ijk}^*, \varphi_{ijk}^*)(\rho_{ijk}^*)^2 \operatorname{sen}\varphi\Delta\rho\Delta\theta\Delta\varphi$$

Jacobiano   el jacobiano $J(u, v)$ en dos variables es un determinante 2×2:

$$J(u, v) = \begin{vmatrix} \dfrac{\partial x}{\partial u} & \dfrac{\partial y}{\partial u} \\ \dfrac{\partial x}{\partial v} & \dfrac{\partial y}{\partial v} \end{vmatrix};$$

el jacobiano $J(u, v, w)$ en tres variables es un determinante 3×3:

$$J(u, v, w) = \begin{vmatrix} \dfrac{\partial x}{\partial u} & \dfrac{\partial y}{\partial u} & \dfrac{\partial z}{\partial u} \\ \dfrac{\partial x}{\partial v} & \dfrac{\partial y}{\partial v} & \dfrac{\partial z}{\partial v} \\ \dfrac{\partial x}{\partial w} & \dfrac{\partial y}{\partial w} & \dfrac{\partial z}{\partial w} \end{vmatrix}$$

radio de giro   la distancia entre el centro de masa de un objeto y su eje de rotación

rectángulo polar   la región comprendida entre los círculos $r = a$ y $r = b$ y los ángulos $\theta = \alpha$ y $\theta = \beta$; se describe como $R = \{(r, \theta)|a \leq r \leq b, \alpha \leq \theta \leq \beta\}$

suma doble de Riemann   de la función $f(x, y)$ sobre una región rectangular R es $\displaystyle\sum_{i=1}^{m} \sum_{j=1}^{n} f(x_{ij}^*, y_{ij}^*)\Delta A$ donde R se divide en subrectángulos más pequeños R_{ij} y (x_{ij}^*, y_{ij}^*) es un punto arbitrario en R_{ij}

teorema de Fubini   si $f(x, y)$ es una función de dos variables que es continua sobre una región rectangular $R = \left\{(x, y) \in \mathbb{R}^2 | a \leq x \leq b, c \leq y \leq d\right\}$, entonces la integral doble de f sobre la región es igual a una integral iterada, $\displaystyle\iint\limits_{R} f(x, y)dy\, dx = \int_a^b \int_c^d f(x, y)dx\, dy = \int_c^d \int_a^b f(x, y)dx\, dy$

Tipo I   una región D en el plano xy es de Tipo I si se encuentra entre dos líneas verticales y los gráficos de dos funciones continuas $g_1(x)$ y $g_2(x)$

Tipo II   una región D en el plano xy es de Tipo II si se encuentra entre dos líneas horizontales y los gráficos de dos funciones continuas $h_1(y)$ y $h_2(y)$

transformación   una función que transforma una región G en un plano en una región R en otro plano por un cambio de variables

transformación planar   una función T que transforma una región G en un plano en una región R en otro plano por un cambio de variables

transformación uno a uno   una transformación $T : G \rightarrow R$ definida como $T(u, v) = (x, y)$ se dice que es unívoco si no hay dos puntos que se correspondan con el mismo punto de la imagen

Ecuaciones clave

Integral doble	$\iint\limits_{R} f(x, y) dA = \lim\limits_{m,n \to \infty} \sum\limits_{i=1}^{m} \sum\limits_{j=1}^{n} f(x_{ij}^{*}, y_{ij}^{*}) \Delta A$
Integral iterada	$\int_{a}^{b} \int_{c}^{d} f(x, y) dx\, dy = \int_{a}^{b} \left[\int_{c}^{d} f(x, y) dy \right] dx$ o $\int_{c}^{d} \int_{b}^{a} f(x, y) dx\, dy = \int_{c}^{d} \left[\int_{a}^{b} f(x, y) dx \right] dy$
Valor medio de una función de dos variables	$f_{\text{ave}} = \dfrac{1}{\text{Área } R} \iint\limits_{R} f(x, y) dx\, dy$
Integral iterada sobre una región de Tipo I	$\iint\limits_{D} f(x, y) dA = \iint\limits_{D} f(x, y) dy\, dx = \int_{a}^{b} \left[\int_{g_1(x)}^{g_2(x)} f(x, y) dy \right] dx$
Integral iterada sobre una región de Tipo II	$\iint\limits_{D} f(x, y) dA = \iint\limits_{D} f(x, y) dx\, dy = \int_{c}^{d} \left[\int_{h_1(y)}^{h_2(y)} f(x, y) dx \right] dy$
Integral doble sobre una región rectangular polar R	$\iint\limits_{R} f(r, \theta) dA = \lim\limits_{m,n \to \infty} \sum\limits_{i=1}^{m} \sum\limits_{j=1}^{n} f(r_{ij}^{*}, \theta_{ij}^{*}) \Delta A = \lim\limits_{m,n \to \infty} \sum\limits_{i=1}^{m} \sum\limits_{j=1}^{n} f(r_{ij}^{*}, \theta_{ij}^{*}) r_{ij}^{*} \Delta r \Delta \theta$
Integral doble sobre una región polar general	$\iint\limits_{D} f(r, \theta) r\, dr\, d\theta = \int_{\theta=\alpha}^{\theta=\beta} \int_{r=h_1(\theta)}^{r=h_2(\theta)} f(r, \theta) r\, dr\, d\theta$
Integral triple	$\lim\limits_{l,m,n \to \infty} \sum\limits_{i=1}^{l} \sum\limits_{j=1}^{m} \sum\limits_{k=1}^{n} f(x_{ijk}^{*}, y_{ijk}^{*}, z_{ijk}^{*}) \Delta x \Delta y \Delta z = \iiint\limits_{B} f(x, y, z) dV$
Integral triple en coordenadas cilíndricas	$\iiint\limits_{B} g(x, y, z) dV = \iiint\limits_{B} g(r\cos\theta, r\operatorname{sen}\theta, z) r\, dr\, d\theta\, dz = \iiint\limits_{B} f(r, \theta, z) r\, dr\, d\theta\, dz$
Integral triple en coordenadas esféricas	$\iiint\limits_{B} f(\rho, \theta, \varphi) \rho^2 \operatorname{sen}\varphi\, d\rho\, d\varphi\, d\theta = \int_{\varphi=\gamma}^{\varphi=\psi} \int_{\theta=\alpha}^{\theta=\beta} \int_{\rho=a}^{\rho=b} f(\rho, \theta, \varphi) \rho^2 \operatorname{sen}\varphi\, d\rho\, d\varphi\, d\theta$

Masa de una lámina	$m = \lim\limits_{k,l\to\infty} \sum\limits_{i=1}^{k} \sum\limits_{j=1}^{l} m_{ij} = \lim\limits_{k,l\to\infty} \sum\limits_{i=1}^{k} \sum\limits_{j=1}^{l} \rho(x_{ij}^{*}, y_{ij}^{*})\Delta A = \iint\limits_{R} \rho(x,y)dA$
Momento alrededor del eje x	$M_x = \lim\limits_{k,l\to\infty} \sum\limits_{i=1}^{k} \sum\limits_{j=1}^{l} \left(y_{ij}^{*}\right) m_{ij} = \lim\limits_{k,l\to\infty} \sum\limits_{i=1}^{k} \sum\limits_{j=1}^{l} \left(y_{ij}^{*}\right) \rho(x_{ij}^{*}, y_{ij}^{*})\Delta A = \iint\limits_{R} y\rho(x,y)dA$
Momento en torno al eje y	$M_y = \lim\limits_{k,l\to\infty} \sum\limits_{i=1}^{k} \sum\limits_{j=1}^{l} \left(x_{ij}^{*}\right) m_{ij} = \lim\limits_{k,l\to\infty} \sum\limits_{i=1}^{k} \sum\limits_{j=1}^{l} \left(x_{ij}^{*}\right) \rho(x_{ij}^{*}, y_{ij}^{*})\Delta A = \iint\limits_{R} x\rho(x,y)dA$
Centro de masa de una lámina	$\bar{x} = \dfrac{M_y}{m} = \dfrac{\iint\limits_{R} x\rho(x,y)dA}{\iint\limits_{R} \rho(x,y)dA}$ y $\bar{y} = \dfrac{M_x}{m} = \dfrac{\iint\limits_{R} y\rho(x,y)dA}{\iint\limits_{R} \rho(x,y)dA}$

Conceptos clave

5.1 Integrales dobles sobre regiones rectangulares

- Podemos utilizar una suma doble de Riemann para aproximar el volumen de un sólido delimitado arriba por una función de dos variables sobre una región rectangular. Al tomar el límite, esto se convierte en una integral doble que representa el volumen del sólido.
- Las propiedades de la integral doble son útiles para simplificar el cálculo y hallar límites a sus valores.
- Podemos utilizar el teorema de Fubini para escribir y evaluar una integral doble como una integral iterada.
- Las integrales dobles se utilizan para calcular el área de una región, el volumen debajo de una superficie y el valor medio de una función de dos variables sobre una región rectangular.

5.2 Integrales dobles sobre regiones generales

- Una región limitada general D en el plano es una región que puede ser encerrada dentro de una región rectangular. Podemos utilizar esta idea para definir una integral doble sobre una región limitada general.
- Para evaluar una integral iterada de una función sobre una región general no rectangular, dibujamos la región y la expresamos como una región de Tipo I o de Tipo II, o como una unión de varias regiones de Tipo I o de Tipo II que se superponen solo en sus límites.
- Podemos utilizar las integrales dobles para calcular volúmenes, áreas y valores promedio de una función sobre regiones generales, de forma similar a los cálculos sobre regiones rectangulares.
- Podemos utilizar el teorema de Fubini para integrales impropias para evaluar algunos tipos de integrales impropias.

5.3 Integrales dobles en coordenadas polares

- Para aplicar una integral doble a una situación con simetría circular, suele ser conveniente utilizar una integral doble en coordenadas polares. Podemos aplicar estas integrales dobles sobre una región polar rectangular o una región polar general, utilizando una integral iterada similar a las utilizadas con las integrales dobles rectangulares.
- La zona dA en coordenadas polares se convierte en $r\, dr\, d\theta$.
- Utilice la sustitución en $x = r\cos\theta$, $y = r\,\text{sen}\,\theta$, y $dA = r\, dr\, d\theta$ para convertir una integral en coordenadas rectangulares en una integral en coordenadas polares.
- Utilice la sustitución en $r^2 = x^2 + y^2$ y $\theta = \tan^{-1}\left(\frac{y}{x}\right)$ para convertir una integral en coordenadas polares en una integral en coordenadas rectangulares, si es necesario.
- Para hallar el volumen en coordenadas polares delimitado arriba por una superficie $z = f(r, \theta)$ sobre una región en el plano xy, utilice una integral doble en coordenadas polares.

5.4 Integrales triples

- Para calcular una integral triple utilizamos el teorema de Fubini, que dice que si $f(x, y, z)$ es continua en una caja rectangular $B = [a, b] \times [c, d] \times [e, f]$, entonces

$$\iiint\limits_{B} f(x, y, z)\, dV = \int\limits_{e}^{f} \int\limits_{c}^{d} \int\limits_{a}^{b} f(x, y, z)\, dx\, dy\, dz$$

y también es igual a cualquiera de las otras cinco ordenaciones posibles para la integral triple iterada.

- Para calcular el volumen de una región limitada general sólida E utilizamos la integral triple

$$V(E) = \iiint\limits_{E} 1\, dV.$$

- Intercambiar el orden de las integrales iteradas no cambia la respuesta. De hecho, intercambiar el orden de integración puede ayudar a simplificar el cálculo.
- Para calcular el valor promedio de una función en una región tridimensional general, utilizamos

$$f_{\text{ave}} = \frac{1}{V(E)} \iiint\limits_{E} f(x, y, z)\, dV.$$

5.5 Integrales triples en coordenadas cilíndricas y esféricas

- Para evaluar una integral triple en coordenadas cilíndricas, utilice la integral iterada

$$\int\limits_{\theta=\alpha}^{\theta=\beta} \int\limits_{r=g_1(\theta)}^{r=g_2(\theta)} \int\limits_{z=u_1(r,\theta)}^{z=u_2(r,\theta)} f(r, \theta, z)\, r\, dz\, dr\, d\theta.$$

- Para evaluar una integral triple en coordenadas esféricas, utilice la integral iterada

$$\int\limits_{\theta=\alpha}^{\theta=\beta} \int\limits_{\rho=g_1(\theta)}^{\rho=g_2(\theta)} \int\limits_{\varphi=u_1(r,\theta)}^{\varphi=u_2(r,\theta)} f(\rho, \theta, \varphi)\, \rho^2 \operatorname{sen} \varphi\, d\varphi\, d\rho\, d\theta.$$

5.6 Cálculo de centros de masa y momentos de inercia

Hallar la masa, el centro de masa, los momentos y los momentos de inercia en integrales dobles:

- Para una lámina R con una función de densidad $\rho(x, y)$ en cualquier punto (x, y) en el plano, la masa es

$$m = \iint\limits_{R} \rho(x, y)\, dA.$$

- Los momentos en torno al eje x y y son

$$M_x = \iint\limits_{R} y\rho(x, y)\, dA \text{ y } M_y = \iint\limits_{R} x\rho(x, y)\, dA.$$

- El centro de masa viene dado por $\bar{x} = \frac{M_y}{m}$, $\bar{y} = \frac{M_x}{m}$.
- El centro de masa se convierte en el centroide del plano cuando la densidad es constante.
- Los momentos de inercia sobre los ejes x,, $y-$ y el origen son

$$I_x = \iint\limits_{R} y^2 \rho(x, y)\, dA, \ I_y = \iint\limits_{R} x^2 \rho(x, y)\, dA, \text{ y } I_0 = I_x + I_y = \iint\limits_{R} \left(x^2 + y^2\right) \rho(x, y)\, dA.$$

Hallar la masa, el centro de masa, los momentos y los momentos de inercia en integrales triples:

- Para un objeto sólido Q con una función de densidad $\rho(x, y, z)$ en cualquier punto (x, y, z) en el espacio, la masa es

$$m = \iiint\limits_{Q} \rho(x, y, z)\, dV.$$

- Los momentos en torno al eje xy, el plano xz, y el plano yz son

$$M_{xy} = \iiint\limits_{Q} z\rho(x, y, z)\, dV, \ M_{xz} = \iiint\limits_{Q} y\rho(x, y, z)\, dV, \ M_{yz} = \iiint\limits_{Q} x\rho(x, y, z)\, dV.$$

- El centro de masa viene dado por $\bar{x} = \frac{M_{yz}}{m}$, $\bar{y} = \frac{M_{xz}}{m}$, $\bar{z} = \frac{M_{xy}}{m}$.
- El centro de masa se convierte en el centroide del sólido cuando la densidad es constante.
- Los momentos de inercia sobre el plano yz, el plano xz, y el plano xy son

$$I_x = \iiint\limits_{Q} \left(y^2 + z^2 \right) \rho\left(x, y, z \right) dV, I_y = \iiint\limits_{Q} \left(x^2 + z^2 \right) \rho\left(x, y, z \right) dV,$$

$$I_z = \iiint\limits_{Q} \left(x^2 + y^2 \right) \rho\left(x, y, z \right) dV.$$

5.7 Cambio de variables en integrales múltiples

- Una transformación T es una función que transforma una región G en un plano (espacio) en una región R en otro plano (espacio) mediante un cambio de variables.
- Una transformación $T : G \to R$ definida como $T\left(u, v \right) = \left(x, y \right)$ (o $T\left(u, v, w \right) = \left(x, y, z \right)$) se dice que es una transformación de uno a uno si no hay dos puntos que correspondan al mismo punto de la imagen.
- Si los valores de f es continuo en R, entonces $\iint\limits_{R} f\left(x, y \right) dA = \iint\limits_{S} f\left(g\left(u, v \right), h\left(u, v \right) \right) \left| \frac{\partial(x,y)}{\partial(u,v)} \right| du\, dv.$
- Si los valores de F es continuo en R, entonces

$$\iiint\limits_{R} F\left(x, y, z \right) dV = \iiint\limits_{G} F\left(g\left(u, v, w \right), h\left(u, v, w \right), k\left(u, v, w \right) \right) \left| \frac{\partial(x,y,z)}{\partial(u,v,w)} \right| du\, dv\, dw$$

$$= \iiint\limits_{G} H\left(u, v, w \right) \left| J\left(u, v, w \right) \right| du\, dv\, dw.$$

Ejercicios de repaso

¿Verdadero o falso? Justifique su respuesta con una prueba o un contraejemplo.

416. $\displaystyle\int_{a}^{b} \int_{c}^{d} f\left(x, y \right) dy\, dx = \int_{c}^{d} \int_{a}^{b} f\left(x, y \right) dy\, dx$

417. El teorema de Fubini puede extenderse a tres dimensiones, siempre que f es continua en todas las variables.

418. La integral
$$\int_{0}^{2\pi} \int_{0}^{1} \int_{r}^{1} dz\, dr\, d\theta$$
representa el volumen de un cono derecho.

419. El jacobiano de la transformación para $x = u^2 - 2v, y = 3v - 2uv$ viene dada por $-4u^2 + 6u + 4v$.

Evalúe las siguientes integrales.

420. $\displaystyle\iint\limits_{R} \left(5x^3 y^2 - y^2 \right) dA, R = \{(x, y) | 0 \leq x \leq 2, 1 \leq y \leq 4\}$

421. $\displaystyle\iint\limits_{D} \frac{y}{3x^2 + 1} dA, D = \{(x, y) | 0 \leq x \leq 1, -x \leq y \leq x\}$

422. $\displaystyle\iint\limits_{D} \text{sen}\left(x^2 + y^2 \right) dA$ donde D es un disco de radio 2 centrado en el origen

423. $\displaystyle\int_0^1 \int_y^1 xye^{x^2}\, dx\, dy$

424. $\displaystyle\int_{-1}^1 \int_0^z \int_0^{x-z} 6dy\, dx\, dz$

425. $\displaystyle\iiint_R 3y\, dV$, donde

$R = \left\{ (x, y, z) | 0 \le x \le 1, 0 \le y \le x, 0 \le z \le \sqrt{9-y^2} \right\}$

426. $\displaystyle\int_0^2 \int_0^{2\pi} \int_r^1 r\, dz\, d\theta\, dr$

427. $\displaystyle\int_0^{2\pi} \int_0^{\pi/2} \int_1^3 \rho^2 \operatorname{sen}(\varphi)d\rho\, d\varphi\, d\theta$

428. $\displaystyle\int_0^1 \int_{-\sqrt{1-x^2}}^{\sqrt{1-x^2}} \int_{-\sqrt{1-x^2-y^2}}^{\sqrt{1-x^2-y^2}} dz\, dy\, dx$

En los siguientes problemas, halle el área o el volumen especificado.

429. El área de la región encerrada por un pétalo de $r = \cos(4\theta)$.

430. El volumen del sólido que se encuentra entre el paraboloide $z = 2x^2 + 2y^2$ y el plano $z = 8$.

431. El volumen del sólido delimitado por el cilindro $x^2 + y^2 = 16$ y de $z = 1$ al $z + x = 2$.

432. El volumen de la intersección entre dos esferas de radio 1, la superior cuyo centro es $(0, 0, 0,25)$ y la parte inferior, centrada en $(0, 0, 0)$.

Para los siguientes problemas, halle el centro de masa de la región.

433. $\rho(x, y) = xy$ en el círculo de radio 1 solo en el primer cuadrante.

434. $\rho(x, y) = (y + 1)\sqrt{x}$ en la región limitada por $y = e^x$, $y = 0$, y $x = 1$.

435. $\rho(x, y, z) = z$ en el cono invertido de radio 2 y altura 2.

436. El volumen de un cono de helado que viene dado por el sólido anterior $z = \sqrt{(x^2 + y^2)}$ y más abajo $z^2 + x^2 + y^2 = z$.

Los siguientes problemas examinan el monte Holly en el estado de Michigan. El monte Holly es un vertedero que se convirtió en una estación de esquí. La forma del monte Holly puede ser aproximada por un cono circular derecho de altura 1.100 pies y radio 6.000 pies.

437. Si la basura compactada utilizada para construir el monte Holly tiene en promedio una densidad 400 lb/ft^3, calcular la cantidad de trabajo necesaria para construir la montaña.

438. En realidad, es muy probable que la basura del fondo del monte Holly se haya compactado con todo el peso de la basura anterior. Consideremos una función de densidad con respecto a la altura: la densidad en la cima de la montaña sigue siendo la densidad 400 lb/ft^3 y la densidad aumenta. Cada 100 pies de profundidad, la densidad se duplica. ¿Cuál es el peso total del monte Holly?

Los siguientes problemas consideran la temperatura y la densidad de las capas de la Tierra.

439. **[T]** La temperatura de las capas de la Tierra se muestra en la siguiente tabla. Utilice su calculadora para ajustar un polinomio de grado 3 a la temperatura a lo largo del radio de la Tierra. A continuación, halle la temperatura media de la Tierra. *(Pista*: Empiece por 0 en el núcleo interno y aumente hacia la superficie).

Fuente: http://www.enchantedlearning.com/subjects/astronomy/planets/earth/Inside.shtml

Capa	Profundidad desde el centro (km)	Temperatura $°C$
Corteza rocosa	0 a 40	0
Manto superior	De 40 a 150	870
Manto	De 400 a 650	870
Manto interior	650 a 2.700	870
Núcleo exterior fundido	2.890 a 5.150	4.300
Núcleo interno	5.150 a 6.378	7.200

440. **[T]** La densidad de las capas de la Tierra se muestra en la siguiente tabla. Utilizando su calculadora o un programa de computadora, halle la ecuación cuadrática que mejor se ajuste a la densidad. Utilizando esta ecuación, calcule la masa total de la Tierra.

Fuente: http://hyperphysics.phy-astr.gsu.edu/hbase/geophys/earthstruct.html

Capa	Profundidad desde el centro (km)	Densidad (g/cm3)
Núcleo interno	0	12,95
Núcleo exterior	1.228	11,05
Manto	3.488	5,00
Manto superior	6.338	3,90
Corteza	6.378	2,55

Los siguientes problemas se refieren al teorema de Pappus (consulte Momentos y centros de masa (http://openstax.org/books/cálculo-volumen-1/pages/6-6-momentos-y-centros-de-masa) para ver un repaso), un método para calcular el volumen utilizando los centroides. Suponiendo que una región R, cuando gira en torno al eje x el volumen viene dado por $V_x = 2\pi A\bar{y}$, y cuando se gira en torno al eje y el volumen viene dado por $V_y = 2\pi A\bar{x}$, donde A es el área de R. Consideremos la región delimitada por $x^2 + y^2 = 1$ y por encima de $y = x + 1$.

441. Calcule el volumen cuando se gira la región alrededor del x.

442. Calcule el volumen cuando se gira la región alrededor del y.

Figura 6.1 Los huracanes se forman a partir de vientos giratorios impulsados por temperaturas cálidas sobre el océano. Los meteorólogos pronostican el movimiento de los huracanes estudiando los campos vectoriales de rotación de su velocidad de viento. Se muestra el ciclón Catarina en el océano Atlántico Sur en 2004, visto desde la Estación Espacial Internacional (créditos: modificación del trabajo de la NASA).

Esquema del capítulo

 # Introducción

Los huracanes son enormes tormentas que pueden producir enormes daños a la vida y a la propiedad, especialmente cuando llegan a tierra. Predecir dónde y cuándo atacarán y la fuerza de los vientos es de gran importancia para preparar la protección o la evacuación. Los científicos se basan en estudios de los campos vectoriales rotacionales para sus previsiones (vea el Ejemplo 6.3).

En este capítulo, aprenderemos a modelar nuevos tipos de integrales sobre campos como los campos magnéticos, los campos gravitatorios o los campos de velocidad. También aprendemos a calcular el trabajo realizado sobre una partícula cargada que viaja a través de un campo magnético, el trabajo realizado sobre una partícula con masa que viaja a través de un campo gravitacional y el volumen por unidad de tiempo del agua que fluye a través de una red arrojada en un río.

Todas estas aplicaciones se basan en el concepto de campo vectorial, que exploramos en este capítulo. Los campos vectoriales tienen muchas aplicaciones, ya que pueden utilizarse para modelar campos reales, como los campos electromagnéticos o gravitatorios. Una comprensión profunda de la física o la ingeniería es imposible sin una comprensión de los campos vectoriales. Además, los campos vectoriales tienen propiedades matemáticas que merecen ser estudiadas por sí mismas. En particular, los campos vectoriales pueden utilizarse para desarrollar varias versiones de dimensiones superiores del teorema fundamental del cálculo.

6.1 Campos vectoriales

Objetivos de aprendizaje

6.1.1 Reconocer un campo vectorial en un plano o en el espacio.

6.1.2 Dibujar un campo vectorial a partir de una ecuación dada.

6.1.3 Identificar un campo conservador y su función potencial asociada.

Los campos vectoriales son una herramienta importante para describir muchos conceptos físicos, como la gravitación y el electromagnetismo, que afectan al comportamiento de los objetos en una gran región de un plano o del espacio. También son útiles para tratar el comportamiento a gran escala, como las tormentas atmosféricas o las corrientes oceánicas de aguas profundas. En esta sección examinamos las definiciones básicas y los gráficos de los campos vectoriales para poder estudiarlos con más detalle en el resto de este capítulo.

Ejemplos de campos vectoriales

¿Cómo podemos modelar la fuerza gravitacional ejercida por múltiples objetos astronómicos? ¿Cómo podemos modelar la velocidad de las partículas de agua en la superficie de un río? La Figura 6.2 ofrece representaciones visuales de estos fenómenos.

La Figura 6.2(a) muestra un campo gravitacional ejercido por dos objetos astronómicos, como una estrella y un planeta o un planeta y una luna. En cualquier punto de la figura, el vector asociado a un punto da la fuerza gravitacional neta ejercida por los dos objetos sobre un objeto de masa unitaria. Los vectores de mayor magnitud en la figura son los más cercanos al objeto mayor. El objeto más grande tiene mayor masa, por lo que ejerce una fuerza gravitacional de mayor magnitud que el objeto más pequeño.

La Figura 6.2(b) muestra la velocidad de un río en puntos de su superficie. El vector asociado a un punto determinado de la superficie del río da la velocidad del agua en ese punto. Como los vectores de la izquierda de la figura son de pequeña magnitud, el agua fluye lentamente en esa parte de la superficie. A medida que el agua se mueve de izquierda a derecha, se encuentra con algunos rápidos alrededor de una roca. La velocidad del agua aumenta y se produce un remolino en parte de los rápidos.

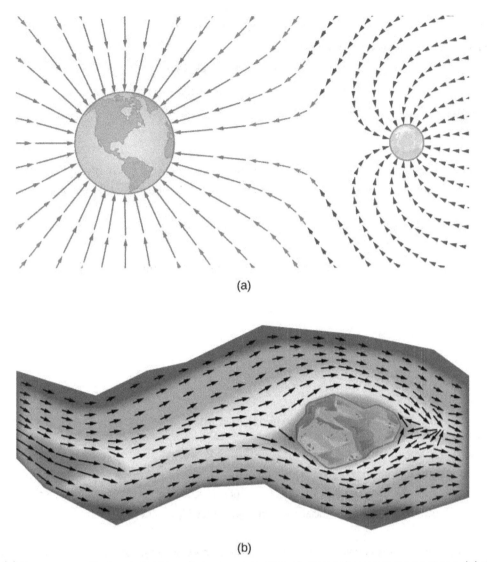

(a)

(b)

Figura 6.2 (a) El campo gravitacional ejercido por dos cuerpos astronómicos sobre un pequeño objeto. (b) El campo de velocidad vectorial del agua en la superficie de un río muestra las distintas velocidades del agua. El rojo indica que la magnitud del vector es mayor, por lo que el agua fluye más rápidamente; el azul indica una magnitud menor y una velocidad de flujo de agua más lenta.

Cada figura ilustra un ejemplo de campo vectorial. Intuitivamente, un campo vectorial es un mapa de vectores. En esta sección, estudiamos los campos vectoriales en $\mathbb{R}^2$ y $\mathbb{R}^3$.

Definición

Un **campo vectorial** $\mathbf{F}$ en $\mathbb{R}^2$ es una asignación de un vector bidimensional $\mathbf{F}(x, y)$ a cada punto (x, y) de un subconjunto D de $\mathbb{R}^2$. El subconjunto D es el dominio del campo vectorial.

Un campo vectorial $\mathbf{F}$ en $\mathbb{R}^3$ es una asignación de un vector tridimensional $\mathbf{F}(x, y, z)$ a cada punto (x, y, z) de un subconjunto D de $\mathbb{R}^3$. El subconjunto D es el dominio del campo vectorial.

Campos vectoriales en $\mathbb{R}^2$

Un campo vectorial en $\mathbb{R}^2$ puede representarse de dos formas equivalentes. La primera forma es utilizar un vector con componentes que son funciones de dos variables:

$$\mathbf{F}(x, y) = \langle P(x, y), Q(x, y) \rangle. \tag{6.1}$$

La segunda forma es utilizar los vectores unitarios normales:

$$\mathbf{F}(x, y) = P(x, y)\mathbf{i} + Q(x, y)\mathbf{j}. \tag{6.2}$$

Se dice que un campo vectorial es *continuo* si sus funciones componentes son continuas.

EJEMPLO 6.1

Hallar un vector asociado a un punto dado

Supongamos que $\mathbf{F}(x, y) = (2y^2 + x - 4)\mathbf{i} + \cos(x)\mathbf{j}$ es un campo vectorial en $\mathbb{R}^2$. Observe que se trata de un ejemplo de campo vectorial continuo, ya que las dos funciones componentes son continuas. ¿Qué vector está asociado al punto $(0, -1)$?

⊘ **Solución**

Sustituya los valores puntuales de x y de y:

$$\begin{aligned}\mathbf{F}(0, 1) &= (2(-1)^2 + 0 - 4)\mathbf{i} + \cos(0)\mathbf{j} \\ &= -2\mathbf{i} + \mathbf{j}.\end{aligned}$$

☑ 6.1   Supongamos que $\mathbf{G}(x, y) = x^2 y \mathbf{i} - (x + y)\mathbf{j}$ es un campo vectorial en $\mathbb{R}^2$. ¿Qué vector está asociado al punto $(-2, 3)$?

Dibujar un campo vectorial

Ahora podemos representar un campo vectorial en términos de sus componentes de funciones o vectores unitarios, pero representarlo visualmente mediante un esquema es más complejo porque el dominio de un campo vectorial está en $\mathbb{R}^2$, al igual que el rango. Por lo tanto, el "gráfico" de un campo vectorial en $\mathbb{R}^2$ vive en un espacio de cuatro dimensiones. Como no podemos representar visualmente el espacio de cuatro dimensiones, dibujamos en su lugar campos vectoriales en $\mathbb{R}^2$ en un plano propio. Para ello, dibuje el vector asociado a un punto determinado en un plano. Por ejemplo, supongamos que el vector asociado al punto $(4, -1)$ ¿es $\langle 3, 1 \rangle$. Entonces, dibujaríamos el vector $\langle 3, 1 \rangle$ en el punto $(4, -1)$.

Deberíamos trazar suficientes vectores para ver la forma general, pero no tantos como para que el dibujo se convierta en un embrollo. Si trazáramos el vector de la imagen en cada punto de la región, este llenaría la región por completo y es inútil. En cambio, podemos elegir puntos en las intersecciones de las líneas de la cuadrícula y trazar una muestra de varios vectores de cada cuadrante de un sistema de coordenadas rectangular en $\mathbb{R}^2$.

Hay dos tipos de campos vectoriales en $\mathbb{R}^2$ en los que se centra este capítulo: campos radiales y campos rotacionales.

Los campos radiales modelan ciertos campos gravitacionales y campos de fuentes de energía, y los campos rotacionales modelan el movimiento de un fluido en un vórtice. En un **campo radial**, todos los vectores apuntan directamente hacia el origen o se alejan de él. Además, la magnitud de cualquier vector depende solo de su distancia al origen. En un campo radial, el vector situado en el punto (x, y) es perpendicular a la circunferencia centrada en el origen que contiene el punto (x, y), y todos los demás vectores de este círculo tienen la misma magnitud.

EJEMPLO 6.2

Dibujar un campo vectorial radial

Dibuje el campo vectorial $\mathbf{F}(x, y) = \frac{x}{2}\mathbf{i} + \frac{y}{2}\mathbf{j}$.

⊘ **Solución**

Para dibujar este campo vectorial, elija una muestra de puntos de cada cuadrante y calcule el vector correspondiente. La siguiente tabla ofrece una muestra representativa de los puntos de un plano y los vectores correspondientes.

(x, y) grandes.	$\mathbf{F}(x, y)$ grandes.	(x, y) grandes.	$\mathbf{F}(x, y)$ grandes.	(x, y) grandes.	$\mathbf{F}(x, y)$ grandes.
$(1, 0)$ grandes.	$\left\langle \frac{1}{2}, 0 \right\rangle$	$(2, 0)$ grandes.	$\langle 1, 0 \rangle$	$(1, 1)$ grandes.	$\left\langle \frac{1}{2}, \frac{1}{2} \right\rangle$
$(0, 1)$ grandes.	$\left\langle 0, \frac{1}{2} \right\rangle$	$(0, 2)$ grandes.	$\langle 0, 1 \rangle$	$(-1, 1)$ grandes.	$\left\langle -\frac{1}{2}, \frac{1}{2} \right\rangle$
$(-1, 0)$ grandes.	$\left\langle -\frac{1}{2}, 0 \right\rangle$	$(-2, 0)$ grandes.	$\langle -1, 0 \rangle$	$(-1, -1)$ grandes.	$\left\langle -\frac{1}{2}, -\frac{1}{2} \right\rangle$
$(0, -1)$ grandes.	$\left\langle 0, -\frac{1}{2} \right\rangle$	$(0, -2)$ grandes.	$\langle 0, -1 \rangle$	$(1, -1)$ grandes.	$\left\langle \frac{1}{2}, -\frac{1}{2} \right\rangle$

La Figura 6.3(a) muestra el campo vectorial. Para ver que cada vector es perpendicular al círculo correspondiente, la Figura 6.3(b) muestra los círculos superpuestos al campo vectorial.

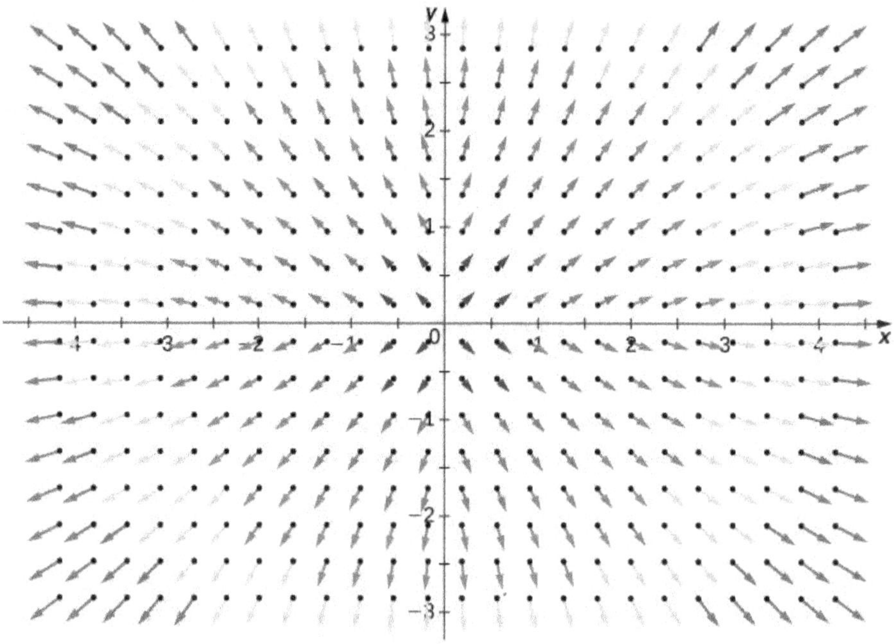

(a)

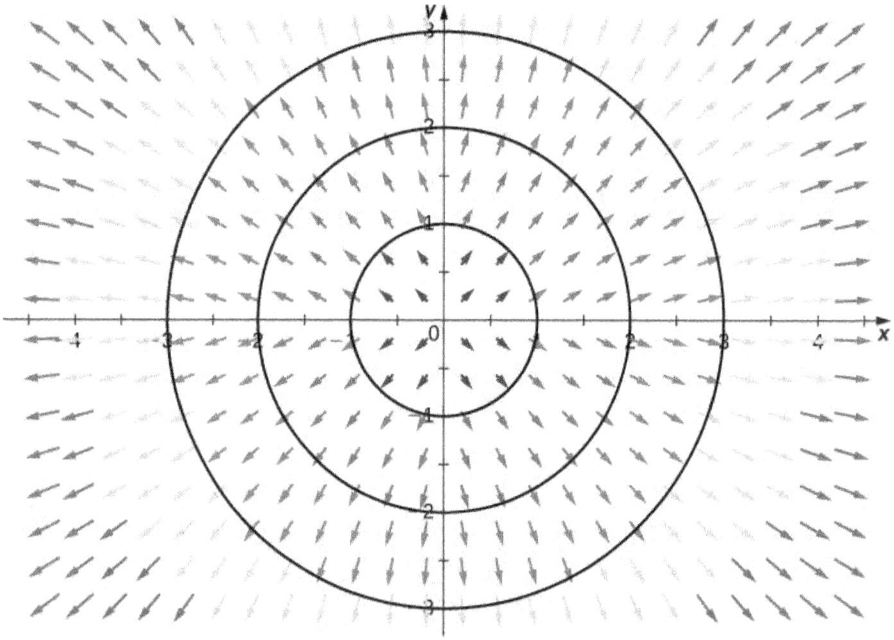

(b)

Figura 6.3   (a) Una representación visual del campo vectorial radial $\mathbf{F}(x, y) = \frac{x}{2}\mathbf{i} + \frac{y}{2}\mathbf{j}$. (b) El campo vectorial radial $\mathbf{F}(x, y) = \frac{x}{2}\mathbf{i} + \frac{y}{2}\mathbf{j}$ con círculos superpuestos. Observe que cada vector es perpendicular al círculo en el que se encuentra.

☑   6.2   Dibuje el campo radial $\mathbf{F}(x, y) = -\frac{x}{3}\mathbf{i} - \frac{y}{3}\mathbf{j}$.

A diferencia de los campos radiales, en un **campo rotacional**, el vector en el punto (x, y) es tangente (no perpendicular) a un círculo de radio $r = \sqrt{x^2 + y^2}$. En un campo rotacional normal, todos los vectores apuntan en el sentido de las agujas del reloj o en sentido contrario, y la magnitud de un vector depende solo de su distancia al origen. Los dos ejemplos siguientes son campos de rotación en el sentido de las agujas del reloj, y vemos en sus representaciones visuales que los vectores parecen girar alrededor del origen.

Inicio del capítulo: Dibujar un campo vectorial rotacional

Figura 6.4   (créditos: modificación del trabajo de la NASA).

Dibuje el campo vectorial $\mathbf{F}(x, y) = \langle y, -x \rangle$.

⊘ **Solución**

Cree una tabla (vea la que sigue) con una muestra representativa de puntos en un plano y sus correspondientes vectores. La Figura 6.6 muestra el campo vectorial resultante.

(x, y) grandes.	$\mathbf{F}(x, y)$ grandes.	(x, y) grandes.	$\mathbf{F}(x, y)$ grandes.	(x, y) grandes.	$\mathbf{F}(x, y)$ grandes.
$(1, 0)$ grandes.	$\langle 0, -1 \rangle$	$(2, 0)$ grandes.	$\langle 0, -2 \rangle$	$(1, 1)$ grandes.	$\langle 1, -1 \rangle$
$(0, 1)$ grandes.	$\langle 1, 0 \rangle$	$(0, 2)$ grandes.	$\langle 2, 0 \rangle$	$(-1, 1)$ grandes.	$\langle 1, 1 \rangle$
$(-1, 0)$ grandes.	$\langle 0, 1 \rangle$	$(-2, 0)$ grandes.	$\langle 0, 2 \rangle$	$(-1, -1)$ grandes.	$\langle -1, 1 \rangle$
$(0, -1)$ grandes.	$\langle -1, 0 \rangle$	$(0, -2)$ grandes.	$\langle -2, 0 \rangle$	$(1, -1)$ grandes.	$\langle -1, -1 \rangle$

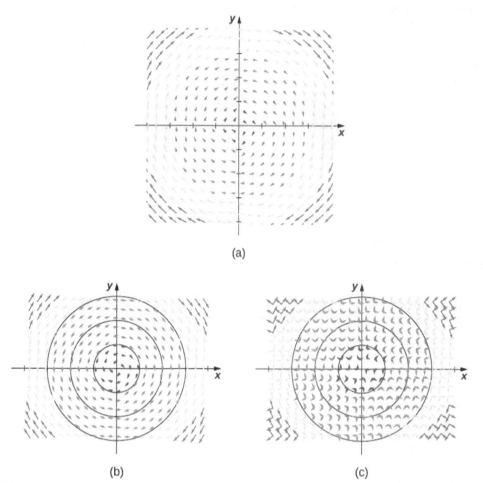

Figura 6.5　(a) Una representación visual del campo vectorial $\mathbf{F}(x, y) = \langle y, -x \rangle$. (b) Campo vectorial $\mathbf{F}(x, y) = \langle y, -x \rangle$ con círculos centrados en el origen. (c) El vector $\mathbf{F}(a, b)$ es perpendicular al vector radial $\langle a, b \rangle$ en el punto (a, b).

Análisis

Observe que el vector $\mathbf{F}(a, b) = \langle b, -a \rangle$ apunta a las agujas del reloj y es perpendicular al vector radial $\langle a, b \rangle$. (Podemos verificar esta afirmación calculando el producto escalar de los dos vectores $\langle a, b \rangle \cdot \langle -b, a \rangle = -ab + ab = 0$.) Además, el vector $\langle b, -a \rangle$ tiene longitud $r = \sqrt{a^2 + b^2}$. Así, tenemos una descripción completa de este campo vectorial rotacional: el vector asociado al punto (a, b) es el vector de longitud r tangente a la circunferencia de radio r, y apunta en el sentido de las agujas del reloj.

Los dibujos como el de la Figura 6.6 se utilizan a menudo para analizar sistemas de tormentas importantes, incluidos huracanes y ciclones. En el hemisferio norte, las tormentas giran en sentido contrario a las agujas del reloj; en el hemisferio sur, giran en sentido de las agujas del reloj. (Se trata de un efecto provocado por la rotación de la Tierra sobre su eje y se denomina efecto Coriolis).

EJEMPLO 6.4

Dibujar un campo vectorial
Dibuje el campo vectorial $\mathbf{F}(x, y) = \dfrac{y}{x^2+y^2} \mathbf{i} - \dfrac{x}{x^2+y^2} \mathbf{j}$.

Solución
Para visualizar este campo vectorial, primero hay que observar que el producto escalar $\mathbf{F}(a, b) \cdot (a\mathbf{i} + b\mathbf{j})$ es cero para cualquier punto (a, b). Por tanto, cada vector es tangente a la circunferencia en la que se encuentra. Además, como $(a, b) \to (0, 0)$, la magnitud de $\mathbf{F}(a, b)$ llega hasta el infinito. Para ver esto, observe que

$$\|\mathbf{F}(a,b)\| = \sqrt{\frac{a^2+b^2}{\left(a^2+b^2\right)^2}} = \sqrt{\frac{1}{a^2+b^2}}.$$

Dado que $\frac{1}{a^2+b^2} \to \infty$ cuando $(a,b) \to (0,0)$, entonces $\|\mathbf{F}(a,b)\| \to \infty$ cuando $(a,b) \to (0,0)$. Este campo vectorial se parece al campo vectorial del Ejemplo 6.3, pero en este caso las magnitudes de los vectores cercanos al origen son grandes. La tabla siguiente presenta una muestra de puntos y los vectores correspondientes, y la Figura 6.6 muestra el campo vectorial. Observe que este campo vectorial modela el movimiento de remolino del río en la Figura 6.2(b). El dominio de este campo vectorial es todo $\mathbb{R}^2$ excepto el punto $(0,0)$.

(x,y) grandes.	$\mathbf{F}(x,y)$ grandes.	(x,y) grandes.	$\mathbf{F}(x,y)$ grandes.	(x,y) grandes.	$\mathbf{F}(x,y)$ grandes.
$(1,0)$ grandes.	$\langle 0,-1 \rangle$	$(2,0)$ grandes.	$\langle 0,-\frac{1}{2} \rangle$	$(1,1)$ grandes.	$\langle \frac{1}{2},-\frac{1}{2} \rangle$
$(0,1)$ grandes.	$\langle 1,0 \rangle$	$(0,2)$ grandes.	$\langle \frac{1}{2},0 \rangle$	$(-1,1)$ grandes.	$\langle \frac{1}{2},\frac{1}{2} \rangle$
$(-1,0)$ grandes.	$\langle 0,1 \rangle$	$(-2,0)$ grandes.	$\langle 0,\frac{1}{2} \rangle$	$(-1,-1)$ grandes.	$\langle -\frac{1}{2},\frac{1}{2} \rangle$
$(0,-1)$ grandes.	$\langle -1,0 \rangle$	$(0,-2)$ grandes.	$\langle -\frac{1}{2},0 \rangle$	$(1,-1)$ grandes.	$\langle -\frac{1}{2},-\frac{1}{2} \rangle$

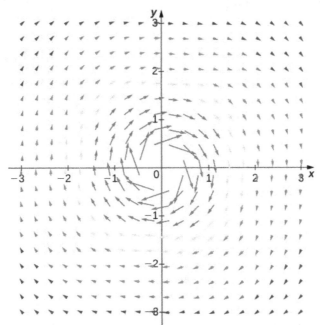

Figura 6.6 Una representación visual del campo vectorial $\mathbf{F}(x,y) = \frac{y}{x^2+y^2}\mathbf{i} - \frac{x}{x^2+y^2}\mathbf{j}$. Este campo vectorial podría utilizarse para modelar el movimiento de remolino de un fluido.

☑ 6.3   Dibuje el campo vectorial $\mathbf{F}(x,y) = \langle -2y, 2x \rangle$. ¿El campo vectorial es radial, rotacional o ninguno de los dos?

EJEMPLO 6.5

Campo de velocidad de un fluido

Supongamos que $\mathbf{v}(x,y) = -\frac{2y}{x^2+y^2}\mathbf{i} + \frac{2x}{x^2+y^2}\mathbf{j}$ es el campo de velocidad de un fluido. ¿Qué velocidad tiene el fluido en el punto $(1, -1)$? (Supongamos que las unidades de velocidad son metros por segundo).

⊘ **Solución**

Para encontrar la velocidad del fluido en el punto $(1, -1)$, sustituya el punto a **v**:

$$\mathbf{v}(1, -1) = -\frac{2(-1)}{1+1}\mathbf{i} + \frac{2(1)}{1+1}\mathbf{j} = \mathbf{i} + \mathbf{j}.$$

La rapidez del fluido en $(1, -1)$ es la magnitud de este vector. Por lo tanto, la rapidez es $\|\mathbf{i} + \mathbf{j}\| = \sqrt{2}$ m/s.

☑ 6.4   El campo vectorial $v(x, y) = \langle 4 |x|, 1 \rangle$ modela la velocidad del agua en la superficie de un río. ¿Cuál es la rapidez del agua en el punto $(2, 3)$? Utilice metros por segundo como unidades.

Examinamos campos vectoriales que contienen vectores de varias magnitudes, pero al igual que tenemos vectores unitarios, también podemos tener un campo vectorial unitario. Un campo vectorial **F** es un **campo vectorial unitario** si la magnitud de cada vector del campo es 1. En un campo vectorial unitario, la única información relevante es la dirección de cada vector.

EJEMPLO 6.6

Un campo vectorial unitario

Demuestre que el campo vectorial $\mathbf{F}(x, y) = \left\langle \dfrac{y}{\sqrt{x^2+y^2}}, -\dfrac{x}{\sqrt{x^2+y^2}} \right\rangle$ es un campo vectorial unitario.

⊘ **Solución**

Para demostrar que **F** es un campo unitario, debemos demostrar que la magnitud de cada vector es 1. Observe que

$$\sqrt{\left(\frac{y}{\sqrt{x^2+y^2}}\right)^2 + \left(-\frac{x}{\sqrt{x^2+y^2}}\right)^2} = \sqrt{\frac{y^2}{x^2+y^2} + \frac{x^2}{x^2+y^2}}$$
$$= \sqrt{\frac{x^2+y^2}{x^2+y^2}}$$
$$= 1$$

Por lo tanto, **F** es un campo vectorial unitario.

☑ 6.5   ¿El campo vectorial $\mathbf{F}(x, y) = \langle -y, x \rangle$ es un campo vectorial unitario?

¿Por qué son importantes los campos vectoriales unitarios? Supongamos que estudiamos el flujo de un fluido y que solo nos importa la dirección en la que fluye el fluido en un punto determinado. En este caso, la rapidez del fluido (que es la magnitud del vector velocidad correspondiente) es irrelevante, porque lo único que nos importa es la dirección de cada vector. Por lo tanto, el campo vectorial unitario asociado a la velocidad es el campo que estudiaríamos.

Si los valores de $\mathbf{F} = \langle P, Q, R \rangle$ es un campo vectorial, entonces el campo vectorial unitario correspondiente es $\left\langle \frac{P}{\|\mathbf{F}\|}, \frac{Q}{\|\mathbf{F}\|}, \frac{R}{\|\mathbf{F}\|} \right\rangle$. Observe que si $\mathbf{F}(x, y) = \langle y, -x \rangle$ es el campo vectorial del Ejemplo 6.3, entonces la magnitud de **F** es $\sqrt{x^2 + y^2}$, y por tanto, el campo vectorial unitario correspondiente es el campo **G** del ejemplo anterior.

Si **F** es un campo vectorial, entonces el proceso de dividir **F** entre su magnitud para formar un campo vectorial unitario $\mathbf{F}/\|\mathbf{F}\|$ se llama *normalizar* el campo **F**.

Campos vectoriales en $\mathbb{R}^3$

Vimos varios ejemplos de campos vectoriales en $\mathbb{R}^2$; pasemos ahora a los campos vectoriales en $\mathbb{R}^3$. Estos campos vectoriales pueden utilizarse para modelar campos gravitacionales o electromagnéticos, y también pueden utilizarse para modelar el flujo de fluidos o el flujo de calor en tres dimensiones. En realidad, un campo vectorial bidimensional solo puede modelar el movimiento del agua en una porción bidimensional de un río (como en su superficie). Dado que un río fluye a través de tres dimensiones espaciales, para modelar el flujo de toda su profundidad, necesitamos un campo vectorial en tres dimensiones.

La dimensión extra de un campo tridimensional puede hacer que los campos vectoriales en $\mathbb{R}^3$ sean más difíciles de visualizar, pero la idea es la misma. Para visualizar un campo vectorial en $\mathbb{R}^3$, trace suficientes vectores para mostrar la forma general. Podemos utilizar un método similar para visualizar un campo vectorial en $\mathbb{R}^2$ eligiendo puntos en cada octante.

Al igual que con los campos vectoriales en $\mathbb{R}^2$, podemos representar campos vectoriales en $\mathbb{R}^3$ con las funciones de las componentes. Simplemente necesitamos una función componente adicional para la dimensión extra. Escribimos

$$\mathbf{F}(x, y, z) = \langle P(x, y, z), Q(x, y, z), R(x, y, z) \rangle \tag{6.3}$$

o

$$\mathbf{F}(x, y, z) = P(x, y, z)\mathbf{i} + Q(x, y, z)\mathbf{j} + R(x, y, z)\mathbf{k}. \tag{6.4}$$

EJEMPLO 6.7

Trazar un campo vectorial en tres dimensiones
Describir el campo vectorial $\mathbf{F}(x, y, z) = \langle 1, 1, z \rangle$.

⊘ **Solución**

Para este campo vectorial, las componentes x y y son constantes, por lo que cada punto de $\mathbb{R}^3$ tiene un vector asociado con componentes x y y iguales a uno. Para visualizar $\mathbf{F}$, primero consideramos el aspecto del campo en el plano xy. En el plano xy, $z = 0$. Por lo tanto, cada punto de la forma $(a, b, 0)$ tiene un vector $\langle 1, 1, 0 \rangle$ asociado a él. Para los puntos que no están en el plano xy, sino que están ligeramente por encima de él, el vector asociado tiene una componente z pequeña pero positiva, y por tanto el vector asociado apunta ligeramente hacia arriba. Para los puntos que están muy por encima del plano xy, la componente z es grande, por lo que el vector es casi vertical. La Figura 6.7 muestra este campo vectorial.

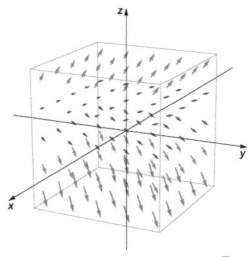

Figura 6.7 Una representación visual del campo vectorial $\mathbf{F}(x, y, z) = \langle 1, 1, z \rangle$.

☑   6.6   Dibuje el campo vectorial $\mathbf{G}(x, y, z) = \langle 2, \frac{z}{2}, 1 \rangle$.

En el siguiente ejemplo, exploramos uno de los casos clásicos de un campo vectorial tridimensional: un campo gravitacional.

EJEMPLO 6.8

Describir un campo vectorial gravitacional

La ley de la gravitación de Newton establece que $\mathbf{F} = -G\frac{m_1 m_2}{r^2}\hat{\mathbf{r}}$, donde G es la constante gravitacional universal.

Describa el campo gravitacional ejercido por un objeto (objeto 1) de masa m_1 situado en el origen sobre otro objeto (objeto 2) de masa m_2 situado en el punto (x, y, z). El campo $\mathbf{F}$ denota la fuerza gravitacional que el objeto 1 ejerce sobre el objeto 2, r es la distancia entre los dos objetos, y $\hat{\mathbf{r}}$ indica el vector unitario desde el primer objeto hasta el segundo. El signo menos muestra que la fuerza gravitacional atrae hacia el origen; es decir, la fuerza del objeto 1 es atractiva. Dibuje el campo vectorial asociado a esta ecuación.

⊘ **Solución**

Como el objeto 1 está situado en el origen, la distancia entre los objetos viene dada por $r = \sqrt{x^2 + y^2 + z^2}$. El vector unitario del objeto 1 al objeto 2 es $\hat{\mathbf{r}} = \frac{\langle x, y, z\rangle}{\|\langle x, y, z\rangle\|}$, y por lo tanto $\hat{\mathbf{r}} = \left\langle \frac{x}{r}, \frac{y}{r}, \frac{z}{r} \right\rangle$. Por tanto, el campo vectorial gravitacional $\mathbf{F}$ ejercido por el objeto 1 sobre el objeto 2 es

$$\mathbf{F} = -Gm_1 m_2 \left\langle \frac{x}{r^3}, \frac{y}{r^3}, \frac{z}{r^3} \right\rangle.$$

Este es un ejemplo de un campo vectorial radial en $\mathbb{R}^3$.

La Figura 6.8 muestra el aspecto de este campo gravitacional para una gran masa en el origen. Observe que las magnitudes de los vectores aumentan a medida que los vectores se acercan al origen.

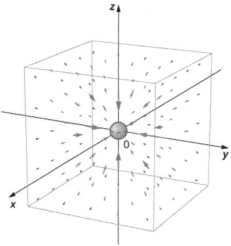

Figura 6.8 Una representación visual del campo vectorial gravitacional $\mathbf{F} = -Gm_1 m_2 \left\langle \frac{x}{r^3}, \frac{y}{r^3}, \frac{z}{r^3} \right\rangle$ para una gran masa en el origen.

✓ 6.7   La masa del asteroide 1 es de 750 000 kg y la del asteroide 2 de 130 000 kg. Supongamos que el asteroide 1 está situado en el origen, y el asteroide 2 está situado en $(15, -5, 10)$, medido en unidades de 10 a la octava potencia de kilómetros. Dado que la constante gravitacional universal es $G = 6{,}67384 \times 10^{-11}\ \text{m}^3\text{kg}^{-1}\text{s}^{-2}$, halle el vector de fuerza gravitacional que ejerce el asteroide 1 sobre el asteroide 2.

Campos de gradientes

En esta sección, estudiamos un tipo especial de campo vectorial llamado campo de gradientes o **campo conservativo**. Estos campos vectoriales son muy importantes en física porque pueden utilizarse para modelar sistemas físicos en los que se conserva la energía. Los campos gravitacionales y los campos eléctricos asociados a una carga estática son ejemplos de campos de gradientes.

Recordemos que si f es una función (escalar) de x y de y, entonces el gradiente de f es

$$\text{grad } f = \nabla f = f_x(x, y)\mathbf{i} + f_y(x, y)\mathbf{j}.$$

Podemos ver, por la forma en que se escribe el gradiente, que ∇f es un campo vectorial en $\mathbb{R}^2$. Del mismo modo, si f es una función de x, y y z, entonces el gradiente de f es

$$\text{grad } f = \nabla f = f_x(x, y, z)\mathbf{i} + f_y(x, y, z)\mathbf{j} + f_z(x, y, z)\mathbf{k}.$$

El gradiente de una función de tres variables es un campo vectorial en $\mathbb{R}^3$.

Un campo de gradiente es un campo vectorial que puede escribirse como el gradiente de una función, y tenemos la siguiente definición.

> **Definición**
>
> Un campo vectorial $\mathbf{F}$ en $\mathbb{R}^2$ o en $\mathbb{R}^3$ es un **campo de gradientes** si existe una función escalar f de manera que
> $\nabla f = \mathbf{F}$.

EJEMPLO 6.9

Trazar un campo vectorial de gradiente
Utilice la tecnología para trazar el campo vectorial de gradiente de $f(x, y) = x^2 y^2$.

⊘ **Solución**
El gradiente de f ¿es $\nabla f = \langle 2xy^2, 2x^2 y \rangle$. Para dibujar el campo vectorial, utilice un sistema de álgebra computacional como Mathematica. La Figura 6.9 muestra ∇f.

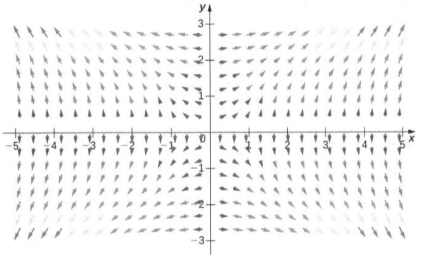

Figura 6.9   El campo vectorial de gradiente es ∇f, donde $f(x, y) = x^2 y^2$.

☑ 6.8   Utilice la tecnología para trazar el campo vectorial de gradiente de $f(x, y) = \text{sen } x \cos y$.

Considere la función $f(x, y) = x^2 y^2$ del Ejemplo 6.9. La Figura 6.11 muestra las curvas de nivel de esta función superpuestas al campo vectorial de gradiente de la función. Los vectores de gradiente son perpendiculares a las curvas de nivel, y las magnitudes de los vectores se hacen más grandes a medida que las curvas de nivel se acercan, porque las curvas de nivel estrechamente agrupadas indican que el gráfico es empinado, y la magnitud del vector de gradiente es el mayor valor de la derivada direccional. Por lo tanto, se puede ver la inclinación local de un gráfico investigando el campo de gradiente de la función correspondiente.

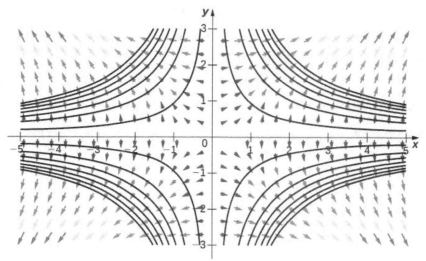

Figura 6.10   El campo de gradientes de $f(x, y) = x^2 y^2$ y varias curvas de nivel de f. Observe que a medida que las curvas de nivel se acercan, la magnitud de los vectores de gradientes aumenta.

Como hemos aprendido antes, un campo vectorial $\mathbf{F}$ es un campo vectorial conservativo, o un campo de gradientes si existe una función escalar f de manera que $\nabla f = \mathbf{F}$. En esta situación, f se denomina **función potencial** para $\mathbf{F}$. Los campos vectoriales conservativos surgen en muchas aplicaciones, especialmente en la física. La razón por la que estos campos se denominan *conservativos* es que modelan las fuerzas de los sistemas físicos en los que se conserva la energía. Más adelante en este capítulo estudiaremos los campos vectoriales conservativos con más detalle.

Puede observar que, en algunas aplicaciones, una función potencial f para $\mathbf{F}$ se define en cambio como una función tal que $-\nabla f = \mathbf{F}$. Este es el caso de ciertos contextos de la física, por ejemplo.

EJEMPLO 6.10

Verificar una función potencial
¿Es $f(x, y, z) = x^2 yz - \text{sen}(xy)$ una función potencial para el campo vectorial

$$\mathbf{F}(x, y, z) = \left\langle 2xyz - y\cos(xy), x^2 z - x\cos(xy), x^2 y \right\rangle?$$

⊘ **Solución**
Tenemos que confirmar si $\nabla f = \mathbf{F}$. Tenemos

$$f_x = 2xyz - y\cos(xy),\, f_y = x^2 z - x\cos(xy),\, \text{y } f_z = x^2 y.$$

Por lo tanto, $\nabla f = \mathbf{F}$ y f son funciones potenciales para $\mathbf{F}$.

☑ 6.9   ¿Es $f(x, y, z) = x^2 \cos(yz) + y^2 z^2$ una función potencial para
$\mathbf{F}(x, y, z) = \left\langle 2x\cos(yz), -x^2 z\,\text{sen}(yz) + 2yz^2, y^2 \right\rangle?$

EJEMPLO 6.11

Verificar una función potencial
La velocidad de un fluido se modela mediante el campo $\mathbf{v}(x, y) = \left\langle xy, \frac{x^2}{2} - y \right\rangle$. Verifique que $f(x, y) = \frac{x^2 y}{2} - \frac{y^2}{2}$ es una función potencial para $\mathbf{v}$.

⊘ **Solución**
Para demostrar que f es una función potencial, debemos demostrar que $\nabla f = \mathbf{v}$. Observe que $f_x = xy$ y $f_y = \frac{x^2}{2} - y$. Por lo tanto, $\nabla f = \left\langle xy, \frac{x^2}{2} - y \right\rangle$ y f es una función potencial para v (Figura 6.11).

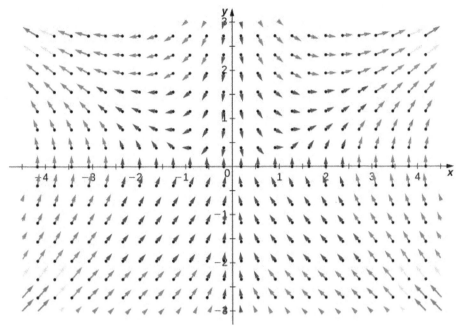

Figura 6.11 El campo de velocidad $\mathbf{v}(x, y)$ tiene una función potencial y es un campo conservativo.

☑ 6.10   Verifique que $f(x, y) = x^3 y^2 + x$ es una función potencial para el campo de velocidad
$\mathbf{v}(x, y) = \langle 2xy^2 + 1, 2x^2 y \rangle$.

Si **F** es un campo vectorial conservativo, entonces hay al menos una función potencial f de manera que $\nabla f = \mathbf{F}$. Pero, ¿podría haber más de una función potencial? Si es así, ¿hay alguna relación entre dos funciones de potencial para el mismo campo vectorial? Antes de responder estas preguntas, recordemos algunos hechos del cálculo de una sola variable para guiar nuestra intuición. Recordemos que si $k(x)$ es una función integrable, entonces k tiene una cantidad infinita de antiderivadas. Además, si F y G son antiderivadas de k, entonces F y G solo difieren en una constante. Es decir, hay algún número C tal que $F(x) = G(x) + C$.

Ahora supongamos que **F** es un campo vectorial conservativo y que f y g son funciones potenciales para **F**. Ya que el gradiente es como una derivada, que **F** sea conservativa significa que **F** es "integrable" con "antiderivadas" f y g. Por lo tanto, si la analogía con el cálculo de una sola variable es válida, esperamos que haya alguna constante C tal que $f(x) = g(x) + C$. El siguiente teorema dice que esto es así.

Para enunciar el siguiente teorema con precisión, debemos suponer que el dominio del campo vectorial es conexo y abierto. Estar conectado significa que si P_1 y P_2 son dos puntos cualesquiera en el dominio, entonces se puede ir desde P_1 a P_2 a lo largo de un camino que se mantiene completamente dentro del dominio.

Teorema 6.1

Singularidad de las funciones potenciales
Supongamos que **F** es un campo vectorial conservativo sobre un dominio abierto y conectado y supongamos que f y g son funciones tales que $\nabla f = \mathbf{F}$ y $\nabla g = \mathbf{F}$. Entonces, existe una constante C tal que $f = g + C$.

Prueba

Dado que f y g son ambas funciones potenciales para **F**, entonces $\nabla(f - g) = \nabla f - \nabla g = \mathbf{F} - \mathbf{F} = 0$. Supongamos que $h = f - g$, entonces tenemos $\nabla h = 0$. Queremos demostrar que h es una función constante.

Supongamos que h es una función de x y de y (la lógica de esta prueba se extiende a cualquier número de variables independientes). Dado que $\nabla h = 0$, tenemos $h_x = 0$ y $h_y = 0$. La expresión $h_x = 0$ implica que h es una función constante con respecto a x, es decir, $h(x, y) = k_1(y)$ para alguna función k_1. De la misma manera, $h_y = 0$ implica $h(x, y) = k_2(x)$ para alguna función k_2. Por lo tanto, la función h depende solo de y, y también depende solo de x. Así,

$h(x, y) = C$ para alguna constante C en el dominio conectado de **F**. Observe que realmente necesitamos conectividad en este punto; si el dominio de **F** viniera en dos trozos separados, entonces k podría ser una constante C_1 en un trozo pero podría ser una constante diferente C_2 en el otro trozo. Dado que $f - g = h = C$, tenemos que $f = g + C$, como se desea.

□

Los campos vectoriales conservativos también tienen una propiedad especial llamada *propiedad cruz-parcial*. Esta propiedad ayuda a comprobar si un campo vectorial dado es conservativo.

Teorema 6.2

La propiedad cruz de los campos vectoriales conservativo
Supongamos que **F** es un campo vectorial en dos o tres dimensiones tal que las funciones componentes de **F** tienen derivadas mixtas-parciales continuas de segundo orden en el dominio de **F**.

Si los valores de $\mathbf{F}(x, y) = \langle P(x, y), Q(x, y) \rangle$ es un campo vectorial conservativo en $\mathbb{R}^2$, entonces $\frac{\partial P}{\partial y} = \frac{\partial Q}{\partial x}$. Si $\mathbf{F}(x, y, z) = \langle P(x, y, z), Q(x, y, z), R(x, y, z) \rangle$ es un campo vectorial conservativo en $\mathbb{R}^3$, entonces

$$\frac{\partial P}{\partial y} = \frac{\partial Q}{\partial x}, \frac{\partial Q}{\partial z} = \frac{\partial R}{\partial y}, \text{ y } \frac{\partial R}{\partial x} = \frac{\partial P}{\partial z}.$$

Prueba
Como **F** es conservativa, existe una función $f(x, y)$ de manera que $\nabla f = \mathbf{F}$. Por lo tanto, por la definición del gradiente, $f_x = P$ y $f_y = Q$. Según el teorema de Clairaut, $f_{xy} = f_{yx}$, Pero, $f_{xy} = P_y$ y $f_{yx} = Q_x$, y por lo tanto $P_y = Q_x$.

□

El teorema de Clairaut proporciona una prueba rápida de la propiedad parcial cruzada de los campos vectoriales conservativos en $\mathbb{R}^3$, al igual que para los campos vectoriales en $\mathbb{R}^2$.

La propiedad cruz de los campos vectoriales conservativo muestra que la mayoría de los campos vectoriales no son conservativos. La propiedad parcial cruzada es difícil de satisfacer en general, por lo que la mayoría de los campos vectoriales no tendrán parciales cruzadas iguales.

EJEMPLO 6.12

Demostrar que un campo vectorial no es conservador
Demuestre que el campo vectorial rotacional $\mathbf{F}(x, y) = \langle y, -x \rangle$ no es conservativo.

⊘ **Solución**
Supongamos que $P(x, y) = y$ y $Q(x, y) = -x$. Si **F** es conservativo, entonces las parciales cruzadas serían iguales, es decir, P_y sería igual a Q_x. Por lo tanto, para demostrar que **F** no es conservativo, compruebe que $P_y \neq Q_x$. Dado que $P_y = 1$ y $Q_x = -1$, el campo vectorial no es conservativo.

 6.11   Demuestre que el campo vectorial $\mathbf{F}(x, y) x = y\mathbf{i} - x^2 y\mathbf{j}$ no es conservativo.

EJEMPLO 6.13

Demostrar que un campo vectorial no es conservador
¿El campo vectorial $\mathbf{F}(x, y, z) = \langle 7, -2, x^3 \rangle$ es conservativo?

⊘ **Solución**
Supongamos que $P(x, y, z) = 7$, $Q(x, y, z) = -2$, y $R(x, y, z) = x^3$. Si **F** es conservativo, entonces las tres ecuaciones parciales cruzadas se satisfacen, es decir, si **F** es conservativo, entonces P_y sería igual a Q_x, Q_z sería igual a R_y, y R_x sería igual a P_z. Observe que $P_y = Q_x = R_y = Q_z = 0$, por lo que las dos primeras igualdades necesarias se

mantienen. Sin embargo, $R_x = 3x^2$ y $P_z = 0$ así que $R_x \neq P_z$. Por lo tanto, **F** no es conservativo.

✓   6.12   ¿El campo vectorial $G(x, y, z) = \langle y, x, xyz \rangle$ es conservativo?

Concluimos esta sección con una advertencia: La propiedad cruz de los campos vectoriales conservativo dice que si **F** es conservativo, entonces **F** tiene la propiedad parcial cruzada. El teorema *no* indica que, si **F** tiene la propiedad parcial cruzada, entonces **F** es conservativo (la inversa de una implicación no es lógicamente equivalente a la implicación original). En otras palabras, La propiedad cruz de los campos vectoriales conservativo solo puede ayudar a determinar que un campo no es conservativo; no permite concluir que un campo vectorial es conservativo. Por ejemplo, consideremos el campo vectorial $\mathbf{F}(x, y) = \left\langle x^2 y, \frac{x^3}{3} \right\rangle$. Este campo tiene la propiedad parcial cruzada, por lo que es natural tratar de utilizar La propiedad cruz de los campos vectoriales conservativo para concluir que este campo vectorial es conservativo. Sin embargo, esto es una aplicación errónea del teorema. Más adelante aprenderemos a concluir que **F** es conservativo.

 SECCIÓN 6.1 EJERCICIOS

1. El dominio del campo vectorial $\mathbf{F} = \mathbf{F}(x, y)$ es un conjunto de puntos (x, y) en un plano, ¿y el rango de **F** es un conjunto de *qué* en el plano?

En los siguientes ejercicios, determine si la afirmación es verdadera o falsa.

2. Campo vectorial $\mathbf{F} = \langle 3x^2, 1 \rangle$ es un campo de gradiente para
$\phi_1(x, y) = x^3 + y$ y
$\phi_2(x, y) = y + x^3 + 100$.

3. Campo vectorial $\mathbf{F} = \frac{\langle y, x \rangle}{\sqrt{x^2 + y^2}}$ es constante en dirección y magnitud en un círculo unitario.

4. Campo vectorial $\mathbf{F} = \frac{\langle y, x \rangle}{\sqrt{x^2 + y^2}}$ no es un campo radial ni una rotación.

En los siguientes ejercicios, describa cada campo vectorial dibujando algunos de sus vectores.

5. **[T]** $\mathbf{F}(x, y) = x\mathbf{i} + y\mathbf{j}$

6. **[T]** $\mathbf{F}(x, y) = -y\mathbf{i} + x\mathbf{j}$

7. **[T]** $\mathbf{F}(x, y) = x\mathbf{i} - y\mathbf{j}$

8. **[T]** $\mathbf{F}(x, y) = \mathbf{i} + \mathbf{j}$

9. **[T]** $\mathbf{F}(x, y) = 2x\mathbf{i} + 3y\mathbf{j}$

10. **[T]** $\mathbf{F}(x, y) = 3\mathbf{i} + x\mathbf{j}$

11. **[T]** $\mathbf{F}(x, y) = y\mathbf{i} + \operatorname{sen} x\mathbf{j}$

12. **[T]** $\mathbf{F}(x, y, z) = x\mathbf{i} + y\mathbf{j} + z\mathbf{k}$

13. **[T]** $\mathbf{F}(x, y, z) = 2x\mathbf{i} - 2y\mathbf{j} - 2z\mathbf{k}$

14. **[T]** $\mathbf{F}(x, y, z) = \frac{y}{z}\mathbf{i} - \frac{x}{z}\mathbf{j}$

En los siguientes ejercicios, halle el campo vectorial de gradiente de cada función f.

15. $f(x, y) = x \operatorname{sen} y + \cos y$

16. $f(x, y, z) = ze^{-xy}$

17. $f(x, y, z) = x^2 y + xy + y^2 z$

18. $f(x, y) = x^2 \operatorname{sen}(5y)$ grandes.

19. $f(x, y) = \ln\left(1 + x^2 + 2y^2\right)$ grandes.

20. $f(x, y, z) = x \cos\left(\frac{y}{z}\right)$

21. ¿Qué es el campo vectorial $\mathbf{F}(x, y)$ con un valor en (x, y) que es de longitud unitaria y apunta hacia $(1, 0)$?

En los siguientes ejercicios, escriba las fórmulas de los campos vectoriales con las propiedades dadas.

22. Todos los vectores son paralelos al eje x y todos los vectores de una línea vertical tienen la misma magnitud.

23. Todos los vectores apuntan hacia el origen y tienen una longitud constante.

24. Todos los vectores son de longitud unitaria y son perpendiculares al vector de posición en ese punto.

25. Dé una fórmula $\mathbf{F}(x, y) = M(x, y)\mathbf{i} + N(x, y)\mathbf{j}$ para el campo vectorial en un plano que tiene las propiedades $\mathbf{F} = 0$ a las $(0, 0)$ y que en cualquier otro punto (a, b), $\mathbf{F}$ es tangente al círculo $x^2 + y^2 = a^2 + b^2$ y apunta en el sentido de las agujas del reloj con magnitud $|\mathbf{F}| = \sqrt{a^2 + b^2}$.

26. ¿El campo vectorial $\mathbf{F}(x, y) = (P(x, y), Q(x, y)) = (\operatorname{sen} x + y)\mathbf{i} + (\cos y + x)\mathbf{j}$ es un campo de gradiente?

27. Halle una fórmula para el campo vectorial $\mathbf{F}(x, y) = M(x, y)\mathbf{i} + N(x, y)\mathbf{j}$ dado que para todos los puntos (x, y), $\mathbf{F}$ apunta hacia el origen y $|\mathbf{F}| = \frac{10}{x^2+y^2}$.

En los siguientes ejercicios, suponga que un campo eléctrico en el plano xy causado por una línea de carga infinita a lo largo del eje x es un campo de gradientes con función potencial $V(x, y) = c \ln\left(\dfrac{r_0}{\sqrt{x^2+y^2}}\right)$, donde $c > 0$ es una constante y r_0 es una distancia de referencia en la que se supone que el potencial es cero.

28. Halle las componentes del campo eléctrico en las direcciones x y y, donde $\mathbf{E}(x, y) = -\nabla V(x, y)$.

29. Demuestre que el campo eléctrico en un punto del plano xy está dirigido hacia afuera del origen y tiene magnitud $|\mathbf{E}| = \frac{c}{r}$, donde $r = \sqrt{x^2 + y^2}$.

Una línea de flujo (o línea de corriente) de un campo vectorial $\mathbf{F}$ es una curva $\mathbf{r}(t)$ de manera que $d\mathbf{r}/dt = \mathbf{F}(\mathbf{r}(t))$. Si $\mathbf{F}$ representa el campo de velocidad de una partícula en movimiento, entonces las líneas de flujo son trayectorias tomadas por la partícula. Por lo tanto, las líneas de flujo son tangentes al campo vectorial. En los siguientes ejercicios, demuestre que la curva dada $\mathbf{c}(t)$ es una línea de flujo del campo vectorial de velocidad dado $\mathbf{F}(x, y, z)$.

30. $\mathbf{c}(t) = \left(e^{2t}, \ln|t|, \frac{1}{t}\right), t \neq 0; \mathbf{F}(x, y, z) = \left\langle 2x, z, -z^2 \right\rangle$

31. $\mathbf{c}(t) = \left(\operatorname{sen} t, \cos t, e^t\right); \mathbf{F}(x, y, z) = \left\langle y, -x, z \right\rangle$

En los siguientes ejercicios, supongamos que $\mathbf{F} = x\mathbf{i} + y\mathbf{j}$, $\mathbf{G} = -y\mathbf{i} + x\mathbf{j}$, *y* $\mathbf{H} = x\mathbf{i} - y\mathbf{j}$. *Empareje* $\mathbf{F}$, $\mathbf{G}$ *y* $\mathbf{H}$ *con sus gráficos.*

32.   **33.**   **34.**

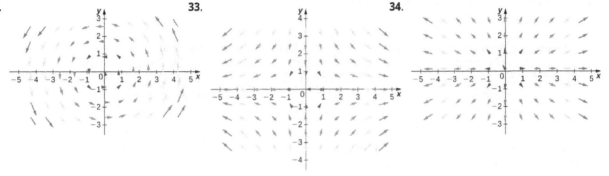

En los siguientes ejercicios, supongamos que $\mathbf{F} = x\mathbf{i} + y\mathbf{j}$, $\mathbf{G} = -y\mathbf{i} + x\mathbf{j}$, *y* $\mathbf{H} = x\mathbf{i} - y\mathbf{j}$. *Empareje los campos vectoriales con sus gráficos en* $(\mathrm{I}) - (\mathrm{IV})$.

a. $\mathbf{F} + \mathbf{G}$

b. $\mathbf{F} + \mathbf{H}$

c. $\mathbf{G} + \mathbf{H}$

d. $-\mathbf{F} + \mathbf{G}$

35.   **36.**   **37.**

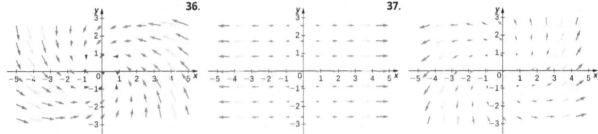

38.

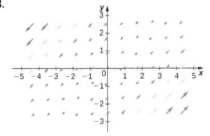

6.2 Integrales de línea

Objetivos de aprendizaje

6.2.1 Calcular una integral de línea escalar a lo largo de una curva.

6.2.2 Calcular una integral de línea vectorial a lo largo de una curva orientada en el espacio.

6.2.3 Utilizar una integral de línea para calcular el trabajo realizado al mover un objeto a lo largo de una curva en un campo vectorial.

6.2.4 Describir el flujo y la circulación de un campo vectorial.

Estamos familiarizados con las integrales de una sola variable de la forma $\displaystyle\int_a^b f(x)\,dx$, donde el dominio de integración

es un intervalo $[a, b]$. Este intervalo puede considerarse como una curva en el plano xy, ya que el intervalo define un segmento de línea con puntos extremos $(a, 0)$ y $(b, 0)$—es decir, un segmento de línea situado en el eje x—. Supongamos que queremos integrar sobre *cualquier* curva del plano, no solo sobre un segmento de línea en el eje x. Esta tarea requiere un nuevo tipo de integral, denominada *integral de línea*.

Las integrales de línea tienen muchas aplicaciones en ingeniería y física. También nos permiten hacer varias generalizaciones útiles del teorema fundamental del cálculo. Además, están estrechamente relacionados con las propiedades de los campos vectoriales, como veremos.

Integrales de línea escalares

Una **integral de línea** nos da la capacidad de integrar funciones multivariables y campos vectoriales sobre curvas arbitrarias en un plano o en el espacio. Hay dos tipos de integrales de línea: integrales de línea escalares e integrales de línea vectoriales. Las integrales de línea escalares son integrales de una función escalar sobre una curva en un plano o en el espacio. Las integrales de líneas vectoriales son integrales de un campo vectorial sobre una curva en un plano o en el espacio. Veamos primero las integrales lineales escalares.

Una integral de línea escalar se define igual que una integral de una sola variable, excepto que para una integral de línea escalar, el integrando es una función de más de una variable y el dominio de integración es una curva en un plano o en el espacio, a diferencia de una curva en el eje x.

Para una integral lineal escalar, dejamos que C sea una curva suave en un plano o en el espacio y que f sea una función con un dominio que incluya a C. Cortamos la curva en trozos pequeños. Para cada pieza, elegimos el punto P de esa pieza y evaluamos f en P. (Podemos hacerlo porque todos los puntos de la curva están en el dominio de f.) Multiplicamos $f(P)$ por la longitud de arco de la pieza Δs, añadimos el producto $f(P)\Delta s$ sobre todas las piezas, y luego dejar que la longitud de arco de las piezas se reduzca a cero tomando un límite. El resultado es la integral de línea escalar de la función sobre la curva.

Para una descripción formal de una integral de línea escalar, supongamos que C es sea una curva suave en el espacio dada por la parametrización $\mathbf{r}(t) = \langle x(t), y(t), z(t)\rangle, a \leq t \leq b$. Supongamos que $f(x, y, z)$ es una función con un dominio que incluye la curva C. Para definir la integral de línea de la función f en C, comenzamos como la mayoría de las definiciones de una integral: cortamos la curva en trozos pequeños. Partición del intervalo de parámetros $[a, b]$ en n subintervalos $[t_{i-1}, t_i]$ de igual anchura para $1 \leq i \leq n$, donde $t_0 = a$ y $t_n = b$ (Figura 6.12). Supongamos que t_i^* es un valor en el i-ésimo intervalo $[t_{i-1}, t_i]$. Denota los puntos finales de $\mathbf{r}(t_0), \mathbf{r}(t_1),\ldots, \mathbf{r}(t_n)$ entre $P_0,\ldots, P_n$. Puntos P_i dividir curva C en n piezas $C_1, C_2,\ldots, C_n$, con longitudes $\Delta s_1, \Delta s_2,\ldots, \Delta s_n$, respectivamente. Supongamos que P_i^* denotan el punto final de $\mathbf{r}(t_i^*)$ por $1 \leq i \leq n$. Ahora, evaluamos la función f en el punto P_i^* por $1 \leq i \leq n$. Observe que P_i^* está en pieza C_i, y por lo tanto P_i^* está en el dominio de f. Multiplique $f(P_i^*)$ por la longitud Δs_1 de C_i, que da el área de la "hoja" con base C_i, y altura $f(P_i^*)$. Esto es análogo al uso de rectángulos para aproximar el área en una integral de una sola variable. Ahora, formamos la suma $\sum\limits_{i=1}^{n} f(P_i^*)\Delta s_i$. Note la similitud de esta suma con una suma de Riemann; de hecho, esta definición es una generalización de una suma de Riemann a curvas arbitrarias en el espacio. Al igual que con las sumas e integrales de Riemann de la forma $\int_a^b g(x)\, dx$, definimos una integral dejando que la anchura de los trozos de la curva se reduzca a cero tomando un límite. El resultado es la integral de línea escalar de f a lo largo de C.s

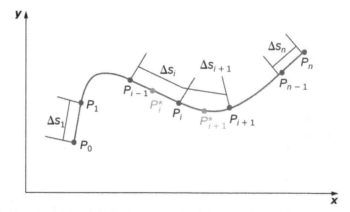

Figura 6.12   La curva C se ha dividido en n trozos y se ha elegido un punto dentro de cada trozo.

Es posible que haya notado una diferencia entre esta definición de una integral de línea escalar y una integral de una sola variable. En esta definición, las longitudes de arco $\Delta s_1, \Delta s_2,\ldots, \Delta s_n$ no son necesariamente lo mismo; en la definición de una integral de una sola variable, la curva en el eje x se divide en trozos de igual longitud. Esta diferencia no tiene ningún efecto en el límite. Cuando reducimos las longitudes de arco a cero, sus valores se acercan lo suficiente como para que cualquier pequeña diferencia sea irrelevante.

Definición

Supongamos que f es una función con un dominio que incluya la curva suave C que está parametrizado por $\mathbf{r}(t) = \langle x(t), y(t), z(t) \rangle$, $a \leq t \leq b$. La **integral de línea escalar** de f a lo largo de C se

$$\int_C f(x, y, z)ds = \lim_{n \to \infty} \sum_{i=1}^{n} f\left(P_i^*\right) \Delta s_i \tag{6.5}$$

si existe este límite (t_i^* y Δs_i se definen como en los párrafos anteriores). Si C es una curva plana, entonces C puede representarse mediante las ecuaciones paramétricas $x = x(t)$, $y = y(t)$, y $a \leq t \leq b$. Si C es suave y $f(x, y)$ es una función de dos variables, entonces la integral de línea escalar de f a lo largo de C se define de forma similar como

$$\int_C f(x, y)ds = \lim_{n \to \infty} \sum_{i=1}^{n} f\left(P_i^*\right) \Delta s_i,$$

si existe este límite.

Si los valores de f es una función continua sobre una curva suave C, entonces $\int_C f ds$ siempre existe. Dado que $\int_C f ds$ se define como un límite de sumas de Riemann, la continuidad de f es suficiente para garantizar la existencia del límite, al igual que la integral $\int_a^b g(x)\, dx$ existe si g es continua sobre $[a, b]$.

Antes de ver cómo calcular una integral de línea, tenemos que examinar la geometría captada por estas integrales. Supongamos que $f(x, y) \geq 0$ para todos los puntos (x, y) en una curva plana suave C. Imagine que toma la curva C y proyectándolo "hacia arriba" a la superficie definida por $f(x, y)$, creando así una nueva curva C' que se encuentra en el gráfico de $f(x, y)$ (Figura 6.13). Ahora soltamos una "hoja" de C' hasta el plano xy. La superficie de esta hoja es $\int_C f(x, y)\, ds$. Si $f(x, y) \leq 0$ para algunos puntos en C, entonces el valor de $\int_C f(x, y)\, ds$ es el área por encima del plano xy menos el área por debajo del plano xy. (Note la similitud con las integrales de la forma $\int_a^b g(x)\, dx$.)

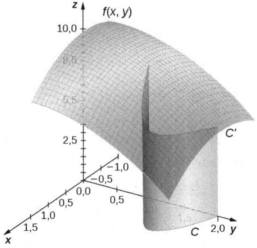

Figura 6.13 El área de la hoja azul es $\int_C f(x, y)\, ds$.

A partir de esta geometría, podemos ver que la integral de línea $\int_C f(x, y)\, ds$ no depende de la parametrización $\mathbf{r}(t)$ de C. Mientras la curva sea recorrida exactamente una vez por la parametrización, el área de la hoja formada por la función y la curva es la misma. Este mismo tipo de argumento geométrico puede extenderse para demostrar que la integral de línea de una función de tres variables sobre una curva en el espacio no depende de la parametrización de la curva.

EJEMPLO 6.14

Hallar el valor de una integral de línea

Halle el valor de la integral $\int_C 2ds$, donde C es la mitad superior del círculo unitario.

⊘ Solución

La integración es $f(x, y) = 2$. La Figura 6.14 muestra el gráfico de $f(x, y) = 2$, curva C, y la hoja formada por ellos. Observe que esta hoja tiene la misma superficie que un rectángulo con anchura π y longitud 2. Por lo tanto,

$$\int_C 2ds = 2\pi.$$

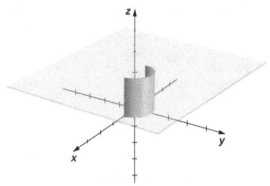

Figura 6.14 La hoja que está formada por la mitad superior del círculo unitario en un plano y el gráfico de $f(x, y) = 2$.

Para ver que $\int_C 2ds = 2\pi$ utilizando la definición de integral de línea, dejamos que $\mathbf{r}(t)$ sea una parametrización de C. Entonces, $f(\mathbf{r}(t_i)) = 2$ para cualquier número t_i en el dominio de $\mathbf{r}$. Por lo tanto,

$$
\begin{aligned}
\int_C f ds &= \lim_{n \to \infty} \sum_{i=1}^{n} f\left(\mathbf{r}\left(t_i^*\right)\right) \Delta s_i \\
&= \lim_{n \to \infty} \sum_{i=1}^{n} 2\Delta s_i \\
&= 2 \lim_{n \to \infty} \sum_{i=1}^{n} \Delta s_i \\
&= 2\,(\text{longitud de C}) \\
&= 2\pi.
\end{aligned}
$$

☑   6.13   Halle el valor de $\int_C (x + y)\, ds$, donde C es la curva parametrizada por $x = t$, $y = t$, $0 \leq t \leq 1$.

Observe que en una integral de línea escalar, la integración se hace con respecto a la longitud de arco s, lo que puede hacer que una integral de línea escalar sea difícil de calcular. Para facilitar los cálculos, podemos traducir $\int_C f ds$ a una integral con una variable de integración que es t.

Supongamos que $\mathbf{r}(t) = \langle x(t), y(t), z(t) \rangle$ para que $a \leq t \leq b$ sea una parametrización de C. Ya que estamos asumiendo que C es suave, $\mathbf{r}'(t) = \langle x'(t), y'(t), z'(t) \rangle$ es continua para todos los t en $[a, b]$. En particular, $x'(t), y'(t)$, y $z'(t)$ existen para todos t en $[a, b]$. Según la fórmula de la longitud de arco, tenemos

$$\text{longitud}(C_i) = \Delta s_i = \int_{t_{i-1}}^{t_i} \|\mathbf{r}'(t)\| dt.$$

Si la anchura $\Delta t_i = t_i - t_{i-1}$ es pequeña, entonces la función $\int_{t_{i-1}}^{t_i} \|\mathbf{r}'(t)\| dt \approx \|\mathbf{r}'(t_i^*)\| \Delta t_i$, $\|\mathbf{r}'(t)\|$ es casi constante en el intervalo $[t_{i-1}, t_i]$. Por lo tanto,

$$\int_{t_{i-1}}^{t_i} \|\mathbf{r}'(t)\| \, dt \approx \|\mathbf{r}'(t_i^*)\| \, \Delta t_i,$$

y tenemos

$$\sum_{i=1}^{n} f(\mathbf{r}(t_i^*))\Delta s_i = \sum_{i=1}^{n} f(\mathbf{r}(t_i^*)) \|\mathbf{r}'(t_i^*)\| \, \Delta t_i. \tag{6.6}$$

Vea el Figura 6.15.

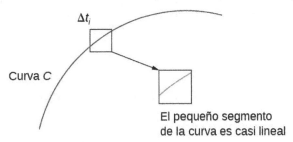

Curva C

El pequeño segmento
de la curva es casi lineal

Figura 6.15 Si ampliamos la curva lo suficiente haciendo que Δt_i sea muy pequeño, entonces el trozo correspondiente de la curva es aproximadamente lineal.

Observe que

$$\lim_{n \to \infty} \sum_{i=1}^{n} f(\mathbf{r}(t_i^*)) \|\mathbf{r}'(t_i^*)\| \, \Delta t_i = \int_a^b f(\mathbf{r}(t)) \|\mathbf{r}'(t)\| \, dt.$$

En otras palabras, a medida que las anchuras de los intervalos $[t_{i-1}, t_i]$ se reducen a cero, la suma $\sum_{i=1}^{n} f(\mathbf{r}(t_i^*)) \|\mathbf{r}'(t_i^*)\| \, \Delta t_i$ converge a la integral $\int_a^b f(\mathbf{r}(t)) \|\mathbf{r}'(t)\| \, dt$. Por lo tanto, tenemos el siguiente teorema.

Teorema 6.3

Evaluación de una integral de línea escalar
Supongamos que f es una función continua con un dominio que incluya la curva suave C con parametrización $\mathbf{r}(t), a \leq t \leq b$. Entonces

$$\int_C f \, ds = \int_a^b f(\mathbf{r}(t)) \|\mathbf{r}'(t)\| \, dt. \tag{6.7}$$

Aunque hemos marcado la Ecuación 6.6 como una ecuación, es más preciso considerarla una aproximación porque podemos demostrar que el lado izquierdo de la Ecuación 6.6 se aproxima al lado derecho como $n \to \infty$. En otras palabras, dejar que las anchuras de las piezas se reduzcan a cero hace que la suma de la derecha se acerque arbitrariamente a la suma de la izquierda. Dado que

$$\|\mathbf{r}'(t)\| = \sqrt{(x'(t))^2 + (y'(t))^2 + (z'(t))^2},$$

obtenemos el siguiente teorema, que utilizamos para calcular integrales de línea escalares.

Teorema 6.4

Cálculo de la integral de línea escalar
Supongamos que f es una función continua con un dominio que incluye la curva suave C con parametrización $\mathbf{r}(t) = \langle x(t), y(t), z(t) \rangle, a \leq t \leq b$. Entonces

$$\int_C f(x, y, z) \, ds = \int_a^b f(\mathbf{r}(t)) \sqrt{(x'(t))^2 + (y'(t))^2 + (z'(t))^2} \, dt. \tag{6.8}$$

De la misma manera,

$$\int_C f(x,y)\,ds = \int_a^b f(\mathbf{r}(t))\sqrt{(x'(t))^2 + (y'(t))^2}\,dt$$

si C es una curva plana y f es una función de dos variables.

Observe que una consecuencia de este teorema es la ecuación $ds = \|\mathbf{r}'(t)\|\,dt$. En otras palabras, el cambio en la longitud del arco puede verse como un cambio en el dominio t, escalado por la magnitud del vector $\mathbf{r}'(t)$.

EJEMPLO 6.15

Evaluar una integral de línea

Halle el valor de la integral $\int_C (x^2 + y^2 + z)\,ds$, donde C es parte de la hélice parametrizada por $\mathbf{r}(t) = \langle \cos t, \operatorname{sen} t, t \rangle$, $0 \le t \le 2\pi$.

⊘ **Solución**

Para calcular una integral de línea escalar, empezamos por convertir la variable de integración de la longitud de arco s a t. Entonces, podemos utilizar la Ecuación 6.8 para calcular la integral con respecto a t. Observe que $f(\mathbf{r}(t)) = \cos^2 t + \operatorname{sen}^2 t + t = 1 + t$ y

$$\sqrt{(x'(t))^2 + (y'(t))^2 + (z'(t))^2} = \sqrt{(-\operatorname{sen}(t))^2 + \cos^2(t) + 1}$$
$$= \sqrt{2}.$$

Por lo tanto,

$$\int_C (x^2 + y^2 + z)\,ds = \int_0^{2\pi} (1+t)\sqrt{2}\,dt.$$

Observe que la Ecuación 6.8 ha traducido la difícil integral de línea original en una integral manejable de una sola variable. Dado que

$$\int_0^{2\pi} (1+t)\sqrt{2}\,dt = \left[\sqrt{2}t + \frac{\sqrt{2}t^2}{2}\right]_0^{2\pi}$$
$$= 2\sqrt{2}\pi + 2\sqrt{2}\pi^2,$$

tenemos

$$\int_C (x^2 + y^2 + z)\,ds = 2\sqrt{2}\pi + 2\sqrt{2}\pi^2.$$

☑ 6.14   Evalúe $\int_C (x^2 + y^2 + z)\,ds$, donde C es la curva con parametrización $\mathbf{r}(t) = \langle \operatorname{sen}(3t), \cos(3t), t \rangle, 0 \le t \le 2\pi$.

EJEMPLO 6.16

Independencia de la parametrización

Halle el valor de la integral $\int_C (x^2 + y^2 + z)\,ds$, donde C es parte de la hélice parametrizada por $\mathbf{r}(t) = \langle \cos(2t), \operatorname{sen}(2t), 2t \rangle, 0 \le t \le \pi$. Observe que esta función y la curva son las mismas que en el ejemplo anterior; la única diferencia es que la curva ha sido reparametrizada para que el tiempo corra el doble de rápido.

⊘ **Solución**

Como en el ejemplo anterior, utilizamos la Ecuación 6.8 para calcular la integral con respecto a t. Observe que

$f(\mathbf{r}(t)) = \cos^2(2t) + \operatorname{sen}^2(2t) + 2t = 2t + 1$ y

$$\sqrt{(x'(t))^2 + (y'(t))^2 + (z'(t))^2} = \sqrt{(-\operatorname{sen} t + \cos t + 4)}$$
$$= 2\sqrt{2}$$

por lo que tenemos

$$\int_C \left(x^2 + y^2 + z\right) ds = 2\sqrt{2} \int_0^\pi (1 + 2t)\, dt$$
$$= 2\sqrt{2}\left[t + t^2\right]_0^\pi$$
$$= 2\sqrt{2}\left(\pi + \pi^2\right).$$

Observe que esto coincide con la respuesta del ejemplo anterior. El cambio de la parametrización no cambió el valor de la integral de línea. Las integrales de línea escalares son independientes de la parametrización, siempre que la curva sea recorrida exactamente una vez por la parametrización.

☑ 6.15   Evalúe la integral de línea $\displaystyle\int_C \left(x^2 + yz\right) ds$, donde C es la línea con la parametrización

$\mathbf{r}(t) = \langle 2t, 5t, -t \rangle, 0 \leq t \leq 10$. Reparametrizar C con la parametrización $\mathbf{s}(t) = \langle 4t, 10t, -2t \rangle, 0 \leq t \leq 5$,

recalcular la integral de la línea $\displaystyle\int_C \left(x^2 + yz\right) ds$, y observe que el cambio de parametrización no tuvo

ningún efecto sobre el valor de la integral.

Ahora que podemos evaluar integrales de línea, podemos utilizarlas para calcular la longitud de arco. Si los valores de $f(x, y, z) = 1$, entonces

$$\int_C f(x, y, z)\, ds = \lim_{n \to \infty} \sum_{i=1}^n f\left(t_i^*\right) \Delta s_i$$
$$= \lim_{n \to \infty} \sum_{i=1}^n \Delta s_i$$
$$= \lim_{n \to \infty} \text{longitud}(C)$$
$$= \text{longitud}(C).$$

Por lo tanto, $\displaystyle\int_C 1\, ds$ es la longitud de arco de C.

EJEMPLO 6.17

Calcular la longitud del arco
Un cable tiene una forma que puede ser modelada con la parametrización $\mathbf{r}(t) = \left\langle \cos t, \operatorname{sen} t, \frac{2}{3}t^{3/2} \right\rangle, 0 \leq t \leq 4\pi$. Halle la longitud del cable.

⊘ **Solución**

La longitud del cable viene dada por $\displaystyle\int_C 1\, ds$, donde C es la curva con la parametrización $\mathbf{r}$. Por lo tanto,

$$\text{La longitud del cable } = \int_C 1 \, ds$$

$$= \int_0^{4\pi} \|\mathbf{r}'(t)\| \, dt$$

$$= \int_0^{4\pi} \sqrt{(-\operatorname{sen} t)^2 + \cos^2 t + t} \, dt$$

$$= \int_0^{4\pi} \sqrt{1 + t} \, dt$$

$$= \left[\frac{2(1+t)^{3/2}}{3} \right]_0^{4\pi}$$

$$= \frac{2}{3}\left((1 + 4\pi)^{3/2} - 1 \right).$$

☑ 6.16   Halle la longitud de un cable con parametrización $\mathbf{r}(t) = \langle 3t + 1, 4 - 2t, 5 + 2t \rangle$, $0 \le t \le 4$.

Integrales de líneas vectoriales

El segundo tipo de integrales de línea son las integrales de línea vectoriales, en las que integramos a lo largo de una curva a través de un campo vectorial. Por ejemplo, supongamos que

$$\mathbf{F}(x, y, z) = P(x, y, z)\mathbf{i} + Q(x, y, z)\mathbf{j} + R(x, y, z)\mathbf{k}$$

es un campo vectorial continuo en $\mathbb{R}^3$ que representa una fuerza sobre una partícula, y sea C una curva suave en $\mathbb{R}^3$ contenida en el dominio de $\mathbf{F}$. ¿Cómo calcularíamos el trabajo realizado por $\mathbf{F}$ al mover una partícula a lo largo de C?

Para responder esta pregunta, primero hay que tener en cuenta que una partícula podría viajar en dos direcciones a lo largo de una curva: una dirección hacia delante y otra hacia atrás. El trabajo realizado por el campo vectorial depende de la dirección en la que se mueve la partícula. Por lo tanto, debemos especificar una dirección a lo largo de la curva C; esta dirección especificada se llama **orientación de una curva**. La dirección especificada es la dirección *positiva* a lo largo de C; la dirección opuesta es la dirección *negativa* a lo largo de C. Cuando a C se le ha dado una orientación, C se llama una *curva orientada* (Figura 6.16). El trabajo realizado sobre la partícula depende de la dirección a lo largo de la curva en la que esta se mueve.

Una **curva cerrada** es aquella para la que existe una parametrización $\mathbf{r}(t)$, $a \le t \le b$, de manera que $\mathbf{r}(a) = \mathbf{r}(b)$, y la curva se recorre exactamente una vez. En otras palabras, la parametrización es biunívoca en el dominio (a, b).

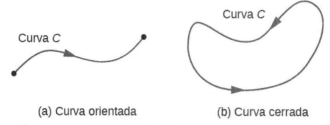

Curva C Curva C

(a) Curva orientada   (b) Curva cerrada

Figura 6.16   (a) Una curva orientada entre dos puntos. (b) Una curva orientada cerrada.

Supongamos que $\mathbf{r}(t)$ es una parametrización de C para $a \le t \le b$ de tal manera que la curva es atravesada exactamente una vez por la partícula y esta se mueva en la dirección positiva a lo largo de C. Dividir el intervalo de parámetros $[a, b]$ en n subintervalos $[t_{i-1}, t_i]$, $0 \le i \le n$, de igual anchura. Denote los puntos finales de $\mathbf{r}(t_0), \mathbf{r}(t_1), \ldots, \mathbf{r}(t_n)$ entre $P_0, \ldots, P_n$. Los puntos P_i dividen C en n trozos. Denotemos la longitud del trozo desde P_{i-1} hasta P_i por Δs_i. Para cada i, elija un valor t_i^* en el subintervalo $[t_{i-1}, t_i]$. Entonces, el punto final de $\mathbf{r}(t_i^*)$ es un punto en el trozo de C entre P_{i-1} y P_i (Figura 6.17). Si los valores de Δs_i es pequeño, entonces como la partícula se mueve de P_{i-1} a P_i a lo largo de C, se mueve aproximadamente en la dirección de $\mathbf{T}(P_i)$, el vector tangente unitario en el punto final de $\mathbf{r}(t_i^*)$. Supongamos que P_i^* denotan el punto final de $\mathbf{r}(t_i^*)$. Entonces, el trabajo realizado por el campo vectorial de fuerzas al mover la partícula de P_{i-1} a P_i es $\mathbf{F}\left(P_i^*\right) \cdot \left(\Delta s_i \mathbf{T}\left(P_i^*\right)\right)$, por lo que el trabajo total realizado a lo largo de C es

$$\sum_{i=1}^{n} \mathbf{F}\left(P_i^*\right).\left(\Delta s_i \mathbf{T}\left(P_i^*\right)\right) = \sum_{i=1}^{n} \mathbf{F}\left(P_i^*\right).\mathbf{T}\left(P_i^*\right)\Delta s_i.$$

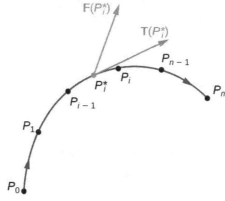

Figura 6.17 La curva *C* se divide en *n* trozos y se elige un punto dentro de cada trozo. El producto escalar de cualquier vector tangente en la *i*-ésima pieza con el correspondiente vector **F** se aproxima por $\mathbf{F}\left(P_i^*\right).\mathbf{T}\left(P_i^*\right)$.

Dejando que la longitud de arco de los trozos de *C* es arbitrariamente pequeña tomando un límite como $n \to \infty$ nos da el trabajo realizado por el campo al mover la partícula a lo largo de *C*. Por lo tanto, el trabajo realizado por **F** al mover la partícula en la dirección positiva a lo largo de *C* se define como

$$W = \int_C \mathbf{F}.\mathbf{T}\,ds,$$

lo que nos da el concepto de integral de línea vectorial.

Definición

La **integral vectorial** del campo vectorial **F** a lo largo de la curva suave orientada *C* es

$$\int_C \mathbf{F}.\mathbf{T}\,ds = \lim_{n\to\infty} \sum_{i=1}^{n} \mathbf{F}\left(P_i^*\right).\mathbf{T}\left(P_i^*\right)\Delta s_i$$

si existe ese límite.

Con las integrales de línea escalares, no importa ni la orientación ni la parametrización de la curva. Mientras la curva es recorrida exactamente una vez por la parametrización, el valor de la integral de línea no cambia. Con las integrales de líneas vectoriales, la orientación de la curva sí importa. Si pensamos en la integral de línea como un trabajo de cálculo, entonces esto tiene sentido: si sube una montaña, entonces la fuerza gravitatoria de la Tierra hace un trabajo negativo sobre ti. Si baja la montaña exactamente por el mismo camino, la fuerza gravitacional de la Tierra hace un trabajo positivo sobre ti. En otras palabras, la inversión del camino cambia el valor del trabajo de negativo a positivo en este caso. Observe que si *C* es una curva orientada, entonces dejamos que -*C* represente la misma curva pero con orientación opuesta.

Al igual que con las integrales de línea escalares, es más fácil calcular una integral de línea vectorial si la expresamos en términos de la función de parametrización **r** y la variable *t*. Para traducir la integral $\int_C \mathbf{F}.\mathbf{T}\,ds$ en términos de *t*, observe que el vector tangente unitario **T** a lo largo de *C* viene dado por $\mathbf{T} = \frac{\mathbf{r}'(t)}{\|\mathbf{r}'(t)\|}$ (si suponemos que $\|\mathbf{r}'(t)\| \neq 0$). Dado que $ds = \|\mathbf{r}'(t)\|\,dt$, como vimos al hablar de las integrales lineales escalares, tenemos

$$\mathbf{F}.\mathbf{T}\,ds = \mathbf{F}\left(\mathbf{r}(t)\right).\frac{\mathbf{r}'(t)}{\|\mathbf{r}'(t)\|}\|\mathbf{r}'(t)\|\,dt = \mathbf{F}\left(\mathbf{r}(t)\right).\mathbf{r}'(t)\,dt.$$

Así, tenemos la siguiente fórmula para calcular las integrales de línea vectorial:

$$\int_C \mathbf{F}.\mathbf{T}\,ds = \int_a^b \mathbf{F}\left(\mathbf{r}(t)\right).\mathbf{r}'(t)\,dt. \qquad (6.9)$$

Debido a la Ecuación 6.9, a menudo utilizamos la notación $\int_C \mathbf{F} \cdot d\mathbf{r}$ para la integral de línea $\int_C \mathbf{F} \cdot \mathbf{T} ds$.

Si los valores de $\mathbf{r}(t) = \langle x(t), y(t), z(t) \rangle$, entonces **dr** denota el diferencial vectorial $\langle x'(t), y'(t), z'(t) \rangle dt$.

EJEMPLO 6.18

Evaluar una integral de línea vectorial

Halle el valor de la integral $\int_C \mathbf{F} \cdot d\mathbf{r}$, donde C es el semicírculo parametrizado por $\mathbf{r}(t) = \langle \cos t, \operatorname{sen} t \rangle$, $0 \le t \le \pi$ y $\mathbf{F} = \langle -y, x \rangle$.

✓ **Solución**

Podemos utilizar el Ecuación 6.9 para convertir la variable de integración de s a t. Entonces tenemos

$$\mathbf{F}(\mathbf{r}(t)) = \langle -\operatorname{sen} t, \cos t \rangle \text{ y } \mathbf{r}'(t) = \langle -\operatorname{sen} t, \cos t \rangle.$$

Por lo tanto,

$$\begin{aligned}
\int_C \mathbf{F} \cdot d\mathbf{r} &= \int_0^\pi \langle -\operatorname{sen} t, \cos t \rangle \cdot \langle -\operatorname{sen} t, \cos t \rangle \, dt \\
&= \int_0^\pi \operatorname{sen}^2 t + \cos^2 t \, dt \\
&= \int_0^\pi 1 \, dt = \pi.
\end{aligned}$$

Vea el Figura 6.18.

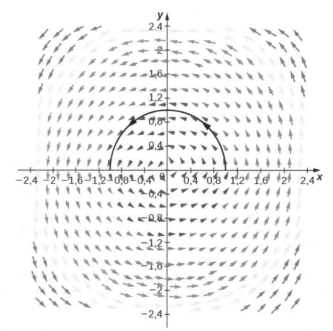

Figura 6.18   Esta figura muestra la curva $\mathbf{r}(t) = \langle \cos t, \operatorname{sen} t \rangle$, $0 \le t \le \pi$ en el campo vectorial $\mathbf{F} = \langle -y, x \rangle$.

EJEMPLO 6.19

Invertir la orientación

Halle el valor de la integral $\int_C \mathbf{F} \cdot d\mathbf{r}$, donde C es el semicírculo parametrizado por $\mathbf{r}(t) = \langle \cos(t + \pi), \operatorname{sen} t \rangle$, $0 \le t \le \pi$ y $\mathbf{F} = \langle -y, x \rangle$.

⊘ **Solución**

Observe que se trata del mismo problema que el Ejemplo 6.18, salvo que se ha recorrido la orientación de la curva. En este ejemplo, la parametrización comienza en $\mathbf{r}(0) = \langle -1, 0 \rangle$ y termina en $\mathbf{r}(\pi) = \langle 1, 0 \rangle$. Por la Ecuación 6.9,

$$\begin{aligned}
\int_C \mathbf{F} \cdot d\mathbf{r} &= \int_0^\pi \langle -\operatorname{sen} t, \cos(t+\pi) \rangle \cdot \langle -\operatorname{sen}(t+\pi), \cos t \rangle \, dt \\
&= \int_0^\pi \langle -\operatorname{sen} t, -\cos t \rangle \cdot \langle \operatorname{sen} t, \cos t \rangle \, dt \\
&= \int_0^\pi \left(-\operatorname{sen}^2 t - \cos^2 t \right) dt \\
&= \int_0^\pi -1 \, dt \\
&= -\pi.
\end{aligned}$$

Observe que es el negativo de la respuesta en el Ejemplo 6.18. Tiene sentido que esta respuesta sea negativa porque la orientación de la curva va en contra del "flujo" del campo vectorial.

Supongamos que C es una curva orientada y supongamos que $-C$ es la misma curva pero con la orientación invertida. Entonces, los dos ejemplos anteriores ilustran el siguiente hecho:

$$\int_{-C} \mathbf{F} \cdot d\mathbf{r} = -\int_C \mathbf{F} \cdot d\mathbf{r}.$$

Es decir, invertir la orientación de una curva cambia el signo de una integral de línea.

☑ 6.17   Supongamos que $\mathbf{F} = x\mathbf{i} + y\mathbf{j}$ es un campo vectorial y que C es la curva con parametrización $\langle t, t^2 \rangle$ por $0 \le t \le 2$. Qué es mayor $\displaystyle\int_C \mathbf{F} \cdot \mathbf{T} \, ds$ o $\displaystyle\int_{-C} \mathbf{F} \cdot \mathbf{T} \, ds$?

Otra notación estándar para la integral $\displaystyle\int_C \mathbf{F} \cdot d\mathbf{r}$ ¿es $\displaystyle\int_C P\,dx + Q\,dy + R\,dz$. En esta notación, P, Q y R son funciones, y pensamos en $d\mathbf{r}$ como vector $\langle dx, dy, dz \rangle$. Para justificar esta convención, recordemos que $d\mathbf{r} = \mathbf{T}\,ds = \mathbf{r}'(t)\,dt = \left\langle \frac{dx}{dt}, \frac{dy}{dt}, \frac{dz}{dt} \right\rangle dt$. Por lo tanto,

$$\mathbf{F} \cdot d\mathbf{r} = \langle P, Q, R \rangle \cdot \langle dx, dy, dz \rangle = P\,dx + Q\,dy + R\,dz.$$

Si los valores de $d\mathbf{r} = \langle dx, dy, dz \rangle$, entonces $\frac{d\mathbf{r}}{dt} = \left\langle \frac{dx}{dt}, \frac{dy}{dt}, \frac{dz}{dt} \right\rangle$, lo que implica que $d\mathbf{r} = \left\langle \frac{dx}{dt}, \frac{dy}{dt}, \frac{dz}{dt} \right\rangle dt$. Por lo tanto

$$\begin{aligned}
\int_C \mathbf{F} \cdot d\mathbf{r} &= \int_C P\,dx + Q\,dy + R\,dz \\
&= \int \left(P(\mathbf{r}(t)) \frac{dx}{dt} + Q(\mathbf{r}(t)) \frac{dy}{dt} + R(\mathbf{r}(t)) \frac{dz}{dt} \right) dt.
\end{aligned}$$

(6.10)

EJEMPLO 6.20

Hallar el valor de una integral de la forma $\displaystyle\int_C P\,dx + Q\,dy + R\,dz$

Halle el valor de la integral $\displaystyle\int_C z\,dx + x\,dy + y\,dz$, donde C es la curva parametrizada por $\mathbf{r}(t) = \langle t^2, \sqrt{t}, t \rangle$, $1 \le t \le 4$.

⊘ **Solución**

Como en los ejemplos anteriores, para calcular esta integral de línea debemos realizar un cambio de variables para escribir todo en términos de t. En este caso, la Ecuación 6.10 nos permite realizar este cambio:

$$\int_C zdx + xdy + ydz = \int_1^4 \left(t(2t) + t^2 \left(\frac{1}{2\sqrt{t}} \right) + \sqrt{t} \right) dt$$

$$= \int_1^4 \left(2t^2 + \frac{t^{3/2}}{2} + \sqrt{t} \right) dt$$

$$= \left[\frac{2t^3}{3} + \frac{t^{5/2}}{5} + \frac{2t^{3/2}}{3} \right]_{t=1}^{t=4}$$

$$= \frac{793}{15}.$$

☑   6.18   Halle el valor de $\int_C 4xdx + zdy + 4y^2 dz$, donde C es la curva parametrizada por
$\mathbf{r}(t) = \langle 4\cos(2t), 2\operatorname{sen}(2t), 3 \rangle, 0 \leq t \leq \frac{\pi}{4}$.

Hemos aprendido a integrar curvas orientadas suaves. Supongamos ahora que C es una curva orientada que no es suave, pero que puede escribirse como la unión de un número finito de curvas suaves. En este caso, decimos que C es una **curva suave a trozos**. En concreto, la curva C es suave a trozos si C puede escribirse como una unión de n curvas suaves $C_1, C_2, \ldots, C_n$ tal que el punto final de C_i es el punto de partida de C_{i+1} (Figura 6.19). Cuando las curvas C_i cumplen la condición de que el punto final de C_i es el punto de partida de C_{i+1}, escribimos su unión como $C_1 + C_2 + \cdots + C_n$.

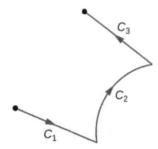

Figura 6.19   La unión de C_1, C_2, C_3 es una curva suave a trozos.

El siguiente teorema resume varias propiedades clave de las integrales de línea vectoriales.

Teorema 6.5

Propiedades de las integrales vectoriales
Supongamos que **F** y **G** son campos vectoriales continuos con dominios que incluyen la curva suave orientada C. Entonces

i. $\int_C (\mathbf{F} + \mathbf{G}) . d\mathbf{r} = \int_C \mathbf{F} . d\mathbf{r} + \int_C \mathbf{G} . d\mathbf{r}$

ii. $\int_C k\mathbf{F} . d\mathbf{r} = k \int_C \mathbf{F} . d\mathbf{r}$, donde k es una constante

iii. $\int_{-C} \mathbf{F} . d\mathbf{r} = -\int_C \mathbf{F} . d\mathbf{r}$

iv.   Supongamos en cambio que C es una curva suave a trozos en los dominios de **F** y **G**, donde
$C = C_1 + C_2 + \cdots + C_n$ y $C_1, C_2, \ldots, C_n$ son curvas suaves tales que el punto final de C_i es el punto de partida de C_{i+1}. Entonces

$$\int_C \mathbf{F} . d\mathbf{s} = \int_{C_1} \mathbf{F} . d\mathbf{s} + \int_{C_2} \mathbf{F} . d\mathbf{s} + \cdots + \int_{C_n} \mathbf{F} . d\mathbf{s}.$$

Observe las similitudes entre estos elementos y las propiedades de las integrales de una sola variable. Las propiedades i. y ii. dicen que las integrales de línea son lineales, lo cual es cierto también para las integrales de una sola variable. La propiedad iii. dice que invertir la orientación de una curva cambia el signo de la integral. Si pensamos en la integral como el cálculo del trabajo realizado sobre una partícula que viaja a lo largo de C, entonces esto tiene sentido. Si la partícula se mueve hacia atrás en vez de hacia delante, el valor del trabajo realizado tiene el signo contrario. Esto es análogo a la ecuación $\int_a^b f(x)\,dx = -\int_b^a f(x)\,dx$. Por último, si $[a_1, a_2]\,, [a_2, a_3]\,,\ldots, [a_{n-1}, a_n]$ son intervalos, entonces

$$\int_{a_1}^{a_n} f(x)\,dx = \int_{a_1}^{a_2} f(x)\,dx + \int_{a_1}^{a_3} f(x)\,dx + \cdots + \int_{a_{n-1}}^{a_n} f(x)\,dx,$$

que es análoga a la propiedad iv.

EJEMPLO 6.21

Usar propiedades para calcular una integral de línea vectorial

Halle el valor de la integral $\int_C \mathbf{F} \cdot \mathbf{T}\,ds$, donde C es el rectángulo (orientado en sentido contrario a las agujas del reloj) en un plano con vértices $(0,0)\,, (2,0)\,, (2,1)\,,$ y $(0,1)\,,$ y donde $\mathbf{F} = \langle x - 2y, y - x \rangle$ (Figura 6.20).

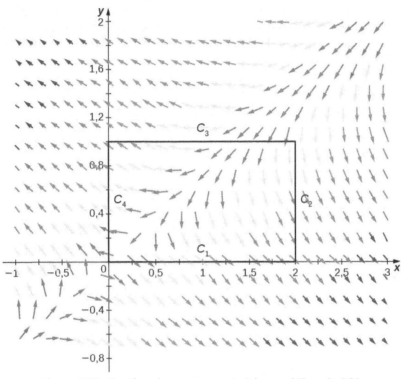

Figura 6.20   Rectángulo y campo vectorial para el Ejemplo 6.21.

⊘ **Solución**

Observe que la curva C es la unión de sus cuatro lados, y cada lado es suave. Por lo tanto, C es suave a trozos. Supongamos que C_1 representan el lado de $(0,0)$ al $(2,0)\,,$ supongamos que C_2 representan el lado de $(2,0)$ al $(2,1)\,,$ supongamos que C_3 representan el lado de $(2,1)$ al $(0,1)\,,$ y supongamos que C_4 representan el lado de $(0,1)$ al $(0,0)$ (Figura 6.20). Entonces,

$$\int_C \mathbf{F} \cdot \mathbf{T}\,dr = \int_{C_1} \mathbf{F} \cdot \mathbf{T}\,dr + \int_{C_2} \mathbf{F} \cdot \mathbf{T}\,dr + \int_{C_3} \mathbf{F} \cdot \mathbf{T}\,dr + \int_{C_4} \mathbf{F} \cdot \mathbf{T}\,dr.$$

Queremos calcular cada una de las cuatro integrales del lado derecho utilizando la Ecuación 6.8. Antes de hacer esto, necesitamos una parametrización de cada lado del rectángulo. Aquí hay cuatro parametrizaciones (nótese que atraviesan C en sentido contrario a las agujas del reloj):

$$C_1 : \langle t, 0 \rangle, 0 \le t \le 2$$
$$C_2 : \langle 2, t \rangle, 0 \le t \le 1$$
$$C_3 : \langle 2 - t, 1 \rangle, 0 \le t \le 2$$
$$C_4 : \langle 0, 1 - t \rangle, 0 \le t \le 1$$

Por lo tanto,

$$
\begin{aligned}
\int_{C_1} \mathbf{F} . \mathbf{T} d r &= \int_0^2 \mathbf{F}\left(\mathbf{r}\left(t\right)\right) . \mathbf{r}'\left(t\right) dt \\
&= \int_0^2 \langle t - 2\left(0\right), 0 - t \rangle . \langle 1, 0 \rangle \, dt = \int_0^1 t \, dt \\
&= \left[\frac{t^2}{2} \right]_0^2 = 2.
\end{aligned}
$$

Observe que el valor de esta integral es positivo, lo que no debe sorprender. Al desplazarnos por la curva *C1* de izquierda a derecha, nuestro movimiento fluye en la dirección general del propio campo vectorial. En cualquier punto a lo largo de *C1*, el vector tangente a la curva y el vector correspondiente en el campo forman un ángulo que es menor de 90°. Por lo tanto, el vector tangente y el vector fuerza tienen un producto escalar positivo a lo largo de *C1*, y la integral de línea tendrá valor positivo.

Los cálculos para las otras tres integrales de línea se hacen de forma similar:

$$
\begin{aligned}
\int_{C_2} \mathbf{F} . \mathbf{dr} &= \int_0^1 \langle 2 - 2t, t - 2 \rangle . \langle 0, 1 \rangle \, dt \\
&= \int_0^1 \left(t - 2\right) dt \\
&= \left[\frac{t^2}{2} - 2t \right]_0^1 = -\frac{3}{2},
\end{aligned}
$$

$$
\begin{aligned}
\int_{C_3} \mathbf{F} . \mathbf{T} d s &= \int_0^2 \langle \left(2 - t\right) - 2, 1 - \left(2 - t\right) \rangle . \langle -1, 0 \rangle \, dt \\
&= \int_0^2 t \, dt = 2,
\end{aligned}
$$

y

$$
\begin{aligned}
\int_{C_4} \mathbf{F} . \mathbf{dr} &= \int_0^1 \langle -2\left(1 - t\right), 1 - t \rangle . \langle 0, -1 \rangle \, dt \\
&= \int_0^1 \left(t - 1\right) dt \\
&= \left[\frac{t^2}{2} - t \right]_0^1 = -\frac{1}{2}.
\end{aligned}
$$

Por lo tanto, tenemos $\int_C \mathbf{F} . \mathbf{dr} = 2$.

6.19   Calcule la integral de línea $\int_C \mathbf{F} . \mathbf{dr}$, donde **F** es un campo vectorial $\langle y^2, 2xy + 1 \rangle$ y *C* es un triángulo con vértices $(0, 0)$, $(4, 0)$, y $(0, 5)$, orientado en sentido contrario a las agujas del reloj.

Aplicaciones de las integrales de línea

Las integrales de línea escalares tienen muchas aplicaciones. Pueden utilizarse para calcular la longitud o la masa de un cable, la superficie de una lámina de una altura determinada o el potencial eléctrico de un cable cargado dada una densidad de carga lineal. Las integrales vectoriales son muy útiles en física. Pueden utilizarse para calcular el trabajo realizado sobre una partícula cuando se mueve a través de un campo de fuerzas, o el caudal de un fluido a través de una curva. En este caso, calculamos la masa de un cable mediante una integral de línea escalar y el trabajo realizado por una fuerza mediante una integral de línea vectorial.

Supongamos que un trozo de cable está modelado por la curva C en el espacio. La masa por unidad de longitud (la densidad lineal) del cable es una función continua $\rho(x, y, z)$. Podemos calcular la masa total del cable utilizando la integral de línea escalar $\int_C \rho(x, y, z)\, ds$. La razón es que la masa es la densidad multiplicada por la longitud, y por lo tanto la densidad de un pequeño trozo de cable se puede aproximar por $\rho(x^*, y^*, z^*)\, \Delta s$ para algún punto (x^*, y^*, z^*) en la pieza. Dejando que la longitud de los trozos se reduzca a cero con un límite se obtiene la integral de línea $\int_C \rho(x, y, z)\, ds$.

EJEMPLO 6.22

Calcular la masa de un cable
Calcule la masa de un resorte en forma de curva parametrizada por $\langle t, 2\cos t, 2\,\mathrm{sen}\,t\rangle$, $0 \le t \le \frac{\pi}{2}$, con una función de densidad dada por $\rho(x, y, z) = e^x + yz$ kg/m (Figura 6.21).

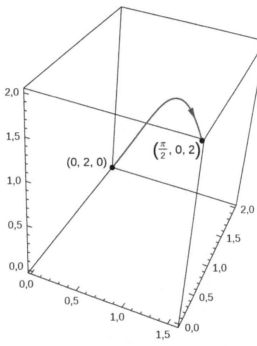

Figura 6.21 El cable del Ejemplo 6.22.

⊘ **Solución**

Para calcular la masa del resorte, debemos encontrar el valor de la integral de línea escalar $\int_C (e^x + yz)\, ds$, donde C es la hélice dada. Para calcular esta integral, la escribimos en términos de t utilizando la Ecuación 6.8:

$$
\begin{aligned}
\int_C e^x + yz\, ds &= \int_0^{\pi/2} \left(\left(e^t + 4\cos t\,\mathrm{sen}\,t\right) \sqrt{1 + (-2\cos t)^2 + (2\,\mathrm{sen}\,t)^2} \right) dt \\
&= \int_0^{\pi/2} \left(\left(e^t + 4\cos t\,\mathrm{sen}\,t\right) \sqrt{5} \right) dt \\
&= \sqrt{5}\left[e^t + 2\,\mathrm{sen}^2 t \right]_{t=0}^{t=\pi/2} \\
&= \sqrt{5}\left(e^{\pi/2} + 1 \right).
\end{aligned}
$$

Por lo tanto, la masa es $\sqrt{5}\left(e^{\pi/2} + 1\right)$ kg.

☑   6.20   Calcule la masa de un resorte en forma de hélice parametrizado por $\mathbf{r}(t) = \langle \cos t, \mathrm{sen}\,t, t\rangle$, $0 \le t \le 6\pi$, con una función de densidad dada por $\rho(x, y, z) = x + y + z$ kg/m.

Cuando definimos por primera vez las integrales de línea vectoriales, utilizamos el concepto de trabajo para motivar la definición. Por lo tanto, no es sorprendente que el cálculo del trabajo realizado por un campo vectorial que representa una fuerza sea un uso estándar de las integrales de líneas vectoriales. Recordemos que si un objeto se mueve a lo largo de la curva C en un campo de fuerza **F**, entonces el trabajo requerido para mover el objeto viene dado por $\int_C \mathbf{F} \cdot d\mathbf{r}$.

EJEMPLO 6.23

Calcular el trabajo

Cuánto trabajo se requiere para mover un objeto en un campo de fuerza vectorial $\mathbf{F} = \langle yz, xy, xz \rangle$ a lo largo de la trayectoria $\mathbf{r}(t) = \langle t^2, t, t^4 \rangle, 0 \leq t \leq 1$?Vea el Figura 6.22.

⊘ **Solución**

Supongamos que C denota la trayectoria dada. Tenemos que encontrar el valor de $\int_C \mathbf{F} \cdot d\mathbf{r}$. Para ello, utilizamos Ecuación 6.9:

$$
\begin{aligned}
\int_C \mathbf{F} \cdot d\mathbf{r} &= \int_0^1 \left(\langle t^5, t^3, t^6 \rangle \cdot \langle 2t, 1, 4t^3 \rangle \right) dt \\
&= \int_0^1 \left(2t^6 + t^3 + 4t^9 \right) dt \\
&= \left[\frac{2t^7}{7} + \frac{t^4}{4} + \frac{2t^{10}}{5} \right]_{t=0}^{t=1} = \frac{131}{140}.
\end{aligned}
$$

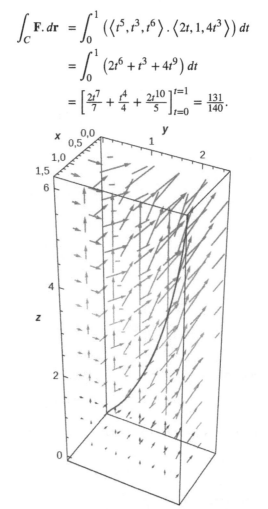

Figura 6.22   La curva y el campo vectorial del Ejemplo 6.23.

Flujo y circulación

Cerramos esta sección discutiendo dos conceptos clave relacionados con las integrales de línea: el flujo a través de una curva plana y la circulación a lo largo de una curva plana. El flujo se utiliza en aplicaciones para calcular el flujo de fluidos a través de una curva, y el concepto de circulación es importante para caracterizar los campos de gradiente conservador en términos de integrales de línea. Estos dos conceptos se utilizan en gran medida en el resto de este capítulo. La idea de flujo es especialmente importante para el teorema de Green, y en dimensiones superiores para el teorema de Stokes y el teorema de la divergencia.

Supongamos que C es una curva plana y supongamos que **F** es un campo vectorial en el plano. Imagine que C es una membrana a través de la cual fluye un fluido, pero C no impide su flujo. En otras palabras, C es una membrana idealizada invisible para el fluido. Supongamos que **F** representa el campo de velocidad del fluido. ¿Cómo podríamos cuantificar la velocidad a la que el fluido atraviesa C?

Recordemos que la integral de línea de **F** a lo largo de C es $\int_C \mathbf{F}.\mathbf{T}\,ds$; en otras palabras, la integral de línea es el producto escalar del campo vectorial con el vector tangencial unitario con respecto a la longitud de arco. Si sustituimos el vector tangencial unitario por el vector normal unitario $\mathbf{N}(t)$ y en su lugar calculamos la integral $\int_C \mathbf{F}.\mathbf{N}\,ds$, determinamos el flujo a través de C. Para ser precisos, la definición de integral $\int_C \mathbf{F}.\mathbf{N}\,ds$ es lo mismo que la integral $\int_C \mathbf{F}.\mathbf{T}\,ds$, excepto que la **T** en la suma de Riemann se sustituye por **N**. Por lo tanto, el flujo a través de C se define como

$$\int_C \mathbf{F}.\mathbf{N}\,ds = \lim_{n\to\infty} \sum_{i=1}^{n} \mathbf{F}\left(P_i^*\right).\mathbf{N}\left(P_i^*\right)\Delta s_i,$$

donde P_i^* y Δs_i se definen igual que para la integral $\int_C \mathbf{F}.\mathbf{T}\,ds$. Por lo tanto, una integral de flujo es una integral que es *perpendicular* a una integral de línea vectorial, porque **N** y **T** son vectores perpendiculares.

Si **F** es un campo de velocidad de un fluido y C es una curva que representa una membrana, entonces el flujo de **F** a través de C es la cantidad de fluido que fluye a través de C por unidad de tiempo, o la tasa de flujo.

Más formalmente, supongamos que C es una curva plana parametrizada por $\mathbf{r}(t) = \langle x(t), y(t)\rangle$, $a \le t \le b$. Supongamos que $\mathbf{n}(t) = \langle y'(t), -x'(t)\rangle$ es el vector que es normal a C en el punto final de $\mathbf{r}(t)$ y apunta a la derecha cuando atravesamos C en dirección positiva ([Figura 6.23](#)). Entonces, $\mathbf{N}(t) = \frac{\mathbf{n}(t)}{\|\mathbf{n}(t)\|}$ es el vector normal unitario a C en el punto final de $\mathbf{r}(t)$ que apunta a la derecha al atravesar C.

Definición

El **flujo** de **F** a través de C es la integral de línea $\int_C \mathbf{F}.\frac{\mathbf{n}(t)}{\|\mathbf{n}(t)\|}\,ds$.

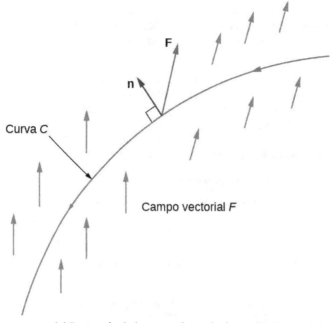

Curva C

Campo vectorial F

Figura 6.23 El flujo del campo vectorial **F** a través de la curva C se calcula mediante una integral similar a una integral de línea vectorial.

A continuación damos una fórmula para calcular el flujo a través de una curva. Esta fórmula es análoga a la utilizada para calcular una integral de línea vectorial (vea Ecuación 6.9).

Teorema 6.6

Calcular el flujo a través de una curva
Supongamos que **F** es un campo vectorial y supongamos que C es una curva suave con parametrización $\mathbf{r}(t) = \langle x(t), y(t) \rangle$, $a \leq t \leq b$. Supongamos que $\mathbf{n}(t) = \langle y'(t), -x'(t) \rangle$. El flujo de **F** a través de C es

$$\int_C \mathbf{F} . \mathbf{N} ds = \int_a^b \mathbf{F}(\mathbf{r}(t)) . \mathbf{n}(t) dt \qquad (6.11)$$

Prueba
La prueba de la Ecuación 6.11 es similar a la de la Ecuación 6.8. Antes de derivar la fórmula, hay que tener en cuenta que
$\|\mathbf{n}(t)\| = \|\langle y'(t), -x'(t)\rangle\| = \sqrt{(y'(t))^2 + (x'(t))^2} = \|\mathbf{r}'(t)\|$. Por lo tanto,

$$\int_C \mathbf{F} . \mathbf{N} ds = \int_C \mathbf{F} . \frac{\mathbf{n}(t)}{\|\mathbf{n}(t)\|} ds$$

$$= \int_a^b \mathbf{F} . \frac{\mathbf{n}(t)}{\|\mathbf{n}(t)\|} \|\mathbf{r}'(t)\| dt$$

$$= \int_a^b \mathbf{F}(\mathbf{r}(t)) . \mathbf{n}(t) dt.$$

□

EJEMPLO 6.24

Flujo a través de una curva
Calcule el flujo de $\mathbf{F} = \langle 2x, 2y \rangle$ a través de un círculo unitario orientado en sentido contrario a las agujas del reloj (Figura 6.24).

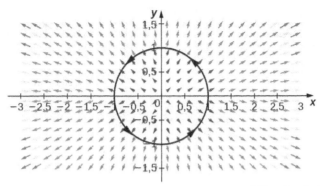

Figura 6.24 Un círculo unitario en campo vectorial $\mathbf{F} = \langle 2x, 2y \rangle$.

⊘ **Solución**

Para calcular el flujo, primero necesitamos una parametrización del círculo unitario. Podemos utilizar la parametrización estándar $\mathbf{r}(t) = \langle \cos t, \operatorname{sen} t \rangle$, $0 \leq t \leq 2\pi$. El vector normal a un círculo unitario es $\langle \cos t, \operatorname{sen} t \rangle$. Por lo tanto, el flujo es

$$
\begin{aligned}
\int_C \mathbf{F} \cdot \mathbf{N} \, ds &= \int_0^{2\pi} \langle 2\cos t, 2\operatorname{sen} t \rangle \cdot \langle \cos t, \operatorname{sen} t \rangle \, dt \\
&= \int_0^{2\pi} \left(2\cos^2 t + 2\operatorname{sen}^2 t \right) \, dt = 2 \int_0^{2\pi} \left(\cos^2 t + \operatorname{sen}^2 t \right) \, dt \\
&= 2 \int_0^{2\pi} dt = 4\pi.
\end{aligned}
$$

☑ 6.21   Calcule el flujo de $\mathbf{F} = \langle x+y, 2y \rangle$ a través del segmento de línea de $(0,0)$ al $(2,3)$, donde la curva se orienta de izquierda a derecha.

Supongamos que $\mathbf{F}(x, y) = \langle P(x,y), Q(x,y) \rangle$ es un campo vectorial bidimensional. Recordemos que la integral $\int_C \mathbf{F} \cdot \mathbf{T} \, ds$ se escribe a veces como $\int_C P \, dx + Q \, dy$. Análogamente, el flujo $\int_C \mathbf{F} \cdot \mathbf{N} \, ds$ se escribe a veces con la notación $\int_C -Q \, dx + P \, dy$, porque el vector normal unitario $\mathbf{N}$ es perpendicular a la tangente unitaria $\mathbf{T}$. Rotando el vector $d\mathbf{r} = \langle dx, dy \rangle$ en 90° da como resultado el vector $\langle dy, -dx \rangle$. Por lo tanto, la integral de línea en el Ejemplo 6.21 puede escribirse como $\int_C -2y \, dx + 2x \, dy$.

Ahora que hemos definido el flujo, podemos centrarnos en la circulación. La integral de línea del campo vectorial $\mathbf{F}$ a lo largo de una curva cerrada orientada se llama **circulación** de $\mathbf{F}$ a lo largo de C. Las integrales de línea de circulación tienen su propia notación $\oint_C \mathbf{F} \cdot \mathbf{T} \, ds$. El círculo en el símbolo integral denota que C es "circular" en el sentido de que no tiene puntos finales. El Ejemplo 6.18 muestra un cálculo de la circulación.

Para ver de dónde viene el término *circulación* y qué mide, dejemos que $\mathbf{v}$ represente el campo de velocidad de un fluido y que C sea una curva cerrada orientada. En un punto concreto P, cuanto más cerca esté la dirección de $\mathbf{v}(P)$ de la dirección de $\mathbf{T}(P)$, mayor será el valor del producto escalar $\mathbf{v}(P) \cdot \mathbf{T}(P)$. El valor máximo de $\mathbf{v}(P) \cdot \mathbf{T}(P)$ se produce cuando los dos vectores apuntan exactamente en la misma dirección; el valor mínimo de $\mathbf{v}(P) \cdot \mathbf{T}(P)$ se produce cuando los dos vectores apuntan en direcciones opuestas. Así, el valor de la circulación $\oint_C \mathbf{v} \cdot \mathbf{T} \, ds$ mide la tendencia del fluido a moverse en la dirección de C.

EJEMPLO 6.25

Calcular la circulación

Supongamos que $\mathbf{F} = \langle -y, x \rangle$ es el campo vectorial del Ejemplo 6.16 y que C represente el círculo unitario orientado en sentido contrario a las agujas del reloj. Calcule la circulación de $\mathbf{F}$ a lo largo de C.

⊘ Solución

Utilizamos la parametrización estándar del círculo unitario $\mathbf{r}(t) = \langle \cos t, \operatorname{sen} t \rangle$, $0 \leq t \leq 2\pi$. Entonces, $\mathbf{F}(\mathbf{r}(t)) = \langle -\operatorname{sen} t, \cos t \rangle$ y $\mathbf{r}'(t) = \langle -\operatorname{sen} t, \cos t \rangle$. Por lo tanto, la circulación de $\mathbf{F}$ a lo largo de C es

$$\oint_C \mathbf{F} \cdot \mathbf{T} \, ds = \int_0^{2\pi} \langle -\operatorname{sen} t, \cos t \rangle \cdot \langle -\operatorname{sen} t, \cos t \rangle \, dt$$

$$= \int_0^{2\pi} \left(\operatorname{sen}^2 t + \cos^2 t \right) \, dt$$

$$= \int_0^{2\pi} dt = 2\pi.$$

Observe que la circulación es positiva. La razón es que la orientación de C "fluye" con la dirección de $\mathbf{F}$. En cualquier punto de la circunferencia, el vector tangente y el vector de $\mathbf{F}$ forman un ángulo inferior a 90°, y por tanto el producto escalar correspondiente es positivo.

En el Ejemplo 6.25, ¿qué pasaría si hubiéramos orientado el círculo unitario en el sentido de las agujas del reloj? Denotamos el círculo unitario orientado en el sentido de las agujas del reloj por $-C$. Entonces

$$\oint_{-C} \mathbf{F} \cdot \mathbf{T} \, ds = -\oint_C \mathbf{F} \cdot \mathbf{T} \, ds = -2\pi.$$

Observe que la circulación es negativa en este caso. La razón es que la orientación de la curva fluye en contra de la dirección de $\mathbf{F}$.

☑ 6.22   Calcule la circulación de $\mathbf{F}(x, y) = \left\langle -\dfrac{y}{x^2+y^2}, \dfrac{x}{x^2+y^2} \right\rangle$ a lo largo de un círculo unitario orientado en sentido contrario a las agujas del reloj.

EJEMPLO 6.26

Calcular el trabajo

Calcule el trabajo realizado sobre una partícula que recorre la circunferencia C de radio 2 centrada en el origen, orientada en sentido contrario a las agujas del reloj, por el campo $\mathbf{F}(x, y) = \langle -2, y \rangle$. Supongamos que la partícula comienza su movimiento en $(1, 0)$.

⊘ Solución

El trabajo realizado por $\mathbf{F}$ sobre la partícula es la circulación de $\mathbf{F}$ a lo largo de C $\oint_C \mathbf{F} \cdot \mathbf{T} \, ds$. Utilizamos la parametrización $\mathbf{r}(t) = \langle 2 \cos t, 2 \operatorname{sen} t \rangle$, $0 \leq t \leq 2\pi$ para C. Entonces, $\mathbf{r}'(t) = \langle -2 \operatorname{sen} t, 2 \cos t \rangle$ y $\mathbf{F}(\mathbf{r}(t)) = \langle -2, 2 \operatorname{sen} t \rangle$. Por lo tanto, la circulación de $\mathbf{F}$ a lo largo de C es

$$\oint_C \mathbf{F} \cdot \mathbf{T} \, ds = \int_0^{2\pi} \langle -2, 2 \operatorname{sen} t \rangle \cdot \langle -2 \operatorname{sen} t, 2 \cos t \rangle \, dt$$

$$= \int_0^{2\pi} (4 \operatorname{sen} t + 4 \operatorname{sen} t \cos t) \, dt$$

$$= \left[-4 \cos t + 4 \operatorname{sen}^2 t \right]_0^{2\pi}$$

$$= \left(-4 \cos(2\pi) + 2 \operatorname{sen}^2(2\pi) \right) - \left(-4 \cos(0) + 4 \operatorname{sen}^2(0) \right)$$

$$= -4 + 4 = 0,$$

El campo de fuerza no hace ningún trabajo sobre la partícula.

Observe que la circulación de $\mathbf{F}$ a lo largo de C es nula. Además, observe que como $\mathbf{F}$ es el gradiente de $f(x, y) = -2x + \dfrac{y^2}{2}$, $\mathbf{F}$ es conservativo. Demostramos en una sección posterior que bajo ciertas condiciones amplias, la circulación de un campo vectorial conservativo a lo largo de una curva cerrada es cero.

6.23 Calcule el trabajo realizado por el campo $\mathbf{F}(x, y) = \langle 2x, 3y \rangle$ en una partícula que atraviesa el círculo unitario. Supongamos que la partícula comienza su movimiento en $(-1, 0)$.

SECCIÓN 6.2 EJERCICIOS

39. *¿Verdadero o falso?* La integral de línea
$$\int_C f(x, y)ds$$ es igual a una integral definida si C es una curva suave definida en $[a, b]$ y si la función f es continua en alguna región que contiene la curva C.

40. *¿Verdadero o falso?* Las funciones vectoriales
$\mathbf{r}_1 = t\mathbf{i} + t^2\mathbf{j}, 0 \leq t \leq 1$, y
$\mathbf{r}_2 = (1 - t)\mathbf{i} + (1 - t)^2\mathbf{j}$,
$0 \leq t \leq 1$, definen la misma curva orientada.

41. *¿Verdadero o falso?*
$$\int_{-C}(Pdx + Qdy) = \int_C (Pdx - Qdy)$$

42. *¿Verdadero o falso?* Una curva suave a trozos C consiste en un número finito de curvas suaves que se unen de extremo a extremo.

43. *¿Verdadero o falso?* Si C viene dado por
$x(t) = t, y(t) = t, 0 \leq t \leq 1$,
entonces
$$\int_C xyds = \int_0^1 t^2 dt.$$

En los siguientes ejercicios, utilice un sistema de álgebra computacional (CAS) para evaluar las integrales de línea sobre la trayectoria indicada.

44. [T] $\int_C (x + y)ds$

$C: x = t, y = (1 - t), z = 0$
de $(0, 1, 0)$ a $(1, 0, 0)$

45. [T] $\int_C (x - y)ds$

$C: \mathbf{r}(t) = 4t\mathbf{i} + 3t\mathbf{j}$ cuando
$0 \leq t \leq 2$

46. [T] $\int_C (x^2 + y^2 + z^2)ds$

$C: \mathbf{r}(t) = \operatorname{sen} t\mathbf{i} + \cos t\mathbf{j} + 8t\mathbf{k}$
cuando $0 \leq t \leq \frac{\pi}{2}$

47. [T] Evalúe $\int_C xy^4 ds$,

donde C es la mitad derecha del círculo
$x^2 + y^2 = 16$ y se recorre en el sentido de las agujas del reloj.

48. [T] Evalúe $\int_C 4x^3 ds$,

donde C es el segmento de línea desde $(-2, -1)$ a $(1, 2)$.

En los siguientes ejercicios, calcule el trabajo realizado.

49. Calcule el trabajo realizado por el campo vectorial
$\mathbf{F}(x, y, z) = x\mathbf{i} + 3xy\mathbf{j} - (x + z)\mathbf{k}$
en una partícula que se mueve a lo largo de un segmento de línea que va desde $(1, 4, 2)$ al $(0, 5, 1)$.

50. Calcule el trabajo realizado por una persona que pesa 150 libras caminando exactamente una vuelta por una escalera circular de caracol de radio 3 pies si la persona sube 10 pies.

51. Calcule el trabajo realizado por el campo de fuerza
$\mathbf{F}(x, y, z) = -\frac{1}{2}x\mathbf{i} - \frac{1}{2}y\mathbf{j} + \frac{1}{4}\mathbf{k}$
en una partícula mientras se mueve a lo largo de la hélice
$\mathbf{r}(t) = \cos t\mathbf{i} + \operatorname{sen} t\mathbf{j} + t\mathbf{k}$
desde el punto $(1, 0, 0)$ al punto $(-1, 0, 3\pi)$.

52. Calcule el trabajo realizado por el campo vectorial $\mathbf{F}(x, y) = y\mathbf{i} + 2x\mathbf{j}$ al mover un objeto a lo largo de la trayectoria C, la línea recta que une los puntos $(1, 0)$ y $(0, 1)$.

53. Calcule el trabajo realizado por la fuerza $\mathbf{F}(x, y) = 2y\mathbf{i} + 3x\mathbf{j} + (x + y)\mathbf{k}$ en el movimiento de un objeto a lo largo de una curva $\mathbf{r}(t) = \cos(t)\mathbf{i} + \mathrm{sen}(t)\mathbf{j} + \frac{1}{6}\mathbf{k}$, donde $0 \le t \le 2\pi$.

54. Halle la masa de un cable en forma de círculo de radio 2 centrado en $(3, 4)$ con densidad lineal de masa $\rho(x, y) = y^2$.

En los siguientes ejercicios, evalúe las integrales de línea.

55. Evalúe $\int_C \mathbf{F} \cdot d\mathbf{r}$, donde $\mathbf{F}(x, y) = -1\mathbf{j}$, y C es la parte del gráfico de $y = \frac{1}{2}x^3 - x$ a partir de $(2, 2)$ al $(-2, -2)$.

56. Evalúe $\int_\gamma \left(x^2 + y^2 + z^2\right)^{-1} ds$, donde γ es la hélice $x = \cos t, y = \mathrm{sen}\, t, z = t (0 \le t \le T)$.

57. Evalúe $\int_C yz\,dx + xz\,dy + xy\,dz$ sobre el segmento de línea de $(1, 1, 1)$ al $(3, 2, 0)$.

58. Supongamos que C es el segmento de línea que va del punto $(0, 1, 1)$ al punto $(2, 2, 3)$. Evalúe la integral de línea $\int_C y\,ds$.

59. **[T]** Utilice un sistema de álgebra computacional para evaluar la integral de línea $\int_C y^2\,dx + x\,dy$, donde C es el arco de la parábola $x = 4 - y^2$ de $(-5, -3)$ a $(0, 2)$.

60. **[T]** Utilice un sistema de álgebra computacional para evaluar la integral de línea $\int_C \left(x + 3y^2\right) dy$ sobre la trayectoria C dada por $x = 2t, y = 10t$, donde $0 \le t \le 1$.

61. **[T]** Utilice un CAS para evaluar la integral de línea $\int_C xy\,dx + y\,dy$ sobre la trayectoria C dada por $x = 2t, y = 10t$, donde $0 \le t \le 1$.

62. Evalúe la integral de línea $\int_C (2x - y)\,dx + (x + 3y)\,dy$, donde C se encuentra a lo largo del eje x de $x = 0$ a $x = 5$.

63. **[T]** Utilice un CAS para evaluar $\int_C \frac{y}{2x^2 - y^2}\,ds$, donde C es $x = t, y = t, 1 \le t \le 5$.

64. **[T]** Utilice un CAS para evaluar $\int_C xy\,ds$, donde C es $x = t^2, y = 4t, 0 \le t \le 1$.

En los siguientes ejercicios, halle el trabajo realizado por el campo de fuerza $\mathbf{F}$ sobre un objeto que se mueve por la trayectoria indicada.

65. $\mathbf{F}(x, y) = -x\mathbf{i} - 2y\mathbf{j}$

$C: y = x^3$ de $(0, 0)$ a $(2, 8)$

66. $\mathbf{F}(x, y) = 2x\mathbf{i} + y\mathbf{j}$

C: en sentido contrario a las agujas del reloj alrededor del triángulo con vértices $(0, 0)$, $(1, 0)$ y $(1, 1)$

67. $\mathbf{F}(x, y, z) = x\mathbf{i} + y\mathbf{j} - 5z\mathbf{k}$

$C: \mathbf{r}(t) = 2\cos t\mathbf{i} + 2\operatorname{sen} t\mathbf{j} + t\mathbf{k}, 0 \leq t \leq 2\pi$

68. Supongamos que **F** es un campo vectorial
$$\mathbf{F}(x, y) = \left(y^2 + 2xe^y + 1\right)\mathbf{i} + \left(2xy + x^2 e^y + 2y\right)\mathbf{j}.$$
Calcule el trabajo de la integral $\displaystyle\int_C \mathbf{F} \cdot d\mathbf{r}$, donde C es la trayectoria $\mathbf{r}(t) = \operatorname{sen} t\mathbf{i} + \cos t\mathbf{j}, 0 \leq t \leq \frac{\pi}{2}$.

69. Calcule el trabajo realizado por la fuerza
$$\mathbf{F}(x, y, z) = 2x\mathbf{i} + 3y\mathbf{j} - z\mathbf{k}$$
a lo largo de la trayectoria $\mathbf{r}(t) = t\mathbf{i} + t^2\mathbf{j} + t^3\mathbf{k}$, donde $0 \leq t \leq 1$.

70. Evalúe $\displaystyle\int_C \mathbf{F} \cdot d\mathbf{r}$, donde
$$\mathbf{F}(x, y) = \frac{1}{x+y}\mathbf{i} + \frac{1}{x+y}\mathbf{j} \text{ y } C$$
es el segmento del círculo unitario que va en sentido contrario a las agujas del reloj desde $(1, 0)$ a $(0, 1)$.

71. La fuerza $\mathbf{F}(x, y, z) = zy\mathbf{i} + x\mathbf{j} + z^2 x\mathbf{k}$ actúa sobre una partícula que viaja desde el origen hasta el punto $(1, 2, 3)$. Calcule el trabajo realizado si la partícula se desplaza:

a. a lo largo de la trayectoria $(0, 0, 0) \rightarrow (1, 0, 0) \rightarrow (1, 2, 0) \rightarrow (1, 2, 3)$ a lo largo de segmentos de línea recta que unen cada par de puntos finales;

b. a lo largo de la línea recta que une los puntos inicial y final.

c. ¿El trabajo es el mismo en las dos trayectorias?

72. Calcule el trabajo realizado por el campo vectorial
$$\mathbf{F}(x, y, z) = x\mathbf{i} + 3xy\mathbf{j} - (x + z)\mathbf{k}$$
en una partícula que se mueve a lo largo de un segmento de línea que va de $(1, 4, 2)$ a $(0, 5, 1)$.

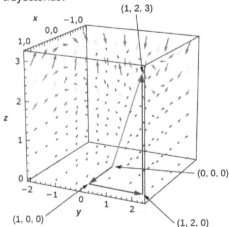

73. ¿Cuánto trabajo se requiere para mover un objeto en el campo vectorial $\mathbf{F}(x, y) = y\mathbf{i} + 3x\mathbf{j}$ a lo largo de la parte superior de la elipse $\frac{x^2}{4} + y^2 = 1$ de $(2, 0)$ a $(-2, 0)$?

74. Un campo vectorial viene dado por
$$\mathbf{F}(x, y) = (2x + 3y)\mathbf{i} + (3x + 2y)\mathbf{j}.$$
Evalúe la integral de línea del campo alrededor de una circunferencia de radio unitario recorrida en sentido de las agujas del reloj.

75. Evalúe la integral de línea de la función escalar xy a lo largo de la trayectoria parabólica $y = x^2$ que conecta el origen con el punto $(1, 1)$.

76. Halle
$$\int_C y^2\,dx + \left(xy - x^2\right) dy$$ a
lo largo de C: $y = 3x$ de $(0, 0)$ a $(1, 3)$.

77. Halle
$$\int_C y^2\,dx + \left(xy - x^2\right) dy$$ a
lo largo de C: $y^2 = 9x$ de $(0, 0)$ a $(1, 3)$.

En los siguientes ejercicios, utilice un CAS para evaluar las integrales de línea dadas.

78. **[T]** Evalúe
$\mathbf{F}(x, y, z) = x^2 z\mathbf{i} + 6y\mathbf{j} + yz^2\mathbf{k}$,
donde C está representado por
$\mathbf{r}(t) = t\mathbf{i} + t^2\mathbf{j} + \ln t\mathbf{k}, 1 \leq t \leq 3$.

79. **[T]** Evalúe la integral de
línea $\int_\gamma xe^y\,ds$ donde, γ es
el arco de la curva $x = e^y$ a
partir de $(1, 0)$ al $(e, 1)$.

80. **[T]** Evalúe la integral
$\int_\gamma xy^2\,ds$, donde γ es un
triángulo con vértices $(0, 1, 2)$, $(1, 0, 3)$ y $(0, -1, 0)$.

81. **[T]** Evalúe la integral de
línea $\int_\gamma \left(y^2 - xy\right) ds$,
donde γ es curva $y = \ln x$
desde $(1, 0)$ hacia $(e, 1)$.

82. **[T]** Evalúe la integral de
línea $\int_\gamma xy^4\,ds$, donde γ es
la mitad derecha del círculo
$x^2 + y^2 = 16$.

83. **[T]** Evalúe $\int_C \mathbf{F} \cdot d\mathbf{r}$, donde
$\mathbf{F}(x, y, z) = x^2 y\mathbf{i} + (x - z)\mathbf{j} + xyz\mathbf{k}$
y
$C\ \mathbf{r}(t) = t\mathbf{i} + t^2\mathbf{j} + 2\mathbf{k}, 0 \leq t \leq 1$.

84. Evalúe $\int_C \mathbf{F} \cdot d\mathbf{r}$, donde
$\mathbf{F}(x, y) = 2x\,\mathrm{sen}(y)\mathbf{i} + \left(x^2\cos(y) - 3y^2\right) \mathbf{j}$
y
C es cualquier camino desde $(-1, 0)$ a $(5, 1)$.

85. Calcule la integral de línea de
$\mathbf{F}(x, y, z) = 12x^2\mathbf{i} - 5xy\mathbf{j} + xz\mathbf{k}$
sobre la trayectoria C definida
por $y = x^2, z = x^3$ del punto
$(0, 0, 0)$ al punto $(2, 4, 8)$.

86. Calcule la integral de línea
de $\int_C \left(1 + x^2 y\right) ds$, donde
C es la elipse
$\mathbf{r}(t) = 2\cos t\mathbf{i} + 3\,\mathrm{sen}\,t\mathbf{j}$ a
partir de $0 \leq t \leq \pi$.

En los siguientes ejercicios, halle el flujo.

87. Calcule el flujo de
$\mathbf{F} = x^2\mathbf{i} + y\mathbf{j}$ a través de un
segmento de línea de $(0, 0)$
a $(1, 2)$.

88. Supongamos que $\mathbf{F} = 5\mathbf{i}$ y
supongamos que C es la
curva $y = 0, 0 \leq x \leq 4$.
Calcule el flujo a través de
C.

89. Supongamos que $\mathbf{F} = 5\mathbf{j}$ y
supongamos que C es la
curva $y = 0, 0 \leq x \leq 4$.
Calcule el flujo a través de
C.

90. Supongamos que
$\mathbf{F} = -y\mathbf{i} + x\mathbf{j}$ y que C
$\mathbf{r}(t) = \cos t\mathbf{i} + \operatorname{sen} t\mathbf{j}$
$(0 \leq t \leq 2\pi)$. Calcule el
flujo a través de C.

91. Supongamos que
$\mathbf{F} = \left(x^2 + y^3\right)\mathbf{i} + (2xy)\mathbf{j}$.
Calcule el flujo $\mathbf{F}$ orientado
en sentido contrario a las
agujas del reloj a través de
la curva C $x^2 + y^2 = 9$.

92. Calcule la integral de línea
de $\int_C z^2\,dx + y\,dy + 2y\,dz$,
donde C consta de dos
partes C_1 y C_2. C_1 es la
intersección del cilindro
$x^2 + y^2 = 16$ y el plano
$z = 3$ de $(0, 4, 3)$ a
$(-4, 0, 3)$. C_2 es un
segmento de línea desde
$(-4, 0, 3)$ a $(0, 1, 5)$.

93. Un resorte está hecho de un
alambre fino retorcido en
forma de hélice circular
$x = 2\cos t$, $y = 2\operatorname{sen} t$, $z = t$.
Halle la masa de dos vueltas
del resorte si el hilo tiene
una densidad de masa
constante.

94. Un alambre fino se dobla
en forma de semicírculo de
radio a. Si la densidad
lineal de la masa en el
punto P es directamente
proporcional a su distancia
desde la línea que pasa por
los puntos extremos,
calcule la masa del
alambre.

95. Un objeto se mueve en un
campo de fuerza
$\mathbf{F}(x, y, z) = y^2\mathbf{i} + 2(x + 1)y\mathbf{j}$
en sentido contrario a las
agujas del reloj desde el
punto $(2, 0)$ a lo largo de la
trayectoria elíptica
$x^2 + 4y^2 = 4$ al $(-2, 0)$, y de
vuelta al punto $(2, 0)$ a lo
largo del eje x. ¿Cuánto
trabajo realiza el campo de
fuerza sobre el objeto?

96. Calcule el trabajo realizado cuando
un objeto se mueve en un campo de
fuerza
$\mathbf{F}(x, y, z) = 2x\mathbf{i} - (x + z)\mathbf{j} + (y - x)\mathbf{k}$
a lo largo de la trayectoria dada por
$\mathbf{r}(t) = t^2\mathbf{i} + \left(t^2 - t\right)\mathbf{j} + 3\mathbf{k}$,
$0 \leq t \leq 1$.

97. Si un campo de fuerza
inverso $\mathbf{F}$ viene dado por
$\mathbf{F}(x, y, z) = \dfrac{\mathbf{k}}{\|\mathbf{r}\|^3}\mathbf{r}$, donde k
es una constante, calcule el
trabajo realizado por $\mathbf{F}$
cuando su punto de
aplicación se mueve a lo
largo del eje x desde
$A(1, 0, 0)$ para $B(2, 0, 0)$.

98. David y Sandra planean evaluar
la integral de línea $\int_C \mathbf{F}\cdot d\mathbf{r}$ a lo
largo de una trayectoria en el
plano xy desde $(0, 0)$ hasta $(1, 1)$.
El campo de fuerza es
$\mathbf{F}(x, y) = (x + 2y)\mathbf{i} + (-x + y^2)\mathbf{j}$.
David elige la trayectoria que
recorre el eje x desde $(0, 0)$ hasta
$(1, 0)$ y luego recorre la línea
vertical $x = 1$ desde $(1, 0)$ hasta
el punto final $(1, 1)$. Sandra elige
la trayectoria directa a lo largo
de la línea diagonal $y = x$ de $(0,
0)$ a $(1, 1)$. ¿De quién es la
integral de línea más grande y
por cuánto?

6.3 Campos vectoriales conservativos

Objetivos de aprendizaje

6.3.1 Describir las curvas simples y cerradas; definir las regiones conectadas y simplemente conectadas.

6.3.2 Explicar cómo encontrar una función potencial para un campo vectorial conservativo.

6.3.3 Utilizar el teorema fundamental de las integrales de línea para evaluar una integral de línea en un campo vectorial.

6.3.4 Explicar cómo probar un campo vectorial para determinar si es conservativo.

En esta sección, continuamos el estudio de los campos vectoriales conservativos. Examinamos el teorema fundamental de las integrales de línea, que es una generalización útil del teorema fundamental del cálculo a las integrales de línea de campos vectoriales conservativos. También descubrimos cómo probar si un campo vectorial dado es conservativo, y determinamos cómo construir una función potencial para un campo vectorial que se sabe que es conservativo.

Curvas y regiones

Antes de continuar nuestro estudio de los campos vectoriales conservativos, necesitamos algunas definiciones geométricas. Todos los teoremas de las secciones siguientes se basan en la integración sobre ciertos tipos de curvas y regiones, por lo que desarrollamos aquí las definiciones de esas curvas y regiones.

Primero definimos dos tipos especiales de curvas: las curvas cerradas y las curvas simples. Como hemos aprendido, una curva cerrada es aquella que empieza y termina en el mismo punto. Una curva simple es aquella que no se cruza. Una curva que es a la vez cerrada y simple es una curva cerrada simple (Figura 6.25).

> **Definición**
>
> La curva C es una **curva cerrada** si existe una parametrización $\mathbf{r}(t)$, $a \leq t \leq b$ de C tal que la parametrización atraviesa la curva exactamente una vez y $\mathbf{r}(a) = \mathbf{r}(b)$. La curva C es una **curva simple** si C no se cruza a sí misma. Es decir, C es simple si existe una parametrización $\mathbf{r}(t)$, $a \leq t \leq b$ de C tal que $\mathbf{r}$ es biunívoco sobre (a, b). Es posible que $\mathbf{r}(a) = \mathbf{r}(b)$, lo que significa que la curva simple también es cerrada.

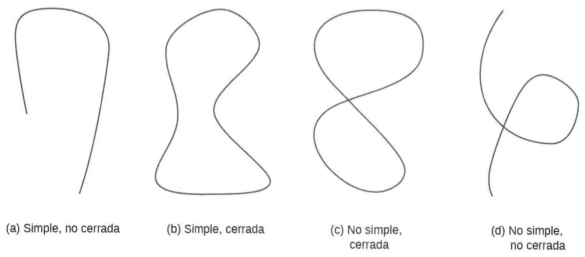

(a) Simple, no cerrada　　(b) Simple, cerrada　　(c) No simple, cerrada　　(d) No simple, no cerrada

Figura 6.25 Tipos de curvas simples o no simples y cerradas o no cerradas.

EJEMPLO 6.27

Determinar si una curva es simple y cerrada

¿La curva con parametrización $\mathbf{r}(t) = \left\langle \cos t, \frac{\operatorname{sen}(2t)}{2} \right\rangle$, $0 \leq t \leq 2\pi$ es una curva cerrada simple?

⊘ **Solución**

Observe que $\mathbf{r}(0) = \langle 1, 0 \rangle = \mathbf{r}(2\pi)$; por lo tanto, la curva es cerrada. Sin embargo, la curva no es simple. Para ver esto, observe que $\mathbf{r}\left(\frac{\pi}{2}\right) = \langle 0, 0 \rangle = \mathbf{r}\left(\frac{3\pi}{2}\right)$, y por lo tanto la curva se cruza en el origen (Figura 6.26).

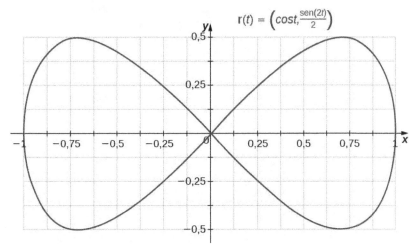

Figura 6.26 Una curva cerrada pero no simple.

☑ 6.24   ¿La curva dada por la parametrización $\mathbf{r}(t) = \langle 2\cos t, 3\,\mathrm{sen}\,t\rangle$, $0 \leq t \leq 6\pi$, es una curva cerrada simple?

Muchos de los teoremas de este capítulo relacionan una integral sobre una región con una integral sobre el borde de la región, donde el borde de la región es una curva simple cerrada o una unión de curvas simples cerradas. Para desarrollar estos teoremas, necesitamos dos definiciones geométricas de las regiones: la de región conectada y la de región simplemente conectada. Una región conectada es aquella en la que hay una trayectoria en la región que conecta dos puntos cualesquiera que se encuentran dentro de esa región. Una región simplemente conectada es una región conectada que no tiene ningún agujero. Estas dos nociones, junto con la noción de curva simple cerrada, nos permiten enunciar varias generalizaciones del teorema fundamental del cálculo más adelante en el capítulo. Estas dos definiciones son válidas para regiones de cualquier número de dimensiones, pero a nosotros solo nos interesan las regiones de dos o tres dimensiones.

Definición

Una región D es una **región conectada** si, para dos puntos cualesquiera P_1 y P_2, hay una trayectoria desde P_1 a P_2 con una traza contenida enteramente dentro de D. Una región D es una **región simplemente conectada** si D está conectada para cualquier curva simple cerrada C que se encuentre dentro de D, y la curva C puede ser encogida continuamente hasta un punto mientras permanece enteramente dentro de D. En dos dimensiones, una región es simplemente conectada si es conectada y no tiene agujeros.

Todas las regiones simplemente conectadas son conectadas, pero no todas las regiones conectadas son simplemente conectadas (Figura 6.27).

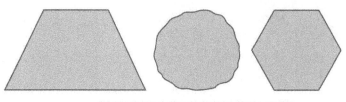

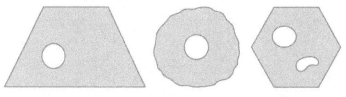

(a) Regiones simplemente conectadas

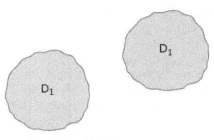

(b) Regiones conectadas que no están simplemente conectadas

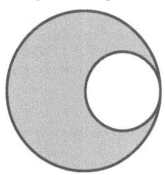

(c) Una región que no está conectada

Figura 6.27 No todas las regiones conectadas son simplemente conectadas. (a) Las regiones simplemente conectadas no tienen agujeros. (b) Las regiones conectadas que no son simplemente conectadas pueden tener agujeros, pero todavía se puede encontrar una trayectoria en la región entre dos puntos cualesquiera. (c) Una región que no está conectada tiene algunos puntos que no pueden ser conectados por una trayectoria en la región.

☑ 6.25   ¿La región de la imagen inferior está conectada? ¿La región está simplemente conectada?

Teorema fundamental de las integrales de línea

Ahora que entendemos algunas curvas y regiones básicas, vamos a generalizar el teorema fundamental del cálculo a las integrales de línea. Recordemos que este teorema dice que si una función f tiene una antiderivada F, entonces la integral de f de a a b depende solo de los valores de F en a y en b, es decir,

$$\int_a^b f(x)\,dx = F(b) - F(a).$$

Si pensamos en el gradiente como una derivada, entonces el mismo teorema es válido para las integrales de líneas vectoriales. Mostramos cómo funciona utilizando un ejemplo de motivación.

EJEMPLO 6.28

Evaluar una integral de línea y las antiderivadas de los extremos

Supongamos que $\mathbf{F}(x, y) = \langle 2x, 4y \rangle$. Calcule $\int_C \mathbf{F} \cdot d\mathbf{r}$, donde C es el segmento de línea de (0,0) a (2,2) (Figura 6.28).

⊘ **Solución**

Utilizamos la Ecuación 6.9 para calcular $\int_C \mathbf{F} \cdot d\mathbf{r}$. La curva C puede ser parametrizada por $\mathbf{r}(t) = \langle 2t, 2t \rangle$, $0 \leq t \leq 1$. Entonces, $\mathbf{F}(\mathbf{r}(t)) = \langle 4t, 8t \rangle$ y $\mathbf{r}'(t) = \langle 2, 2 \rangle$, lo que implica que

$$\int_C \mathbf{F} \cdot d\mathbf{r} = \int_0^1 \langle 4t, 8t \rangle \cdot \langle 2, 2 \rangle \, dt$$

$$= \int_0^1 (8t + 16t) \, dt = \int_0^1 24t \, dt$$

$$= \left[12t^2 \right]_0^1 = 12.$$

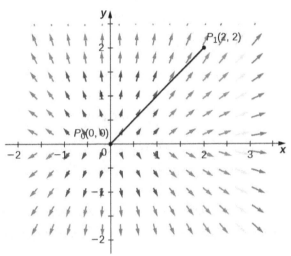

Figura 6.28 El valor de la integral de línea $\int_C \mathbf{F} \cdot d\mathbf{r}$ depende únicamente del valor de la función potencial de **F** en los puntos extremos de la curva.

Observe que $F = \nabla f$, donde $f(x, y) = x^2 + 2y^2$. Si pensamos en el gradiente como una derivada, entonces f es una "antiderivada" de **F**. En el caso de integrales de una sola variable, la integral de la derivada $g'(x)$ ¿es $g(b) - g(a)$, donde a es el punto inicial del intervalo de integración y b es el punto final. Si las integrales de línea vectorial funcionan como las integrales de una sola variable, entonces esperaríamos que la integral **F** fuera $f(P_1) - f(P_0)$, donde P_1 es el punto final de la curva de integración y P_0 es el punto de partida. Observe que este es el caso de este ejemplo:

$$\int_C \mathbf{F} \cdot d\mathbf{r} = \int_C \nabla f \cdot d\mathbf{r} = 12$$

y

$$f(2, 2) - f(0, 0) = 4 + 8 - 0 = 12.$$

En otras palabras, la integral de una "derivada" puede calcularse evaluando una "antiderivada" en los puntos extremos de la curva y restando, igual que para las integrales de una sola variable.

El siguiente teorema dice que, bajo ciertas condiciones, lo que ocurría en el ejemplo anterior es válido para cualquier campo de gradiente. El mismo teorema es válido para las integrales vectoriales de línea, que llamamos **teorema fundamental de las integrales de línea.**

Teorema 6.7

Teorema fundamental de las integrales de línea

Supongamos que C es una curva suave a trozos con parametrización $\mathbf{r}(t)$, $a \leq t \leq b$. Supongamos que f es una función de dos o tres variables con derivadas parciales de primer orden que existen y son continuas en C. Entonces,

$$\int_C \nabla f \cdot d\mathbf{r} = f(\mathbf{r}(b)) - f(\mathbf{r}(a)). \tag{6.12}$$

Prueba

Según la Ecuación 6.9,

$$\int_C \nabla f \cdot d\mathbf{r} = \int_a^b \nabla f(\mathbf{r}(t)) \cdot \mathbf{r}'(t)\, dt.$$

Según la regla de la cadena,

$$\frac{d}{dt}\big(f(\mathbf{r}(t)) = \nabla f(\mathbf{r}(t)) \cdot \mathbf{r}'(t).$$

Por lo tanto, según el teorema fundamental del cálculo,

$$\begin{aligned}
\int_C \nabla f \cdot d\mathbf{r} &= \int_a^b \nabla f(\mathbf{r}(t)) \cdot \mathbf{r}'(t)\, dt \\
&= \int_a^b \frac{d}{dt}(f(\mathbf{r}(t))\, dt \\
&= [f(\mathbf{r}(t))]_{t=a}^{t=b} \\
&= f(\mathbf{r}(b)) - f(\mathbf{r}(a)).
\end{aligned}$$

□

Sabemos que si $\mathbf{F}$ es un campo vectorial conservativo, existen funciones potenciales f de manera que $\nabla f = \mathbf{F}$. Por lo tanto $\int_C \mathbf{F} \cdot d\mathbf{r} = \int_C \nabla f \cdot d\mathbf{r} = f(\mathbf{r}(b)) - f(\mathbf{r}(a))$. En otras palabras, al igual que con el teorema fundamental del cálculo, el cálculo de la integral de línea $\int_C \mathbf{F} \cdot d\mathbf{r}$, donde $\mathbf{F}$ es conservativo, es un proceso de dos pasos: (1) encontrar una función potencial ("antiderivada") f para $\mathbf{F}$ y (2) calcular el valor de f en los puntos extremos de C y calcular su diferencia $f(\mathbf{r}(b)) - f(\mathbf{r}(a))$. Sin embargo, observe que hay una gran diferencia entre el teorema fundamental del cálculo y el teorema fundamental de las integrales de línea. *Una función de una variable que es continua debe tener una antiderivada. Sin embargo, un campo vectorial, aunque sea continuo, no necesita tener una función potencial.*

EJEMPLO 6.29

Aplicar el teorema fundamental

Calcule la integral $\int_C \mathbf{F} \cdot d\mathbf{r}$, donde $\mathbf{F}(x, y, z) = \left\langle 2x \ln y, \frac{x^2}{y} + z^2, 2yz \right\rangle$ y C es una curva con parametrización $\mathbf{r}(t) = \left\langle t^2, t, t \right\rangle$, $1 \leq t \leq e$

a. sin utilizar el teorema fundamental de las integrales de línea y
b. utilizando el teorema fundamental de las integrales de línea.

⊘ **Solución**

a. En primer lugar, vamos a calcular la integral sin el teorema fundamental de las integrales de línea y en su lugar utilizaremos Ecuación 6.9

$$\int_C \mathbf{F}.\,dr = \int_1^e \mathbf{F}\,(r\,(t))\,.\,r'\,(t)\,dt$$

$$= \int_1^e \left\langle 2t^2 \ln t, \frac{t^4}{t} + t^2, 2t^2 \right\rangle . \left\langle 2t, 1, 1 \right\rangle dt$$

$$= \int_1^e \left(4t^3 \ln t + t^3 + 3t^2 \right) dt$$

$$= \int_1^e 4t^3 \ln t\,dt + \int_1^e \left(t^3 + 3t^2 \right) dt$$

$$= \int_1^e 4t^3 \ln t\,dt + \left[\frac{t^4}{4} + t^3 \right]_1^e$$

$$= 2 \int_1^e t^3 \ln t\,dt + \frac{e^4}{4} + e^3 - \frac{5}{4}.$$

La integral $\displaystyle\int_1^e t^3 \ln t\,dt$ requiere una integración por partes. Supongamos que $u = \ln t$ y $dv = t^3$. Entonces $u = \ln t, dv = t^3$
y

$$du = \frac{1}{t}dt, v = \frac{t^4}{4}.$$

Por lo tanto,

$$\int_1^e t^3 \ln t\,dt = \left[\frac{t^4}{4}\ln t \right]_1^e - \tfrac{1}{4} \int_1^e t^3\,dt$$

$$= \frac{e^4}{4} - \tfrac{1}{r}\left(\frac{e^4}{4} - \tfrac{1}{4} \right).$$

Así,

$$\int_C \mathbf{F}.\,dr = 4 \int_1^e t^3 \ln t\,dt + \frac{e^4}{4} + e^3 - \frac{5}{4}$$

$$= 4 \left(\frac{e^4}{4} - \tfrac{1}{4}\left(\frac{e^4}{4} - \tfrac{1}{4} \right) \right) + \frac{e^4}{4} + e^3 - \tfrac{5}{4}$$

$$= e^4 - \frac{e^4}{4} + \tfrac{1}{4} + \frac{e^4}{4} + e^3 - \tfrac{5}{4}$$

$$= e^4 + e^3 - 1$$

b. Dado que $f\,(x, y, z) = x^2 \ln y + yz^2$ es una función potencial para **F**, utilicemos el teorema fundamental de las integrales de línea para calcular la integral. Observe que

$$\int_C \mathbf{F}.\,d\mathbf{r} = \int_C \nabla f.\,d\mathbf{r}$$

$$= f\,(\mathbf{r}\,(e)) - f\,(\mathbf{r}\,(1))$$

$$= f\,(e^2, e, e) - f\,(1, 1, 1)$$

$$= e^4 + e^3 - 1$$

Este cálculo es mucho más sencillo que el que hicimos en (a). Siempre que tengamos una función potencial, el cálculo de una integral de línea utilizando el teorema fundamental de las integrales de línea es mucho más fácil que el cálculo sin el teorema.

El Ejemplo 6.29 ilustra una buena característica del teorema fundamental de las integrales de línea: nos permite calcular más fácilmente muchas integrales de línea vectoriales. Mientras tengamos una función potencial, el cálculo de la integral de línea es solo cuestión de evaluar la función potencial en los puntos extremos y restar.

☑ 6.26   Dado que $f\,(x, y) = (x - 1)^2\,y + (y + 1)^2\,x$ son funciones potenciales para

$\mathbf{F} = \left\langle 2xy - 2y + (y+1)^2, (x-1)^2 + 2yx + 2x \right\rangle$, calcule la integral $\displaystyle\int_C \mathbf{F} \cdot d\mathbf{r}$, donde C es la mitad inferior del círculo unitario orientado en sentido contrario a las agujas del reloj.

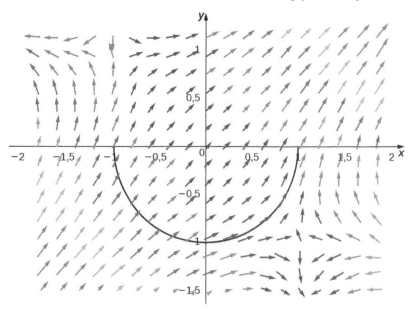

El teorema fundamental de las integrales lineales tiene dos consecuencias importantes. La primera consecuencia es que si $\mathbf{F}$ es conservativo y C es una curva cerrada, entonces la circulación de $\mathbf{F}$ a lo largo de C es cero; es decir, $\displaystyle\int_C \mathbf{F} \cdot d\mathbf{r} = 0$.

Para ver por qué esto es cierto, supongamos que f es una función potencial para $\mathbf{F}$. Como C es una curva cerrada, el punto terminal $\mathbf{r}(b)$ de C es el mismo que el punto inicial $\mathbf{r}(a)$ de C, es decir, $\mathbf{r}(a) = \mathbf{r}(b)$. Por lo tanto, según el teorema fundamental de las integrales de línea,

$$
\begin{aligned}
\oint_C \mathbf{F} \cdot d\mathbf{r} &= \oint_C \nabla f \cdot d\mathbf{r} \\
&= f(\mathbf{r}(b)) - f(\mathbf{r}(a)) \\
&= f(\mathbf{r}(b)) - f(\mathbf{r}(b)) \\
&= 0,
\end{aligned}
$$

Recordemos que la razón por la que un campo vectorial conservativo $\mathbf{F}$ se llama "conservativo" es porque tales campos vectoriales modelan fuerzas en las que se conserva la energía. Hemos demostrado que la gravedad es un ejemplo de esa fuerza. Si pensamos en el campo vectorial $\mathbf{F}$ en la integral $\displaystyle\oint_C \mathbf{F} \cdot d\mathbf{r}$ como campo gravitacional, entonces la ecuación $\displaystyle\oint_C \mathbf{F} \cdot d\mathbf{r} = 0$ es el siguiente. Si una partícula se desplaza a lo largo de una trayectoria que comienza y termina en el mismo lugar, entonces el trabajo realizado por la gravedad sobre la partícula es cero.

La segunda consecuencia importante del teorema fundamental de las integrales de línea es que las integrales lineales de los campos vectoriales conservativos son independientes de la trayectoria, es decir, solo dependen de los puntos extremos de la curva dada, y no dependen de la trayectoria entre los puntos extremos.

Definición

Supongamos que $\mathbf{F}$ es un campo vectorial con dominio D. El campo vectorial $\mathbf{F}$ es **independiente de la trayectoria** (o **de trayectoria independiente**) si $\displaystyle\int_{C_1} \mathbf{F} \cdot d\mathbf{r} = \int_{C_2} \mathbf{F} \cdot d\mathbf{r}$ para cualesquiera trayectorias C_1 y C_2 en D con los mismos puntos iniciales y terminales.

La segunda consecuencia se enuncia formalmente en el siguiente teorema.

Teorema 6.8

Independencia de la trayectoria de los campos conservativos
Si **F** es un campo vectorial conservativo, entonces **F** es independiente de la trayectoria.

Prueba
Supongamos que D es el dominio de **F** y supongamos que C_1 y C_2 son dos trayectorias en D con los mismos puntos iniciales y terminales (Figura 6.29). Llame al punto inicial P_1 y el punto terminal P_2. Como **F** es conservativo, existe una función potencial f para **F**. Según el teorema fundamental de las integrales de línea,

$$\int_{C_1} \mathbf{F} \cdot d\mathbf{r} = f(P_2) - f(P_1) = \int_{C_2} \mathbf{F} \cdot d\mathbf{r}.$$

Por lo tanto, $\int_{C_1} \mathbf{F} \cdot d\mathbf{r} = \int_{C_2} \mathbf{F} \cdot d\mathbf{r}$ y **F** es independiente de la trayectoria.

□

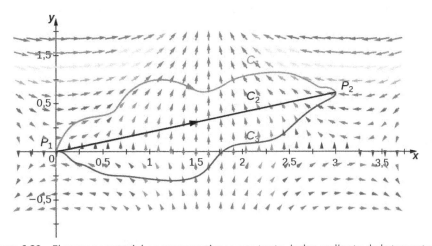

Figura 6.29 El campo vectorial es conservativo y, por tanto, independiente de la trayectoria.

Para visualizar lo que significa la independencia de la trayectoria, imagine que tres excursionistas suben desde el campamento base hasta la cima de una montaña. El excursionista 1 toma una ruta empinada directamente desde el campamento hasta la cima. El excursionista 2 toma una ruta sinuosa que no es empinada desde el campamento hasta la cima. El excursionista 3 comienza a tomar la ruta empinada, pero a mitad de camino hacia la cima decide que es demasiado difícil para él. Por lo tanto, regresa al campamento y toma el camino no empinado hacia la cima. Los tres excursionistas viajan por trayectorias en un campo gravitacional. Dado que la gravedad es una fuerza en la que se conserva la energía, el campo gravitacional es conservativo. Según la independencia de la trayectoria, la cantidad total de trabajo realizado por la gravedad sobre cada uno de los excursionistas es la misma porque todos empezaron en el mismo lugar y terminaron en el mismo lugar. El trabajo realizado por los excursionistas incluye otros factores como la fricción y el movimiento muscular, por lo que la cantidad total de energía que cada uno gastó no es la misma, pero la energía neta gastada contra la gravedad es la misma para los tres.

Hemos demostrado que si **F** es conservativo, entonces **F** es independiente de la trayectoria. Resulta que si el dominio de **F** es abierto y conectado, entonces lo contrario también es cierto. Es decir, si **F** es independiente de la trayectoria y el dominio de **F** es abierto y conectado entonces **F** es conservativo. Por lo tanto, el conjunto de campos vectoriales conservativos en dominios abiertos y conectados es precisamente el conjunto de campos vectoriales independientes de la trayectoria.

Teorema 6.9

Prueba de independencia de la trayectoria para los campos conservativos
Si **F** es un campo vectorial continuo independiente de la trayectoria y el dominio D de **F** es abierto y conectado,

entonces **F** es conservativo.

Prueba

Demostramos el teorema para campos vectoriales en $\mathbb{R}^2$. La prueba para campos vectoriales en $\mathbb{R}^3$ es similar. Para demostrar que $\mathbf{F} = \langle P, Q \rangle$ es conservativo, debemos encontrar una función potencial f para **F**. Para ello, supongamos que X es un punto fijo en D. Para cualquier punto (x, y) en D, supongamos que C es una trayectoria de X a (x, y). Defina $f(x, y)$ por medio de $f(x, y) = \int_C \mathbf{F} \cdot d\mathbf{r}$. (Observe que esta definición de f solo tiene sentido porque **F** es independiente de la trayectoria. Si **F** no fuera independiente de la trayectoria, entonces sería posible encontrar otra trayectoria C' de X a (x, y) de manera que $\int_C \mathbf{F} \cdot d\mathbf{r} \neq \int_C \mathbf{F} \cdot d\mathbf{r}$, y en tal caso $f(x, y)$ no sería una función) Queremos demostrar que f tiene la propiedad $\nabla f = \mathbf{F}$.

Como el dominio D es abierto, es posible encontrar un disco centrado en (x, y) de manera que el disco esté contenido por completo en D. Supongamos que (a, y) con la $a < x$ es un punto en ese disco. Supongamos que C es una trayectoria de X a (x, y) que consta de dos piezas: C_1 y C_2. La primera pieza, C_1, es cualquier trayectoria de X a (a, y) que se queda dentro de D; C_2 es el segmento de línea horizontal de (a, y) al (x, y) (Figura 6.30). Entonces

$$f(x, y) = \int_{C_1} \mathbf{F} \cdot d\mathbf{r} + \int_{C_2} \mathbf{F} \cdot d\mathbf{r}.$$

La primera integral no depende de x, por lo que

$$f_x = \frac{\partial}{\partial x} \int_{C_2} \mathbf{F} \cdot d\mathbf{r}.$$

Si parametrizamos C_2 entre $\mathbf{r}(t) = \langle t, y \rangle$, $a \leq t \leq x$, entonces

$$
\begin{aligned}
f_x &= \frac{\partial}{\partial x} \int_{C2} \mathbf{F} \cdot d\mathbf{r} \\
&= \frac{\partial}{\partial x} \int_a^x \mathbf{F}(\mathbf{r}(t)) \cdot \mathbf{r}'(t)\, dt \\
&= \frac{\partial}{\partial x} \int_a^x \mathbf{F}(\mathbf{r}(t)) \cdot \frac{d}{dt}(\langle t, y \rangle)\, dt \\
&= \frac{\partial}{\partial x} \int_a^x \mathbf{F}(r(t)) \cdot \langle 1, 0 \rangle\, dt \\
&= \frac{\partial}{\partial x} \int_a^x P(t, y)\, dt.
\end{aligned}
$$

Según el teorema fundamental del cálculo (parte 1),

$$f_x = \frac{\partial}{\partial x} \int_a^x P(t, y)\, dt = P(x, y).$$

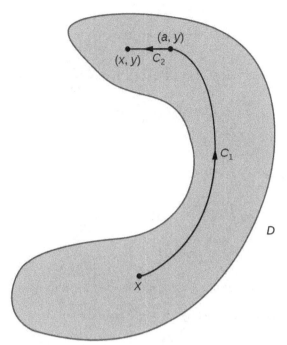

Figura 6.30 Aquí, C_1 es cualquier trayectoria de X a (a, y) que permanece dentro de D, y C_2 es el segmento de línea horizontal de (a, y) al (x, y).

Un argumento similar utilizando un segmento de línea vertical en vez de un segmento de línea horizontal muestra que $f_y = Q(x, y)$.

Por lo tanto, $\nabla f = \mathbf{F}$ y $\mathbf{F}$ son conservativos.

□

Hemos dedicado mucho tiempo a discutir y demostrar la <u>Independencia de la trayectoria de los campos conservativos</u> y la <u>Prueba de independencia de la trayectoria para los campos conservativos</u>, pero podemos resumirlas de forma sencilla: un campo vectorial **F** en un dominio abierto y conectado es conservativo si y solo si es independiente de la trayectoria. Esto es importante saberlo porque los campos vectoriales conservativos son extremadamente importantes en las aplicaciones, y estos teoremas nos dan un punto de vista diferente sobre lo que significa ser conservativo usando la independencia de la trayectoria.

EJEMPLO 6.30

Demostrar que un campo vectorial no es conservativo

Utilice la independencia de la trayectoria para demostrar que el campo vectorial $\mathbf{F}(x, y) = \langle x^2 y, y + 5 \rangle$ no es conservativo.

⊘ **Solución**

Podemos indicar que **F** no es conservativo mostrando que **F** no es independiente de la trayectoria. Lo hacemos dando dos trayectorias diferentes, C_1 y C_2, las que comienzan en $(0, 0)$ y terminan en $(1, 1)$, sin embargo

$$\int_{C_1} \mathbf{F} \cdot dr \neq \int_{C_2} \mathbf{F} \cdot d\mathbf{r}.$$

Supongamos que C_1 es la curva con parametrización $r_1(t) = \langle t, t \rangle, 0 \leq t \leq 1$ y supongamos que C_2 es la curva con parametrización $r_2(t) = \langle t, t^2 \rangle, 0 \leq t \leq 1$ (<u>Figura 6.31</u>). Entonces

$$\int_{C_1} \mathbf{F} \cdot dr = \int_0^1 \mathbf{F}(r_1(t)) \cdot r_1{}'(t) dt$$

$$= \int_0^1 \langle t^3, t+5 \rangle \cdot \langle 1, 1 \rangle \, dt = \int_0^1 \left(t^3 + t + 5 \right) dt$$

$$= \left[\frac{t^4}{4} + \frac{t^2}{2} + 5t \right]_0^1 = \frac{23}{4}$$

y

$$\int_{C_2} \mathbf{F} \cdot dr = \int_0^1 \mathbf{F}(r_2(t)) \cdot r_2{}'(t) dt$$

$$= \int_0^1 \langle t^4, t^2 + 5 \rangle \cdot \langle 1, 2t \rangle \, dt = \int_0^1 \left(t^4 + 2t^3 + 10t \right) dt$$

$$= \left[\frac{t^5}{5} + \frac{t^4}{2} + 5t^2 \right]_0^1 = \frac{57}{10}.$$

Dado que $\displaystyle\int_{C_1} \mathbf{F} \cdot dr \neq \int_{C_2} \mathbf{F} \cdot dr$, el valor de una integral de línea de **F** depende de la trayectoria entre dos puntos dados. Por lo tanto, **F** no es independiente de la trayectoria, y **F** no es conservativo.

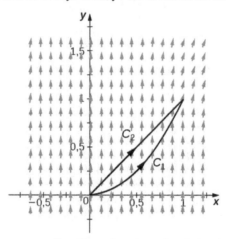

Figura 6.31 Las curvas C_1 y C_2 están orientadas de izquierda a derecha.

☑ 6.27   Demuestre que $\mathbf{F}(x, y) = \langle xy, x^2 y^2 \rangle$ no es independiente de la trayectoria al considerar el segmento de línea de $(0, 0)$ al $(2, 2)$ y el trozo del gráfico de $y = \frac{x^2}{2}$ que va desde $(0, 0)$ al $(2, 2)$.

Campos vectoriales conservativos y funciones potenciales

Como hemos aprendido, el teorema fundamental de las integrales de línea dice que si **F** es conservativo, entonces el cálculo de $\displaystyle\int_C \mathbf{F} \cdot dr$ tiene dos pasos: primero, encontrar una función potencial f para **F** y, en segundo lugar, calcular $f(P_1) - f(P_0)$, donde P_1 es el punto final de C y P_0 es el punto de partida. Para utilizar este teorema para un campo conservativo **F**, debemos ser capaces de encontrar una función potencial f para **F**. Por lo tanto, debemos responder la siguiente pregunta: dado un campo vectorial conservativo **F**, ¿cómo encontramos una función f de manera que $\nabla f = \mathbf{F}$? Antes de dar un método general para hallar una función potencial, vamos a explicar el método con un ejemplo.

EJEMPLO 6.31

Calcular una función potencial
Calcule una función potencial para $\mathbf{F}(x, y) = \langle 2xy^3, 3x^2 y^2 + \cos(y) \rangle$, demostrando así que **F** es conservativo.

⊘ **Solución**

Supongamos que $f(x, y)$ es una función potencial para **F**. Entonces, $\nabla f = \mathbf{F}$, y por lo tanto

$$f_x = 2xy^3 \text{ y } f_y = 3x^2y^2 + \cos y.$$

Al integrar la ecuación $f_x = 2xy^3$ con respecto a x se obtiene la ecuación

$$f(x, y) = x^2y^3 + h(y).$$

Observe que como estamos integrando una función de dos variables con respecto a x, debemos añadir una constante de integración que es una constante con respecto a x, pero que puede seguir siendo una función de y. La ecuación $f(x, y) = x^2y^3 + h(y)$ se puede confirmar tomando la derivada parcial con respecto a x:

$$\frac{\partial f}{\partial x} = \frac{\partial}{\partial x}\left(x^2y^3\right) + \frac{\partial}{\partial x}\left(h(y)\right) = 2xy^3 + 0 = 2xy^3.$$

Dado que f es una función potencial para **F**,

$$f_y = 3x^2y^2 + \cos(y),$$

y por lo tanto

$$3x^2y^2 + h'(y) = 3x^2y^2 + \cos(y).$$

Esto implica que $h'(y) = \cos y$, por lo que $h(y) = \operatorname{sen} y + C$. Por lo tanto, *cualquier* función de la forma $f(x, y) = x^2y^3 + \operatorname{sen}(y) + C$ es una función potencial. Tomando, en particular, $C = 0$ da la función potencial $f(x, y) = x^2y^3 + \operatorname{sen}(y)$.

Para verificar que f es una función potencial, observe que $\nabla f = \left\langle 2xy^3, 3x^2y^2 + \cos y \right\rangle = \mathbf{F}$.

☑ 6.28   Calcule una función potencial para $\mathbf{F}(x, y) = \left\langle e^x y^3 + y, 3e^x y^2 + x \right\rangle$.

La lógica del ejemplo anterior se extiende a encontrar la función potencial para cualquier campo vectorial conservativo en $\mathbb{R}^2$. Así, tenemos la siguiente estrategia de resolución de problemas para encontrar funciones potenciales:

Estrategia de resolución de problemas

Estrategia de resolución de problemas: Encontrar una función potencial para un campo vectorial conservativo $\mathbf{F}(x, y) = \langle P(x, y), Q(x, y) \rangle$

1. Integre P con respecto a x. Esto da lugar a una función de la forma $g(x, y) + h(y)$, donde $h(y)$ es desconocido.
2. Tome la derivada parcial de $g(x, y) + h(y)$ con respecto a y, lo que da lugar a la función $g_y(x, y) + h'(y)$.
3. Utilice la ecuación $g_y(x, y) + h'(y) = Q(x, y)$ para calcular $h'(y)$.
4. Integre $h'(y)$ para calcular $h(y)$.
5. Cualquier función de la forma $f(x, y) = g(x, y) + h(y) + C$, donde C es una constante, es una función potencial para **F**.

Podemos adaptar esta estrategia para encontrar funciones potenciales para campos vectoriales en $\mathbb{R}^3$, como se muestra en el siguiente ejemplo.

EJEMPLO 6.32

Encontrar una función potencial en $\mathbb{R}^3$

Calcule una función potencial para $\mathbf{F}(x, y, z) = \left\langle 2xy, x^2 + 2yz^3, 3y^2z^2 + 2z \right\rangle$, por consiguiente demuestra que **F** es conservativo.

⊘ **Solución**

Supongamos que f es una función potencial. Entonces, $\nabla f = \mathbf{F}$ y por lo tanto $f_x = 2xy$. Al integrar esta ecuación con respecto a *x* se obtiene la ecuación $f(x, y, z) = x^2 y + g(y, z)$ para alguna función *g*. Observe que, en este caso, la constante de integración respecto a *x* es función de *y* y *z*.

Dado que *f* es una función potencial,

$$x^2 + 2yz^3 = f_y = x^2 + g_y.$$

Por lo tanto,

$$g_y = 2yz^3.$$

Al integrar esta función con respecto a *y* se obtiene

$$g(y, z) = y^2 z^3 + h(z)$$

para alguna función $h(z)$ de *z* solamente. (Observe que, como sabemos que *g* es una función solo de *y* y *z*, no necesitamos escribir $g(y, z) = y^2 z^3 + h(x, z)$.) Por lo tanto,

$$f(x, y, z) = x^2 y + g(y, z) = x^2 y + y^2 z^3 + h(z).$$

Para hallar *f*, ahora solo debemos hallar *h*. Dado que *f* es una función potencial,

$$3y^2 z^2 + 2z = g_z = 3y^2 z^2 + h'(z).$$

Esto implica que $h'(z) = 2z$, por lo que $h(z) = z^2 + C$. Supongamos que $C = 0$ da la función potencial

$$f(x, y, z) = x^2 y + y^2 z^3 + z^2.$$

Para verificar que *f* es una función potencial, observe que $\nabla f = \langle 2xy, x^2 + 2yz^3, 3y^2 z^2 + 2z \rangle = \mathbf{F}$.

☑   6.29   Calcule una función potencial para $\mathbf{F}(x, y, z) = \langle 12x^2, \cos y \cos z, 1 - \operatorname{sen} y \operatorname{sen} z \rangle$.

Podemos aplicar el proceso de encontrar una función potencial a una fuerza gravitacional. Recordemos que, si un objeto tiene masa unitaria y está situado en el origen, entonces la fuerza gravitacional en $\mathbb{R}^2$ que ejerce el objeto sobre otro de masa unitaria en el punto (x, y) viene dado por el campo vectorial

$$\mathbf{F}(x, y) = -G \left\langle \frac{x}{(x^2 + y^2)^{3/2}}, \frac{y}{(x^2 + y^2)^{3/2}} \right\rangle,$$

donde *G* es la constante gravitacional universal. En el siguiente ejemplo, construimos una función potencial para **F**, confirmando así lo que ya sabemos: que la gravedad es conservativa.

EJEMPLO 6.33

Calcular una función potencial

Calcule una función potencial *f* por $\mathbf{F}(x, y) = -G \left\langle \frac{x}{(x^2 + y^2)^{3/2}}, \frac{y}{(x^2 + y^2)^{3/2}} \right\rangle$.

⊘ **Solución**
Supongamos que *f* es una función potencial. Entonces, $\nabla f = \mathbf{F}$ y por lo tanto

$$f_x = \frac{-Gx}{(x^2 + y^2)^{3/2}}.$$

Para integrar esta función con respecto a *x*, podemos utilizar la sustitución en *u*. Si los valores de $u = x^2 + y^2$, entonces $\frac{du}{2} = x dx$, así que

$$\int \frac{-Gx}{\left(x^2 + y^2\right)^{3/2}} dx = \int \frac{-G}{2u^{3/2}} du$$

$$= \frac{G}{\sqrt{u}} + h(y)$$

$$= \frac{G}{\sqrt{x^2+y^2}} + h(y)$$

para alguna función $h(y)$. Por lo tanto,

$$f(x, y) = \frac{G}{\sqrt{x^2 + y^2}} + h(y).$$

Dado que f es una función potencial para **F**,

$$f_y = \frac{-Gy}{\left(x^2 + y^2\right)^{3/2}}.$$

Dado que $f(x, y) = \frac{G}{\sqrt{x^2+y^2}} + h(y)$, f_y también es igual a $\frac{-Gy}{\left(x^2+y^2\right)^{3/2}} + h'(y)$.

Por lo tanto,

$$\frac{-Gy}{\left(x^2 + y^2\right)^{3/2}} + h'(y) = \frac{-Gy}{\left(x^2 + y^2\right)^{3/2}},$$

lo que implica que $h'(y) = 0$. Así, podemos tomar $h(y)$ para que sea cualquier constante; en particular, podemos dejar que $h(y) = 0$. La función

$$f(x, y) = \frac{G}{\sqrt{x^2 + y^2}}$$

es una función potencial para el campo gravitacional **F**. Para confirmar que f es una función potencial, observe que

$$\nabla f = \left\langle -\frac{1}{2} \frac{G}{\left(x^2+y^2\right)^{3/2}}(2x), -\frac{1}{2} \frac{G}{\left(x^2+y^2\right)^{3/2}}(2y) \right\rangle$$

$$= \left\langle \frac{-Gx}{\left(x^2+y^2\right)^{3/2}}, \frac{-Gy}{\left(x^2+y^2\right)^{3/2}} \right\rangle$$

$$= \mathbf{F}.$$

☑ 6.30   Calcule una función potencial f para la fuerza gravitacional tridimensional

$$\mathbf{F}(x, y, z) = \left\langle \frac{-Gx}{\left(x^2+y^2+z^2\right)^{3/2}}, \frac{-Gy}{\left(x^2+y^2+z^2\right)^{3/2}}, \frac{-Gz}{\left(x^2+y^2+z^2\right)^{3/2}} \right\rangle.$$

Probar un campo vectorial

Hasta ahora, hemos trabajado con campos vectoriales que sabemos que son conservativos, pero si no nos dicen que un campo vectorial es conservativo, necesitamos poder comprobar si lo es. Recordemos que, si **F** es conservativo, entonces **F** tiene la propiedad parcial cruzada (La propiedad cruz de los campos vectoriales conservativo). Es decir, si $\mathbf{F} = \langle P, Q, R \rangle$ es conservativo, entonces $P_y = Q_x$, $P_z = R_x$, y $Q_z = R_y$. Entonces, si **F** tiene la propiedad parcial cruzada, ¿**F** es conservativo? Si el dominio de **F** es abierto y simplemente conectado, entonces la respuesta es sí.

Teorema 6.10

La prueba parcial cruzada para campos conservativos
Si los valores de $\mathbf{F} = \langle P, Q, R \rangle$ es un campo vectorial en una región abierta y simplemente conectada D y $P_y = Q_x$, $P_z = R_x$, y $Q_z = R_y$ en todo D, entonces **F** es conservativo.

Aunque una demostración de este teorema está fuera del alcance del texto, podemos descubrir su poder con algunos ejemplos. Más adelante, veremos por qué es necesario que la región esté simplemente conectada.

Combinando este teorema con la propiedad transversal, podemos determinar si un campo vectorial dado es conservativo:

Teorema 6.11

Propiedad parcial cruzada de los campos conservadores
Supongamos que $\mathbf{F} = \langle P, Q, R \rangle$ es un campo vectorial sobre una región abierta y simplemente conectada D. Entonces $P_y = Q_x$, $P_z = R_x$, y $Q_z = R_y$ en todo D si y solo si $\mathbf{F}$ es conservativo.

La versión de este teorema en $\mathbb{R}^2$ también es cierto. Si los valores de $\mathbf{F} = \langle P, Q \rangle$ es un campo vectorial en un dominio abierto y simplemente conectado en $\mathbb{R}^2$, entonces $\mathbf{F}$ es conservatorio si y solo si $P_y = Q_x$.

EJEMPLO 6.34

Determinar si un campo vectorial es conservativo
Determine si el campo vectorial $\mathbf{F}(x, y, z) = \langle xy^2 z, x^2 yz, z^2 \rangle$ es conservativo.

⊘ **Solución**
Observe que el dominio de $\mathbf{F}$ es todo $\mathbb{R}^2$ y $\mathbb{R}^3$ está simplemente conectado. Por lo tanto, podemos utilizar Propiedad parcial cruzada de los campos conservadores para determinar si $\mathbf{F}$ es conservativo. Supongamos que

$$P(x, y, z) = xy^2 z, Q(x, y, z) = x^2 yz, \text{ y } R(x, y, z) = z^2.$$

Dado que $Q_z = x^2 y$ y $R_y = 0$, el campo vectorial no es conservativo.

EJEMPLO 6.35

Determinar si un campo vectorial es conservativo
Determinar el campo vectorial $\mathbf{F}(x, y) = \left\langle x \ln(y), \frac{x^2}{2y} \right\rangle$ es conservativo.

⊘ **Solución**
Observe que el dominio de $\mathbf{F}$ es la parte de $\mathbb{R}^2$ en la que $y > 0$. Por lo tanto, el dominio de $\mathbf{F}$ es parte de un plano sobre el eje x, y este dominio es simplemente conectado (no hay agujeros en esta región y esta región es conectada). Por lo tanto, podemos utilizar Propiedad parcial cruzada de los campos conservadores para determinar si $\mathbf{F}$ es conservativo. Supongamos que

$$P(x, y) = x \ln(y) \text{ y } Q(x, y) = \frac{x^2}{2y}.$$

Luego $P_y = \frac{x}{y} = Q_x$ y, por tanto, $\mathbf{F}$ es conservativo.

✓   6.31   Determine si $\mathbf{F}(x, y) = \langle \operatorname{sen} x \cos y, \cos x \operatorname{sen} y \rangle$ es conservativo.

Al utilizar la Propiedad parcial cruzada de los campos conservadores, es importante recordar que un teorema es una herramienta, y como cualquier herramienta, solo puede aplicarse en las condiciones adecuadas. En el caso de la Propiedad parcial cruzada de los campos conservadores, el teorema solo se puede aplicar si el dominio del campo vectorial es simplemente conectado.

Para ver lo que puede salir mal cuando se aplica mal el teorema, consideremos el campo vectorial:

$$\mathbf{F}(x, y) = \frac{y}{x^2 + y^2}\mathbf{i} + \frac{-x}{x^2 + y^2}\mathbf{j}.$$

Este campo vectorial satisface la propiedad parcial cruzada, ya que

$$\frac{\partial}{\partial y}\left(\frac{y}{x^2+y^2}\right) = \frac{\left(x^2+y^2\right)-y(2y)}{\left(x^2+y^2\right)^2} = \frac{x^2-y^2}{\left(x^2+y^2\right)^2}$$

y

$$\frac{\partial}{\partial x}\left(\frac{-x}{x^2+y^2}\right) = \frac{-\left(x^2+y^2\right)+x(2x)}{\left(x^2+y^2\right)^2} = \frac{x^2-y^2}{\left(x^2+y^2\right)^2}.$$

Dado que **F** satisface la propiedad parcial cruzada, podríamos estar tentados de concluir que **F** es conservatorio. Sin embargo, **F** no es conservatorio. Para ver esto, supongamos que

$$\mathbf{r}(t) = \langle \cos t, \operatorname{sen} t \rangle, 0 \le t \le \pi$$

es una parametrización de la mitad superior de un círculo unitario orientado en sentido contrario a las agujas del reloj (denotemos esto C_1) y supongamos que

$$\mathbf{s}(t) = \langle \cos t, -\operatorname{sen} t \rangle, 0 \le t \le \pi$$

es una parametrización de la mitad inferior de un círculo unitario orientado en el sentido de las agujas del reloj (denotemos esto C_2). Observe que C_1 y C_2 tienen el mismo punto de partida y de llegada. Dado que $\operatorname{sen}^2 t + \cos^2 t = 1$,

$$\mathbf{F}(\mathbf{r}(t)) \cdot \mathbf{r}'(t) = \langle \operatorname{sen}(t), -\cos(t) \rangle \cdot \langle -\operatorname{sen}(t), \cos(t) \rangle = -1$$

y

$$\begin{aligned}\mathbf{F}(\mathbf{s}(t)) \cdot \mathbf{s}'(t) &= \langle -\operatorname{sen} t, -\cos t \rangle \cdot \langle -\operatorname{sen} t, -\cos t \rangle \\ &= \operatorname{sen}^2 t + \cos^2 t \\ &= 1\end{aligned}$$

Por lo tanto,

$$\int_{C_1} \mathbf{F} \cdot d\mathbf{r} = \int_0^\pi -1 \, dt = -\pi \text{ y } \int_{C_2} \mathbf{F} \cdot d\mathbf{r} = \int_0^\pi 1 \, dt = \pi.$$

Así, C_1 y C_2 tienen el mismo punto de partida y de llegada, pero $\int_{C_1} \mathbf{F} \cdot d\mathbf{r} \ne \int_{C_2} \mathbf{F} \cdot d\mathbf{r}$. Por lo tanto, **F** no es independiente de la trayectoria y **F** no es conservativo.

Para resumir: **F** satisface la propiedad parcial cruzada y, sin embargo, **F** no es conservativo. ¿Qué falló? ¿Esto contradice la Propiedad parcial cruzada de los campos conservadores? La asunto es que el dominio de **F** es todo $\mathbb{R}^2$, excepto el origen. En otras palabras, el dominio de **F** tiene un agujero en el origen y, por lo tanto, el dominio no es simplemente conectado. Como el dominio no es simplemente conectado, la Propiedad parcial cruzada de los campos conservadores no aplica para **F**.

Cerramos esta sección con un ejemplo de la utilidad del teorema fundamental de las integrales de línea. Ahora que podemos comprobar si un campo vectorial es conservativo, siempre podemos decidir si el teorema fundamental de las integrales de línea puede utilizarse para calcular una integral de línea vectorial. Si se nos pide calcular una integral de la forma $\int_C \mathbf{F} \cdot d\mathbf{r}$, entonces nuestra primera pregunta debería ser: ¿**F** es conservativo? Si la respuesta es afirmativa, entonces debemos encontrar una función potencial y utilizar el teorema fundamental de las integrales de línea para calcular la integral. Si la respuesta es negativa, entonces el teorema fundamental de las integrales de línea no puede ayudarnos y tenemos que utilizar otros métodos, como por ejemplo usar la Ecuación 6.9.

EJEMPLO 6.36

Usar el teorema fundamental de las integrales de línea

Calcule la integral de línea $\int_C \mathbf{F} \cdot d\mathbf{r}$, donde $\mathbf{F}(x,y,z) = \langle 2xe^y z + e^x z, x^2 e^y z, x^2 e^y + e^x \rangle$ y C es cualquier curva suave que va desde el origen hasta $(1,1,1)$.

⊘ Solución

Antes de intentar calcular la integral, debemos determinar si **F** es conservativa y si el dominio de **F** es simplemente conectado. El dominio de **F** es todo $\mathbb{R}^3$, que está conectado y no tiene agujeros. Por tanto, el dominio de **F** es simplemente conectado. Supongamos que

$$P(x,y,z) = 2xe^y z + e^x z, Q(x,y,z) = x^2 e^y z, \text{ y } R(x,y,z) = x^2 e^y + e^x$$

para que $\mathbf{F} = \langle P, Q, R \rangle$. Como el dominio de **F** es simplemente conectado, podemos comprobar los parciales cruzados para determinar si **F** es conservativo. Observe que

$$\begin{aligned} P_y &= 2xe^y z = Q_x \\ P_z &= 2xe^y + e^x = R_x \\ Q_z &= x^2 e^y = R_y. \end{aligned}$$

Por lo tanto, **F** es conservativo.

Para evaluar $\int_C \mathbf{F} \cdot d\mathbf{r}$ utilizando el teorema fundamental de las integrales de línea, necesitamos hallar una función potencial f para **F**. Supongamos que f es una función potencial para **F**. Entonces, $\nabla f = \mathbf{F}$, y por lo tanto $f_x = 2xe^y z + e^x z$. Integrando esta ecuación con respecto a x se obtiene $f(x,y,z) = x^2 e^y z + e^x z + h(y,z)$ para alguna función h. Al diferenciar esta ecuación con respecto a y se obtiene $x^2 e^y z + h_y = Q = x^2 e^y z$, lo que implica que $h_y = 0$. Por lo tanto, h es una función de z solamente, y $f(x,y,z) = x^2 e^y z + e^x z + h(z)$. Para hallar h, observe que $f_z = x^2 e^y + e^x + h'(z) = R = x^2 e^y + e^x$. Por lo tanto, $h'(z) = 0$ y podemos tomar $h(z) = 0$. Una función potencial para **F** es $f(x,y,z) = x^2 e^y z + e^x z$.

Ahora que tenemos una función potencial, podemos utilizar el Teorema fundamental de las integrales de línea para evaluar la integral. Según el teorema,

$$\begin{aligned} \int_C \mathbf{F} \cdot d\mathbf{r} &= \int_C \nabla f \cdot d\mathbf{r} \\ &= f(1,1,1) - f(0,0,0) \\ &= 2e. \end{aligned}$$

◎ Análisis

Observe que si no hubiéramos reconocido que **F** es conservativo, habríamos tenido que parametrizar C y utilizar la Ecuación 6.9. Como la curva C es desconocida, utilizar el teorema fundamental de las integrales de línea es mucho más sencillo.

☑ 6.32   Calcule la integral $\int_C \mathbf{F} \cdot d\mathbf{r}$, donde $\mathbf{F}(x,y) = \langle \operatorname{sen} x \operatorname{sen} y, 5 - \cos x \cos y \rangle$ y C es un semicírculo con punto de partida $(0, \pi)$ y punto final $(0, -\pi)$.

EJEMPLO 6.37

Trabajo realizado en una partícula

Supongamos que $\mathbf{F}(x,y) = \langle 2xy^2, 2x^2 y \rangle$ es un campo de fuerza. Supongamos que una partícula comienza su movimiento en el origen y lo termina en cualquier punto de un plano que no esté en el eje x o en el eje y. Además, el movimiento de la partícula puede modelarse con una parametrización suave. Demuestre que **F** realiza un trabajo positivo sobre la partícula.

⊘ Solución

Demostramos que **F** realiza un trabajo positivo sobre la partícula mostrando que **F** es conservativo y luego utilizando el teorema fundamental de las integrales de línea.

Para demostrar que **F** es conservativo, supongamos que $f(x,y)$ fuera una función potencial para **F**. Entonces, $\nabla f = \mathbf{F} = \langle 2xy^2, 2x^2 y \rangle$ y por lo tanto $f_x = 2xy^2$ y $f_y = 2x^2 y$. La ecuación $f_x = 2xy^2$ implica que $f(x,y) = x^2 y^2 + h(y)$. Derivando ambos lados con respecto a y se obtiene $f_y = 2x^2 y + h'(y)$. Por lo tanto, $h'(y) = 0$ y podemos tomar $h(y) = 0$.

Si $f(x, y) = x^2 y^2$, entonces, observe que $\nabla f = \langle 2xy^2, 2x^2 y \rangle = \mathbf{F}$, y por lo tanto f es una función potencial para $\mathbf{F}$.

Supongamos que (a, b) es el punto en el que se detiene el movimiento de la partícula, y supongamos que C denota la curva que modela el movimiento de la partícula. El trabajo realizado por $\mathbf{F}$ sobre la partícula es $\int_C \mathbf{F}.\,d\mathbf{r}$. Según el teorema fundamental de las integrales de línea,

$$\int_C \mathbf{F}.\,d\mathbf{r} = \int_C \nabla f.\,d\mathbf{r}$$
$$= f(a, b) - f(0, 0)$$
$$= a^2 b^2.$$

Dado que $a \neq 0$ y $b \neq 0$, por suposición, $a^2 b^2 > 0$. Por lo tanto, $\int_C \mathbf{F}.\,d\mathbf{r} > 0$, y $\mathbf{F}$ hacen un trabajo positivo sobre la partícula.

⊚ Análisis

Observe que este problema sería mucho más difícil sin utilizar el teorema fundamental de las integrales de línea. Para aplicar las herramientas que hemos aprendido, tendríamos que dar una parametrización de la curva y utilizar la Ecuación 6.9. Como la trayectoria del movimiento C puede ser tan exótica como queramos (siempre que sea suave), puede ser muy difícil parametrizar el movimiento de la partícula.

✓ 6.33   Supongamos que $\mathbf{F}(x, y) = \langle 4x^3 y^4, 4x^4 y^3 \rangle$, y supongamos que una partícula se mueve desde el punto $(4, 4)$ al $(1, 1)$ a lo largo de cualquier curva suave. ¿El trabajo realizado por $\mathbf{F}$ sobre la partícula es positivo, negativo o nulo?

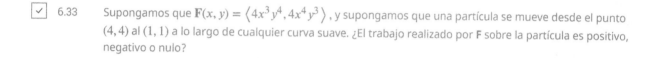

SECCIÓN 6.3 EJERCICIOS

99. ¿*Verdadero* o *falso?* Si el campo vectorial $\mathbf{F}$ es conservativo en la región abierta y conectada D, entonces las integrales de línea de $\mathbf{F}$ son independientes de la trayectoria en D, independientemente de la forma de D.

100. ¿*Verdadero* o *falso?* La función $\mathbf{r}(t) = \mathbf{a} + t(\mathbf{b} - \mathbf{a})$, donde $0 \leq t \leq 1$, parametriza el segmento de línea recta de $\mathbf{a}$ para $\mathbf{b}$.

101. ¿*Verdadero* o *falso?* El campo vectorial $\mathbf{F}(x, y, z) = (y \operatorname{sen} z)\mathbf{i} + (x \operatorname{sen} z)\mathbf{j} + (xy \cos z)\mathbf{k}$ es conservativo.

102. ¿*Verdadero* o *falso?* El campo vectorial $\mathbf{F}(x, y, z) = y\mathbf{i} + (x + z)\mathbf{j} - y\mathbf{k}$ es conservativo.

103. Justificar el teorema fundamental de las integrales de línea para $\int_C \mathbf{F}.\,d\mathbf{r}$ en el caso cuando $\mathbf{F}(x, y) = (2x + 2y)\mathbf{i} + (2x + 2y)\mathbf{j}$ y C son una porción del círculo orientado positivamente $x^2 + y^2 = 25$ de $(5, 0)$ a $(3, 4)$.

104. [T] halle $\int_C \mathbf{F}.\,d\mathbf{r}$, donde $\mathbf{F}(x, y) = (ye^{xy} + \cos x)\mathbf{i} + \left(xe^{xy} + \frac{1}{y^2 + 1} \right)\mathbf{j}$ y C son una parte de la curva $y = \operatorname{sen} x$ de $x = 0$ hasta $x = \frac{\pi}{2}$.

105. **[T]** Evalúe la integral de línea $\int_C \mathbf{F} . d\mathbf{r}$, donde
$\mathbf{F}(x, y) = (e^x \operatorname{sen} y - y)\mathbf{i} + (e^x \cos y - x - 2)\mathbf{j}$, y C es la trayectoria dada por
$r(t) = \left[t^3 \operatorname{sen} \frac{\pi t}{2}\right]\mathbf{i} - \left[\frac{\pi}{2}\cos\left(\frac{\pi t}{2} + \frac{\pi}{2}\right)\right]\mathbf{j}$ por $0 \le t \le 1$.

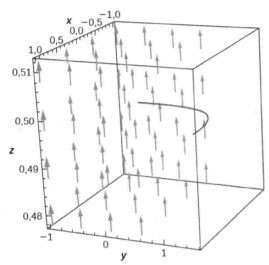

En los siguientes ejercicios, determine si el campo vectorial es conservativo y, si lo es, halle la función potencial.

106. $\mathbf{F}(x, y) = 2xy^3\mathbf{i} + 3y^2x^2\mathbf{j}$ **107.** $\mathbf{F}(x, y) = (-y + e^x \operatorname{sen} y)\mathbf{i} + \left[(x + 2)e^x\cos y\right]\mathbf{j}$

108. $\mathbf{F}(x, y) = \left(e^{2x}\operatorname{sen} y\right)\mathbf{i} + \left[e^{2x}\cos y\right]\mathbf{j}$ **109.** $\mathbf{F}(x, y) = (6x + 5y)\mathbf{i} + (5x + 4y)\mathbf{j}$

110. $\mathbf{F}(x, y) = [2x\cos(y) - y\cos(x)]\mathbf{i} + \left[-x^2\operatorname{sen}(y) - \operatorname{sen}(x)\right]\mathbf{j}$ **111.** $\mathbf{F}(x, y) = \left[ye^x + \operatorname{sen}(y)\right]\mathbf{i} + \left[e^x + x\cos(y)\right]\mathbf{j}$

En los siguientes ejercicios, evalúe las integrales de línea utilizando el teorema fundamental de las integrales de línea.

112. $\oint_C (y\mathbf{i} + x\mathbf{j}) . d\mathbf{r}$, donde C es cualquier trayectoria de $(0, 0)$ a $(2, 4)$

113. $\oint_C (2y\,dx + 2x\,dy)$, donde C es el segmento de línea de $(0, 0)$ a $(4, 4)$

114. **[T]**
$\oint_C \left[\arctan\frac{y}{x} - \frac{xy}{x^2 + y^2}\right]dx + \left[\frac{x^2}{x^2 + y^2} + e^{-y}(1 - y)\right]dy,$
donde C es cualquier curva suave de $(1, 1)$ a $(-1, 2)$

115. Halle el campo vectorial conservativo para la función potencial
$$f(x, y) = 5x^2 + 3xy + 10y^2.$$

En los siguientes ejercicios, determine si el campo vectorial es conservativo y, en caso afirmativo, halle una función potencial.

116. $\mathbf{F}(x, y) = (12xy)\mathbf{i} + 6\left(x^2 + y^2\right)\mathbf{j}$ **117.** $\mathbf{F}(x, y) = (e^x\cos y)\mathbf{i} + 6\left(e^x\operatorname{sen} y\right)\mathbf{j}$

118. $\mathbf{F}(x, y) = \left(2xye^{x^2y}\right)\mathbf{i} + 6\left(x^2e^{x^2y}\right)\mathbf{j}$ **119.** $\mathbf{F}(x, y, z) = (ye^z)\mathbf{i} + (xe^z)\mathbf{j} + (xye^z)\mathbf{k}$

120. $\mathbf{F}(x, y, z) = (\text{sen } y)\mathbf{i} - (x \cos y)\mathbf{j} + \mathbf{k}$ **121.** $\mathbf{F}(x, y, z) = \left(-\frac{1}{y}\right)\mathbf{i} + \left(\frac{x}{y^2}\right)\mathbf{j} + (2z-1)\mathbf{k}$

122. $\mathbf{F}(x, y, z) = 3z^2\mathbf{i} - \cos y\mathbf{j} + 2xz\mathbf{k}$ **123.** $\mathbf{F}(x, y, z) = (2xy)\mathbf{i} + \left(x^2 + 2yz\right)\mathbf{j} + y^2\mathbf{k}$

124. $\mathbf{F}(x, y) = (e^x \cos y)\mathbf{i} + 6(e^x \text{sen } y)\mathbf{j}$ **125.** $\mathbf{F}(x, y) = \left(2xye^{x^2y}\right)\mathbf{i} + \left(x^2 e^{x^2y}\right)\mathbf{j}$

En los siguientes ejercicios, evalúe la integral utilizando el teorema fundamental de las integrales de línea.

126. Evalúe $\int_C \nabla f \cdot d\mathbf{r}$, donde $f(x, y, z) = \cos(\pi x) + \text{sen}(\pi y) - xyz$ y C es cualquier trayectoria que comienza en $\left(1, \frac{1}{2}, 2\right)$ y termina en $(2, 1, -1)$.

127. **[T]** Evalúe $\int_C \nabla f \cdot d\mathbf{r}$, donde $f(x, y) = xy + e^x$ y C es una línea recta de $(0, 0)$ al $(2, 1)$.

128. **[T]** Evalúe $\int_C \nabla f \cdot d\mathbf{r}$, donde $f(x, y) = x^2 y - x$ y C es cualquier trayectoria en un plano desde $(1, 2)$ hasta $(3, 2)$.

129. Evalúe $\int_C \nabla f \cdot d\mathbf{r}$, donde $f(x, y, z) = xyz^2 - yz$ y C tiene punto inicial $(1, 2, 3)$ y punto terminal $(3, 5, 1)$.

En los siguientes ejercicios, supongamos que $\mathbf{F}(x, y) = 2xy^2\mathbf{i} + \left(2yx^2 + 2y\right)\mathbf{j}$ y $\mathbf{G}(x, y) = (y + x)\mathbf{i} + (y - x)\mathbf{j}$, y supongamos que C_1 es la curva consistente en la circunferencia de radio 2, centrada en el origen y orientada en sentido contrario a las agujas del reloj, y C_2 es la curva consistente en un segmento de línea de $(0, 0)$ a $(1, 1)$ seguido de un segmento de línea de $(1, 1)$ a $(3, 1)$.

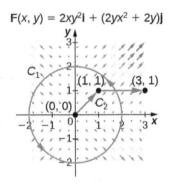

$\mathbf{F}(x, y) = 2xy^2\mathbf{i} + (2yx^2 + 2y)\mathbf{j}$

$\mathbf{G}(x, y) = (y + x)\mathbf{i} + (y - x)\mathbf{j}$

130. Calcule la integral de línea de $\mathbf{F}$ sobre C_1.

131. Calcule la integral de línea de $\mathbf{G}$ sobre C_1.

132. Calcule la integral de línea de $\mathbf{F}$ sobre C_2.

133. Calcule la integral de línea de **G** sobre C_2.

134. **[T]** Supongamos que
$$\mathbf{F}(x, y, z) = x^2\mathbf{i} + z\,\text{sen}(yz)\mathbf{j} + y\,\text{sen}(yz)\mathbf{k}.$$
Calcule $\oint_C \mathbf{F}.\,dr$, donde C es una trayectoria desde $A = (0, 0, 1)$ al $B = (3, 1, 2)$.

135. **[T]** Halle la integral de línea $\oint_C \mathbf{F}.\,dr$ de campo vectorial
$$\mathbf{F}(x, y, z) = 3x^2 z\mathbf{i} + z^2\mathbf{j} + \left(x^3 + 2yz\right)\mathbf{k}$$ a lo largo de la curva C parametrizada por $r(t) = \left(\frac{\ln t}{\ln 2}\right)\mathbf{i} + t^{3/2}\mathbf{j} + t\cos(\pi t)$, $1 \le t \le 4$.

En los siguientes ejercicios, demuestra que los siguientes campos vectoriales son conservativos utilizando una computadora. Calcule $\int_C \mathbf{F}.\,d\mathbf{r}$ para la curva dada.

136. $\mathbf{F} = \left(xy^2 + 3x^2 y\right)\mathbf{i} + (x + y)x^2\mathbf{j}$; C es la curva formada por los segmentos de línea de $(1, 1)$ al $(0, 2)$ al $(3, 0)$.

137. $\mathbf{F} = \frac{2x}{y^2+1}\mathbf{i} - \frac{2y\left(x^2+1\right)}{\left(y^2+1\right)^2}\mathbf{j}$; C está parametrizado por $x = t^3 - 1$, $y = t^6 - t$, $0 \le t \le 1$.

138. **[T]**
$$\mathbf{F} = \left[\cos\left(xy^2\right) - xy^2\,\text{sen}\left(xy^2\right)\right]\mathbf{i} - 2x^2 y\,\text{sen}\left(xy^2\right)\mathbf{j};$$
C es la curva $\left(e^t, e^{t+1}\right)$, $-1 \le t \le 0$.

139. La masa de la Tierra es aproximadamente 6×10^{27} g y la del Sol es 330 000 veces mayor. La constante gravitacional es $6,7 \times 10^{-8}$ cm^3/s^2. g. La distancia de la Tierra al Sol es de aproximadamente $1,5 \times 10^{12}$ cm. Calcule, aproximadamente, el trabajo necesario para aumentar la distancia de la Tierra al Sol en 1 cm.

140. **[T]** Supongamos que
$$\mathbf{F} = (x, y, z) = (e^x\,\text{sen}\,y)\mathbf{i} + (e^x\cos y)\mathbf{j} + z^2\mathbf{k}.$$
Evalúe la integral $\int_C \mathbf{F}.\,ds$, donde $\mathbf{c}(t) = \left(\sqrt{t}, t^3, e^{\sqrt{t}}\right)$, $0 \le t \le 1$.

141. **[T]** Supongamos que $\mathbf{c} : [1, 2] \to \mathbb{R}^2$ viene dada por $x = e^{t-1}$, $y = \text{sen}\left(\frac{\pi}{t}\right)$. Utilice una computadora para calcular la integral
$$\int_C \mathbf{F}.\,ds = \int_C 2x\cos y\,dx - x^2\,\text{sen}\,y\,dy,$$
donde $\mathbf{F} = (2x\cos y)\mathbf{i} - \left(x^2\,\text{sen}\,y\right)\mathbf{j}$.

142. **[T]** Utilice un sistema de álgebra computacional para encontrar la masa de un cable que se encuentra a lo largo de la curva
$$\mathbf{r}(t) = \left(t^2 - 1\right)\mathbf{j} + 2t\mathbf{k}, 0 \le t \le 1,$$
si la densidad es $\frac{3}{2}t$.

143. Halle la circulación y el flujo del campo $\mathbf{F} = -y\mathbf{i} + x\mathbf{j}$ alrededor y a través de la trayectoria semicircular cerrada que consiste en un arco semicircular
$$\mathbf{r}_1(t) = (a\cos t)\mathbf{i} + (a\operatorname{sen} t)\mathbf{j}, 0 \le t \le \pi,$$
seguido de un segmento de línea
$$\mathbf{r}_2(t) = t\mathbf{i}, -a \le t \le a.$$

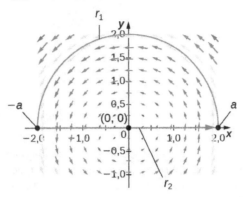

144. Calcule
$$\int_C \cos x \cos y\, dx - \operatorname{sen} x \operatorname{sen} y\, dy,$$
donde $\mathbf{c}(t) = \left(t, t^2\right), 0 \le t \le 1$.

145. Complete la prueba de la <u>Prueba de independencia de la trayectoria para los campos conservativos</u> demostrando que $f_y = Q(x, y)$.

6.4 Teorema de Green

Objetivos de aprendizaje

6.4.1 Aplicar la forma de circulación del teorema de Green.
6.4.2 Aplicar la forma de flujo del teorema de Green.
6.4.3 Calcular la circulación y el flujo en regiones más generales.

En esta sección, examinamos el teorema de Green, que es una extensión del teorema fundamental del cálculo a dos dimensiones. El teorema de Green tiene dos formas: una forma de circulación y una forma de flujo, ambas requieren que la región *D* en la integral doble sea simplemente conectada. Sin embargo, extenderemos el teorema de Green a regiones que no son simplemente conectadas.

En pocas palabras, el teorema de Green relaciona una integral de línea alrededor de una curva plana simplemente cerrada *C* y una integral doble sobre la región encerrada por *C*. El teorema es útil porque nos permite traducir integrales de línea difíciles en integrales dobles más simples, o integrales dobles difíciles en integrales de línea más simples.

Ampliación del teorema fundamental del cálculo

Recordemos que el teorema fundamental del cálculo dice que

$$\int_a^b F'(x)dx = F(b) - F(a).$$

Como enunciado geométrico, esta ecuación dice que la integral sobre la región por debajo del gráfico de $F'(x)$ y por encima del segmento de línea $[a, b]$ depende únicamente del valor de *F* en los puntos finales *a* y *b* de ese segmento. Como los números *a* y *b* son el límite del segmento de línea $[a, b]$, el teorema dice que podemos calcular la integral $\int_a^b F'(x)dx$ con base en la información sobre el límite del segmento de línea $[a, b]$ (Figura 6.32). La misma idea es válida para el teorema fundamental de las integrales de línea:

$$\int_C \nabla f \cdot d\mathbf{r} = f(\mathbf{r}(b)) - f(\mathbf{r}(a)).$$

Cuando tenemos una función potencial (una "antiderivada"), podemos calcular la integral de línea basándonos únicamente en la información sobre el límite de la curva *C*.

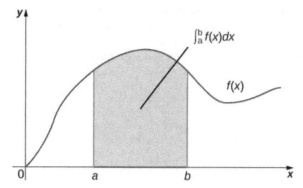

Figura 6.32   El teorema fundamental del cálculo dice que la integral sobre un segmento de línea [*a*, *b*] depende únicamente de los valores de la antiderivada en los puntos extremos de [*a*, *b*].

El teorema de Green toma esta idea y la extiende al cálculo de integrales dobles. El teorema de Green dice que podemos calcular una integral doble sobre la región *D* basándonos únicamente en la información sobre el borde de *D*. También dice que podemos calcular una integral de línea sobre una curva simple cerrada *C* basándonos únicamente en la información sobre la región que encierra *C*. En particular, el teorema de Green conecta una integral doble sobre la región *D* con una integral de línea alrededor del borde de *D*.

Forma de circulación del teorema de Green

La primera forma del teorema de Green que examinamos es la forma de circulación. Esta forma del teorema relaciona la integral de línea vectorial sobre una curva plana simple y cerrada *C* con una integral doble sobre la región encerrada por *C*. Por tanto, la circulación de un campo vectorial a lo largo de una curva simple y cerrada puede transformarse en una integral doble y viceversa.

Teorema 6.12

Teorema de Green, forma de circulación
Supongamos que *D* es una región abierta y limitada simple con una curva límite *C* que es una curva cerrada simple y suave a trozos orientada en sentido contrario a las agujas del reloj (Figura 6.33). Supongamos que $\mathbf{F} = \langle P, Q \rangle$ es un campo vectorial con funciones componentes que tienen derivadas parciales continuas en *D*. Entonces,

$$\oint_C \mathbf{F} \cdot d\mathbf{r} = \oint_C P\,dx + Q\,dy = \iint_D (Q_x - P_y)\,dA. \tag{6.13}$$

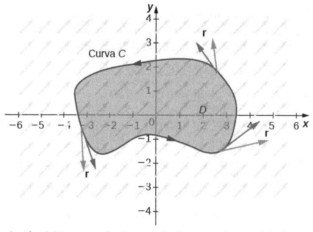

Figura 6.33   La forma de circulación del teorema de Green relaciona una integral de línea sobre la curva *C* con una integral doble sobre la región *D*.

Observe que el teorema de Green solo puede utilizarse para un campo vectorial bidimensional **F**. Si **F** es un campo tridimensional, el teorema de Green no es aplicable. Dado que

$$\int_C Pdx + Qdy = \int_C \mathbf{F}.\mathbf{T}ds,$$

esta versión del teorema de Green se denomina a veces la *forma tangencial* del teorema de Green.

La demostración del teorema de Green es bastante técnica y está fuera del alcance de este texto. Aquí examinamos una demostración del teorema en el caso especial de que *D* sea un rectángulo. Por el momento, observe que podemos confirmar rápidamente que el teorema es verdadero para el caso especial en el que $\mathbf{F} = \langle P, Q \rangle$ es conservativo. En este caso,

$$\oint_C Pdx + Qdy = 0$$

porque la circulación es nula en los campos vectoriales conservativos. Según la Propiedad parcial cruzada de los campos conservadores, **F** satisface la condición de paridad cruzada, por lo que $P_y = Q_x$. Por lo tanto,

$$\iint_D (Q_x - P_y)dA = \iint_D 0\,dA = 0 = \oint_C Pdx + Qdy,$$

lo que confirma el teorema de Green en el caso de campos vectoriales conservadores.

Prueba

Demostremos ahora que la forma de circulación del teorema de Green es verdadera cuando la región *D* es un rectángulo. Supongamos que *D* es el rectángulo $[a, b] \times [c, d]$ orientado en sentido contrario a las agujas del reloj. Entonces, el borde *C* de *D* está formado por cuatro trozos suaves $C_1, C_2, C_3,$ y C_4 (Figura 6.34). Parametrizamos cada lado de *D* como sigue:

$$\begin{aligned} C_1 : \mathbf{r}_1\,(t) &= \langle t, c \rangle, a \le t \le b \\ C_2 : \mathbf{r}_2\,(t) &= \langle b, t \rangle, c \le t \le d \\ -C_3 : \mathbf{r}_3\,(t) &= \langle t, d \rangle, a \le t \le b \\ -C_4 : \mathbf{r}_4\,(t) &= \langle a, t \rangle, c \le t \le d. \end{aligned}$$

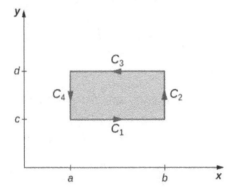

Figura 6.34   El rectángulo *D* está orientado en sentido contrario a las agujas del reloj.

Entonces,

$$\int_C \mathbf{F} \cdot d\mathbf{r} = \int_{C_1} \mathbf{F} \cdot d\mathbf{r} + \int_{C_2} \mathbf{F} \cdot d\mathbf{r} + \int_{C_3} \mathbf{F} \cdot d\mathbf{r} + \int_{C_4} \mathbf{F} \cdot d\mathbf{r}$$

$$= \int_{C_1} \mathbf{F} \cdot d\mathbf{r} + \int_{C_2} \mathbf{F} \cdot d\mathbf{r} - \int_{-C_3} \mathbf{F} \cdot d\mathbf{r} - \int_{-C_4} \mathbf{F} \cdot d\mathbf{r}$$

$$= \int_a^b \mathbf{F}(\mathbf{r}_1(t)) \cdot \mathbf{r}_1(t)\, dt + \int_c^d \mathbf{F}(\mathbf{r}_2(t)) \cdot \mathbf{r}_2(t)\, dt$$

$$- \int_a^b \mathbf{F}(\mathbf{r}_3(t)) \cdot \mathbf{r}_3(t)\, dt - \int_c^d \mathbf{F}(\mathbf{r}_4(t)) \cdot \mathbf{r}_4(t)\, dt$$

$$= \int_a^b P(t,c)\, dt + \int_c^d Q(b,t)\, dt - \int_a^b P(t,d)\, dt - \int_c^d Q(a,t)\, dt$$

$$= \int_a^b (P(t,c) - P(t,d))\, dt + \int_c^d (Q(b,t) - Q(a,t))\, dt$$

$$= - \int_a^b (P(t,d) - P(t,c))\, dt + \int_c^d (Q(b,t) - Q(a,t))\, dt.$$

Según el teorema fundamental del cálculo,

$$P(t,d) - P(t,c) = \int_c^d \frac{\partial}{\partial y} P(t,y)\, dy \text{ y } Q(b,t) - Q(a,t) = \int_a^b \frac{\partial}{\partial x} Q(x,t)\, dx.$$

Por lo tanto,

$$- \int_a^b (P(t,d) - P(t,c))\, dt + \int_c^d (Q(b,t) - Q(a,t))\, dt$$

$$= - \int_a^b \int_c^d \frac{\partial}{\partial y} P(t,y)\, dy\, dt + \int_c^d \int_a^b \frac{\partial}{\partial x} Q(x,t)\, dx\, dt.$$

Pero,

$$- \int_a^b \int_c^d \frac{\partial}{\partial y} P(t,y)\, dy\, dt + \int_c^d \int_a^b \frac{\partial}{\partial x} Q(x,t)\, dx\, dt = - \int_a^b \int_c^d \frac{\partial}{\partial y} P(x,y)\, dy\, dx + \int_c^d \int_a^b \frac{\partial}{\partial x} Q(x,y)\, dx\, dy$$

$$= \int_a^b \int_c^d \left(Q_x - P_y \right) dy\, dx$$

$$= \int \int_D \left(Q_x - P_y \right) dA.$$

Por lo tanto, $\int_C \mathbf{F} \cdot d\mathbf{r} = \int \int_D \left(Q_x - P_y \right) dA$ con lo que hemos demostrado el teorema de Green en el caso de un rectángulo.

Para demostrar el teorema de Green sobre una región general D, podemos descomponer D en muchos rectángulos pequeños y utilizar la prueba de que el teorema funciona sobre rectángulos. Sin embargo, los detalles son técnicos y están fuera del alcance de este texto.

□

EJEMPLO 6.38

Aplicar el teorema de Green sobre un rectángulo
Calcule la integral de línea

$$\oint_C x^2 y\, dx + (y - 3)\, dy,$$

donde C es un rectángulo con vértices $(1, 1)$, $(4, 1)$, $(4, 5)$, y $(1, 5)$ orientado en sentido contrario a las agujas del reloj.

⊘ Solución

Supongamos que $\mathbf{F}(x, y) = \langle P(x, y), Q(x, y) \rangle = \langle x^2 y, y - 3 \rangle$. Entonces, $Q_x = 0$ y $P_y = x^2$. Por lo tanto, $Q_x - P_y = -x^2$.

Supongamos que D es la región rectangular encerrada por C (Figura 6.35). Según el teorema de Green,

$$\oint_C x^2 y dx + (y - 3) dy = \iint_D \left(Q_x - P_y \right) dA$$

$$= \int \int_D -x^2 dA = \int_1^5 \int_1^4 -x^2 dx dy$$

$$= \int_1^5 -21 dy = -84.$$

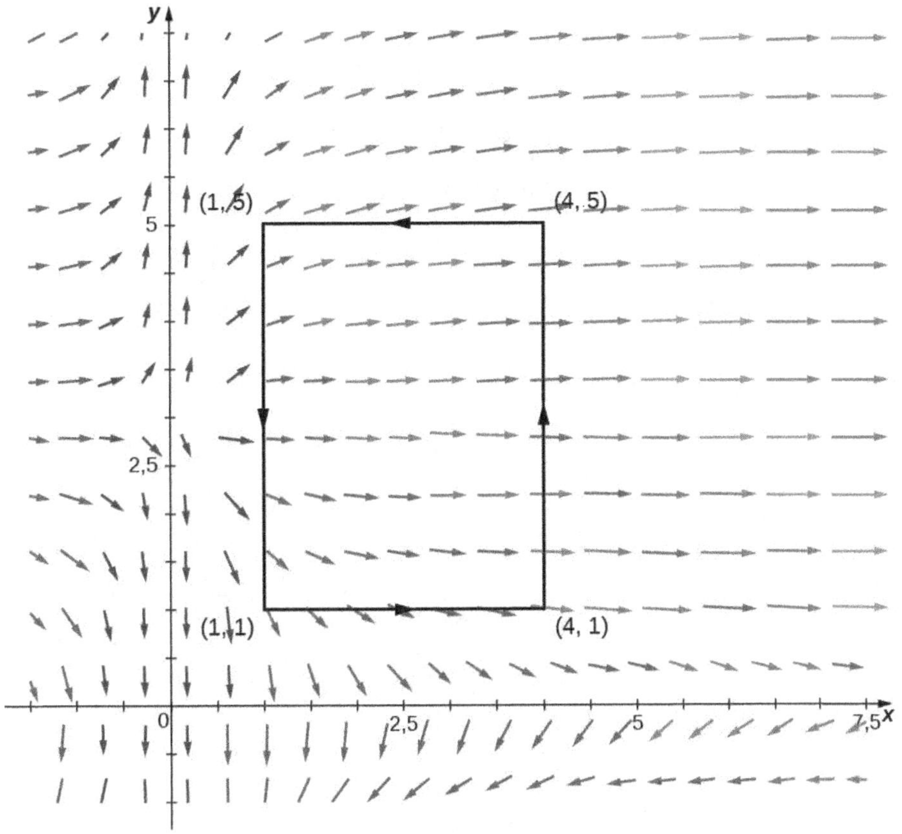

Figura 6.35 La integral de línea sobre el límite del rectángulo puede transformarse en una integral doble sobre el rectángulo.

◎ Análisis

Si tuviéramos que evaluar esta integral de línea sin utilizar el teorema de Green, tendríamos que parametrizar cada lado del rectángulo, dividir la integral de línea en cuatro integrales de línea separadas y utilizar los métodos de las integrales de línea para evaluar cada integral. Además, como el campo vectorial aquí no es conservativo, no podemos aplicar el teorema fundamental de las integrales de línea. El teorema de Green simplifica mucho el cálculo.

EJEMPLO 6.39

Aplicar el teorema de Green para calcular el trabajo

Calcule el trabajo realizado sobre una partícula por el campo de fuerza

$$\mathbf{F}(x, y) = \langle y + \operatorname{sen} x, e^y - x \rangle$$

a medida que la partícula atraviesa el círculo $x^2 + y^2 = 4$ exactamente una vez en el sentido contrario a las agujas del reloj, empezando y terminando en el punto $(2, 0)$.

⊘ **Solución**

Supongamos que C es el círculo y supongamos que D es el disco encerrado por C. El trabajo realizado sobre la partícula es

$$W = \oint_C (y + \text{sen } x)\, dx + (e^y - x)dy.$$

Al igual que con el Ejemplo 6.38, esta integral puede calcularse utilizando las herramientas que hemos aprendido, pero es más fácil utilizar la integral doble dada por el teorema de Green (Figura 6.36).

Supongamos que $\mathbf{F}(x, y) = \langle P(x, y), Q(x, y) \rangle = \langle y + \text{sen } x, e^y - x \rangle$. Entonces, $Q_x = -1$ y $P_y = 1$. Por lo tanto, $Q_x - P_y = -2$.

Según el teorema de Green,

$$\begin{aligned}
W &= \oint_C (y + \text{sen}(x))dx + (e^y - x)dy \\
&= \iint_D \left(Q_x - P_y \right) dA = \iint_D -2dA \\
&= -2\,(\text{área}\,(D)) = -2\pi\left(2^2\right) = -8\pi.
\end{aligned}$$

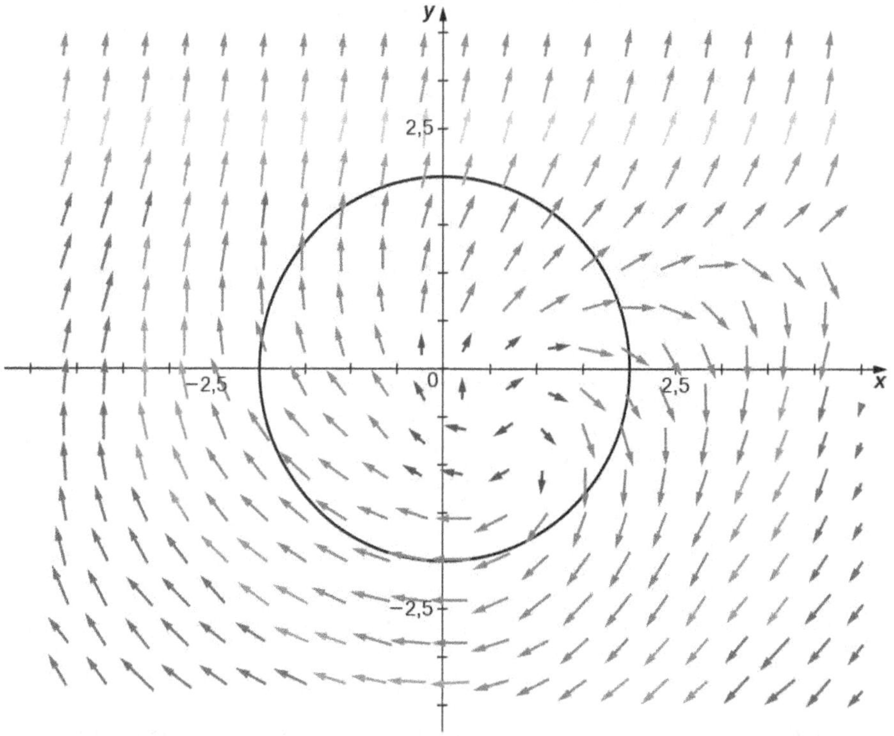

Figura 6.36 La integral de línea sobre el círculo límite puede transformarse en una integral doble sobre el disco encerrado por el círculo.

☑ 6.34   Utilice el teorema de Green para calcular la integral de línea

$$\oint_C \text{sen}(x^2)dx + (3x - y)dy,$$

donde C es un triángulo rectángulo con vértices $(-1, 2)$, $(4, 2)$, y $(4, 5)$ orientado en sentido contrario a las agujas del reloj.

En los dos ejemplos anteriores, la integral doble del teorema de Green era más fácil de calcular que la integral de línea, así que utilizamos el teorema para calcular la integral de línea. En el siguiente ejemplo, la integral doble es más difícil de calcular que la integral de línea, así que utilizamos el teorema de Green para traducir una integral doble en una integral de línea.

EJEMPLO 6.40

Aplicar el teorema de Green sobre una elipse

Calcule el área encerrada por la elipse $\frac{x^2}{a^2} + \frac{y^2}{b^2} = 1$ (Figura 6.37).

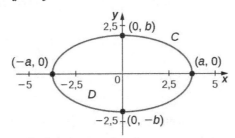

Figura 6.37 Elipse $\frac{x^2}{a^2} + \frac{y^2}{b^2} = 1$ se indica con C.

⊘ **Solución**

Supongamos que C indica la elipse y que D es la región encerrada por C. Recordemos que la elipse C puede ser parametrizada por

$$x = a\cos t, y = b\,\text{sen}\,t, 0 \leq t \leq 2\pi.$$

Calcular el área de D equivale a calcular la integral doble $\iint_D dA$. Para calcular esta integral sin el teorema de Green, tendríamos que dividir D en dos regiones: la región por encima del eje x y la región por debajo. El área de la elipse es

$$\int_{-a}^{a} \int_{0}^{\sqrt{b^2-(bx/a)^2}} dy\,dx + \int_{-a}^{a} \int_{-\sqrt{b^2-(bx/a)^2}}^{0} dy\,dx.$$

Estas dos integrales no son sencillas de calcular (aunque cuando conocemos el valor de la primera integral, conocemos el valor de la segunda por simetría). En vez de intentar calcularlos, utilizamos el teorema de Green para transformar $\iint_D dA$ en una integral de línea alrededor del borde C.

Considere el campo vectorial

$$\mathbf{F}(x, y) = \langle P, Q \rangle = \left\langle -\frac{y}{2}, \frac{x}{2} \right\rangle.$$

Entonces, $Q_x = \frac{1}{2}$ y $P_y = -\frac{1}{2}$, y por lo tanto $Q_x - P_y = 1$. Observe que se ha elegido que $\mathbf{F}$ tenga la propiedad de que $Q_x - P_y = 1$. Como este es el caso, el teorema de Green transforma la integral de línea de $\mathbf{F}$ sobre C en la integral doble de 1 sobre D.

Según el teorema de Green,

$$\iint_D dA = \iint_D \left(Q_x - P_y \right) dA$$

$$= \int_C \mathbf{F} \bullet d\mathbf{r} = \frac{1}{2} \int_C -y\,dx + x\,dy$$

$$= \frac{1}{2} \int_0^{2\pi} -b\,\operatorname{sen} t(-a\,\operatorname{sen} t) + a\,(\cos t)\, b\cos t\,dt$$

$$= \frac{1}{2} \int_0^{2\pi} ab\cos^2 t + ab\,\operatorname{sen}^2 t\,dt = \frac{1}{2} \int_0^{2\pi} ab\,dt = \pi ab.$$

Por lo tanto, el área de la elipse es πab.

En el Ejemplo 6.40, utilizamos el campo vectorial $\mathbf{F}(x,y) = \langle P, Q \rangle = \left\langle -\frac{y}{2}, \frac{x}{2} \right\rangle$ para hallar el área de cualquier elipse. La lógica del ejemplo anterior puede extenderse para derivar una fórmula para el área de cualquier región D. Supongamos que D es cualquier región con un límite que sea una curva simple cerrada C orientada en sentido contrario a las agujas del reloj. Si los valores de $\mathbf{F}(x,y) = \langle P, Q \rangle = \left\langle -\frac{y}{2}, \frac{x}{2} \right\rangle$, entonces $Q_x - P_y = 1$. Por lo tanto, por la misma lógica que en el Ejemplo 6.40,

$$\text{área de } D = \iint_D dA = \frac{1}{2} \oint_C -y\,dx + x\,dy. \tag{6.14}$$

Cabe destacar que si $\mathbf{F} = \langle P, Q \rangle$ es cualquier campo vectorial con $Q_x - P_y = 1$, entonces la lógica del párrafo anterior funciona. Así pues, la Ecuación 6.14 no es la única ecuación que utiliza las parciales mixtas de un campo vectorial para obtener el área de una región.

✓ 6.35   Halle el área de la región encerrada por la curva con parametrización $\mathbf{r}(t) = \langle \operatorname{sen} t \cos t, \operatorname{sen} t \rangle, 0 \leq t \leq \pi$.

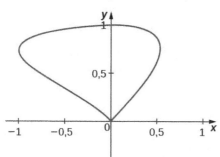

Forma de flujo del teorema de Green

La forma de circulación del teorema de Green relaciona una integral doble sobre la región D con la integral de línea $\oint_C \mathbf{F} \cdot \mathbf{T}\,ds$, donde C es el borde de D. La forma de flujo del teorema de Green relaciona una integral doble sobre la región D con el flujo a través del borde C. El flujo de un fluido a través de una curva puede ser difícil de calcular usando la integral de línea de flujo. Esta forma del teorema de Green nos permite traducir una integral de flujo difícil en una integral doble que suele ser más fácil de calcular.

Teorema 6.13

Teorema de Green, forma de flujo

Supongamos que D es una región abierta y simplemente conectada con una curva límite C que es una curva cerrada simple y suave a trozos que está orientada en sentido contrario a las agujas del reloj (Figura 6.38). Supongamos que $\mathbf{F} = \langle P, Q \rangle$ es un campo vectorial con funciones componentes que tienen derivadas parciales continuas en una región abierta que contiene a D. Entonces,

$$\oint_C \mathbf{F} \cdot \mathbf{N} ds = \iint_D P_x + Q_y dA. \tag{6.15}$$

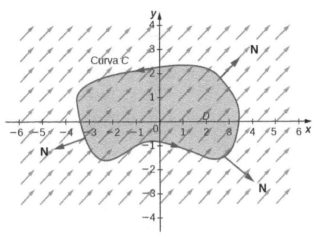

Figura 6.38 La forma de flujo del teorema de Green relaciona una integral doble sobre la región D con el flujo a través de la curva C.

Debido a que esta forma del teorema de Green contiene el vector normal unitario **N**, a veces se denomina la *forma normal* del teorema de Green.

Prueba

Recordemos que $\oint_C \mathbf{F} \cdot \mathbf{N} ds = \oint_C -Q dx + P dy$. Supongamos que $M = -Q$ y $N = P$. Según la forma de circulación del teorema de Green,

$$\begin{aligned} \oint_C -Q dx + P dy \ &= \oint_C M dx + N dy \\ &= \iint_D N_x - M_y dA \\ &= \iint_D P_x - (-Q)_y dA \\ &= \iint_D P_x + Q_y dA. \end{aligned}$$

☐

EJEMPLO 6.41

Aplicar el teorema de Green para el flujo a través de un círculo
Supongamos que C es un círculo de radio r centrado en el origen (Figura 6.39) y supongamos que $\mathbf{F}(x, y) = \langle x, y \rangle$. Calcule el flujo a través de C.

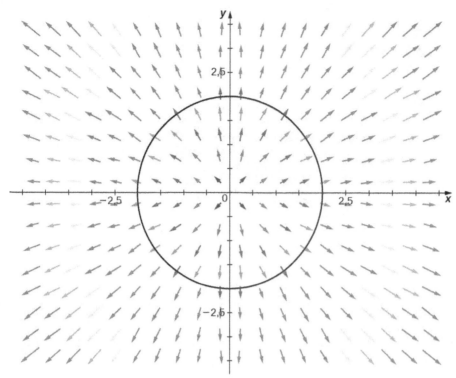

Figura 6.39 La curva *C* es un círculo de radio *r* centrado en el origen.

✓ **Solución**

Supongamos que *D* es el disco encerrado por *C*. El flujo a través de *C* es $\oint_C \mathbf{F} \cdot \mathbf{N}ds$. Podríamos evaluar esta integral

utilizando las herramientas que hemos aprendido, pero el teorema de Green hace el cálculo mucho más sencillo. Supongamos que $P(x, y) = x$ y $Q(x, y) = y$ por lo que $\mathbf{F} = \langle P, Q \rangle$. Observe que $P_x = 1 = Q_y$, y por lo tanto $P_x + Q_y = 2$. Según el teorema de Green,

$$\int_C \mathbf{F} \bullet \mathbf{N}ds = \int\int_D 2dA = 2\int\int_D dA.$$

Dado que $\int\int_D dA$ es el área del círculo, $\int\int_D dA = \pi r^2$. Por lo tanto, el flujo a través de *C* es $2\pi r^2$.

EJEMPLO 6.42

Aplicar el teorema de Green para el flujo a través de un triángulo

Supongamos que *S* es el triángulo con vértices $(0, 0)$, $(1, 0)$, y $(0, 3)$ orientado en el sentido de las agujas del reloj (Figura 6.40). Calcule el flujo de $\mathbf{F}(x, y) = \langle P(x, y), Q(x, y) \rangle = \langle x^2 + e^y, x + y \rangle$ a través de *S*.

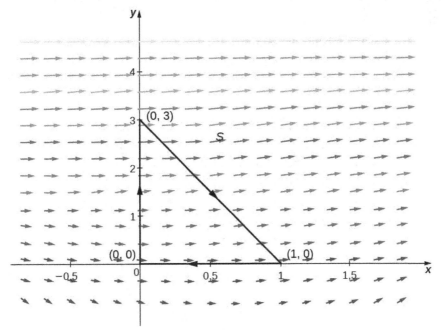

Figura 6.40 La curva S es un triángulo con vértices $(0, 0)$, $(1, 0)$, y $(0, 3)$ orientado en el sentido de las agujas del reloj.

⊘ **Solución**

Para calcular el flujo sin el teorema de Green, tendríamos que dividir la integral del flujo en tres integrales de línea, una integral por cada lado del triángulo. Utilizar el teorema de Green para traducir la integral de la línea de flujo en una única integral doble es mucho más sencillo.

Supongamos que D la región delimitada por S. Observe que $P_x = 2x$ y $Q_y = 1$; por lo tanto, $P_x + Q_y = 2x + 1$. El teorema de Green solo se aplica a las curvas cerradas simples orientadas en sentido contrario a las agujas del reloj, pero aun así podemos aplicar el teorema porque $\oint_C \mathbf{F} \cdot \mathbf{N} ds = -\oint_{-S} \mathbf{F} \cdot \mathbf{N} ds$ y $-S$ está orientado en sentido contrario a las agujas del reloj. Según el teorema de Green, el flujo es

$$
\begin{aligned}
\oint_C \mathbf{F} \cdot \mathbf{N} ds &= \oint_{-S} \mathbf{F} \cdot \mathbf{N} ds \\
&= -\iint_D \left(P_x + Q_y \right) dA \\
&= -\iint_D (2x + 1) \, dA.
\end{aligned}
$$

Observe que el borde superior del triángulo es la línea $y = -3x + 3$. Por lo tanto, en la integral doble iterada, los valores de y van desde $y = 0$ al $y = -3x + 3$, y tenemos

$$
\begin{aligned}
-\iint_D (2x + 1) \, dA &= -\int_0^1 \int_0^{-3x+3} (2x + 1) \, dy dx \\
&= -\int_0^1 (2x + 1)(-3x + 3) \, dx = -\int_0^1 \left(-6x^2 + 3x + 3 \right) dx \\
&= -\left[-2x^3 + \frac{3x^2}{2} + 3x \right]_0^1 = -\frac{5}{2}.
\end{aligned}
$$

☑ 6.36   Calcule el flujo de $\mathbf{F}(x, y) = \left\langle x^3, y^3 \right\rangle$ a través de un círculo unitario orientado en sentido contrario a las agujas del reloj.

EJEMPLO 6.43

Aplicar el teorema de Green para el flujo de agua a través de un rectángulo

El agua fluye desde un manantial situado en el origen. La velocidad del agua se modela mediante un campo vectorial $\mathbf{v}(x, y) = \langle 5x + y, x + 3y \rangle$ m/s. Halle la cantidad de agua por segundo que fluye a través del rectángulo con vértices $(-1, -2), (1, -2), (1, 3),$ y $(-1, 3)$, orientado en sentido contrario a las agujas del reloj (Figura 6.41).

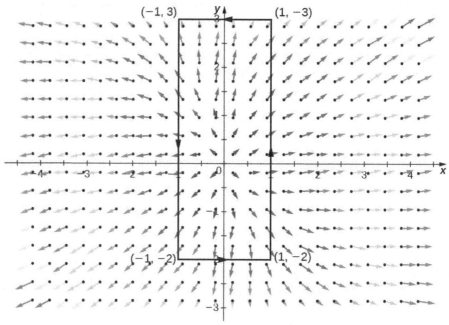

Figura 6.41 El agua fluye a través del rectángulo con vértices $(-1, -2), (1, -2), (1, 3),$ y $(-1, 3)$, orientado en sentido contrario a las agujas del reloj.

⊘ **Solución**

Supongamos que C representa el rectángulo dado y que D es la región rectangular encerrada por C. Para hallar la cantidad de agua que fluye a través de C, calculamos el flujo $\int_C \mathbf{v} \cdot \mathbf{N}\, ds$. Supongamos que $P(x, y) = 5x + y$ y $Q(x, y) = x + 3y$ por lo que $\mathbf{v} = (P, Q)$. Entonces, $P_x = 5$ y $Q_y = 3$. Según el teorema de Green,

$$
\begin{aligned}
\int_C \mathbf{v} \cdot \mathbf{N}\, ds &= \iint_D \left(P_x + Q_y \right) dA \\
&= \iint_D 8\, dA \\
&= 8\, (\text{área de } D) = 80.
\end{aligned}
$$

Por lo tanto, el flujo de agua es de 80 m²/s.

Recuerde que si el campo vectorial **F** es conservativo, entonces **F** no trabaja alrededor de curvas cerradas, es decir, la circulación de **F** alrededor de una curva cerrada es cero. De hecho, si el dominio de **F** es simplemente conectado, entonces **F** es conservativo si y solo si la circulación de **F** alrededor de cualquier curva cerrada es cero. Si sustituimos "circulación de **F**" por "flujo de **F**", obtenemos una definición de campo vectorial sin fuente. Las siguientes afirmaciones son formas equivalentes de definir un campo libre de fuentes $\mathbf{F} = \langle P, Q \rangle$ en un dominio simplemente conectado (observe las similitudes con las propiedades de los campos vectoriales conservativos):

1. El flujo $\oint_C \mathbf{F} \cdot \mathbf{N}\, ds$ a través de cualquier curva cerrada C es cero.

2. Si los valores de C_1 y C_2 son curvas en el dominio de **F** con los mismos puntos iniciales y finales, entonces $\int_{C_1} \mathbf{F} \cdot \mathbf{N}\, ds = \int_{C_2} \mathbf{F} \cdot \mathbf{N}\, ds$. En otras palabras, el flujo es independiente de la trayectoria.

3. Existe una **función de flujo** $g(x, y)$ para **F**. Una función de flujo para $\mathbf{F} = \langle P, Q \rangle$ es una función g tal que $P = g_y$ y

$Q = -g_x$. Geométricamente, $\mathbf{F}(a, b)$ es tangente a la curva de nivel de g en (a, b). Como el gradiente de g es perpendicular a la curva de nivel de g en (a, b), la función de flujo g tiene la propiedad $\mathbf{F}(a, b) \bullet \nabla g(a, b) = 0$ para cualquier punto (a, b) en el dominio de g. (Las funciones de flujo desempeñan el mismo papel para los campos sin fuente que las funciones de potencial para los campos conservativos).

4. $P_x + Q_y = 0$

Hallar una función de flujo

Verifique que el campo vectorial de rotación $\mathbf{F}(x, y) = \langle y, -x \rangle$ está libre de fuentes, y halle una función de flujo para $\mathbf{F}$.

⊘ **Solución**

Observe que el dominio de $\mathbf{F}$ es todo $\mathbb{R}^2$, que está simplemente conectado. Por lo tanto, para demostrar que $\mathbf{F}$ es libre de fuentes, podemos demostrar que cualquiera de los puntos 1 a 4 de la lista anterior es verdadero. En este ejemplo, demostramos que el punto 4 es verdadero. Supongamos que $P(x, y) = y$ y $Q(x, y) = -x$. Entonces $P_x + 0 = Q_y$, y por lo tanto $P_x + Q_y = 0$. Por lo tanto, $\mathbf{F}$ está libre de fuentes.

Para hallar una función de flujo para $\mathbf{F}$, se procede de la misma manera que para hallar una función de potencial para un campo conservativo. Supongamos que g es una función de flujo para $\mathbf{F}$. Entonces $g_y = y$, lo que implica que

$$g(x, y) = \frac{y^2}{2} + h(x).$$

Dado que $-g_x = Q = -x$, tenemos $h'(x) = x$. Por lo tanto,

$$h(x) = \frac{x^2}{2} + C.$$

Suponiendo que $C = 0$ da la función de flujo

$$g(x, y) = \frac{x^2}{2} + \frac{y^2}{2}.$$

Para confirmar que g es una función de flujo para $\mathbf{F}$, observe que $g_y = y = P$ y $-g_x = -x = Q$.

Observe que el campo vectorial de rotación sin fuente $\mathbf{F}(x, y) = \langle y, -x \rangle$ es perpendicular al campo vectorial radial conservativo $\nabla g = \langle x, y \rangle$ (Figura 6.42).

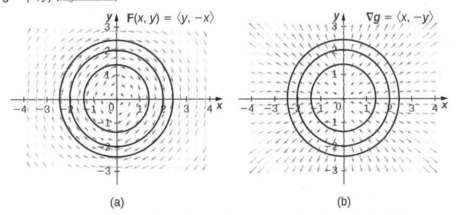

Figura 6.42 (a) En esta imagen, vemos las curvas de tres niveles de g y el campo vectorial $\mathbf{F}$. Observe que los vectores $\mathbf{F}$ en una curva de nivel dada son tangentes a la curva de nivel. (b) En esta imagen, vemos las curvas de tres niveles de g y el campo vectorial ∇g. Los vectores de gradiente son perpendiculares a la curva de nivel correspondiente. Por lo tanto, $\mathbf{F}(a, b) \bullet \nabla g(a, b) = 0$ para cualquier punto del dominio de g.

☑ 6.37   Hallar una función de flujo para el campo vectorial $\mathbf{F}(x, y) = \langle x \operatorname{sen} y, \cos y \rangle$.

Los campos vectoriales que son a la vez conservativos y libres de fuentes son campos vectoriales importantes. Una característica importante de los campos vectoriales conservadores y sin fuente en un dominio simplemente conectado es que cualquier función potencial f de tal campo satisface la ecuación de Laplace $f_{xx} + f_{yy} = 0$. La ecuación de Laplace es fundamental en el campo de las ecuaciones diferenciales parciales porque modela fenómenos como los potenciales gravitacionales y magnéticos en el espacio, y el potencial de velocidad de un fluido ideal. Una función que satisface la ecuación de Laplace se llama función *armónica*. Por lo tanto, cualquier función potencial de un campo vectorial conservador y sin fuentes es armónica.

Para ver que cualquier función potencial de un campo vectorial conservativo y sin fuente en un dominio simplemente conectado es armónica, supongamos que f es una función potencial del campo vectorial $\mathbf{F} = \langle P, Q \rangle$. Entonces, $f_x = P$ y $f_x = Q$ porque $\nabla f = \mathbf{F}$. Por lo tanto, $f_{xx} = P_x$ y $f_{yy} = Q_y$. Ya que $\mathbf{F}$ no tiene fuente, $f_{xx} + f_{yy} = P_x + Q_y = 0$, y tenemos que f es armónico.

EJEMPLO 6.45

Satisfacer la ecuación de Laplace
Para el campo vectorial $\mathbf{F}(x, y) = \langle e^x \operatorname{sen} y, e^x \cos y \rangle$, verifique que el campo es conservativo y libre de fuentes, halle una función potencial para $\mathbf{F}$, y verifique que la función potencial es armónica.

⊘ **Solución**
Supongamos que $P(x, y) = e^x \operatorname{sen} y$ y $Q(x, y) = e^x \cos y$. Observe que el dominio de $\mathbf{F}$ es todo el espacio doble, que es simplemente conectado. Por lo tanto, podemos comprobar los parciales cruzados de $\mathbf{F}$ para determinar si $\mathbf{F}$ es conservativo. Observe que $P_y = e^x \cos y = Q_x$, por lo que $\mathbf{F}$ es conservativo. Dado que $P_x = e^x \operatorname{sen} y$ y $Q_y = e^x \operatorname{sen} y$, $P_x + Q_y = 0$ y el campo está libre de fuentes.

Para hallar una función potencial para $\mathbf{F}$, supongamos que f es una función potencial. Entonces, $\nabla f = \mathbf{F}$, por lo que $f_x = e^x \operatorname{sen} y$. Integrando esta ecuación con respecto a x se obtiene $f(x, y) = e^x \operatorname{sen} y + h(y)$. Dado que $f_y = e^x \cos y$, diferenciando f con respecto a y da $e^x \cos y = e^x \cos y + h'(y)$. Por lo tanto, podemos tomar $h(y) = 0$, y $f(x, y) = e^x \operatorname{sen} y$ son funciones potenciales para f.

Para verificar que f es una función armónica, observe que $f_{xx} = \frac{\partial}{\partial x} (e^x \operatorname{sen} y) = e^x \operatorname{sen} y$ y $f_{yy} = \frac{\partial}{\partial x} (e^x \cos y) = -e^x \operatorname{sen} y$. Por lo tanto, $f_{xx} + f_{yy} = 0$, y f satisfacen la ecuación de Laplace.

☑ 6.38   ¿La función $f(x, y) = e^{x+5y}$ es armónica?

Teorema de Green sobre regiones generales

El teorema de Green, tal y como se ha establecido, solo se aplica a las regiones que están simplemente conectadas, es decir, el teorema de Green, tal y como se ha establecido hasta ahora, no puede manejar regiones con agujeros. Aquí, extendemos el teorema de Green para que funcione en regiones con un número finito de agujeros (Figura 6.43).

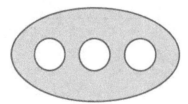

Figura 6.43   El teorema de Green, como se ha dicho, no se aplica a una región no simplemente conectada con tres agujeros como esta.

Antes de hablar de las extensiones del teorema de Green, tenemos que repasar cierta terminología relativa al borde de una región. Supongamos que D es una región y que C es una componente del borde de D. Decimos que C está *orientada positivamente* si, al caminar por C en la dirección de la orientación, la región D está siempre a nuestra izquierda. Por lo tanto, la orientación contraria a las agujas del reloj del borde de un disco es una orientación positiva, por ejemplo. La curva C está *orientada negativamente* si, al *recorrerla* en la dirección de la orientación, la región D está siempre a nuestra derecha. La orientación del borde de un disco en el sentido de las agujas del reloj es una orientación negativa, por ejemplo.

Supongamos que D es una región con un número finito de agujeros (de modo que D tiene un número finito de curvas de borde), y denotemos el borde de D por ∂D (Figura 6.44). Para ampliar el teorema de Green de manera que pueda manejar D, dividimos la región D en dos regiones, D_1 y D_2 (con sus respectivos bordes ∂D_1 y ∂D_2), de tal manera que

$D = D_1 \cup D_2$ y que D_1 ni D_2 tienen algún agujero (Figura 6.44).

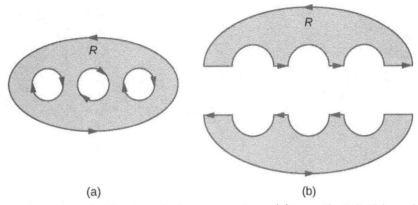

(a)   (b)

Figura 6.44   (a) La región D con un borde orientado tiene tres agujeros. (b) La región D dividida en dos regiones simplemente conectadas no tiene agujeros.

Supongamos que el borde de D está orientado como en la figura, con los agujeros interiores con orientación negativa y el borde exterior con orientación positiva. El borde de cada región simplemente conectada D_1 y D_2 se orienta positivamente. Si **F** es un campo vectorial definido en D, entonces el teorema de Green dice que

$$\oint_{\partial D} \mathbf{F}.\,d\mathbf{r} = \oint_{\partial D_1} \mathbf{F}.\,d\mathbf{r} + \oint_{\partial D_2} \mathbf{F}.\,d\mathbf{r}$$

$$= \iint_{D_1} Q_x - P_y\,dA + \iint_{D_2} Q_x - P_y\,dA$$

$$= \iint_{D} (Q_x - P_y)\,dA.$$

Por lo tanto, el teorema de Green sigue funcionando en una región con agujeros.

Para ver cómo funciona esto en la práctica, considere el anillo D en la Figura 6.45 y suponga que $\mathbf{F} = \langle P, Q \rangle$ es un campo vectorial definido en este anillo. La región D tiene un agujero, por lo que no está simplemente conectada. Oriente el círculo exterior del anillo en el sentido contrario a las agujas del reloj y el círculo interior en el sentido de las agujas del reloj (Figura 6.45) para que, cuando dividamos la región en D_1 y D_2, podamos mantener la región a nuestra izquierda mientras caminamos por la trayectoria que atraviesa el borde. Supongamos que D_1 es la mitad superior del anillo y D_2 es la mitad inferior. Ninguna de estas regiones tiene agujeros, por lo que hemos dividido D en dos regiones simplemente conectadas.

Marcamos cada pieza de estos nuevos bordes como P_i para alguna i, como en la Figura 6.45. Si empezamos en P y recorremos el borde orientado, el primer segmento es P_1, entonces P_2, P_3, y P_4. Ahora hemos atravesado D_1 y regresamos a P. A continuación, empezamos de nuevo en P y atravesamos D_2. Dado que el primer trozo del borde es el mismo que P_4 en D_1, pero orientada en sentido contrario, la primera pieza de D_2 ¿es $-P_4$. A continuación, tenemos P_5, entonces $-P_2$, y finalmente P_6.

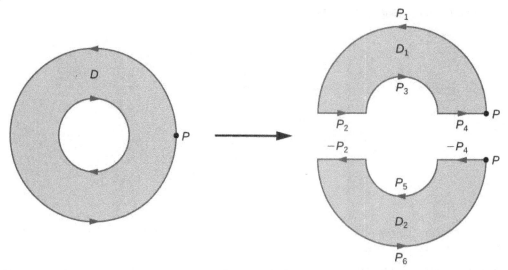

Figura 6.45 Al dividir el anillo en dos regiones separadas, obtenemos dos regiones simplemente conectadas. Las integrales de línea sobre los límites comunes se cancelan.

la Figura 6.45 muestra una trayectoria que atraviesa el borde de D. Observe que esta trayectoria atraviesa el borde de la región D_1, vuelve al punto de partida, y luego atraviesa el borde de la región D_2. Además, mientras vamos por la trayectoria, la región está siempre a nuestra izquierda. Observe que esta travesía de las trayectorias P_i cubre todo el borde de la región D. Si solo hubiéramos atravesado una parte del borde de D, entonces no podríamos aplicar el teorema de Green a D.

Por lo tanto, el límite de la mitad superior del anillo es $P_1 \cup P_2 \cup P_3 \cup P_4$ y el borde de la mitad inferior del anillo es $-P_4 \cup P_5 \cup -P_2 \cup P_6$. Entonces, el teorema de Green implica

$$
\begin{aligned}
\int_{\partial D} \mathbf{F}.\,d\mathbf{r} &= \int_{P_1} \mathbf{F}.\,d\mathbf{r} + \int_{P_2} \mathbf{F}.\,d\mathbf{r} + \int_{P_3} \mathbf{F}.\,d\mathbf{r} + \int_{P_4} \mathbf{F}.\,d\mathbf{r} + \int_{-P_4} \mathbf{F}.\,d\mathbf{r} + \int_{P_5} \mathbf{F}.\,d\mathbf{r} - \int_{P_2} \mathbf{F}.\,d\mathbf{r} + \int_{P_6} \mathbf{F}.\,d\mathbf{r} \\
&= \int_{P_1} \mathbf{F}.\,d\mathbf{r} + \int_{P_2} \mathbf{F}.\,d\mathbf{r} + \int_{P_3} \mathbf{F}.\,d\mathbf{r} + \int_{P_4} \mathbf{F}.\,d\mathbf{r} - \int_{P_4} \mathbf{F}.\,d\mathbf{r} + \int_{P_5} \mathbf{F}.\,d\mathbf{r} - \int_{P_2} \mathbf{F}.\,d\mathbf{r} + \int_{P_6} \mathbf{F}.\,d\mathbf{r} \\
&= \int_{P_1} \mathbf{F}.\,d\mathbf{r} + \int_{P_3} \mathbf{F}.\,d\mathbf{r} + \int_{P_5} \mathbf{F}.\,d\mathbf{r} + \int_{P_6} \mathbf{F}.\,d\mathbf{r} \\
&= \int_{\partial D_1} \mathbf{F}.\,d\mathbf{r} + \int_{\partial D_2} \mathbf{F}.\,d\mathbf{r} \\
&= \iint_{D_1} \left(Q_x - P_y\right) dA + \iint_{D_2} \left(Q_x - P_y\right) dA \\
&= \iint_{D} \left(Q_x - P_y\right) dA.
\end{aligned}
$$

Por lo tanto, llegamos a la ecuación que se encuentra en el teorema de Green, a saber

$$
\oint_{\partial D} \mathbf{F}.\,d\mathbf{r} = \iint_{D} \left(Q_x - P_y\right) dA.
$$

La misma lógica implica que la forma de flujo del teorema de Green también puede extenderse a una región con un número finito de agujeros:

$$
\oint_{C} \mathbf{F}.\,\mathbf{N}\,ds = \iint_{D} \left(P_x + Q_y\right) dA.
$$

EJEMPLO 6.46

Usar el teorema de Green en una región con agujeros
Calcule la integral

$$\oint_{\partial D} \left(\text{sen } x - \frac{x^3}{3} \right) dx + \left(\frac{y^3}{3} + \text{sen } y \right) dy,$$

donde D es el anillo dado por las desigualdades polares $1 \leq r \leq 2, 0 \leq \theta \leq 2\pi$.

⊘ **Solución**

Aunque D no está simplemente conectado, podemos utilizar la forma extendida del teorema de Green para calcular la integral. Dado que la integración se produce sobre un anillo, la convertimos a coordenadas polares:

$$\begin{aligned} \oint_{\partial D} \left(\text{sen } x - \frac{y^3}{3} \right) dx + \left(\frac{x^3}{3} + \text{sen } y \right) dy &= \iint_D (Q_x - P_y)\, dA \\ &= \iint_D \left(x^2 + y^2 \right) dA \\ &= \int_0^{2\pi} \int_1^2 r^3\, dr\, d\theta = \int_0^{2\pi} \frac{15}{4}\, d\theta \\ &= \frac{15\pi}{2}. \end{aligned}$$

EJEMPLO 6.47

Usar la forma ampliada del teorema de Green

Supongamos que $\mathbf{F} = \langle P, Q \rangle = \left\langle \frac{y}{x^2+y^2}, -\frac{x}{x^2+y^2} \right\rangle$ y supongamos que C es cualquier curva simple cerrada en un plano orientado en sentido contrario a las agujas del reloj. ¿Cuáles son los posibles valores de $\oint_C \mathbf{F} \cdot d\mathbf{r}$?

⊘ **Solución**

Utilizamos la forma ampliada del teorema de Green para demostrar que $\oint_C \mathbf{F} \cdot d\mathbf{r}$ es 0 o -2π, es decir, por muy loca que sea la curva C, la integral de línea de $\mathbf{F}$ a lo largo de C solo puede tener uno de los dos valores posibles. Consideramos dos casos: el caso en que C abarca el origen y el caso en que C no abarca el origen.

Caso 1: C no abarca el origen

En este caso, la región encerrada por C está simplemente conectada porque el único hueco en el dominio de $\mathbf{F}$ está en el origen. Hemos demostrado en nuestra discusión de los parciales cruzados que $\mathbf{F}$ satisface la condición de parciales cruzados. Si restringimos el dominio de $\mathbf{F}$ solo a C y a la región que encierra, entonces $\mathbf{F}$ con este dominio restringido está ahora definido en un dominio simplemente conectado. Dado que $\mathbf{F}$ satisface la propiedad transversal en su dominio restringido, el campo $\mathbf{F}$ es conservativo en esta región simplemente conectada y, por tanto, la circulación $\oint_C \mathbf{F} \cdot d\mathbf{r}$ es cero.

Caso 2: C sí abarca el origen

En este caso, la región encerrada por C no está simplemente conectada porque esta región contiene un agujero en el origen. Supongamos que C_1 es un círculo de radio a centrado en el origen de forma que C_1 está completamente dentro de la región delimitada por C (Figura 6.46). Dé a C_1 una orientación en el sentido de las agujas del reloj.

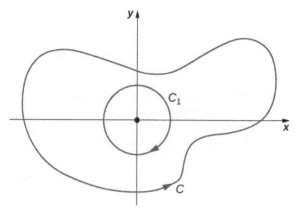

Figura 6.46 Elija el círculo C_1 centrado en el origen que está contenida completamente dentro de C.

Supongamos que D es la región entre C_1 y C, y C está orientado en sentido contrario a las agujas del reloj. Según la versión extendida del teorema de Green,

$$
\begin{aligned}
\int_C \mathbf{F} \cdot d\mathbf{r} + \int_{C_1} \mathbf{F} \cdot d\mathbf{r} &= \iint_D Q_x - P_y \, dA \\
&= \iint_D -\frac{y^2 - x^2}{(x^2 + y^2)^2} + \frac{y^2 - x^2}{(x^2 + y^2)^2} \, dA \\
&= 0,
\end{aligned}
$$

y por lo tanto

$$
\int_C \mathbf{F} \cdot d\mathbf{r} = -\int_{C_1} \mathbf{F} \cdot d\mathbf{r}.
$$

Dado que C_1 es una curva específica, podemos evaluar $\displaystyle\int_{C_1} \mathbf{F} \cdot d\mathbf{r}$. Supongamos que

$$
x = a \cos t, y = a \operatorname{sen} t, 0 \le t \le 2\pi
$$

ser una parametrización de C_1. Entonces,

$$
\begin{aligned}
\int_{C_1} \mathbf{F} \cdot d\mathbf{r} &= \int_0^{2\pi} \mathbf{F}(\mathbf{r}(t)) \cdot \mathbf{r}'(t) \, dt \\
&= \int_0^{2\pi} \left\langle -\frac{\operatorname{sen}(t)}{a}, -\frac{\cos(t)}{a} \right\rangle \cdot \langle -a \operatorname{sen}(t), -a \cos(t) \rangle \, dt \\
&= \int_0^{2\pi} \operatorname{sen}^2(t) + \cos^2(t) \, dt = \int_0^{2\pi} dt = 2\pi.
\end{aligned}
$$

Por lo tanto, $\displaystyle\int_C \mathbf{F} \cdot ds = -2\pi$.

☑ 6.39   Calcule la integral $\displaystyle\oint_{\partial D} \mathbf{F} \cdot d\mathbf{r}$, donde D es el anillo dado por las desigualdades polares $2 \le r \le 5, 0 \le \theta \le 2\pi$, y $\mathbf{F}(x, y) = \langle x^3, 5x + e^y \operatorname{sen} y \rangle$.

PROYECTO DE ESTUDIANTE

Medición del área a partir de un borde: El planímetro

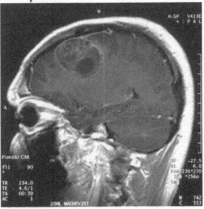

Figura 6.47   Esta imagen de resonancia magnética del cerebro de un paciente muestra un tumor, que está resaltado en rojo (créditos: modificación del trabajo de Christaras A., Wikimedia Commons).

Imagine que es un médico que acaba de recibir una imagen de resonancia magnética del cerebro de su paciente. El cerebro tiene un tumor (Figura 6.47). ¿Qué tamaño tiene el tumor? Para ser precisos, ¿cuál es el área de la región roja? La sección transversal roja del tumor tiene una forma irregular y, por lo tanto, es poco probable que pueda encontrar un conjunto de ecuaciones o desigualdades para la región y luego poder calcular su área por medios convencionales. Se podría aproximar el área cortando la región en pequeños cuadrados (un enfoque de suma de Riemann), pero este método siempre da una respuesta con algún error.

En vez de intentar medir el área de la región directamente, podemos utilizar un dispositivo llamado *planímetro de rodillos* para calcular el área de la región con exactitud, simplemente midiendo su borde. En este proyecto investiga cómo funciona un planímetro y utiliza el teorema de Green para demostrar que el aparato calcula el área correctamente.

Un planímetro de rodillos es un dispositivo que mide el área de una región plana trazando el borde de dicha región (Figura 6.48). Para medir el área de una región, basta con pasar el trazador del planímetro alrededor del borde de la región. El planímetro mide el número de vueltas que da la rueda al trazar el borde; el área de la forma es proporcional a este número de vueltas de la rueda. Podemos derivar la ecuación de proporcionalidad precisa utilizando el teorema de Green. A medida que el trazador se desplaza por el borde de la región, el brazo del trazador gira y el rodillo se mueve hacia adelante y hacia atrás (pero no gira).

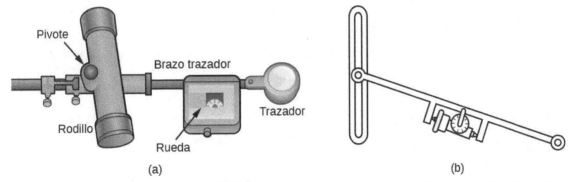

Figura 6.48   (a) Un planímetro rodante. El pivote permite que el brazo trazador gire. El rodillo en sí no gira; solo se mueve hacia adelante y hacia atrás. (b) Una vista interior de un planímetro rodante. Observe que la rueda no puede girar si el planímetro se mueve hacia adelante y hacia atrás con el brazo trazador perpendicular al rodillo.

Supongamos que *C* muestra el borde de la región *D*, el área a calcular. A medida que el trazador atraviesa la curva *C*, se supone que el rodillo se mueve a lo largo del eje *y* (como el rodillo no gira, se puede suponer que se mueve a lo largo de una línea recta). Utilice las coordenadas (x, y) para representar los puntos del borde *C*, y las coordenadas

$(0, Y)$ para representar la posición del pivote. A medida que el planímetro traza C, el pivote se mueve a lo largo del eje y mientras el brazo trazador gira sobre el pivote.

> ▶ **MEDIOS**
>
> Vea una breve animación (http://www.openstax.org/l/20_planimeter) de un planímetro en acción.

Comience el análisis considerando el movimiento del trazador mientras se mueve desde el punto (x, y) en sentido contrario a las agujas del reloj para apuntar $(x + dx, y + dy)$ que está cerca de (x, y) (Figura 6.49). El pivote también se mueve, desde el punto $(0, Y)$ a un punto cercano $(0, Y + dY)$. ¿Cuánto gira la rueda como resultado de este movimiento? Para responder esta pregunta, divida la moción en dos partes. En primer lugar, haga rodar el pivote a lo largo del eje y desde $(0, Y)$ al $(0, Y + dY)$ sin girar el brazo trazador. El brazo trazador termina entonces en el punto $(x, y + dY)$ manteniendo un ángulo constante ϕ con el eje x. En segundo lugar, gire el brazo trazador en un ángulo $d\theta$ sin mover el rodillo. Ahora el rastreador está en el punto $(x + dx, y + dy)$. Supongamos que l es la distancia del pivote a la rueda y que L es la distancia del pivote al trazador (la longitud del brazo del trazador).

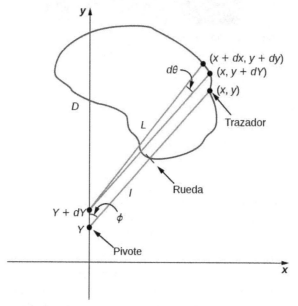

Figura 6.49 Análisis matemático del movimiento del planímetro.

1. Explique por qué la distancia total por la que rueda el pequeño movimiento que acabamos de describir es
   $$\text{sen } \phi dY + l d\theta = \frac{x}{L} dY + l d\theta.$$

2. Demuestre que $\oint_C d\theta = 0$,

3. Utilice el paso 2 para demostrar que la distancia total de rodadura de la rueda mientras el trazador atraviesa la curva C es

   $$\text{Rollo total de la rueda} = \frac{1}{L} \oint_C x dY.$$

   Ahora que tiene una ecuación para la distancia total de rodadura de la rueda, conecta esta ecuación con el teorema de Green para calcular el área D encerrada por C.

4. Demuestre que $x^2 + (y - Y)^2 = L^2$.

5. Supongamos que la orientación del planímetro es la que se muestra en la Figura 6.49. Explique por qué $Y \leq y$, y utilice esta desigualdad para demostrar que existe un valor único de Y para cada punto (x, y):
   $$Y = y = \sqrt{L^2 - x^2}.$$

6. Utilice el paso 5 para demostrar que $dY = dy + \frac{x}{\sqrt{L^2 - x^2}} dx$.

7. Utilice el teorema de Green para demostrar que $\oint_C \frac{x}{\sqrt{L^2 - x^2}} dx = 0$,

8. Utilice el paso 7 para demostrar que el balanceo total de la rueda es

Balanceo total de la rueda $= \frac{1}{L} \oint_C x\,dy$.

Tomó un poco de trabajo, pero esta ecuación dice que la variable de integración Y en el paso 3 se puede sustituir por y.

9. Utilice el teorema de Green para demostrar que el área de D es $\oint_C x\,dy$. La lógica es similar a la utilizada para demostrar que el área de $D = \frac{1}{2} \oint_C -y\,dx + x\,dy$.

10. Concluya que el área de D es igual a la longitud del brazo trazador multiplicada por la distancia total de rodadura de la rueda.

Ahora sabe cómo funciona un planímetro y ha utilizado el teorema de Green para justificar su funcionamiento. Para calcular el área de una región plana D, utilice un planímetro para trazar el límite de la región. El área de la región es la longitud del brazo trazador multiplicada por la distancia que rodó la rueda.

SECCIÓN 6.4 EJERCICIOS

En los siguientes ejercicios, evalúe las integrales de línea aplicando el teorema de Green.

146. $\int_C 2xy\,dx + (x + y)\,dy$, donde C es la trayectoria de $(0, 0)$ a $(1, 1)$ a lo largo del gráfico de $y = x^3$ y de $(1, 1)$ a $(0, 0)$ a lo largo del gráfico de $y = x$ orientado en el sentido contrario a las agujas del reloj

147. $\int_C 2xy\,dx + (x + y)\,dy$, donde C es el borde de la región situada entre los gráficos de $y = 0$ y $y = 4 - x^2$ orientado en el sentido contrario a las agujas del reloj

148. $\int_C 2\arctan\left(\frac{y}{x}\right)dx + \ln\left(x^2 + y^2\right)dy$, donde C se define por $x = 4 + 2\cos\theta$, $y = 4\sin\theta$ orientado en el sentido contrario a las agujas del reloj

149. $\int_C \sin x \cos y\,dx + (xy + \cos x \sin y)\,dy$, donde C es el borde de la región situada entre los gráficos de $y = x$ como $y = \sqrt{x}$ orientado en el sentido contrario a las agujas del reloj

150. $\int_C xy\,dx + (x + y)\,dy$, donde C es el borde de la región situada entre las gráficas de $x^2 + y^2 = 1$ y $x^2 + y^2 = 9$ orientado en el sentido contrario a las agujas del reloj

151. $\oint_C (-y\,dx + x\,dy)$, donde C consiste en el segmento de línea C_1 de $(-1, 0)$ a $(1, 0)$, seguido del arco semicircular C_2 desde $(1, 0)$ de vuelta a $(1, 0)$

En los siguientes ejercicios, utilice el teorema de Green.

152. Supongamos que C es la curva formada por los segmentos de línea de (0, 0) a (1, 1) a (0, 1) y de vuelta a (0, 0). Calcule el valor de

$$\int_C xy\,dx + \sqrt{y^2 + 1}\,dy.$$

153. Evalúe la integral de línea

$$\int_C xe^{-2x}\,dx + \left(x^4 + 2x^2y^2\right)dy,$$

donde C es el borde de la región entre círculos $x^2 + y^2 = 1$ y $x^2 + y^2 = 4$, y es una curva de orientación positiva.

154. Halle la circulación del campo en sentido contrario a las agujas del reloj $\mathbf{F}(x, y) = xy\mathbf{i} + y^2\mathbf{j}$ alrededor y sobre el borde de la región limitada por las curvas $y = x^2$ y $y = x$ en el primer cuadrante y orientado en el sentido contrario a las agujas del reloj.

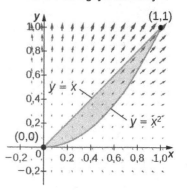

155. Evalúe $\oint_C y^3\,dx - x^3y^2\,dy$, donde C es el círculo de radio 2 orientado positivamente y centrado en el origen.

156. Evalúe $\oint_C y^3\,dx - x^3\,dy$, donde C incluye los dos círculos de radio 2 y radio 1 centrados en el origen, ambos con orientación positiva.

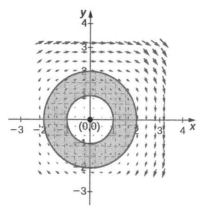

157. Calcule

$$\oint_C -x^2y\,dx + xy^2\,dy,$$

donde C es un círculo de radio 2 centrado en el origen y orientado en el sentido contrario a las agujas del reloj.

158. Calcule la integral
$$\oint_C 2\left[y + x\,\mathrm{sen}\,(y)\right]dx + \left[x^2\cos(y) - 3y^2\right]dy$$
a lo largo del triángulo C con vértices $(0, 0)$, $(1, 0)$ y $(1, 1)$, orientado en sentido contrario a las agujas del reloj, utilizando el teorema de Green.

159. Evalúe la integral
$$\oint_C \left(x^2 + y^2\right)dx + 2xy\,dy,$$
donde C es la curva que sigue a la parábola
$y = x^2$ de $(0, 0)\,(2, 4)$, luego la línea de $(2, 4)$ a $(2, 0)$, y finalmente la línea de $(2, 0)$ a $(0, 0)$.

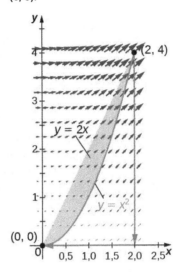

160. Evalúe la integral de línea
$$\oint_C (y - \mathrm{sen}(y)\cos(y))dx + 2x\,\mathrm{sen}^2(y)dy,$$
donde C se orienta en una trayectoria contraria a las agujas del reloj alrededor de la región delimitada por
$x = -1, x = 2, y = 4 - x^2,$ y $y = x - 2.$

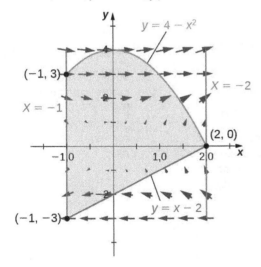

En los siguientes ejercicios, utilice el teorema de Green para hallar el área.

161. Halle el área entre la elipse $\frac{x^2}{9} + \frac{y^2}{4} = 1$ y el círculo $x^2 + y^2 = 25$.

162. Halle el área de la región encerrada por la ecuación paramétrica
$$p(\theta) = \left(\cos(\theta) - \cos^2(\theta)\right) \mathbf{i} + \left(\text{sen}(\theta) - \cos(\theta)\text{sen}(\theta)\right) \mathbf{j} \text{ para } 0 \le \theta \le 2\pi.$$

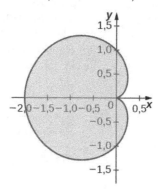

163. Halle el área de la región delimitada por el hipocicloide $\mathbf{r}(t) = \cos^3(t)\mathbf{i} + \text{sen}^3(t)\mathbf{j}$. La curva está parametrizada por $t \in [0, 2\pi]$.

164. Halle el área de un pentágono con vértices $(0, 4), (4, 1), (3, 0), (-1, -1)$, y $(-2, 2)$.

165. Utilice el teorema de Green para evaluar
$$\int_{C+} \left(y^2 + x^3\right) dx + x^4 dy,$$
donde C^+ es el perímetro del cuadrado $[0, 1] \times [0, 1]$ orientado en sentido contrario a las agujas del reloj.

166. Utilice el teorema de Green para demostrar que el área de un disco con radio a es $A = \pi a^2$.

167. Utilice el teorema de Green para encontrar el área de un bucle de una rosa de cuatro hojas $r = 3 \text{ sen } 2\theta$. (*Pista:* $xdy - ydx = \mathbf{r}^2 d\theta$).

168. Utilice el teorema de Green para hallar el área bajo un arco de la cicloide dada por el plano paramétrico $x = t - \text{sen } t, y = 1 - \cos t, t \ge 0$.

169. Utilice el teorema de Green para encontrar el área de la región encerrada por la curva
$$\mathbf{r}(t) = t^2\mathbf{i} + \left(\frac{t^3}{3} - t\right)\mathbf{j}, \ -\sqrt{3} \le t \le \sqrt{3}.$$

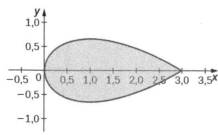

170. [T] Evalúe el teorema de Green utilizando un sistema de álgebra computacional para evaluar la integral $\int_C xe^y dx + e^x dy$, donde C es el círculo dado por $x^2 + y^2 = 4$ y se orienta en el sentido contrario a las agujas del reloj.

171. Evalúe
$$\int_C \left(x^2y - 2xy + y^2\right) ds,$$
donde C es el borde del cuadrado unitario $0 \le x \le 1, 0 \le y \le 1$, atravesado en sentido contrario a las agujas del reloj.

172. Evalúe
$$\int_C \frac{-(y+2)dx + (x-1)dy}{(x-1)^2 + (y+2)^2},$$
donde C es cualquier curva simple cerrada con un interior que no contiene punto $(1,-2)$ atravesado en sentido contrario a las agujas del reloj.

173. Evalúe $\int_C \frac{xdx + ydy}{x^2 + y^2}$, donde C es cualquier curva cerrada simple y suave a trozos que encierra el origen, atravesada en sentido contrario a las agujas del reloj.

En los siguientes ejercicios, utilice el teorema de Green para calcular el trabajo realizado por la fuerza **F** *sobre una partícula que se mueve en sentido contrario a las agujas del reloj alrededor de la trayectoria cerrada C.*

174. $\mathbf{F}(x, y) = xy\mathbf{i} + (x + y)\mathbf{j}$,
$C : x^2 + y^2 = 4$

175. $\mathbf{F}(x, y) = \left(x^{3/2} - 3y\right)\mathbf{i} + \left(6x + 5\sqrt{y}\right)\mathbf{j}$,
C: borde de un triángulo con vértices (0, 0), (5, 0) y (0, 5)

176. Evalúe
$$\int_C \left(2x^3 - y^3\right) dx + \left(x^3 + y^3\right) dy,$$
donde C es un círculo unitario orientado en el sentido contrario a las agujas del reloj.

177. Una partícula comienza en el punto $(-2, 0)$, se desplaza a lo largo del eje x hasta $(2, 0)$, y luego recorre el semicírculo $y = \sqrt{4 - x^2}$ al punto de partida. Utilice el teorema de Green para hallar el trabajo realizado sobre esta partícula por el campo de fuerza
$\mathbf{F}(x, y) = x\mathbf{i} + \left(x^3 + 3xy^2\right)\mathbf{j}$.

178. David y Sandra están patinando en un estanque sin fricción y con viento. David patina por el interior, recorriendo un círculo de radio 2 en sentido contrario a las agujas del reloj. Sandra patina una vez alrededor de un círculo de radio 3, también en sentido contrario a las agujas del reloj. Supongamos que la fuerza del viento en el punto (x, y) (x, y) (x, y) es
$\mathbf{F}(x, y) = \left(x^2 y + 10y\right)\mathbf{i} + \left(x^3 + 2xy^2\right)\mathbf{j}$.
Utilice el teorema de Green para determinar quién hace más trabajo.

179. Utilice el teorema de Green para hallar el trabajo realizado por el campo de fuerza
$\mathbf{F}(x, y) = (3y - 4x)\mathbf{i} + (4x - y)\mathbf{j}$
cuando un objeto se mueve una vez en sentido contrario a las agujas del reloj alrededor de la elipse $4x^2 + y^2 = 4$.

180. Utilice el teorema de Green para evaluar la integral de línea
$$\oint_C e^{2x} \operatorname{sen} 2y dx + e^{2x} \cos 2y dy,$$
donde C es la elipse
$9(x-1)^2 + 4(y - 3)^2 = 36$
orientado en sentido contrario a las agujas del reloj.

181. Evalúe la integral de línea
$$\oint_C y^2 dx + x^2 dy, \text{ donde } C$$
es el borde de un triángulo con vértices $(0, 0), (1, 1),$ y $(1, 0),$ con la orientación contraria a las agujas del reloj.

182. Utilice el teorema de Green para evaluar la integral de línea $\int_C \mathbf{h}.\, d\mathbf{r}$
si $\mathbf{h}(x, y) = e^y\mathbf{i} - \operatorname{sen} \pi x\mathbf{j}$, donde C es un triángulo con vértices $(1, 0), (0, 1)$ y $(-1, 0)$ recorridos en sentido contrario a las agujas del reloj.

183. Utilice el teorema de Green para evaluar la integral de línea
$$\int_C \sqrt{1 + x^3}\, dx + 2xy\, dy$$
donde C es un triángulo con vértices $(0, 0)$, $(1, 0)$ y $(1, 3)$ orientados en el sentido de las agujas del reloj.

184. Utilice el teorema de Green para evaluar la integral de línea
$$\int_C x^2 y\, dx - xy^2\, dy \text{ donde}$$
C es un círculo $x^2 + y^2 = 4$ orientado en sentido contrario a las agujas del reloj.

185. Utilice el teorema de Green para evaluar la integral de línea
$$\int_C \left(3y - e^{\operatorname{sen} x}\right) dx + \left(7x + \sqrt{y^4 + 1}\right) dy$$
donde C es un círculo $x^2 + y^2 = 9$ orientado en el sentido contrario a las agujas del reloj.

186. Utilice el teorema de Green para evaluar la integral de línea
$$\int_C (3x - 5y)dx + (x - 6y)dy, \text{ donde}$$
C es la elipse $\frac{x^2}{4} + y^2 = 1$ y se orienta en el sentido contrario a las agujas del reloj.

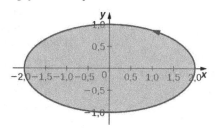

187. Supongamos que C es una curva cerrada triangular de $(0, 0)$ a $(1, 0)$ a $(1, 1)$ y finalmente de vuelta a $(0, 0)$. Supongamos que $\mathbf{F}(x, y) = 4y\mathbf{i} + 6x^2\mathbf{j}$. Utilice el teorema de Green para evaluar
$$\oint_C \mathbf{F} \cdot d\mathbf{s}.$$

188. Utilice el teorema de Green para evaluar la integral de línea
$$\oint_C y\, dx - x\, dy, \text{ donde } C \text{ es}$$
un círculo $x^2 + y^2 = a^2$ orientado en el sentido de las agujas del reloj.

189. Utilice el teorema de Green para evaluar la integral de línea
$$\oint_C (y + x)dx + (x + \operatorname{sen} y)dy,$$
donde C es cualquier curva cerrada simple y suave que une el origen a sí misma orientada en el sentido contrario a las agujas del reloj.

190. Utilice el teorema de Green para evaluar la integral de línea
$$\oint_C \left(y - \ln\left(x^2 + y^2\right)\right) dx + \left(2 \arctan \frac{y}{x}\right) dy,$$
donde C es el círculo orientado positivamente $(x - 2)^2 + (y - 3)^2 = 1$.

191. Utilice el teorema de Green para evaluar
$$\oint_C xy\, dx + x^3 y^3\, dy,$$
donde C es un triángulo con vértices $(0, 0)$, $(1, 0)$ y $(1, 2)$ con orientación positiva.

192. Utilice el teorema de Green para evaluar la integral de línea

$$\int_C \operatorname{sen} y dx + x \cos y dy,$$

donde C es la elipse $x^2 + xy + y^2 = 1$ orientado en el sentido contrario a las agujas del reloj.

193. Supongamos que
$$\mathbf{F}(x, y) = \left(\cos\left(x^5\right)\right) - \tfrac{1}{3}y^3\mathbf{i} + \tfrac{1}{3}x^3\mathbf{j}.$$
Halle la circulación en sentido contrario a las agujas del reloj

$$\oint_C \mathbf{F} \cdot d\mathbf{r},$$ donde C es una curva que consiste en el segmento de línea que une $(-2, 0)$ y $(-1, 0)$, medio círculo $y = \sqrt{1 - x^2}$, el segmento de línea que une $(1, 0)$ y $(2, 0)$, y el semicírculo $y = \sqrt{4 - x^2}$.

194. Utilice el teorema de Green para evaluar la integral de línea

$$\int_C \operatorname{sen}\left(x^3\right) dx + 2ye^{x^2} dy,$$

donde C es una curva cerrada triangular que conecta los puntos $(0, 0)$, $(2, 2)$ y $(0, 2)$ en sentido contrario a las agujas del reloj.

195. Supongamos que C es el borde del cuadrado $0 \leq x \leq \pi, 0 \leq y \leq \pi,$ atravesado en sentido contrario a las agujas del reloj. Utilice el teorema de Green para hallar

$$\int_C \operatorname{sen}(x + y)dx + \cos(x + y)dy.$$

196. Utilice el teorema de Green para evaluar la integral de línea

$$\int_C \mathbf{F} \cdot d\mathbf{r}, \text{ donde}$$
$$\mathbf{F}(x, y) = \left(y^2 - x^2\right)\mathbf{i} + \left(x^2 + y^2\right)\mathbf{j},$$
y C es un triángulo delimitado por $y = 0$, $x = 3$, y $y = x$, orientado en sentido contrario a las agujas del reloj.

197. Utilice el teorema de Green para evaluar la integral $\int_C \mathbf{F} \cdot d\mathbf{r}$, donde $\mathbf{F}(x, y) = \left(xy^2\right)\mathbf{i} + x\mathbf{j}$, y C es un círculo unitario orientado en el sentido contrario a las agujas del reloj.

198. Utilice el teorema de Green en un plano para evaluar la integral de línea

$$\oint_C \left(xy + y^2\right) dx + x^2 dy,$$

donde C es una curva cerrada de una región delimitada por $y = x$ y $y = x^2$ orientado en el sentido contrario a las agujas del reloj.

199. Calcule el flujo de salida de $\mathbf{F} = -x\mathbf{i} + 2y\mathbf{j}$ sobre un cuadrado con esquinas $(\pm1, \pm1)$, donde la normal de la unidad está orientada hacia el exterior y en sentido contrario a las agujas del reloj.

200. [T] Supongamos que C es un círculo $x^2 + y^2 = 4$ orientado en el sentido contrario a las agujas del reloj. Evalúe

$$\oint_C \left[\left(3y - e^{\tan^{-1}x}\right) dx + \left(7x + \sqrt{y^4 + 1}\right) dy\right]$$

utilizando un sistema de álgebra computacional.

201. Halle el flujo de campo $\mathbf{F} = -x\mathbf{i} + y\mathbf{j}$ a través de $x^2 + y^2 = 16$ orientado en el sentido contrario a las agujas del reloj.

202. Supongamos que
$$\mathbf{F} = \left(y^2 - x^2\right)\mathbf{i} + \left(x^2 + y^2\right)\mathbf{j},$$
y que C es un triángulo delimitado por $y = 0$, $x = 3$, y $y = x$ orientado en el sentido contrario a las agujas del reloj. Halle el flujo de salida de $\mathbf{F}$ a través de C.

203. [T] Supongamos que C es el círculo unitario $x^2 + y^2 = 1$ atravesado una vez en sentido contrario a las agujas del reloj. Evalúe

$$\int_C \left[-y^3 + \operatorname{sen}(xy) + xy\cos(xy)\right] dx + \left[x^3 + x^2\cos(xy)\right] dy$$

utilizando un sistema de álgebra computacional.

204. **[T]** Halle el flujo de salida del campo vectorial $\mathbf{F} = xy^2\mathbf{i} + x^2y\mathbf{j}$ a través del borde del anillo

$$R = \left\{(x, y) : 1 \le x^2 + y^2 \le 4\right\} = \{(r, \theta) : 1 \le r \le 2, 0 \le \theta \le 2\pi\}$$

utilizando un sistema de álgebra computacional.

205. Consideremos la región R delimitada por las parábolas $y = x^2$ y $x = y^2$. Supongamos que C es el borde de R orientado en sentido contrario a las agujas del reloj. Utilice el teorema de Green para evaluar

$$\oint_C \left(y + e^{\sqrt{x}}\right) dx + \left(2x + \cos\left(y^2\right)\right) dy.$$

6.5 Divergencia y rizo

Objetivos de aprendizaje

  6.5.1 Determinar la divergencia a partir de la fórmula para un campo vectorial dado.
  6.5.2 Determinar el rizo a partir de la fórmula para un campo vectorial dado.
  6.5.3 Utilizar las propiedades del rizo y la divergencia para determinar si un campo vectorial es conservativo.

En esta sección examinamos dos operaciones importantes sobre un campo vectorial: la divergencia y el rizo. Son importantes para el campo del cálculo por varias razones, entre ellas el uso del rizo y la divergencia para desarrollar algunas versiones de dimensiones superiores del teorema fundamental del cálculo. Además, el rizo y la divergencia aparecen en las descripciones matemáticas de la mecánica de fluidos, el electromagnetismo y la teoría de la elasticidad, que son conceptos importantes en física e ingeniería. También podemos aplicar el rizo y la divergencia a otros conceptos que ya hemos explorado. Por ejemplo, bajo ciertas condiciones, un campo vectorial es conservativo si y solo si su rizo es cero.

Además de definir el rizo y la divergencia, veremos algunas interpretaciones físicas de los mismos, y mostraremos su relación con los campos vectoriales conservativos y sin fuente.

Divergencia

La divergencia es una operación sobre un campo vectorial que nos dice cómo se comporta el campo hacia o lejos de un punto. Localmente, la divergencia de un campo vectorial $\mathbf{F}$ en $\mathbb{R}^2$ o $\mathbb{R}^3$ en un punto particular P es una medida de la "salida" del campo vectorial en P. Si $\mathbf{F}$ representa la velocidad de un fluido, entonces la divergencia de $\mathbf{F}$ en P mide la tasa de cambio neta con respecto al tiempo de la cantidad de fluido que fluye fuera de P (la tendencia del fluido a fluir "fuera" de P). En particular, si la cantidad de fluido que entra en P es la misma que la que sale, entonces la divergencia en P es cero.

> **Definición**
>
> Si los valores de $\mathbf{F} = \langle P, Q, R \rangle$ es un campo vectorial en $\mathbb{R}^3$ y P_x, Q_y, y R_z existen, entonces la **divergencia** de $\mathbf{F}$ está definida por
>
> $$\operatorname{div}\mathbf{F} = P_x + Q_y + R_z = \frac{\partial P}{\partial x} + \frac{\partial Q}{\partial y} + \frac{\partial R}{\partial z}. \tag{6.16}$$

Observe que la divergencia de un campo vectorial no es un campo vectorial, sino una función escalar. En términos del operador de gradiente $\nabla = \left\langle \frac{\partial}{\partial x}, \frac{\partial}{\partial y}, \frac{\partial}{\partial z} \right\rangle$, la divergencia puede escribirse simbólicamente como el producto escalar

$$\operatorname{div}\mathbf{F} = \nabla.\mathbf{F}.$$

Observe que se trata de una notación meramente útil, ya que el producto escalar de un vector de operadores y un vector de funciones no tienen sentido dada nuestra definición actual de producto escalar.

Si los valores de $\mathbf{F} = \langle P, Q \rangle$ es un campo vectorial en $\mathbb{R}^2$, y P_x y Q_y ambos existen, entonces la divergencia de $\mathbf{F}$ se define de forma similar como

$$\operatorname{div} \mathbf{F} = P_x + Q_y = \frac{\partial P}{\partial x} + \frac{\partial Q}{\partial y} = \nabla . \mathbf{F}.$$

Para ilustrar este punto, consideremos los dos campos vectoriales en la Figura 6.50. En cualquier punto concreto, la cantidad que entra es la misma que la que sale, por lo que en cada punto la "salida" del campo es cero. Por lo tanto, esperamos que la divergencia de ambos campos sea cero, y así es, ya que

$$\operatorname{div}\left(\langle 1, 2 \rangle\right) = \frac{\partial}{\partial x}\left(1\right) + \frac{\partial}{\partial y}\left(2\right) = 0 \text{ y } \operatorname{div}\left(\langle -y, x \rangle\right) = \frac{\partial}{\partial x}\left(-y\right) + \frac{\partial}{\partial y}\left(x\right) = 0.$$

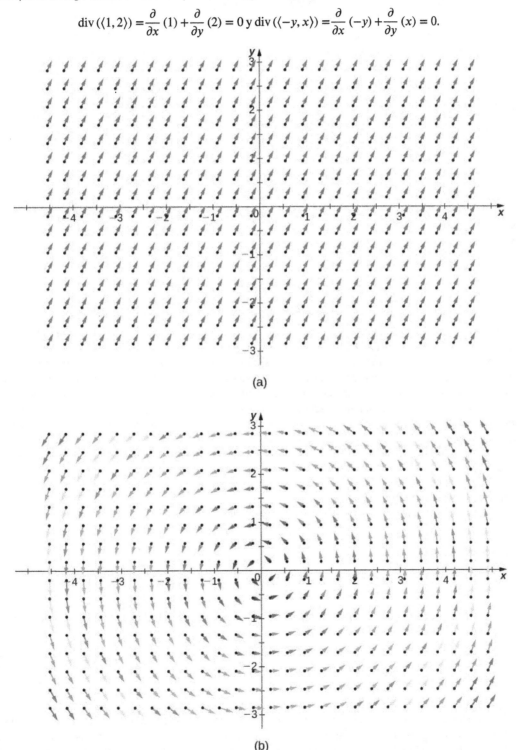

(a)

(b)

Figura 6.50 (a) Campo vectorial $\langle 1, 2 \rangle$ tiene divergencia cero. (b) Campo vectorial $\langle -y, x \rangle$ también tiene una divergencia cero.

En contraste, consideremos el campo vectorial radial $\mathbf{R}(x, y) = \langle -x, -y \rangle$ en la Figura 6.51. En un momento dado, entra más líquido del que sale, por lo que la "salida" del campo es negativa. Esperamos que la divergencia de este campo sea negativa, y así es, ya que $\text{div}(\mathbf{R}) = \frac{\partial}{\partial x}(-x) + \frac{\partial}{\partial y}(-y) = -2$.

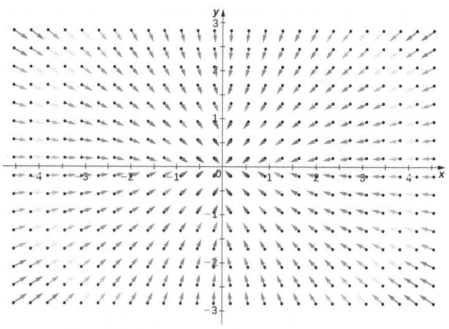

Figura 6.51   Este campo vectorial tiene divergencia negativa.

Para tener una idea global de lo que nos dice la divergencia, supongamos que un campo vectorial en $\mathbb{R}^2$ representa la velocidad de un fluido. Imagínese que toma un círculo elástico (un círculo con una forma que puede ser modificada por el campo vectorial) y lo deja caer en un fluido. Si el círculo mantiene su área exacta mientras fluye a través del fluido, entonces la divergencia es cero. Esto ocurriría para ambos campos vectoriales en la Figura 6.50. Por otro lado, si la forma del círculo se distorsiona de manera que su área se reduce o se expande, entonces la divergencia no es cero. Imagine que deja caer un círculo elástico de este tipo en el campo vectorial radial en la Figura 6.51 de manera que el centro del círculo cae en el punto (3, 3). El círculo fluiría hacia el origen y, al hacerlo, la parte delantera del círculo se desplazaría más lentamente que la trasera, haciendo que el círculo se "arrugue" y pierda superficie. Así se puede ver una divergencia negativa.

EJEMPLO 6.48

Calcular la divergencia en un punto

Si los valores de $\mathbf{F}(x, y, z) = e^x\mathbf{i} + yz\mathbf{j} - y^2\mathbf{k}$, entonces halla la divergencia de **F** en $(0, 2, -1)$.

⊘ **Solución**

La divergencia de **F** es

$$\frac{\partial}{\partial x}\left(e^x\right) + \frac{\partial}{\partial y}(yz) - \frac{\partial}{\partial z}\left(yz^2\right) = e^x + z - 2yz.$$

Por lo tanto, la divergencia en $(0, 2, -1)$ ¿es $e^0 - 1 + 4 = 4$. Si **F** representa la velocidad de un fluido, entonces sale más fluido del que entra en el punto $(0, 2, -1)$.

✓   6.40   Halle div $\mathbf{F}$ por $\mathbf{F}(x, y, z) = \left\langle xy, 5 - z^2y, x^2 + y^2 \right\rangle$.

Una de las aplicaciones de la divergencia se da en la física, cuando se trabaja con campos magnéticos. Un campo magnético es un campo vectorial que modela la influencia de las corrientes eléctricas y los materiales magnéticos. Los físicos utilizan la divergencia en la ley de Gauss para el magnetismo, que establece que si **B** es un campo magnético, entonces $\nabla \cdot \mathbf{B} = 0$; en otras palabras, la divergencia de un campo magnético es cero.

EJEMPLO 6.49

Determinar si un campo es magnético

¿Es posible que para que $\mathbf{F}(x, y) = \langle x^2 y, y - xy^2 \rangle$ sean campos magnéticos?

⊘ **Solución**

Si **F** fuera magnético, entonces su divergencia sería cero. La divergencia de **F** es

$$\frac{\partial}{\partial x}\left(x^2 y\right) + \frac{\partial}{\partial y}\left(y - xy^2\right) = 2xy + 1 - 2xy = 1$$

y por lo tanto **F** no puede modelar un campo magnético (Figura 6.52).

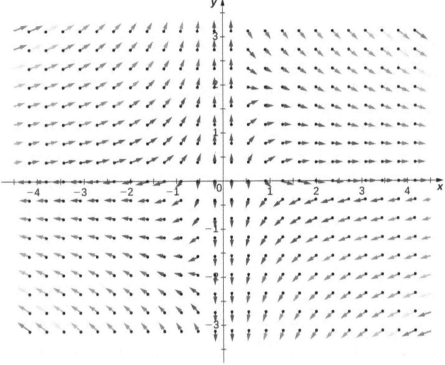

Figura 6.52 La divergencia del campo vectorial $\mathbf{F}(x, y) = \langle x^2 y, y - xy^2 \rangle$ es uno, por lo que no puede modelar un campo magnético.

Otra aplicación de la divergencia es detectar si un campo está libre de fuentes. Recordemos que un campo sin fuente es un campo vectorial que tiene una función de flujo; de forma equivalente, un campo sin fuente es un campo con un flujo que es cero a lo largo de cualquier curva cerrada. Los dos teoremas siguientes dicen que, bajo ciertas condiciones, los campos vectoriales sin fuente son precisamente los campos vectoriales con divergencia cero.

Teorema 6.14

Divergencia de un campo vectorial sin fuente

Si los valores de $\mathbf{F} = \langle P, Q \rangle$ es un campo vectorial continuo sin fuente con funciones componentes diferenciables, entonces div $\mathbf{F} = 0$.

Prueba

Como **F** es libre de fuentes, existe una función $g(x, y)$ con la $g_y = P$ y $-g_x = Q$. Por lo tanto, $\mathbf{F} = \langle g_y, -g_x \rangle$ y div $\mathbf{F} = g_{yx} - g_{xy} = 0$ según el teorema de Clairaut.

□

La inversa de la Divergencia de un campo vectorial sin fuente es cierta en regiones simplemente conectadas, pero la prueba es demasiado técnica para incluirla aquí. Así, tenemos el siguiente teorema, que puede probar si un campo vectorial en $\mathbb{R}^2$ está libre de fuentes.

Teorema 6.15

Prueba de divergencia para campos vectoriales sin fuente
Supongamos que $\mathbf{F} = \langle P, Q \rangle$ es un campo vectorial continuo con funciones componentes diferenciables con un dominio simplemente conectado. Entonces, div $\mathbf{F} = 0$ si y solo si $\mathbf{F}$ está libre de fuentes.

EJEMPLO 6.50

Determinar si un campo está libre de fuentes
¿El campo $\mathbf{F}(x, y) = \langle x^2 y, 5 - xy^2 \rangle$ está libre de fuentes?

⊘ **Solución**

Observe que el dominio de $\mathbf{F}$ es $\mathbb{R}^2$, que está simplemente conectado. Además, $\mathbf{F}$ es continuo con funciones componentes diferenciables. Por lo tanto, podemos utilizar la <u>Prueba de divergencia para campos vectoriales sin fuente</u> para analizar $\mathbf{F}$. La divergencia de $\mathbf{F}$ es

$$\frac{\partial}{\partial x}\left(x^2 y\right) + \frac{\partial}{\partial y}\left(5 - xy^2\right) = 2xy - 2xy = 0.$$

Por lo tanto, $\mathbf{F}$ está libre de fuentes por según la <u>Prueba de divergencia para campos vectoriales sin fuente</u>.

☑ 6.41 Supongamos que $\mathbf{F}(x, y) = \langle -ay, bx \rangle$ es un campo rotacional donde a y b son constantes positivas. ¿$\mathbf{F}$ está libre de fuentes?

Recordemos que la forma de flujo del teorema de Green dice que

$$\oint_C \mathbf{F} \cdot \mathbf{N} ds = \iint_D P_x + Q_y dA,$$

donde C es una curva cerrada y simple y D es la región encerrada por C. Ya que $P_x + Q_y = \text{div } \mathbf{F}$, el teorema de Green a veces se escribe como

$$\oint_C \mathbf{F} \cdot \mathbf{N} ds = \iint_D \text{div } \mathbf{F} dA.$$

Por lo tanto, el teorema de Green se puede escribir en términos de divergencia. Si pensamos en la divergencia como una especie de derivada, entonces el teorema de Green dice que la "derivada" de $\mathbf{F}$ en una región puede traducirse en una integral de línea de $\mathbf{F}$ a lo largo del límite de la región. Esto es análogo al teorema fundamental del cálculo, en el que la derivada de una función f en un segmento de línea $[a, b]$ puede traducirse en una afirmación sobre f en el borde de $[a, b]$. Utilizando la divergencia, podemos ver que el teorema de Green es un análogo de dimensión superior del teorema fundamental del cálculo.

Podemos utilizar todo lo que hemos aprendido en la aplicación de la divergencia. Supongamos que $\mathbf{v}$ es un campo vectorial que modela la velocidad de un fluido. Dado que la divergencia de $\mathbf{v}$ en el punto P mide la "salida" del fluido en P, div $\mathbf{v}(P) > 0$ implica que sale más líquido de P del que entra. De la misma manera, div $\mathbf{v}(P) < 0$ implica que en P entra más líquido del que sale, y div $\mathbf{v}(P) = 0$ implica que entra la misma cantidad de líquido que sale.

EJEMPLO 6.51

Determinar el caudal de un fluido
Supongamos que $\mathbf{v}(x, y) = \langle -xy, y \rangle$, $y > 0$ modela el flujo de un fluido. ¿Es más el fluido que entra en el punto $(1, 4)$ del que sale?

⊘ **Solución**

Para determinar si fluye más líquido en $(1, 4)$ de lo que sale, calculamos la divergencia de **v** en $(1, 4)$:

$$\text{div} (\mathbf{v}) = \frac{\partial}{\partial x} (-xy) + \frac{\partial}{\partial y} (y) = -y + 1.$$

Para hallar la divergencia en $(1, 4)$, sustituimos el punto en la divergencia $-4 + 1 = -3$. Dado que la divergencia de **v** en $(1, 4)$ es negativo, entra más líquido del que sale (Figura 6.53).

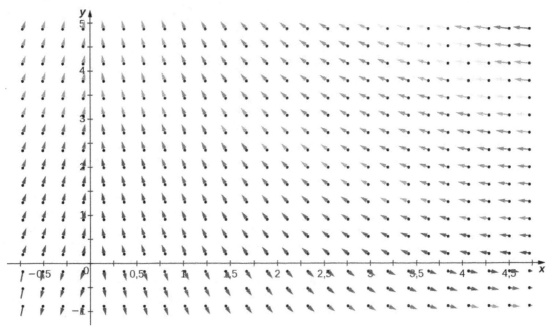

Figura 6.53 Campo vectorial $\mathbf{v}(x, y) = \langle -xy, y \rangle$ tiene una divergencia negativa en $(1, 4)$.

☑ 6.42   Para el campo vectorial $\mathbf{v}(x, y) = \langle -xy, y \rangle$, $y > 0$, halle todos los puntos P tales que la cantidad de fluido que entra en P es igual a la cantidad de fluido que sale de P.

Rizo

La segunda operación sobre un campo vectorial que examinamos es el rizo, que mide el grado de rotación del campo en torno a un punto. Supongamos que **F** representa el campo de velocidad de un fluido. Entonces, el rizo de **F** en el punto P es un vector que mide la tendencia de las partículas cercanas a P a girar alrededor del eje que apunta en la dirección de este vector. La magnitud del vector de rizo en P mide la rapidez con la que las partículas giran alrededor de este eje. En otras palabras, el rizo en un punto es una medida del "giro" del campo vectorial en ese punto. Visualmente, imagine que coloca una rueda de paletas en un fluido en P, con el eje de la rueda de paletas alineado con el vector de curvatura (Figura 6.54). El rizo mide la tendencia de la rueda de paletas a girar.

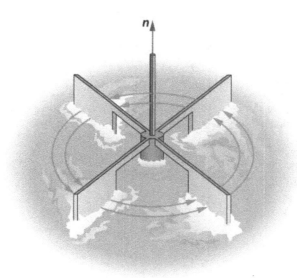

Figura 6.54   Para visualizar la curvatura en un punto, imagine que coloca una pequeña rueda de paletas en el campo vectorial en un punto.

Considere los campos vectoriales en la Figura 6.50. En la parte (a), el campo vectorial es constante y no hay giro en ningún punto. Por lo tanto, esperamos que el rizo del campo sea cero, y así es. La parte (b) muestra un campo rotacional, por lo que el campo tiene espín. En particular, si se coloca una rueda de paletas en un campo en cualquier punto de manera que el eje de la rueda sea perpendicular a un plano, la rueda gira en sentido contrario a las agujas del reloj. Por lo tanto, esperamos que el rizo del campo sea distinto de cero, y así es (el rizo es $2\mathbf{k}$).

Para ver lo que mide el rizo globalmente, imagine que deja caer una hoja en el líquido. A medida que la hoja se mueve con el flujo de fluido, el rizo mide la tendencia de la hoja a girar. Si el rizo es cero, entonces la hoja no gira al desplazarse por el fluido.

Definición

Si los valores de $\mathbf{F} = \langle P, Q, R \rangle$ es un campo vectorial en $\mathbb{R}^3$, y $P_x, Q_y,$ y R_z existen, entonces el **rizo** de $\mathbf{F}$ está definido por

$$
\begin{aligned}
\text{rizo}\,\mathbf{F} &= \left(R_y - Q_z\right)\mathbf{i} + \left(P_z - R_x\right)\mathbf{j} + \left(Q_x - P_y\right)\mathbf{k} \\
&= \left(\frac{\partial R}{\partial y} - \frac{\partial Q}{\partial z}\right)\mathbf{i} + \left(\frac{\partial P}{\partial z} - \frac{\partial R}{\partial x}\right)\mathbf{j} + \left(\frac{\partial Q}{\partial x} - \frac{\partial P}{\partial y}\right)\mathbf{k}.
\end{aligned}
$$ (6.17)

Observe que el rizo de un campo vectorial es un campo vectorial, a diferencia de la divergencia.

La definición de rizo puede ser difícil de recordar. Para ayudar a recordar, utilizamos la notación $\nabla \times \mathbf{F}$ para representar un "determinante" que da la fórmula del rizo:

$$
\begin{vmatrix}
\mathbf{i} & \mathbf{j} & \mathbf{k} \\
\frac{\partial}{\partial x} & \frac{\partial}{\partial y} & \frac{\partial}{\partial z} \\
P & Q & R
\end{vmatrix}.
$$

El determinante de esta matriz es

$$
\left(R_y - Q_z\right)\mathbf{i} - \left(R_x - P_z\right)\mathbf{j} + \left(Q_x - P_y\right)\mathbf{k} = \left(R_y - Q_z\right)\mathbf{i} + \left(P_z - R_x\right)\mathbf{j} + \left(Q_x - P_y\right)\mathbf{k} = \text{rizo}\,\mathbf{F}.
$$

Por lo tanto, esta matriz es una forma de ayudar a recordar la fórmula del rizo. Sin embargo, hay que tener en cuenta que la palabra *determinante* se utiliza con mucha ligereza. Un determinante no está realmente definido en una matriz con entradas que son tres vectores, tres operadores y tres funciones.

Si los valores de $\mathbf{F} = \langle P, Q \rangle$ es un campo vectorial en $\mathbb{R}^2$, entonces el rizo de $\mathbf{F}$, por definición, es

$$\text{rizo } \mathbf{F} = \left(Q_x - P_y\right)\mathbf{k} = \left(\frac{\partial Q}{\partial x} - \frac{\partial P}{\partial y}\right)\mathbf{k}.$$

EJEMPLO 6.52

Hallar el rizo de un campo vectorial tridimensional

Calcule el rizo de $\mathbf{F}(P, Q, R) = \left\langle x^2 z, e^y + xz, xyz \right\rangle$.

⊘ **Solución**

El rizo es

$$
\begin{aligned}
\text{rizo } \mathbf{F} &= \nabla \times \mathbf{F} \\
&= \begin{vmatrix} \mathbf{i} & \mathbf{j} & \mathbf{k} \\ \partial/\partial x & \partial/\partial y & \partial/\partial z \\ P & Q & R \end{vmatrix} \\
&= \left(R_y - Q_z\right)\mathbf{i} + \left(P_z - R_x\right)\mathbf{j} + \left(Q_x - P_y\right)\mathbf{k} \\
&= (xz - x)\mathbf{i} + \left(x^2 - yz\right)\mathbf{j} + z\mathbf{k}.
\end{aligned}
$$

☑ 6.43   Calcule el rizo de $\mathbf{F} = \langle \operatorname{sen} x \cos z, \operatorname{sen} y \operatorname{sen} z, \cos x \cos y \rangle$ en el punto $\left(0, \frac{\pi}{2}, \frac{\pi}{2}\right)$.

EJEMPLO 6.53

Hallar el rizo de un campo vectorial bidimensional

Calcule el rizo de $\mathbf{F} = \langle P, Q \rangle = \langle y, 0 \rangle$.

⊘ **Solución**

Observe que este campo vectorial está formado por vectores que son todos paralelos. De hecho, cada vector del campo es paralelo al eje x. Este hecho podría llevarnos a la conclusión de que el campo no tiene espín y que el rizo es cero. Para comprobar esta teoría, observe que

$$\text{rizo } \mathbf{F} = \left(Q_x - P_y\right)\mathbf{k} = -\mathbf{k} \neq 0.$$

Por lo tanto, este campo vectorial sí tiene espín. Para ver por qué, imagine que coloca una rueda de paletas en cualquier punto del primer cuadrante (Figura 6.55). Las mayores magnitudes de los vectores en la parte superior de la rueda hacen que esta gire. La rueda gira en el sentido de las agujas del reloj (negativo), lo que hace que el coeficiente del rizo sea negativo.

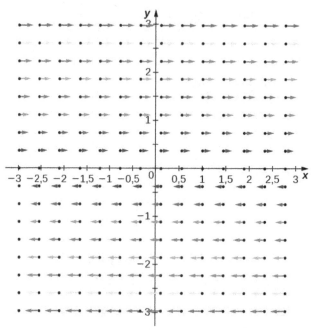

Figura 6.55 Campo vectorial $\mathbf{F}(x, y) = \langle y, 0 \rangle$ consiste en vectores que son todos paralelos.

Observe que si $\mathbf{F} = \langle P, Q \rangle$ es un campo vectorial en un plano, entonces rizo $\mathbf{F} \cdot \mathbf{k} = (Q_x - P_y) \mathbf{k} \cdot \mathbf{k} = Q_x - P_y$. Por lo tanto, la forma de circulación del teorema de Green se escribe a veces como

$$\oint_C \mathbf{F} \cdot d\mathbf{r} = \iint_D \text{rizo } \mathbf{F} \cdot \mathbf{k} \, dA,$$

donde C es una curva cerrada y simple, D es la región encerrada por C. Por lo tanto, la forma de circulación del teorema de Green se puede escribir en términos del rizo. Si pensamos en el rizo como una especie de derivada, el teorema de Green dice que la "derivada" de $\mathbf{F}$ en una región puede traducirse en una integral de línea de $\mathbf{F}$ a lo largo del borde de la región. Esto es análogo al teorema fundamental del cálculo, en el que la derivada de una función f en el segmento de línea $[a, b]$ puede traducirse en una afirmación sobre f en el borde de $[a, b]$. Utilizando el rizo, podemos ver que la forma de circulación del teorema de Green es un análogo de dimensión superior del teorema fundamental del cálculo.

Ahora podemos utilizar lo que hemos aprendido sobre el rizo para demostrar que los campos gravitatorios no tienen "giro" Supongamos que hay un objeto en el origen con masa m_1 en el origen y un objeto con masa m_2. Recordemos que la fuerza gravitacional que el objeto 1 ejerce sobre el objeto 2 viene dada por el campo

$$\mathbf{F}(x, y, z) = -Gm_1 m_2 \left\langle \frac{x}{\left(x^2 + y^2 + z^2\right)^{3/2}}, \frac{y}{\left(x^2 + y^2 + z^2\right)^{3/2}}, \frac{z}{\left(x^2 + y^2 + z^2\right)^{3/2}} \right\rangle.$$

EJEMPLO 6.54

Determinar el giro de un campo gravitatorio
Demuestre que un campo gravitatorio no tiene espín.

⊘ **Solución**
Para demostrar que $\mathbf{F}$ no tiene espín, calculamos su rizo. Supongamos que $P(x, y, z) = \frac{x}{\left(x^2 + y^2 + z^2\right)^{3/2}}$,

$Q(x, y, z) = \frac{y}{\left(x^2 + y^2 + z^2\right)^{3/2}}$, y $R(x, y, z) = \frac{z}{\left(x^2 + y^2 + z^2\right)^{3/2}}$. Entonces,

$$\text{rizo } \mathbf{F} = -Gm_1 m_2 \left[(R_y - Q_z)\mathbf{i} + (P_z - R_x)\mathbf{j} + (Q_x - P_y)\mathbf{k} \right]$$

$$= -Gm_1 m_2 \left[\begin{array}{l} \left(\dfrac{-3yz}{\left(x^2+y^2+z^2\right)^{5/2}} - \left(\dfrac{-3yz}{\left(x^2+y^2+z^2\right)^{5/2}} \right) \right)\mathbf{i} \\[3mm] + \left(\dfrac{-3xz}{\left(x^2+y^2+z^2\right)^{5/2}} - \left(\dfrac{-3xz}{\left(x^2+y^2+z^2\right)^{5/2}} \right) \right)\mathbf{j} \\[3mm] + \left(\dfrac{-3xy}{\left(x^2+y^2+z^2\right)^{5/2}} - \left(\dfrac{-3xy}{\left(x^2+y^2+z^2\right)^{5/2}} \right) \right)\mathbf{k} \end{array} \right]$$

$$= 0,$$

Dado que el rizo del campo gravitacional es cero, el campo no tiene espín.

☑ 6.44   El campo $\mathbf{v}(x, y) = \left\langle -\dfrac{y}{x^2+y^2}, \dfrac{x}{x^2+y^2} \right\rangle$ modela el flujo de un fluido. Demuestre que si deja caer una hoja en este fluido, a medida que la hoja se mueve en el tiempo, la hoja no gira.

Usar la divergencia y el rizo

Ahora que entendemos los conceptos básicos de divergencia y rizo, podemos discutir sus propiedades y establecer relaciones entre ellos y los campos vectoriales conservativos.

Si $\mathbf{F}$ es un campo vectorial en $\mathbb{R}^3$, entonces el rizo de $\mathbf{F}$ es también un campo vectorial en $\mathbb{R}^3$. Por lo tanto, podemos tomar la divergencia de un rizo. El siguiente teorema dice que el resultado es siempre cero. Este resultado es útil porque nos da una forma de demostrar que algunos campos vectoriales no son el rizo de ningún otro campo. Para dar a este resultado una interpretación física, recordemos que la divergencia de un campo de velocidad $\mathbf{v}$ en un punto P mide la tendencia del fluido correspondiente a fluir fuera de P. Puesto que div rizo $(\mathbf{v}) = 0$, la tasa neta de flujo en el campo vectorial rizo$(\mathbf{v})$ en cualquier punto es cero. Tomar el rizo del campo vectorial $\mathbf{F}$ elimina cualquier divergencia que estuviera presente en $\mathbf{F}$.

> **Teorema 6.16**
>
> **Divergencia del rizo**
>
> Supongamos que $\mathbf{F} = \langle P, Q, R \rangle$ es un campo vectorial en $\mathbb{R}^3$ de manera que las funciones componentes tengan todas derivadas parciales continuas de segundo orden. Entonces, div rizo $(\mathbf{F}) = \nabla \cdot (\nabla \times \mathbf{F}) = 0$.

Prueba

Según las definiciones de divergencia y rizo, y el teorema de Clairaut,

$$\begin{aligned} \text{div rizo } \mathbf{F} &= \text{div}\left[(R_y - Q_z)\mathbf{i} + (P_z - R_x)\mathbf{j} + (Q_x - P_y)\mathbf{k} \right] \\ &= R_{yx} - Q_{xz} + P_{yz} - R_{yx} + Q_{zx} - P_{zy} \\ &= 0, \end{aligned}$$

□

EJEMPLO 6.55

Demostrar que un campo vectorial no es el rizo de otro

Demuestre que $\mathbf{F}(x, y, z) = e^x\mathbf{i} + yz\mathbf{j} + xz^2\mathbf{k}$ no es el rizo de otro campo vectorial. Es decir, demuestre que no existe ningún otro vector $\mathbf{G}$ con rizo $\mathbf{G} = \mathbf{F}$.

⊘ **Solución**

Observe que el dominio de $\mathbf{F}$ es todo $\mathbb{R}^3$ y los parciales de segundo orden de $\mathbf{F}$ son todos continuos. Por lo tanto, podemos aplicar el teorema anterior a **F**.

La divergencia de **F** es $e^x + z + 2xz$. Si **F** fuera el rizo del campo vectorial **G**, entonces div **F** = div rizo **G** = 0. Pero, la divergencia de **F** no es cero, y por tanto **F** no es el rizo de ningún otro campo vectorial.

☑   6.45   ¿Es posible que para que $\mathbf{G}(x, y, z) = \langle \operatorname{sen} x, \cos y, \operatorname{sen}(xyz) \rangle$ para ser el rizo de un campo vectorial?

Con los dos teoremas siguientes, demostramos que si **F** es un campo vectorial conservativo entonces su rizo es cero, y si el dominio de **F** es simplemente conectado entonces lo contrario también es cierto. Esto nos da otra forma de comprobar si un campo vectorial es conservador.

> **Teorema 6.17**
>
> **Rizo de un campo vectorial conservativo**
> Si $\mathbf{F} = \langle P, Q, R \rangle$ es conservativo, entonces rizo **F** = 0.

Prueba

Como los campos vectoriales conservativos satisfacen la propiedad de los parciales cruzados, todos los parciales cruzados de **F** son iguales. Por lo tanto,

$$\begin{aligned}\text{rizo } \mathbf{F} &= (R_y - Q_z)\,\mathbf{i} + (P_z - R_x)\mathbf{j} + (Q_x - P_y)\,\mathbf{k} \\ &= 0,\end{aligned}$$

□

El mismo teorema es válido para los campos vectoriales en un plano.

Como un campo vectorial conservativo es el gradiente de una función escalar, el teorema anterior dice que rizo $(\nabla f) = 0$ para cualquier función escalar f. En términos de nuestra notación de rizo, $\nabla \times \nabla(f) = 0$. Esta ecuación tiene sentido porque el producto vectorial de un vector consigo mismo es siempre el vector cero. A veces la ecuación $\nabla \times \nabla(f) = 0$ se simplifica como $\nabla \times \nabla = 0$.

> **Teorema 6.18**
>
> **Prueba de rizo para un campo conservativo**
> Supongamos que $\mathbf{F} = \langle P, Q, R \rangle$ es un campo vectorial en el espacio sobre un dominio simplemente conectado. Si los valores de rizo **F** = 0, entonces **F** es conservativo.

Prueba

Dado que rizo **F** = 0, tenemos que $R_y = Q_z$, $P_z = R_x$, y $Q_x = P_y$. Por lo tanto, **F** satisface la propiedad de los parciales cruzados en un dominio simplemente conectado, y la Propiedad parcial cruzada de los campos conservadores implica que **F** es conservativo.

□

El mismo teorema se cumple también en un plano. Por lo tanto, si **F** es un campo vectorial en un plano o en el espacio y el dominio es simplemente conectado, entonces **F** es conservativo si y solo si rizo **F** = 0.

EJEMPLO 6.56

Comprobar si un campo vectorial es conservativo
Utilice el rizo para determinar si $\mathbf{F}(x, y, z) = \langle yz, xz, xy \rangle$ es conservativo.

⊘ **Solución**

Observe que el dominio de **F** es todo $\mathbb{R}^3$, que está simplemente conectado (Figura 6.56). Por lo tanto, podemos comprobar si **F** es conservativo calculando su rizo.

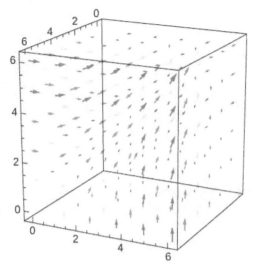

Figura 6.56 El rizo del campo vectorial $\mathbf{F}(x, y, z) = \langle yz, xz, xy \rangle$ es cero.

El rizo de **F** es

$$\left(\frac{\partial}{\partial y} xy - \frac{\partial}{\partial z} xz \right) \mathbf{i} + \left(\frac{\partial}{\partial y} yz - \frac{\partial}{\partial z} xy \right) \mathbf{j} + \left(\frac{\partial}{\partial y} xz - \frac{\partial}{\partial z} yz \right) \mathbf{k} = (x - x)\mathbf{i} + (y - y)\mathbf{j} + (z - z)\mathbf{k} = 0.$$

Por lo tanto, **F** es conservativo.

Hemos visto que el rizo de un gradiente es cero. ¿Qué es la divergencia de un gradiente? Si los valores de f es una función de dos variables, entonces $\operatorname{div}(\nabla f) = \nabla . (\nabla f) = f_{xx} + f_{yy}$. Abreviamos este "producto escalar doble" como ∇^2. Este operador se llama *Operador de Laplace* y en esta notación la ecuación de Laplace se convierte *en* $\nabla^2 f = 0$. Por lo tanto, la función armónica es la que se hace cero después de tomar la divergencia de un gradiente.

Del mismo modo, si f es una función de tres variables, entonces

$$\operatorname{div}(\nabla f) = \nabla . (\nabla f) = f_{xx} + f_{yy} + f_{zz}.$$

Utilizando esta notación obtenemos la ecuación de Laplace para funciones armónicas de tres variables:

$$\nabla^2 f = 0.$$

Las funciones armónicas aparecen en muchas aplicaciones. Por ejemplo, la función potencial de un campo electrostático en una región del espacio que no tiene carga estática es armónica.

EJEMPLO 6.57

Analizar una función
¿Es posible que para que $f(x, y) = x^2 + x - y$ sea la función potencial de un campo electrostático que se encuentra en una región de $\mathbb{R}^2$ libre de carga estática?

⊘ **Solución**
Si los valores de f fuera una función tan potencial, entonces f sería armónico. Observe que $f_{xx} = 2$ y $f_{yy} = 0$, y así $f_{xx} + f_{yy} \neq 0$. Por lo tanto, f no es armónico y f no puede representar un potencial electrostático.

✓ 6.46 ¿Es posible que la función $f(x, y) = x^2 - y^2 + x$ sea la función potencial de un campo electrostático situado en una región de $\mathbb{R}^2$ libre de carga estática?

SECCIÓN 6.5 EJERCICIOS

En los siguientes ejercicios, determine si la afirmación es verdadera o falsa.

206. Si las funciones de coordenadas de $\mathbf{F} : \mathbb{R}^3 \to \mathbb{R}^3$ tienen segundas derivadas parciales continuas, entonces rizo (div($\mathbf{F}$)) son iguales a cero.

207. $\nabla \cdot (x\mathbf{i} + y\mathbf{j} + z\mathbf{k}) = 1$.

208. Todos los campos vectoriales de la forma
$\mathbf{F}(x, y, z) = f(x)\mathbf{i} + g(y)\mathbf{j} + h(z)\mathbf{k}$
son conservativos.

209. Si los valores de rizo $\mathbf{F} = 0$, entonces $\mathbf{F}$ es conservativo.

210. Si $\mathbf{F}$ es un campo vectorial constante, entonces div $\mathbf{F} = 0$.

211. Si $\mathbf{F}$ es un campo vectorial constante, entonces rizo $\mathbf{F} = 0$.

En los siguientes ejercicios, halle el rizo de $\mathbf{F}$.

212. $\mathbf{F}(x, y, z) = xy^2z^4\mathbf{i} + \left(2x^2y + z\right)\mathbf{j} + y^3z^2\mathbf{k}$

213. $\mathbf{F}(x, y, z) = x^2z\mathbf{i} + y^2x\mathbf{j} + (y + 2z)\mathbf{k}$

214. $\mathbf{F}(x, y, z) = 3xyz^2\mathbf{i} + y^2\operatorname{sen}z\mathbf{j} + xe^{2z}\mathbf{k}$

215. $\mathbf{F}(x, y, z) = x^2yz\mathbf{i} + xy^2z\mathbf{j} + xyz^2\mathbf{k}$

216. $\mathbf{F}(x, y, z) = (x\cos y)\mathbf{i} + xy^2\mathbf{j}$

217. $\mathbf{F}(x, y, z) = (x - y)\mathbf{i} + (y - z)\mathbf{j} + (z - x)\mathbf{k}$

218. $\mathbf{F}(x, y, z) = xyz\mathbf{i} + x^2y^2z^2\mathbf{j} + y^2z^3\mathbf{k}$

219. $\mathbf{F}(x, y, z) = xy\mathbf{i} + yz\mathbf{j} + xz\mathbf{k}$

220. $\mathbf{F}(x, y, z) = x^2\mathbf{i} + y^2\mathbf{j} + z^2\mathbf{k}$

221. $\mathbf{F}(x, y, z) = ax\mathbf{i} + by\mathbf{j} + c\mathbf{k}$
para las constantes *a, b, c*

En los siguientes ejercicios, halle la divergencia de $\mathbf{F}$.

222. $\mathbf{F}(x, y, z) = x^2z\mathbf{i} + y^2x\mathbf{j} + (y + 2z)\mathbf{k}$

223. $\mathbf{F}(x, y, z) = 3xyz^2\mathbf{i} + y^2\operatorname{sen}z\mathbf{j} + xe^{2z}\mathbf{k}$

224. $\mathbf{F}(x, y) = (\operatorname{sen}x)\mathbf{i} + (\cos y)\mathbf{j}$

225. $\mathbf{F}(x, y, z) = x^2\mathbf{i} + y^2\mathbf{j} + z^2\mathbf{k}$

226. $\mathbf{F}(x, y, z) = (x - y)\mathbf{i} + (y - z)\mathbf{j} + (z - x)\mathbf{k}$

227. $\mathbf{F}(x, y) = \dfrac{x}{\sqrt{x^2+y^2}}\mathbf{i} + \dfrac{y}{\sqrt{x^2+y^2}}\mathbf{j}$

228. $\mathbf{F}(x, y) = x\mathbf{i} - y\mathbf{j}$

229. $\mathbf{F}(x, y, z) = ax\mathbf{i} + by\mathbf{j} + c\mathbf{k}$
para las constantes *a, b, c*

230. $\mathbf{F}(x, y, z) = xyz\mathbf{i} + x^2y^2z^2\mathbf{j} + y^2z^3\mathbf{k}$

231. $\mathbf{F}(x, y, z) = xy\mathbf{i} + yz\mathbf{j} + xz\mathbf{k}$

En los siguientes ejercicios, determine si cada una de las funciones escalares dadas es armónica.

232. $u(x, y, z) = e^{-x}(\cos y - \text{sen } y)$ grandes.

233. $w(x, y, z) = \left(x^2 + y^2 + z^2\right)^{-1/2}$

234. Si los valores de
$$F(x, y, z) = 2\mathbf{i} + 2x\mathbf{j} + 3y\mathbf{k}$$
y
$$G(x, y, z) = x\mathbf{i} - y\mathbf{j} + z\mathbf{k},$$
calcule rizo $(F \times G)$.

235. Si los valores de
$$F(x, y, z) = 2\mathbf{i} + 2x\mathbf{j} + 3y\mathbf{k}$$
y
$$G(x, y, z) = x\mathbf{i} - y\mathbf{j} + z\mathbf{k},$$
calcule div $(F \times G)$.

236. Halle div F, dado que
$F = \nabla f$, donde
$f(x, y, z) = xy^3 z^2$.

237. Halle la divergencia de **F** para el campo vectorial
$$F(x, y, z) = \left(y^2 + z^2\right)(x + y)\mathbf{i} + \left(z^2 + x^2\right)(y + z)\mathbf{j} + \left(x^2 + y^2\right)(z + x)\mathbf{k}.$$

238. Halle la divergencia de **F** para el campo vectorial
$$F(x, y, z) = f_1(y, z)\mathbf{i} + f_2(x, z)\mathbf{j} + f_3(x, y)\mathbf{k}.$$

En los siguientes ejercicios, utilice $r = |\mathbf{r}|$ y $\mathbf{r} = (x, y, z)$.

239. Halle las intersecciones en rizo **r**.

240. Halle las intersecciones en rizo $\frac{\mathbf{r}}{r}$.

241. Halle las intersecciones en rizo $\frac{\mathbf{r}}{r^3}$.

242. Supongamos que
$$F(x, y) = \frac{-y\mathbf{i} + x\mathbf{j}}{x^2 + y^2}, \text{ donde } F \text{ se}$$
define en
$$\left\{ (x, y) \in \mathbb{R} \,\middle|\, (x, y) \neq (0, 0) \right\}.$$
Halle rizo **F**.

En los siguientes ejercicios, utilice un sistema de álgebra computacional para hallar el rizo de los campos vectoriales dados.

243. [T]
$$F(x, y, z) = \arctan\left(\frac{x}{y}\right)\mathbf{i} + \ln\sqrt{x^2 + y^2}\mathbf{j} + \mathbf{k}$$

244. [T]
$$F(x, y, z) = \text{sen}(x - y)\mathbf{i} + \text{sen}(y - z)\mathbf{j} + \text{sen}(z - x)\mathbf{k}$$

*En los siguientes ejercicios, halle la divergencia de **F** en el punto dado.*

245. $F(x, y, z) = \mathbf{i} + \mathbf{j} + \mathbf{k}$ a las $(2, -1, 3)$ grandes.

246. $F(x, y, z) = xyz\mathbf{i} + y\mathbf{j} + z\mathbf{k}$ a las $(1, 2, 3)$ grandes.

247. $F(x, y, z) = e^{-xy}\mathbf{i} + e^{xz}\mathbf{j} + e^{yz}\mathbf{k}$ a las $(3, 2, 0)$ grandes.

248. $F(x, y, z) = xyz\mathbf{i} + y\mathbf{j} + z\mathbf{k}$ en $(1, 2, 1)$

249. $F(x, y, z) = e^x \text{sen } y\mathbf{i} - e^x \cos y\mathbf{j}$ en $(0, 0, 3)$

*En los siguientes ejercicios, halle el rizo de **F** en el punto dado.*

250. $F(x, y, z) = \mathbf{i} + \mathbf{j} + \mathbf{k}$ a las $(2, -1, 3)$ grandes.

251. $F(x, y, z) = xyz\mathbf{i} + y\mathbf{j} + x\mathbf{k}$ a las $(1, 2, 3)$ grandes.

252. $F(x, y, z) = e^{-xy}\mathbf{i} + e^{xz}\mathbf{j} + e^{yz}\mathbf{k}$ en $(3, 2, 0)$

253. $\mathbf{F}(x, y, z) = xyz\mathbf{i} + y\mathbf{j} + z\mathbf{k}$
en $(1, 2, 1)$

254. $\mathbf{F}(x, y, z) = e^x \operatorname{sen} y \mathbf{i} - e^x \cos y \mathbf{j}$
en $(0, 0, 3)$

255. Supongamos que
$\mathbf{F}(x, y, z) = \left(3x^2 y + az\right)\mathbf{i} + x^3\mathbf{j} + \left(3x + 3z^2\right)\mathbf{k}$.
¿Para qué valor de *a* es **F** conservativo?

256. Dado el campo vectorial
$\mathbf{F}(x, y) = \frac{1}{x^2 + y^2}(-y, x)$ en el dominio
$D = \frac{\mathbb{R}^2}{\{(0,0)\}} = \left\{ (x, y) \in \mathbb{R}^2 \middle| (x, y) \neq (0, 0) \right\}$,
¿es **F** conservativo?

257. Dado el campo vectorial
$\mathbf{F}(x, y) = \frac{1}{x^2 + y^2}(x, y)$ en
el dominio $D = \frac{\mathbb{R}^2}{\{(0,0)\}}$, ¿es
F conservativo?

258. Calcule el trabajo
realizado por el campo de
fuerza
$\mathbf{F}(x, y) = e^{-y}\mathbf{i} - xe^{-y}\mathbf{j}$ al
desplazar un objeto desde
$P(0, 1)$ hasta $Q(2, 0)$. ¿El
campo de fuerza es
conservativo?

259. Calcule la divergencia
$\mathbf{F} = (\operatorname{senoh} x)\mathbf{i} + (\cosh y)\mathbf{j} - xyz\mathbf{k}$.

260. Calcule el rizo
$\mathbf{F} = (\operatorname{senoh} x)\mathbf{i} + (\cosh y)\mathbf{j} - xyz\mathbf{k}$.

En los siguientes ejercicios, considere un cuerpo rígido que está girando alrededor del eje x en sentido contrario a las agujas del reloj con velocidad angular constante $\omega = \langle a, b, c \rangle$. Si P es un punto del cuerpo situado en $\mathbf{r} = x\mathbf{i} + y\mathbf{j} + z\mathbf{k}$, la velocidad en P viene dada por el campo vectorial $\mathbf{F} = \omega \times \mathbf{r}$.

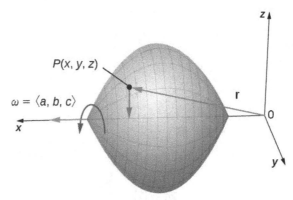

261. Exprese **F** en términos de
los vectores **i**, **j** y **k**.

262. Halle div **F**.

263. Halle rizo **F**

En los siguientes ejercicios, supongamos que $\nabla \cdot \mathbf{F} = 0$ y $\nabla \cdot \mathbf{G} = 0$.

264. ¿Existe $\mathbf{F} + \mathbf{G}$ tiene
necesariamente una
divergencia cero?

265. ¿Existe $\mathbf{F} \times \mathbf{G}$ tiene
necesariamente una
divergencia cero?

En los siguientes ejercicios, supongamos un objeto sólido en $\mathbb{R}^3$ tiene una distribución de temperatura dada por $T(x, y, z)$. El campo vectorial del flujo de calor en el objeto es $\mathbf{F} = -k\nabla T$, donde $k > 0$ es una propiedad del material. El vector de flujo de calor apunta en la dirección opuesta a la del gradiente, que es la dirección de mayor disminución de la temperatura. La divergencia del vector de flujo de calor es $\nabla \cdot \mathbf{F} = -k\nabla \cdot \nabla T = -k\nabla^2 T$.

266. Calcule el campo vectorial del flujo de calor.

267. Calcule la divergencia.

268. **[T]** Considere el campo de velocidad rotacional $\mathbf{v} = \langle 0, 10z, -10y \rangle$. Si se coloca una rueda de paletas en el plano $x + y + z = 1$ con su eje normal a este plano, utilizando un sistema de álgebra computacional, calcule la velocidad de giro de la rueda de paletas en revoluciones por unidad de tiempo.

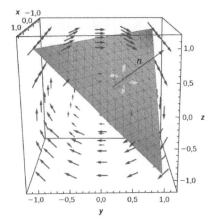

6.6 Integrales de superficie

Objetivos de aprendizaje

    6.6.1 Hallar las representaciones paramétricas de un cilindro, un cono y una esfera.
    6.6.2 Describir la integral de superficie de una función con valor escalar sobre una superficie paramétrica.
    6.6.3 Utilizar una integral de superficie para calcular el área de una superficie dada.
    6.6.4 Explicar el significado de una superficie orientada, dando un ejemplo.
    6.6.5 Describir la integral de superficie de un campo vectorial.
    6.6.6 Utilizar las integrales de superficie para resolver problemas aplicados.

Hemos visto que una integral lineal es una integral sobre una trayectoria en un plano o en el espacio. Sin embargo, si deseamos integrar sobre una superficie (un objeto bidimensional) en vez de sobre una trayectoria (un objeto unidimensional) en el espacio, entonces necesitamos un nuevo tipo de integral que pueda manejar la integración sobre objetos en dimensiones superiores. Podemos extender el concepto de integral lineal a una integral de superficie para permitirnos realizar esta integración.

Las integrales de superficie son importantes por las mismas razones que las integrales lineales. Tienen muchas aplicaciones a la física y la ingeniería, y nos permiten desarrollar versiones de mayor dimensión del teorema fundamental del cálculo. En particular, las integrales de superficie nos permiten generalizar el teorema de Green a dimensiones superiores, y aparecen en algunos teoremas importantes que estudiamos en secciones posteriores.

Superficies paramétricas

Una integral de superficie es similar a una integral lineal, excepto que la integración se realiza sobre una superficie en vez de sobre una trayectoria. En este sentido, las integrales de superficie amplían nuestro estudio de las integrales lineales. Al igual que con las integrales lineales, hay dos tipos de integrales de superficie: una integral de superficie de una función con valor escalar y una integral de superficie de un campo vectorial.

Sin embargo, antes de poder integrar sobre una superficie, tenemos que considerar la propia superficie. Recordemos que para calcular una integral lineal escalar o integral de línea vectorial sobre la curva C, primero necesitamos parametrizar C. De manera similar, para calcular una integral de superficie sobre la superficie S, necesitamos parametrizar S. Es decir, necesitamos un concepto de trabajo de una **superficie parametrizada** (o una **superficie paramétrica**), de la misma manera que ya tenemos un concepto de una curva parametrizada.

Una superficie parametrizada está dada por una descripción de la forma

$$\mathbf{r}(u, v) = \langle x(u, v), y(u, v), z(u, v) \rangle.$$

Observe que esta parametrización implica dos parámetros, u y v, porque una superficie es bidimensional, y por tanto se necesitan dos variables para trazar la superficie. Los parámetros u y v varían en una región denominada dominio de parámetro, o **espacio de parámetro**, el conjunto de puntos en el plano uv que pueden sustituirse en $\mathbf{r}$. Cada elección de u y v en el dominio de parámetro da un punto en la superficie, al igual que cada elección de un parámetro t da un punto en una curva parametrizada. La superficie completa se crea haciendo todas las elecciones posibles de u y v sobre el dominio de parámetro.

> **Definición**
>
> Dada una parametrización de la superficie $\mathbf{r}(u, v) = \langle x(u, v), y(u, v), z(u, v) \rangle$, el **dominio de parámetro** de la parametrización es el conjunto de puntos en el plano uv que se pueden sustituir en $\mathbf{r}$.

EJEMPLO 6.58

Parametrizar un cilindro
Describa la superficie S parametrizada por

$$\mathbf{r}(u, v) = \langle \cos u, \operatorname{sen} u, v \rangle, \quad -\infty < u < \infty, \quad -\infty < v < \infty.$$

⊘ **Solución**
Para hacernos una idea de la forma de la superficie, primero trazamos algunos puntos. Dado que el dominio de parámetro es todo $\mathbb{R}^2$, podemos elegir cualquier valor para u y v y trazar el punto correspondiente. Si los valores de $u = v = 0$, entonces $\mathbf{r}(0, 0) = \langle 1, 0, 0 \rangle$, por lo que el punto $(1, 0, 0)$ está en S. Del mismo modo, los puntos $\mathbf{r}(\pi, 2) = (-1, 0, 2)$ y $\mathbf{r}\left(\frac{\pi}{2}, 4\right) = (0, 1, 4)$ están en S.

Aunque el trazado de puntos puede darnos una idea de la forma de la superficie, normalmente necesitamos bastantes puntos para ver la forma. Dado que el trazado de docenas o cientos de puntos requiere mucho tiempo, utilizamos otra estrategia. Para visualizar S, visualizamos dos familias de curvas que se encuentran en S. En la primera familia de curvas mantenemos u constante; en la segunda familia de curvas mantenemos v constante. Esto nos permite construir un "esqueleto" de la superficie y así hacernos una idea de su forma.

Primero, supongamos que u es una constante K. Entonces la curva trazada por la parametrización es $\langle \cos K, \operatorname{sen} K, v \rangle$, que da una línea vertical que pasa por el punto $(\cos K, \operatorname{sen} K, v)$ en el plano xy.

Supongamos ahora que v es una constante K. Entonces la curva trazada por la parametrización es $\langle \cos u, \operatorname{sen} u, K \rangle$, que da un círculo en el plano $z = K$ con radio 1 y centro $(0, 0, K)$.

Si u se mantiene constante, se obtienen líneas verticales; si v se mantiene constante, se obtienen círculos de radio 1 centrados en la línea vertical que pasa por el origen. Por lo tanto, la superficie trazada por la parametrización es un cilindro $x^2 + y^2 = 1$ (Figura 6.57).

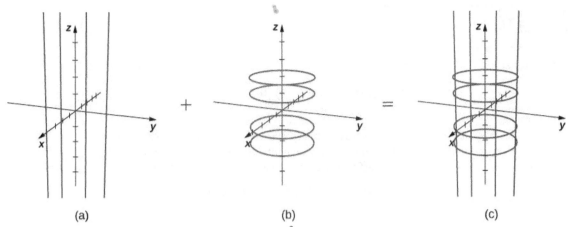

Figura 6.57 (a) Líneas $\langle \cos K, \operatorname{sen} K, v \rangle$ por $K = 0, \frac{\pi}{2}, \pi,$ y $\frac{3\pi}{2}$. (b) Círculos $\langle \cos u, \operatorname{sen} u, K \rangle$ por $K = -2, -1, 1,$ y 2. (c) Las líneas y los círculos juntos. Al variar u y v, describen un cilindro.

Observe que si $x = \cos u$ y $y = \operatorname{sen} u$, entonces $x^2 + y^2 = 1$, por lo que los puntos de S se encuentran efectivamente en el cilindro. A la inversa, cada punto del cilindro está contenido en algún círculo $\langle \cos u, \operatorname{sen} u, k \rangle$ para alguna k, y por tanto cada punto del cilindro está contenido en la superficie parametrizada (Figura 6.58).

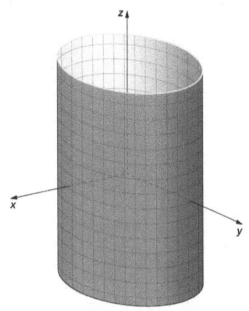

Figura 6.58 Cilindro $x^2 + y^2 = r^2$ tiene una parametrización $\mathbf{r}(u, v) = \langle r \cos u, r \operatorname{sen} u, v \rangle, 0 \leq u \leq 2\pi, -\infty < v < \infty$.

Análisis
Observe que si cambiamos el dominio de parámetro, podríamos obtener una superficie diferente. Por ejemplo, si restringimos el dominio a $0 \leq u \leq \pi, 0 < v < 6$, entonces la superficie sería un medio cilindro de altura 6.

☑ 6.47   Describa la superficie con la parametrización $\mathbf{r}(u, v) = \langle 2 \cos u, 2 \operatorname{sen} u, v \rangle, 0 \leq u < 2\pi, -\infty < v < \infty$.

Del Ejemplo 6.58 se deduce que podemos parametrizar todos los cilindros de la forma $x^2 + y^2 = R^2$. Si S es un cilindro dado por la ecuación $x^2 + y^2 = R^2$, entonces una parametrización de S es

$$\mathbf{r}(u, v) = \langle R \cos u, R \operatorname{sen} u, v \rangle, 0 \leq u < 2\pi, -\infty < v < \infty.$$

También podemos hallar diferentes tipos de superficies dada su parametrización, o podemos calcular una parametrización cuando se nos da una superficie.

EJEMPLO 6.59

Describir una superficie

Describa la superficie S parametrizada por

$$\mathbf{r}(u, v) = \left\langle u\cos v, u\,\mathrm{sen}\,v, u^2 \right\rangle, 0 \le u < \infty, 0 \le v < 2\pi.$$

⊘ **Solución**

Observe que si u se mantiene constante, la curva resultante es un círculo de radio u en el plano $z = u$. Por lo tanto, al aumentar u, aumenta el radio del círculo resultante. Si v se mantiene constante, la curva resultante es una parábola vertical. Por lo tanto, esperamos que la superficie sea un paraboloide elíptico. Para confirmarlo, observe que

$$\begin{aligned} x^2 + y^2 &= (u\cos v)^2 + (u\,\mathrm{sen}\,v)^2 \\ &= u^2\cos^2 v + u^2\,\mathrm{sen}^2 v \\ &= u^2 \\ &= z. \end{aligned}$$

Por lo tanto, la superficie es un paraboloide elíptico $x^2 + y^2 = z$ (Figura 6.59).

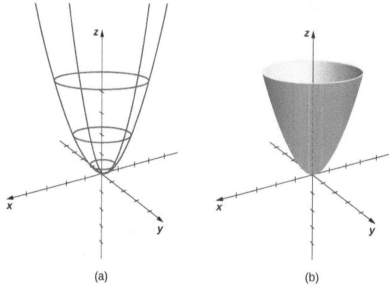

(a)   (b)

Figura 6.59 (a) Los círculos surgen de mantener constante u; las parábolas verticales surgen de mantener constante v. (b) Un paraboloide elíptico resulta de todas las elecciones de u y v en el dominio de parámetro.

☑ 6.48   Describa la superficie parametrizada por $\mathbf{r}(u, v) = \langle u\cos v, u\,\mathrm{sen}\,v, u \rangle, -\infty < u < \infty, 0 \le v < 2\pi$.

EJEMPLO 6.60

Calcular una parametrización

Dé una parametrización del cono $x^2 + y^2 = z^2$ que se encuentra en o por encima del plano $z = -2$.

⊘ **Solución**

La sección transversal horizontal del cono a la altura $z = u$ es un círculo $x^2 + y^2 = u^2$. Por lo tanto, un punto del cono a la altura u tiene coordenadas $(u\cos v, u\,\mathrm{sen}\,v, u)$ para el ángulo v. Por lo tanto, una parametrización del cono es $\mathbf{r}(u, v) = \langle u\cos v, u\,\mathrm{sen}\,v, u \rangle$. Como no nos interesa todo el cono, solo la parte que está en o por encima del plano $z = -2$, el dominio de parámetro está dado por $-2 \le u < \infty, 0 \le v < 2\pi$ (Figura 6.60).

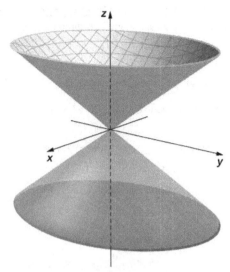

Figura 6.60   Cono $x^2 + y^2 = z^2$ tiene una parametrización $r(u, v) = \langle u\cos v, u\operatorname{sen} v, u\rangle$, $-\infty < u < \infty$, $0 \leq v \leq 2\pi$.

☑   6.49   Dé una parametrización para la porción de cono $x^2 + y^2 = z^2$ que se encuentra en el primer octante.

Hemos estudiado las parametrizaciones de varias superficies, pero hay dos tipos importantes de superficies que necesitan un debate aparte: las esferas y los gráficos de funciones de dos variables. Para parametrizar una esfera, lo más fácil es utilizar coordenadas esféricas. La esfera de radio ρ centrado en el origen está dada por la parametrización

$$\mathbf{r}(\phi, \theta) = \langle \rho\cos\theta\operatorname{sen}\phi, \rho\operatorname{sen}\theta\operatorname{sen}\phi, \rho\cos\phi\rangle, 0 \leq \theta \leq 2\pi, 0 \leq \phi \leq \pi.$$

La idea de esta parametrización es que como ϕ barre hacia abajo desde el eje z positivo, un círculo de radio $\rho\operatorname{sen}\phi$ se traza suponiendo que θ va de 0 a 2π. Para ver esto, suponemos que ϕ es fijo. Entonces

$$
\begin{aligned}
x^2 + y^2 &= (\rho\cos\theta\operatorname{sen}\phi)^2 + (\rho\operatorname{sen}\theta\operatorname{sen}\phi)^2 \\
&= \rho^2\operatorname{sen}^2\phi\left(\cos^2\theta + \operatorname{sen}^2\theta\right) \\
&= \rho^2\operatorname{sen}^2\phi \\
&= (\rho\operatorname{sen}\phi)^2.
\end{aligned}
$$

El resultado es el círculo deseado (Figura 6.61).

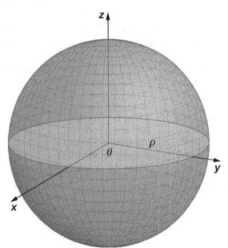

Figura 6.61   La esfera de radio ρ tiene una parametrización $\mathbf{r}(\phi, \theta) = \langle \rho\cos\theta\operatorname{sen}\phi, \rho\operatorname{sen}\theta\operatorname{sen}\phi, \rho\cos\phi\rangle$, $0 \leq \theta \leq 2\pi, 0 \leq \phi \leq \pi$.

Por último, para parametrizar el gráfico de una función de dos variables, primero suponemos que $z = f(x, y)$ es una función de dos variables. La parametrización más sencilla del gráfico de f es $\mathbf{r}(x, y) = \langle x, y, f(x, y)\rangle$, donde x y y varían en el dominio de f (Figura 6.62). Por ejemplo, el gráfico de $f(x, y) = x^2 y$ se puede parametrizar con $\mathbf{r}(x, y) = \langle x, y, x^2 y \rangle$, donde los parámetros x y y varían en el dominio de f. Si solo nos interesa un trozo del gráfico de f, digamos, el trozo del gráfico sobre el rectángulo $[1, 3] \times [2, 5]$, entonces podemos restringir el dominio de parámetro para dar este pedazo de la superficie:

$$\mathbf{r}(x, y) = \langle x, y, x^2 y \rangle, 1 \le x \le 3, 2 \le y \le 5.$$

Del mismo modo, si S es una superficie dada por la ecuación $x = g(y, z)$ o la ecuación $y = h(x, z)$, entonces una parametrización de S es

$\mathbf{r}(y, z) = \langle g(y, z), y, z \rangle$ o $\mathbf{r}(x, z) = \langle x, h(x, z), z \rangle$, respectivamente. Por ejemplo, el gráfico del paraboloide $2y = x^2 + z^2$ se puede parametrizar con $\mathbf{r}(x, z) = \langle x, \frac{x^2 + z^2}{2}, z \rangle, 0 \le x < \infty, 0 \le z < \infty$. Observe que no necesitamos variar sobre todo el dominio de y porque x y z están elevadas al cuadrado.

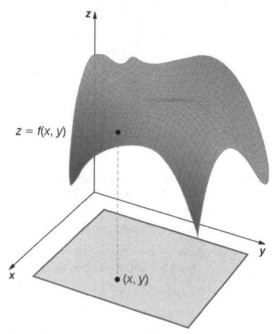

Figura 6.62 La parametrización más sencilla del gráfico de una función es $\mathbf{r}(x, y) = \langle x, y, f(x, y) \rangle$.

Generalicemos ahora las nociones de lisura y regularidad a una superficie paramétrica. Recordemos que la parametrización de la curva $\mathbf{r}(t), a \le t \le b$ es regular si $\mathbf{r}'(t) \ne 0$ para todo t en $[a, b]$. Para una curva, esta condición asegura que la imagen de $\mathbf{r}$ es realmente una curva, y no solo un punto. Por ejemplo, consideremos la parametrización de la curva $\mathbf{r}(t) = \langle 1, 2 \rangle, 0 \le t \le 5$. La imagen de esta parametrización es simplemente el punto $(1, 2)$, que no es una curva. Observe también que $\mathbf{r}'(t) = 0$. El hecho de que la derivada sea cero indica que no estamos ante una curva.

De forma análoga, nos gustaría tener una noción de regularidad para las superficies, de modo que una parametrización de la superficie trace realmente una superficie. Para motivar la definición de regularidad de una parametrización de superficie, consideremos la parametrización

$$\mathbf{r}(u, v) = \langle 0, \cos v, 1 \rangle, 0 \le u \le 1, 0 \le v \le \pi.$$

Aunque esta parametrización parece ser la de una superficie, observe que la imagen es en realidad una línea (Figura 6.63). ¿Cómo podríamos evitar parametrizaciones como esta? ¿Parametrizaciones que no dan una superficie real? Observe que $\mathbf{r}_u = \langle 0, 0, 0 \rangle$ y $\mathbf{r}_v = \langle 0, -\text{sen } v, 0 \rangle$, y el producto vectorial correspondiente es cero. El análogo de la condición $\mathbf{r}'(t) = 0$ es que $\mathbf{r}_u \times \mathbf{r}_v$ no es cero para el punto (u, v) en el dominio de parámetro, que es una parametrización regular.

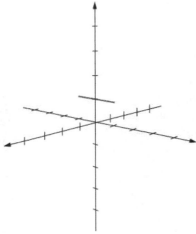

Figura 6.63 La imagen de la parametrización $\mathbf{r}(u, v) = \langle 0, \cos v, 1 \rangle, 0 \leq u \leq 1, 0 \leq v \leq \pi$ es una línea.

Definición

Parametrización $\mathbf{r}(u, v) = \langle x(u, v), y(u, v), z(u, v) \rangle$ es una **parametrización regular** si $\mathbf{r}_u \times \mathbf{r}_v$ no es cero para el punto (u, v) en el dominio de parámetro.

Si la parametrización $\mathbf{r}$ es regular, entonces la imagen de $\mathbf{r}$ es un objeto bidimensional, como debería ser una superficie. A lo largo de este capítulo, las parametrizaciones $\mathbf{r}(u, v) = \langle x(u, v), y(u, v), z(u, v) \rangle$ se supone que son regulares.

Recordemos que la parametrización de la curva $\mathbf{r}(t), a \leq t \leq b$ es lisa si $\mathbf{r}'(t)$ es continua y $\mathbf{r}'(t) \neq 0$ para todo t en $[a, b]$. Informalmente, una parametrización de una curva es suave si la curva resultante no tiene ángulos agudos. La definición de una parametrización de superficie lisa es similar. Informalmente, una parametrización de superficie es *lisa* si la superficie resultante no tiene ángulos agudos.

Definición

Una parametrización de la superficie $\mathbf{r}(u, v) = \langle x(u, v), y(u, v), z(u, v) \rangle$ es *lisa* si el vector $\mathbf{r}_u \times \mathbf{r}_v$ no es cero para cualquier elección de u y v en el dominio de parámetro.

Una superficie también puede ser *lisa a trozos* si tiene caras lisas, pero también tiene lugares donde las derivadas direccionales no existen.

EJEMPLO 6.61

Identificar superficies lisas y no lisas
¿Cuál de las figuras de la <u>Figura 6.64</u> es lisa?

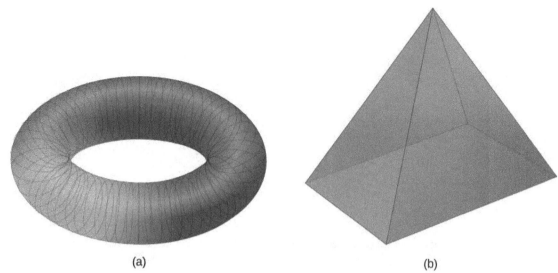

Figura 6.64 (a) Esta superficie es lisa. (b) Esta superficie es lisa a trozos.

⊘ **Solución**

La superficie en la Figura 6.64(a) puede ser parametrizada por

$$\mathbf{r}(u, v) = \langle (2 + \cos v)\cos u, (2 + \cos v)\mathrm{sen}\, u, \mathrm{sen}\, v \rangle, 0 \le u < 2\pi, 0 \le v < 2\pi$$

(podemos utilizar la tecnología para verificarlo). Observe que los vectores

$$\mathbf{r}_u = \langle -(2 + \cos v)\mathrm{sen}\, u, (2 + \cos v)\cos u, 0 \rangle \ \mathrm{y}\ \mathbf{r}_v = \langle -\mathrm{sen}\, v \cos u, -\mathrm{sen}\, v\, \mathrm{sen}\, u, \cos v \rangle$$

existen para cualquier elección de u y v en el dominio de parámetro, y

$$
\begin{aligned}
\mathbf{r}_u \times \mathbf{r}_v &= \begin{vmatrix} \mathbf{i} & \mathbf{j} & \mathbf{k} \\ -(2 + \cos v)\mathrm{sen}\, u & (2 + \cos v)\cos u & 0 \\ -\mathrm{sen}\, v \cos u & -\mathrm{sen}\, v\, \mathrm{sen}\, u & \cos v \end{vmatrix} \\
&= [(2 + \cos v)\cos u \cos v]\mathbf{i} + [(2 + \cos v)\mathrm{sen}\, u \cos v]\mathbf{j} \\
&\quad + \left[(2 + \cos v)\mathrm{sen}\, v\, \mathrm{sen}^2 u + (2 + \cos v)\mathrm{sen}\, v \cos^2 u\right]\mathbf{k} \\
&= [(2 + \cos v)\cos u \cos v]\mathbf{i} + [(2 + \cos v)\mathrm{sen}\, u \cos v]\mathbf{j} + [(2 + \cos v)\mathrm{sen}\, v]\mathbf{k}.
\end{aligned}
$$

El componente $\mathbf{k}$ de este vector es cero solo si $v = 0$ o $v = \pi$. Si $v = 0$ o $v = \pi$, entonces las únicas opciones para u que hacen que el componente $\mathbf{j}$ sea cero son $u = 0$ o $u = \pi$. Pero, estas elecciones de u no hacen que el componente $\mathbf{i}$ sea cero. Por lo tanto, $\mathbf{r}_u \times \mathbf{r}_v$ no es cero para cualquier elección de u y v en el dominio de parámetro, y la parametrización es lisa. Observe que la superficie correspondiente no tiene ángulos agudos.

En la pirámide de la Figura 6.64(b), los ángulos agudos garantizan que no existan derivadas direccionales en esos lugares. Por lo tanto, la pirámide no tiene una parametrización lisa. Sin embargo, la pirámide está formada por cinco caras lisas y, por tanto, esta superficie es lisa a trozos.

☑ 6.50   ¿La parametrización de la superficie $\mathbf{r}(u, v) = \langle u^{2v}, v + 1, \mathrm{sen}\, u \rangle, 0 \le u \le 2, 0 \le v \le 3$ es lisa?

Área superficial de una superficie paramétrica

Nuestra meta es definir una integral de superficie, y como primer paso hemos examinado cómo parametrizar una superficie. El segundo paso consiste en definir el área superficial de una superficie paramétrica. La notación necesaria para desarrollar esta definición se utiliza en el resto de este capítulo.

Supongamos que S es una superficie con parametrización $\mathbf{r}(u, v) = \langle x(u, v), y(u, v), z(u, v) \rangle$ sobre algún dominio de parámetro D. Asumimos aquí y en todo momento que la parametrización de la superficie $\mathbf{r}(u, v) = \langle x(u, v), y(u, v), z(u, v) \rangle$ es continuamente diferenciable, es decir, cada función componente tiene derivadas parciales continuas. Supongamos, para simplificar, que D es un rectángulo (aunque el material siguiente puede ampliarse para manejar dominios de parámetro no rectangulares). Divida el rectángulo D en subrectángulos D_{ij} con anchura horizontal Δu y longitud vertical Δv. Supongamos que i va de 1 a m y j va de 1 a n, de modo que D se subdivide en *mn* rectángulos. Esta división de *D* en subrectángulos da una división correspondiente de la superficie *S* en trozos S_{ij}. Elija el punto P_{ij} en cada trozo S_{ij}. El punto P_{ij} corresponde al punto (u_i, v_j) en el dominio de parámetro.

Observe que podemos formar una cuadrícula con líneas paralelas al eje *u* y al eje *v* en el plano *uv*. Estas líneas de cuadrícula corresponden a un conjunto de **curvas de cuadrícula** en la superficie *S* que está parametrizada por $\mathbf{r}(u, v)$. Sin pérdida de generalidad, suponemos que P_{ij} se encuentra en la esquina de dos curvas de cuadrícula, como en la Figura 6.65. Si pensamos en $\mathbf{r}$ como un mapeo desde el plano *uv* a $\mathbb{R}^3$, las curvas de cuadrícula son la imagen de las líneas de cuadrícula debajo de $\mathbf{r}$. Para ser precisos, considere las líneas de cuadrícula que pasan por el punto (u_i, v_j). Una línea está dada por $x = u_i, y = v$; la otra está dada por $x = u, y = v_j$. En la primera línea de la cuadrícula, el componente horizontal se mantiene constante, y produce una línea vertical que pasa por (u_i, v_j). En la segunda línea de la cuadrícula, el componente vertical se mantiene constante, y produce una línea horizontal que pasa por (u_i, v_j). Las curvas de cuadrícula correspondientes son $\mathbf{r}(u_i, v)$ y $\mathbf{r}(u, v_j)$, y estas curvas se intersecan en el punto P_{ij}.

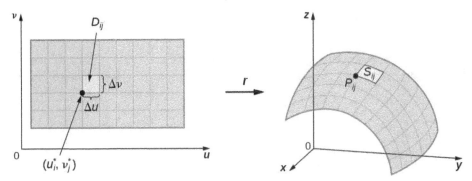

Figura 6.65 Las líneas de cuadrícula en un dominio de parámetro corresponden a las curvas de cuadrícula en una superficie.

Ahora considere los vectores que son tangentes a estas curvas de cuadrícula. Para la curva de cuadrícula $\mathbf{r}(u_i, v)$, el vector tangente en P_{ij} se

$$\mathbf{t}_v\left(P_{ij}\right) = \mathbf{r}_v\left(u_i, v_j\right) = \left\langle x_v\left(u_i, v_j\right), y_v\left(u_i, v_j\right), z_v\left(u_i, v_j\right)\right\rangle.$$

Para la curva de cuadrícula $\mathbf{r}(u, v_j)$, el vector tangente en P_{ij} se

$$\mathbf{t}_u\left(P_{ij}\right) = \mathbf{r}_u\left(u_i, v_j\right) = \left\langle x_u\left(u_i, v_j\right), y_u\left(u_i, v_j\right), z_u\left(u_i, v_j\right)\right\rangle.$$

Si el vector $\mathbf{N} = \mathbf{t}_u\left(P_{ij}\right) \times \mathbf{t}_v\left(P_{ij}\right)$ existe y no es cero, entonces el plano tangente en P_{ij} existe (Figura 6.66). Si el trozo S_{ij} es lo suficientemente pequeño, entonces el plano tangente en el punto P_{ij} es una buena aproximación al trozo S_{ij}.

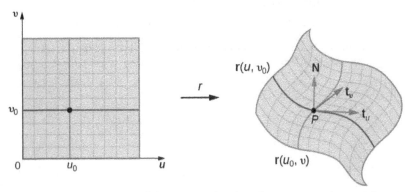

Figura 6.66 Si el producto vectorial de vectores $\mathbf{t}_u$ y $\mathbf{t}_v$ existe, entonces hay un plano tangente.

El plano tangente en P_{ij} contiene vectores $\mathbf{t}_u\left(P_{ij}\right)$ y $\mathbf{t}_v\left(P_{ij}\right)$, y, por lo tanto, el paralelogramo abarcado por $\mathbf{t}_u\left(P_{ij}\right)$ y $\mathbf{t}_v\left(P_{ij}\right)$ está en el plano tangente. Dado que el rectángulo original en el plano *uv* correspondiente a S_{ij} tiene una anchura Δu y longitud Δv, el paralelogramo que utilizamos para aproximar S_{ij} es el paralelogramo que abarca $\Delta u \mathbf{t}_u\left(P_{ij}\right)$ y $\Delta v \mathbf{t}_v\left(P_{ij}\right)$. En otras palabras, escalamos los vectores tangentes por las constantes Δu y Δv para que coincida con la escala de la división original de los rectángulos en el dominio de parámetro. Por lo tanto, el área del paralelogramo utilizado para aproximar el área de S_{ij} se

$$\Delta S_{ij} \approx \left\|\left(\Delta u \mathbf{t}_u\left(P_{ij}\right)\right) \times \left(\Delta v \mathbf{t}_v\left(P_{ij}\right)\right)\right\| = \left\|\mathbf{t}_u\left(P_{ij}\right) \times \mathbf{t}_v\left(P_{ij}\right)\right\| \Delta u \Delta v.$$

El punto variable P_{ij} sobre todos los trozos S_{ij} y la aproximación anterior nos llevan a la siguiente definición de área superficial de una superficie paramétrica (Figura 6.67).

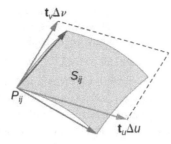

Figura 6.67   El paralelogramo que abarca $\mathbf{t}_u$ y $\mathbf{t}_v$ se aproxima al trozo de superficie S_{ij}.

Definición

Supongamos que $\mathbf{r}(u, v) = \langle x(u, v), y(u, v), z(u, v) \rangle$ con el dominio de parámetro D es una parametrización lisa de la superficie S. Además, supongamos que S se traza solo una vez a medida que (u, v) varía sobre D. El **área superficial** de S es

$$\iint_D \|\mathbf{t}_u \times \mathbf{t}_v\| \, dA, \tag{6.18}$$

donde $\mathbf{t}_u = \left\langle \frac{\partial x}{\partial u}, \frac{\partial y}{\partial u}, \frac{\partial z}{\partial u} \right\rangle$ y $\mathbf{t}_v = \left\langle \frac{\partial x}{\partial v}, \frac{\partial y}{\partial v}, \frac{\partial z}{\partial v} \right\rangle$.

EJEMPLO 6.62

Calcular el área superficial

Calcule el área superficial lateral (el área del "lado", sin incluir la base) del cono circular recto con altura h y radio r.

⊘ **Solución**

Antes de calcular el área superficial de este cono mediante la Ecuación 6.18, necesitamos una parametrización. Suponemos que este cono está en $\mathbb{R}^3$ con su vértice en el origen (Figura 6.68). Para obtener una parametrización, suponemos que α es el ángulo que se barre partiendo del eje z positivo y terminando en el cono, y suponemos que $k = \tan \alpha$. Para un valor de altura v con $0 \le v \le h$, el radio del círculo formado por la intersección del cono con el plano $z = v$ es kv. Por lo tanto, una parametrización de este cono es

$$\mathbf{s}(u, v) = \langle kv \cos u, kv \operatorname{sen} u, v \rangle, 0 \le u < 2\pi, 0 \le v \le h.$$

La idea que subyace a esta parametrización es que para un valor fijo de v, el círculo barrido al dejar variar u es el círculo de altura v y radio kv. A medida que v aumenta, la parametrización barre una "pila" de círculos y genera el cono deseado.

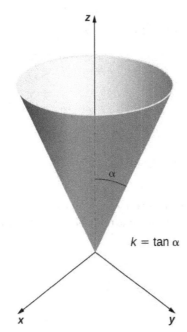

Figura 6.68 El cono circular recto con radio *r = kh* y altura *h* tiene la parametrización
$\mathbf{s}(u, v) = \langle kv \cos u, kv \operatorname{sen} u, v \rangle, 0 \le u < 2\pi, 0 \le v \le h$.

Con una parametrización a disposición, podemos calcular la superficie del cono utilizando la <u>Ecuación 6.18</u>. Los vectores tangentes son $\mathbf{t}_u = \langle -kv \operatorname{sen} u, kv \cos u, 0 \rangle$ y $\mathbf{t}_v = \langle k \cos u, k \operatorname{sen} u, 1 \rangle$. Por lo tanto,

$$
\begin{aligned}
\mathbf{t}_u \times \mathbf{t}_v &= \begin{vmatrix} \mathbf{i} & \mathbf{j} & \mathbf{k} \\ -kv \operatorname{sen} u & kv \cos u & 0 \\ k \cos u & k \operatorname{sen} u & 1 \end{vmatrix} \\
&= \langle kv \cos u, kv \operatorname{sen} u, -k^2 v \operatorname{sen}^2 u - k^2 v \cos^2 u \rangle \\
&= \langle kv \cos u, kv \operatorname{sen} u, -k^2 v \rangle.
\end{aligned}
$$

La magnitud de este vector es

$$
\begin{aligned}
\left\| \langle kv \cos u, kv \operatorname{sen} u, -k^2 v \rangle \right\| &= \sqrt{k^2 v^2 \cos^2 u + k^2 v^2 \operatorname{sen}^2 u + k^4 v^2} \\
&= \sqrt{k^2 v^2 + k^4 v^2} \\
&= kv \sqrt{1 + k^2}.
\end{aligned}
$$

En la <u>Ecuación 6.18</u>, la superficie del cono es

$$
\begin{aligned}
\iint_D \|\mathbf{t}_u \times \mathbf{t}_v\| \, dA &= \int_0^h \int_0^{2\pi} kv \sqrt{1 + k^2} \, du \, dv \\
&= 2\pi k \sqrt{1 + k^2} \int_0^h v \, dv \\
&= 2\pi k \sqrt{1 + k^2} \left[\frac{v^2}{2} \right]_0^h \\
&= \pi k h^2 \sqrt{1 + k^2}.
\end{aligned}
$$

Dado que $k = \tan \alpha = r/h$,

$$
\begin{aligned}
\pi k h^2 \sqrt{1+k^2} &= \pi \frac{r}{h} h^2 \sqrt{1+\frac{r^2}{h^2}} \\
&= \pi r h \sqrt{1+\frac{r^2}{h^2}} \\
&= \pi r \sqrt{h^2 + h^2\left(\frac{r^2}{h^2}\right)} \\
&= \pi r \sqrt{h^2 + r^2}.
\end{aligned}
$$

Por lo tanto, el área superficial lateral del cono es $\pi r \sqrt{h^2 + r^2}$.

Análisis

El área superficial de un cono circular recto de radio r y altura h suele estar dada por $\pi r^2 + \pi r \sqrt{h^2 + r^2}$. La razón es que la base circular se incluye como parte del cono, y por lo tanto el área de la base πr^2 se añade al área superficial lateral $\pi r \sqrt{h^2 + r^2}$ que hallamos.

☑ 6.51   Calcule el área superficial con la parametrización $\mathbf{r}(u,v) = \langle u+v, u^2, 2v \rangle$, $0 \le u \le 3, 0 \le v \le 2$.

EJEMPLO 6.63

Calcular el área superficial

Demuestre que el área superficial de la esfera $x^2 + y^2 + z^2 = r^2$ es $4\pi r^2$.

Solución

La esfera tiene una parametrización

$$
\langle r \cos\theta \operatorname{sen}\phi, r \operatorname{sen}\theta \operatorname{sen}\phi, r \cos\phi \rangle, 0 \le \theta < 2\pi, 0 \le \phi \le \pi.
$$

Los vectores tangentes son

$$
\mathbf{t}_\theta = \langle -r \operatorname{sen}\theta \operatorname{sen}\phi, r\cos\theta \operatorname{sen}\phi, 0 \rangle \text{ y } \mathbf{t}_\phi = \langle r\cos\theta\cos\phi, r\operatorname{sen}\theta\cos\phi, -r\operatorname{sen}\phi \rangle.
$$

Por lo tanto,

$$
\begin{aligned}
\mathbf{t}_\phi \times \mathbf{t}_\theta &= \langle r^2\cos\theta\operatorname{sen}^2\phi, r^2\operatorname{sen}\theta\operatorname{sen}^2\phi, r^2\operatorname{sen}^2\theta\operatorname{sen}\phi\cos\phi + r^2\cos^2\theta\operatorname{sen}\phi\cos\phi \rangle \\
&= \langle r^2\cos\theta\operatorname{sen}^2\phi, r^2\operatorname{sen}\theta\operatorname{sen}^2\phi, r^2\operatorname{sen}\phi\cos\phi \rangle.
\end{aligned}
$$

Ahora,

$$
\begin{aligned}
\|\mathbf{t}_\phi \times \mathbf{t}_\theta\| &= \sqrt{r^4\operatorname{sen}^4\phi\cos^2\theta + r^4\operatorname{sen}^4\phi\operatorname{sen}^2\theta + r^4\operatorname{sen}^2\phi\cos^2\phi} \\
&= \sqrt{r^4\operatorname{sen}^4\phi + r^4\operatorname{sen}^2\phi\cos^2\phi} \\
&= r^2\sqrt{\operatorname{sen}^2\phi} \\
&= r^2\operatorname{sen}\phi.
\end{aligned}
$$

Observe que $\operatorname{sen}\phi \ge 0$ en el dominio de parámetro porque $0 \le \phi < \pi$, y esto justifica la ecuación $\sqrt{\operatorname{sen}^2\phi} = \operatorname{sen}\phi$. El área superficial de la esfera es

$$
\int_0^{2\pi}\int_0^{\pi} r^2\operatorname{sen}\phi\, d\phi\, d\theta = r^2\int_0^{2\pi} 2\, d\theta = 4\pi r^2.
$$

Hemos derivado la conocida fórmula del área superficial de una esfera utilizando integrales de superficie.

☑ 6.52   Demuestre que la superficie del cilindro $x^2 + y^2 = r^2, 0 \le z \le h$ es $2\pi rh$. Observe que este cilindro no incluye los círculos superior e inferior.

Además de parametrizar superficies dadas por ecuaciones o formas geométricas estándar como conos y esferas, también podemos parametrizar superficies de revolución. Por lo tanto, podemos calcular el área superficial de una superficie de revolución utilizando las mismas técnicas. Supongamos que $y = f(x) \geq 0$ es una función positiva de una sola variable en el dominio $a \leq x \leq b$ y supongamos que S es la superficie obtenida al rotar f alrededor del eje x (Figura 6.69). Supongamos que θ es el ángulo de rotación. Entonces, S se puede parametrizar con los parámetros x y θ mediante

$$\mathbf{r}(x, \theta) = \langle x, f(x) \cos \theta, f(x) \operatorname{sen} \theta \rangle, a \leq x \leq b, 0 \leq x < 2\pi.$$

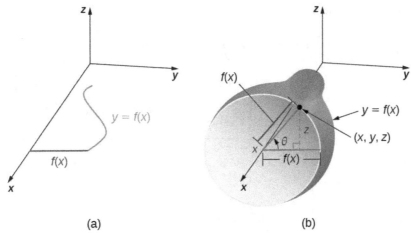

(a)   (b)

Figura 6.69 Podemos parametrizar una superficie de revolución mediante $\mathbf{r}(x, \theta) = \langle x, f(x) \cos \theta, f(x) \operatorname{sen} \theta \rangle$, $a \leq x \leq b, 0 \leq x < 2\pi$.

EJEMPLO 6.64

Calcular el área superficial

Calcular el área de la superficie de revolución obtenida al girar $y = x^2, 0 \leq x \leq b$ alrededor del eje x (Figura 6.70).

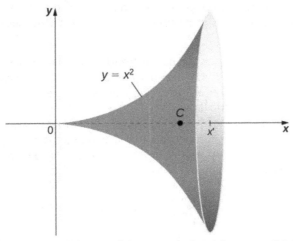

Figura 6.70 Se puede utilizar una integral de superficie para calcular el área superficial de este sólido de revolución.

✓ **Solución**

Esta superficie tiene una parametrización

$$\mathbf{r}(x, \theta) = \langle x, x^2 \cos \theta, x^2 \operatorname{sen} \theta \rangle, 0 \leq x \leq b, 0 \leq x < 2\pi.$$

Los vectores tangentes son $\mathbf{t}_x = \langle 1, 2x \cos \theta, 2x \operatorname{sen} \theta \rangle$ y $\mathbf{t}_\theta = \langle 0, -x^2 \operatorname{sen} \theta, -x^2 \cos \theta \rangle$. Por lo tanto,

$$\begin{aligned}
\mathbf{t}_x \times \mathbf{t}_\theta &= \langle 2x^3 \cos^2 \theta + 2x^3 \operatorname{sen}^2 \theta, -x^2 \cos \theta, -x^2 \operatorname{sen} \theta \rangle \\
&= \langle 2x^3, -x^2 \cos \theta, -x^2 \operatorname{sen} \theta \rangle
\end{aligned}$$

y

$$
\begin{aligned}
\mathbf{t}_x \times \mathbf{t}_\theta &= \sqrt{4x^6 + x^4\cos^2\theta + x^4\mathrm{sen}^2\theta} \\
&= \sqrt{4x^6 + x^4} \\
&= x^2\sqrt{4x^2 + 1}.
\end{aligned}
$$

El área de la superficie de revolución es

$$
\begin{aligned}
\int_0^b \int_0^\pi x^2\sqrt{4x^2 + 1}\,d\theta\,dx &= 2\pi \int_0^b x^2\sqrt{4x^2 + 1}\,dx \\
&= 2\pi \left[\tfrac{1}{64}\left(2\sqrt{4x^2 + 1}\,(8x^3 + x)\,\mathrm{senoh}^{-1}(2x) \right) \right]_0^b \\
&= 2\pi \left[\tfrac{1}{64}\left(2\sqrt{4b^2 + 1}\,(8b^3 + b)\,\mathrm{senoh}^{-1}(2b) \right) \right].
\end{aligned}
$$

☑   6.53   Utilice la <u>Ecuación 6.18</u> para calcular el área de la superficie de revolución obtenida al rotar la curva $y = \mathrm{sen}\,x, 0 \le x \le \pi$ alrededor del eje x.

Integral de superficie de una función con valor escalar

Ahora que podemos parametrizar superficies y calcular sus áreas superficiales, podemos definir integrales de superficie. Primero, veamos la integral de superficie de una función con valor escalar. Informalmente, la integral de superficie de una función con valor escalar es un análogo de la integral lineal escalar en una dimensión superior. El dominio de integración de una integral lineal escalar es una curva parametrizada (un objeto unidimensional); el dominio de integración de una integral de superficie escalar es una superficie parametrizada (un objeto bidimensional). Por lo tanto, la definición de una integral de superficie sigue bastante de cerca la definición de una integral lineal. Para las integrales lineales escalares, cortamos la curva del dominio en trozos pequeños, elegimos un punto en cada trozo, calculamos la función en ese punto y tomamos un límite de la suma de Riemann correspondiente. Para las integrales escalares de superficie, cortamos la *región* del dominio (que ya no es una curva) en trozos pequeños y procedemos de la misma manera.

Supongamos que S es una superficie lisa a trozos con parametrización $\mathbf{r}(u, v) = \langle x(u, v), y(u, v), z(u, v) \rangle$ con un dominio de parámetro D y supongamos que $f(x, y, z)$ es una función con un dominio que contiene a S. Por ahora, supongamos que el dominio de parámetro D es un rectángulo, pero podemos extender la lógica básica de cómo procedemos a cualquier dominio de parámetro (la elección de un rectángulo es simplemente para hacer la notación más manejable). Divida el rectángulo D en subrectángulos D_{ij} con anchura horizontal Δu y longitud vertical Δv. Supongamos que i va de 1 a m y j va de 1 a n, de modo que D se subdivide en mn rectángulos. Esta división de D en subrectángulos da una división correspondiente de S en trozos S_{ij}. Elija el punto P_{ij} en cada trozo S_{ij}, evaluar P_{ij} a las f, y multiplicar por el área ΔS_{ij} para formar la suma de Riemann

$$
\sum_{i=1}^m \sum_{j=1}^n f(P_{ij})\,\Delta S_{ij}.
$$

Para definir una integral de superficie de una función con valor escalar, dejamos que las áreas de los trozos de S se reduzcan a cero tomando un límite.

Definición

La **integral de superficie de una función con valor escalar** de f sobre una superficie lisa a trozos S es

$$
\iint\limits_S f(x, y, z)\,dS = \lim_{m,n \to \infty} \sum_{i=1}^m \sum_{j=1}^n f(P_{ij})\,\Delta S_{ij}.
$$

De nuevo, observe las similitudes entre esta definición y la definición de una integral lineal escalar. En la definición de una integral lineal cortamos una curva en trozos, evaluamos una función en un punto de cada trozo y dejamos que la longitud de los trozos se reduzca a cero tomando el límite de la suma de Riemann correspondiente. En la definición de una integral de superficie, cortamos una superficie en trozos, evaluamos una función en un punto de cada trozo y dejamos que el área de los trozos se reduzca a cero tomando el límite de la suma de Riemann correspondiente. Por lo tanto, una integral de superficie es similar a una integral lineal pero en una dimensión superior.

La definición de una integral lineal escalar puede extenderse a dominios de parámetro que no son rectángulos utilizando la misma lógica utilizada anteriormente. La idea básica es cortar el dominio de parámetro en pequeños trozos, elegir un punto de muestra en cada trozo, y así sucesivamente. La forma exacta de cada trozo en el dominio de la muestra se vuelve irrelevante a medida que las áreas de los trozos se reducen a cero.

Las integrales de superficie escalares son difíciles de calcular a partir de la definición, al igual que las integrales lineales escalares. Para desarrollar un método que facilite el cálculo de las integrales de superficie, aproximamos las áreas superficiales ΔS_{ij} con pequeños trozos de un plano tangente, tal y como hicimos en la subsección anterior. Recordemos la definición de vectores $\mathbf{t}_u$ y $\mathbf{t}_v$:

$$\mathbf{t}_u = \left\langle \frac{\partial x}{\partial u}, \frac{\partial y}{\partial u}, \frac{\partial z}{\partial u} \right\rangle \text{ y } \mathbf{t}_v = \left\langle \frac{\partial x}{\partial v}, \frac{\partial y}{\partial v}, \frac{\partial z}{\partial v} \right\rangle.$$

Por el material que ya hemos estudiado, sabemos que

$$\Delta S_{ij} \approx \left\| \mathbf{t}_u \left(P_{ij} \right) \times \mathbf{t}_v \left(P_{ij} \right) \right\| \Delta u \Delta v.$$

Por lo tanto,

$$\iint_S f(x, y, z) dS \approx \lim_{m,n \to \infty} \sum_{i=1}^{m} \sum_{j=1}^{n} f\left(P_{ij}\right) \left\| \mathbf{t}_u\left(P_{ij}\right) \times \mathbf{t}_v\left(P_{ij}\right) \right\| \Delta u \Delta v.$$

Esta aproximación se acerca arbitrariamente a $\displaystyle \lim_{m,n \to \infty} \sum_{i=1}^{m} \sum_{j=1}^{n} f\left(P_{ij}\right) \Delta S_{ij}$ a medida que aumentamos el número de trozos S_{ij} dejando que m y n se acerquen al infinito. Por lo tanto, tenemos la siguiente ecuación para calcular las integrales de superficie escalares:

$$\iint_S f(x, y, z) dS = \iint_D f\left(\mathbf{r}(u, v)\right) \left\| \mathbf{t}_u \times \mathbf{t}_v \right\| dA. \tag{6.19}$$

La Ecuación 6.19 nos permite calcular una integral de superficie transformándola en una integral doble. Esta ecuación para las integrales de superficie es análoga a la Ecuación 6.20 para las integrales lineales:

$$\iint_C f(x, y, z) ds = \int_a^b f\left(\mathbf{r}(t)\right) \left\| \mathbf{r}'(t) \right\| dt.$$

En este caso, el vector $\mathbf{t}_u \times \mathbf{t}_v$ es perpendicular a la superficie, mientras que el vector $\mathbf{r}'(t)$ es tangente a la curva.

EJEMPLO 6.65

Calcular una integral de superficie

Calcule la integral de superficie $\displaystyle \iint_S 5 \, dS$, donde S es la superficie con la parametrización $\mathbf{r}(u, v) = \left\langle u, u^2, v \right\rangle$ por $0 \le u \le 2$ y $0 \le v \le u$.

⊘ **Solución**

Observe que este dominio de parámetro D es un triángulo, y por tanto el dominio de parámetro no es rectangular. Sin embargo, esto no es un problema, porque la Ecuación 6.19 no impone ninguna restricción a la forma del dominio de parámetro.

Para utilizar la Ecuación 6.19 para calcular la integral de superficie, primero hallamos el vector $\mathbf{t}_u$ y $\mathbf{t}_v$. Observe que $\mathbf{t}_u = \langle 1, 2u, 0 \rangle$ y $\mathbf{t}_v = \langle 0, 0, 1 \rangle$. Por lo tanto,

$$\mathbf{t}_u \times \mathbf{t}_v = \begin{vmatrix} \mathbf{i} & \mathbf{j} & \mathbf{k} \\ 1 & 2u & 0 \\ 0 & 0 & 1 \end{vmatrix} = \langle 2u, -1, 0 \rangle$$

y

$$\|\mathbf{t}_u \times \mathbf{t}_v\| = \sqrt{1 + 4u^2}.$$

Por la Ecuación 6.19,

$$
\begin{aligned}
\iint_S 5 dS &= 5 \iint_D \sqrt{1 + 4u^2}\, dA \\
&= 5 \int_0^2 \int_0^u \sqrt{1 + 4u^2}\, dv\, du = 5 \int_0^2 u\sqrt{1 + 4u^2}\, du \\
&= 5\left[\frac{\left(1 + 4u^2\right)^{3/2}}{3}\right]_0^2 = \frac{5\left(17^{3/2} - 1\right)}{12} \approx 28{,}79.
\end{aligned}
$$

EJEMPLO 6.66

Calcular la integral de superficie de un cilindro

Calcule la integral de superficie $\iint_S \left(x + y^2\right) dS$, donde S es el cilindro $x^2 + y^2 = 4, 0 \le z \le 3$ (Figura 6.71).

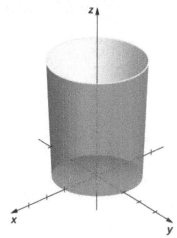

Figura 6.71 Función integradora $f(x, y, z) = x + y^2$ sobre un cilindro.

⊘ **Solución**

Para calcular la integral de superficie, primero necesitamos una parametrización del cilindro. Siguiendo el Ejemplo 6.58, una parametrización es

$$\mathbf{r}(u, v) = \langle 2\cos u, 2\operatorname{sen} u, v \rangle, 0 \le u \le 2\pi, 0 \le v \le 3.$$

Los vectores tangentes son $\mathbf{t}_u = \langle \operatorname{sen} u, \cos u, 0 \rangle$ y $\mathbf{t}_v = \langle 0, 0, 1 \rangle$. Entonces,

$$\mathbf{t}_u \times \mathbf{t}_v = \begin{vmatrix} \mathbf{i} & \mathbf{j} & \mathbf{k} \\ -\operatorname{sen} u & \cos u & 0 \\ 0 & 0 & 1 \end{vmatrix} = \langle \cos u, \operatorname{sen} u, 0 \rangle$$

y $\|\mathbf{t}_u \times \mathbf{t}_v\| = \sqrt{\cos^2 u + \operatorname{sen}^2 u} = 1$. Por la Ecuación 6.19,

$$
\begin{aligned}
\iint_S f\left(x, y, z\right) dS &= \iint_D f\left(\mathbf{r}(u, v)\right) \|\mathbf{t}_u \times \mathbf{t}_v\| \, dA \\
&= \int_0^3 \int_0^{2\pi} \left(2\cos u + 4\operatorname{sen}^2 u\right) du\, dv \\
&= \int_0^3 [2\operatorname{sen} u + 2u - \operatorname{sen}(2u)]_0^{2\pi} \, dv = \int_0^3 4\pi\, dv = 12\pi.
\end{aligned}
$$

✓ 6.54   Calcule $\displaystyle\iint_S \left(x^2 - z\right) dS$, donde S es la superficie con parametrización

$\mathbf{r}(u,v) = \left\langle v, u^2 + v^2, 1\right\rangle, 0 \le u \le 2, 0 \le v \le 3.$

EJEMPLO 6.67

Calcular la integral de superficie de un trozo de una esfera

Calcule la integral de superficie $\displaystyle\iint_S f(x, y, z)dS$, donde $f(x, y, z) = z^2$ y S es la superficie que consiste del trozo de

esfera $x^2 + y^2 + z^2 = 4$ que se encuentra en o por encima del plano $z = 1$ y el disco que está encerrado por el plano de intersección $z = 1$ y la esfera dada (Figura 6.72).

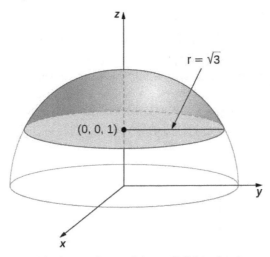

Figura 6.72 Calcular una integral de superficie sobre la superficie S.

⊘ **Solución**

Observe que S no es lisa, sino que es lisa a trozos; S se puede escribir como la unión de su base S_1 y su parte superior

esférica S_2, y ambas S_1 y S_2 son lisas. Por lo tanto, para calcular $\displaystyle\iint_S z^2 dS$, escribimos esta integral como

$\displaystyle\iint_{S_1} z^2 dS + \iint_{S_2} z^2 dS$ y calculamos las integrales $\displaystyle\iint_{S_1} z^2 dS$ y $\displaystyle\iint_{S_2} z^2 dS$.

En primer lugar, calculamos $\displaystyle\iint_{S_1} z^2 dS$. Para calcular esta integral necesitamos una parametrización de S_1. Esta

superficie es un disco en el plano $z = 1$ centrada en $(0, 0, 1)$. Para parametrizar este disco, necesitamos conocer su radio. Dado que el disco se forma donde el plano $z = 1$ interseca la esfera $x^2 + y^2 + z^2 = 4$, podemos sustituir $z = 1$ en la ecuación $x^2 + y^2 + z^2 = 4$:

$$x^2 + y^2 + 1 = 4 \Rightarrow x^2 + y^2 = 3.$$

Por lo tanto, el radio del disco es $\sqrt{3}$ y una parametrización de S_1 es
$\mathbf{r}(u,v) = \langle u \cos v, u \,\text{sen}\, v, 1\rangle, 0 \le u \le \sqrt{3}, 0 \le v \le 2\pi$. Los vectores tangentes son $\mathbf{t}_u = \langle \cos v, \text{sen}\, v, 0\rangle$ y
$\mathbf{t}_v = \langle -u\,\text{sen}\, v, u\cos v, 0\rangle$, y por lo tanto

$$\mathbf{t}_u \times \mathbf{t}_v = \begin{vmatrix} \mathbf{i} & \mathbf{j} & \mathbf{k} \\ \cos v & \text{sen}\, v & 0 \\ -u\,\text{sen}\, v & u\cos v & 0 \end{vmatrix} = \left\langle 0, 0, u\cos^2 v + u\,\text{sen}^2 v\right\rangle = \langle 0, 0, u\rangle.$$

La magnitud de este vector es u. Por lo tanto,

$$\iint_{S_1} z^2 dS = \int_0^{\sqrt{3}} \int_0^{2\pi} f(\mathbf{r}(u,v)) \|\mathbf{t}_u \times \mathbf{t}_v\| \, dv \, du$$

$$= \int_0^{\sqrt{3}} \int_0^{2\pi} u \, dv \, du$$

$$= 2\pi \int_0^{\sqrt{3}} u \, du$$

$$= 3\pi.$$

Ahora calculamos $\iint_{S_2} dS$. Para calcular esta integral, necesitamos una parametrización de S_2. La parametrización de la esfera completa $x^2 + y^2 + z^2 = 4$ es

$$\mathbf{r}(\phi, \theta) = \langle 2\cos\theta \operatorname{sen}\phi, 2\operatorname{sen}\theta \operatorname{sen}\phi, 2\cos\phi \rangle, 0 \le \theta \le 2\pi, 0 \le \phi \le \pi.$$

Dado que solo tomamos el trozo de la esfera en el plano o por encima de él $z = 1$, tenemos que restringir el dominio de ϕ. Para ver hasta dónde llega este ángulo, observe que el ángulo puede situarse en un triángulo rectángulo, como se muestra en la <u>Figura 6.73</u> (la $\sqrt{3}$ viene del hecho de que la base de S es un disco de radio $\sqrt{3}$). Por lo tanto, la tangente de ϕ es $\sqrt{3}$, lo que implica que ϕ es $\pi/6$. Ahora tenemos una parametrización de S_2:

$$\mathbf{r}(\phi, \theta) = \langle 2\cos\theta \operatorname{sen}\phi, 2\operatorname{sen}\theta \operatorname{sen}\phi, 2\cos\phi \rangle, 0 \le \theta \le 2\pi, 0 \le \phi \le \pi/3.$$

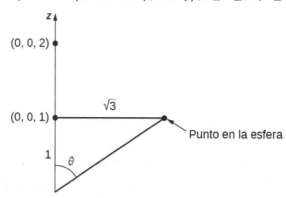

Figura 6.73 El valor máximo de ϕ tiene un valor tangente de $\sqrt{3}$.

Los vectores tangentes son

$$\mathbf{t}_\phi = \langle 2\cos\theta \cos\phi, 2\operatorname{sen}\theta \cos\phi, -2\operatorname{sen}\phi \rangle \text{ y } \mathbf{t}_\theta = \langle -2\operatorname{sen}\theta \operatorname{sen}\phi, u\cos\theta \operatorname{sen}\phi, 0 \rangle,$$

y así

$$\mathbf{t}_\phi \times \mathbf{t}_\theta = \begin{vmatrix} \mathbf{i} & \mathbf{j} & \mathbf{k} \\ 2\cos\theta \cos\phi & 2\operatorname{sen}\theta \cos\phi & -2\operatorname{sen}\phi \\ -2\operatorname{sen}\theta \operatorname{sen}\phi & 2\cos\theta \operatorname{sen}\phi & 0 \end{vmatrix}$$

$$= \langle 4\cos\theta \operatorname{sen}^2\phi, 4\operatorname{sen}\theta \operatorname{sen}^2\phi, 4\cos^2\theta \cos\phi \operatorname{sen}\phi + 4\operatorname{sen}^2\theta \cos\phi \operatorname{sen}\phi \rangle$$

$$= \langle 4\cos\theta \operatorname{sen}^2\phi, 4\operatorname{sen}\theta \operatorname{sen}^2\phi, 4\cos\phi \operatorname{sen}\phi \rangle.$$

La magnitud de este vector es

$$\|\mathbf{t}_\phi \times \mathbf{t}_\theta\| = \sqrt{16\cos^2\theta \operatorname{sen}^4\phi + 16\operatorname{sen}^2\theta \operatorname{sen}^4\phi + 16\cos^2\phi \operatorname{sen}^2\phi}$$

$$= 4\sqrt{\operatorname{sen}^4\phi + \cos^2\phi \operatorname{sen}^2\phi}.$$

Por lo tanto,

$$\iint_{S_2} z\,dS \quad = \int_0^{\pi/3} \int_0^{2\pi} f\left(\mathbf{r}(\phi,\theta)\right) \|\mathbf{t}_\phi \times \mathbf{t}_\theta\| \, d\theta \, d\phi$$

$$= \int_0^{\pi/3} \int_0^{2\pi} 16\cos^2\phi \sqrt{\operatorname{sen}^4\phi + \cos^2\phi\operatorname{sen}^2\phi}\, d\theta\, d\phi$$

$$= 32\pi \int_0^{\pi/3} \cos^2\phi \sqrt{\operatorname{sen}^4\phi + \cos^2\phi\operatorname{sen}^2\phi}\, d\phi$$

$$= 32\pi \int_0^{\pi/3} \cos^2\phi\operatorname{sen}\phi \sqrt{\operatorname{sen}^2\phi + \cos^2\phi}\, d\phi$$

$$= 32\pi \int_0^{\pi/3} \cos^2\phi\operatorname{sen}\phi \, d\phi$$

$$= 32\pi \left[-\frac{\cos^3\phi}{3}\right]_0^{\pi/6} = 32\pi \left[\frac{1}{3} - \frac{\sqrt{3}}{8}\right] = \frac{28\pi}{3}.$$

Dado que $\iint_S z^2\,dS = \iint_{S_1} z^2\,dS + \iint_{S_2} z^2\,dS = 3\pi\frac{28\pi}{3} = \frac{37\pi}{3}$

⊙ Análisis

En este ejemplo hemos descompuesto una integral de superficie sobre una superficie a trozos en la suma de integrales de superficie sobre subsuperficies lisas. En este ejemplo solo había dos subsuperficies lisas, pero esta técnica se extiende a un número finito de subsuperficies lisas.

☑   6.55   Calcule la integral lineal $\iint_S (x - y)\,dS$, donde S es el cilindro $x^2 + y^2 = 1, 0 \le z \le 2$, incluyendo las partes circulares superior e inferior.

Las integrales de superficie escalares tienen varias aplicaciones en el mundo real. Recordemos que las integrales lineales escalares se pueden usar para calcular la masa de un cable dada su función de densidad. De forma similar, podemos utilizar las integrales escalares de superficie para calcular la masa de una hoja dada su función de densidad. Si una hoja fina de metal tiene la forma de superficie S y la densidad de la hoja en el punto (x, y, z) es $\rho(x, y, z)$, entonces la masa m de la hoja es $m = \iint_S \rho(x, y, z)\,dS$.

EJEMPLO 6.68

Calcular la masa de una hoja

Una hoja plana de metal tiene la forma de superficie $z = 1 + x + 2y$ que se encuentra por encima del rectángulo $0 \le x \le 4$ y $0 \le y \le 2$. Si la densidad de la hoja está dada por $\rho(x, y, z) = x^2yz$, ¿cuál es la masa de la hoja?

⊘ Solución

Supongamos que S es la superficie que describe la hoja. Entonces, la masa de la hoja está dada por $m = \iint_S x^2yz\,dS$.

Para calcular esta integral de superficie, primero necesitamos una parametrización de S. Dado que S está dada por la función $f(x, y) = 1 + x + 2y$, una parametrización de S es $\mathbf{r}(x, y) = \langle x, y, 1 + x + 2y \rangle, 0 \le x \le 4, 0 \le y \le 2$.

Los vectores tangentes son $\mathbf{t}_x = \langle 1, 0, 1 \rangle$ y $\mathbf{t}_y = \langle 1, 0, 2 \rangle$. Por lo tanto, $\mathbf{t}_x \times \mathbf{t}_y = \langle -1, -2, 1 \rangle$ y $\|\mathbf{t}_x \times \mathbf{t}_y\| = \sqrt{6}$. Por la Ecuación 6.5,

$$m = \iint_S x^2yz\,dS$$

$$= \sqrt{6} \int_0^4 \int_0^2 x^2y(1 + x + 2y)\,dy\,dx$$

$$= \sqrt{6} \int_0^4 \frac{22x^2}{3} + 2x^3\,dx$$

$$= \frac{2.560\sqrt{6}}{9}$$

$$\approx 696{,}74.$$

☑   6.56   Un trozo de metal tiene una forma que se modela mediante un paraboloide $z = x^2 + y^2, 0 \le z \le 4$, y la densidad del metal está dada por $\rho(x, y, z) = z + 1$. Calcule la masa de la pieza de metal.

Orientación de una superficie

Recordemos que cuando definimos una integral lineal escalar, no tuvimos que preocuparnos por la orientación de la curva de integración. Lo mismo ocurría con las integrales de superficie escalares: no había que preocuparse por una "orientación" de la superficie de integración.

En cambio, cuando definimos integrales de líneas vectorial, la curva de integración necesitaba una orientación. Es decir, necesitábamos la noción de curva orientada para definir una integral de línea vectorial sin ambigüedad. Del mismo modo, cuando definimos una integral de superficie de un campo vectorial, necesitamos la noción de superficie orientada. Una superficie orientada recibe una orientación "hacia arriba" o "hacia abajo" o, en el caso de superficies como una esfera o un cilindro, una orientación "hacia afuera" o "hacia adentro".

Supongamos que S es una superficie lisa. Para cualquier punto (x, y, z) en S, podemos identificar dos vectores normales unitarios $\mathbf{N}$ y $-\mathbf{N}$. Si es posible elegir un vector normal unitario $\mathbf{N}$ en cada punto (x, y, z) en S, de modo que $\mathbf{N}$ varíe continuamente sobre S, entonces S es "*orientable*". Esta elección del vector normal unitario en cada punto da la **orientación de una superficie** S. Si se piensa en el campo normal como si describiera el flujo del agua, entonces el lado de la superficie hacia el que fluye el agua es el lado "negativo" y el lado de la superficie del que se aleja el agua es el lado "positivo". Informalmente, la elección de la orientación da a S un lado "exterior" y un lado "interior" (o un lado "hacia arriba" y un lado "hacia abajo"), al igual que la elección de la orientación de una curva da a la curva direcciones "hacia delante" y "hacia atrás".

Las superficies cerradas, como las esferas, son orientables: si elegimos el vector normal exterior en cada punto de la superficie de la esfera, los vectores normales unitarios varían continuamente. Esto se llama la *orientación positiva de la superficie cerrada* (Figura 6.74). También podríamos elegir el vector normal hacia adentro en cada punto para dar una orientación "hacia adentro", que es la orientación negativa de la superficie.

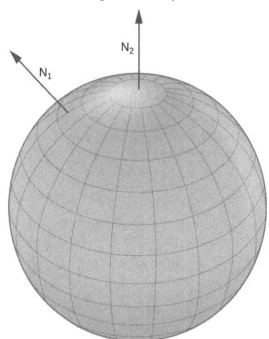

Figura 6.74 Una esfera orientada con orientación positiva.

Una porción del gráfico de cualquier función lisa $z = f(x, y)$ también es orientable. Si elegimos el vector normal unitario que apunta "por encima" de la superficie en cada punto, entonces los vectores normales unitarios varían continuamente sobre la superficie. También podríamos elegir el vector normal unitario que apunta "por debajo" de la superficie en cada punto. Para obtener dicha orientación, parametrizamos el gráfico de f de forma estándar: $\mathbf{r}(x, y) = \langle x, y, f(x, y) \rangle$, donde x y y varían en el dominio de f. Entonces, $\mathbf{t}_x = \langle 1, 0, f_x \rangle$ y $\mathbf{t}_y = \langle 0, 1, f_y \rangle$, y, por lo tanto, el producto vectorial $\mathbf{t}_x \times \mathbf{t}_y$ (que es la normal a la superficie en cualquier punto de la misma) es $\langle -f_x, -f_y, 1 \rangle$. Dado que el componente z de este vector es uno, el vector normal unitario correspondiente apunta "hacia arriba", y se elige el lado hacia arriba de la superficie como lado "positivo".

Supongamos que *S* es una superficie lisa orientable con parametrización $\mathbf{r}(u, v)$. Para cada punto $\mathbf{r}(a, b)$ en la superficie, los vectores $\mathbf{t}_u$ y $\mathbf{t}_v$ se encuentran en el plano tangente en ese punto. El vector $\mathbf{t}_u \times \mathbf{t}_v$ es normal al plano tangente en $\mathbf{r}(a, b)$ y, por lo tanto, es normal para *S* en ese punto. Por lo tanto, la elección del vector normal unitario

$$\mathbf{N} = \frac{\mathbf{t}_u \times \mathbf{t}_v}{\|\mathbf{t}_u \times \mathbf{t}_v\|}$$

da una orientación de la superficie *S*.

EJEMPLO 6.69

Elegir una orientación

Dar una orientación del cilindro $x^2 + y^2 = r^2, 0 \le z \le h$.

◎ **Solución**

Esta superficie tiene una parametrización

$$\mathbf{r}(u, v) = \langle r \cos u, r \operatorname{sen} u, v \rangle, 0 \le u < 2\pi, 0 \le v \le h.$$

Los vectores tangentes son $\mathbf{t}_u = \langle -r \operatorname{sen} u, r \cos u, 0 \rangle$ y $\mathbf{t}_v = \langle 0, 0, 1 \rangle$. Para obtener una orientación de la superficie, calculamos el vector normal unitario

$$\mathbf{N} = \frac{\mathbf{t}_u \times \mathbf{t}_v}{\|\mathbf{t}_u \times \mathbf{t}_v\|}.$$

En este caso, $\mathbf{t}_u \times \mathbf{t}_v = \langle r \cos u, r \operatorname{sen} u, 0 \rangle$ y por lo tanto

$$\|\mathbf{t}_u \times \mathbf{t}_v\| = \sqrt{r^2 \cos^2 u + r^2 \operatorname{sen}^2 u} = r.$$

Una orientación del cilindro es

$$\mathbf{N}(u, v) = \frac{\langle r \cos u, r \operatorname{sen} u, 0 \rangle}{r} = \langle \cos u, \operatorname{sen} u, 0 \rangle.$$

Observe que todos los vectores son paralelos al plano *xy*, lo que debería ocurrir con los vectores normales al cilindro. Además, todos los vectores apuntan hacia el exterior, por lo que se trata de una orientación del cilindro hacia el exterior (Figura 6.75).

Normal apunta hacia el exterior

Figura 6.75 Si todos los vectores normales a un cilindro apuntan hacia afuera, entonces se trata de una orientación hacia afuera del cilindro.

☑ 6.57   Dé la orientación "hacia arriba" del gráfico de $f(x, y) = xy$.

Como toda curva tiene una dirección "hacia delante" y "hacia atrás" (o, en el caso de una curva cerrada, una dirección en sentido de las agujas del reloj y otra en sentido contrario), es posible dar una orientación a cualquier curva. Por lo tanto, es posible pensar en cada curva como una curva orientada. Sin embargo, este no es el caso de las superficies. Algunas superficies no pueden orientarse; estas superficies se denominan *no orientables*. Esencialmente, una superficie puede estar orientada si la superficie tiene un lado "interior" y un lado "exterior", o un lado "hacia arriba" y un lado "hacia abajo". Algunas superficies se retuercen de tal manera que no existe una noción bien definida de lado "interior" o "exterior".

El ejemplo clásico de superficie no orientable es la banda de Möbius. Para crear una banda de Möbius, tome una banda rectangular de papel, dele una media vuelta y pegue los extremos (Figura 6.76). Debido a la media torsión de la banda, la superficie no tiene un lado "exterior" ni un lado "interior". Si se imagina que coloca un vector normal en un punto de la banda y que el vector recorre todo el camino alrededor de la banda, entonces (debido a la media torsión) el vector apunta en la dirección opuesta cuando vuelve a su posición original. Por lo tanto, la banda realmente solo tiene un lado.

Figura 6.76   La construcción de una banda de Möbius.

Dado que algunas superficies no son orientables, no es posible definir una integral de superficie vectorial en todas las superficies lisas a trozos. Esto contrasta con las integrales de línea vectorial, que pueden definirse en cualquier curva suave a trozos.

Integral de superficie de un campo vectorial

Con la idea de las superficies orientables en su lugar, ahora estamos listos para definir una **integral de superficie de un campo vectorial**. La definición es análoga a la definición del flujo de un campo vectorial a lo largo de una curva plana. Recordemos que si **F** es un campo vectorial bidimensional y C es una curva plana, entonces la definición del flujo de **F** a lo largo de C implicaba cortar C en pequeños trozos, elegir un punto dentro de cada trozo y calcular $\mathbf{F} \cdot \mathbf{N}$ en el punto (donde **N** es el vector normal unitario en el punto). La definición de una integral de superficie de un campo vectorial procede de la misma manera, excepto que ahora cortamos la superficie S en trozos pequeños, elegimos un punto en el trozo pequeño (bidimensional) y calculamos $\mathbf{F} \cdot \mathbf{N}$ en el punto.

Para situar esta definición en el mundo real, supongamos que S es una superficie orientada con un vector normal unitario **N**. Supongamos que **v** es un campo de velocidad de un fluido que fluye a través de S y supongamos que el fluido tiene una densidad $\rho(x, y, z)$. Imagine que el fluido fluye a través de S, pero S es completamente permeable, por lo que no impide el flujo del fluido (Figura 6.77). El **flujo de masa** del fluido es la tasa de flujo de masa por unidad de área. El flujo de masa se mide en masa por unidad de tiempo por unidad de área. ¿Cómo podríamos calcular el flujo de masa del fluido a través de S?

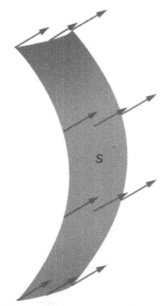

Figura 6.77   El fluido circula a través de una superficie completamente permeable S.

La tasa de flujo, medida en masa por unidad de tiempo por unidad de área, es $\rho\mathbf{N}$. Para calcular el flujo de masa a través de S, corte S en trozos pequeños S_{ij}. Si S_{ij} es lo suficientemente pequeño, entonces puede ser aproximado por un plano tangente en algún punto P en S_{ij}. Por lo tanto, el vector normal unitario en P puede utilizarse para aproximar $\mathbf{N}(x, y, z)$ en todo el trozo S_{ij}, porque el vector normal a un plano no cambia a medida que nos movemos por el plano. El componente del vector $\rho\mathbf{v}$ en P en la dirección de **N** es $\rho\mathbf{v} \cdot \mathbf{N}$ en P. Dado que S_{ij} es pequeño, el producto escalar $\rho\mathbf{v} \cdot \mathbf{N}$ cambia muy poco al variar a través de S_{ij}, y por lo tanto $\rho\mathbf{v} \cdot \mathbf{N}$ puede tomarse como aproximadamente constante a través de S_{ij}. Para aproximar la masa de fluido por unidad de tiempo que fluye a través de S_{ij} (y no solo localmente en el punto P), necesitamos multiplicar $(\rho\mathbf{v} \cdot \mathbf{N})(P)$ por el área de S_{ij}. Por lo tanto, la masa de fluido por unidad de tiempo que fluye a través de S_{ij} en la dirección de **N** se puede aproximar por $(\rho\mathbf{v} \cdot \mathbf{N}) \Delta S_{ij}$, donde **N**, ρ, y **v** se evalúan en P (Figura 6.78). Esto es análogo al flujo del campo vectorial bidimensional **F** a través de la curva plana C, en la que aproximamos el flujo a través de un pequeño trozo de C con la expresión $(\mathbf{F} \cdot \mathbf{N}) \Delta s$. Para aproximar el flujo de masa a través de S, forme la suma $\sum_{i=1}^{m} \sum_{j=1}^{n} (\rho\mathbf{v}.\mathbf{N}) \Delta\mathbf{S}_{ij}$. Como los trozos S_{ij} se hacen más pequeños, la suma

$\sum_{i=1}^{m} \sum_{j=1}^{n} (\rho\mathbf{v}.\mathbf{N}) \Delta\mathbf{S}_{ij}$ se acerca arbitrariamente al flujo de masa. Por lo tanto, el flujo de masa es

$$\iint_{S} \rho\mathbf{v}.\mathbf{N}dS = \lim_{m,n\to\infty} \sum_{i=1}^{m} \sum_{j=1}^{n} (\rho\mathbf{v}.\mathbf{N}) \Delta\mathbf{S}_{ij}.$$

Se trata de una integral de superficie de un campo vectorial. Dejando que el campo vectorial $\rho\mathbf{v}$ sea un campo vectorial arbitrario $\mathbf{F}$ conduce a la siguiente definición.

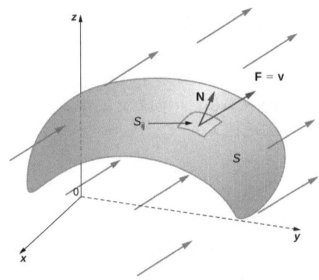

Figura 6.78 La masa de fluido por unidad de tiempo que fluye a través de S_{ij} en la dirección de $\mathbf{N}$ se puede aproximar por $(\rho\mathbf{v}.\mathbf{N}) \Delta S_{ij}$.

Definición

Supongamos que $\mathbf{F}$ es un campo vectorial continuo con un dominio que contiene la superficie orientada S con el vector normal unitario $\mathbf{N}$. La **integral de superficie** de $\mathbf{F}$ sobre S es

$$\iint_{S} \mathbf{F}.\,d\mathbf{S} = \iint_{S} \mathbf{F}.\mathbf{N}dS. \tag{6.20}$$

Observe el paralelismo entre esta definición y la definición de integral de línea vectorial $\int_{C} \mathbf{F}.\mathbf{N}ds$. Una integral de superficie de un campo vectorial se define de forma similar a una integral lineal de flujo a través de una curva, excepto que el dominio de integración es una superficie (un objeto bidimensional) en vez de una curva (un objeto unidimensional). La integral $\iint_{S} \mathbf{F}.\mathbf{N}dS$ se denomina *flujo de F a través de S*, al igual que la integral $\int_{C} \mathbf{F}.\mathbf{N}ds$ es el flujo de $\mathbf{F}$ a través de la curva C. Una integral de superficie sobre un campo vectorial también se llama **integral de flujo**.

Al igual que con las integrales de línea vectorial, la integral de superficie $\iint_{S} \mathbf{F}.\mathbf{N}dS$ es más fácil de calcular una vez parametrizada la superficie S. Supongamos que $\mathbf{r}(u, v)$ sea una parametrización de S con dominio de parámetro D. Entonces, el vector normal unitario está dado por $\mathbf{N} = \frac{\mathbf{t}_u \times \mathbf{t}_v}{\|\mathbf{t}_u \times \mathbf{t}_v\|}$ y, a partir de la <u>Ecuación 6.20</u>, tenemos

$$\iint_S \mathbf{F}.\mathbf{N}d\mathbf{S} = \iint_S \mathbf{F}.\mathbf{N}dS$$

$$= \iint_S \mathbf{F}.\frac{\mathbf{t}_u \times \mathbf{t}_v}{\|\mathbf{t}_u \times \mathbf{t}_v\|}dS$$

$$= \iint_D \left(\mathbf{F}(\mathbf{r}(u,v)).\frac{\mathbf{t}_u \times \mathbf{t}_v}{\|\mathbf{t}_u \times \mathbf{t}_v\|}\right)\|\mathbf{t}_u \times \mathbf{t}_v\|\,dA$$

$$= \iint_D (\mathbf{F}(\mathbf{r}(u,v)).(\mathbf{t}_u \times \mathbf{t}_v))\,dA.$$

Por lo tanto, para calcular una integral de superficie sobre un campo vectorial podemos utilizar la ecuación

$$\iint_S \mathbf{F}.\mathbf{N}d\mathbf{S} = \iint_D (\mathbf{F}(\mathbf{r}(u,v)).(\mathbf{t}_u \times \mathbf{t}_v))\,dA. \qquad (6.21)$$

EJEMPLO 6.70

Calcular una integral de superficie

Calcule la integral de superficie $\iint_S \mathbf{F}.\mathbf{N}d\mathbf{S}$, donde $\mathbf{F} = \langle -y, x, 0\rangle$ y S es la superficie con parametrización $\mathbf{r}(u,v) = \langle u, v^2 - u, u + v\rangle, 0 \le u < 3, 0 \le v \le 4$.

⊘ **Solución**

Los vectores tangentes son $\mathbf{t}_u = \langle 1, -1, 1\rangle$ y $\mathbf{t}_v = \langle 0, 2v, 1\rangle$. Por lo tanto,

$$\mathbf{t}_u \times \mathbf{t}_v = \langle -1 - 2v, -1, 2v\rangle.$$

Por la Ecuación 6.21,

$$\iint_S \mathbf{F}.d\mathbf{S} = \int_0^4 \int_0^3 \mathbf{F}(\mathbf{r}(u,v)).(\mathbf{t}_u \times \mathbf{t}_v)\,du\,dv$$

$$= \int_0^4 \int_0^3 \langle u - v^2, u, 0\rangle.\langle -1 - 2v, -1, 2v\rangle\,du\,dv$$

$$= \int_0^4 \int_0^3 \left[(u - v^2)(-1 - 2v) - u\right]du\,dv$$

$$= \int_0^4 \int_0^3 (2v^3 + v^2 - 2uv - 2u)\,du\,dv$$

$$= \int_0^4 \left[2v^3 u + v^2 u - vu^2 - u^2\right]_0^3 dv$$

$$= \int_0^4 (6v^3 + 3v^2 - 9v - 9)\,dv$$

$$= \left[\frac{3v^4}{2} + v^3 - \frac{9v^2}{2} - 9v\right]_0^4$$

$$= 340.$$

Por lo tanto, el flujo de **F** a través de *S* es de 340.

☑ 6.58   Calcule la integral de superficie $\iint_S \mathbf{F}.d\mathbf{S}$, donde $\mathbf{F} = \langle 0, -z, y\rangle$ y S es la porción de la esfera unitaria en el primer octante con orientación hacia el exterior.

EJEMPLO 6.71

Calcular la tasa de flujo de masa

Supongamos que $\mathbf{v}(x, y, z) = \langle 2x, 2y, z\rangle$ representa un campo de velocidad (con unidades de metros por segundo) de un fluido con densidad constante de 80 kg/m^3. Supongamos que S es la semiesfera $x^2 + y^2 + z^2 = 9$ con la $z \geq 0$ tal que S está orientada hacia el exterior. Hallar la tasa de flujo de masa del fluido a través de S.

⊘ **Solución**

Una parametrización de la superficie es

$$\mathbf{r}(\phi, \theta) = \langle 3\cos\theta\,\text{sen}\,\phi, 3\,\text{sen}\,\theta\,\text{sen}\,\phi, 3\cos\phi \rangle, 0 \leq \theta \leq 2\pi, 0 \leq \phi \leq \pi/2.$$

Como en el Ejemplo 6.64, los vectores tangentes son

$$\mathbf{t}_\theta \langle -3\,\text{sen}\,\theta\,\text{sen}\,\phi, 3\cos\theta\,\text{sen}\,\phi, 0 \rangle \text{ y } \mathbf{t}_\phi \langle 3\cos\theta\cos\phi, 3\,\text{sen}\,\theta\cos\phi, -3\,\text{sen}\,\phi \rangle,$$

y su producto vectorial es

$$\mathbf{t}_\phi \times \mathbf{t}_\theta = \langle 9\cos\theta\,\text{sen}^2\phi, 9\,\text{sen}\,\theta\,\text{sen}^2\phi, 9\,\text{sen}\,\phi\cos\phi \rangle.$$

Observe que cada componente del producto vectorial es positivo, y por lo tanto este vector da la orientación hacia el exterior. Por lo tanto, utilizamos la orientación $\mathbf{N} = \langle 9\cos\theta\,\text{sen}^2\phi, 9\,\text{sen}\,\theta\,\text{sen}^2\phi, 9\,\text{sen}\,\phi\cos\phi \rangle$ para la esfera.

Por la Ecuación 6.20,

$$
\begin{aligned}
\iint_S \rho \mathbf{v}.\, d\mathbf{S} &= 80 \int_0^{2\pi} \int_0^{\pi/2} \mathbf{v}(\mathbf{r}(\phi, \theta)).\left(\mathbf{t}_\phi \times \mathbf{t}_\theta\right) d\phi d\theta \\
&= 80 \int_0^{2\pi} \int_0^{\pi/2} \\
&= 80 \int_0^{2\pi} \int_i^{\pi/2} \langle 6\cos\theta\,\text{sen}\,\phi, 6\,\text{sen}\,\theta\,\text{sen}\,\phi, 3\cos\phi \rangle \\
&\qquad .\langle 9\cos\theta\,\text{sen}^2\phi, 9\,\text{sen}\,\theta\,\text{sen}^2\phi, 9\,\text{sen}\,\phi\cos\phi \rangle d\phi d\theta \\
&= 80 \int_0^{2\pi} \int_0^{\pi/2} 54\,\text{sen}^3\phi + 27\cos^2\phi\,\text{sen}\,\phi d\phi d\theta \\
&= 80 \int_0^{2\pi} \int_0^{\pi/2} 54\left(1 - \cos^2\phi\right)\,\text{sen}\,\phi + 27\cos^2\phi\,\text{sen}\,\phi d\phi d\theta \\
&= 80 \int_0^{2\pi} \int_0^{\pi/2} 54\,\text{sen}\,\phi - 27\cos^2\phi\,\text{sen}\,\phi d\phi d\theta \\
&= 80 \int_0^{2\pi} \left[-54\cos\phi + 9\cos^3\phi\right]_{\phi=0}^{\phi=2\pi} d\theta \\
&= 80 \int_0^{2\pi} 45 d\theta = 7.200\pi.
\end{aligned}
$$

Por lo tanto, la tasa de flujo de masa es 7.200π kg/sec/m^2.

☑ 6.59   Supongamos que $\mathbf{v}(x, y, z) = \langle x^2 + y^2, z, 4y \rangle$ m/s representa un campo de velocidad de un fluido con densidad constante de 100 kg/m^3. Supongamos que S es el medio cilindro $\mathbf{r}(u, v) = \langle \cos u, \text{sen}\,u, v \rangle, 0 \leq u \leq \pi, 0 \leq v \leq 2$ orientado hacia el exterior. Calcule el flujo de masa del fluido a través de S.

En el Ejemplo 6.70, calculamos el flujo de masa, que es la tasa de flujo de masa por unidad de área. Si en cambio queremos calcular el flujo de masa (medido en volumen por tiempo), podemos utilizar la integral de flujo $\iint_S \mathbf{v} \bullet \mathbf{N} dS$, que deja fuera la densidad. Como la tasa de flujo de un fluido se mide en volumen por unidad de tiempo, la tasa de flujo no tiene en cuenta la masa. Por lo tanto, tenemos la siguiente caracterización de la tasa de flujo de un fluido con velocidad $\mathbf{v}$ a través de una superficie S:

$$\text{Tasa de flujo del fluido a través de } S = \int\int_S \mathbf{v} \bullet d\mathbf{S}.$$

Para calcular la tasa de flujo del fluido en el Ejemplo 6.68, simplemente eliminamos la constante de densidad, lo que da una tasa de flujo de 90π m^3/sec.

Tanto el flujo de masa como la tasa de flujo son importantes en física e ingeniería. El flujo de masa mide la cantidad de masa que fluye a través de una superficie; la tasa de flujo mide el volumen de fluido que fluye a través de una superficie.

Además de modelar el flujo de fluidos, las integrales de superficie pueden utilizarse para modelar el flujo de calor. Supongamos que la temperatura en el punto (x, y, z) en un objeto es $T(x, y, z)$. Entonces el **flujo de calor** es un campo vectorial proporcional al gradiente negativo de temperatura en el objeto. En concreto, el flujo de calor se define como un campo vectorial $\mathbf{F} = -k\nabla T$, donde la constante k es la *conductividad térmica* de la sustancia de la que está hecho el objeto (esta constante se determina experimentalmente). La tasa de flujo de calor a través de la superficie S del objeto está dada por la integral de flujo

$$\iint_S \mathbf{F} \cdot d\mathbf{S} = \iint_S -k\nabla T \cdot d\mathbf{S}.$$

EJEMPLO 6.72

Calcular el flujo de calor

Un cilindro macizo de hierro fundido está dado por las inecuaciones $x^2 + y^2 \leq 1, 1 \leq z \leq 4$. La temperatura en el punto (x, y, z) en una región que contiene el cilindro es $T(x, y, z) = \left(x^2 + y^2\right) z$. Dado que la conductividad térmica del hierro fundido es de 55, halle el flujo de calor a través del límite del sólido si este límite está orientado hacia el exterior.

⊘ **Solución**

Supongamos que S denota el límite del objeto. Para hallar el flujo de calor, necesitamos calcular la integral de flujo $\iint_S -k\nabla T \cdot d\mathbf{S}$. Observe que S no es una superficie lisa, sino que es lisa a trozos, ya que S es la unión de tres superficies lisas (la superior y la inferior circulares y la lateral cilíndrica). Por lo tanto, calculamos tres integrales separadas, una para cada trozo liso de S. Antes de calcular cualquier integral, observe que el gradiente de la temperatura es $\nabla T = \left\langle 2xz, 2yz, x^2 + y^2 \right\rangle$.

Primero consideramos el fondo circular del objeto, que denotamos S_1. Podemos ver que S_1 es un círculo de radio 1 centrado en el punto $(0, 0, 1)$, en el plano $z = 1$. Esta superficie tiene una parametrización $\mathbf{r}(u, v) = \langle v \cos u, v \operatorname{sen} u, 1 \rangle, 0 \leq u < 2\pi, 0 \leq v \leq 1$. Por lo tanto,

$$\mathbf{t}_u = \langle -v \operatorname{sen} u, v \cos u, 0 \rangle \text{ y } \mathbf{t}_v = \langle \cos u, v \operatorname{sen} u, 0 \rangle,$$

y

$$\mathbf{t}_u \times \mathbf{t}_v = \left\langle 0, 0, -v \operatorname{sen}^2 u - v \cos^2 u \right\rangle = \langle 0, 0, -v \rangle.$$

Como la superficie está orientada hacia el exterior y S_1 es la parte inferior del objeto, tiene sentido que este vector apunte hacia abajo. En la Ecuación 6.21, el flujo de calor a través de S_1 es

$$\iint_{S_1} -k\nabla T \cdot d\mathbf{S} = -55 \int_0^{2\pi} \int_0^1 \nabla T(u, v) \cdot (\mathbf{t}_u \times \mathbf{t}_v) \, dv \, du$$

$$= -55 \int_0^{2\pi} \int_0^1 \left\langle 2v \cos u, 2v \operatorname{sen} u, v^2 \cos^2 u + v^2 \operatorname{sen}^2 u \right\rangle \cdot \langle 0, 0, -v \rangle \, dv \, du$$

$$= -55 \int_0^{2\pi} \int_0^1 \left\langle 2v \cos u, 2v \operatorname{sen} u, v^2 \right\rangle \cdot \langle 0, 0, -v \rangle \, dv \, du$$

$$= -55 \int_0^{2\pi} \int_0^1 -v^3 \, dv \, du = -55 \int_0^{2\pi} -\frac{1}{4} du = \frac{55\pi}{2}.$$

Consideremos ahora la parte superior circular del objeto, que denotamos S_2. Vemos que S_2 es un círculo de radio 1 centrado en el punto $(0, 0, 4)$, en el plano $z = 4$. Esta superficie tiene una parametrización $\mathbf{r}(u, v) = \langle v \cos u, v \operatorname{sen} u, 4 \rangle, 0 \leq u < 2\pi, 0 \leq v \leq 1$. Por lo tanto,

$$\mathbf{t}_u = \langle -v \operatorname{sen} u, v \cos u, 0 \rangle \text{ y } \mathbf{t}_v = \langle \cos u, v \operatorname{sen} u, 0 \rangle,$$

y

$$\mathbf{t}_u \times \mathbf{t}_v = \left\langle 0, 0, -v \operatorname{sen}^2 u - v \cos^2 u \right\rangle = \langle 0, 0, -v \rangle.$$

Como la superficie está orientada hacia el exterior y S_1 es la parte superior del objeto, en su lugar tomamos el vector $\mathbf{t}_v \times \mathbf{t}_u = \langle 0, 0, v \rangle$. En la Ecuación 6.21, el flujo de calor a través de S_1 es

$$\iint_{S_2} -k\nabla T \bullet d\mathbf{S} = -55 \int_0^{2\pi} \int_0^1 \nabla T(u,v) \bullet (\mathbf{t}_v \times \mathbf{t}_u)\, dv\, du$$

$$= -55 \int_0^{2\pi} \int_0^1 \left\langle 8v\cos u, 8v\,\text{sen}\, u, v^2\cos^2 u + v^2\,\text{sen}^2 u \right\rangle \bullet \langle 0,0,v\rangle\, dv\, du$$

$$= -55 \int_0^{2\pi} \int_0^1 \left\langle 8v\cos u, 8v\,\text{sen}\, u, v^2 \right\rangle \bullet \langle 0,0,v\rangle\, dv\, du$$

$$= -55 \int_0^{2\pi} \int_0^1 v^3\, dv\, du = -\frac{55\pi}{2}.$$

Por último, consideremos el lado cilíndrico del objeto. Esta superficie tiene una parametrización $\mathbf{r}(u,v) = \langle \cos u, \text{sen}\, u, v\rangle, 0 \le u < 2\pi, 1 \le v \le 4$. Por el Ejemplo 6.66, sabemos que $\mathbf{t}_u \times \mathbf{t}_v = \langle \cos u, \text{sen}\, u, 0\rangle$. Por la Ecuación 6.21,

$$\iint_{S_3} -k\nabla T \bullet d\mathbf{S} = -55 \int_0^{2\pi} \int_1^4 \nabla T(u,v) \bullet (\mathbf{t}_v \times \mathbf{t}_u)\, dv\, du$$

$$= -55 \int_0^{2\pi} \int_1^4 \left\langle 2v\cos u, 2v\,\text{sen}\, u, \cos^2 u + \text{sen}^2 u \right\rangle \bullet \langle \cos u, \text{sen}\, u, 0\rangle\, dv\, du$$

$$= -55 \int_0^{2\pi} \int_0^1 \left\langle 2v\cos u, 2v\,\text{sen}\, u, 1 \right\rangle \bullet \langle \cos u, \text{sen}\, u, 0\rangle\, dv\, du$$

$$= -55 \int_0^{2\pi} \int_0^1 \left(2v\cos^2 u + 2v\,\text{sen}^2 u\right)\, dv\, du$$

$$= -55 \int_0^{2\pi} \int_0^1 2v\, dv\, du = -55 \int_0^{2\pi} du = -110\pi.$$

Por lo tanto, la tasa de flujo de calor a través de S es $\frac{55\pi}{2} - \frac{55\pi}{2} - 110\pi = -110\pi$.

☑ 6.60 Una bola sólida de hierro fundido está dada por la inecuación $x^2 + y^2 + z^2 \le 1$. La temperatura en un punto de una región que contiene la bola es $T(x,y,z) = \frac{1}{3}\left(x^2 + y^2 + z^2\right)$. Halle el flujo de calor a través del límite del sólido si este límite está orientado hacia el exterior.

SECCIÓN 6.6 EJERCICIOS

En los siguientes ejercicios, determine si los enunciados son verdaderos o falsos.

269. Si la superficie S viene dada por $\{(x,y,z): 0 \le x \le 1, 0 \le y \le 1, z = 10\}$, entonces
$$\iint_S f(x,y,z)\, dS = \int_0^1 \int_0^1 f(x,y,10)\, dx\, dy.$$

270. Si la superficie S viene dada por $\{(x,y,z): 0 \le x \le 1, 0 \le y \le 1, z = x\}$, entonces
$$\iint_S f(x,y,z)\, dS = \int_0^1 \int_0^1 f(x,y,x)\, dx\, dy.$$

271. La superficie $\mathbf{r} = \left\langle v\cos u, v\,\text{sen}\, u, v^2 \right\rangle$, para $0 \le u \le \pi, 0 \le v \le 2$, es la misma que la superficie $\mathbf{r} = \left\langle \sqrt{v}\cos 2u, \sqrt{v}\,\text{sen}\, 2u, v\right\rangle$, para $0 \le u \le \frac{\pi}{2}, 0 \le v \le 4$.

272. Dada la parametrización estándar de una esfera, los vectores normales $\mathbf{t}_u \times \mathbf{t}_v$ son vectores normales hacia el exterior.

En los siguientes ejercicios, halle descripciones paramétricas para las siguientes superficies.

273. Plano $3x - 2y + z = 2$

274. Paraboloide $z = x^2 + y^2$, para $0 \leq z \leq 9$.

275. Plano $2x - 4y + 3z = 16$

276. El tronco del cono $z^2 = x^2 + y^2$, para $2 \leq z \leq 8$

277. La porción del cilindro $x^2 + y^2 = 9$ en el primer octante, para $0 \leq z \leq 3$

278. Un cono con radio r de base y altura h, donde r y h son constantes positivas

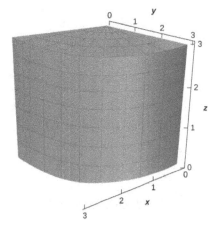

En los siguientes ejercicios, utilice un sistema de álgebra computacional para aproximar el área de las siguientes superficies mediante una descripción paramétrica de la superficie.

279. **[T]** Medio cilindro $\{(r, \theta, z) : r = 4, 0 \leq \theta \leq \pi, 0 \leq z \leq 7\}$

280. **[T]** Plano $z = 10 - x - y$ por encima del cuadrado $|x| \leq 2, |y| \leq 2$

En los siguientes ejercicios, supongamos que S es la semiesfera $x^2 + y^2 + z^2 = 4$, con la $z \geq 0$, y evalúe cada integral de superficie.

281. $\displaystyle\iint_S z\, dS$

282. $\displaystyle\iint_S (x - 2y)\, dS$

283. $\displaystyle\iint_S \left(x^2 + y^2\right) z\, dS$

En los siguientes ejercicios, evalúe $\displaystyle\int\int_S \mathbf{F} \cdot \mathbf{N} dS$ *para el campo vectorial* **F**, *donde* **N** *es un vector normal que apunta hacia arriba a la superficie S.*

284. $\mathbf{F}(x, y, z) = x\mathbf{i} + 2y\mathbf{j} - 3z\mathbf{k}$, y S es la parte del plano $15x - 12y + 3z = 6$ que se encuentra por encima del cuadrado unitario $0 \leq x \leq 1, 0 \leq y \leq 1$.

285. $\mathbf{F}(x, y, z) = x\mathbf{i} + y\mathbf{j}$, y S es la semiesfera $z = \sqrt{1 - x^2 - y^2}$.

286. $\mathbf{F}(x, y, z) = x^2\mathbf{i} + y^2\mathbf{j} + z^2\mathbf{k}$, y S es la porción de plano $z = y + 1$ que se encuentra en el interior del cilindro $x^2 + y^2 = 1$.

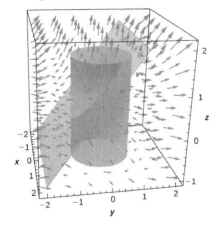

En los siguientes ejercicios, aproxime la masa de la lámina homogénea que tiene la forma de la superficie dada S. Redondee a cuatro decimales.

287. **[T]** S es la superficie $z = 4 - x - 2y$, con $z \geq 0, x \geq 0, y \geq 0$; $\xi = x$.

288. **[T]** S es la superficie $z = x^2 + y^2$, con $z \leq 1$; $\xi = z$.

289. **[T]** S es la superficie $x^2 + y^2 + x^2 = 5$, con $z \geq 1$; $\xi = \theta^2$.

290. Evalúe $\displaystyle\int\int_S \left(y^2 z\mathbf{i} + y^3\mathbf{j} + xz\mathbf{k}\right) \cdot d\mathbf{S}$, donde S es la superficie del cubo $-1 \leq x \leq 1, -1 \leq y \leq 1$, y $0 \leq z \leq 2$. Supongamos una normal que apunta hacia afuera.

291. Evalúe la integral de superficie $\iint_S g\,dS$, donde $g(x, y, z) = xz + 2x^2 - 3xy$ y S es la porción de plano $2x - 3y + z = 6$ que se encuentra sobre el cuadrado unitario R $0 \le x \le 1, 0 \le y \le 1$.

292. Evalúe $\iint_S (x + y + z)\,d\mathbf{S}$, donde S es la superficie definida paramétricamente por $\mathbf{R}(u, v) = (2u + v)\mathbf{i} + (u - 2v)\mathbf{j} + (u + 3v)\mathbf{k}$ por $0 \le u \le 1$, y $0 \le v \le 2$.

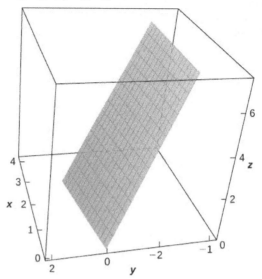

293. **[T]** Evalúe $\iint_S (x - y^2 + z)\,d\mathbf{S}$, donde S es la superficie definida por $\mathbf{R}(u, v) = u^2\mathbf{i} + v\mathbf{j} + u\mathbf{k}, 0 \le u \le 1, 0 \le v \le 1$.

294. **[T]** Evalúe $\int\int_S (x^2 + y^2 - z)\,d\mathbf{S}$ donde $\mathbf{S}$ es la superficie definida por $\mathbf{R}(u, v) = u\mathbf{i} - u^2\mathbf{j} + v\mathbf{k}, 0 \le u \le 2, 0 \le v \le 1$.

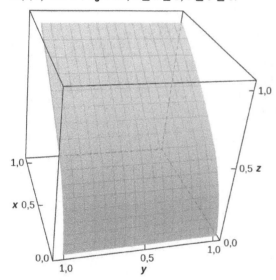

295. Evalúe $\iint_S \left(x^2 + y^2\right) d\mathbf{S}$, donde S es la superficie delimitada por encima de la semiesfera $z = \sqrt{1 - x^2 - y^2}$, y por debajo del plano $z = 0$.

296. Evalúe $\iint_S \left(x^2 + y^2 + z^2\right) d\mathbf{S}$, donde S es la porción del plano $z = x + 1$ que se encuentra en el interior del cilindro $x^2 + y^2 = 1$.

297. [T] Evalúe $\iint_S x^2 z \, dS$, donde S es la porción de cono $z^2 = x^2 + y^2$ que se encuentra entre los planos $z = 1$ y $z = 4$.

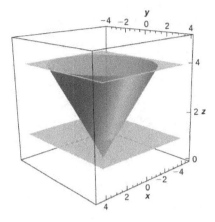

298. [T] Evalúe $\iint_S (xz/y) \, dS$, donde S es la porción del cilindro $x = y^2$ que se encuentra en el primer octante entre los planos $z = 0$, $z = 5$, $y = 1$, y $y = 4$.

299. [T] Evalúe $\iint_S (z + y) \, dS$, donde S es la parte del gráfico de $z = \sqrt{1 - x^2}$ en el primer octante entre el plano xz y el plano $y = 3$.

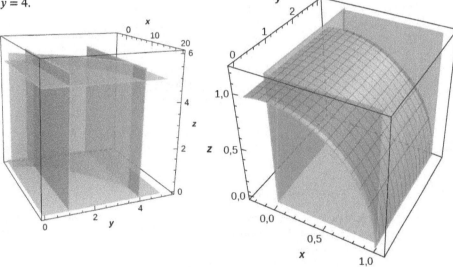

300. Evalúe $\iint_S xyz \, dS$ si S es la parte del plano $z = x + y$ que se encuentra sobre la región triangular en el plano xy con vértices (0, 0, 0), (1, 0, 0) y (0, 2, 0).

301. Hallar la masa de una lámina de densidad $\xi(x, y, z) = z$ en forma de semiesfera $z = \left(a^2 - x^2 - y^2\right)^{1/2}$.

302. Calcule $\iint_S \mathbf{F} \cdot \mathbf{N} dS$, donde $\mathbf{F}(x, y, z) = x\mathbf{i} - 5y\mathbf{j} + 4z\mathbf{k}$ y $\mathbf{N}$ es un vector normal hacia el exterior de S, donde S es la unión de dos cuadrados $S_1 : x = 0, 0 \leq y \leq 1, 0 \leq z \leq 1$ y $S_2 : z = 1, 0 \leq x \leq 1, 0 \leq y \leq 1$.

303. Calcule $\iint_S \mathbf{F} \cdot \mathbf{N} dS$, donde $\mathbf{F}(x, y, z) = xy\mathbf{i} + z\mathbf{j} + (x + y)\mathbf{k}$ y $\mathbf{N}$ es un vector normal S que apunta hacia arriba, donde S es la región triangular cortada del plano $x + y + z = 1$ por los ejes de coordenadas positivas.

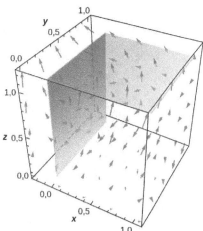

304. Calcule $\iint_S \mathbf{F} \cdot \mathbf{N} dS$, donde $\mathbf{F}(x, y, z) = 2yz\mathbf{i} + \left(\tan^{-1}(xz)\right)\mathbf{j} + e^{xy}\mathbf{k}$ y $\mathbf{N}$ es un vector normal hacia el exterior de S, donde S es la superficie de la esfera $x^2 + y^2 + z^2 = 1$.

305. Calcule $\iint_S \mathbf{F} \cdot \mathbf{N} dS$, donde $\mathbf{F}(x, y, z) = xyz\mathbf{i} + xyz\mathbf{j} + xyz\mathbf{k}$ y $\mathbf{N}$ es un vector normal hacia el exterior de S, donde S es la superficie de las cinco caras del cubo unitario $0 \leq x \leq 1, 0 \leq y \leq 1, 0 \leq z \leq 1$ al que le falta $z = 0$.

En los siguientes ejercicios, exprese la integral de superficie como una integral doble iterada utilizando una proyección sobre S en el plano yz.

306. $\iint_S xy^2z^3\, dS$; S es la porción del primer octante del plano $2x + 3y + 4z = 12$.

307. $\iint_S (x^2 - 2y + z)\, dS$; S es la porción del gráfico de $4x + y = 8$ delimitado por los planos de coordenadas y el plano $z = 6$.

En los siguientes ejercicios, exprese la integral de superficie como una integral doble iterada utilizando una proyección sobre S en el plano xz

308. $\iint_S xy^2z^3\, dS$; S es la porción del primer octante del plano $2x + 3y + 4z = 12$.

309. $\iint_S (x^2 - 2y + z)\, dS$; S es la porción del gráfico de $4x + y = 8$ delimitado por los planos de coordenadas y el plano $z = 6$.

310. Evalúe la integral de superficie $\iint_S yz\, dS$, donde S es la parte del primer octante del plano $x + y + z = \lambda$, donde λ es una constante positiva.

311. Evalúe la integral de superficie

$$\iint_S \left(x^2 z + y^2 z \right) dS,$$

donde S es la semiesfera $x^2 + y^2 + z^2 = a^2, z \geq 0.$

312. Evalúe la integral de superficie $\iint_S z\, dA,$ donde S es la superficie $z = \sqrt{x^2 + y^2}, 0 \leq z \leq 2.$

313. Evalúe la integral de superficie $\iint_S x^2 yz\, dS,$ donde S es la parte del plano $z = 1 + 2x + 3y$ que se encuentra por encima del rectángulo $0 \leq x \leq 3$ y $0 \leq y \leq 2.$

314. Evalúe la integral de superficie $\iint_S yz\, dS,$ donde S es el plano $x + y + z = 1$ que se encuentra en el primer octante.

315. Evalúe la integral de superficie $\iint_S yz\, dS,$ donde S es la parte del plano $z = y + 3$ que se encuentra en el interior del cilindro $x^2 + y^2 = 1.$

En los siguientes ejercicios, utilice el razonamiento geométrico para evaluar las integrales de superficie dadas.

316. $\iint_S \sqrt{x^2 + y^2 + z^2}\, dS,$ donde S es la superficie $x^2 + y^2 + z^2 = 4, z \geq 0$

317. $\iint_S (x\mathbf{i} + y\mathbf{j}).\, d\mathbf{S},$ donde S es la superficie $x^2 + y^2 = 4, 1 \leq z \leq 3,$ orientada con vectores normales unitarios apuntando hacia el exterior

318. $\iint_S (z\mathbf{k}).\, d\mathbf{S},$ donde S es un disco $x^2 + y^2 \leq 9$ en el plano $z = 4,$ orientado con vectores normales unitarios apuntando hacia arriba

319. Una lámina tiene la forma de una porción de esfera $x^2 + y^2 + z^2 = a^2$ que se encuentra dentro del cono $z = \sqrt{x^2 + y^2}.$ Supongamos que S es la capa esférica centrada en el origen con radio a y C es el cono circular recto con vértice en el origen y un eje de simetría que coincide con el *eje z*. Determine la masa de la lámina si $\delta(x, y, z) = x^2 y^2 z.$

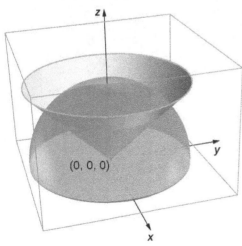

320. Una lámina tiene la forma de una porción de esfera $x^2 + y^2 + z^2 = a^2$ que se encuentra dentro del cono $z = \sqrt{x^2 + y^2}.$ Supongamos que S es la capa esférica centrada en el origen con radio a y C es el cono circular recto con vértice en el origen y un eje de simetría que coincide con el *eje z*. Supongamos que el ángulo del vértice del cono es $\phi_0,$ con $0 \leq \phi_0 < \frac{\pi}{2}.$ Determine la masa de la parte de la forma encerrada en la intersección de S y C. Suponga que $\delta(x, y, z) = x^2 y^2 z.$

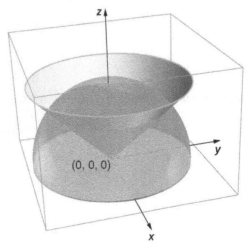

321. Un vaso de papel tiene la forma de un cono circular invertido de 6 in de altura y 3 in de radio en la parte superior. Si el vaso está lleno de agua pesando 62,5 lb/pies^3, halle la fuerza total ejercida por el agua sobre la superficie interior del vaso.

En los siguientes ejercicios, el campo vectorial del flujo de calor para los objetos conductores i
$\mathbf{F} = -k\nabla T$, *donde* $T(x, y, z)$ *es la temperatura en el objeto y* $k > 0$ *es una constante que depende del material. Halle el flujo de salida de* $\mathbf{F}$ *a través de las siguientes superficies* S *para las distribuciones de temperatura dadas y suponga que* $k = 1$.

322. $T(x, y, z) = 100e^{-x-y}$; S está formada por las caras del cubo $|x| \leq 1, |y| \leq 1, |z| \leq 1$.

323. $T(x, y, z) = -\ln\left(x^2 + y^2 + z^2\right)$; S es una esfera $x^2 + y^2 + z^2 = a^2$.

En los siguientes ejercicios, considere los campos radiales $\mathbf{F} = \dfrac{\langle x, y, z \rangle}{\left(x^2+y^2+z^2\right)^{\frac{p}{2}}} = \dfrac{\mathbf{r}}{|\mathbf{r}|^p}$, *donde p es un número real.*

Supongamos que S es un conjunto de esferas A y B centradas en el origen con radios $0 < a < b$. *El flujo de salida total a través de S consiste en el flujo de salida a través de la esfera exterior B menos el flujo hacia S a través de la esfera interior A.*

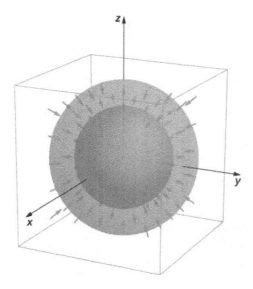

324. Halle el flujo total a través de S con $p = 0$.

325. Demuestre que para $p = 3$ el flujo a través de S es independiente de a y b.

6.7 Teorema de Stokes

Objetivos de aprendizaje

- 6.7.1   Explicar el significado del teorema de Stokes.
- 6.7.2   Utilizar el teorema de Stokes para evaluar una integral de línea.
- 6.7.3   Utilizar el teorema de Stokes para calcular una integral de superficie.
- 6.7.4   Utilizar el teorema de Stokes para calcular un rizo.

En esta sección, estudiamos el teorema de Stokes, una generalización de mayor dimensión del teorema de Green. Este teorema, al igual que el teorema fundamental de las integrales de línea y el teorema de Green, es una generalización del teorema fundamental del cálculo a dimensiones superiores. El teorema de Stokes relaciona una integral vectorial de superficie sobre la superficie S en el espacio con una integral de línea alrededor del borde de S. Por lo tanto, al igual que los teoremas anteriores, el teorema de Stokes puede utilizarse para reducir una integral sobre un objeto geométrico S a una integral sobre el borde de S.

Además de permitirnos traducir entre integrales de línea e integrales de superficie, el teorema de Stokes conecta los conceptos de rizo y circulación. Además, el teorema tiene aplicaciones en mecánica de fluidos y electromagnetismo. Utilizamos el teorema de Stokes para derivar la ley de Faraday, un importante resultado relacionado con los campos eléctricos.

Teorema de Stokes

El **teorema de Stokes** dice que podemos calcular el flujo del rizo **F** a través de la superficie S conociendo solo la información sobre los valores de **F** a lo largo del borde de S. A la inversa, podemos calcular la integral de línea del campo vectorial **F** a lo largo del borde de la superficie S traduciendo a una integral doble del rizo de **F** sobre S.

Supongamos que S es una superficie lisa orientada con el vector normal unitario **N**. Además, supongamos que el borde de S es una curva simple cerrada C. La orientación de S induce la orientación positiva de C si, al caminar en la dirección positiva alrededor de C con la cabeza apuntando en la dirección de **N**, la superficie está siempre a su izquierda. Con esta definición, podemos enunciar el teorema de Stokes.

> **Teorema 6.19**
>
> **Teorema de Stokes**
> Supongamos que S es una superficie lisa, orientada y a trozos con un borde que es una curva simple cerrada C con orientación positiva (Figura 6.79). Si **F** es un campo vectorial con funciones componentes que tienen derivadas parciales continuas en una región abierta que contiene a S, entonces
>
> $$\int_C \mathbf{F} \cdot d\mathbf{r} = \iint_S \text{rizo } \mathbf{F} \cdot d\mathbf{S}.$$

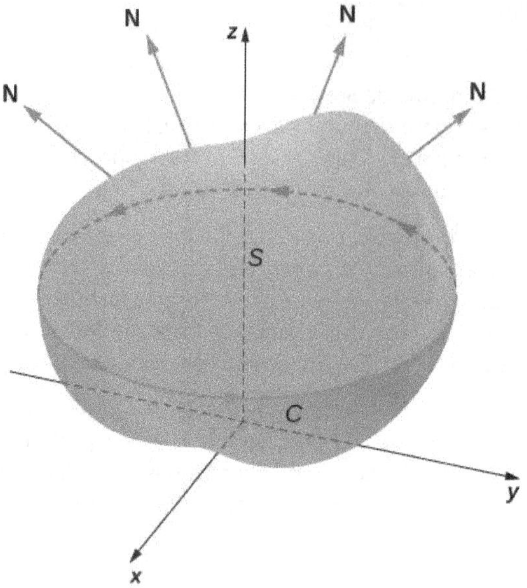

Figura 6.79 El teorema de Stokes relaciona la integral de flujo sobre la superficie con una integral de línea alrededor del borde de la superficie. Observe que la orientación de la curva es positiva.

Supongamos que la superficie S es una región plana en el plano xy con orientación hacia arriba. Entonces el vector normal unitario es $\mathbf{k}$ y la integral de superficie $\iint_S \operatorname{rizo} \mathbf{F}.\, d\mathbf{S}$ es en realidad la integral doble $\iint_S \operatorname{rizo} \mathbf{F}.\, \mathbf{k}\, dA$. En este caso especial, el teorema de Stokes da $\int_C \mathbf{F}.\, d\mathbf{r} = \iint_S \operatorname{rizo} \mathbf{F}.\, \mathbf{k}\, dA$. Sin embargo, esta es la forma de flujo del teorema de Green, que nos muestra que este teorema es un caso especial del teorema de Stokes. El teorema de Green solo puede tratar superficies en un plano, pero el teorema de Stokes puede tratar superficies en un plano o en el espacio.

La demostración completa del teorema de Stokes está fuera del alcance de este texto. Vemos una explicación intuitiva de la verdad del teorema y luego vemos su demostración en el caso especial de que la superficie S es una porción de un gráfico de una función, y S, el borde de S y $\mathbf{F}$ son todos bastante mansos.

Prueba

En primer lugar, veremos una demostración informal del teorema. Esta demostración no es rigurosa, pero pretende dar una idea general de por qué el teorema es cierto. Supongamos que S es una superficie y supongamos que D un pequeño trozo de la superficie de forma que D no comparte ningún punto con el borde de S. Elegimos que D sea lo suficientemente pequeño como para que pueda ser aproximado por un cuadrado orientado E. Supongamos que D hereda su orientación de S, y damos a E la misma orientación. Este cuadrado tiene cuatro lados; márquelos E_l, E_r, E_u, y E_d para los lados izquierdo, derecho, superior e inferior, respectivamente. En el cuadrado, podemos utilizar la forma de flujo del teorema de Green:

$$\int_{E_l + E_d + E_r + E_u} \mathbf{F}.\, d\mathbf{r} = \iint_E \operatorname{rizo} \mathbf{F}.\, \mathbf{N}\, dS = \iint_E \operatorname{rizo} \mathbf{F}.\, d\mathbf{S}.$$

Para aproximar el flujo en toda la superficie, sumamos los valores del flujo en los pequeños cuadrados que aproximan pequeñas partes de la superficie (Figura 6.80). Según el teorema de Green, el flujo a través de cada cuadrado de aproximación es una integral de línea sobre su borde. Supongamos que F es un cuadrado de aproximación con una orientación heredada de S y con un lado derecho E_l (por lo que F está a la izquierda de E). Supongamos que F_r denota el lado derecho de F; entonces, $E_l = -F_r$. En otras palabras, el lado derecho de F es la misma curva que el lado izquierdo de E, solo que orientada en la dirección opuesta. Por lo tanto,

$$\int_{E_l} \mathbf{F}.\, d\mathbf{r} = -\int_{F_r} \mathbf{F}.\, d\mathbf{r}.$$

Al sumar todos los flujos sobre todos los cuadrados que aproximan la superficie S, las integrales de línea $\int_{E_l} \mathbf{F}.\, d\mathbf{r}$ y $\int_{F_r} \mathbf{F}.\, d\mathbf{r}$ se anulan entre sí. Lo mismo ocurre con las integrales de línea sobre los otros tres lados de E. Estas tres integrales de línea se cancelan con la integral de línea del lado inferior del cuadrado por encima de *E*, la integral de línea sobre el lado izquierdo del cuadrado a la derecha de *E* y la integral de línea sobre el lado superior del cuadrado por debajo de *E* (Figura 6.81). Después de que ocurra toda esta cancelación sobre todos los cuadrados de aproximación, las únicas integrales de línea que sobreviven son las integrales de línea sobre los lados que aproximan el borde de *S*. Por lo tanto, la suma de todos los flujos (que, según el teorema de Green, es la suma de todas las integrales de línea alrededor de los bordes de los cuadrados de aproximación) puede ser aproximada por una integral de línea sobre el borde de *S*. En el límite, como las áreas de los cuadrados de aproximación van a cero, esta aproximación se acerca arbitrariamente al flujo.

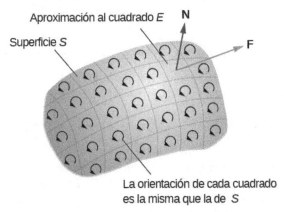

Figura 6.80   Corte la superficie en trozos pequeños. Estos deben ser lo suficientemente pequeñas como para que se puedan aproximar a un cuadrado.

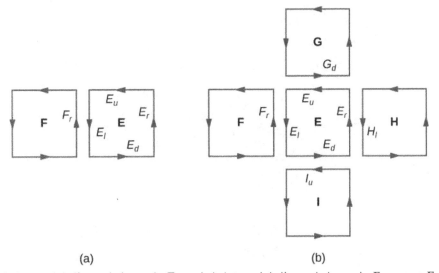

Figura 6.81   (a) La integral de línea a lo largo de E_l anula la integral de línea a lo largo de F_r porque $E_l = -F_r$. (b) La integral de línea a lo largo de cualquiera de los lados de *E* se cancela con la integral de línea a lo largo de un lado de un cuadrado aproximado adyacente.

Veamos ahora una demostración rigurosa del teorema en el caso especial de que *S* sea el gráfico de la función $z = f(x, y)$, donde *x* y *y* varían sobre una región bordeada y simplemente conectada *D* de área finita (Figura 6.82). Además, supongamos que *f* tiene derivadas parciales continuas de segundo orden. Supongamos que *C* denota el borde de *S* y supongamos que *C* denota el borde de *D*. Entonces, *D* es la "sombra" de *S* en el plano y *C* es la "sombra" de *C*. Supongamos que *S* está orientado hacia arriba. La orientación de *C* en sentido contrario a las agujas del reloj es positiva, al igual que la orientación de *C'*. Supongamos que $\mathbf{F}(x, y, z) = \langle P, Q, R \rangle$ es un campo vectorial con funciones componentes que tienen derivadas parciales continuas.

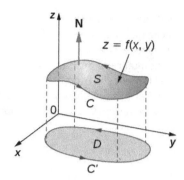

Figura 6.82 *D* es la "sombra", o proyección, de *S* en el plano y *C′* es la proyección de *C*.

Tomamos la parametrización estándar de $S : x = x, y = y, z = g(x, y)$. Los vectores tangentes son $\mathbf{t}_x = \langle 1, 0, g_x \rangle$ y $\mathbf{t}_y = \langle 0, 1, g_y \rangle$, y por lo tanto, $\mathbf{t}_x \times \mathbf{t}_y = \langle -g_x, -g_y, 1 \rangle$. Por la Ecuación 6.19,

$$\iint_S \text{rizo } \mathbf{F}.\, d\mathbf{S} = \iint_D \left[-\left(R_y - Q_z \right) z_x - \left(P_z - R_x \right) z_y + \left(Q_x - P_y \right) \right] dA,$$

donde las derivadas parciales se evalúan todas en $(x, y, g(x, y))$, haciendo que el integrando dependa solo de x y y. Supongamos que $\langle x(t), y(t) \rangle, a \leq t \leq b$ es una parametrización de $C′$. Entonces, una parametrización de C es $\langle x(t), y(t), g(x(t), y(t)) \rangle, a \leq t \leq b$. Armados con estas parametrizaciones, la regla de la cadena y el teorema de Green, y teniendo en cuenta que P, Q y R son todas funciones de x y de y, podemos evaluar la integral de línea $\int_C \mathbf{F}.\, d\mathbf{r}$:

$$\begin{aligned}
\int_C \mathbf{F}.\, d\mathbf{r} &= \int_a^b \left(Px'(t) + Qy'(t) + Rz'(t) \right) dt \\
&= \int_a^b \left[Px'(t) + Qy'(t) + R \left(\frac{\partial z}{\partial x} \frac{dx}{dt} + \frac{\partial z}{\partial y} \frac{dy}{dt} \right) \right] dt \\
&= \int_a^b \left[\left(P + R\frac{\partial z}{\partial x} \right) x'(t) + \left(Q + R\frac{\partial z}{\partial y} \right) y'(t) \right] dt \\
&= \int_{C'} \left(P + R\frac{\partial z}{\partial x} \right) dx + \left(Q + R\frac{\partial z}{\partial y} \right) dy \\
&= \iint_D \left[\frac{\partial}{\partial x} \left(Q + R\frac{\partial z}{\partial y} \right) - \frac{\partial}{\partial y} \left(P + R\frac{\partial z}{\partial x} \right) \right] dA \\
&= \iint_D \left(\begin{aligned} &\frac{\partial Q}{\partial x} + \frac{\partial Q}{\partial z} \frac{\partial z}{\partial x} + \frac{\partial R}{\partial x} \frac{\partial z}{\partial y} + \frac{\partial R}{\partial z} \frac{\partial z}{\partial x} \frac{\partial z}{\partial y} + R\frac{\partial^2 z}{\partial x \partial y} \\ &- \left(\frac{\partial P}{\partial y} + \frac{\partial P}{\partial z} \frac{\partial z}{\partial y} + \frac{\partial R}{\partial y} \frac{\partial z}{\partial x} + \frac{\partial R}{\partial z} \frac{\partial z}{\partial y} \frac{\partial z}{\partial x} + R\frac{\partial^2 z}{\partial y \partial x} \right) \end{aligned} \right) dA.
\end{aligned}$$

Según el teorema de Clairaut, $\frac{\partial^2 z}{\partial x \partial y} = \frac{\partial^2 z}{\partial y \partial x}$. Por lo tanto, cuatro de los términos desaparecen de esta integral doble, y nos quedamos con

$$\iint_D \left[-\left(R_y - Q_z \right) z_x - \left(P_z - R_x \right) z_y + \left(Q_x - P_y \right) \right] dA,$$

que es igual a $\iint_S \text{rizo } \mathbf{F}.\, d\mathbf{S}$.

$\square$

Hemos demostrado que el teorema de Stokes es verdadero en el caso de una función con un dominio que es una región simplemente conectada de área finita. Podemos confirmar rápidamente este teorema para otro caso importante: cuando el campo vectorial $\mathbf{F}$ es conservativo. Si $\mathbf{F}$ es conservativo, el rizo de $\mathbf{F}$ es cero, por lo que $\iint_S \text{rizo } \mathbf{F}.\, d\mathbf{S} = 0$, Dado que el borde de S es una curva cerrada, $\int_C \mathbf{F} \cdot d\mathbf{r}$ también es cero.

Verificar el teorema de Stokes para un caso concreto

Compruebe que el teorema de Stokes es cierto para el campo vectorial $\mathbf{F}(x, y, z) = \langle y, 2z, x^2 \rangle$ y la superficie S, donde S es el paraboloide $z = 4 - x^2 - y^2$. Supongamos que la superficie está orientada hacia el exterior y $z \geq 0$.

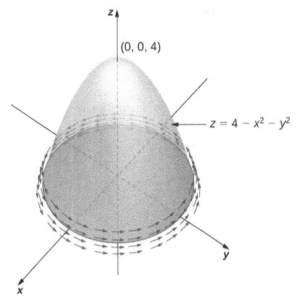

Figura 6.83   Verificación del teorema de Stokes para una semiesfera en un campo vectorial.

⊘ **Solución**

Como integral de superficie, tiene $g(x, y) = 4 - x^2 - y^2$, $g_x = -2y$ y

$$\text{rizo}\mathbf{F} = \begin{vmatrix} \mathbf{i} & \mathbf{j} & \mathbf{k} \\ \frac{\partial}{\partial x} & \frac{\partial}{\partial y} & \frac{\partial}{\partial z} \\ y & 2z & x^2 \end{vmatrix} = \langle -2, -2x, -1 \rangle.$$

Por la Ecuación 6.19,

$$\iint_S \text{rizo}\,\mathbf{F} \cdot d\mathbf{S} = \iint_D \text{rizo}\,\mathbf{F}\,(\mathbf{r}(\phi, \theta)) \cdot (\mathbf{t}_\phi \times \mathbf{t}_\theta)\, dA$$

$$= \iint_D \langle -2, -2x, -1 \rangle \cdot \langle 2x, 2y, 1 \rangle\, dA$$

$$= \int_{-2}^{2} \int_{\sqrt{4-x^2}}^{\sqrt{4-x^2}} (-4x - 4xy - 1)\, dy\, dx$$

$$= \int_{-2}^{2} \left(-8x\sqrt{4-x^2} - 2\sqrt{4-x^2} \right) dx$$

$$= -4\pi$$

Como integral de línea, puede parametrizar C mediante $\mathbf{r}(t) = \langle 2\cos t, 2\,\text{sen}\,t, 0 \rangle$ $0 \leq t \leq 2\pi$. Por la Ecuación 6.19,

$$\int_C \mathbf{F} \cdot d\mathbf{r} = \int_0^{2\pi} \langle 2\text{sen}\,t, 0, 4\cos^2 t \rangle \cdot \langle -2\text{sen}\,t, 2\cos t, 0 \rangle\, dt \tag{6.22}$$

$$= \int_0^{2\pi} -4\text{sen}^2 t\, dt = -4\pi$$

Por lo tanto, hemos verificado el teorema de Stokes para este ejemplo.

☑   6.61   Compruebe que el teorema de Stokes es cierto para el campo vectorial $\mathbf{F}(x, y, z) = \langle y, x, -z \rangle$ y la superficie S, donde S es la parte orientada hacia arriba de el gráfico de $f(x, y) = x^2 y$ sobre un triángulo en el plano xy con vértices $(0, 0)$, $(2, 0)$, y $(0, 2)$.

Aplicar el teorema de Stokes

El teorema de Stokes traduce entre la integral de flujo de la superficie S a una integral de línea alrededor del borde de S. Por lo tanto, el teorema nos permite calcular integrales de superficie o de línea que ordinariamente serían bastante difíciles traduciendo la integral de línea a una integral de superficie o viceversa. A continuación estudiaremos algunos ejemplos de cada tipo de traducción.

EJEMPLO 6.74

Calcular una integral de superficie

Calcule la integral de superficie $\iint_S \operatorname{rizo} \mathbf{F} \cdot d\mathbf{S}$, donde S es la superficie, orientada hacia el exterior, en la Figura 6.84 y $\mathbf{F} = \langle z, 2xy, x + y \rangle$.

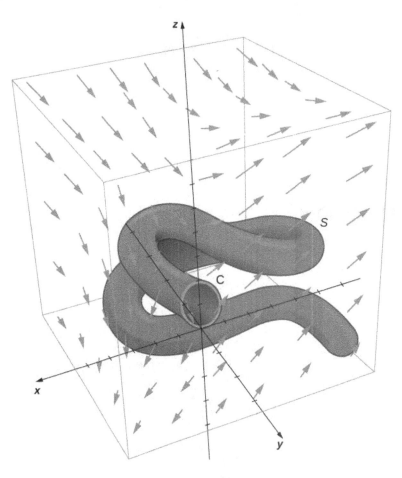

Figura 6.84   Una superficie complicada en un campo vectorial.

⊘ **Solución**

Observe que para calcular $\iint_S \operatorname{rizo} \mathbf{F} \cdot d\mathbf{S}$ sin utilizar el teorema de Stokes, tendríamos que utilizar la Ecuación 6.19. El uso de esta ecuación requiere una parametrización de S. La superficie S es lo suficientemente complicada como para que sea extremadamente difícil hallar una parametrización. Por lo tanto, los métodos que hemos aprendido en las secciones anteriores no son útiles para este problema. En su lugar, utilizamos el teorema de Stokes, observando que el borde C de la superficie es simplemente un único círculo de radio 1.

El rizo de **F** es $\langle 1, 1, 2y \rangle$. Por el teorema de Stokes,

$$\iint_S \text{rizo } \mathbf{F} . \, d\mathbf{S} = \int_C \mathbf{F} . \, d\mathbf{r},$$

donde C tiene la parametrización $\mathbf{r}(t) = \langle \text{sen } t, 0, 1 - \cos t \rangle, 0 \leq t < 2\pi$. Por la Ecuación 6.9,

$$
\begin{aligned}
\iint_S \text{rizo } \mathbf{F} . \, d\mathbf{S} &= \int_C \mathbf{F} . \, d\mathbf{r} \\
&= \int_0^{2\pi} \langle 1 - \cos t, 0, -\text{sen } t \rangle . \langle -\cos t, 0, \text{sen } t \rangle dt \\
&= \int_0^{2\pi} \left(-\cos t + \cos^2 t - \text{sen}^2 t \right) dt \\
&= \left[-\text{sen } t + \tfrac{1}{2} \text{sen}(2t) \right]_0^{2\pi} \\
&= (-\text{sen}(2\pi) + \tfrac{1}{2} \text{sen}(4\pi)) - (-\text{sen } 0 + \tfrac{1}{2} \text{sen } 0) \\
&= 0,
\end{aligned}
$$

Una consecuencia sorprendente del teorema de Stokes es que si S' es cualquier otra superficie lisa con borde C y la misma orientación que S, entonces $\iint_S \text{rizo } \mathbf{F} . \, d\mathbf{S} = \int_C \mathbf{F} . \, d\mathbf{r} = 0$ porque el teorema de Stokes dice que la integral de superficie depende solo de la integral de línea alrededor del borde.

En el Ejemplo 6.74, calculamos una integral de superficie utilizando simplemente información sobre el borde de la superficie. En general, supongamos que S_1 y S_2 son superficies lisas con el mismo borde C y la misma orientación. Según el teorema de Stokes,

$$\iint_{S_1} \text{rizo } \mathbf{F} . \, d\mathbf{S} = \int_C \mathbf{F} . \, d\mathbf{r} = \iint_{S_2} \text{rizo } \mathbf{F} . \, d\mathbf{S}. \tag{6.23}$$

Por lo tanto, si $\iint_{S_1} \text{rizo } \mathbf{F} . \, d\mathbf{S}$ es difícil de calcular pero $\iint_{S_2} \text{rizo } \mathbf{F} . \, d\mathbf{S}$ es fácil de calcular, el teorema de Stokes nos permite calcular la integral de superficie más fácil. En el Ejemplo 6.74, podríamos haber calculado $\iint_S \text{rizo } \mathbf{F} . \, d\mathbf{S}$ calculando $\iint_{S'} \text{rizo } \mathbf{F} . \, d\mathbf{S}$, donde S' es el disco encerrado por la curva de borde C (una superficie mucho más sencilla con la que trabajar).

La Ecuación 6.23 muestra que las integrales de flujo de los campos vectoriales de rizo son **independientes de la superficie** del mismo modo que las integrales de línea de los campos de gradiente son independientes de la trayectoria. Recordemos que si **F** es un campo vectorial bidimensional conservativo definido en un dominio simplemente conectado, f es una función potencial para **F**, y C es una curva en el dominio de **F**, entonces $\int_C \mathbf{F} . \, d\mathbf{r}$ solo depende de los puntos finales de C. Por lo tanto, si C es cualquier otra curva con el mismo punto inicial y final que C (es decir, C tiene la misma orientación que C), entonces $\int_C \mathbf{F} . \, d\mathbf{r} = \int_{C'} \mathbf{F} . \, d\mathbf{r}$. En otras palabras, el valor de la integral depende solo del borde de la trayectoria, no depende realmente de la trayectoria en sí.

Análogamente, supongamos que S y S' son superficies con el mismo borde y la misma orientación, y supongamos que **G** es un campo vectorial tridimensional que puede escribirse como el rizo de otro campo vectorial **F** (de modo que **F** es como un "campo potencial" de **G**). Por la Ecuación 6.23,

$$\iint_S \mathbf{G} . \, d\mathbf{S} = \iint_S \text{rizo } \mathbf{F} . \, d\mathbf{S} = \int_C \mathbf{F} . \, d\mathbf{r} = \iint_{S'} \text{rizo } \mathbf{F} . \, d\mathbf{S} = \iint_{S'} \mathbf{G} . \, d\mathbf{S}.$$

Por lo tanto, la integral de flujo de **G** no depende de la superficie, solo del borde de la misma. Las integrales de flujo de los campos vectoriales que pueden escribirse como el rizo de un campo vectorial son independientes de la superficie, del mismo modo que las integrales de línea de los campos vectoriales que pueden escribirse como el gradiente de una función escalar son independientes de la trayectoria.

6.62   Utilice el teorema de Stokes para calcular la integral de superficie $\iint_S$ rizo $\mathbf{F}.\, d\mathbf{S}$, donde $\mathbf{F} = \langle z, x, y \rangle$ y S es la superficie, como se muestra en la siguiente figura. La curva de borde, C, está orientada en el sentido de las agujas del reloj cuando se mira a lo largo del eje y positivo.

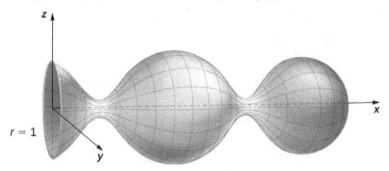

$r = 1$

EJEMPLO 6.75

Calcular una integral de línea

Calcule la integral de línea $\int_C \mathbf{F}.\, d\mathbf{r}$, donde $\mathbf{F} = \langle xy, x^2 + y^2 + z^2, yz \rangle$ y C es el borde del paralelogramo con vértices $(0, 0, 1), (0, 1, 0), (2, 0, -1),$ y $(2, 1, -2)$.

⊘ **Solución**

Para calcular la integral de línea directamente, tenemos que parametrizar cada lado del paralelogramo por separado, calcular cuatro integrales de línea por separado y sumar el resultado. Esto no es demasiado complicado, pero sí requiere mucho tiempo.

Por el contrario, calculemos la integral de línea utilizando el teorema de Stokes. Supongamos que S es la superficie del paralelogramo. Observe que S es la porción de el gráfico de $z = 1 - x - y$ por (x, y) variando sobre la región rectangular con vértices $(0, 0), (0, 1), (2, 0),$ y $(2, 1)$ en el plano xy. Por lo tanto, una parametrización de S es $\langle x, y, 1 - x - y \rangle, 0 \leq x \leq 2, 0 \leq y \leq 1$. El rizo de $\mathbf{F}$ es $-\langle z, 0, x \rangle$, y el teorema de Stokes y la [Ecuación 6.19](#) dan

$$
\begin{aligned}
\int_C \mathbf{F}.\, d\mathbf{r} &= \iint_S \text{rizo } \mathbf{F}.\, d\mathbf{S} \\
&= \int_0^2 \int_0^1 \text{rizo } \mathbf{F}(x, y).\, \left(\mathbf{t}_x \times \mathbf{t}_y \right) dy\, dx \\
&= \int_0^2 \int_0^1 \langle -(1 - x - y), 0, x \rangle .\, (\langle 1, 0, -1 \rangle \times \langle 0, 1, -1 \rangle)\, dy\, dx \\
&= \int_0^2 \int_0^1 \langle x + y - 1, 0, x \rangle .\, \langle 1, 1, 1 \rangle\, dy\, dx \\
& \int_0^2 \int_0^1 2x + y - 1\, dy\, dx \\
&= 3.
\end{aligned}
$$

6.63   Utilice el teorema de Stokes para calcular la integral de línea $\int_C \mathbf{F}.\, d\mathbf{r}$, donde $\mathbf{F} = \langle z, x, y \rangle$ y C está orientado en el sentido de las agujas del reloj y es el borde de un triángulo con vértices $(0, 0, 1), (3, 0, -2),$ y $(0, 1, 2)$.

Interpretación del rizo

Además de traducir entre integrales de línea y de flujo, el teorema de Stokes puede utilizarse para justificar la interpretación física del rizo que hemos aprendido. Aquí investigamos la relación entre el rizo y la circulación, y utilizamos el teorema de Stokes para enunciar la ley de Faraday, una importante ley en electricidad y magnetismo que relaciona el rizo de un campo eléctrico con la tasa de cambio de un campo magnético.

Recordemos que si C es una curva cerrada y **F** es un campo vectorial definido en C, entonces la circulación de **F** alrededor de C es integral de línea $\int_C \mathbf{F} \cdot d\mathbf{r}$. Si **F** representa el campo de velocidad de un fluido en el espacio, la circulación mide la tendencia del fluido a moverse en la dirección de C.

Supongamos que **F** es un campo vectorial continuo y supongamos que D_r es un pequeño disco de radio r con centro P_0 (Figura 6.85). Si los valores de D_r es lo suficientemente pequeño, entonces $(\text{rizo } \mathbf{F})(P) \approx (\text{rizo } \mathbf{F})(P_0)$ para todos los puntos P en D_r porque el rizo es continuo. Supongamos que C_r es el círculo de borde de D_r. Por el teorema de Stokes,

$$\int_{C_r} \mathbf{F} \cdot d\mathbf{r} = \iint_{D_r} \text{rizo } \mathbf{F} \cdot \mathbf{N} dS \approx \iint_{D_r} (\text{rizo } \mathbf{F})(P_0) \cdot \mathbf{N}(P_0) \, dS.$$

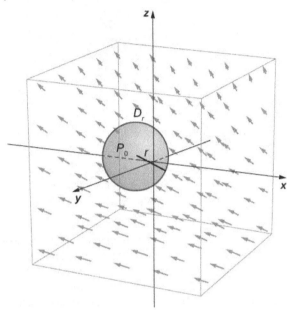

Figura 6.85   El disco D_r es un pequeño disco en un campo vectorial continuo.

La cantidad $(\text{rizo } \mathbf{F})(P_0) \cdot \mathbf{N}(P_0)$ es constante y, por lo tanto,

$$\iint_{D_r} (\text{rizo } \mathbf{F})(P_0) \cdot \mathbf{N}(P_0) \, dS = \pi r^2 \left[(\text{rizo } \mathbf{F})(P_0) \cdot \mathbf{N}(P_0) \right].$$

Por lo tanto,

$$\int_{C_r} \mathbf{F} \cdot d\mathbf{r} \approx \pi r^2 \left[(\text{rizo } \mathbf{F})(P_0) \cdot \mathbf{N}(P_0) \right],$$

y la aproximación se acerca arbitrariamente a medida que el radio se reduce a cero. Por lo tanto, el teorema de Stokes implica que

$$(\text{rizo } \mathbf{F})(P_0) \cdot \mathbf{N}(P_0) = \lim_{r \to 0^+} \frac{1}{\pi r^2} \int_{C_r} \mathbf{F} \cdot d\mathbf{r}.$$

Esta ecuación relaciona el rizo de un campo vectorial con la circulación. Dado que el área del disco es πr^2, esta ecuación dice que podemos ver el rizo (en el límite) como la circulación por unidad de superficie. Recordemos que si **F** es el campo de velocidad de un fluido, entonces la circulación $\oint_{C_r} \mathbf{F} \cdot d\mathbf{r} = \oint_{C_r} \mathbf{F} \cdot \mathbf{T} ds$ es una medida de la tendencia del fluido a moverse alrededor de C_r. El motivo es que $\mathbf{F} \cdot \mathbf{T}$ es una componente de **F** en la dirección de **T**, y cuanto más cerca esté la dirección de **F** de **T**, mayor será el valor de $\mathbf{F} \cdot \mathbf{T}$ (recuerde que si **a** y **b** son vectores y **b** es fijo, entonces el producto escalar $\mathbf{a} \cdot \mathbf{b}$ es máximo cuando **a** apunta en la misma dirección que **b**). Por lo tanto, si **F** es el campo de velocidad de un fluido, entonces $\text{rizo } \mathbf{F} \cdot \mathbf{N}$ es una medida de cómo gira el fluido alrededor del eje **N**. El efecto del rizo es mayor sobre el eje que apunta en la dirección de **N**, porque en este caso $\text{rizo } \mathbf{F} \cdot \mathbf{N}$ es lo más grande posible.

Para ver este efecto de forma más concreta, imagine que coloca una pequeña rueda de paletas en el punto P_0 (Figura 6.86). La rueda de paletas alcanza su rapidez máxima cuando el eje de la rueda apunta en la dirección del rizo**F**. Esto justifica la interpretación del rizo que hemos aprendido: el rizo es una medida de la rotación en el campo vectorial alrededor del eje que apunta en la dirección del vector normal **N**, y el teorema de Stokes justifica esta interpretación.

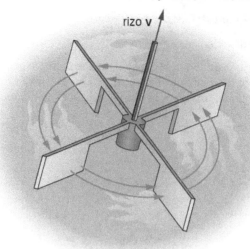

Figura 6.86 Para visualizar la curvatura en un punto, imagine que coloca una pequeña rueda de paletas en ese punto del campo vectorial.

Ahora que hemos conocido el teorema de Stokes, podemos hablar de sus aplicaciones en el ámbito del electromagnetismo. En particular, examinamos cómo podemos utilizar el teorema de Stokes para traducir entre dos formas equivalentes de la ley de Faraday. Antes de exponer las dos formas de la ley de Faraday, necesitamos algo de terminología de fondo.

Supongamos que C es una curva cerrada que modela un alambre delgado. En el contexto de los campos eléctricos, el alambre puede estar en movimiento en el tiempo, por lo que escribimos $C(t)$ para representar el alambre. En un momento dado t, la curva $C(t)$ puede ser diferente de la curva original C debido al movimiento del alambre, pero suponemos que $C(t)$ es una curva cerrada para todos los tiempos t. Supongamos que $D(t)$ es una superficie con $C(t)$ como su borde, y un orientación $C(t)$ por lo que $D(t)$ tiene una orientación positiva. Supongamos que $C(t)$ está en un campo magnético $\mathbf{B}(t)$ que también puede cambiar con el tiempo. En otras palabras, **B** tiene la forma

$$\mathbf{B}(x, y, z) = \langle P(x, y, z), Q(x, y, z), R(x, y, z) \rangle,$$

donde P, Q y R pueden variar continuamente en el tiempo. Podemos producir corriente a lo largo del alambre cambiando el campo $\mathbf{B}(t)$ (esto es una consecuencia de la ley de Ampere). El flujo $\phi(t) = \iint_{D(t)} \mathbf{B}(t) . d\mathbf{S}$ crea un campo eléctrico $\mathbf{E}(t)$ que sí funciona. La forma integral de la ley de Faraday establece que

$$\text{Trabajo} = \int_{C(t)} \mathbf{E}(t) . d\mathbf{r} = -\frac{\partial \phi}{\partial t}.$$

En otras palabras, el trabajo realizado por **E** es la integral de línea alrededor del borde, que también es igual a la tasa de cambio del flujo con respecto al tiempo. La forma diferencial de la ley de Faraday establece que

$$\text{rizo } \mathbf{E} = -\frac{\partial \mathbf{B}}{\partial t}.$$

Utilizando el teorema de Stokes, podemos demostrar que la forma diferencial de la ley de Faraday es una consecuencia de la forma integral. Con el teorema de Stokes, podemos convertir la integral de línea en forma integral en integral de superficie

$$-\frac{\partial \phi}{\partial t} = \int_{C(t)} \mathbf{E}(t) . d\mathbf{r} = \iint_{D(t)} \text{rizo } \mathbf{E}(t) . d\mathbf{S}.$$

Dado que $\phi(t) = \iint_{D(t)} \mathbf{B}(t) . d\mathbf{S}$, entonces, mientras la integración de la superficie no varíe con el tiempo, también tenemos

$$-\frac{\partial \phi}{\partial t} = \iint_{D(t)} -\frac{\partial \mathbf{B}}{\partial t} . d\mathbf{S}.$$

Por lo tanto,

$$\iint_{D(t)} -\frac{\partial \mathbf{B}}{\partial t} \cdot d\mathbf{S} = \iint_{D(t)} \text{rizo } \mathbf{E} \cdot d\mathbf{S}.$$

Para derivar la forma diferencial de la ley de Faraday, queremos concluir que $\text{rizo } \mathbf{E} = -\frac{\partial \mathbf{B}}{\partial t}$. En general, la ecuación

$$\iint_{D(t)} -\frac{\partial \mathbf{B}}{\partial t} \cdot d\mathbf{S} = \iint_{D(t)} \text{rizo } \mathbf{E} \cdot d\mathbf{S}$$

no es suficiente para concluir que $\text{rizo } \mathbf{E} = -\frac{\partial \mathbf{B}}{\partial t}$. Los símbolos de la integral no se "cancelan" simplemente, dejando la igualdad de los integrados. Para ver por qué el símbolo de la integral no se cancela en general, considere las dos integrales de una sola variable $\int_0^1 x\,dx$ y $\int_0^1 f(x)\,dx$, donde

$$f(x) = \begin{cases} 1, & 0 \leq x \leq 1/2 \\ 0, & 1/2 \leq x \leq 1 \end{cases}$$

Ambas integrales son iguales a $\frac{1}{2}$, por lo que $\int_0^1 x\,dx = \int_0^1 f(x)\,dx$. Sin embargo, el que $x \neq f(x)$. Análogamente, con nuestra ecuación $\iint_{D(t)} -\frac{\partial \mathbf{B}}{\partial t} \cdot d\mathbf{S} = \iint_{D(t)} \text{rizo } \mathbf{E} \cdot d\mathbf{S}$, no podemos concluir simplemente que $\text{rizo } \mathbf{E} = -\frac{\partial \mathbf{B}}{\partial t}$ solo porque sus integrales son iguales. Sin embargo, en nuestro contexto, la ecuación $\iint_{D(t)} -\frac{\partial \mathbf{B}}{\partial t} \cdot d\mathbf{S} = \iint_{D(t)} \text{rizo } \mathbf{E} \cdot d\mathbf{S}$ es cierto para *cualquier* región, por pequeña que sea (esto contrasta con las integrales de una sola variable que acabamos de discutir). Si $\mathbf{F}$ y $\mathbf{G}$ son campos vectoriales tridimensionales tales que $\iint_S \mathbf{F} \cdot d\mathbf{S} = \iint_S \mathbf{G} \cdot d\mathbf{S}$ para cualquier superficie S, entonces es posible demostrar que $\mathbf{F} = \mathbf{G}$ reduciendo el área de S a cero tomando un límite (cuanto menor sea el área de S, más se acercará el valor de $\iint_S \mathbf{F} \cdot d\mathbf{S}$ al valor de $\mathbf{F}$ en un punto dentro de S). Por lo tanto, podemos dejar que el área $D(t)$ se reduzca a cero tomando un límite y se obtiene la forma diferencial de la ley de Faraday:

$$\text{rizo } \mathbf{E} = -\frac{\partial \mathbf{B}}{\partial t}.$$

En el contexto de los campos eléctricos, el rizo del campo eléctrico puede interpretarse como el negativo de la tasa de cambio del campo magnético correspondiente con respecto al tiempo.

EJEMPLO 6.76

Usar la Ley de Faraday
Calcule el rizo del campo eléctrico $\mathbf{E}$ si el campo magnético correspondiente es un campo constante $\mathbf{B}(t) = \langle 1, -4, 2 \rangle$.

⊘ **Solución**
Como el campo magnético no cambia con respecto al tiempo, $-\frac{\partial \mathbf{B}}{\partial t} = \mathbf{0}$. Según la ley de Faraday, el rizo del campo eléctrico también es cero.

⊛ **Análisis**
Una consecuencia de la ley de Faraday es que el rizo del campo eléctrico correspondiente a un campo magnético constante es siempre cero.

☑ 6.64   Calcule el rizo del campo eléctrico $\mathbf{E}$ si el campo magnético correspondiente es
$\mathbf{B}(t) = \langle tx, ty, -2tz \rangle, 0 \leq t < \infty$.

Observe que el rizo del campo eléctrico no cambia con el tiempo, aunque el campo magnético sí lo hace.

SECCIÓN 6.7 EJERCICIOS

En los siguientes ejercicios, sin utilizar el teorema de Stokes, calcule directamente tanto el flujo de rizo $\mathbf{F} . \mathbf{N}$ *sobre la superficie dada y la integral de circulación alrededor de su borde, suponiendo que todos los bordes están orientados en el sentido de las agujas del reloj vistos desde arriba.*

326. $\mathbf{F}(x, y, z) = y^2\mathbf{i} + z^2\mathbf{j} + x^2\mathbf{k}$;
S es la porción del primer octante del plano $x + y + z = 1$.

327. $\mathbf{F}(x, y, z) = z\mathbf{i} + x\mathbf{j} + y\mathbf{k}$;
S es el hemisferio
$z = \left(a^2 - x^2 - y^2\right)^{1/2}$.

328. $\mathbf{F}(x, y, z) = y^2\mathbf{i} + 2x\mathbf{j} + 5\mathbf{k}$;
S es el hemisferio
$z = \left(4 - x^2 - y^2\right)^{1/2}$.

329. $\mathbf{F}(x, y, z) = z\mathbf{i} + 2x\mathbf{j} + 3y\mathbf{k}$;
S es el hemisferio superior
$z = \sqrt{9 - x^2 - y^2}$.

330. $\mathbf{F}(x, y, z) = (x + 2z)\mathbf{i} + (y - x)\mathbf{j} + (z - y)\mathbf{k}$;
S es una región triangular con vértices (3, 0, 0), (0, 3/2, 0) y (0, 0, 3).

331. $\mathbf{F}(x, y, z) = 2y\mathbf{i} - 6z\mathbf{j} + 3x\mathbf{k}$;
S es una porción del paraboloide $z = 4 - x^2 - y^2$ y está por encima del plano xy.

En los siguientes ejercicios, utilice el teorema de Stokes para evaluar $\iint_S (\text{rizo } \mathbf{F} . \mathbf{N})dS$ *para los campos vectoriales y la superficie.*

332. $\mathbf{F}(x, y, z) = xy\mathbf{i} - z\mathbf{j}$ y S es la superficie del cubo $0 \le x \le 1, 0 \le y \le 1, 0 \le z \le 1$, excepto en la cara donde $z = 0$, y utilizando el vector normal unitario que está hacia afuera.

333. $\mathbf{F}(x, y, z) = xy\mathbf{i} + x^2\mathbf{j} + z^2\mathbf{k}$; y C es la intersección del paraboloide $z = x^2 + y^2$ y el plano $z = y$, y utilizando el vector normal que está hacia afuera.

334. $\mathbf{F}(x, y, z) = 4y\mathbf{i} + z\mathbf{j} + 2y\mathbf{k}$ y C es la intersección de la esfera $x^2 + y^2 + z^2 = 4$ con el plano $z = 0$, y utilizando el vector normal que está hacia afuera

335. Utilice el teorema de Stokes para evaluar

$$\int_C \left[2xy^2 z \, dx + 2x^2 yz \, dy + \left(x^2 y^2 - 2z \right) dz \right],$$

donde C es la curva dada por $x = \cos t, y = \operatorname{sen} t, z = \operatorname{sen} t, 0 \le t \le 2\pi$, recorrida en la dirección de aumento de t.

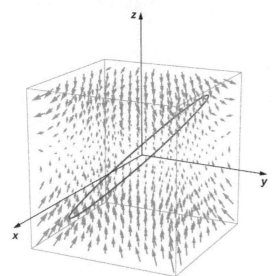

336. **[T]** Utilice un sistema de álgebra computacional (CAS) y el teorema de Stokes para aproximar la integral de línea

$$\int_C \left(y \, dx + z \, dy + x \, dz \right),$$

donde C es la intersección del plano $x + y = 2$ y superficie $x^2 + y^2 + z^2 = 2 \left(x + y \right)$, recorridos en sentido contrario a las agujas del reloj visto desde el origen.

337. **[T]** Utilice un CAS y el teorema de Stokes para aproximar la integral de línea

$$\int_C \left(3y \, dx + 2z \, dy - 5x \, dz \right),$$

donde C es la intersección del plano xy, y la semiesfera $z = \sqrt{1 - x^2 - y^2}$, atravesada en sentido contrario a las agujas del reloj visto desde arriba, es decir, desde el eje z positivo hacia el plano xy.

338. **T]** Utilice un CAS y el teorema de Stokes para aproximar la integral de línea

$$\int_C \left[(1 + y) z \, dx + (1 + z) x \, dy + (1 + x) y \, dz \right],$$

donde C es un triángulo con vértices $(1, 0, 0), (0, 1, 0),$ y $(0, 0, 1)$ orientado en sentido contrario a las agujas del reloj.

339. Utilice el teorema de Stokes para evaluar $\iint_S$ rizo $\mathbf{F} \cdot d\mathbf{S}$, donde $\mathbf{F}(x, y, z) = e^{xy} \cos z \mathbf{i} + x^2 z \mathbf{j} + xy \mathbf{k}$, y S es la mitad de la esfera $x = \sqrt{1 - y^2 - z^2}$, orientado hacia el eje x positivo.

340. **[T]** Utilice un CAS y el teorema de Stokes para evaluar $\iint_S (\text{rizo } \mathbf{F} \cdot \mathbf{N}) dS$, donde $\mathbf{F}(x, y, z) = x^2 y \mathbf{i} + xy^2 \mathbf{j} + z^3 \mathbf{k}$ y C es la curva de intersección del plano $3x + 2y + z = 6$ y el cilindro $x^2 + y^2 = 4$, orientado en el sentido de las agujas del reloj cuando se ve desde arriba.

341. T] Utilice un CAS y el teorema de Stokes para evaluar $\iint\limits_S$ rizo $\mathbf{F}.\, d\mathbf{S}$, donde

$$\mathbf{F}(x, y, z) = \left(\operatorname{sen}(y+z) - yx^2 - \frac{y^3}{3}\right)\mathbf{i} + x\cos(y+z)\mathbf{j} + \cos(2y)\mathbf{k}$$

y S está formado por la parte superior y las cuatro caras pero no por la parte inferior del cubo con vértices $(\pm 1, \pm 1, \pm 1)$, orientado hacia el exterior.

342. [T] Utilice un CAS y el teorema de Stokes para evaluar

$$\iint\limits_S \text{rizo } \mathbf{F}.\, d\mathbf{S}, \text{ donde}$$

$\mathbf{F}(x, y, z) = z^2\mathbf{i} - 3xy\mathbf{j} + x^3y^3\mathbf{k}$
y S es la parte superior de
$z = 5 - x^2 - y^2$ sobre el plano
$z = 1$, y S está orientada hacia arriba.

343. Utilice el teorema de Stokes para evaluar
$$\iint\limits_S (\text{rizo } \mathbf{F}.\,\mathbf{N})dS, \text{ donde}$$
$\mathbf{F}(x, y, z) = z^2\mathbf{i} + y^2\mathbf{j} + x\mathbf{k}$
y S es un triángulo con
vértices (1, 0, 0), (0, 1, 0) y
(0, 0, 1) con orientación
contraria a las agujas del
reloj.

344. Utilizar el teorema de
Stokes para evaluar la
integral de línea
$$\int\limits_C (z dx + x dy + y dz),$$
donde C es un triángulo
con los vértices (3, 0, 0),
(0, 0, 2) y (0, 6, 0)
recorridos en el orden
dado.

345. Utilice el teorema de Stokes para
evaluar $\int\limits_C \left(\frac{1}{2}y^2\, dx + z dy + x dz\right)$,

donde C es la curva de intersección
del plano $x + z = 1$ y el elipsoide
$x^2 + 2y^2 + z^2 = 1$, orientado en el
sentido de las agujas del reloj desde
el origen.

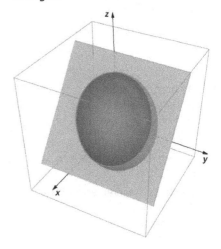

346. Utilice el teorema de Stokes
para evaluar
$$\iint\limits_S (\text{rizo } \mathbf{F}.\,\mathbf{N})dS, \text{ donde}$$
$\mathbf{F}(x, y, z) = x\mathbf{i} + y^2\mathbf{j} + ze^{xy}\mathbf{k}$
y S es la parte de la
superficie $z = 1 - x^2 - 2y^2$
con la $z \ge 0$, orientado en
sentido contrario a las
agujas del reloj.

347. Utilice el teorema de
Stokes para el campo
vectorial
$\mathbf{F}(x, y, z) = z\mathbf{i} + 3x\mathbf{j} + 2z\mathbf{k}$
donde S es la superficie
$z = 1 - x^2 - y^2, z \ge 0$, C
es el círculo de borde
$x^2 + y^2 = 1$, y S está
orientado en la dirección z
positiva.

348. Utilice el teorema de Stokes para
el campo vectorial
$\mathbf{F}(x, y, z) = -\frac{3}{2}y^2\mathbf{i} - 2xy\mathbf{j} + yz\mathbf{k}$,
donde S es la parte de la
superficie del plano
$x + y + z = 1$ contenida en el
triángulo C con vértices (1, 0, 0),
(0, 1, 0) y (0, 0, 1), recorrida en
sentido contrario a las agujas del
reloj vista desde arriba.

349. Se sabe que una trayectoria cerrada C determinada en el plano $2x + 2y + z = 1$ se proyecta sobre el círculo unitario $x^2 + y^2 = 1$ en el plano xy. Supongamos que c es una constante y supongamos que $\mathbf{R}(x, y, z) = x\mathbf{i} + y\mathbf{j} + z\mathbf{k}$. Utilice el teorema de Stokes para evaluar

$$\int_C (c\mathbf{k} \times \mathbf{R}).\, d\mathbf{S}.$$

350. Utilizar el teorema de Stokes y supongamos que C es el borde de la superficie $z = x^2 + y^2$ con la $0 \leq x \leq 2$ y $0 \leq y \leq 1$, orientado con una normal que apunta hacia arriba. Defina

$$\mathbf{F}(x, y, z) = \left[\operatorname{sen}\left(x^3\right) + xz\right]\mathbf{i} + (x - yz)\mathbf{j} + \cos\left(z^4\right)\mathbf{k} \text{ y evalúe } \int_C \mathbf{F}.\, d\mathbf{S}.$$

351. Supongamos que S es la semiesfera $x^2 + y^2 + z^2 = 4$ con la $z \geq 0$, orientado hacia arriba. Supongamos que

$$\mathbf{F}(x, y, z) = x^2 e^{yz}\mathbf{i} + y^2 e^{xz}\mathbf{j} + z^2 e^{xy}\mathbf{k}$$

es un campo vectorial. Utilice el teorema de Stokes para evaluar

$$\iint_S \text{rizo } \mathbf{F}.\, d\mathbf{S}.$$

352. Supongamos que

$$\mathbf{F}(x, y, z) = xy\mathbf{i} + \left(e^{z^2} + y\right)\mathbf{j} + (x + y)\mathbf{k}$$

y supongamos que S es el gráfico de la función $y = \frac{x^2}{9} + \frac{z^2}{9} - 1$ con la $y \leq 0$ orientado de forma que el vector normal S tenga una componente positiva en y. Utilice el teorema de Stokes para calcular la integral $\iint_S \text{rizo } \mathbf{F}.\, d\mathbf{S}$.

353. Utilice el teorema de Stokes para evaluar

$$\oint \mathbf{F}.\, d\mathbf{S}, \text{ donde}$$

$\mathbf{F}(x, y, z) = y\mathbf{i} + z\mathbf{j} + x\mathbf{k}$ y C es un triángulo con vértices $(0, 0, 0)$, $(2, 0, 0)$ y $(0, -2, 2)$ orientado en sentido contrario a las agujas del reloj cuando se ve desde arriba.

354. Utilice la integral de superficie en el teorema de Stokes para calcular la circulación del campo $\mathbf{F}$, $\mathbf{F}(x, y, z) = x^2 y^3\mathbf{i} + \mathbf{j} + z\mathbf{k}$ alrededor de C, que es la intersección del cilindro $x^2 + y^2 = 4$ y hemisferio $x^2 + y^2 + z^2 = 16$, $z \geq 0$, orientado en sentido contrario a las agujas del reloj cuando se ve desde arriba.

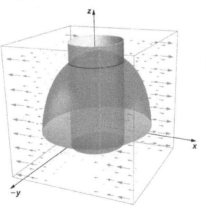

355. Utilice el teorema de Stokes para calcular $\iint_S \text{rizo } \mathbf{F}.\, d\mathbf{S}$, donde $\mathbf{F}(x, y, z) = \mathbf{i} + xy^2\mathbf{j} + xy^2\mathbf{k}$ y S es una parte del plano $y + z = 2$ dentro del cilindro $x^2 + y^2 = 1$ y orientado en sentido contrario a las agujas del reloj.

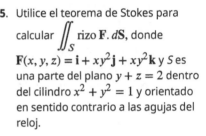

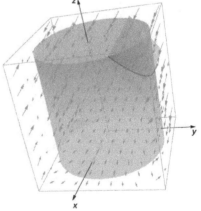

356. Utilice el teorema de Stokes para evaluar $\iint_S$ rizo **F**. $d\mathbf{S}$, donde
$$\mathbf{F}(x, y, z) = -y^2\mathbf{i} + x\mathbf{j} + z^2\mathbf{k}$$
y S es la parte del plano $x + y + z = 1$ en el octante positivo y orientado en sentido contrario a las agujas del reloj $x \geq 0, y \geq 0, z \geq 0.$

357. Supongamos que
$$\mathbf{F}(x, y, z) = xy\mathbf{i} + 2z\mathbf{j} - 2y\mathbf{k}$$
y supongamos que C es la intersección del plano $x + z = 5$ y el cilindro $x^2 + y^2 = 9$, que se orienta en sentido contrario a las agujas del reloj cuando se mira desde arriba. Calcule la integral de línea de **F** sobre C utilizando el teorema de Stokes.

358. [T] Utilice un CAS y supongamos que $\mathbf{F}(x, y, z) = xy^2\mathbf{i} + (yz - x)\mathbf{j} + e^{yxz}\mathbf{k}$. Utilice el teorema de Stokes para calcular la integral de superficie del rizo **F** sobre la superficie S con orientación hacia el interior que consiste en un cubo $[0, 1] \times [0, 1] \times [0, 1]$ sin el lado derecho.

359. Supongamos que S es un elipsoide
$$\frac{x^2}{4} + \frac{y^2}{9} + z^2 = 1$$
orientado en sentido contrario a las agujas del reloj y supongamos que **F** es un campo vectorial con funciones componentes que tienen derivadas parciales continuas. $\int\int_S$ rizo **F**. **n**

360. Supongamos que S es la parte del paraboloide $z = 9 - x^2 - y^2$ con la $z \geq 0$. Verifique el teorema de Stokes para el campo vectorial
$$\mathbf{F}(x, y, z) = 3z\mathbf{i} + 4x\mathbf{j} + 2y\mathbf{k}.$$

361. T] Utilice un CAS y el teorema de Stokes para evaluar $\oint_C$ **F**. $d\mathbf{S}$, si
$$\mathbf{F}(x, y, z) = (3z - \operatorname{sen} x)\mathbf{i} + (x^2 + e^y)\mathbf{j} + (y^3 - \cos z)\mathbf{k},$$
donde C es la curva dada por $x = \cos t, y = \operatorname{sen} t, z = 1; 0 \leq t \leq 2\pi.$

362. T] Utilice un CAS y el teorema de Stokes para evaluar
$$\mathbf{F}(x, y, z) = 2y\mathbf{i} + e^z\mathbf{j} - \arctan x\mathbf{k}$$
con S como porción de paraboloide $z = 4 - x^2 - y^2$ cortado por el plano xy orientado en sentido contrario a las agujas del reloj.

363. [T] Utilice un CAS para evaluar $\iint_S$ rizo (**F**). $d\mathbf{S}$, donde $\mathbf{F}(x, y, z) = 2z\mathbf{i} + 3x\mathbf{j} + 5y\mathbf{k}$ y S es la superficie parametrizada por $\mathbf{r}(r, \theta) = r \cos \theta\mathbf{i} + r \operatorname{sen} \theta\mathbf{j} + (4 - r^2)\mathbf{k}$ $(0 \leq \theta \leq 2\pi, 0 \leq r \leq 3).$

364. Supongamos que S es un paraboloide $z = a(1 - x^2 - y^2)$, por $z \geq 0$, donde $a > 0$ es un número real. Supongamos que $\mathbf{F} = \langle x - y, y + z, z - x \rangle.$ ¿Para qué valor(es) de a (si lo[s] hay) tiene $\iint_S (\nabla \times \mathbf{F}).\mathbf{n}dS$ su valor máximo?

En los siguientes ejercicios de aplicación, el objetivo es evaluar $A = \iint_S (\nabla \times \mathbf{F}) \cdot \mathbf{n}\, dS$, *donde* $\mathbf{F} = \langle xz, -xz, xy \rangle$ *y S es la mitad superior del elipsoide* $x^2 + y^2 + 8z^2 = 1$, *donde* $z \geq 0$.

365. Evalúe una integral de superficie sobre una superficie más conveniente para hallar el valor de *A*.

366. Evalúe *A* mediante una integral de línea.

367. Tome el paraboloide $z = x^2 + y^2$, para $0 \leq z \leq 4$, y córtelo con el plano $y = 0$. Supongamos que *S* es la superficie que queda para $y \geq 0$, incluyendo la superficie plana en el plano *xz*. Supongamos que *C* es el semicírculo y el segmento de línea que limitan el tope de *S* en el plano $z = 4$ con orientación contraria a las agujas del reloj. Supongamos que $\mathbf{F} = \langle 2z + y, 2x + z, 2y + x \rangle$. Evalúe
$$\iint_S (\nabla \times \mathbf{F}) \cdot \mathbf{n}\, dS.$$

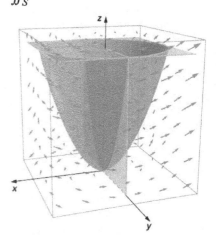

En los siguientes ejercicios, supongamos que S es el disco delimitado por la curva

$$C : \mathbf{r}(t) = \langle \cos\varphi \cos t, \operatorname{sen} t, \operatorname{sen}\varphi \cos t \rangle, \; para \; 0 \leq t \leq 2\pi, \; donde \; 0 \leq \varphi \leq \tfrac{\pi}{2} \; es \; un \; ángulo \; fijo.$$

368. ¿Cuál es la longitud de *C* en términos de φ?

369. ¿Cuál es la circulación de *C* del campo vectorial $\mathbf{F} = \langle -y, -z, x \rangle$ en función de φ?

370. ¿Para qué valor de φ la circulación es máxima?

371. El círculo *C* en el plano $x + y + z = 8$ tiene radio 4 y centro (2, 3, 3). Evalúe
$$\oint_C \mathbf{F} \cdot d\mathbf{r} \; por$$
$F = \langle 0, -z, 2y \rangle$, donde *C* tiene una orientación contraria a las agujas del reloj cuando se ve desde arriba.

372. El campo de velocidad $\mathbf{v} = \langle 0, 1 - x^2, 0 \rangle$, por $|x| \leq 1$ y $|z| \leq 1$, representa un flujo horizontal en la dirección *y*. Calcule el rizo de **v** en una rotación en el sentido de las agujas del reloj.

373. Evalúe la integral
$$\iint_S (\nabla \times \mathbf{F}) \cdot \mathbf{n}\, dS, \; donde$$
$\mathbf{F} = -xz\mathbf{i} + yz\mathbf{j} + xye^z\mathbf{k}$ y *S* es el tope del paraboloide $z = 5 - x^2 - y^2$ sobre el plano $z = 3$, y **n** puntos en la dirección *z* positiva en *S*.

En los siguientes ejercicios, utilice el teorema de Stokes para hallar la circulación de los siguientes campos vectoriales alrededor de cualquier curva cerrada, suave y simple C.

374. $\mathbf{F} = \nabla (x \operatorname{sen} y e^z)$
grandes.

375. $\mathbf{F} = \langle y^2 z^3, z2xyz^3, 3xy^2 z^2 \rangle$

6.8 El teorema de la divergencia

Objetivos de aprendizaje

> **6.8.1** Explicar el significado del teorema de la divergencia.
> **6.8.2** Utilizar el teorema de la divergencia para calcular el flujo de un campo vectorial.
> **6.8.3** Aplicar el teorema de la divergencia a un campo electrostático.

Hemos examinado varias versiones del teorema fundamental del cálculo en dimensiones superiores que relacionan la integral alrededor de la frontera orientada de un dominio con una "derivada" de esa entidad en el dominio orientado. En esta sección, enunciamos el teorema de la divergencia, que es el último teorema de este tipo que estudiaremos. El teorema de la divergencia tiene muchos usos en física; en particular, se utiliza en el campo de las ecuaciones diferenciales parciales para derivar ecuaciones que modelan el flujo de calor y la conservación de la masa. Utilizamos el teorema para calcular integrales de flujo y lo aplicamos a los campos electrostáticos.

Resumen de los teoremas

Antes de examinar el teorema de la divergencia, es útil comenzar con una visión general de las versiones del teorema fundamental del cálculo que hemos discutido:

1. **Teorema fundamental del cálculo**

$$\int_a^b f'(x)\,dx = f(b) - f(a).$$

Este teorema relaciona la integral de la derivada f' sobre el segmento de línea $[a, b]$ a lo largo del eje x a una diferencia de f evaluada en el borde.

2. **Teorema fundamental de las integrales de línea**

$$\int_C \nabla f \cdot d\mathbf{r} = f(P_1) - f(P_0),$$

donde P_0 es el punto inicial de C y P_1 es el punto terminal de C. Este teorema permite que la trayectoria C sea una trayectoria en un plano o en el espacio, no solo un segmento de línea en el eje x. Si pensamos en el gradiente como una derivada, entonces este teorema relaciona una integral de derivada ∇f sobre el camino C a una diferencia de f evaluado en el borde de C.

3. **Teorema de Green, forma de circulación**

$$\iint_D (Q_x - P_y)dA = \int_C \mathbf{F} \cdot d\mathbf{r}.$$

Dado que $Q_x - P_y = $ rizo $\mathbf{F} \cdot \mathbf{k}$ y el rizo es una especie de derivada, el teorema de Green relaciona la integral de la derivada rizoF sobre la región planar D con una integral de**F** sobre el borde de D.

4. **Teorema de Green, forma de flujo**

$$\iint_D (P_x + Q_y)dA = \int_C \mathbf{F} \cdot \mathbf{N}ds.$$

Dado que $P_x + Q_y = $ div $\mathbf{F}$ y la divergencia es una especie de derivada, la forma de flujo del teorema de Green relaciona la integral de la derivada divF sobre la región planar D con una integral de **F** sobre el borde de D.

5. **Teorema de Stokes**

$$\iint_S \text{rizo } \mathbf{F} \cdot d\mathbf{S} = \int_C \mathbf{F} \cdot d\mathbf{r}.$$

Si pensamos en el rizo como una especie de derivada, entonces el teorema de Stokes relaciona la integral de la derivada rizoF sobre la superficie S (no necesariamente plana) con una integral de **F** sobre el borde de S.

Enunciar el teorema de la divergencia

El teorema de la divergencia sigue el patrón general de estos otros teoremas. Si pensamos en la divergencia como una especie de derivada, entonces el **teorema de la divergencia** relaciona una integral triple de la derivada divF sobre un sólido con una integral de flujo de **F** sobre el borde del sólido. Más concretamente, el teorema de la divergencia relaciona una integral de flujo del campo vectorial **F** sobre una superficie cerrada S con una integral triple de la divergencia de **F** sobre el sólido encerrado por S.

> **Teorema 6.20**
>
> **El teorema de la divergencia**
> Supongamos que S es una superficie cerrada, lisa y a trozos que encierra el sólido E en el espacio. Supongamos que S está orientado hacia el exterior, y que **F** es un campo vectorial con derivadas parciales continuas en una región abierta que contiene a E (Figura 6.87). Entonces
>
> $$\iiint_E \operatorname{div} \mathbf{F}\, dV = \iint_S \mathbf{F} \cdot d\mathbf{S}. \tag{6.24}$$

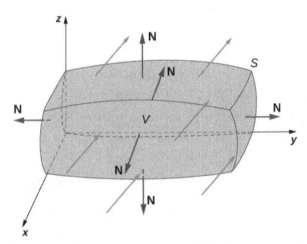

Figura 6.87 El teorema de la divergencia relaciona una integral de flujo a través de una superficie cerrada S con una integral triple sobre el sólido E encerrado por la superficie.

Recuerde que la forma de flujo del teorema de Green establece que $\iint_D \operatorname{div} \mathbf{F}\, dA = \int_C \mathbf{F} \cdot \mathbf{N}\, ds$. Por lo tanto, el teorema de la divergencia es una versión del teorema de Green en una dimensión superior.

La demostración del teorema de la divergencia está fuera del alcance de este texto. Sin embargo, vemos una demostración informal que da una idea general de por qué el teorema es verdadero, pero no demuestra el teorema con todo el rigor. Esta explicación sigue a la explicación informal que se ha dado de por qué es cierto el teorema de Stokes.

Prueba

Supongamos que B es una pequeña caja con lados paralelos a los planos de coordenadas dentro de E (Figura 6.88). Que el centro de B tiene coordenadas (x, y, z) y supongamos que las longitudes de las aristas son Δx, Δy, y Δz (Figura 6.88(b)). El vector normal que sale de la parte superior de la caja es **k** y el vector normal que sale de la parte inferior de la caja es $-\mathbf{k}$. El producto escalar de $\mathbf{F} = \langle P, Q, R \rangle$ con **k** es R y el producto escalar con $-\mathbf{k}$ ¿es $-R$. El área de la parte superior de la caja (y el fondo de la caja) ΔS ¿es $\Delta x \Delta y$.

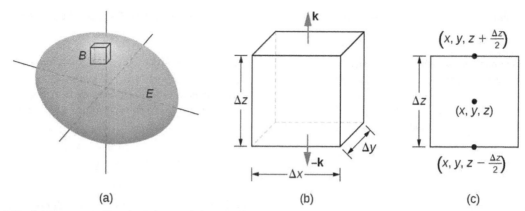

Figura 6.88   (a) Una pequeña caja *B* dentro de la superficie *E* tiene lados paralelos a los planos de coordenadas. (b) La caja *B* tiene longitudes de lado Δx, Δy, y Δz (c) Si observamos la vista lateral de *B*, vemos que, como (x, y, z) es el centro de la caja, para llegar a la parte superior de la caja debemos recorrer una distancia vertical de $\Delta z/2$ desde (x, y, z). Igualmente, para llegar al fondo de la caja debemos recorrer una distancia $\Delta z/2$ de (x, y, z).

El flujo que sale de la parte superior de la caja puede aproximarse mediante $R\left(x, y, z + \frac{\Delta z}{2}\right)\Delta x\Delta y$ (Figura 6.88(c)) y el flujo que sale del fondo de la caja es $-R\left(x, y, z - \frac{\Delta z}{2}\right)\Delta x\Delta y$. Si denotamos la diferencia entre estos valores como ΔR, entonces el flujo neto en la dirección vertical puede ser aproximado por $\Delta R\Delta x\Delta y$. Sin embargo,

$$\Delta R\Delta x\Delta y = \left(\frac{\Delta R}{\Delta z}\right)\Delta x\Delta y\Delta z \approx \left(\frac{\partial R}{\partial z}\right)\Delta V.$$

Por lo tanto, el flujo neto en la dirección vertical puede ser aproximado por $\left(\frac{\partial R}{\partial z}\right)\Delta V$. Del mismo modo, el flujo neto en la *dirección x* puede aproximarse mediante $\left(\frac{\partial P}{\partial x}\right)\Delta V$ y el flujo neto en la dirección *y* se puede aproximar por $\left(\frac{\partial Q}{\partial y}\right)\Delta V$. Sumando los flujos en las tres direcciones se obtiene una aproximación del flujo total que sale de la caja:

$$\text{Flujo total} \approx \left(\frac{\partial P}{\partial x} + \frac{\partial Q}{\partial y} + \frac{\partial R}{\partial z}\right)\Delta V = \text{div }\mathbf{F}\Delta V.$$

Esta aproximación se acerca arbitrariamente al valor del flujo total cuando el volumen de la caja se reduce a cero.

La suma de $\text{div }\mathbf{F}\Delta V$ sobre todas las cajas pequeñas que se aproximan a *E* es aproximadamente $\iiint_E \text{div }\mathbf{F}dV$. Por otro lado, la suma de $\text{div }\mathbf{F}\Delta V$ sobre todas las cajas pequeñas que aproximan *E* es la suma de los flujos sobre todas estas cajas. Al igual que en la demostración informal del teorema de Stokes, la suma de estos flujos sobre todas las cajas da como resultado la cancelación de muchos de los términos. Si una caja de aproximación comparte una cara con otra caja de aproximación, entonces el flujo sobre una cara es el negativo del flujo sobre la cara compartida de la caja adyacente. Estas dos integrales se cancelan entre sí. Al sumar todos los flujos, las únicas integrales de flujo que sobreviven son las integrales sobre las caras que aproximan el borde de *E*. A medida que los volúmenes de las cajas de aproximación se reducen a cero, esta aproximación se vuelve arbitrariamente cercana al flujo sobre *S*.

□

EJEMPLO 6.77

Verificar el teorema de la divergencia

Verificar el teorema de la divergencia
Verifique el teorema de la divergencia para el campo vectorial $\mathbf{F} = \langle x - y, x + z, z - y\rangle$ y la superficie *S* que consiste en un cono $x^2 + y^2 = z^2, 0 \leq z \leq 1$, y la parte superior circular del cono (vea la siguiente figura). Supongamos que esta superficie está orientada positivamente.

campo: $\mathbf{F} = \langle x - y, x + z, z - y \rangle$

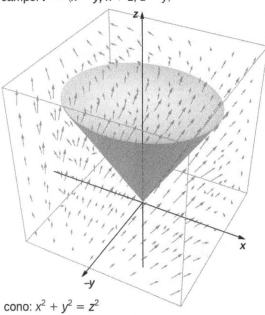

cono: $x^2 + y^2 = z^2$

⊘ Solución

Supongamos que E es el cono sólido encerrado por S. Para verificar el teorema para este ejemplo, demostramos que $\iiint_E \operatorname{div} \mathbf{F}\, dV = \iint_S \mathbf{F} . d\mathbf{S}$ calculando cada integral por separado.

Para calcular la integral triple, observe que $\operatorname{div} \mathbf{F} = P_x + Q_y + R_z = 2$, y por tanto la integral triple es

$$\iiint_E \operatorname{div} \mathbf{F}\, dV = 2 \iiint_E dV$$
$$= 2\,(\text{volumen de } E).$$

El volumen de un cono circular recto viene dado por $\pi r^2 \frac{h}{3}$. En este caso, $h = r = 1$. Por lo tanto,

$$\iiint_E \operatorname{div} \mathbf{F}\, dV = 2\,(\text{volumen de } E) = \frac{2\pi}{3}.$$

Para calcular la integral de flujo, primero hay que tener en cuenta que S es lisa a trozos; S puede escribirse como una unión de superficies lisas. Por lo tanto, dividimos la integral de flujo en dos partes: una integral de flujo a través de la parte superior circular del cono y una integral de flujo a través de la parte restante del cono. Llame a la parte superior circular S_1 y la parte inferior de la parte superior S_2. Comenzamos calculando el flujo a través de la parte superior circular del cono. Observe que S_1 cuenta con la parametrización

$$\mathbf{r}(u, v) = \langle u \cos v, u \operatorname{sen} v, 1 \rangle, 0 \le u \le 1, 0 \le v \le 2\pi.$$

Entonces, los vectores tangentes son $\mathbf{t}_u = \langle \cos v, \operatorname{sen} v, 0 \rangle$ y $\mathbf{t}_v = \langle -u \cos v, u \operatorname{sen} v, 0 \rangle$. Por lo tanto, el flujo a través de S_1 es

$$\iint_{S_1} \mathbf{F} . d\mathbf{S} = \int_0^1 \int_0^{2\pi} \mathbf{F}(\mathbf{r}(u, v)) . (\mathbf{t}_u \times \mathbf{t}_v)\, dA$$
$$= \int_0^1 \int_0^{2\pi} \langle u \cos v - u \operatorname{sen} v, u \cos v + 1, 1 - u \operatorname{sen} v \rangle . \langle 0, 0, u \rangle\, dv du$$
$$= \int_0^1 \int_0^{2\pi} u - u^2 \operatorname{sen} v\, dv du = \pi.$$

Ahora calculamos el flujo sobre S_2. Una parametrización de esta superficie es

$$\mathbf{r}(u, v) = \langle u \cos v, u \operatorname{sen} v, u \rangle, 0 \le u \le 1, 0 \le v \le 2\pi.$$

Los vectores tangentes son $\mathbf{t}_u = \langle \cos v, \operatorname{sen} v, 1 \rangle$ y $\mathbf{t}_v = \langle -u \operatorname{sen} v, u \cos v, 0 \rangle$, por lo que el producto vectorial es

$$\mathbf{t}_u \times \mathbf{t}_v = \langle -u \cos v, -u \operatorname{sen} v, u \rangle .$$

Observe que los signos negativos de las componentes x y y inducen la orientación negativa (o hacia dentro) del cono. Como la superficie está orientada positivamente, utilizamos el vector $\mathbf{t}_v \times \mathbf{t}_u = \langle u \cos v, u \operatorname{sen} v, -u \rangle$ en la integral de flujo. El flujo a través de S_2 es entonces

$$
\begin{aligned}
\iint_{S_2} \mathbf{F}. \, d\mathbf{S} &= \int_0^1 \int_0^{2\pi} \mathbf{F}(\mathbf{r}(u, v)) . (\mathbf{t}_v \times \mathbf{t}_u) \, dA \\
&= \int_0^1 \int_0^{2\pi} \langle u \cos v - u \operatorname{sen} v, u \cos v + u, u - \operatorname{sen} v \rangle . \langle u \cos v, u \operatorname{sen} v, -u \rangle \\
&= \int_0^1 \int_0^{2\pi} u^2 \cos^2 v + 2u^2 \operatorname{sen} v - u^2 \, dv du = -\frac{\pi}{3} .
\end{aligned}
$$

El flujo total a través de S es

$$\iint_{S_2} \mathbf{F}. \, d\mathbf{S} = \iint_{S_1} \mathbf{F}. \, d\mathbf{S} + \iint_{S_2} \mathbf{F}. \, d\mathbf{S} = \frac{2\pi}{3} = \iiint_E \operatorname{div} \mathbf{F} dV ,$$

y hemos verificado el teorema de la divergencia para este ejemplo.

☑   6.65   Verifique el teorema de la divergencia para el campo vectorial $\mathbf{F}(x, y, z) = \langle x + y + z, y, 2x - y \rangle$ y la superficie S dada por el cilindro $x^2 + y^2 = 1, 0 \leq z \leq 3$ más la parte superior e inferior circular del cilindro. Supongamos que S está orientado positivamente.

Recordemos que la divergencia del campo continuo $\mathbf{F}$ en el punto P es una medida de la "salida" del campo en P. Si $\mathbf{F}$ representa el campo de velocidad de un fluido, entonces la divergencia puede considerarse como la tasa por unidad de volumen del fluido que fluye hacia fuera menos la tasa por unidad de volumen que fluye hacia dentro. El teorema de la divergencia confirma esta interpretación. Para ver esto, supongamos que P es un punto y que B_r es una bola de pequeño radio r centrada en P (Figura 6.89). Supongamos que S_r es la esfera borde de B_r. Ya que el radio es pequeño y $\mathbf{F}$ es continuo, $\operatorname{div} \mathbf{F}(Q) \approx \operatorname{div} \mathbf{F}(P)$ para todos los demás puntos Q en la bola. Por lo tanto, el flujo a través de S_r se puede aproximar utilizando el teorema de la divergencia:

$$\iint_{S_r} \mathbf{F}. \, d\mathbf{S} = \iiint_{B_r} \operatorname{div} \mathbf{F} dV \approx \iiint_{B_r} \operatorname{div} \mathbf{F}(P) \, dV .$$

Dado que $\operatorname{div} \mathbf{F}(P)$ es una constante,

$$\iiint_{B_r} \operatorname{div} \mathbf{F}(P) \, dV = \operatorname{div} \mathbf{F}(P) V(B_r) .$$

Por lo tanto, el flujo $\iint_{S_r} \mathbf{F}. \, d\mathbf{S}$ se puede aproximar por $\operatorname{div} \mathbf{F}(P) V(B_r)$. Esta aproximación mejora a medida que el radio se reduce a cero, y por tanto

$$\operatorname{div} \mathbf{F}(P) = \lim_{r \to 0} \frac{1}{V(B_r)} \iint_{S_r} \mathbf{F}. \, d\mathbf{S} .$$

Esta ecuación dice que la divergencia en P es la tasa neta de flujo hacia afuera del fluido por unidad de volumen.

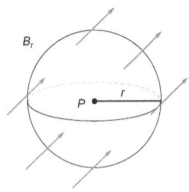

Figura 6.89 Bola B_r de pequeño radio r centrado en P.

Usar el teorema de la divergencia

El teorema de la divergencia traduce entre la integral de flujo de la superficie cerrada S y una integral triple sobre el sólido encerrado por S. Por lo tanto, el teorema nos permite calcular integrales de flujo o integrales triples que normalmente serían difíciles de calcular traduciendo la integral de flujo en una integral triple y viceversa.

EJEMPLO 6.78

Aplicar el teorema de la divergencia

Calcule la integral de superficie $\iint_S \mathbf{F} \cdot d\mathbf{S}$, donde S es el cilindro $x^2 + y^2 = 1, 0 \leq z \leq 2$, incluyendo la parte superior e inferior circular, y $\mathbf{F} = \left\langle \frac{x^3}{3} + yz, \frac{y^3}{3} - \text{sen}\,(xz), z - x - y \right\rangle$.

✓ **Solución**

Podríamos calcular esta integral sin el teorema de la divergencia, pero el cálculo no es sencillo porque tendríamos que dividir la integral de flujo en tres integrales separadas: una para la parte superior del cilindro, otra para la parte inferior y otra para el lateral. Además, cada integral requeriría parametrizar la superficie correspondiente, calcular los vectores tangentes y su producto vectorial y utilizar la <u>Ecuación 6.19</u>.

En cambio, el teorema de la divergencia nos permite calcular la integral simple triple $\iiint_E \text{div}\,\mathbf{F}\,dV$, donde E es el sólido encerrado por el cilindro. Utilizando el teorema de la divergencia y convirtiendo a coordenadas cilíndricas, tenemos

$$\iint_S \mathbf{F} \cdot d\mathbf{S} = \iiint_E \text{div}\,\mathbf{F}\,dV$$

$$= \iiint_E \left(x^2 + y^2 + 1\right) dV$$

$$= \int_0^{2\pi} \int_0^1 \int_0^2 \left(r^2 + 1\right) r\,dz\,dr\,d\theta$$

$$= \frac{3}{2} \int_0^{2\pi} d\theta = 3\pi.$$

☑ **6.66**   Utilice el teorema de la divergencia para calcular la integral de flujo $\iint_S \mathbf{F} \cdot d\mathbf{S}$, donde S es el borde de la caja dado por $0 \leq x \leq 2, 1 \leq y \leq 4, 0 \leq z \leq 1$, y $\mathbf{F} = \left\langle x^2 + yz, y - z, 2x + 2y + 2z \right\rangle$ (vea la siguiente figura).

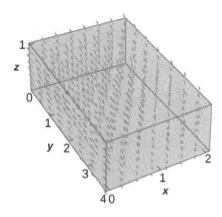

Aplicar el teorema de la divergencia

Supongamos que $\mathbf{v} = \left\langle -\frac{y}{z}, \frac{x}{z}, 0 \right\rangle$ es el campo de velocidad de un fluido. Supongamos que C es el cubo sólido dado por $1 \leq x \leq 4, 2 \leq y \leq 5, 1 \leq z \leq 4$, y supongamos que S es la frontera de este cubo (vea la siguiente figura). Calcule la tasa de flujo a través de S.

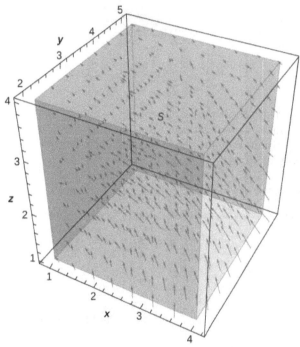

Figura 6.90   Campo vectorial $\mathbf{v} = \left\langle -\frac{y}{z}, \frac{x}{z}, 0 \right\rangle$.

⊘ Solución

El caudal del fluido a través de S es $\iint_S \mathbf{v} \cdot d\mathbf{S}$. Antes de calcular esta integral de flujo, vamos a discutir cuál debe ser el valor de la integral. Basándonos en la Figura 6.90, vemos que si colocamos este cubo en el fluido (siempre y cuando el cubo no abarque el origen), entonces la velocidad del fluido que entra en el cubo es la misma que la velocidad del fluido que sale del cubo. El campo es de naturaleza rotacional y, para un círculo dado paralelo al plano xy que tiene un centro en el eje z, los vectores a lo largo de ese círculo son todos de la misma magnitud. Así podemos ver que la tasa de flujo es el mismo entrando y saliendo del cubo. El flujo que entra en el cubo se cancela con el flujo que sale del cubo, y por lo tanto la tasa de flujo del fluido a través del cubo debe ser cero.

Para verificar esta intuición, necesitamos calcular la integral de flujo. Para calcular directamente la integral de flujo hay que dividirla en seis integrales de flujo distintas, una por cada cara del cubo. También tenemos que hallar vectores tangentes, calcular su producto vectorial y utilizar la Ecuación 6.19. Sin embargo, el uso del teorema de la divergencia hace que este cálculo sea mucho más rápido:

$$\iint_S \mathbf{v} \cdot d\mathbf{S} = \iiint_C \operatorname{div}(\mathbf{v})\, dV$$
$$= \iiint_C 0\, dV = 0,$$

Por lo tanto, el flujo es cero, como se esperaba.

☑ 6.67   Supongamos que $\mathbf{v} = \left\langle \frac{x}{z}, \frac{y}{z}, 0 \right\rangle$ es el campo de velocidad de un fluido. Supongamos que C es el cubo sólido dado por $1 \le x \le 4, 2 \le y \le 5, 1 \le z \le 4$, y supongamos que S es la frontera de este cubo (vea la siguiente figura). Calcule la tasa de flujo a través de S.

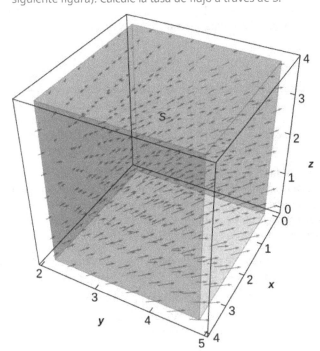

El Ejemplo 6.79 ilustra una notable consecuencia del teorema de la divergencia. Supongamos que S es una superficie cerrada y lisa a trozos y que $\mathbf{F}$ es un campo vectorial definido en una región abierta que contiene la superficie encerrada por S. Si $\mathbf{F}$ tiene la forma $\mathbf{F} = \langle f(y, z), g(x, z), h(x, y) \rangle$, entonces la divergencia de $\mathbf{F}$ es cero. Por el teorema de la divergencia, el flujo de $\mathbf{F}$ a través de S también es cero. Esto hace que ciertas integrales de flujo sean increíblemente fáciles de calcular. Por ejemplo, supongamos que queremos calcular la integral de flujo $\iint_S \mathbf{F} \cdot d\mathbf{S}$ donde S es un cubo y

$$\mathbf{F} = \left\langle \operatorname{sen}(y)\, e^{yz}, x^2 z^2, \cos(xy)\, e^{\operatorname{sen} x} \right\rangle.$$

Calcular la integral de flujo directamente sería difícil, si no imposible, utilizando las técnicas que hemos estudiado anteriormente. Como mínimo, tendríamos que dividir la integral de flujo en seis integrales, una por cada cara del cubo. Pero, como la divergencia de este campo es cero, el teorema de la divergencia muestra inmediatamente que la integral de flujo es cero.

Ahora podemos utilizar el teorema de la divergencia para justificar la interpretación física de la divergencia que hemos discutido antes. Recordemos que si $\mathbf{F}$ es un campo vectorial continuo tridimensional y P es un punto en el dominio de $\mathbf{F}$, entonces la divergencia de $\mathbf{F}$ en P es una medida de la "salida" de $\mathbf{F}$ en P. Si $\mathbf{F}$ representa el campo de velocidad de un fluido, entonces la divergencia de $\mathbf{F}$ en P es una medida del flujo neto que sale del punto P (el flujo de fluido que sale de P menos el flujo que entra en P). Para ver cómo el teorema de la divergencia justifica esta interpretación, supongamos que B_r es una bola de radio muy pequeño r con centro P, y suponga que B_r está en el dominio de $\mathbf{F}$. Además, supongamos que B_r tiene una orientación positiva, hacia el exterior. Dado que el radio de B_r es pequeño y $\mathbf{F}$ es continuo, la divergencia de $\mathbf{F}$ es aproximadamente constante en B_r. Es decir, si P' es cualquier punto en B_r, entonces $\operatorname{div} \mathbf{F}(P) \approx \operatorname{div} \mathbf{F}(P')$. Supongamos que S_r denota la esfera borde de B_r. Podemos aproximar el flujo a través de S_r

utilizando el teorema de la divergencia como sigue:

$$\iint_{S_r} \mathbf{F} \cdot d\mathbf{S} = \iiint_{B_r} \text{div } \mathbf{F} \, dV$$

$$\approx \iiint_{B_r} \text{div } \mathbf{F}(P) dV$$

$$= \text{div } \mathbf{F}(P) V(B_r).$$

Al reducir el radio r a cero mediante un límite, la cantidad $\text{div } \mathbf{F}(P)V(B_r)$ se acerca arbitrariamente al flujo. Por lo tanto,

$$\text{div } \mathbf{F}(P) = \lim_{r \to 0} \frac{1}{V(B_r)} \iint_{S_r} \mathbf{F} \cdot d\mathbf{S}$$

y podemos considerar la divergencia en P como una medida de la tasa de flujo neta hacia fuera por unidad de volumen en P. Dado que la "salida" es un término informal para la tasa de flujo neta hacia fuera por unidad de volumen, hemos justificado la interpretación física de la divergencia que discutimos anteriormente, y hemos utilizado el teorema de la divergencia para dar esta justificación.

Aplicar a los campos electrostáticos

El teorema de la divergencia tiene muchas aplicaciones en física e ingeniería. Nos permite escribir muchas leyes físicas tanto en forma integral como en forma diferencial (del mismo modo que el teorema de Stokes nos permitía traducir entre una forma integral y diferencial la ley de Faraday). Áreas de estudio como la dinámica de fluidos, el electromagnetismo y la mecánica cuántica tienen ecuaciones que describen la conservación de la masa, el momento o la energía, y el teorema de la divergencia nos permite dar estas ecuaciones tanto en forma integral como diferencial.

Una de las aplicaciones más comunes del teorema de la divergencia es a los campos electrostáticos. Un resultado importante en este tema es la **ley de Gauss**. Esta ley establece que si S es una superficie cerrada en un campo electrostático **E**, entonces el flujo de **E** a través de S es la carga total encerrada por S (dividida entre una constante eléctrica). Ahora utilizamos el teorema de la divergencia para justificar el caso especial de esta ley en el que el campo electrostático es generado por una carga puntual estacionaria en el origen.

Si los valores de (x, y, z) es un punto en el espacio, entonces la distancia del punto al origen es $r = \sqrt{x^2 + y^2 + z^2}$. Supongamos que $\mathbf{F}_r$ denota el campo vectorial radial $\mathbf{F}_r = \frac{1}{r^2} \left\langle \frac{x}{r}, \frac{y}{r}, \frac{z}{r} \right\rangle$. El vector en una posición dada en el espacio apunta en la dirección del vector radial unitario $\left\langle \frac{x}{r}, \frac{y}{r}, \frac{z}{r} \right\rangle$ y se escala por la cantidad $1/r^2$. Por tanto, la magnitud de un vector en un punto determinado es inversamente proporcional al cuadrado de la distancia del vector al origen. Supongamos que tenemos una carga estacionaria de q culombios en el origen, existente en el vacío. La carga genera un campo electrostático **E** dado por

$$\mathbf{E} = \frac{q}{4\pi\varepsilon_0} \mathbf{F}_r,$$

donde la aproximación $\varepsilon_0 = 8{,}854 \times 10^{-12}$ faradios (F)/m es una constante eléctrica. (La constante ε_0 es una medida de la resistencia encontrada al formar un campo eléctrico en el vacío). Observe que **E** es un campo vectorial radial similar al campo gravitatorio descrito en Ejemplo 6.6. La diferencia es que este campo apunta hacia afuera mientras que el campo gravitacional apunta hacia adentro. Dado que

$$\mathbf{E} = \frac{q}{4\pi\varepsilon_0} \mathbf{F}_r = \frac{q}{4\pi\varepsilon_0} \left(\frac{1}{r^2} \left\langle \frac{x}{r}, \frac{y}{r}, \frac{z}{r} \right\rangle \right),$$

decimos que los campos electrostáticos obedecen a una **ley cuadrática inversa**. Es decir, la fuerza electrostática en un punto determinado es inversamente proporcional al cuadrado de la distancia a la fuente de la carga (que en este caso está en el origen). Dado este campo vectorial, demostramos que el flujo a través de la superficie cerrada S es cero si la carga está fuera de S, y que el flujo es q/ε_0 si la carga está dentro de S. En otras palabras, el flujo a través de S es la carga dentro de la superficie dividida entre la constante ε_0. Este es un caso especial de la ley de Gauss, y aquí utilizamos el teorema de la divergencia para justificar este caso especial.

Para demostrar que el flujo a través de S es la carga dentro de la superficie dividida entre la constante ε_0, necesitamos dos pasos intermedios. Primero mostramos que la divergencia de $\mathbf{F}_r$ es cero y entonces demostramos que el flujo de $\mathbf{F}_r$ a través de cualquier superficie lisa S es cero o 4π. Podemos entonces justificar este caso especial de la ley de Gauss.

EJEMPLO 6.80

La divergencia de $\mathbf{F}_r$ es cero
Verifique que la divergencia de $\mathbf{F}_r$ es cero donde $\mathbf{F}_r$ se define (lejos del origen).

⊘ **Solución**

Dado que $r = \sqrt{x^2 + y^2 + z^2}$, la regla de cociente nos da

$$
\begin{aligned}
\frac{\partial}{\partial x}\left(\frac{x}{r^3}\right) &= \frac{\partial}{\partial x}\left(\frac{x}{\left(x^2+y^2+z^2\right)^{3/2}}\right) \\
&= \frac{\left(x^2+y^2+z^2\right)^{3/2} - x\left[\frac{3}{2}\left(x^2+y^2+z^2\right)^{1/2} 2x\right]}{\left(x^2+y^2+z^2\right)^3} \\
&= \frac{r^3 - 3x^2 r}{r^6} = \frac{r^2 - 3x^2}{r^5}.
\end{aligned}
$$

De la misma manera,

$$
\frac{\partial}{\partial y}\left(\frac{y}{r^3}\right) = \frac{r^2 - 3y^2}{r^5} \quad \text{y} \quad \frac{\partial}{\partial z}\left(\frac{z}{r^3}\right) = \frac{r^2 - 3z^2}{r^5}.
$$

Por lo tanto,

$$
\begin{aligned}
\operatorname{div} \mathbf{F}_r &= \frac{r^2 - 3x^2}{r^5} + \frac{r^2 - 3y^2}{r^5} + \frac{r^2 - 3z^2}{r^5} \\
&= \frac{3r^2 - 3\left(x^2 + y^2 + z^2\right)}{r^5} \\
&= \frac{3r^2 - 3r^2}{r^5} = 0,
\end{aligned}
$$

Observe que como la divergencia de $\mathbf{F}_r$ es cero y **E** es $\mathbf{F}_r$ escalado por una constante, la divergencia del campo electrostático **E** también es cero (excepto en el origen).

Teorema 6.21

Flujo a través de una superficie lisa
Supongamos que S es una superficie cerrada, conectada y lisa a trozos, y sea $\mathbf{F}_r = \frac{1}{r^2}\left\langle \frac{x}{r}, \frac{y}{r}, \frac{z}{r} \right\rangle$. Entonces,

$$
\iint_S \mathbf{F}_r \cdot d\mathbf{S} = \begin{cases} 0 & \text{si } S \text{ no abarca el origen} \\ 4\pi & \text{si } S \text{ abarca el origen.} \end{cases}
$$

En otras palabras, este teorema dice que el flujo de $\mathbf{F}_r$ a través de cualquier superficie cerrada y lisa a trozos S solo depende de si el origen está dentro de S.

Prueba

La lógica de esta prueba sigue la lógica del Ejemplo 6.46, solo que utilizamos el teorema de la divergencia en lugar del teorema de Green.

En primer lugar, supongamos que S no abarca el origen. En este caso, el sólido encerrado por S está en el dominio de $\mathbf{F}_r$, y ya que la divergencia de $\mathbf{F}_r$ es cero, podemos aplicar inmediatamente el teorema de la divergencia y hallar que $\iint_S \mathbf{F} \cdot d\mathbf{S}$ es cero.

Ahora supongamos que S sí abarca el origen. No podemos utilizar simplemente el teorema de la divergencia para calcular el flujo, porque el campo no está definido en el origen. Supongamos que S_a es una esfera de radio a dentro de S centrada en el origen. El campo vectorial normal hacia afuera en la esfera, en coordenadas esféricas, es

$$
\mathbf{t}_\phi \times \mathbf{t}_\theta = \left\langle a^2 \cos\theta \operatorname{sen}^2\phi,\, a^2 \operatorname{sen}\theta \operatorname{sen}^2\phi,\, a^2 \operatorname{sen}\phi \cos\phi \right\rangle
$$

(vea el Ejemplo 6.64). Por lo tanto, en la superficie de la esfera, el producto escalar $\mathbf{F}_r . \mathbf{N}$ (en coordenadas esféricas) es

$$
\begin{aligned}
\mathbf{F}_r . \mathbf{N} &= \left\langle \frac{\operatorname{sen} \phi \cos \theta}{a^2}, \frac{\operatorname{sen} \phi \operatorname{sen} \theta}{a^2}, \frac{\cos \phi}{a^2} \right\rangle . \left\langle a^2 \cos \theta \operatorname{sen}^2 \phi, a^2 \operatorname{sen} \theta \operatorname{sen}^2 \phi, a^2 \operatorname{sen} \phi \cos \phi \right\rangle \\
&= \operatorname{sen} \phi \left(\langle \operatorname{sen} \phi \cos \theta, \operatorname{sen} \phi \operatorname{sen} \theta, \cos \phi \rangle . \langle \operatorname{sen} \phi \cos \theta, \operatorname{sen} \phi \operatorname{sen} \theta, \cos \phi \rangle \right) \\
&= \operatorname{sen} \phi.
\end{aligned}
$$

El flujo de $\mathbf{F}_r$ a través de S_a es

$$
\iint_{S_a} \mathbf{F}_r . \mathbf{N} dS = \int_0^{2\pi} \int_0^{\pi} \operatorname{sen} \phi \, d\phi \, d\theta = 4\pi.
$$

Ahora, recuerde que estamos interesados en el flujo a través de S, no necesariamente el flujo a través de S_a. Para calcular el flujo a través de S, supongamos que E es el sólido entre superficies S_a y S. Entonces, el borde de E consiste en S_a y S. Denote este borde por $S - S_a$ para indicar que S está orientado hacia el exterior pero ahora S_a está orientado hacia el interior. Nos gustaría aplicar el teorema de la divergencia al sólido E. Observe que el teorema de la divergencia, como se ha dicho, no puede manejar un sólido como E porque E tiene un agujero. Sin embargo, el teorema de la divergencia puede extenderse para manejar sólidos con agujeros, al igual que el teorema de Green puede extenderse para manejar regiones con agujeros. Esto nos permite utilizar el teorema de la divergencia de la siguiente manera. Según el teorema de la divergencia,

$$
\begin{aligned}
\iint_{S - S_a} \mathbf{F}_r . d\mathbf{S} &= \iint_S \mathbf{F}_r . d\mathbf{S} - \iint_{S_a} \mathbf{F}_r . d\mathbf{S} \\
&= \iiint_E \operatorname{div} \mathbf{F}_r \, dV \\
&= \iiint_E 0 \, dV = 0,
\end{aligned}
$$

Por lo tanto,

$$
\iint_S \mathbf{F}_r . d\mathbf{S} = \iint_{S_a} \mathbf{F}_r . d\mathbf{S} = 4\pi,
$$

y tenemos el resultado deseado.

□

Ahora volvemos a calcular el flujo a través de una superficie lisa en el contexto del campo electrostático $\mathbf{E} = \frac{q}{4\pi\varepsilon_0} \mathbf{F}_r$ de una carga puntual en el origen. Supongamos que S es una superficie cerrada y lisa a trozos que engloba el origen. Entonces

$$
\begin{aligned}
\iint_S \mathbf{E} . d\mathbf{S} &= \iint_S \frac{q}{4\pi\varepsilon_0} \mathbf{F}_r . d\mathbf{S} \\
&= \frac{q}{4\pi\varepsilon_0} \iint_S \mathbf{F}_r . d\mathbf{S} \\
&= \frac{q}{\varepsilon_0}.
\end{aligned}
$$

Si S no abarca el origen, entonces

$$
\iint_S \mathbf{E} . d\mathbf{S} = \frac{q}{4\pi\varepsilon_0} \iint_S \mathbf{F}_r . d\mathbf{S} = 0.
$$

Por lo tanto, hemos justificado la afirmación que nos propusimos: el flujo a través de la superficie cerrada S es cero si la carga está fuera de S, y el flujo es q/ε_0 si la carga está dentro de S.

Este análisis solo funciona si hay una sola carga puntual en el origen. En este caso, la ley de Gauss dice que el flujo de $\mathbf{E}$ a través de S es la carga total encerrada por S. La ley de Gauss puede extenderse para manejar múltiples sólidos cargados en el espacio, no solo una sola carga puntual en el origen. La lógica es similar a la del análisis anterior, pero está fuera del alcance de este texto. En general, la ley de Gauss establece que si S es una superficie cerrada y lisa a trozos y Q es la cantidad total de carga dentro de S, entonces el flujo de $\mathbf{E}$ a través de S es Q/ε_0.

EJEMPLO 6.81

Utilizando la ley de Gauss

Supongamos que tenemos cuatro cargas puntuales estacionarias en el espacio, todas con una carga de 0,002 culombios (C). Las cargas se encuentran en $(0, 1, 1), (1, 1, 4), (-1, 0, 0),$ y $(-2, -2, 2)$. Supongamos que **E** denota el campo electrostático generado por estas cargas puntuales. Si S es la esfera de radio 2 orientada hacia el exterior y centrada en el origen, halle $\iint_S \mathbf{E}.\,d\mathbf{S}$.

⊘ **Solución**

Según la ley de Gauss, el flujo de **E** a través de S es la carga total dentro de S dividida entre la constante eléctrica. Como S tiene radio 2, observe que solo dos de las cargas están dentro de S: la carga en $(0, 1, 1)$ y la carga en $(-1, 0, 0)$. Por lo tanto, la carga total englobada en S es de 0,004 y, por la ley de Gauss,

$$\iint_S \mathbf{E}.\,d\mathbf{S} = \frac{0{,}004}{8{,}854 \times 10^{-12}} \approx 4{,}518 \times 10^9 \text{ V-m}.$$

✓ 6.68   Trabaje el ejemplo anterior para la superficie S que es una esfera de radio 4 centrada en el origen, orientada hacia afuera.

📖 SECCIÓN 6.8 EJERCICIOS

*En los siguientes ejercicios, utilice un sistema de álgebra computacional (CAS) y el teorema de la divergencia para evaluar la integral de superficie $\int_S \mathbf{F}.\mathbf{n}ds$ para la elección dada de **F** y la superficie borde S. Para cada superficie cerrada, supongamos que **N** es el vector normal unitario hacia afuera.*

376. [T] $\mathbf{F}(x, y, z) = x\mathbf{i} + y\mathbf{j} + z\mathbf{k}$; S es la superficie del cubo $0 \leq x \leq 1, 0 \leq y \leq 1, 0 < z \leq 1.$

377. [T] $\mathbf{F}(x, y, z) = (\cos yz)\mathbf{i} + e^{xz}\mathbf{j} + 3z^2\mathbf{k}$; S es la superficie del hemisferio $z = \sqrt{4 - x^2 - y^2}$ junto con el disco $x^2 + y^2 \leq 4$ en el plano xy.

378. [T] $\mathbf{F}(x, y, z) = \left(x^2 + y^2 - x^2\right)\mathbf{i} + x^2 y\mathbf{j} + 3z\mathbf{k}$; S es la superficie de las cinco caras del cubo unitario $0 \leq x \leq 1, 0 \leq y \leq 1, 0 < z \leq 1.$

379. [T] $\mathbf{F}(x, y, z) = x\mathbf{i} + y\mathbf{j} + z\mathbf{k}$; S es la superficie del paraboloide $z = x^2 + y^2$ para $0 \leq z \leq 9.$

380. [T] $\mathbf{F}(x, y, z) = x^2\mathbf{i} + y^2\mathbf{j} + z^2\mathbf{k}$; S es la superficie de la esfera $x^2 + y^2 + z^2 = 4.$

381. [T] $\mathbf{F}(x, y, z) = x\mathbf{i} + y\mathbf{j} + \left(z^2 - 1\right)\mathbf{k}$; S es la superficie del sólido limitado por el cilindro $x^2 + y^2 = 4$ y planos $z = 0$ y $z = 1.$

382. [T] $\mathbf{F}(x, y, z) = xy^2\mathbf{i} + yz^2\mathbf{j} + x^2 z\mathbf{k}$; S es la superficie limitada por encima de la esfera $\rho = 2$ y abajo por el cono $\varphi = \frac{\pi}{4}$ en coordenadas esféricas. (Piense en S como la superficie de un "cono de helado»).

383. [T] $\mathbf{F}(x, y, z) = x^3\mathbf{i} + y^3\mathbf{j} + 3a^2 z\mathbf{k}$ (constante $a > 0$); S es la superficie delimitada por el cilindro $x^2 + y^2 = a^2$ y planos $z = 0$ y $z = 1.$

384. **[T]** Integral de superficie $\iint_S \mathbf{F} \cdot d\mathbf{S}$, donde S es el sólido delimitado por el paraboloide $z = x^2 + y^2$ y el plano $z = 4$, y
$$\mathbf{F}(x, y, z) = \left(x + y^2 z^2\right)\mathbf{i} + \left(y + z^2 x^2\right)\mathbf{j} + \left(z + x^2 y^2\right)\mathbf{k}$$

385. Utilice el teorema de la divergencia para calcular la integral de superficie $\iint_S \mathbf{F} \cdot d\mathbf{S}$, donde
$$\mathbf{F}(x, y, z) = \left(e^{y^2}\right)\mathbf{i} + \left(y + \operatorname{sen}\left(z^2\right)\right)\mathbf{j} + (z-1)\mathbf{k}$$
y S es el hemisferio superior $x^2 + y^2 + z^2 = 1$, $z \geq 0$, orientado hacia arriba.

386. Utilice el teorema de la divergencia para calcular la integral de superficie $\iint_S \mathbf{F} \cdot d\mathbf{S}$, donde
$$\mathbf{F}(x, y, z) = x^4\mathbf{i} - x^3 z^2\mathbf{j} + 4xy^2 z\mathbf{k}$$
y S es la superficie delimitada por el cilindro $x^2 + y^2 = 1$ y planos $z = x + 2$ y $z = 0$.

387. Utilice el teorema de la divergencia para calcular la integral de superficie $\iint_S \mathbf{F} \cdot d\mathbf{S}$ cuando
$$\mathbf{F}(x, y, z) = x^2 z^3\mathbf{i} + 2xyz^3\mathbf{j} + xz^4\mathbf{k}$$
y S es la superficie de la caja con vértices $(\pm1, \pm2, \pm3)$.

388. Utilice el teorema de la divergencia para calcular la integral de superficie $\iint_S \mathbf{F} \cdot d\mathbf{S}$ cuando
$$\mathbf{F}(x, y, z) = z \tan^{-1}\left(y^2\right)\mathbf{i} + z^3 \ln\left(x^2 + 1\right)\mathbf{j} + z\mathbf{k}$$
y S es una parte del paraboloide $x^2 + y^2 + z = 2$ que se encuentra por encima del plano $z = 1$ y está orientado hacia arriba.

389. **[T]** Utilice un CAS y el teorema de la divergencia para calcular el flujo $\iint_S \mathbf{F} \cdot d\mathbf{S}$, donde
$$\mathbf{F}(x, y, z) = \left(x^3 + y^3\right)\mathbf{i} + \left(y^3 + z^3\right)\mathbf{j} + \left(z^3 + x^3\right)\mathbf{k}$$
y S es una esfera con centro $(0, 0)$ y radio 2.

390. Utilice el teorema de la divergencia para calcular el valor de la integral de flujo $\iint_S \mathbf{F} \cdot d\mathbf{S}$, donde
$\mathbf{F}(x, y, z) = \left(y^3 + 3x\right)\mathbf{i} + (xz + y)\mathbf{j} + \left[z + x^4 \cos\left(x^2 y\right)\right]\mathbf{k}$
y S es el área de la región delimitada por
$x^2 + y^2 = 1, x \geq 0, y \geq 0,$ y $0 \leq z \leq 1.$

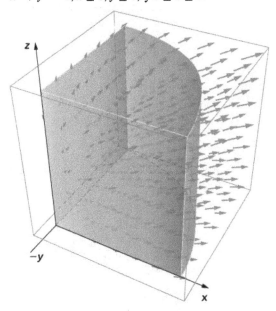

391. Utilice el teorema de la divergencia para calcular la integral de flujo $\iint_S \mathbf{F} \cdot d\mathbf{S}$, donde $\mathbf{F}(x, y, z) = y\mathbf{j} - z\mathbf{k}$ y S consiste en la unión del paraboloide $y = x^2 + z^2, 0 \leq y \leq 1,$ y disco $x^2 + z^2 \leq 1, y = 1,$ orientado hacia el exterior. ¿Cuál es el flujo que atraviesa solo el paraboloide?

392. Utilice el teorema de la divergencia para calcular la integral de flujo $\iint_S \mathbf{F} \cdot d\mathbf{S}$, donde $\mathbf{F}(x, y, z) = x + y\mathbf{j} + z^4\mathbf{k}$ y S es una parte del cono $z = \sqrt{x^2 + y^2}$ bajo el plano superior $z = 1,$ orientado hacia abajo.

393. Utilice el teorema de la divergencia para calcular la integral de superficie $\iint_S \mathbf{F} \cdot d\mathbf{S}$ por $\mathbf{F}(x, y, z) = x^4\mathbf{i} - x^3 z^2\mathbf{j} + 4xy^2 z\mathbf{k},$ donde S es la superficie delimitada por el cilindro $x^2 + y^2 = 1$ y planos $z = x + 2$ y $z = 0.$

394. Considere que $\mathbf{F}(x, y, z) = x^2\mathbf{i} + xy\mathbf{j} + (z + 1)\mathbf{k}.$ Supongamos que E es el sólido encerrado por el paraboloide $z = 4 - x^2 - y^2$ y el plano $z = 0$ con vectores normales que apuntan fuera de E. Calcule el flujo $\mathbf{F}$ a través de el borde de E utilizando el teorema de la divergencia.

En los siguientes ejercicios, utilice un CAS junto con el teorema de la divergencia para calcular el flujo neto hacia afuera para los campos a través de las superficies S dadas.

395. **[T]** $\mathbf{F} = \langle x, -2y, 3z \rangle$; S es una esfera $\left\{ (x, y, z) : x^2 + y^2 + z^2 = 6 \right\}$.

396. **[T]** $\mathbf{F} = \langle x, 2y, z \rangle$; S es el borde del tetraedro en el primer octante formado por el plano $x + y + z = 1$.

397. **[T]** $\mathbf{F} = \left\langle y - 2x, x^3 - y, y^2 - z \right\rangle$; S es una esfera $\left\{ (x, y, z) : x^2 + y^2 + z^2 = 4 \right\}$.

398. **[T]** $\mathbf{F} = \langle x, y, z \rangle$; S es la superficie del paraboloide $z = 4 - x^2 - y^2$, por $z \geq 0$, más su base en el plano *xy*.

En los siguientes ejercicios, utilice un CAS y el teorema de la divergencia para calcular el flujo neto hacia afuera para los campos vectoriales a través del borde de las regiones D dadas.

399. **[T]** $\mathbf{F} = \langle z - x, x - y, 2y - z \rangle$; D es la región entre las esferas de radio 2 y 4 centrada en el origen.

400. **[T]** $\mathbf{F} = \frac{\mathbf{r}}{|\mathbf{r}|} = \frac{\langle x, y, z \rangle}{\sqrt{x^2 + y^2 + z^2}}$; D es la región entre las esferas de radio 1 y 2 centrada en el origen.

401. **[T]** $\mathbf{F} = \left\langle x^2, -y^2, z^2 \right\rangle$; D es la región del primer octante entre los planos $z = 4 - x - y$ y de $z = 2 - x - y$.

402. Supongamos que $\mathbf{F}(x, y, z) = 2x\mathbf{i} - 3xy\mathbf{j} + xz^2\mathbf{k}$. Utilice el teorema de la divergencia para calcular $\iint_S \mathbf{F} \cdot d\mathbf{S}$, donde S es la superficie del cubo con esquinas en $(0, 0, 0), (1, 0, 0), (0, 1, 0), (1, 1, 0), (0, 0, 1), (1, 0, 1), (0, 1, 1),$ y $(1, 1, 1)$, orientado hacia el exterior.

403. Utilice el teorema de la divergencia para hallar el flujo de campo hacia el exterior $\mathbf{F}(x, y, z) = \left(x^3 - 3y \right) \mathbf{i} + (2yz + 1)\mathbf{j} + xyz\mathbf{k}$ a través del cubo delimitado por los planos $x = \pm 1, y = \pm 1,$ y $z = \pm 1$.

404. Supongamos que
$\mathbf{F}(x, y, z) = 2x\mathbf{i} - 3y\mathbf{j} + 5z\mathbf{k}$
y que S es el hemisferio
$z = \sqrt{9 - x^2 - y^2}$ junto
con el disco $x^2 + y^2 \leq 9$ en
el plano xy. Utilice el
teorema de la divergencia.

405. Evalúe $\iint_S \mathbf{F} \cdot \mathbf{N}dS$, donde
$\mathbf{F}(x, y, z) = x^2\mathbf{i} + xy\mathbf{j} + x^3 y^3\mathbf{k}$ y S es
la superficie formada por todas las
caras excepto el tetraedro delimitado
por el plano $x + y + z = 1$ y los
planos de coordenadas, con el vector
normal unitario $\mathbf{N}$ hacia el exterior.

406. Halle el flujo neto hacia el
exterior del campo
$\mathbf{F} = \langle bz - cy, cx - az, ay - bx \rangle$
a través de cualquier
superficie lisa y cerrada en
$\mathbf{R}^3$, donde a, b y c son
constantes.

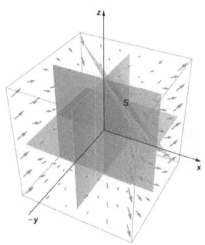

407. Utilice el teorema de la
divergencia para evaluar
$\iint_S \|\mathbf{R}\| \mathbf{R} \cdot n ds$, donde
$\mathbf{R}(x, y, z) = x\mathbf{i} + y\mathbf{j} + z\mathbf{k}$ y
S es una esfera
$x^2 + y^2 + z^2 = a^2$, con
constante $a > 0$.

408. Utilice el teorema de la divergencia
para evaluar $\iint_S \mathbf{F} \cdot d\mathbf{S}$, donde
$\mathbf{F}(x, y, z) = y^2 z\mathbf{i} + y^3\mathbf{j} + xz\mathbf{k}$ y S es el
borde del cubo definida por
$-1 \leq x \leq 1, -1 \leq y \leq 1$, y $0 \leq z \leq 2$.

409. Supongamos que R es la
región definida por
$x^2 + y^2 + z^2 \leq 1$. Utilice
el teorema de la
divergencia para hallar
$\iiint_R z^2 dV$.

410. Supongamos que E es el sólido delimitado por el plano xy y el paraboloide $z = 4 - x^2 - y^2$ de modo que S es la superficie del trozo de paraboloide junto con el disco en el plano xy que forma su fondo. Si los valores de

$$\mathbf{F}(x, y, z) = \left(xz\,\operatorname{sen}(yz) + x^3\right)\mathbf{i} + \cos\,(yz)\mathbf{j} + \left(3zy^2 - e^{x^2 + y^2}\right)\mathbf{k},$$

calcule $\displaystyle\iint_S \mathbf{F}.\,d\mathbf{S}$ utilizando el teorema de la divergencia.

411. Supongamos que E es el cubo sólido unitario con esquinas diagonalmente opuestas en el origen y $(1, 1, 1)$, y caras paralelas a los planos de coordenadas. Supongamos que S es la superficie de E, orientada con la normal que apunta hacia afuera. Utilice un CAS para hallar $\displaystyle\iint_S \mathbf{F}.\,d\mathbf{S}$ utilizando el teorema de la divergencia si $\mathbf{F}(x, y, z) = 2xy\mathbf{i} + 3ye^z\mathbf{j} + x\,\operatorname{sen}\,z\mathbf{k}.$

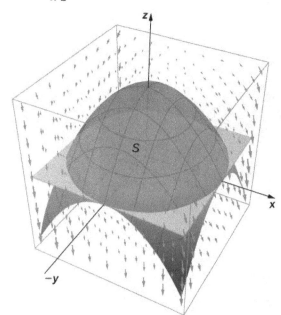

412. Utilice el teorema de la divergencia para calcular el flujo de $\mathbf{F}(x, y, z) = x^3\mathbf{i} + y^3\mathbf{j} + z^3\mathbf{k}$ a través de la esfera $x^2 + y^2 + z^2 = 1.$

413. Halle $\displaystyle\iint_S \mathbf{F}.\,d\mathbf{S}$, donde $\mathbf{F}(x, y, z) = x\mathbf{i} + y\mathbf{j} + z\mathbf{k}$ y S es la superficie orientada hacia el exterior que se obtiene eliminando el cubo $[1, 2] \times [1, 2] \times [1, 2]$ del cubo $[0, 2] \times [0, 2] \times [0, 2]$.

414. Consideremos el campo vectorial radial $\mathbf{F} = \dfrac{\mathbf{r}}{|\mathbf{r}|} = \dfrac{\langle x, y, z \rangle}{\left(x^2 + y^2 + z^2\right)^{1/2}}.$ Calcule la integral de superficie, donde S es la superficie de una esfera de radio a centrada en el origen.

415. Calcule el flujo de agua a través del cilindro parabólico $S : y = x^2$, a partir de $0 \le x \le 2, 0 \le z \le 3$, si el vector velocidad es $\mathbf{F}(x, y, z) = 3z^2\mathbf{i} + 6\mathbf{j} + 6xz\mathbf{k}.$

416. **[T]** Utilice un CAS para calcular el flujo del campo vectorial $\mathbf{F}(x, y, z) = z\mathbf{i} + z\mathbf{j} + \sqrt{x^2 + y^2}\mathbf{k}$ a través de la porción del hiperboloide $x^2 + y^2 = z^2 + 1$ entre planos $z = 0$ y $z = \dfrac{\sqrt{3}}{3}$, orientado de manera que el vector normal unitario apunte lejos del eje z.

417. [T] Utilice un CAS para calcular el flujo del campo vectorial
$\mathbf{F}(x, y, z) = (e^y + x)\mathbf{i} + (3\cos(xz) - y)\mathbf{j} + z\mathbf{k}$
a través de la superficie S, donde S viene dada por $z^2 = 4x^2 + 4y^2$ a partir de $0 \le z \le 4$, orientado de manera que el vector normal unitario apunte hacia abajo.

418. [T] Utilice un CAS para calcular $\iint_S \mathbf{F}.d\mathbf{S}$, donde
$\mathbf{F}(x, y, z) = x\mathbf{i} + y\mathbf{j} + 2z\mathbf{k}$
y S es una parte de la esfera $x^2 + y^2 + z^2 = 2$ con la $0 \le z \le 1$.

419. Evalúe $\iint_S \mathbf{F}.d\mathbf{S}$, donde
$\mathbf{F}(x, y, z) = bxy^2\mathbf{i} + bx^2y\mathbf{j} + \left(x^2 + y^2\right)z^2\mathbf{k}$
y S es una superficie cerrada que limita la región y que consiste en un cilindro sólido $x^2 + y^2 \le a^2$ y $0 \le z \le b$.

420. [T] Utilice un CAS para calcular el flujo de
$\mathbf{F}(x, y, z) = \left(x^3 + y\,\text{sen}\,z\right)\mathbf{i} + \left(y^3 + z\,\text{sen}\,x\right)\mathbf{j} + 3z\mathbf{k}$
a través de la superficie S, donde S es el límite del sólido delimitado por los hemisferios $z = \sqrt{4 - x^2 - y^2}$ y $z = \sqrt{1 - x^2 - y^2}$, y el plano $z = 0$.

421. Utilice el teorema de la divergencia para evaluar $\iint_S \mathbf{F}.d\mathbf{S}$, donde
$\mathbf{F}(x, y, z) = xy\mathbf{i} - \frac{1}{2}y^2\mathbf{j} + z\mathbf{k}$
y S es la superficie formada por tres piezas $z = 4 - 3x^2 - 3y^2, 1 \le z \le 4$ en la parte superior $x^2 + y^2 = 1, 0 \le z \le 1$ en los laterales; y $z = 0$ en la parte inferior.

422. [T] Utilice un CAS y el teorema de la divergencia para evaluar $\iint_S \mathbf{F}.d\mathbf{S}$, donde
$\mathbf{F}(x, y, z) = (2x + y\cos z)\mathbf{i} + \left(x^2 - y\right)\mathbf{j} + y^2z\mathbf{k}$
y S es una esfera $x^2 + y^2 + z^2 = 4$ orientado hacia el exterior.

423. Utilice el teorema de la divergencia para evaluar $\iint_S \mathbf{F}.d\mathbf{S}$, donde
$\mathbf{F}(x, y, z) = x\mathbf{i} + y\mathbf{j} + z\mathbf{k}$ y S es el borde del sólido encerrado por el paraboloide $y = x^2 + z^2 - 2$, cilindro $x^2 + z^2 = 1$, y el plano $x + y = 2$, y S está orientada hacia el exterior.

En los siguientes ejercicios, la ley de transferencia de calor de Fourier establece que el vector de flujo de calor $\mathbf{F}$ en un punto es proporcional al gradiente negativo de la temperatura; es decir, $\mathbf{F} = -k\nabla T$, lo que significa que la energía térmica fluye de las regiones calientes a las frías. La constante $k > 0$ se llama la conductividad, que tiene unidades métricas de julios por metro por segundo-kelvin o vatios por metro-kelvin. Se da una función de temperatura para la región D. Utilice el teorema de la divergencia para hallar el flujo de calor neto hacia el exterior $\iint_S \mathbf{F}.\mathbf{N}dS = -k\iint_S \nabla T.\mathbf{N}dS$ a través del borde S de D, donde $k = 1$.

424. $T(x, y, z) = 100 + x + 2y + z$;
$D = \{(x, y, z) : 0 \le x \le 1, 0 \le y \le 1, 0 \le z \le 1\}$

425. $T(x, y, z) = 100 + e^{-z}$;
$D = \{(x, y, z) : 0 \le x \le 1, 0 \le y \le 1, 0 \le z \le 1\}$

426. $T(x, y, z) = 100e^{-x^2-y^2-z^2}$;
D es la esfera de radio a
centrada en el origen.

Revisión del capítulo

Términos clave

área superficial   el área de la superficie S dada por la integral de superficie $\iint_S dS$

campo conservativo   un campo vectorial para el que existe una función escalar f de manera que $\nabla f = \mathbf{F}$

campo de gradientes   un campo vectorial $\mathbf{F}$ para el que existe una función escalar f de manera que $\nabla f = \mathbf{F}$; en otras palabras, un campo vectorial que es el gradiente de una función; tales campos vectoriales también se llaman *conservativos*

campo radial   un campo vectorial en el que todos los vectores apuntan directamente hacia el origen o se alejan de él; la magnitud de cualquier vector depende solo de su distancia al origen

campo rotacional   un campo vectorial en el que el vector en el punto (x, y) es tangente a un círculo de radio $r = \sqrt{x^2 + y^2}$; en un campo rotacional, todos los vectores fluyen en el sentido de las agujas del reloj o en sentido contrario, y la magnitud de un vector depende solo de su distancia al origen

campo vectorial   medido en $\mathbb{R}^2$, una asignación de un vector $\mathbf{F}(x, y)$ a cada punto (x, y) de un subconjunto D de $\mathbb{R}^2$; en $\mathbb{R}^3$, una asignación de un vector $\mathbf{F}(x, y, z)$ a cada punto (x, y, z) de un subconjunto D de $\mathbb{R}^3$

campo vectorial unitario   un campo vectorial en el que la magnitud de cada vector es 1

circulación   la tendencia de un fluido a moverse en la dirección de la curva C. Si C es una curva cerrada, entonces la circulación de $\mathbf{F}$ a lo largo de C es integral de línea $\int_C \mathbf{F} \cdot \mathbf{T} ds$, que también denotamos $\oint_C \mathbf{F} \cdot \mathbf{T} ds$

curva cerrada   una curva para la que existe una parametrización $\mathbf{r}(t)$, $a \leq t \leq b$, de manera que $\mathbf{r}(a) = \mathbf{r}(b)$, y la curva se recorre exactamente una vez

curva cerrada   una curva que comienza y termina en el mismo punto

curva simple   una curva que no se cruza a sí misma

curva suave a trozos   una curva orientada que no es suave, pero que puede escribirse como la unión de un número finito de curvas suaves

curvas de cuadrícula   curvas en una superficie que son paralelas a las líneas de la cuadrícula en un plano de coordenadas

divergencia   la divergencia de un campo vectorial $\mathbf{F} = \langle P, Q, R \rangle$, denotado $\nabla \times \mathbf{F}$, ¿es $P_x + Q_y + R_z$; mide la "salida" de un campo vectorial

dominio de parámetro (espacio de parámetro)   la región del plano uv sobre la que varían los parámetros u y v para la parametrización $\mathbf{r}(u, v) = \langle x(u, v), y(u, v), z(u, v) \rangle$

flujo   la velocidad de un fluido que fluye a través de una curva en un campo vectorial; el flujo del campo vectorial $\mathbf{F}$ a través de la curva plana C es una integral de línea $\int_C \mathbf{F} \cdot \dfrac{\mathbf{n}(t)}{\|\mathbf{n}(t)\|} ds$

flujo de calor   un campo vectorial proporcional al gradiente negativo de temperatura en un objeto

flujo de masa   el índice de flujo de masa de un fluido por unidad de superficie, medido en masa por unidad de tiempo por unidad de área

función de flujo   si $\mathbf{F} = \langle P, Q \rangle$ es un campo vectorial sin fuente, entonces la función de flujo g es una función tal que $P = g_y$ y $Q = -g_x$

función potencial   una función escalar f de manera que $\nabla f = \mathbf{F}$

independencia de la trayectoria   un campo vectorial $\mathbf{F}$ tiene independencia de trayectoria si $\int_{C_1} \mathbf{F} \cdot d\mathbf{r} = \int_{C_2} \mathbf{F} \cdot d\mathbf{r}$ para cualquier curva C_1 y C_2 en el dominio de $\mathbf{F}$ con los mismos puntos iniciales y terminales

integral de flujo   otro nombre para la integral de superficie de un campo vectorial; el término preferido en física e ingeniería

integral de línea   la integral de una función a lo largo de una curva en un plano o en el espacio

integral de línea escalar   la integral de línea escalar de una función f a lo largo de una curva C con respecto a la longitud de arco es la integral $\int_C f ds$, es la integral de una función escalar f a lo largo de una curva en un plano o en el espacio; dicha integral se define en términos de una suma de Riemann, al igual que una integral de una sola variable

integral de línea vectorial   la integral de línea del campo vectorial $\mathbf{F}$ a lo largo de la curva C es la integral del producto escalar de $\mathbf{F}$ con el vector tangente unitario $\mathbf{T}$ de C con respecto a la longitud del arco, $\int_C \mathbf{F} \cdot \mathbf{T} ds$; dicha integral se define en términos de una suma de Riemann, similar a una integral de una sola variable

integral de superficie   una integral de una función sobre una superficie

integral de superficie de un campo vectorial   una integral de superficie en la que la integración es un campo vectorial

integral de superficie de una función con valor escalar   una integral de superficie en la que la integración es una función escalar

Ley de Gauss   si S es una superficie cerrada y lisa a trozos en el vacío y Q es la carga estacionaria total dentro de S, entonces el flujo del campo electrostático **E** a través de S es Q/ε_0

ley de la inversa del cuadrado   la fuerza electrostática en un punto determinado es inversamente proporcional al cuadrado de la distancia a la fuente de carga

orientación de una curva   la orientación de una curva C es una dirección determinada de C

orientación de una superficie   si una superficie tiene un lado "interior" y un lado "exterior", entonces una orientación es una elección del lado interior o del lado exterior; la superficie también podría tener orientaciones "hacia arriba" y "hacia abajo"

parametrización regular   parametrización $\mathbf{r}(u, v) = \langle x(u, v), y(u, v), z(u, v)\rangle$ de manera que $\mathbf{r}_u \times \mathbf{r}_v$ no es cero para el punto (u, v) en el dominio de parámetro

región conectada   una región en la que dos puntos cualesquiera pueden estar conectados por una trayectoria con un trazado contenido enteramente dentro de la región

región simplemente conectada   una región que está conectada y tiene la propiedad de que cualquier curva cerrada que se encuentra completamente dentro de la región abarca puntos que están completamente dentro de la región

rizo   el rizo del campo vectorial $\mathbf{F} = \langle P, Q, R \rangle$, denotado $\nabla \times \mathbf{F}$, es el "determinante" de la matriz $\begin{vmatrix} \mathbf{i} & \mathbf{j} & \mathbf{k} \\ \frac{\partial}{\partial x} & \frac{\partial}{\partial y} & \frac{\partial}{\partial z} \\ P & Q & R \end{vmatrix}$ y viene dado por la expresión $(R_y - Q_z)\mathbf{i} + (P_z - R_x)\mathbf{j} + (Q_x - P_y)\mathbf{k}$; mide la tendencia de las partículas en un punto a girar alrededor del eje que apunta en la dirección del rizo en el punto

superficie independiente   las integrales de flujo de los campos vectoriales del rizo son independientes de la superficie si su evaluación no depende de la superficie, sino solo del borde de la misma

superficie parametrizada (superficie paramétrica)   una superficie dada por una descripción de la forma $\mathbf{r}(u, v) = \langle x(u, v), y(u, v), z(u, v)\rangle$, donde los parámetros u y v varían en un dominio de parámetro en el plano uv

Teorema de Green   relaciona la integral sobre una región conectada con una integral sobre el límite de la región

teorema de la divergencia   un teorema utilizado para transformar una integral de flujo difícil en una integral triple más fácil y viceversa

teorema de Stokes   relaciona la integral de flujo sobre una superficie S con una integral de línea alrededor del borde de C de la superficie S

Teorema fundamental de las integrales de línea   el valor de la integral de línea $\int_C \nabla f \cdot d\mathbf{r}$ depende únicamente del valor de f en los extremos de C: $\int_C \nabla f \cdot d\mathbf{r} = f(\mathbf{r}(b)) - f(\mathbf{r}(a))$

Ecuaciones clave

Campo vectorial en $\mathbb{R}^2$

$$\mathbf{F}(x, y) = \langle P(x, y), Q(x, y)\rangle$$
o
$$\mathbf{F}(x, y) = P(x, y)\mathbf{i} + Q(x, y)\mathbf{j}$$

Campo vectorial en $\mathbb{R}^3$

$$\mathbf{F}(x, y, z) = \langle P(x, y, z), Q(x, y, z), R(x, y, z)\rangle$$
o
$$\mathbf{F}(x, y, z) = P(x, y, z)\mathbf{i} + Q(x, y, z)\mathbf{j} + R(x, y, z)\mathbf{k}$$

Cálculo de una integral de línea escalar

$$\int_C f(x, y, z)\, ds = \int_a^b f(\mathbf{r}(t)) \sqrt{\left(x'(t)\right)^2 + \left(y'(t)\right)^2 + \left(z'(t)\right)^2}\, dt$$

Cálculo de una integral de línea vectorial	$\int_C \mathbf{F}.ds = \int_C \mathbf{F}.\mathbf{T}ds = \int_a^b \mathbf{F}(\mathbf{r}(t)).\mathbf{r}'(t)dt$ o $\int_C Pdx + Qdy + Rdz = \int_a^b \left(P(\mathbf{r}(t))\frac{dx}{dt} + Q(\mathbf{r}(t))\frac{dy}{dt} + R(\mathbf{r}(t))\frac{dz}{dt} \right) dt$
Calcular el flujo	$\int_C \mathbf{F}.\frac{\mathbf{n}(t)}{\|\mathbf{n}(t)\|}\,ds = \int_a^b \mathbf{F}(\mathbf{r}(t)).\mathbf{n}(t)dt$
Teorema fundamental de las integrales de línea	$\int_C \nabla f.d\mathbf{r} = f(\mathbf{r}(b)) - f(\mathbf{r}(a))$
Circulación de un campo conservativo sobre la curva *C* que encierra una región simplemente conectada	$\oint_C \nabla f.d\mathbf{r} = 0$
Teorema de Green, forma de circulación	$\oint_C Pdx + Qdy = \iint_D Q_x - P_y dA$, donde *C* es el borde de *D*
Teorema de Green, forma de flujo	$\oint_C \mathbf{F}.d\mathbf{r} = \iint_D Q_x - P_y dA$, donde *C* es el borde de *D*
Teorema de Green, versión ampliada	$\oint_{\partial D} \mathbf{F}.d\mathbf{r} = \iint_D Q_x - P_y dA$
Rizo	$\nabla \times \mathbf{F} = (R_y - Q_z)\mathbf{i} + (P_z - R_x)\mathbf{j} + (Q_x - P_y)\mathbf{k}$
Divergencia	$\nabla.\mathbf{F} = P_x + Q_y + R_z$
La divergencia del rizo es cero	$\nabla.(\nabla \times \mathbf{F}) = 0$
El rizo de un gradiente es el vector cero	$\nabla \times (\nabla f) = 0$
Integral de superficie escalar	$\iint_S f(x,y,z)\,dS = \iint_D f(\mathbf{r}(u,v))\,\|\mathbf{t}_u \times \mathbf{t}_v\|\,dA$
Integral de flujo	$\iint_S \mathbf{F}.\mathbf{N}dS = \iint_S \mathbf{F}.d\mathbf{S} = \iint_D \mathbf{F}(\mathbf{r}(u,v)).(\mathbf{t}_u \times \mathbf{t}_v)\,dA$
teorema de Stokes	$\int_C \mathbf{F}.d\mathbf{r} = \iint_S \text{rizo}\,\mathbf{F}.d\mathbf{S}$
Teorema de la divergencia	$\iiint_E \text{div}\,\mathbf{F}dV = \iint_S \mathbf{F}.d\mathbf{S}$

Conceptos clave

6.1 Campos vectoriales

- Un campo vectorial asigna un vector $\mathbf{F}(x, y)$ a cada punto (x, y) en un subconjunto D de $\mathbb{R}^2$ o $\mathbb{R}^3$. $\mathbf{F}(x, y, z)$ a cada punto (x, y, z) en un subconjunto D de $\mathbb{R}^3$.
- Los campos vectoriales pueden describir la distribución de cantidades vectoriales, como las fuerzas o las velocidades, en una región del plano o del espacio. Son de uso común en áreas como la física, la ingeniería, la meteorología o la oceanografía.
- Podemos dibujar un campo vectorial examinando su ecuación definitoria para determinar las magnitudes relativas en varios lugares y, a continuación, dibujando suficientes vectores para determinar un patrón.
- Un campo vectorial $\mathbf{F}$ se llama conservativo si existe una función escalar f de manera que $\nabla f = \mathbf{F}$.

6.2 Integrales de línea

- Las integrales de línea generalizan la noción de integral de una sola variable a dimensiones superiores. El dominio de integración en una integral de una sola variable es un segmento de línea a lo largo del eje x, pero el dominio de integración en una integral de línea es una curva en un plano o en el espacio.
- Si C es una curva, la longitud de C es $\int_C ds$.
- Hay dos tipos de integrales de línea: integrales de línea escalares e integrales de línea vectoriales. Las integrales de línea escalares pueden utilizarse para calcular la masa de un cable; las integrales de línea vectoriales pueden utilizarse para calcular el trabajo realizado sobre una partícula que viaja a través de un campo.
- Las integrales de línea escalares se pueden calcular con la Ecuación 6.8; las integrales lineales vectoriales se pueden calcular con la Ecuación 6.9.
- Dos conceptos clave expresados en términos de integrales de línea son el flujo y la circulación. El flujo mide la velocidad con la que un campo cruza una línea determinada; la circulación mide la tendencia de un campo a moverse en la misma dirección que una curva cerrada determinada.

6.3 Campos vectoriales conservativos

- Los teoremas de esta sección requieren que las curvas sean cerradas, simples o ambas, y que las regiones sean conectadas o simplemente conectadas.
- La integral lineal de un campo vectorial conservativo se puede calcular utilizando el teorema fundamental de las integrales de línea. Este teorema es una generalización del teorema fundamental del cálculo en dimensiones superiores. El uso de este teorema suele facilitar el cálculo de la integral de línea.
- Los campos conservativos son independientes de la trayectoria. La integral de línea de un campo conservativo depende solo del valor de la función potencial en los puntos extremos de la curva del dominio.
- Dado un campo vectorial $\mathbf{F}$, podemos comprobar si $\mathbf{F}$ es conservativo utilizando la propiedad parcial cruzada. Si $\mathbf{F}$ tiene la propiedad parcial cruzada y el dominio es simplemente conectado, entonces $\mathbf{F}$ es conservativo (y por lo tanto tiene una función potencial). Si $\mathbf{F}$ es conservativo, podemos encontrar una función potencial utilizando la estrategia de resolución de problemas.
- La circulación de un campo vectorial conservativo en un dominio simplemente conectado sobre una curva cerrada es cero.

6.4 Teorema de Green

- El teorema de Green relaciona la integral sobre una región conectada con una integral sobre el límite de la región. El teorema de Green es una versión del teorema fundamental del cálculo en una dimensión superior.
- El teorema de Green tiene dos formas: una forma de circulación y otra de flujo. En la forma de circulación, la integración es $\mathbf{F} \cdot \mathbf{T}$. En la forma de flujo, la integración es $\mathbf{F} \cdot \mathbf{N}$.
- El teorema de Green puede utilizarse para transformar una integral de línea difícil en una integral doble más fácil, o para transformar una integral doble difícil en una integral de línea más fácil.
- Un campo vectorial está libre de fuentes si tiene una función de flujo. El flujo de un campo vectorial sin fuente a través de una curva cerrada es cero, al igual que la circulación de un campo vectorial conservativo a través de una curva cerrada es cero.

6.5 Divergencia y rizo

- La divergencia de un campo vectorial es una función escalar. La divergencia mide la "salida" de un campo vectorial. Si $\mathbf{v}$ es el campo de velocidad de un fluido, la divergencia de $\mathbf{v}$ en un punto es la salida del fluido menos la entrada en el punto.

- El rizo de un campo vectorial es un campo vectorial. El rizo de un campo vectorial en el punto P mide la tendencia de las partículas en P a girar alrededor del eje que apunta en la dirección del rizo en P.
- Un campo vectorial con un dominio simplemente conectado es conservativo si y solo si su rizo es cero.

6.6 Integrales de superficie

- Las superficies pueden ser parametrizadas, al igual que las curvas. En general, las superficies se deben parametrizar con dos parámetros.
- Las superficies, a veces, pueden orientarse, al igual que las curvas. Algunas superficies, como una banda de Möbius, no pueden orientarse.
- Una integral de superficie es como una integral lineal en una dimensión superior. El dominio de integración de una integral de superficie es una superficie en un plano o espacio, en vez de una curva en un plano o espacio.
- La integración de una integral de superficie puede ser una función escalar o un campo vectorial. Para calcular una integral de superficie con una integración que es una función, utilice la Ecuación 6.19. Para calcular una integral de superficie con una integración que es un campo vectorial, utilice la Ecuación 6.20.
- Si S es una superficie, entonces el área de S es $\displaystyle\iint_S dS$.

6.7 Teorema de Stokes

- El teorema de Stokes relaciona una integral de flujo sobre una superficie con una integral de línea alrededor del borde de la superficie. El teorema de Stokes es una versión de mayor dimensión del teorema de Green, y por tanto es otra versión del teorema fundamental del cálculo en dimensiones superiores.
- El teorema de Stokes puede utilizarse para transformar una integral de superficie difícil en una integral de línea más fácil, o una integral de línea difícil en una integral de superficie más fácil.
- Mediante el teorema de Stokes, las integrales de línea pueden evaluarse utilizando la superficie más simple con el borde C.
- La ley de Faraday relaciona el rizo de un campo eléctrico con la tasa de cambio del campo magnético correspondiente. El teorema de Stokes puede utilizarse para derivar la ley de Faraday.

6.8 El teorema de la divergencia

- El teorema de la divergencia relaciona una integral de superficie a través de una superficie cerrada S con una integral triple sobre el sólido encerrado por S. El teorema de la divergencia es una versión de mayor dimensión de la forma de flujo del teorema de Green, y es por tanto una versión de mayor dimensión del teorema fundamental del cálculo.
- El teorema de la divergencia puede utilizarse para transformar una integral de flujo difícil en una integral triple más fácil y viceversa.
- El teorema de la divergencia puede utilizarse para derivar la ley de Gauss, una ley fundamental de la electrostática.

Ejercicios de repaso

¿Verdadero o falso? Justifique su respuesta con una prueba o un contraejemplo.

427. Campo vectorial
$\mathbf{F}(x, y) = x^2 y \mathbf{i} + y^2 x \mathbf{j}$ es
conservativo.

428. Para el campo vectorial
$\mathbf{F}(x, y) = P(x, y)\mathbf{i} + Q(x, y)\mathbf{j}$,
si $P_y(x, y) = Q_x(x, y)$ en
región abierta D, entonces
$$\int_{\partial D} P dx + Q dy = 0.$$

429. La divergencia de un
campo vectorial es un
campo vectorial.

430. Si los valores de
rizo $\mathbf{F} = 0$, entonces $\mathbf{F}$ es
un campo vectorial
conservativo.

Dibuje los siguientes campos vectoriales.

431. $\mathbf{F}(x, y) = \frac{1}{2}\mathbf{i} + 2x\mathbf{j}$

432. $\mathbf{F}(x, y) = \sqrt{\frac{y\mathbf{i} + 3x\mathbf{j}}{x^2 + y^2}}$

¿Son conservativos los siguientes campos vectoriales? Si es así, halle la función potencial f de manera que $\mathbf{F} = \nabla f$.

433. $\mathbf{F}(x, y) = y\mathbf{i} + (x - 2e^y)\mathbf{j}$

434. $\mathbf{F}(x, y) = (6xy)\mathbf{i} + (3x^2 - ye^y)\mathbf{j}$

435. $\mathbf{F}(x, y, z) = (2xy + z^2)\mathbf{i} + (x^2 + 2yz)\mathbf{j} + (2xz + y^2)\mathbf{k}$

436. $\mathbf{F}(x, y, z) = (e^x y)\mathbf{i} + (e^x + z)\mathbf{j} + (e^x + y^2)\mathbf{k}$

Evalúe las siguientes integrales.

437. $\displaystyle\int_C x^2\,dy + (2x - 3xy)\,dx$, a lo largo de $C: y = \frac{1}{2}x$ de $(0, 0)$ a $(4, 2)$

438. $\displaystyle\int_C y\,dx + xy^2\,dy$, donde $C: x = \sqrt{t}, y = t - 1, 0 \le t \le 1$

439. $\displaystyle\iint_S xy^2\,dS$, donde S es la superficie $z = x^2 - y, 0 \le x \le 1, 0 \le y \le 4$

Halle la divergencia y el rizo de los siguientes campos vectoriales.

440. $\mathbf{F}(x, y, z) = 3xyz\mathbf{i} + xye^z\mathbf{j} - 3xy\mathbf{k}$

441. $\mathbf{F}(x, y, z) = e^x\mathbf{i} + e^{xy}\mathbf{j} + e^{xyz}\mathbf{k}$

Utilice el teorema de Green para evaluar las siguientes integrales.

442. $\displaystyle\int_C 3xy\,dx + 2xy^2\,dy$, donde C es un cuadrado con vértices $(0, 0)$, $(0, 2)$, $(2, 2)$ y $(2, 0)$ orientados en sentido contrario a las agujas del reloj.

443. $\displaystyle\oint_C 3y\,dx + (x + e^y)\,dy$, donde C es un círculo centrado en el origen con radio 3

Utilice el teorema de Stokes para evaluar $\displaystyle\int\int_S \text{rizo}\,\mathbf{F}.\,dS$.

444. $\mathbf{F}(x, y, z) = y\mathbf{i} - x\mathbf{j} + z\mathbf{k}$, donde S es la mitad superior de la esfera unitaria

445. $\mathbf{F}(x, y, z) = y\mathbf{i} + xyz\mathbf{j} - 2zx\mathbf{k}$, donde S es el paraboloide orientado hacia arriba $z = x^2 + y^2$ acostado en el cilindro $x^2 + y^2 = 1$

Utilice el teorema de la divergencia para evaluar $\displaystyle\int\int_S \mathbf{F}.\,dS$.

446. $\mathbf{F}(x, y, z) = (x^3 y)\mathbf{i} + (3y - e^x)\mathbf{j} + (z + x)\mathbf{k}$, sobre el cubo S definidas por $-1 \le x \le 1$, $0 \le y \le 2, 0 \le z \le 2$

447. $\mathbf{F}(x, y, z) = (2xy)\mathbf{i} + (-y^2)\mathbf{j} + (2z^3)\mathbf{k}$, donde S está limitado por el paraboloide $z = x^2 + y^2$ y el plano $z = 2$

448. Halle la cantidad de trabajo realizado por una mujer de 50 kg que asciende por una escalera helicoidal de radio 2 m y altura 100 m. La mujer completa cinco revoluciones durante la subida.

449. Calcule la masa total de un alambre delgado en forma de semicírculo superior con radio $\sqrt{2}$, y una función de densidad de $\rho(x, y) = y + x^2$.

450. Halle la masa total de una lámina delgada en forma de semiesfera de radio 2 para $z \geq 0$ con una función de densidad $\rho(x, y, z) = x + y + z$.

451. Utilice el teorema de la divergencia para calcular el valor de la integral de flujo sobre la esfera unitaria con $\mathbf{F}(x, y, z) = 3z\mathbf{i} + 2y\mathbf{j} + 2x\mathbf{k}$.

Figura 7.1 El sistema de suspensión de una motocicleta es un ejemplo de sistema masa resorte. El resorte absorbe los baches y mantiene el neumático en contacto con la carretera. El resorte amortigua el movimiento para que la motocicleta no siga rebotando después de pasar por cada bache (créditos: nSeika, Flickr).

Esquema del capítulo

 # Introducción

Ya hemos estudiado los fundamentos de las ecuaciones diferenciales, incluidas las ecuaciones de primer orden separables. En este capítulo, vamos a ir un poco más allá y veremos las ecuaciones de segundo orden, que son ecuaciones que contienen segundas derivadas de la variable dependiente. Los métodos de solución que examinamos son diferentes de los discutidos anteriormente, y las soluciones tienden a involucrar funciones trigonométricas así como funciones exponenciales. Aquí nos concentramos principalmente en las ecuaciones de segundo orden con coeficientes constantes.

Estas ecuaciones tienen muchas aplicaciones prácticas. El funcionamiento de ciertos circuitos eléctricos, conocidos como circuitos resistor-inductor-capacitor*(resistor-inductor-capacitor, RLC)*, puede describirse mediante ecuaciones diferenciales de segundo orden con coeficientes constantes. Estos circuitos se encuentran en todo tipo de dispositivos electrónicos modernos, desde computadoras hasta teléfonos inteligentes o televisores. Estos circuitos pueden utilizarse para seleccionar un rango de frecuencias de todo el espectro de ondas de radio, y se utilizan habitualmente para sintonizar radios AM/FM. En Aplicaciones estudiaremos estos circuitos con más detalle.

Los sistemas de masa resorte, como los amortiguadores de las motocicletas, son una segunda aplicación común de las ecuaciones diferenciales de segundo orden. Para los pilotos de motocross, los sistemas de suspensión de sus motos son muy importantes. Los recorridos off-road en los que se mueven a menudo incluyen saltos, y perder el control de la motocicleta al aterrizar podría costarles la carrera. El movimiento del amortiguador depende de la cantidad de amortiguación del sistema. En este capítulo, modelamos sistemas masa resorte forzados y no forzados con cantidades variables de amortiguación.

7.1 Ecuaciones lineales de segundo orden

Objetivos de aprendizaje

7.1.1 Reconocer las ecuaciones diferenciales homogéneas y no homogéneas lineales.
7.1.2 Determinar la ecuación característica de una ecuación lineal homogénea.
7.1.3 Utilizar las raíces de la ecuación característica para hallar la solución de una ecuación lineal homogénea.
7.1.4 Resolver problemas de valor inicial y de condición de frontera que impliquen ecuaciones diferenciales lineales.

Cuando se trabaja con ecuaciones diferenciales, normalmente, la meta es hallar una solución. En otras palabras, queremos encontrar una función (o funciones) que satisfaga la ecuación diferencial. La técnica que utilizamos para hallar estas soluciones varía según la forma de la ecuación diferencial con la que estamos trabajando. Las ecuaciones diferenciales de segundo orden tienen varias características importantes que pueden ayudarnos a determinar qué método de solución utilizar. En esta sección, examinamos algunas de estas características y la terminología asociada.

Ecuaciones lineales homogéneas

Consideremos la ecuación diferencial de segundo orden

$$xy'' + 2x^2 y' + 5x^3 y = 0.$$

Observe que y y sus derivadas aparecen en una forma relativamente sencilla. Se multiplican por funciones de x, pero no se elevan a ninguna potencia por sí mismas, ni se multiplican juntas. Como se discutió en Introducción a las ecuaciones diferenciales (http://openstax.org/books/cálculo-volumen-2/pages/4-introduccion), se dice que las ecuaciones de primer orden con características similares son lineales. Lo mismo ocurre con las ecuaciones de segundo orden. Observe también que todos los términos de esta ecuación diferencial implican a y o a una de sus derivadas. No hay términos que impliquen solo funciones de x. Las ecuaciones de este tipo, en las que cada término contiene y o una de sus derivadas, se llaman homogéneas.

No todas las ecuaciones diferenciales son homogéneas. Considere la ecuación diferencial

$$xy'' + 2x^2 y' + 5x^3 y = x^2.$$

Las intersecciones en x^2 a la derecha del signo igual no contiene y ni ninguna de sus derivadas. Por lo tanto, esta ecuación diferencial es no homogénea.

Definición

Una ecuación diferencial de segundo orden es lineal si se puede escribir de la forma

$$a_2(x) y'' + a_1(x) y' + a_0(x) y = r(x), \tag{7.1}$$

donde $a_2(x)$, $a_1(x)$, $a_0(x)$, y $r(x)$ son funciones de valor real y $a_2(x)$ no es idéntico a cero. Si los valores de $r(x) \equiv 0$, en otras palabras, si $r(x) = 0$ para cada valor de x, se dice que la ecuación es una **ecuación lineal homogénea**. Si los valores de $r(x) \neq 0$ para algún valor de x, se dice que la ecuación es una **ecuación no homogénea lineal**.

▶ **MEDIOS**

Visite este sitio web (http://www.openstax.org/l/20_Secondord) para estudiar más sobre las ecuaciones diferenciales lineales de segundo orden.

En las ecuaciones diferenciales lineales, y y sus derivadas solo pueden elevarse a la primera potencia y no pueden multiplicarse entre sí. Los términos que implican y^2 o $\sqrt{y'}$ hacen que la ecuación no sea lineal. Las funciones de y y sus derivados, como sen y o $e^{y'}$, están prohibidos de forma similar en las ecuaciones diferenciales lineales.

Observe que las ecuaciones no siempre se dan en forma estándar (la forma que aparece en la definición). Puede ser útil reescribirlas en esa forma para decidir si son lineales, o si una ecuación lineal es homogénea.

EJEMPLO 7.1

Clasificar las ecuaciones de segundo orden
Clasifique cada una de las siguientes ecuaciones como lineales o no lineales. Si la ecuación es lineal, determine además si es homogénea o no homogénea.

a. $y'' + 3x^4 y' + x^2 y^2 = x^3$
b. $(\text{sen}\, x)y'' + (\cos x)y' + 3y = 0$
c. $4t^2 x'' + 3txx' + 4x = 0$
d. $5y'' + y = 4x^5$
e. $(\cos x)y'' - \text{sen}\, y' + (\text{sen}\, x)y - \cos x = 0$
f. $8ty'' - 6t^2 y' + 4ty - 3t^2 = 0$
g. $\text{sen}(x^2)y'' - (\cos x)y' + x^2 y = y' - 3$
h. $y'' + 5xy' - 3y = \cos y$

⊘ **Solución**

a. Esta ecuación no es lineal debido al término y^2.
b. Esta ecuación es lineal. No hay ningún término que implique una potencia o función de y, y los coeficientes son todos funciones de x. La ecuación ya está escrita en forma estándar, y $r(x)$ es idénticamente cero, por lo que la ecuación es homogénea.
c. Esta ecuación no es lineal. Observe que, en este caso, x es la variable dependiente y t es la variable independiente. El segundo término implica el producto de x y x', por lo que la ecuación es no lineal.
d. Esta ecuación es lineal. Dado que $r(x) = 4x^5$, la ecuación es no homogénea.
e. Esta ecuación es no lineal, debido al término $\text{sen}\, y'$.
f. Esta ecuación es lineal. Al reescribirlo en forma estándar se obtiene
$$8t^2 y'' - 6t^2 y' + 4ty = 3t^2.$$

Con la ecuación en forma estándar, podemos ver que $r(t) = 3t^2$, por lo que la ecuación es no homogénea.
g. Esta ecuación parece ser lineal, pero deberíamos reescribirla en forma estándar para estar seguros. Obtenemos
$$\text{sen}(x^2)y'' - (\cos x + 1)y' + x^2 y = -3.$$

Esta ecuación es, efectivamente, lineal. Con $r(x) = -3$, es no homogénea.
h. Esta ecuación no es lineal debido al término $\cos y$.

▶ **MEDIOS**

Visite este sitio web (http://www.openstax.org/l/20_Secondord2) que analiza las ecuaciones diferenciales de segundo orden.

☑   7.1   Clasifique cada una de las siguientes ecuaciones como lineales o no lineales. Si la ecuación es lineal, determine además si es homogénea o no homogénea.

  a. $(y'')^2 - y' + 8x^3 y = 0$
  b. $(\text{sen}\, t)y'' + \cos t - 3ty' = 0$

Más adelante en esta sección, veremos algunas técnicas para resolver tipos específicos de ecuaciones diferenciales. Sin embargo, antes de llegar a eso, vamos a conocer cómo se comportan las soluciones de las ecuaciones diferenciales lineales. En muchos casos, la resolución de ecuaciones diferenciales depende de hacer conjeturas sobre el aspecto de la solución. Saber cómo se comportan los distintos tipos de soluciones será útil.

EJEMPLO 7.2

Verificar una solución
Consideremos la ecuación diferencial lineal y homogénea
$$x^2 y'' - xy' - 3y = 0.$$

Si se observa esta ecuación, se nota que las funciones de los coeficientes son polinomios, con potencias mayores de x asociados a las derivadas de orden superior de y. Demuestre que $y = x^3$ es una solución de esta ecuación diferencial.

⊘ **Solución**

Supongamos que $y = x^3$. Entonces $y' = 3x^2$ y $y'' = 6x$. Sustituyendo en la ecuación diferencial, vemos que

$$
\begin{aligned}
x^2 y'' - x y' - 3y &= x^2 (6x) - x (3x^2) - 3 (x^3) \\
&= 6x^3 - 3x^3 - 3x^3 \\
&= 0.
\end{aligned}
$$

☑ 7.2   Demuestre que $y = 2x^2$ es una solución de la ecuación diferencial

$$
\frac{1}{2} x^2 y'' - x y' + y = 0.
$$

Aunque simplemente hallar cualquier solución a una ecuación diferencial es importante, los matemáticos e ingenieros a menudo quieren ir más allá de hallar *una* solución a una ecuación diferencial para hallar *todas* las soluciones de una ecuación diferencial. En otras palabras, queremos hallar una solución general. Al igual que con las ecuaciones diferenciales de primer orden, una solución general (o familia de soluciones) da el conjunto completo de soluciones de una ecuación diferencial. Una diferencia importante entre las ecuaciones de primer orden y las de segundo orden es que, con las ecuaciones de segundo orden, normalmente necesitamos hallar dos soluciones diferentes de la ecuación para hallar la solución general. Si hallamos dos soluciones, entonces cualquier combinación lineal de estas soluciones es también una solución. Enunciamos este hecho como el siguiente teorema.

Teorema 7.1

Principio de superposición

Si los valores de $y_1(x)$ y de $y_2(x)$ son soluciones de una ecuación diferencial lineal homogénea, entonces la función

$$
y(x) = c_1 y_1(x) + c_2 y_2(x),
$$

donde c_1 y c_2 son constantes, también es una solución.

La demostración de este teorema del principio de superposición se deja como ejercicio.

EJEMPLO 7.3

Verificar el principio de superposición

Considere la ecuación diferencial

$$
y'' - 4y' - 5y = 0.
$$

Dado que e^{-x} y e^{5x} son soluciones de esta ecuación diferencial, demuestre que $4e^{-x} + e^{5x}$ es una solución.

⊘ **Solución**

Tenemos

$$
y(x) = 4e^{-x} + e^{5x}, \text{ por lo que } y'(x) = -4e^{-x} + 5e^{5x} \text{ y } y''(x) = 4e^{-x} + 25e^{5x}.
$$

Entonces

$$
\begin{aligned}
y'' - 4y' - 5y &= (4e^{-x} + 25e^{5x}) - 4(-4e^{-x} + 5e^{5x}) - 5(4e^{-x} + e^{5x}) \\
&= 4e^{-x} + 25e^{5x} + 16e^{-x} - 20e^{5x} - 20e^{-x} - 5e^{5x} \\
&= 0.
\end{aligned}
$$

Así, $y(x) = 4e^{-x} + e^{5x}$ es una solución.

☑ 7.3   Considere la ecuación diferencial

$$y'' + 5y' + 6y = 0.$$

Dado que e^{-2x} y e^{-3x} son soluciones de esta ecuación diferencial, demuestre que $3e^{-2x} + 6e^{-3x}$ es una solución.

Desafortunadamente, para hallar la solución general de una ecuación diferencial de segundo orden, no basta con hallar dos soluciones cualesquiera y luego combinarlas. Considere la ecuación diferencial

$$x'' + 7x' + 12x = 0.$$

Tanto e^{-3t} y $2e^{-3t}$ son soluciones (compruebe esto). Sin embargo, $x(t) = c_1 e^{-3t} + c_2 \left(2e^{-3t}\right)$ *no* es la solución general. Esta expresión no tiene en cuenta todas las soluciones de la ecuación diferencial. En particular, no tiene en cuenta la función e^{-4t}, que también es una solución de la ecuación diferencial.

Resulta que para hallar la solución general de una ecuación diferencial de segundo orden, debemos hallar dos soluciones linealmente independientes. Aquí definimos esa terminología.

Definición

Un conjunto de funciones $f_1(x), f_2(x),\ldots,f_n(x)$ se dice que es **linealmente dependiente** si hay constantes $c_1, c_2,\ldots c_n$, sin que sean todos cero, de modo que $c_1 f_1(x) + c_2 f_2(x) + \cdots + c_n f_n(x) = 0$ para todo x en el intervalo de interés. Un conjunto de funciones que no es linealmente dependiente se dice que es **linealmente independiente**.

En este capítulo, solemos probar conjuntos de solo dos funciones para la independencia lineal, lo que nos permite simplificar esta definición. Desde un punto de vista práctico, vemos que dos funciones son linealmente dependientes si una de ellas es idéntica a cero o si son múltiplos constantes la una de la otra.

Primero demostramos que si las funciones cumplen las condiciones dadas anteriormente, entonces son linealmente dependientes. Si una de las funciones es idéntica a cero, por ejemplo, $f_2(x) \equiv 0$–luego elija $c_1 = 0$ y $c_2 = 1$, y se cumple la condición de dependencia lineal. Si, por el contrario, ni $f_1(x)$ ni $f_2(x)$ son idénticos a cero, pero $f_1(x) = Cf_2(x)$ para alguna constante C, y luego elija $c_1 = \frac{1}{C}$ y $c_2 = -1$, y de nuevo se cumple la condición.

A continuación, demostramos que si dos funciones son linealmente dependientes, entonces una es idéntica a cero o son múltiplos constantes de la otra. Supongamos que $f_1(x)$ y $f_2(x)$ son linealmente independientes. Luego, hay constantes, c_1 y c_2, no sean ambos cero, de manera que

$$c_1 f_1(x) + c_2 f_2(x) = 0$$

para todo x en el intervalo de interés. Entonces,

$$c_1 f_1(x) = -c_2 f_2(x).$$

Ahora bien, como hemos dicho que c_1 y c_2 no pueden ser ambos cero, asuma $c_2 \neq 0$. Entonces, hay dos casos: o bien $c_1 = 0$ o $c_1 \neq 0$. Si $c_1 = 0$, entonces

$$0 = -c_2 f_2(x)$$
$$0 = f_2(x),$$

por lo que una de las funciones es idéntica a cero. Supongamos ahora que $c_1 \neq 0$. Entonces,

$$f_1(x) = \left(-\frac{c_2}{c_1}\right) f_2(x)$$

y vemos que las funciones son múltiplos constantes unas de otras.

Teorema 7.2

Dependencia lineal de dos funciones
Dos funciones, $f_1(x)$ y $f_2(x)$, se dice que son linealmente dependientes si una de ellas es idéntica a cero o si $f_1(x) = Cf_2(x)$ para alguna constante C y para todo x en el intervalo de interés. Las funciones que no son linealmente dependientes se dice que son *linealmente independientes*.

Probar la dependencia lineal
Determine si los siguientes pares de funciones son linealmente dependientes o linealmente independientes.

a. $f_1(x) = x^2$, $f_2(x) = 5x^2$
b. $f_1(x) = \operatorname{sen} x$, $f_2(x) = \cos x$
c. $f_1(x) = e^{3x}$, $f_2(x) = e^{-3x}$
d. $f_1(x) = 3x$, $f_2(x) = 3x + 1$

⊘ **Solución**

a. $f_2(x) = 5f_1(x)$, por lo que las funciones son linealmente dependientes.
b.   No existe una constante C de modo que $f_1(x) = Cf_2(x)$, por lo que las funciones son linealmente independientes.
c.   No existe una constante C de modo que $f_1(x) = Cf_2(x)$, por lo que las funciones son linealmente independientes. No se confunda por el hecho de que los exponentes sean múltiplos constantes entre sí. Con dos funciones exponenciales, a menos que los exponentes sean iguales, las funciones son linealmente independientes.
d.   No existe una constante C de modo que $f_1(x) = Cf_2(x)$, por lo que las funciones son linealmente independientes.

☑ 7.4   Determine si los siguientes pares de funciones son linealmente dependientes o linealmente independientes $f_1(x) = e^x$, $f_2(x) = 3e^{3x}$.

Si somos capaces de hallar dos soluciones linealmente independientes de una ecuación diferencial de segundo orden, entonces podemos combinarlas para hallar la solución general. Este resultado se enuncia formalmente en el siguiente teorema.

Teorema 7.3

Solución general de una ecuación homogénea
Si los valores de $y_1(x)$ y de $y_2(x)$ son soluciones linealmente independientes de una ecuación diferencial de segundo orden, lineal y homogénea, entonces la solución general viene dada por

$$y(x) = c_1 y_1(x) + c_2 y_2(x),$$

donde c_1 y c_2 son constantes.

Cuando decimos que una familia de funciones es la solución general de una ecuación diferencial, queremos decir que (1) toda expresión de esa forma es una solución y (2) toda solución de la ecuación diferencial puede escribirse en esa forma, lo que hace que este teorema sea extremadamente potente. Si podemos hallar dos soluciones linealmente independientes de una ecuación diferencial, habremos hallado *todas* las soluciones de la ecuación diferencial. La demostración de este teorema está fuera del alcance de este texto.

Escribir la solución general
Si los valores de $y_1(t) = e^{3t}$ y $y_2(t) = e^{-3t}$ son soluciones a $y'' - 9y = 0$, ¿cuál es la solución general?

⊘ **Solución**
Observe que y_1 y y_2 no son múltiplos constantes entre sí, por lo que son linealmente independientes. Entonces, la solución general de la ecuación diferencial es $y(t) = c_1 e^{3t} + c_2 e^{-3t}$.

☑ 7.5   Si $y_1(x) = e^{3x}$ como $y_2(x) = xe^{3x}$ son soluciones a $y'' - 6y' + 9y = 0$, ¿cuál es la solución general?

Ecuaciones de segundo orden con coeficientes constantes

Ahora que tenemos una mejor idea de las ecuaciones diferenciales lineales, vamos a concentrarnos en la resolución de ecuaciones de segundo orden de la forma

$$ay'' + by' + cy = 0, \tag{7.2}$$

donde a, b, y c son constantes.

Como todos los coeficientes son constantes, las soluciones probablemente serán funciones con derivadas que son múltiplos constantes de sí mismas. Necesitamos que todos los términos se cancelen, y si al tomar una derivada se introduce un término que no es un múltiplo constante de la función original, es difícil ver cómo se cancela ese término. Las funciones exponenciales tienen derivadas que son múltiplos constantes de la función original, así que veamos qué ocurre cuando probamos una solución de la forma $y(x) = e^{\lambda x}$, donde λ (la letra griega minúscula lambda) es alguna constante.

Si los valores de $y(x) = e^{\lambda x}$, entonces $y'(x) = \lambda e^{\lambda x}$ como $y'' = \lambda^2 e^{\lambda x}$. Sustituyendo estas expresiones en la Ecuación 7.1, obtenemos

$$
\begin{aligned}
ay'' + by' + cy &= a(\lambda^2 e^{\lambda x}) + b(\lambda e^{\lambda x}) + ce^{\lambda x} \\
&= e^{\lambda x}(a\lambda^2 + b\lambda + c).
\end{aligned}
$$

Dado que $e^{\lambda x}$ nunca es cero, esta expresión puede ser igual a cero para todo x solo si

$$a\lambda^2 + b\lambda + c = 0.$$

Llamamos a esto la ecuación característica de la ecuación diferencial.

Definición

La **ecuación característica** de la ecuación diferencial $ay'' + by' + cy = 0$ ¿es $a\lambda^2 + b\lambda + c = 0$.

La ecuación característica es muy importante para hallar soluciones a las ecuaciones diferenciales de esta forma. Podemos resolver la ecuación característica mediante la factorización o utilizando la fórmula cuadrática

$$\lambda = \frac{-b \pm \sqrt{b^2 - 4ac}}{2a}.$$

Esto da lugar a tres casos. La ecuación característica tiene (1) raíces reales distintas; (2) una única raíz real repetida; o (3) raíces complejas conjugadas. Consideramos cada uno de estos casos por separado.

Raíces reales diferenciadas

Si la ecuación característica tiene raíces reales distintas λ_1 y λ_2, entonces $e^{\lambda_1 x}$ y $e^{\lambda_2 x}$ son soluciones linealmente independientes del Ejemplo 7.1, y la solución general viene dada por

$$y(x) = c_1 e^{\lambda_1 x} + c_2 e^{\lambda_2 x},$$

donde c_1 y c_2 son constantes.

Por ejemplo, la ecuación diferencial $y'' + 9y' + 14y = 0$ tiene la ecuación característica asociada $\lambda^2 + 9\lambda + 14 = 0$. Esto se factoriza en $(\lambda + 2)(\lambda + 7) = 0$, que tiene raíces $\lambda_1 = -2$ y $\lambda_2 = -7$. Por lo tanto, la solución general de esta ecuación diferencial es

$$y(x) = c_1 e^{-2x} + c_2 e^{-7x}.$$

Raíz real única repetida

Las cosas son un poco más complicadas si la ecuación característica tiene una raíz real repetida, λ. En este caso, sabemos que $e^{\lambda x}$ es una solución de la Ecuación 7.1, pero es solo una solución y necesitamos dos soluciones linealmente independientes para determinar la solución general. Podríamos estar tentados de probar una función de la forma $ke^{\lambda x}$, donde k es alguna constante, pero no sería linealmente independiente de $e^{\lambda x}$. Por lo tanto, vamos a intentar $xe^{\lambda x}$ como la segunda solución. En primer lugar, hay que tener en cuenta que según la fórmula cuadrática,

$$\lambda = \frac{-b \pm \sqrt{b^2 - 4ac}}{2a}.$$

Pero, λ es una raíz repetida, por lo que $b^2 - 4ac = 0$ y $\lambda = \frac{-b}{2a}$. Por lo tanto, si $y = xe^{\lambda x}$, tenemos

$$y' = e^{\lambda x} + \lambda x e^{\lambda x} \text{ y } y'' = 2\lambda e^{\lambda x} + \lambda^2 x e^{\lambda x}.$$

Sustituyendo estas expresiones en la Ecuación 7.1, vemos que

$$
\begin{aligned}
ay'' + by' + cy &= a(2\lambda e^{\lambda x} + \lambda^2 x e^{\lambda x}) + b(e^{\lambda x} + \lambda x e^{\lambda x}) + cx e^{\lambda x} \\
&= x e^{\lambda x}(a\lambda^2 + b\lambda + c) + e^{\lambda x}(2a\lambda + b) \\
&= x e^{\lambda x}(0) + e^{\lambda x}\left(2a\left(\frac{-b}{2a}\right) + b\right) \\
&= 0 + e^{\lambda x}(0) \\
&= 0.
\end{aligned}
$$

Esto demuestra que $x e^{\lambda x}$ es una solución a la Ecuación 7.1. Dado que $e^{\lambda x}$ y $x e^{\lambda x}$ son linealmente independientes, cuando la ecuación característica tiene una raíz repetida λ, la solución general de la Ecuación 7.1 viene dada por

$$
y(x) = c_1 e^{\lambda x} + c_2 x e^{\lambda x},
$$

donde c_1 y c_2 son constantes.

Por ejemplo, la ecuación diferencial $y'' + 12y' + 36y = 0$ tiene la ecuación característica asociada $\lambda^2 + 12\lambda + 36 = 0$. Esto se factoriza en $(\lambda + 6)^2 = 0$, que tiene una raíz repetida $\lambda = -6$. Por lo tanto, la solución general de esta ecuación diferencial es

$$
y(x) = c_1 e^{-6x} + c_2 x e^{-6x}.
$$

Raíces complejas conjugadas

El tercer caso que debemos considerar es cuando $b^2 - 4ac < 0$. En este caso, cuando aplicamos la fórmula cuadrática, estamos sacando la raíz cuadrada de un número negativo. Debemos utilizar el número imaginario $i = \sqrt{-1}$ para hallar las raíces, que tienen la forma $\lambda_1 = \alpha + \beta i$ y $\lambda_2 = \alpha - \beta i$. El número complejo $\alpha + \beta i$ se llama el *conjugado* de $\alpha - \beta i$. Así, vemos que cuando $b^2 - 4ac < 0$, las raíces de nuestra ecuación característica son siempre conjugadas complejas.

Esto nos crea un pequeño problema. Si seguimos el mismo proceso que utilizamos para las raíces reales distintas, utilizando las raíces de la ecuación característica como los coeficientes de los exponentes de las funciones exponenciales, obtenemos las funciones $e^{(\alpha+\beta i)x}$ y $e^{(\alpha-\beta i)x}$ como nuestras soluciones. Sin embargo, este enfoque plantea problemas. En primer lugar, estas funciones toman valores complejos (imaginarios), y una discusión completa de tales funciones está más allá del alcance de este texto. En segundo lugar, aunque nos sintamos cómodos con las funciones de valor complejo, en este curso no abordamos la idea de una derivada para dichas funciones. Así que, si es posible, nos gustaría hallar dos soluciones de *valor real* linealmente independientes para la ecuación diferencial. A efectos de este desarrollo, vamos a manipular y diferenciar las funciones $e^{(\alpha+\beta i)x}$ y $e^{(\alpha-\beta i)x}$ como si fueran funciones de valor real. Para estas funciones en particular, este enfoque es válido desde el punto de vista matemático, pero tenga en cuenta que hay otros casos en los que las funciones de valor complejo no siguen las mismas reglas que las funciones de valor real. Aquellos que estén interesados en una discusión más profunda de las funciones de valor complejo deben consultar un texto de análisis complejo.

Basado en las raíces $\alpha \pm \beta i$ de la ecuación característica, las funciones $e^{(\alpha+\beta i)x}$ y $e^{(\alpha-\beta i)x}$ son soluciones linealmente independientes de la ecuación diferencial y la solución general viene dada por

$$
y(x) = c_1 e^{(\alpha+\beta i)x} + c_2 e^{(\alpha-\beta i)x}.
$$

Utilizando algunas opciones inteligentes para c_1 y c_2, y un poco de manipulación algebraica, podemos hallar dos soluciones de valor real linealmente independientes a la Ecuación 7.1 y expresar nuestra solución general en esos términos.

Anteriormente nos encontramos con funciones exponenciales con exponentes complejos. Una de las herramientas clave que utilizamos para expresar estas funciones exponenciales en términos de senos y cosenos fue la fórmula de Euler, que nos dice que

$$
e^{i\theta} = \cos\theta + i\operatorname{sen}\theta
$$

para todos los números reales θ.

Volviendo a la solución general, tenemos

$$
\begin{aligned}
y(x) &= c_1 e^{(\alpha+\beta i)x} + c_2 e^{(\alpha-\beta i)x} \\
&= c_1 e^{\alpha x} e^{\beta i x} + c_2 e^{\alpha x} e^{-\beta i x} \\
&= e^{\alpha x}\left(c_1 e^{\beta i x} + c_2 e^{-\beta i x}\right).
\end{aligned}
$$

Aplicando la fórmula de Euler junto con las identidades $\cos(-x) = \cos x$ y $\operatorname{sen}(-x) = -\operatorname{sen} x$, obtenemos

$$y(x) = e^{\alpha x}\left[c_1\left(\cos\beta x + i\,\text{sen}\,\beta x\right) + c_2\left(\cos(-\beta x) + i\,\text{sen}(-\beta x)\right)\right]$$
$$= e^{\alpha x}\left[(c_1 + c_2)\cos\beta x + (c_1 - c_2)i\,\text{sen}\,\beta x\right].$$

Ahora, si elegimos $c_1 = c_2 = \frac{1}{2}$, el segundo término es cero y obtenemos

$$y(x) = e^{\alpha x}\cos\beta x$$

como una solución de valor real a la Ecuación 7.1. Del mismo modo, si elegimos $c_1 = -\frac{i}{2}$ y $c_2 = \frac{i}{2}$, el primer término es cero y obtenemos

$$y(x) = e^{\alpha x}\,\text{sen}\,\beta x$$

como una segunda solución de valor real, linealmente independiente, de la Ecuación 7.1.

Basándonos en esto, vemos que si la ecuación característica tiene raíces complejas conjugadas $\alpha \pm \beta i$, entonces la solución general de la Ecuación 7.1 viene dada por

$$y(x) = c_1 e^{\alpha x}\cos\beta x + c_2 e^{\alpha x}\,\text{sen}\,\beta x$$
$$= e^{\alpha x}\left(c_1\cos\beta x + c_2\,\text{sen}\,\beta x\right),$$

donde c_1 y c_2 son constantes.

Por ejemplo, la ecuación diferencial $y'' - 2y' + 5y = 0$ tiene la ecuación característica asociada $\lambda^2 - 2\lambda + 5 = 0$. Por la fórmula cuadrática, las raíces de la ecuación característica son $1 \pm 2i$. Por lo tanto, la solución general de esta ecuación diferencial es

$$y(x) = e^x\left(c_1\cos 2x + c_2\,\text{sen}\,2x\right).$$

Resumen de resultados

Podemos resolver ecuaciones diferenciales de segundo orden, lineales y homogéneas, con coeficientes constantes, hallando las raíces de la ecuación característica asociada. La forma de la solución general varía, dependiendo de si la ecuación característica tiene raíces reales distintas; una única raíz real repetida; o raíces complejas conjugadas. Los tres casos se resumen en Tabla 7.1.

Raíces de la ecuación característica	Solución general de la ecuación diferencial
Raíces reales distintas, λ_1 y λ_2	$y(x) = c_1 e^{\lambda_1 x} + c_2 e^{\lambda_2 x}$
Una raíz real repetida, λ	$y(x) = c_1 e^{\lambda x} + c_2 x e^{\lambda x}$
Raíces complejas conjugadas $\alpha \pm \beta i$	$y(x) = e^{\alpha x}\left(c_1\cos\beta x + c_2\,\text{sen}\,\beta x\right)$

Tabla 7.1   Resumen de los casos de ecuaciones características

Estrategia de resolución de problemas

Estrategia para la resolución de problemas: Usar la ecuación característica para resolver ecuaciones diferenciales de segundo orden con coeficientes constantes

1. Escriba la ecuación diferencial en la forma $ay'' + by' + cy = 0$.
2. Halle la ecuación característica correspondiente $a\lambda^2 + b\lambda + c = 0$.
3. Factorice la ecuación característica o utilice la fórmula cuadrática para hallar las raíces.
4. Determine la forma de la solución general en función de si la ecuación característica tiene raíces reales distintas; una única raíz real repetida o raíces complejas conjugadas.

EJEMPLO 7.6

Resolver ecuaciones de segundo orden con coeficientes constantes

Halle la solución general de las siguientes ecuaciones diferenciales. Dé sus respuestas como funciones de x.

a. $y'' + 3y' - 4y = 0$

  b. $y'' + 6y' + 13y = 0$
  c. $y'' + 2y' + y = 0$
  d. $y'' - 5y' = 0$
  e. $y'' - 16y = 0$
  f. $y'' + 16y = 0$

⊘ **Solución**

Observe que todas estas ecuaciones ya están dadas en forma estándar (paso 1).

  a.   La ecuación característica es $\lambda^2 + 3\lambda - 4 = 0$ (paso 2). Esto se factoriza en $(\lambda + 4)(\lambda - 1) = 0$, por lo que las raíces de la ecuación característica son $\lambda_1 = -4$ y $\lambda_2 = 1$ (paso 3). Entonces la solución general de la ecuación diferencial es

$$y(x) = c_1 e^{-4x} + c_2 e^x \text{ (paso 4).}$$

  b.   La ecuación característica es $\lambda^2 + 6\lambda + 13 = 0$ (paso 2). Aplicando la fórmula cuadrática, vemos que esta ecuación tiene raíces complejas conjugadas $-3 \pm 2i$ (paso 3). Entonces la solución general de la ecuación diferencial es

$$y(t) = e^{-3t} (c_1 \cos 2t + c_2 \operatorname{sen} 2t) \text{ (paso 4).}$$

  c.   La ecuación característica es $\lambda^2 + 2\lambda + 1 = 0$ (paso 2). Esto se factoriza en $(\lambda + 1)^2 = 0$, por lo que la ecuación característica tiene una raíz real repetida $\lambda = -1$ (paso 3). Entonces la solución general de la ecuación diferencial es

$$y(t) = c_1 e^{-t} + c_2 t e^{-t} \text{ (paso 4).}$$

  d.   La ecuación característica es $\lambda^2 - 5\lambda$ (paso 2). Esto se factoriza en $\lambda(\lambda - 5) = 0$, por lo que las raíces de la ecuación característica son $\lambda_1 = 0$ y $\lambda_2 = 5$ (paso 3). Observe que $e^{0x} = e^0 = 1$, así que nuestra primera solución es solo una constante. Entonces la solución general de la ecuación diferencial es

$$y(x) = c_1 + c_2 e^{5x} \text{ (paso 4).}$$

  e.   La ecuación característica es $\lambda^2 - 16 = 0$ (paso 2). Esto se factoriza en $(\lambda + 4)(\lambda - 4) = 0$, por lo que las raíces de la ecuación característica son $\lambda_1 = 4$ y $\lambda_2 = -4$ (paso 3). Entonces la solución general de la ecuación diferencial es

$$y(x) = c_1 e^{4x} + c_2 e^{-4x} \text{ (paso 4).}$$

  f.   La ecuación característica es $\lambda^2 + 16 = 0$ (paso 2). Esto tiene raíces complejas conjugadas $\pm 4i$ (paso 3). Observe que $e^{0x} = e^0 = 1$, por lo que el término exponencial en nuestra solución es solo una constante. Entonces la solución general de la ecuación diferencial es

$$y(t) = c_1 \cos 4t + c_2 \operatorname{sen} 4t \text{ (paso 4).}$$

  7.6   Halle la solución general de las siguientes ecuaciones diferenciales:

  a. $y'' - 2y' + 10y = 0$
  b. $y'' + 14y' + 49y = 0$

Problemas de valores iniciales y de valores límite

Hasta ahora, hemos encontrado soluciones generales a ecuaciones diferenciales. Sin embargo, las ecuaciones diferenciales se utilizan a menudo para describir sistemas físicos, y la persona que estudia ese sistema físico suele saber algo sobre el estado de ese sistema en uno o varios momentos. Por ejemplo, si una ecuación diferencial de coeficiente constante está representando hasta qué punto se comprime el amortiguador de una motocicleta, podríamos saber que el piloto está sentado en su motocicleta al comienzo de una carrera, el tiempo $t = t_0$. Esto significa que el sistema está en equilibrio, por lo que $y(t_0) = 0$, y la compresión del amortiguador no cambia, por lo que $y'(t_0) = 0$. Con estas dos condiciones iniciales y la solución general de la ecuación diferencial, podemos hallar la solución *específica* de la ecuación diferencial que satisface ambas condiciones iniciales. Este proceso se conoce como *resolución de un problema de valor inicial* (recordemos que hemos hablado de los problemas de valores iniciales en Introducción a las ecuaciones diferenciales (http://openstax.org/books/cálculo-volumen-2/pages/4-introduccion)). Observe que las ecuaciones de segundo orden tienen dos constantes arbitrarias en la solución general, y por lo tanto requerimos dos condiciones iniciales para hallar la solución al problema de valor inicial.

A veces conocemos el estado del sistema en dos momentos diferentes. Por ejemplo, podemos saber $y(t_0) = y_0$ y $y(t_1) = y_1$. Estas condiciones se llaman **condiciones de frontera**, y hallar la solución de la ecuación diferencial que satisface las condiciones de frontera se llama resolver un **problema de valor límite**.

Matemáticos, científicos e ingenieros están interesados en comprender las condiciones en las que un problema de valores iniciales o un problema de valores límite tiene una solución única. Aunque el tratamiento completo de este tema está más allá del alcance de este texto, es útil saber que, en el contexto de las ecuaciones de segundo orden de coeficiente constante, se garantiza que los problemas de valor inicial tienen una solución única, siempre que se proporcionen dos condiciones iniciales. Sin embargo, los problemas de valores límite no se comportan tan bien. Incluso cuando se conocen dos condiciones de frontera, podemos encontrarnos con problemas de valor límite con soluciones únicas, muchas soluciones o ninguna solución.

EJEMPLO 7.7

Resolver un problema de valor inicial

Resuelva el siguiente problema de valor inicial $y'' + 3y' - 4y = 0$, $y(0) = 1$, $y'(0) = -9$.

⊘ **Solución**

Ya resolvimos esta ecuación diferencial en el Ejemplo 7.6a., y encontramos que la solución general es

$$y(x) = c_1 e^{-4x} + c_2 e^x.$$

Entonces

$$y'(x) = -4c_1 e^{-4x} + c_2 e^x.$$

Cuando $x = 0$, tenemos $y(0) = c_1 + c_2$ y $y'(0) = -4c_1 + c_2$. Aplicando las condiciones iniciales, tenemos

$$\begin{aligned} c_1 + c_2 &= 1 \\ -4c_1 + c_2 &= -9. \end{aligned}$$

Luego $c_1 = 1 - c_2$. Sustituyendo esta expresión en la segunda ecuación, vemos que

$$\begin{aligned} -4(1 - c_2) + c_2 &= -9 \\ -4 + 4c_2 + c_2 &= -9 \\ 5c_2 &= -5 \\ c_2 &= -1. \end{aligned}$$

Así que, $c_1 = 2$ y la solución del problema de valor inicial es

$$y(x) = 2e^{-4x} - e^x.$$

✓ 7.7   Resuelva el problema de valor inicial $y'' - 3y' - 10y = 0$, $y(0) = 0$, $y'(0) = 7$.

EJEMPLO 7.8

Resolver un problema de valor inicial y graficar la solución

Resuelva el siguiente problema de valor inicial y grafique la solución:

$$y'' + 6y' + 13y = 0, \ y(0) = 0, \ y'(0) = 2$$

⊘ **Solución**

Ya resolvimos esta ecuación diferencial en el Ejemplo 7.6b., y encontramos que la solución general es

$$y(x) = e^{-3x} \left(c_1 \cos 2x + c_2 \operatorname{sen} 2x \right).$$

Entonces

$$y'(x) = e^{-3x} \left(-2c_1 \operatorname{sen} 2x + 2c_2 \cos 2x \right) - 3e^{-3x} \left(c_1 \cos 2x + c_2 \operatorname{sen} 2x \right).$$

Cuando $x = 0$, tenemos $y(0) = c_1$ y $y'(0) = 2c_2 - 3c_1$. Si aplicamos las condiciones iniciales, obtenemos

$$\begin{aligned} c_1 &= 0 \\ -3c_1 + 2c_2 &= 2. \end{aligned}$$

Por lo tanto, $c_1 = 0$, $c_2 = 1$, y la solución del problema de valor inicial se muestra en el siguiente gráfico.

$$y = e^{-3x} \operatorname{sen} 2x.$$

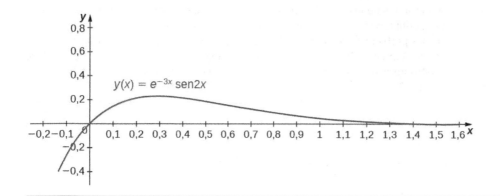

$$y(x) = e^{-3x}\,sen\,2x$$

☑   7.8   Resuelva el siguiente problema de valor inicial y grafique la solución
$$y'' - 2y' + 10y = 0, \, y(0) = 2, \, y'(0) = -1$$

EJEMPLO 7.9

Problema de valor inicial que representa un sistema masa resorte

El siguiente problema de valor inicial modela la posición de un objeto con masa unido a un resorte. Los sistemas masa resorte se examinan en detalle en Aplicaciones. La solución de la ecuación diferencial da la posición de la masa con respecto a una posición neutra (de equilibrio) (en metros) en cualquier momento. (Observe que para los sistemas masa resorte de este tipo se acostumbra a definir la dirección descendente como positiva)

$$y'' + 2y' + y = 0, \, y(0) = 1, \, y'(0) = 0$$

Resuelva el problema de valor inicial y grafique la solución. ¿Cuál es la posición de la masa en el momento $t = 2$ seg? ¿A qué velocidad se mueve la masa en el momento $t = 1$ seg? ¿En qué dirección?

⊘ **Solución**

En el Ejemplo 7.6c., encontramos que la solución general de esta ecuación diferencial es

$$y(t) = c_1 e^{-t} + c_2 t e^{-t}.$$

Entonces

$$y'(t) = -c_1 e^{-t} + c_2 \left(-t e^{-t} + e^{-t} \right).$$

Cuando $t = 0$, tenemos $y(0) = c_1$ y $y'(0) = -c_1 + c_2$. Si aplicamos las condiciones iniciales, obtenemos

$$
\begin{aligned}
c_1 &= 1 \\
-c_1 + c_2 &= 0.
\end{aligned}
$$

Así, $c_1 = 1$, $c_2 = 1$, y la solución del problema de valor inicial es

$$y(t) = e^{-t} + t e^{-t}.$$

Esta solución se representa en el siguiente gráfico. En el tiempo $t = 2$, la masa está en la posición $y(2) = e^{-2} + 2e^{-2} = 3e^{-2} \approx 0{,}406$ m por debajo del equilibrio.

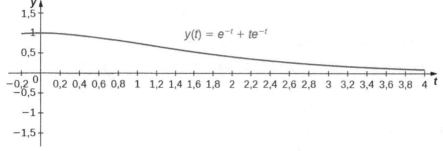

$$y(t) = e^{-t} + t e^{-t}$$

Para calcular la velocidad en el momento $t = 1$, necesitamos hallar la derivada. Tenemos $y(t) = e^{-t} + t e^{-t}$, así que

$$y'(t) = -e^{-t} + e^{-t} - te^{-t} = -te^{-t}.$$

Luego $y'(1) = -e^{-1} \approx -0{,}3679$. En el momento $t = 1$, la masa se mueve hacia arriba a 0,3679 m/s.

 7.9   Supongamos que el siguiente problema de valor inicial modela la posición (en pies) de una masa en un sistema masa resorte en un momento dado. Resuelva el problema de valor inicial y grafique la solución. ¿Cuál es la posición de la masa en el momento $t = 0{,}3$ seg? ¿Qué tan rápido se mueve en el momento $t = 0{,}1$ seg? ¿En qué dirección?

$$y'' + 14y' + 49y = 0, \; y(0) = 0, \; y'(0) = 1$$

EJEMPLO 7.10

Resolver un problema de valor límite
En el Ejemplo 7.6f., resolvimos la ecuación diferencial $y'' + 16y = 0$ y se encontró que la solución general es $y(t) = c_1 \cos 4t + c_2 \sen 4t$. Si es posible, resuelva el problema de valor límite si las condiciones de frontera son las siguientes:

a. $y(0) = 0, \, y\left(\frac{\pi}{4}\right) = 0$
b. $y(0) = 1, \, y\left(\frac{\pi}{8}\right) = 0$
c. $y\left(\frac{\pi}{8}\right) = 0, \, y\left(\frac{3\pi}{8}\right) = 2$

⊘ **Solución**

Tenemos

$$y(x) = c_1 \cos 4t + c_2 \sen 4t.$$

a.   Si aplicamos la primera condición de límite que se da aquí, obtenemos $y(0) = c_1 = 0$. Así que la solución es de la forma $y(t) = c_2 \sen 4t$. Sin embargo, cuando aplicamos la segunda condición de frontera, obtenemos $y\left(\frac{\pi}{4}\right) = c_2 \sen\left(4\left(\frac{\pi}{4}\right)\right) = c_2 \sen \pi = 0$ para todos los valores de c_2. Las condiciones de frontera no son suficientes para determinar un valor para c_2, por lo que este problema de valor límite tiene infinitas soluciones. Así, $y(t) = c_2 \sen 4t$ es una solución para cualquier valor de c_2.
b.   Si aplicamos la primera condición de límite que se da aquí, obtenemos $y(0) = c_1 = 1$. Aplicando la segunda condición de frontera se obtiene $y\left(\frac{\pi}{8}\right) = c_2 = 0$, por lo que $c_2 = 0$. En este caso, tenemos una solución única $y(t) = \cos 4t$.
c.   Si aplicamos la primera condición de límite que se da aquí, obtenemos $y\left(\frac{\pi}{8}\right) = c_2 = 0$. Sin embargo, aplicando la segunda condición de frontera se obtiene $y\left(\frac{3\pi}{8}\right) = -c_2 = 2$, por lo que $c_2 = -2$. No podemos tener $c_2 = 0 = -2$, por lo que este problema de valor límite no tiene solución.

 SECCIÓN 7.1 EJERCICIOS

Clasifique cada una de las siguientes ecuaciones como lineales o no lineales. Si la ecuación es lineal, determine si es homogénea o no homogénea.

1. $x^3 y'' + (x-1) y' - 8y = 0$ **2.** $\left(1 + y^2\right) y'' + xy' - 3y = \cos x$ **3.** $xy'' + e^y y' = x$

4. $y'' + \frac{4}{x} y' - 8xy = 5x^2 + 1$ **5.** $y'' + (\sen x) y' - xy = 4y$ **6.** $y'' + \left(\frac{x+3}{y}\right) y' = 0$

En cada uno de los siguientes problemas, verifique que la función dada es una solución de la ecuación diferencial. Utilice una herramienta gráfica para graficar las soluciones particulares para varios valores de c_1 y c_2. ¿Qué tienen en común las soluciones?

7. **[T]**$y'' + 2y' - 3y = 0;$
$y(x) = c_1 e^x + c_2 e^{-3x}$

8. **[T]**$x^2 y'' - 2y - 3x^2 + 1 = 0;$
$y(x) = c_1 x^2 + c_2 x^{-1} + x^2 \ln(x) + \frac{1}{2}$

9. **[T]**$y'' + 14y' + 49y = 0;$
$y(x) = c_1 e^{-7x} + c_2 x e^{-7x}$

10. **[T]**$6y'' - 49y' + 8y = 0;$
$y(x) = c_1 e^{x/6} + c_2 e^{8x}$

11. $y'' - 3y' - 10y = 0$

12. $y'' - 7y' + 12y = 0$

Halle la solución general de la ecuación diferencial lineal.

13. $y'' + 4y' + 4y = 0$

14. $4y'' - 12y' + 9y = 0$

15. $2y'' - 3y' - 5y = 0$

16. $3y'' - 14y' + 8y = 0$

17. $y'' + y' + y = 0$

18. $5y'' + 2y' + 4y = 0$

19. $y'' - 121y = 0$

20. $8y'' + 14y' - 15y = 0$

21. $y'' + 81y = 0$

22. $y'' - y' + 11y = 0$

23. $2y'' = 0$

24. $y'' - 6y' + 9y = 0$

25. $3y'' - 2y' - 7y = 0$

26. $4y'' - 10y' = 0$

27. $36\frac{d^2 y}{dx^2} + 12\frac{dy}{dx} + y = 0$

28. $25\frac{d^2 y}{dx^2} - 80\frac{dy}{dx} + 64y = 0$

29. $\frac{d^2 y}{dx^2} - 9\frac{dy}{dx} = 0$

30. $4\frac{d^2 y}{dx^2} + 8y = 0$

Resuelva el problema de valor inicial.

31. $y'' + 5y' + 6y = 0,$ $\quad y(0) = 0,\ y'(0) = -2$

32. $y'' + 2y' - 8y = 0,$ $\quad y(0) = 5,\ y'(0) = 4$

33. $y'' + 4y = 0,$ $\quad y(0) = 3,\ y'(0) = 10$

34. $y'' - 18y' + 81y = 0,$ $\quad y(0) = 1,\ y'(0) = 5$

35. $y'' - y' - 30y = 0,$ $\quad y(0) = 1,\ y'(0) = -16$

36. $4y'' + 4y' - 8y = 0,$ $\quad y(0) = 2,\ y'(0) = 1$

37. $25y'' + 10y' + y = 0,$ $\quad y(0) = 2,\ y'(0) = 1$

38. $y'' + y = 0,$ $\quad y(\pi) = 1,\ y'(\pi) = -5$

Resuelva el problema de condición de frontera, si es posible.

39. $y'' + y' - 42y = 0,$ $\quad y(0) = 0,\ y(1) = 2$

40. $9y'' + y = 0,$ $\quad y(\frac{3\pi}{2}) = 6,\ y(0) = -8$

41. $y'' + 10y' + 34y = 0,$ $\quad y(0) = 6,\ y(\pi) = 2$

42. $y'' + 7y' - 60y = 0,$ $\quad y(0) = 4,\ y(2) = 0$

43. $y'' - 4y' + 4y = 0,$ $\quad y(0) = 2,\ y(1) = -1$

44. $y'' - 5y' = 0,$ $\quad y(0) = 3,\ y(-1) = 2$

45. $y'' + 9y = 0,$ $\quad y(0) = 4,\ y\left(\frac{\pi}{3}\right) = -4$

46. $4y'' + 25y = 0,$ $\quad y(0) = 2,\ y(2\pi) = -2$

47. Calcule una ecuación diferencial con solución general que sea $y = c_1 e^{x/5} + c_2 e^{-4x}$.

48. Calcule una ecuación diferencial con solución general que sea $y = c_1 e^x + c_2 e^{-4x/3}$.

En cada una de las siguientes ecuaciones diferenciales:

a. Resuelva el problema de valor inicial.

b. **[T]** Utilice una herramienta gráfica para graficar la solución particular.

49. $y'' + 64y = 0;$ $y(0) = 3, \quad y'(0) = 16$ **50.** $y'' - 2y' + 10y = 0$ $y(0) = 1, \quad y'(0) = 13$

51. $y'' + 5y' + 15y = 0$ $y(0) = -2, \quad y'(0) = 7$

52. (Principio de superposición) Demuestre que si $y_1(x)$ y de $y_2(x)$ son soluciones de una ecuación diferencial lineal homogénea,
$$y'' + p(x)y' + q(x)y = 0,$$
entonces la función
$$y(x) = c_1 y_1(x) + c_2 y_2(x),$$
donde c_1 y c_2 son constantes, también es una solución.

53. Demuestre que si *a*, *b* y *c* son constantes positivas, entonces todas las soluciones de la ecuación diferencial lineal de segundo orden
$$ay'' + by' + cy = 0 \text{ se}$$
acercan a cero a medida que $x \to \infty$. (*Sugerencia:*

Considere tres casos: dos raíces distintas, raíces reales repetidas y raíces complejas conjugadas).

7.2 Ecuaciones lineales no homogéneas

Objetivos de aprendizaje

7.2.1 Escribir la solución general de una ecuación diferencial no homogénea.

7.2.2 Resolver una ecuación diferencial no homogénea por el método de los coeficientes indeterminados.

7.2.3 Resolver una ecuación diferencial no homogénea por el método de variación de parámetros.

En esta sección, examinamos cómo resolver ecuaciones diferenciales no homogéneas. La terminología y los métodos son diferentes de los que utilizamos para las ecuaciones homogéneas, así que vamos a empezar por definir algunos términos nuevos.

Solución general para una ecuación lineal no homogénea

Consideremos la ecuación diferencial lineal no homogénea

$$a_2(x)y'' + a_1(x)y' + a_0(x)y = r(x).$$

La ecuación homogénea asociada

$$a_2\left(x\right)y'' + a_1\left(x\right)y' + a_0\left(x\right)y = 0 \tag{7.3}$$

se denomina **ecuación complementaria**. Veremos que la resolución de la ecuación complementaria es un paso importante para resolver una ecuación diferencial no homogénea.

Definición

Una solución $y_p(x)$ de una ecuación diferencial que no contiene constantes arbitrarias se llama **solución particular** de la ecuación.

Teorema 7.4

Solución general para una ecuación no homogénea

Supongamos que $y_p(x)$ es cualquier solución particular de la ecuación diferencial no homogénea lineal

$$a_2\left(x\right)y'' + a_1\left(x\right)y' + a_0\left(x\right)y = r\left(x\right).$$

Además, supongamos que $c_1 y_1(x) + c_2 y_2(x)$ denota la solución general de la ecuación complementaria. Entonces, la solución general de la ecuación no homogénea viene dada por

$$y(x) = c_1 y_1(x) + c_2 y_2(x) + y_p(x). \tag{7.4}$$

Prueba

Para demostrar que $y(x)$ es la solución general, primero debemos demostrar que resuelve la ecuación diferencial y, segundo, que cualquier solución de la ecuación diferencial puede escribirse en esa forma. Al sustituir $y(x)$ en la ecuación diferencial, tenemos

$$
\begin{aligned}
a_2(x)y'' + a_1(x)y' + a_0(x)y &= a_2(x)\left(c_1 y_1 + c_2 y_2 + y_p\right)'' + a_1(x)\left(c_1 y_1 + c_2 y_2 + y_p\right)' \\
&\quad + a_0(x)\left(c_1 y_1 + c_2 y_2 + y_p\right) \\
&= \left[a_2(x)(c_1 y_1 + c_2 y_2)'' + a_1(x)(c_1 y_1 + c_2 y_2)' + a_0(x)\left(c_1 y_1 + c_2 y_2\right)\right] \\
&\quad + a_2(x){y_p}'' + a_1(x){y_p}' + a_0(x)y_p \\
&= 0 + r(x) \\
&= r(x).
\end{aligned}
$$

Así que $y(x)$ es una solución.

Ahora, supongamos que $z(x)$ es cualquier solución a $a_2\left(x\right)y'' + a_1\left(x\right)y' + a_0\left(x\right)y = r\left(x\right)$. Entonces

$$
\begin{aligned}
a_2(x)\left(z - y_p\right)'' + a_1(x)\left(z - y_p\right)' + a_0(x)\left(z - y_p\right) &= \left(a_2(x)z'' + a_1(x)z' + a_0(x)z\right) \\
&\quad - \left(a_2(x){y_p}'' + a_1(x){y_p}' + a_0(x)y_p\right) \\
&= r(x) - r(x) \\
&= 0,
\end{aligned}
$$

por lo que $z(x) - y_p(x)$ es una solución a la ecuación complementaria. Pero, $c_1 y_1(x) + c_2 y_2(x)$ es la solución general de la ecuación complementaria, por lo que hay constantes c_1 y c_2 tal que

$$z(x) - y_p(x) = c_1 y_1(x) + c_2 y_2(x).$$

Por lo tanto, vemos que $z(x) = c_1 y_1(x) + c_2 y_2(x) + y_p(x).$

$\square$

EJEMPLO 7.11

Verificar la solución general

Dado que $y_p(x) = x$ es una solución particular de la ecuación diferencial $y'' + y = x$, escriba la solución general y compruebe que la solución satisface la ecuación.

⊘ **Solución**

La ecuación complementaria es $y'' + y = 0$, que tiene la solución general $c_1 \cos x + c_2 \operatorname{sen} x$. Entonces, la solución general de la ecuación no homogénea es

$$y(x) = c_1 \cos x + c_2 \operatorname{sen} x + x.$$

Para comprobar que esta es una solución, sustitúyala en la ecuación diferencial. Tenemos

$$y'(x) = -c_1 \operatorname{sen} x + c_2 \cos x + 1 \text{ y } y''(x) = -c_1 \cos x - c_2 \operatorname{sen} x.$$

Entonces

$$\begin{aligned} y''(x) + y(x) &= -c_1 \cos x - c_2 \operatorname{sen} x + c_1 \cos x + c_2 \operatorname{sen} x + x \\ &= x. \end{aligned}$$

Así que, $y(x)$ es una solución para $y'' + y = x$.

☑ 7.10   Dado que $y_p(x) = -2$ es una solución particular para $y'' - 3y' - 4y = 8$, escriba la solución general y verifique que la solución general satisface la ecuación.

En el apartado anterior aprendimos a resolver ecuaciones homogéneas con coeficientes constantes. Por lo tanto, para las ecuaciones no homogéneas de la forma $ay'' + by' + cy = r(x)$, ya sabemos cómo resolver la ecuación complementaria, y el problema se reduce a hallar una solución particular para la ecuación no homogénea. A continuación examinamos dos técnicas para ello: el método de los coeficientes indeterminados y el método de la variación de los parámetros.

Coeficientes indeterminados

El **método de los coeficientes indeterminados** consiste en hacer conjeturas sobre la forma de la solución particular basándose en la forma de $r(x)$. Cuando tomamos derivadas de polinomios, funciones exponenciales, senos y cosenos, obtenemos polinomios, funciones exponenciales, senos y cosenos. Así que cuando $r(x)$ tiene una de estas formas, es posible que la solución de la ecuación diferencial no homogénea tenga esa misma forma. Veamos algunos ejemplos para ver cómo funciona.

EJEMPLO 7.12

Coeficientes indeterminados cuando $r(x)$ es un polinomio
Halle la solución general de $y'' + 4y' + 3y = 3x$.

⊘ **Solución**

La ecuación complementaria es $y'' + 4y' + 3y = 0$, con la solución general $c_1 e^{-x} + c_2 e^{-3x}$. Dado que $r(x) = 3x$, la solución particular podría tener la forma $y_p(x) = Ax + B$. Si este es el caso, entonces tenemos $y_p'(x) = A$ y $y_p''(x) = 0$. Para y_p sea una solución de la ecuación diferencial, debemos encontrar valores para A y B de manera que

$$\begin{aligned} y'' + 4y' + 3y &= 3x \\ 0 + 4(A) + 3(Ax + B) &= 3x \\ 3Ax + (4A + 3B) &= 3x. \end{aligned}$$

Al igualar los coeficientes de los términos similares, tenemos

$$\begin{aligned} 3A &= 3 \\ 4A + 3B &= 0. \end{aligned}$$

Entonces, $A = 1$ y $B = -\frac{4}{3}$, así que $y_p(x) = x - \frac{4}{3}$ y la solución general es

$$y(x) = c_1 e^{-x} + c_2 e^{-3x} + x - \frac{4}{3}.$$

En el Ejemplo 7.12, observe que aunque $r(x)$ no incluía un término constante, era necesario que incluyéramos el término constante en nuestra conjetura. Si hubiéramos asumido una solución de la forma $y_p = Ax$ (sin término constante), no habríamos podido hallar una solución. (¡Verifique esto!). Si se grafica la función $r(x)$ es un polinomio, nuestra conjetura para la solución particular debe ser un polinomio del mismo grado, y debe incluir todos los términos de orden inferior, independientemente de que estén presentes en $r(x)$.

EJEMPLO 7.13

Coeficientes indeterminados cuando $r(x)$ es un exponencial

Halle la solución general de $y'' - y' - 2y = 2e^{3x}$.

⊘ **Solución**

La ecuación complementaria es $y'' - y' - 2y = 0$, con la solución general $c_1 e^{-x} + c_2 e^{2x}$. Dado que $r(x) = 2e^{3x}$, la solución particular podría tener la forma $y_p(x) = Ae^{3x}$. Entonces, tenemos $y_p'(x) = 3Ae^{3x}$ como $y_p''(x) = 9Ae^{3x}$. Para y_p sea una solución de la ecuación diferencial, debemos encontrar un valor para A tal que

$$
\begin{aligned}
y'' - y' - 2y &= 2e^{3x} \\
9Ae^{3x} - 3Ae^{3x} - 2Ae^{3x} &= 2e^{3x} \\
4Ae^{3x} &= 2e^{3x}.
\end{aligned}
$$

Así que, $4A = 2$ y $A = 1/2$. Entonces, $y_p(x) = \left(\frac{1}{2}\right)e^{3x}$, y la solución general es

$$
y(x) = c_1 e^{-x} + c_2 e^{2x} + \frac{1}{2}e^{3x}.
$$

☑   7.11   Halle la solución general de $y'' - 4y' + 4y = 7\,\text{sen}\,t - \cos t$.

En el punto de control anterior, $r(x)$ incluyó los términos del seno y del coseno. Sin embargo, aunque $r(x)$ incluyó un término de seno solamente o un término de coseno solamente, ambos términos deben estar presentes en la conjetura. El método de los coeficientes indeterminados también funciona con productos de polinomios, exponenciales, senos y cosenos. Algunas de las principales formas de $r(x)$ y las conjeturas asociadas para $y_p(x)$ se resumen en la Tabla 7.2.

$r(x)$	Conjetura inicial para $y_p(x)$ grandes.
k (una constante)	A (una constante)
$ax + b$	$Ax + B$ (*Nota*: La conjetura debe incluir ambos términos aunque $b = 0$.)
$ax^2 + bx + c$	$Ax^2 + Bx + C$ (*Nota*: La conjetura debe incluir los tres términos aunque b o c son cero).
Polinomios de orden superior	Polinomio del mismo orden que $r(x)$ grandes.
$ae^{\lambda x}$	$Ae^{\lambda x}$
$a\cos\beta x + b\,\text{sen}\,\beta x$	$A\cos\beta x + B\,\text{sen}\,\beta x$ (*Nota*: La conjetura debe incluir ambos términos, incluso si cualquiera de ellos sean $a = 0$ o $b = 0$.)
$ae^{\alpha x}\cos\beta x + be^{\alpha x}\,\text{sen}\,\beta x$	$Ae^{\alpha x}\cos\beta x + Be^{\alpha x}\,\text{sen}\,\beta x$
$\left(ax^2 + bx + c\right)e^{\lambda x}$	$\left(Ax^2 + Bx + C\right)e^{\lambda x}$
$\left(a_2 x^2 + a_1 x + a_0\right)\cos\beta x$ $+ \left(b_2 x^2 + b_1 x + b_0\right)\text{sen}\,\beta x$	$\left(A_2 x^2 + A_1 x + A_0\right)\cos\beta x$ $+ \left(B_2 x^2 + B_1 x + B_0\right)\text{sen}\,\beta x$

Tabla 7.2   Formas clave del método de los coeficientes indeterminados

$r(x)$	Conjetura inicial para $y_p(x)$ grandes.
$\left(a_2 x^2 + a_1 x + a_0\right) e^{\alpha x} \cos \beta x$ $+ \left(b_2 x^2 + b_1 x + b_0\right) e^{\alpha x} \operatorname{sen} \beta x$	$\left(A_2 x^2 + A_1 x + A_0\right) e^{\alpha x} \cos \beta x$ $+ \left(B_2 x^2 + B_1 x + B_0\right) e^{\alpha x} \operatorname{sen} \beta x$

Tabla 7.2 Formas clave del método de los coeficientes indeterminados

Hay que tener en cuenta que este método tiene un inconveniente importante. Consideremos la ecuación diferencial $y'' + 5y' + 6y = 3e^{-2x}$. Con base en la forma de $r(x)$, adivinamos una solución particular de la forma $y_p(x) = Ae^{-2x}$. Pero cuando sustituimos esta expresión en la ecuación diferencial para encontrar un valor para A, nos encontramos con un problema. Tenemos

$$y_p'(x) = -2Ae^{-2x}$$

y

$$y_p'' = 4Ae^{-2x},$$

por lo que queremos

$$
\begin{aligned}
y'' + 5y' + 6y &= 3e^{-2x} \\
4Ae^{-2x} + 5\left(-2Ae^{-2x}\right) + 6Ae^{-2x} &= 3e^{-2x} \\
4Ae^{-2x} - 10Ae^{-2x} + 6Ae^{-2x} &= 3e^{-2x} \\
0 &= 3e^{-2x},
\end{aligned}
$$

que no es posible.

Si observamos detenidamente, vemos que, en este caso, la solución general de la ecuación complementaria es $c_1 e^{-2x} + c_2 e^{-3x}$. La función exponencial en $r(x)$ es en realidad una solución de la ecuación complementaria, por lo que, como acabamos de ver, todos los términos del lado izquierdo de la ecuación se cancelan. En este caso podemos seguir utilizando el método de los coeficientes indeterminados, pero tenemos que modificar nuestra conjetura multiplicándola por x. Usando la nueva conjetura, $y_p(x) = Axe^{-2x}$, tenemos

$$y_p'(x) = A\left(e^{-2x} - 2xe^{-2x}\right)$$

y

$$y_p''(x) = -4Ae^{-2x} + 4Axe^{-2x}.$$

La sustitución da como resultado

$$
\begin{aligned}
y'' + 5y' + 6y &= 3e^{-2x} \\
\left(-4Ae^{-2x} + 4Axe^{-2x}\right) + 5\left(Ae^{-2x} - 2Axe^{-2x}\right) + 6Axe^{-2x} &= 3e^{-2x} \\
-4Ae^{-2x} + 4Axe^{-2x} + 5Ae^{-2x} - 10Axe^{-2x} + 6Axe^{-2x} &= 3e^{-2x} \\
Ae^{-2x} &= 3e^{-2x}.
\end{aligned}
$$

Así que, $A = 3$ y $y_p(x) = 3xe^{-2x}$. Esto nos da la siguiente solución general

$$y(x) = c_1 e^{-2x} + c_2 e^{-3x} + 3xe^{-2x}.$$

Observe que si xe^{-2x} fuera también una solución de la ecuación complementaria, tendríamos que multiplicar por x de nuevo, y trataríamos $y_p(x) = Ax^2 e^{-2x}$.

Estrategia de resolución de problemas

Estrategia para la resolución de problemas: Método de los coeficientes indeterminados

1. Resuelva la ecuación complementaria y escriba la solución general.
2. Con base en la forma de $r(x)$, haga una conjetura inicial para $y_p(x)$.
3. Compruebe si algún término de la conjetura de $y_p(x)$ es una solución a la ecuación complementaria. Si es así, multiplique la estimación por x. Repita este paso hasta que no haya términos en $y_p(x)$ que resuelven la ecuación

complementaria.

4. Sustituya $y_p(x)$ en la ecuación diferencial e iguale los términos similares para encontrar los valores de los coeficientes desconocidos en $y_p(x)$.

5. Sume la solución general de la ecuación complementaria y la solución particular que acaba de encontrar para obtener la solución general de la ecuación no homogénea.

EJEMPLO 7.14

Resolver ecuaciones no homogéneas

Halle las soluciones generales de las siguientes ecuaciones diferenciales.

a. $y'' - 9y = -6\cos 3x$
b. $x'' + 2x' + x = 4e^{-t}$
c. $y'' - 2y' + 5y = 10x^2 - 3x - 3$
d. $y'' - 3y' = -12t$

⊘ **Solución**

a. La ecuación complementaria es $y'' - 9y = 0$, que tiene la solución general $c_1 e^{3x} + c_2 e^{-3x}$ (paso 1). Con base en la forma de $r(x) = -6\cos 3x$, nuestra suposición inicial para la solución particular es $y_p(x) = A\cos 3x + B\operatorname{sen} 3x$ (paso 2). Ninguno de los términos de $y_p(x)$ resuelven la ecuación complementaria, por lo que es una suposición válida (paso 3).

Ahora queremos encontrar valores para A y B, así que sustituimos y_p en la ecuación diferencial. Tenemos

$$y_p'(x) = -3A\operatorname{sen} 3x + 3B\cos 3x \text{ y } y_p''(x) = -9A\cos 3x - 9B\operatorname{sen} 3x,$$

por lo que queremos encontrar valores de A y B de manera que

$$
\begin{aligned}
y'' - 9y &= -6\cos 3x \\
-9A\cos 3x - 9B\operatorname{sen} 3x - 9(A\cos 3x + B\operatorname{sen} 3x) &= -6\cos 3x \\
-18A\cos 3x - 18B\operatorname{sen} 3x &= -6\cos 3x.
\end{aligned}
$$

Por lo tanto,

$$
\begin{aligned}
-18A &= -6 \\
-18B &= 0.
\end{aligned}
$$

Esto da $A = \frac{1}{3}$ y $B = 0$, así que $y_p(x) = \left(\frac{1}{3}\right)\cos 3x$ (paso 4).

Poniendo todo junto, tenemos la solución general

$$y(x) = c_1 e^{3x} + c_2 e^{-3x} + \frac{1}{3}\cos 3x.$$

b. La ecuación complementaria es $x'' + 2x' + x = 0$, que tiene la solución general $c_1 e^{-t} + c_2 t e^{-t}$ (paso 1). Con base en la forma $r(t) = 4e^{-t}$, nuestra suposición inicial para la solución particular es $x_p(t) = Ae^{-t}$ (paso 2). Sin embargo, vemos que esta conjetura resuelve la ecuación complementaria, por lo que debemos multiplicar por t, lo que da una nueva suposición $x_p(t) = Ate^{-t}$ (paso 3). Comprobando esta nueva conjetura, vemos que también resuelve la ecuación complementaria, por lo que debemos volver a multiplicar por t, lo que da $x_p(t) = At^2 e^{-t}$ (paso 3, de nuevo). Ahora, comprobando esta conjetura, vemos que $x_p(t)$ no resuelve la ecuación complementaria, por lo que es una conjetura válida (paso 3, de nuevo).

Ahora queremos hallar un valor para A, por lo que sustituimos x_p en la ecuación diferencial. Tenemos

$$
\begin{aligned}
x_p(t) &= At^2 e^{-t}, \text{ por lo que} \\
x_p'(t) &= 2Ate^{-t} - At^2 e^{-t}
\end{aligned}
$$

y $x_p''(t) = 2Ae^{-t} - 2Ate^{-t} - \left(2Ate^{-t} - At^2 e^{-t}\right) = 2Ae^{-t} - 4Ate^{-t} + At^2 e^{-t}$.

Sustituyendo en la ecuación diferencial, queremos hallar un valor de A para que

$$x'' + 2x' + x = 4e^{-t}$$
$$2Ae^{-t} - 4Ate^{-t} + At^2e^{-t} + 2\left(2Ate^{-t} - At^2e^{-t}\right) + At^2e^{-t} = 4e^{-t}$$
$$2Ae^{-t} = 4e^{-t}.$$

Esto da $A = 2$, por lo que $x_p(t) = 2t^2 e^{-t}$ (paso 4). Juntando todo, tenemos la solución general

$$x(t) = c_1 e^{-t} + c_2 t e^{-t} + 2t^2 e^{-t}.$$

c. La ecuación complementaria es $y'' - 2y' + 5y = 0$, que tiene la solución general $c_1 e^x \cos 2x + c_2 e^x \operatorname{sen} 2x$ (paso 1). Con base en la forma $r(x) = 10x^2 - 3x - 3$, nuestra suposición inicial para la solución particular es $y_p(x) = Ax^2 + Bx + C$ (paso 2). Ninguno de los términos de $y_p(x)$ resuelven la ecuación complementaria, por lo que es una suposición válida (paso 3). Ahora queremos hallar valores para A, B, y C, por lo que sustituimos y_p en la ecuación diferencial. Tenemos $y_p{}'(x) = 2Ax + B$ y $y_p{}''(x) = 2A$, por lo que queremos hallar valores de A, B, y C de manera que

$$y'' - 2y' + 5y = 10x^2 - 3x - 3$$
$$2A - 2(2Ax + B) + 5\left(Ax^2 + Bx + C\right) = 10x^2 - 3x - 3$$
$$5Ax^2 + (5B - 4A)x + (5C - 2B + 2A) = 10x^2 - 3x - 3.$$

Por lo tanto,

$$5A = 10$$
$$5B - 4A = -3$$
$$5C - 2B + 2A = -3.$$

Esto da $A = 2$, $B = 1$, y $C = -1$, así que $y_p(x) = 2x^2 + x - 1$ (paso 4). Juntando todo, tenemos la solución general

$$y(x) = c_1 e^x \cos 2x + c_2 e^x \operatorname{sen} 2x + 2x^2 + x - 1.$$

d. La ecuación complementaria es $y'' - 3y' = 0$, que tiene la solución general $c_1 e^{3t} + c_2$ (paso 1). Con base en la forma $r(t) = -12t$, nuestra suposición inicial para la solución particular es $y_p(t) = At + B$ (paso 2). Sin embargo, vemos que el término constante de esta conjetura resuelve la ecuación complementaria, por lo que debemos multiplicar por t, lo que da una nueva suposición $y_p(t) = At^2 + Bt$ (paso 3). Comprobando esta nueva conjetura, vemos que ninguno de los términos de $y_p(t)$ resuelve la ecuación complementaria, por lo que es una conjetura válida (paso 3, de nuevo). Ahora queremos hallar valores para A y B, por lo que sustituimos y_p en la ecuación diferencial. Tenemos $y_p{}'(t) = 2At + B$ y $y_p{}''(t) = 2A$, por lo que queremos hallar valores de A y B de manera que

$$y'' - 3y' = -12t$$
$$2A - 3(2At + B) = -12t$$
$$-6At + (2A - 3B) = -12t.$$

Por lo tanto,

$$-6A = -12$$
$$2A - 3B = 0.$$

Esto da $A = 2$ y $B = 4/3$, así que $y_p(t) = 2t^2 + (4/3)t$ (paso 4). Juntando todo, tenemos la solución general

$$y(t) = c_1 e^{3t} + c_2 + 2t^2 + \frac{4}{3}t.$$

☑ 7.12   Halle la solución general de las siguientes ecuaciones diferenciales.

  a. $y'' - 5y' + 4y = 3e^x$
  b. $y'' + y' - 6y = 52\cos 2t$

Variación de los parámetros

A veces, $r(x)$ no es una combinación de polinomios, exponenciales o senos y cosenos. Cuando este es el caso, el método de los coeficientes indeterminados no funciona y tenemos que utilizar otro enfoque para hallar una solución particular a la ecuación diferencial. Utilizamos un enfoque denominado **método de variación de los parámetros**.

Para simplificar un poco nuestros cálculos, vamos a dividir la ecuación diferencial entre a, por lo que tenemos un coeficiente principal de 1. Entonces la ecuación diferencial tiene la forma

$$y'' + py' + qy = r(x),$$

donde p y q son constantes.

Si la solución general de la ecuación complementaria viene dada por $c_1 y_1(x) + c_2 y_2(x)$, vamos a buscar una solución particular de la forma $y_p(x) = u(x)y_1(x) + v(x)y_2(x)$. En este caso, utilizamos las dos soluciones linealmente independientes de la ecuación complementaria para formar nuestra solución particular. Sin embargo, estamos asumiendo que los coeficientes son funciones de x, en vez de constantes. Queremos encontrar funciones $u(x)$ y $v(x)$ de manera que $y_p(x)$ satisfagan la ecuación diferencial. Tenemos

$$\begin{aligned} y_p &= uy_1 + vy_2 \\ y_p' &= u'y_1 + uy_1' + v'y_2 + vy_2' \\ y_p'' &= \left(u'y_1 + v'y_2\right)' + u'y_1' + uy_1'' + v'y_2' + vy_2''. \end{aligned}$$

Sustituyendo en la ecuación diferencial, obtenemos

$$\begin{aligned} y_p'' + py_p' + qy_p &= \left[\left(u'y_1 + v'y_2\right)' + u'y_1' + uy_1'' + v'y_2' + vy_2''\right] \\ &\quad + p\left[u'y_1 + uy_1' + v'y_2 + vy_2'\right] + q\left[uy_1 + vy_2\right] \\ &= u\left[y_1'' + py_1' + qy_1\right] + v\left[y_2'' + py_2' + qy_2\right] \\ &\quad + \left(u'y_1 + v'y_2\right)' + p\left(u'y_1 + v'y_2\right) + \left(u'y_1' + v'y_2'\right). \end{aligned}$$

Observe que y_1 y y_2 son soluciones de la ecuación complementaria, por lo que los dos primeros términos son cero. Por lo tanto, tenemos

$$\left(u'y_1 + v'y_2\right)' + p\left(u'y_1 + v'y_2\right) + \left(u'y_1' + v'y_2'\right) = r(x).$$

Si simplificamos esta ecuación imponiendo la condición adicional $u'y_1 + v'y_2 = 0$, los dos primeros términos son cero, y esto se reduce a $u'y_1' + v'y_2' = r(x)$. Así, con esta condición adicional, tenemos un sistema de dos ecuaciones en dos incógnitas:

$$\begin{aligned} u'y_1 + v'y_2 &= 0 \\ u'y_1' + v'y_2' &= r(x). \end{aligned}$$

La resolución de este sistema nos da u' y v', que podemos integrar para hallar u y v.

Entonces, $y_p(x) = u(x)y_1(x) + v(x)y_2(x)$ es una solución particular de la ecuación diferencial. Resolver este sistema de ecuaciones, a veces, es un reto, así que aprovechemos para repasar la regla de Cramer, que nos permite resolver el sistema de ecuaciones utilizando determinantes.

Regla: regla de Cramer

El sistema de ecuaciones

$$\begin{aligned} a_1 z_1 + b_1 z_2 &= r_1 \\ a_2 z_1 + b_2 z_2 &= r_2 \end{aligned}$$

tiene una solución única si y solo si el determinante de los coeficientes es distinto de cero. En este caso, la solución viene dada por

$$z_1 = \frac{\begin{vmatrix} r_1 & b_1 \\ r_2 & b_2 \end{vmatrix}}{\begin{vmatrix} a_1 & b_1 \\ a_2 & b_2 \end{vmatrix}} \quad \text{y} \quad z_2 = \frac{\begin{vmatrix} a_1 & r_1 \\ a_2 & r_2 \end{vmatrix}}{\begin{vmatrix} a_1 & b_1 \\ a_2 & b_2 \end{vmatrix}}.$$

EJEMPLO 7.15

Usar la regla de Cramer

Utilice la regla de Cramer para resolver el siguiente sistema de ecuaciones.

$$x^2 z_1 + 2x z_2 = 0$$
$$z_1 - 3x^2 z_2 = 2x$$

⊘ Solución

Tenemos

$$a_1(x) = x^2$$
$$a_2(x) = 1$$
$$b_1(x) = 2x$$
$$b_2(x) = -3x^2$$
$$r_1(x) = 0$$
$$r_2(x) = 2x.$$

Entonces,

$$\begin{vmatrix} a_1 & b_1 \\ a_2 & b_2 \end{vmatrix} = \begin{vmatrix} x^2 & 2x \\ 1 & -3x^2 \end{vmatrix} = -3x^4 - 2x$$

y

$$\begin{vmatrix} r_1 & b_1 \\ r_2 & b_2 \end{vmatrix} = \begin{vmatrix} 0 & 2x \\ 2x & -3x^2 \end{vmatrix} = 0 - 4x^2 = -4x^2.$$

Por lo tanto,

$$z_1 = \frac{\begin{vmatrix} r_1 & b_1 \\ r_2 & b_2 \end{vmatrix}}{\begin{vmatrix} a_1 & b_1 \\ a_2 & b_2 \end{vmatrix}} = \frac{-4x^2}{-3x^4 - 2x} = \frac{4x}{3x^3 + 2}.$$

Además,

$$\begin{vmatrix} a_1 & r_1 \\ a_2 & r_2 \end{vmatrix} = \begin{vmatrix} x^2 & 0 \\ 1 & 2x \end{vmatrix} = 2x^3 - 0 = 2x^3.$$

Por lo tanto,

$$z_2 = \frac{\begin{vmatrix} a_1 & r_1 \\ a_2 & r_2 \end{vmatrix}}{\begin{vmatrix} a_1 & b_1 \\ a_2 & b_2 \end{vmatrix}} = \frac{2x^3}{-3x^4 - 2x} = \frac{-2x^2}{3x^3 + 2}.$$

✓ 7.13   Utilice la regla de Cramer para resolver el siguiente sistema de ecuaciones.

$$2x z_1 - 3 z_2 = 0$$
$$x^2 z_1 + 4x z_2 = x + 1$$

Estrategia de resolución de problemas

Estrategia para la resolución de problemas: Método de variación de los parámetros

1. Resuelva la ecuación complementaria y escriba la solución general

$$c_1 y_1(x) + c_2 y_2(x).$$

2. Utilice la regla de Cramer u otra técnica adecuada para hallar funciones $u'(x)$ y $v'(x)$ que satisfacen
$$u' y_1 + v' y_2 = 0$$
$$u' y_1' + v' y_2' = r(x).$$

3. Integre u' y v' para calcular $u(x)$ y $v(x)$. Entonces, $y_p(x) = u(x)y_1(x) + v(x)y_2(x)$ es una solución particular de la ecuación.

4. Sume la solución general de la ecuación complementaria y la solución particular encontrada en el paso 3 para obtener la solución general de la ecuación no homogénea.

EJEMPLO 7.16

Usar el método de variación de los parámetros

Halle la solución general de las siguientes ecuaciones diferenciales.

a. $y'' - 2y' + y = \frac{e^t}{t^2}$

b. $y'' + y = 3\operatorname{sen}^2 x$

⊘ **Solución**

a. La ecuación complementaria es $y'' - 2y' + y = 0$ con la solución general asociada $c_1 e^t + c_2 t e^t$. Por lo tanto, $y_1(t) = e^t$ y $y_2(t) = t e^t$. Calculando las derivadas, obtenemos $y_1'(t) = e^t$ y $y_2'(t) = e^t + t e^t$ (paso 1). Entonces, queremos hallar funciones $u'(t)$ y $v'(t)$ para que

$$u' e^t + v' t e^t = 0$$
$$u' e^t + v' \left(e^t + t e^t\right) = \frac{e^t}{t^2}.$$

Si aplicamos la regla de Cramer, tenemos

$$u' = \frac{\begin{vmatrix} 0 & t e^t \\ \frac{e^t}{t^2} & e^t + t e^t \end{vmatrix}}{\begin{vmatrix} e^t & t e^t \\ e^t & e^t + t e^t \end{vmatrix}} = \frac{0 - t e^t \left(\frac{e^t}{t^2}\right)}{e^t \left(e^t + t e^t\right) - e^t t e^t} = \frac{-\frac{e^{2t}}{t}}{e^{2t}} = -\frac{1}{t}$$

y

$$v' = \frac{\begin{vmatrix} e^t & 0 \\ e^t & \frac{e^t}{t^2} \end{vmatrix}}{\begin{vmatrix} e^t & t e^t \\ e^t & e^t + t e^t \end{vmatrix}} = \frac{e^t \left(\frac{e^t}{t^2}\right)}{e^{2t}} = \frac{1}{t^2} \text{ (paso 2).}$$

Integrando, obtenemos

$$u = -\int \frac{1}{t} dt = -\ln|t|$$

$$v = \int \frac{1}{t^2} dt = -\frac{1}{t} \text{ (paso 3).}$$

Entonces tenemos

$$y_p = -e^t \ln|t| - \frac{1}{t} t e^t$$
$$= -e^t \ln|t| - e^t \text{ (paso 4).}$$

La intersección e^t es una solución de la ecuación complementaria, por lo que no necesitamos llevar ese término a nuestra solución general explícitamente. La solución general es

$$y(t) = c_1 e^t + c_2 t e^t - e^t \ln|t| \quad \text{(paso 5)}.$$

b. La ecuación complementaria es $y'' + y = 0$ con la solución general asociada $c_1 \cos x + c_2 \operatorname{sen} x$. Así que, $y_1(x) = \cos x$ como $y_2(x) = \operatorname{sen} x$ (paso 1). Entonces, queremos hallar funciones $u'(x)$ y $v'(x)$ de manera que

$$u' \cos x + v' \operatorname{sen} x = 0$$

$$-u' \operatorname{sen} x + v' \cos x = 3 \operatorname{sen}^2 x.$$

Si aplicamos la regla de Cramer, tenemos

$$u' = \frac{\begin{vmatrix} 0 & \operatorname{sen} x \\ 3\operatorname{sen}^2 x & \cos x \end{vmatrix}}{\begin{vmatrix} \cos x & \operatorname{sen} x \\ -\operatorname{sen} x & \cos x \end{vmatrix}} = \frac{0 - 3\operatorname{sen}^3 x}{\cos^2 x + \operatorname{sen}^2 x} = -3\operatorname{sen}^3 x$$

y

$$v' = \frac{\begin{vmatrix} \cos x & 0 \\ -\operatorname{sen} x & 3\operatorname{sen}^2 x \end{vmatrix}}{\begin{vmatrix} \cos x & \operatorname{sen} x \\ -\operatorname{sen} x & \cos x \end{vmatrix}} = \frac{3\operatorname{sen}^2 x \cos x}{1} = 3\operatorname{sen}^2 x \cos x \quad \text{(paso 2)}.$$

Integrando primero para hallar u, obtenemos

$$u = \int -3\operatorname{sen}^3 x \, dx = -3\left[-\frac{1}{3}\operatorname{sen}^2 x \cos x + \frac{2}{3}\int \operatorname{sen} x \, dx \right] = \operatorname{sen}^2 x \cos x + 2\cos x.$$

Ahora, integramos para encontrar v. Usando la sustitución (con $w = \operatorname{sen} x$), obtenemos

$$v = \int 3\operatorname{sen}^2 x \cos x \, dx = \int 3w^2 \, dw = w^3 = \operatorname{sen}^3 x.$$

Entonces,

$$
\begin{aligned}
y_p &= \left(\operatorname{sen}^2 x \cos x + 2\cos x\right)\cos x + \left(\operatorname{sen}^3 x\right)\operatorname{sen} x \\
&= \operatorname{sen}^2 x \cos^2 x + 2\cos_2 x + \operatorname{sen}^4 x \\
&= 2\cos^2 x + \operatorname{sen}^2 x \left(\cos^2 x + \operatorname{sen}^2 x\right) \quad \text{(paso 4)}. \\
&= 2\cos^2 x + \operatorname{sen}^2 x \\
&= \cos^2 x + 1
\end{aligned}
$$

La solución general es

$$y(x) = c_1 \cos x + c_2 \operatorname{sen} x + 1 + \cos^2 x \quad \text{(paso 5)}.$$

✓   7.14   Halle la solución general de las siguientes ecuaciones diferenciales.

    a. $y'' + y = \sec x$

    b. $x'' - 2x' + x = \dfrac{e^t}{t}$

📘 **SECCIÓN 7.2 EJERCICIOS**

Resuelva las siguientes ecuaciones utilizando el método de los coeficientes indeterminados.

54. $2y'' - 5y' - 12y = 6$ **55.** $3y'' + y' - 4y = 8$ **56.** $y'' - 6y' + 5y = e^{-x}$

57. $y'' + 16y = e^{-2x}$ **58.** $y'' - 4y = x^2 + 1$ **59.** $y'' - 4y' + 4y = 8x^2 + 4x$

60. $y'' - 2y' - 3y = \operatorname{sen} 2x$ **61.** $y'' + 2y' + y = \operatorname{sen} x + \cos x$ **62.** $y'' + 9y = e^x \cos x$

63. $y'' + y = 3 \operatorname{sen} 2x + x \cos 2x$ **64.** $y'' + 3y' - 28y = 10e^{4x}$ **65.** $y'' + 10y' + 25y = xe^{-5x} + 4$

En cada uno de los siguientes problemas,

   a. Escriba la forma de la solución particular $y_p(x)$ para el método de los coeficientes indeterminados.

   b. **[T]** Utilice un sistema de álgebra computacional para hallar una solución particular a la ecuación dada.

66. $y'' - y' - y = x + e^{-x}$ **67.** $y'' - 3y = x^2 - 4x + 11$ **68.** $y'' - y' - 4y = e^x \cos 3x$

69. $2y'' - y' + y = \left(x^2 - 5x\right) e^{-x}$ **70.** $4y'' + 5y' - 2y = e^{2x} + x \operatorname{sen} x$ **71.** $y'' - y' - 2y = x^2 e^x \operatorname{sen} x$

Resuelva la ecuación diferencial utilizando el método de los coeficientes indeterminados o el de la variación de los parámetros.

72. $y'' + 3y' - 4y = 2e^x$ **73.** $y'' + 2y' = e^{3x}$ **74.** $y'' + 6y' + 9y = e^{-x}$

75. $y'' + 2y' - 8y = 6e^{2x}$

Resuelva la ecuación diferencial utilizando el método de variación de los parámetros.

76. $4y'' + y = 2 \operatorname{sen} x$ **77.** $y'' - 9y = 8x$ **78.** $y'' + y = \sec x, \qquad 0 < x < \pi/2$

79. $y'' + 4y = 3 \csc 2x, \quad 0 < x < \pi/2$

Halle la única solución que satisface la ecuación diferencial y las condiciones iniciales dadas, donde $y_p(x)$ es la solución particular.

80. $y'' - 2y' + y = 12e^x,$
$y_p(x) = 6x^2 e^x,$
$y(0) = 6, \ y'(0) = 0$

81. $y'' - 7y' = 4xe^{7x},$
$y_p(x) = \frac{2}{7}x^2 e^{7x} - \frac{4}{49}xe^{7x},$
$y(0) = -1, \ y'(0) = 0$

82. $y'' + y = \cos x - 4 \operatorname{sen} x,$
$y_p(x) = 2x \cos x + \frac{1}{2}x \operatorname{sen} x,$
$y(0) = 8, \ y'(0) = -4$

83. $y'' - 5y' = e^{5x} + 8e^{-5x},$
$y_p(x) = \frac{1}{5}xe^{5x} + \frac{4}{25}e^{-5x},$
$y(0) = -2, \ y'(0) = 0$

En cada uno de los siguientes problemas, dos soluciones linealmente independientes —y_1 y y_2—que satisfacen la ecuación homogénea correspondiente. Utilice el método de variación de los parámetros para hallar una solución particular a la ecuación no homogénea dada. Supongamos que x > 0 en cada ejercicio.

84. $x^2 y'' + 2xy' - 2y = 3x,$
$y_1(x) = x, \quad y_2(x) = x^{-2}$

85. $x^2 y'' - 2y = 10x^2 - 1,$
$y_1(x) = x^2, \quad y_2(x) = x^{-1}$

7.3 Aplicaciones

Objetivos de aprendizaje

7.3.1   Resolver una ecuación diferencial de segundo orden que represente un movimiento armónico simple.

7.3.2   Resolver una ecuación diferencial de segundo orden que represente un movimiento armónico simple amortiguado.

7.3.3   Resolver una ecuación diferencial de segundo orden que represente un movimiento armónico simple forzado.

7.3.4   Resolver una ecuación diferencial de segundo orden que represente la carga y la corriente en un circuito RLC en serie.

En la introducción del capítulo vimos que las ecuaciones diferenciales lineales de segundo orden se utilizan para modelar muchas situaciones en física e ingeniería. En esta sección, veremos cómo funciona esto para sistemas de un objeto con masa unido a un resorte vertical y un circuito eléctrico que contiene un resistor, un inductor y un condensador conectados en serie. Estos modelos pueden utilizarse para aproximar otras situaciones más complicadas; por ejemplo, los enlaces entre átomos o moléculas suelen modelarse como resortes que vibran, tal y como describen estas mismas ecuaciones diferenciales.

Movimiento armónico simple

Consideremos una masa suspendida de un resorte unido a un soporte rígido. (Esto se llama comúnmente un sistema masa resorte) La gravedad tira de la masa hacia abajo y la fuerza restauradora del resorte tira de la masa hacia arriba. Como se muestra en la Figura 7.2, cuando estas dos fuerzas son iguales, se dice que la masa está en posición de equilibrio. Si la masa se desplaza del equilibrio, oscila hacia arriba y hacia abajo. Este comportamiento puede modelarse mediante una ecuación diferencial de segundo orden de coeficiente constante.

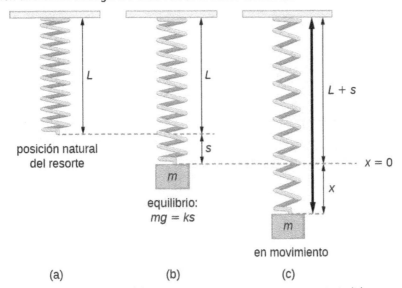

Figura 7.2   Un resorte en su posición natural (a), en equilibrio con una masa m acoplada (b), y en movimiento oscilatorio (c).

Supongamos que $x(t)$ denotan el desplazamiento de la masa desde el equilibrio. Observe que para este tipo de sistema masa resorte es habitual adoptar la convención de que la bajada es positiva. Así, un desplazamiento positivo indica que la masa está *por debajo* del punto de equilibrio, mientras que un desplazamiento negativo indica que la masa está *por encima* del equilibrio. El desplazamiento suele indicarse en pies en el sistema inglés o en metros en el sistema métrico.

Considere las fuerzas que actúan sobre la masa. La fuerza de la gravedad viene dada por mg. En el sistema inglés, la masa se expresa en "slugs" y la aceleración resultante de la gravedad se expresa en pies por segundo al cuadrado. La aceleración resultante de la gravedad es constante, por lo que en el sistema inglés, $g = 32$ ft/s². Recordemos que 1 slug-pies/s² es una libra, por lo que la expresión mg puede expresarse en libras. Las unidades del sistema métrico son los kilogramos para la masa y los m/s² para la aceleración gravitacional. En el sistema métrico, tenemos $g = 9,8$ m/s².

Según la ley de Hooke, la fuerza restauradora del resorte es proporcional al desplazamiento y actúa en sentido contrario al desplazamiento, por lo que la fuerza restauradora viene dada por $-k(s + x)$. La constante del resorte se indica en libras por pie en el sistema inglés y en newtons por metro en el sistema métrico.

Ahora, según la segunda ley de Newton, la suma de las fuerzas sobre el sistema (la gravedad más la fuerza restauradora) es igual a la masa por la aceleración, por lo que tenemos

$$\begin{aligned} mx'' &= -k(s+x) + mg \\ &= -ks - kx + mg. \end{aligned}$$

Sin embargo, por la forma en que hemos definido nuestra posición de equilibrio, $mg = ks$, la ecuación diferencial se convierte en

$$mx'' + kx = 0.$$

Es conveniente reordenar esta ecuación e introducir una nueva variable, llamada frecuencia angular, ω. Supongamos que $\omega = \sqrt{k/m}$, podemos escribir la ecuación como

$$x'' + \omega^2 x = 0. \tag{7.5}$$

Esta ecuación diferencial tiene la solución general

$$x(t) = c_1 \cos \omega t + c_2 \operatorname{sen} \omega t, \tag{7.6}$$

que da la posición de la masa en cualquier punto en el tiempo. El movimiento de la masa se llama **movimiento armónico simple**. El periodo de este movimiento (el tiempo que tarda en completar una oscilación) es $T = \frac{2\pi}{\omega}$ y la frecuencia es $f = \frac{1}{T} = \frac{\omega}{2\pi}$ (Figura 7.3).

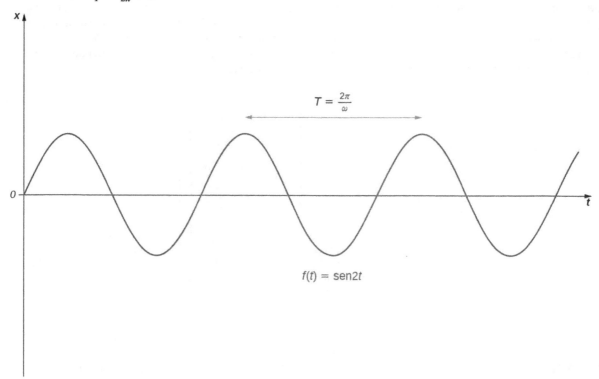

Figura 7.3 Gráfico del desplazamiento vertical en función del tiempo para un movimiento armónico simple.

EJEMPLO 7.17

Movimiento armónico simple

Supongamos que un objeto que pesa 2 libras estira un resorte de 6 pulgadas. Calcule la ecuación del movimiento si el resorte se libera de la posición de equilibrio con una velocidad hacia arriba de 16 ft/s. ¿Cuál es el periodo del movimiento?

⊘ **Solución**

Primero tenemos que calcular la constante del resorte. Tenemos

$$\begin{aligned} mg &= ks \\ 2 &= k\left(\tfrac{1}{2}\right) \\ k &= 4. \end{aligned}$$

También sabemos que el peso W es igual al producto de la masa m por la aceleración debida a la gravedad g. En unidades inglesas, la aceleración debida a la gravedad es de 32 ft/s^2.

$$\begin{aligned} W &= mg \\ 2 &= m(32) \\ m &= \tfrac{1}{16} \end{aligned}$$

Así, la ecuación diferencial que representa este sistema es

$$\frac{1}{16}x'' + 4x = 0.$$

Multiplicando por 16, obtenemos $x'' + 64x = 0$, que también puede escribirse en la forma $x'' + (8^2)x = 0$. Esta ecuación tiene la solución general

$$x(t) = c_1\cos(8t) + c_2\operatorname{sen}(8t).$$

La masa fue liberada de la posición de equilibrio, por lo que $x(0) = 0$, y tenía una velocidad inicial hacia arriba de 16 ft/s por lo que $x'(0) = -16$. Si aplicamos estas condiciones iniciales para resolver c_1 y c_2. da como resultado

$$x(t) = -2\operatorname{sen}8t.$$

El periodo de este movimiento es $\frac{2\pi}{8} = \frac{\pi}{4}$ seg.

☑ 7.15   Una masa de 200 g estira un resorte de 5 cm. Halle la ecuación del movimiento de la masa si se suelta del reposo desde una posición 10 cm por debajo de la posición de equilibrio. ¿Cuál es la frecuencia de este movimiento?

Escribir la solución general en la forma $x(t) = c_1\cos(\omega t) + c_2\operatorname{sen}(\omega t)$ tiene algunas ventajas. Es fácil ver el vínculo entre la ecuación diferencial y la solución, y el periodo y la frecuencia del movimiento son evidentes. Sin embargo, esta forma de la función nos dice muy poco sobre la amplitud del movimiento. En algunas situaciones, podemos preferir escribir la solución en la forma

$$x(t) = A\operatorname{sen}(\omega t + \phi). \tag{7.7}$$

Aunque el vínculo con la ecuación diferencial no es tan explícito en este caso, el periodo y la frecuencia del movimiento siguen siendo evidentes. Además, la amplitud del movimiento, A, es evidente en esta forma de la función. La constante ϕ se llama *desplazamiento de fase* y tiene el efecto de desplazar el gráfico de la función hacia la izquierda o la derecha.

Para convertir la solución a esta forma, queremos hallar los valores de A y ϕ tal que

$$c_1\cos(\omega t) + c_2\operatorname{sen}(\omega t) = A\operatorname{sen}(\omega t + \phi).$$

Primero aplicamos la identidad trigonométrica

$$\operatorname{sen}(\alpha + \beta) = \operatorname{sen}\alpha\cos\beta + \cos\alpha\operatorname{sen}\beta$$

para obtener

$$\begin{aligned} c_1\cos(\omega t) + c_2\operatorname{sen}(\omega t) &= A(\operatorname{sen}(\omega t)\cos\phi + \cos(\omega t)\operatorname{sen}\phi) \\ &= A\operatorname{sen}\phi(\cos(\omega t)) + A\cos\phi(\operatorname{sen}(\omega t)). \end{aligned}$$

Por lo tanto,

$$c_1 = A\operatorname{sen}\phi \text{ y } c_2 = A\cos\phi.$$

Si elevamos al cuadrado ambas ecuaciones y las sumamos, obtenemos

$$\begin{aligned} c_1^2 + c_2^2 &= A^2\operatorname{sen}^2\phi + A^2\cos^2\phi \\ &= A^2(\operatorname{sen}^2\phi + \cos^2\phi) \\ &= A^2. \end{aligned}$$

Por lo tanto,

$$A = \sqrt{c_1^2 + c_2^2}.$$

Ahora, para hallar ϕ, regrese a las ecuaciones para c_1 y c_2, pero esta vez, divida la primera ecuación entre la segunda para obtener

$$\frac{c_1}{c_2} = \frac{A\operatorname{sen}\phi}{A\cos\phi}$$
$$= \tan\phi.$$

Entonces,

$$\tan\phi = \frac{c_1}{c_2}.$$

Resumimos este hallazgo en el siguiente teorema.

Teorema 7.5

Solución a la ecuación del movimiento armónico simple

La función $x(t) = c_1\cos(\omega t) + c_2\operatorname{sen}(\omega t)$ se puede escribir de la forma $x(t) = A\operatorname{sen}(\omega t + \phi)$, donde $A = \sqrt{c_1^2 + c_2^2}$ y $\tan\phi = \frac{c_1}{c_2}$.

Tenga en cuenta que al utilizar la fórmula $\tan\phi = \frac{c_1}{c_2}$ para calcular ϕ, debemos tener cuidado de asegurarnos de que ϕ esté en el cuadrante derecho (Figura 7.4).

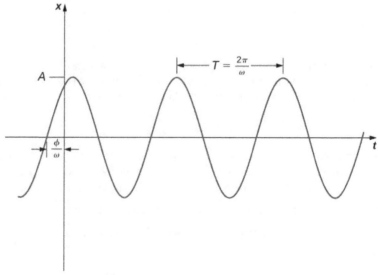

Figura 7.4   Gráfico del desplazamiento vertical en función del tiempo para un movimiento armónico simple con cambio de fase.

EJEMPLO 7.18

Expresar la solución con desplazamiento de fase
Exprese las siguientes funciones en la forma $A\operatorname{sen}(\omega t + \phi)$. ¿Cuál es la frecuencia del movimiento? ¿La amplitud?

a. $x(t) = 2\cos(3t) + \operatorname{sen}(3t)$ grandes.
b. $x(t) = 3\cos(2t) - 2\operatorname{sen}(2t)$

⊘ **Solución**

a. Tenemos

$$A = \sqrt{c_1^2 + c_2^2} = \sqrt{2^2 + 1^2} = \sqrt{5}$$

y

$$\tan\phi = \frac{c_1}{c_2} = \frac{2}{1} = 2.$$

Observe que ambos c_1 y c_2 son positivos, por lo que ϕ está en el primer cuadrante. Por lo tanto,
$$\phi \approx 1{,}107 \text{ rad},$$

por lo que tenemos
$$x(t) = 2\cos(3t) + \operatorname{sen}(3t) = \sqrt{5}\operatorname{sen}(3t + 1{,}107).$$

La frecuencia es $\frac{\omega}{2\pi} = \frac{3}{2\pi} \approx 0{,}477$. La amplitud es $\sqrt{5}$.

b. Tenemos
$$A = \sqrt{c_1^2 + c_2^2} = \sqrt{3^2 + 2^2} = \sqrt{13}$$

y

$$\tan\phi = \frac{c_1}{c_2} = \frac{3}{-2} = -\frac{3}{2}.$$

Observe que c_1 es positivo pero c_2 es negativo, por lo que ϕ está en el cuarto cuadrante. Por lo tanto,
$$\phi \approx -0{,}983 \text{ rad},$$

por lo que tenemos
$$\begin{aligned} x(t) &= 3\cos(2t) - 2\operatorname{sen}(2t) \\ &= \sqrt{13}\operatorname{sen}(2t - 0{,}983). \end{aligned}$$

La frecuencia es $\frac{\omega}{2\pi} = \frac{2}{2\pi} \approx 0{,}318$. La amplitud es $\sqrt{13}$.

☑ 7.16   Exprese la función $x(t) = \cos(4t) + 4\operatorname{sen}(4t)$ en la forma $A\operatorname{sen}(\omega t + \phi)$. ¿Cuál es la frecuencia del movimiento? ¿La amplitud?

Vibraciones amortiguadas

Con el modelo recién descrito, el movimiento de la masa continúa indefinidamente. Está claro que esto no sucede realmente. En el mundo real, casi siempre hay algo de fricción en el sistema, lo que hace que las oscilaciones desaparezcan lentamente, un efecto llamado *amortiguación*. Así que ahora vamos a ver cómo incorporar esa fuerza de amortiguación en nuestra ecuación diferencial.

Los sistemas masa resorte físicos casi siempre tienen algo de amortiguación como resultado de la fricción, la resistencia del aire o un amortiguador físico, llamado *amortiguador* (un cilindro neumático; vea la Figura 7.5).

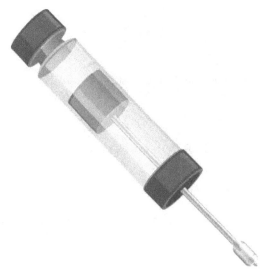

Figura 7.5 Un amortiguador es un cilindro neumático que amortigua el movimiento de un sistema oscilante.

Dado que la amortiguación es principalmente una fuerza de fricción, suponemos que es proporcional a la velocidad de la masa y que actúa en sentido contrario. Así, la fuerza de amortiguación viene dada por $-bx'$ para alguna constante $b > 0$. Aplicando de nuevo la segunda ley de Newton, la ecuación diferencial se convierte en

$$mx'' + bx' + kx = 0.$$

Entonces la ecuación característica asociada es

$$m\lambda^2 + b\lambda + k = 0.$$

Aplicando la fórmula cuadrática, tenemos

$$\lambda = \frac{-b \pm \sqrt{b^2 - 4mk}}{2m}.$$

Al igual que en las ecuaciones lineales de segundo orden, consideramos tres casos, basados en si la ecuación característica tiene raíces reales distintas, una raíz real repetida o raíces complejas conjugadas.

Caso 1: $b^2 > 4mk$

En este caso, decimos que el sistema es *sobreamortiguado*. La solución general tiene la forma

$$x(t) = c_1 e^{\lambda_1 t} + c_2 e^{\lambda_2 t},$$

donde ambos λ_1 y λ_2 son inferiores a cero. Como los exponentes son negativos, el desplazamiento decae hasta llegar a cero con el tiempo, normalmente con bastante rapidez. Los sistemas sobreamortiguados no oscilan (no hay más de un cambio de dirección), sino que simplemente se mueven hacia la posición de equilibrio. La Figura 7.6 muestra cómo es el comportamiento típico de un sistema críticamente amortiguado.

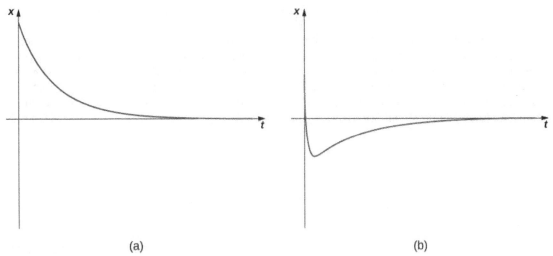

Figura 7.6 Comportamiento de un sistema masa resorte sobreamortiguado, sin cambio de dirección (a) y con un solo cambio de dirección (b).

EJEMPLO 7.19

Sistema masa resorte sobreamortiguado

Una masa de 16 libras está unida a un resorte de 10 pies. Cuando la masa se detiene en la posición de equilibrio, el resorte mide 15 pies 4 pulgadas. El sistema se sumerge en un medio que imparte una fuerza de amortiguación igual a $\frac{5}{2}$ veces la velocidad instantánea de la masa. Halle la ecuación del movimiento si la masa es empujada hacia arriba desde la posición de equilibrio con una velocidad inicial hacia arriba de 5 ft/s. ¿Cuál es la posición de la masa después de 10 segundos? ¿Su velocidad?

⊘ **Solución**

La masa estira el resorte 5 pies y 4 pulgadas, o $\frac{16}{3}$ pies. Así, $16 = \left(\frac{16}{3}\right)k$, por lo que $k = 3$. También tenemos $m = \frac{16}{32} = \frac{1}{2}$, por lo que la ecuación diferencial es

$$\frac{1}{2}x'' + \frac{5}{2}x' + 3x = 0.$$

Multiplicando por 2 se obtiene $x'' + 5x' + 6x = 0$, que tiene la solución general

$$x(t) = c_1 e^{-2t} + c_2 e^{-3t}.$$

Si aplicamos las condiciones iniciales, $x(0) = 0$ y $x'(0) = -5$, obtenemos

$$x(t) = -5e^{-2t} + 5e^{-3t}.$$

Después de 10 segundos la masa está en la posición

$$x(10) = -5e^{-20} + 5e^{-30} \approx -1{,}0305 \times 10^{-8} \approx 0,$$

por lo que está, efectivamente, en la posición de equilibrio. Tenemos $x'(t) = 10e^{-2t} - 15e^{-3t}$, por lo que después de 10 segundos la masa se mueve a una velocidad de

$$x'(10) = 10e^{-20} - 15e^{-30} \approx 2{,}061 \times 10^{-8} \approx 0.$$

Después de solo 10 segundos, la masa apenas se mueve.

☑ 7.17   Una masa de 2 kg está unida a un resorte con una constante de resorte de 24 N/m. A continuación, el sistema se sumerge en un medio que imparte una fuerza de amortiguación igual a 16 veces la velocidad instantánea de la masa. Halle la ecuación del movimiento si se libera del reposo en un punto situado 40 cm por debajo del equilibrio.

Caso 2: $b^2 = 4mk$

En este caso, decimos que el sistema está *amortiguado críticamente*. La solución general tiene la forma

$$x(t) = c_1 e^{\lambda_1 t} + c_2 t e^{\lambda_1 t},$$

donde λ_1 es inferior a cero. El movimiento de un sistema amortiguado críticamente es muy similar al de un sistema sobreamortiguado. No oscila. Sin embargo, con un sistema amortiguado críticamente, si la amortiguación se reduce aunque sea un poco, se produce un comportamiento oscilatorio. Desde el punto de vista práctico, los sistemas físicos están casi siempre sobreamortiguados o infraamortiguados (caso 3, que consideramos a continuación). Es imposible afinar las características de un sistema físico para que b^2 y $4mk$ sean exactamente iguales. La Figura 7.7 muestra el comportamiento típico de la amortiguación crítica.

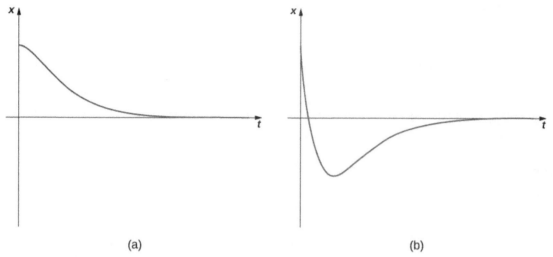

(a)   (b)

Figura 7.7 Comportamiento de un sistema masa resorte críticamente amortiguado. El sistema representado en la parte (a) tiene más amortiguación que el sistema representado en la parte (b).

EJEMPLO 7.20

Sistema masa resorte con amortiguación crítica
Una masa de 1 kg estira un resorte 20 cm. El sistema está unido a un amortiguador que imparte una fuerza de amortiguación igual a 14 veces la velocidad instantánea de la masa. Halle la ecuación del movimiento si la masa se libera del equilibrio con una velocidad hacia arriba de 3 m/s.

⊘ **Solución**
Tenemos $mg = 1\,(9,8) = 0,2k$, por lo que $k = 49$. Entonces, la ecuación diferencial es

$$x'' + 14x' + 49x = 0,$$

que tiene solución general

$$x(t) = c_1 e^{-7t} + c_2 t e^{-7t}.$$

Si aplicamos las condiciones iniciales $x(0) = 0$ y $x'(0) = -3$ da como resultado

$$x(t) = -3t e^{-7t}.$$

☑ 7.18   Un peso de 1 libra estira un resorte de 6 pulgadas, y el sistema está unido a un amortiguador que imparte una fuerza de amortiguación igual a la mitad de la velocidad instantánea de la masa. Halle la ecuación del movimiento si la masa se libera del reposo en un punto que está 6 pulgadas por debajo del equilibrio.

Caso 3: $b^2 < 4mk$
En este caso, decimos que el sistema está *infraamortiguado*. La solución general tiene la forma

$$x(t) = e^{\alpha t}\,(c_1 \cos{(\beta t)} + c_2 \operatorname{sen}{(\beta t)}),$$

donde α es inferior a cero. Los sistemas poco amortiguados oscilan debido a los términos del seno y el coseno en la solución. Sin embargo, el término exponencial acaba dominando, por lo que la amplitud de las oscilaciones disminuye con el tiempo. Figura 7.8 muestra el aspecto del típico comportamiento subamortiguado.

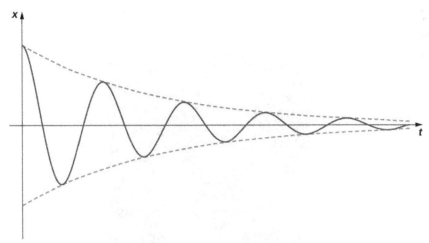

Figura 7.8 Comportamiento de un sistema masa resorte infraamortiguado.

Observe que para todos los sistemas amortiguados, $\lim\limits_{t\to\infty} x(t) = 0$. El sistema siempre se aproxima a la posición de equilibrio a lo largo del tiempo.

EJEMPLO 7.21

Sistema masa resorte sin amortiguación

Un peso de 16 libras estira un resorte 3,2 pies. Supongamos que la fuerza de amortiguación del sistema es igual a la velocidad instantánea de la masa. Halle la ecuación del movimiento si la masa se libera del reposo en un punto que está a 9 pulgadas por debajo del equilibrio.

Solución

Tenemos $k = \frac{16}{3,2} = 5$ y $m = \frac{16}{32} = \frac{1}{2}$, por lo que la ecuación diferencial es

$$\frac{1}{2}x'' + x' + 5x = 0, \text{ o } x'' + 2x' + 10x = 0.$$

Esta ecuación tiene la solución general

$$x(t) = e^{-t}\left(c_1 \cos(3t) + c_2 \operatorname{sen}(3t)\right).$$

Si aplicamos las condiciones iniciales, $x(0) = \frac{3}{4}$ y $x'(0) = 0$, obtenemos

$$x(t) = e^{-t}\left(\frac{3}{4}\cos(3t) + \frac{1}{4}\operatorname{sen}(3t)\right).$$

☑ 7.19   Una masa de 1 kg estira un resorte 49 cm. El sistema se sumerge en un medio que imparte una fuerza de amortiguación igual a cuatro veces la velocidad instantánea de la masa. Halle la ecuación del movimiento si la masa se libera del reposo en un punto a 24 cm por encima del equilibrio.

Inicio del capítulo: Modelado de un sistema de suspensión de motocicleta

Figura 7.9   (créditos: modificación de la obra de nSeika, Flickr).

Para los pilotos de motocross, los sistemas de suspensión de sus motocicletas son muy importantes. Los recorridos todoterreno por los que circulan incluyen saltos, y perder el control de la motocicleta al aterrizar podría costarles la carrera.

Este sistema de suspensión puede modelarse como un sistema masa resorte amortiguado. Definimos nuestro marco de referencia con respecto al chasis de la motocicleta. Supongamos que el extremo del amortiguador unido al chasis de la motocicleta es fijo. Entonces, la "masa" en nuestro sistema masa resorte es la rueda de la moto. Medimos la posición de la rueda con respecto al chasis de la motocicleta. Esto puede parecer contraintuitivo, ya que, en muchos casos, es realmente el chasis de la motocicleta el que se mueve, pero este marco de referencia preserva el desarrollo de la ecuación diferencial que se hizo anteriormente. Al igual que en el desarrollo anterior, definimos la dirección descendente como positiva.

Cuando la motocicleta se levanta por su chasis, la rueda cuelga libremente y el resorte se descomprime. Esta es la posición natural del resorte. Cuando la motocicleta se coloca en el suelo y el piloto se monta en ella, el resorte se comprime y el sistema se encuentra en posición de equilibrio (Figura 7.10).

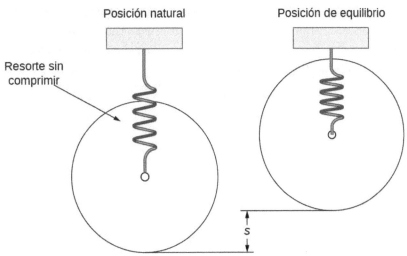

Figura 7.10 Podemos utilizar un sistema masa resorte para modelar la suspensión de una motocicleta.

Este sistema se puede modelar utilizando la misma ecuación diferencial que utilizamos antes:

$$mx'' + bx' + kx = 0.$$

Una motocicleta de motocross pesa 204 libras, y suponemos que el peso del piloto es de 180 libras. Cuando el piloto se monta en la motocicleta, la suspensión se comprime 4 pulgadas y luego llega al equilibrio. El sistema de suspensión proporciona una amortiguación igual a 240 veces la velocidad vertical instantánea de la motocicleta (y del piloto).

a. Establezca la ecuación diferencial que modela el comportamiento del sistema de suspensión de la motocicleta.

b. Nos interesa saber qué ocurre cuando la motocicleta aterriza después de dar un salto. Supongamos que el tiempo $t = 0$ indica el momento en que la motocicleta entra en contacto con el suelo por primera vez. Si la motocicleta golpea el suelo con una velocidad de 10 ft/s hacia abajo, halle la ecuación del movimiento de la motocicleta después del salto.

c. Grafique la ecuación del movimiento durante el primer segundo después de que la motocicleta toque el suelo.

✅ **Solución**

a. Hemos definido el equilibrio como el punto en el que $mg = ks$, por lo que tenemos

$$\begin{aligned} mg &= ks \\ 384 &= k\left(\tfrac{1}{3}\right) \\ k &= 1152. \end{aligned}$$

También tenemos

$$\begin{aligned} W &= mg \\ 384 &= m(32) \\ m &= 12. \end{aligned}$$

Por tanto, la ecuación diferencial que modela el comportamiento de la suspensión de la motocicleta es

$$12x'' + 240x' + 1152x = 0.$$

Dividiendo entre 12, obtenemos

$$x'' + 20x' + 96x = 0.$$

b. La ecuación diferencial encontrada en la parte a. tiene la solución general

$$x(t) = c_1 e^{-8t} + c_2 e^{-12t}.$$

Ahora, para determinar nuestras condiciones iniciales, consideramos la posición y la velocidad de la rueda de la motocicleta cuando entra en contacto con el suelo por primera vez. Como la motocicleta estaba en el aire antes de entrar en contacto con el suelo, la rueda colgaba libremente y el resorte estaba sin comprimir. Por lo tanto, la rueda es de 4 pulgadas. $\left(\frac{1}{3}\text{ pies}\right)$ por debajo de la posición de equilibrio (con respecto al chasis de la moto), y tenemos $x(0) = \frac{1}{3}$. Según el enunciado del problema, la motocicleta tiene una velocidad de 10 ft/s hacia abajo cuando entra en contacto con el suelo, por lo que $x'(0) = 10$. Aplicando estas condiciones iniciales, obtenemos $c_1 = \frac{7}{2}$ y $c_2 = -\left(\frac{19}{6}\right)$, por lo que la ecuación del movimiento es

$$x(t) = \frac{7}{2}e^{-8t} - \frac{19}{6}e^{-12t}.$$

c. El gráfico se muestra en la Figura 7.11

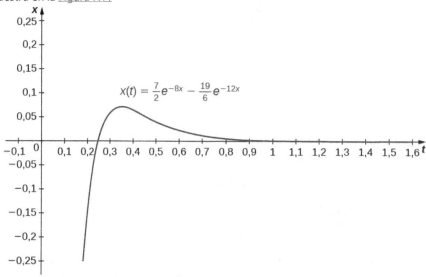

Figura 7.11   Gráfico de la ecuación del movimiento en un tiempo de un segundo.

PROYECTO DE ESTUDIANTE

Módulo de aterrizaje

La NASA está planeando una misión a Marte. Para ahorrar dinero, los ingenieros han decidido adaptar uno de los módulos de alunizaje para la nueva misión. Sin embargo, les preocupa cómo las diferentes fuerzas gravitacionales afectarán al sistema de suspensión que amortigua la nave cuando toca tierra. La aceleración resultante de la gravedad en la Luna es de 1,6 m/s^2, mientras que en Marte es de 3,7 m/s^2.

El sistema de suspensión de la nave puede modelarse como un sistema masa resorte amortiguado. En este caso, el resorte está por debajo del módulo de alunizaje, por lo que el resorte está ligeramente comprimido en el equilibrio, como se muestra en la Figura 7.12.

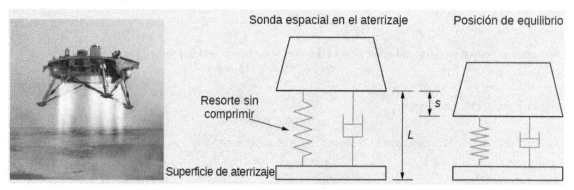

Figura 7.12   La suspensión del módulo de aterrizaje puede representarse como un sistema masa resorte amortiguado (créditos: "lander": NASA).

Mantenemos la convención de que abajo es positivo. A pesar de la nueva orientación, un examen de las fuerzas que afectan al módulo de aterrizaje muestra que se puede utilizar la misma ecuación diferencial para modelar su posición en relación con el equilibrio:

$$mx'' + bx' + kx = 0,$$

donde m es la masa del módulo de aterrizaje, b es el coeficiente de amortiguación y k es la constante del resorte.

1. El módulo de aterrizaje tiene una masa de 15.000 kg y el resorte mide 2 m cuando está sin comprimir. El módulo de aterrizaje está diseñado para comprimir el resorte 0,5 m para alcanzar la posición de equilibrio bajo la gravedad lunar. El amortiguador imparte una fuerza de amortiguación igual a 48.000 veces la velocidad instantánea del módulo de aterrizaje. Establezca la ecuación diferencial que modela el movimiento del módulo de aterrizaje cuando la nave aterriza en la luna.

2. Supongamos que el tiempo $t = 0$ indican el instante en que el módulo de aterrizaje toca tierra. La velocidad de descenso del módulo de aterrizaje puede ser controlada por la tripulación, de modo que descienda a una velocidad de 2 m/s cuando toque tierra. Halle la ecuación de movimiento del módulo de aterrizaje en la luna.

3. Si el módulo de aterrizaje se desplaza demasiado rápido cuando toca tierra, podría comprimir completamente el resorte y "tocar fondo" El tocar fondo podría dañar el módulo de aterrizaje y debe evitarse a toda costa. Grafique la ecuación del movimiento encontrada en la parte 2. Si el resorte tiene una longitud de 0,5 m cuando está totalmente comprimido, ¿el módulo de aterrizaje corre el riesgo de tocar fondo?

4. Suponiendo que los ingenieros de la NASA no realicen ningún ajuste en el resorte ni en el amortiguador, ¿hasta dónde comprime el módulo de aterrizaje el resorte para alcanzar la posición de equilibrio bajo la gravedad marciana?

5. Si la tripulación del módulo de aterrizaje utiliza los mismos procedimientos en Marte que en la Luna, y mantiene la velocidad de descenso a 2 m/s, ¿el módulo de aterrizaje tocará fondo cuando aterrice en Marte?

6. ¿Qué ajustes, si los hay, deberían hacer los ingenieros de la NASA para utilizar el módulo de aterrizaje de forma segura en Marte?

Vibraciones forzadas

El último caso que consideramos es cuando una fuerza externa actúa sobre el sistema. En el caso del sistema de suspensión de la motocicleta, por ejemplo, los baches de la carretera actúan como una fuerza externa que actúa sobre el sistema. Otro ejemplo es un resorte que cuelga de un soporte; si el soporte se pone en movimiento, ese movimiento se consideraría una fuerza externa sobre el sistema. Modelamos estos sistemas forzados con la ecuación diferencial no homogénea

$$mx'' + bx' + kx = f(t), \tag{7.8}$$

donde la fuerza externa está representada por el término $f(t)$. Como vimos en Ecuaciones lineales no homogéneas, las ecuaciones diferenciales como esta tienen soluciones de la forma

$$x(t) = c_1 x_1(t) + c_2 x_2(t) + x_p(t),$$

donde $c_1 x_1(t) + c_2 x_2(t)$ es la solución general de la ecuación complementaria y $x_p(t)$ es una solución particular de la ecuación no homogénea. Si el sistema está amortiguado, $\lim_{t \to \infty} c_1 x_1(t) + c_2 x_2(t) = 0$. Como estos términos no afectan al comportamiento a largo plazo del sistema, llamamos a esta parte de la solución *solución transitoria*. El comportamiento a largo plazo del sistema viene determinado por $x_p(t)$, por lo que llamamos a esta parte de la solución la **solución en estado estacionario**.

▶ **MEDIOS**

Este sitio web (http://www.openstax.org/l/20_Oscillations) muestra una simulación de vibraciones forzadas.

Vibraciones forzadas

Una masa de 1 slug estira un resorte 2 pies y llega al equilibrio. El sistema está unido a un amortiguador que imparte una fuerza de amortiguación igual a ocho veces la velocidad instantánea de la masa. Halle la ecuación del movimiento si una fuerza externa igual a $f(t) = 8\,\text{sen}\,(4t)$ se aplica al sistema a partir del momento $t = 0$. ¿Cuál es la solución transitoria? ¿Cuál es la solución en estado estacionario?

Solución

Tenemos $mg = 1\,(32) = 2k$, por lo que $k = 16$ y la ecuación diferencial es

$$x'' + 8x' + 16x = 8\,\text{sen}\,(4t).$$

La solución general de la ecuación complementaria es

$$c_1 e^{-4t} + c_2 t e^{-4t}.$$

Suponiendo una solución particular de la forma $x_p(t) = A\cos(4t) + B\,\text{sen}\,(4t)$ y utilizando el método de los coeficientes indeterminados, encontramos $x_p(t) = -\frac{1}{4}\cos(4t)$, así que

$$x(t) = c_1 e^{-4t} + c_2 t e^{-4t} - \frac{1}{4}\cos(4t).$$

En $t = 0$, la masa está en reposo en la posición de equilibrio, por lo que $x(0) = x'(0) = 0$. Si aplicamos estas condiciones iniciales para resolver c_1 y c_2, obtenemos

$$x(t) = \frac{1}{4}e^{-4t} + t e^{-4t} - \frac{1}{4}\cos(4t).$$

La solución transitoria es $\frac{1}{4}e^{-4t} + t e^{-4t}$. La solución en estado estacionario es $-\frac{1}{4}\cos(4t)$.

✓ 7.20   Una masa de 2 kg está unida a un resorte con constante 32 N/m y llega a reposar en la posición de equilibrio. A partir del tiempo $t = 0$, una fuerza externa igual a $f(t) = 68e^{-2t}\cos(4t)$ se aplica al sistema. Halle la ecuación del movimiento si no hay amortiguación. ¿Cuál es la solución transitoria? ¿Cuál es la solución en estado estacionario?

PROYECTO DE ESTUDIANTE

Resonancia

Consideremos un sistema no amortiguado que presenta un movimiento armónico simple. En el mundo real, nunca tenemos realmente un sistema sin amortiguación; siempre se produce algún tipo de amortiguación. Sin embargo, a efectos teóricos, podríamos imaginar un sistema masa resorte contenido en una cámara de vacío. Sin la resistencia del aire, la masa continuaría moviéndose hacia arriba y hacia abajo indefinidamente.

La frecuencia del movimiento resultante, dada por $f = \frac{1}{T} = \frac{\omega}{2\pi}$, se llama la *frecuencia natural del sistema*. Si una fuerza externa que actúa sobre el sistema tiene una frecuencia cercana a la frecuencia natural del sistema, se produce un fenómeno llamado *resonancia*. La fuerza externa refuerza y amplifica el movimiento natural del sistema.

1. Consideremos la ecuación diferencial $x'' + x = 0$. Halle la solución general. ¿Cuál es la frecuencia natural del sistema?
2. Supongamos ahora que este sistema está sometido a una fuerza externa dada por $f(t) = 5\cos t$. Resuelva el problema de valor inicial $x'' + x = 5\cos t$, $x(0) = 0$, $x'(0) = 1$.
3. Grafique la solución. ¿Qué ocurre con el comportamiento del sistema a lo largo del tiempo?
4. En el mundo real, siempre hay algo de amortiguación. Sin embargo, si la fuerza de amortiguación es débil y la fuerza externa es lo suficientemente fuerte, los sistemas del mundo real pueden seguir presentando resonancia. Uno de los ejemplos más famosos de resonancia es el derrumbe del puente Tacoma Narrows el 7 de noviembre de 1940. El puente había mostrado un comportamiento extraño desde que se construyó. La calzada tenía un extraño "rebote". El día que se derrumbó, un fuerte temporal de viento hizo que la calzada se retorciera y ondulara violentamente. El puente no pudo resistir estas fuerzas y finalmente se derrumbó. Los expertos creen que el temporal de viento ejerció sobre el puente fuerzas muy cercanas a su frecuencia natural, y la resonancia resultante acabó por destrozarlo

> **▶ MEDIOS**
>
> Este sitio web (http://www.openstax.org/l/20_TacomaNarrow) contiene más información sobre el colapso del puente Tacoma Narrows.

> **▶ MEDIOS**
>
> Durante el poco tiempo que el puente Tacoma Narrows estuvo en pie, se convirtió en una gran atracción turística. Varias personas se encontraban en el lugar el día en que se derrumbó el puente, y una de ellas captó el derrumbe en una película. Mire el video (http://www.openstax.org/l/20_TacomaNarro2) para ver el colapso.

5. Otro ejemplo de resonancia en el mundo real es el de una cantante que hace añicos una copa de cristal cuando canta la nota justa. Cuando alguien golpea una copa de cristal o moja un dedo y lo pasa por el borde, se oye un tono. Esa nota es creada por la copa de vino que vibra a su frecuencia natural. Si un cantante canta esa misma nota a un volumen suficientemente alto, el cristal se rompe como resultado de la resonancia

> **▶ MEDIOS**
>
> El programa de televisión *Cazadores de Mitos* emitió un episodio sobre este fenómeno. Adam Savage describió la experiencia. Vea este video (http://www.openstax.org/l/20_glass2) para conocer su relato.

El circuito en serie *RLC*

Considere un circuito eléctrico que contiene un resistor, un inductor y un condensador, como se muestra en la Figura 7.10. Un circuito de este tipo se denomina **circuito en serie RLC**. Los circuitos *RLC* se utilizan en muchos sistemas electrónicos, sobre todo como sintonizadores en radios AM/FM. La perilla de sintonía varía la capacitancia del condensador, que a su vez sintoniza la radio. Estos circuitos pueden modelarse mediante ecuaciones diferenciales de segundo orden y coeficiente constante.

Supongamos que $I(t)$ denota la corriente en el circuito *RLC* y $q(t)$ denotan la carga del condensador. Además, supongamos que L denota la inductancia en henrys (H), R denota la resistencia en ohmios (Ω), y C denota la capacidad en faradios (F). Por último, supongamos que $E(t)$ denota el potencial eléctrico en voltios (V).

La regla del voltaje de Kirchhoff establece que la suma de las caídas de voltaje alrededor de cualquier bucle cerrado debe ser cero. Por lo tanto, tenemos que considerar las caídas de voltaje a través del inductor (denotado E_L), la resistencia (denotada E_R), y el condensador (denotado E_C). Como el circuito *RLC* mostrado en la Figura 7.10 incluye una fuente de voltaje, $E(t)$, que añade voltaje al circuito, tenemos $E_L + E_R + E_C = E(t)$.

A continuación presentamos las fórmulas sin mayor desarrollo. Los que estén interesados en la derivación de estas fórmulas deben consultar un texto de física. Utilizando la ley de Faraday y la ley de Lenz, se puede demostrar que la caída de voltaje a través de un inductor es proporcional a la tasa instantánea de cambio de la corriente, con la constante de proporcionalidad L. Así,

$$E_L = L\frac{dI}{dt}.$$

A continuación, según la ley de Ohm, la caída de voltaje a través de un resistor es proporcional a la corriente que pasa por el resistor, con la constante de proporcionalidad R. Por lo tanto,

$$E_R = RI.$$

Por último, la caída de voltaje en un condensador es proporcional a la carga, q, en el condensador, con la constante de proporcionalidad $1/C$. Por lo tanto,

$$E_C = \frac{1}{C}q.$$

Sumando estos términos, obtenemos

$$L\frac{dI}{dt} + RI + \frac{1}{C}q = E(t).$$

Si observamos que $I = (dq)/(dt)$, esto se convierte en

$$L\frac{d^2q}{dt^2} + R\frac{dq}{dt} + \frac{1}{C}q = E(t). \qquad (7.9)$$

Matemáticamente, este sistema es análogo a los sistemas masa resorte que hemos estado examinando en esta sección.

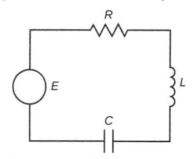

Figura 7.13 Un circuito en serie *RLC* puede ser modelado por la misma ecuación diferencial que un sistema masa resorte.

EJEMPLO 7.24

El circuito en serie *RLC*

Calcule la carga en el condensador en un circuito en serie *RLC* donde $L = 5/3$ H, $R = 10\Omega$, $C = 1/30$ F y $E(t) = 300$ V. Supongamos que la carga inicial del condensador es de 0 C y la corriente inicial es de 9 A. ¿Qué ocurre con la carga del condensador a lo largo del tiempo?

⊘ **Solución**

Tenemos

$$L\frac{d^2q}{dt^2} + R\frac{dq}{dt} + \frac{1}{C}q = E(t)$$

$$\frac{5}{3}\frac{d^2q}{dt^2} + 10\frac{dq}{dt} + 30q = 300$$

$$\frac{d^2q}{dt^2} + 6\frac{dq}{dt} + 18q = 180.$$

La solución general de la ecuación complementaria es

$$e^{-3t}\left(c_1\cos(3t) + c_2\,\text{sen}\,(3t)\right).$$

Supongamos una solución particular de la forma $q_p = A$, donde A es una constante. Utilizando el método de los coeficientes indeterminados, encontramos $A = 10$. Así que,

$$q(t) = e^{-3t}\left(c_1\cos(3t) + c_2\,\text{sen}\,(3t)\right) + 10.$$

Si aplicamos las condiciones iniciales $q(0) = 0$ y $i(0) = ((dq)/(dt))(0) = 9$, encontramos $c_1 = -10$ y $c_2 = -7$. Así que la carga del condensador es

$$q(t) = -10e^{-3t}\cos(3t) - 7e^{-3t}\,\text{sen}\,(3t) + 10.$$

Si observamos detenidamente esta función, vemos que los dos primeros términos decaerán con el tiempo (como resultado del exponente negativo de la función exponencial). Por lo tanto, el condensador acaba acercándose a una carga en estado estacionario de 10 C.

☑ 7.21   Calcule la carga en el condensador en un circuito en serie *RLC* donde $L = 1/5$ H, $R = 2/5\Omega$, $C = 1/2$ F y $E(t) = 50$ V. Supongamos que la carga inicial del condensador es de 0 C y la corriente inicial es de 4 A.

SECCIÓN 7.3 EJERCICIOS

86. Una masa de 4 libras estira un resorte de 8 pulgadas. Halle la ecuación del movimiento si el resorte se libera de la posición de equilibrio con una velocidad hacia abajo de 12 ft/s. ¿Cuál es el periodo y la frecuencia del movimiento?

87. Una masa que pesa 2 libras estira un resorte 2 pies. Halle la ecuación del movimiento si el resorte se suelta desde 2 in por debajo de la posición de equilibrio con una velocidad hacia arriba de 8 ft/s. ¿Cuál es el periodo y la frecuencia del movimiento?

88. Una masa de 100 g estira un resorte 0,1 m. Halle la ecuación del movimiento de la masa si se suelta del reposo desde una posición 20 cm por debajo de la posición de equilibrio. ¿Cuál es la frecuencia de este movimiento?

89. Una masa de 400 g estira un resorte 5 cm. Halle la ecuación del movimiento de la masa si se suelta del reposo desde una posición 15 cm por debajo de la posición de equilibrio. ¿Cuál es la frecuencia de este movimiento?

90. Un bloque tiene una masa de 9 kg y está unido a un resorte vertical con una constante de un resorte de 0,25 N/m. El bloque se estira 0,75 m por debajo de su posición de equilibrio y se suelta.

   a. Calcule la función de posición $x(t)$ del bloque.
   b. Calcule el periodo y la frecuencia de la vibración.
   c. Dibuje un gráfico de $x(t)$.
   d. ¿En qué momento pasa el bloque por primera vez por la posición de equilibrio?

91. Un bloque tiene una masa de 5 kg y está unido a un resorte vertical con una constante de un resorte de 20 N/m. El bloque se suelta de la posición de equilibrio con una velocidad hacia abajo de 10 m/s.

   a. Calcule la función de posición $x(t)$ del bloque.
   b. Calcule el periodo y la frecuencia de la vibración.
   c. Dibuje un gráfico de $x(t)$.
   d. ¿En qué momento pasa el bloque por primera vez por la posición de equilibrio?

92. Una masa de 1 kg está unida a un resorte vertical con una constante de un resorte de 21 N/m. La resistencia en el sistema masa resorte es igual a 10 veces la velocidad instantánea de la masa.

a. Halle la ecuación del movimiento si la masa se suelta desde una posición 2 m por debajo de su posición de equilibrio con una velocidad hacia abajo de 2 m/s.

b. Grafique la solución y determine si el movimiento está sobreamortiguado, amortiguado críticamente o subamortiguado.

93. Una pesa de 800 libras (25 slugs) está unida a un resorte vertical con una constante de un resorte de 226 libras/pies. El sistema se sumerge en un medio que imparte una fuerza de amortiguación igual a 10 veces la velocidad instantánea de la masa.

a. Halle la ecuación del movimiento si se suelta desde una posición 20 pies por debajo de su posición de equilibrio con una velocidad hacia abajo de 41 ft/s.

b. Grafique la solución y determine si el movimiento está sobreamortiguado, amortiguado críticamente o subamortiguado.

94. Una masa de 9 kg está unida a un resorte vertical con una constante de un resorte de 16 N/m. El sistema se sumerge en un medio que imparte una fuerza de amortiguación igual a 24 veces la velocidad instantánea de la masa.

a. Halle la ecuación del movimiento si se suelta de su posición de equilibrio con una velocidad hacia arriba de 4 m/s.

b. Grafique la solución y determine si el movimiento está sobreamortiguado, amortiguado críticamente o subamortiguado.

95. Una masa de 1 kg estira un resorte 6,25 cm. La resistencia en el sistema masa resorte es igual a ocho veces la velocidad instantánea de la masa.

a. Halle la ecuación del movimiento si la masa se suelta desde una posición 5 m por debajo de su posición de equilibrio con una velocidad hacia arriba de 10 m/s.

b. Determine si el movimiento está sobreamortiguado, amortiguado críticamente o subamortiguado.

96. Una pesa de 32 libras (1 slug) estira un resorte vertical de 4 pulgadas. La resistencia en el sistema masa resorte es igual a cuatro veces la velocidad instantánea de la masa.

a. Halle la ecuación del movimiento si se suelta de su posición de equilibrio con una velocidad hacia abajo de 12 ft/s.

b. Determine si el movimiento está sobreamortiguado, amortiguado críticamente o subamortiguado.

97. Un peso de 64 libras está unido a un resorte vertical con una constante de un resorte de 4,625 libras/pies. La resistencia en el sistema masa resorte es igual a la velocidad instantánea. El peso se pone en movimiento desde una posición 1 ft por debajo de su posición de equilibrio con una velocidad ascendente de 2 ft/s. ¿La masa está por encima o por debajo de la posición de la ecuación al final de π seg? ¿A qué distancia?

98. Una masa que pesa 8 libras estira un resorte 6 pulgadas. El sistema está sometido a una fuerza externa de $8\,\mathrm{sen}\,8t$ libras. Si se tira de la masa hacia abajo 3 pulgadas y luego se suelta, determine la posición de la masa en cualquier momento.

99. Una masa que pesa 6 libras estira un resorte de 3 pulgadas. El sistema está sometido a una fuerza externa de $8\,\mathrm{sen}\,(4t)$ libras. Si se tira de la masa hacia abajo 1 pulgada y luego se suelta, determine la posición de la masa en cualquier momento.

100. Calcule la carga en el condensador en un circuito en serie RLC donde $L = 40$ H, $R = 30\Omega$, $C = 1/200$ F y $E(t) = 200$ V. Supongamos que la carga inicial del condensador es de 7 C y la corriente inicial es de 0 A.

101. Calcule la carga en el condensador en un circuito en serie RLC donde $L = 2$ H, $R = 24\Omega$, $C = 0{,}005$ F y $E(t) = 12\,\mathrm{sen}\,10t$ V. Supongamos que la carga inicial del condensador es de 0,001 C y la corriente inicial es de 0 A.

102. Un circuito en serie consiste en un dispositivo en el que $L = 1$ H, $R = 20\Omega$, $C = 0{,}002$ F y $E(t) = 12$ V. Si la carga y la corriente iniciales son ambas cero, halle la carga y la corriente en el tiempo t.

103. Un circuito en serie consiste en un dispositivo en el que $L = \frac{1}{2}$ H, $R = 10\Omega$, $C = \frac{1}{50}$ F y $E(t) = 250$ V. Si la carga inicial del condensador es de 0 C y la corriente inicial es de 18 A, halle la carga y la corriente en el tiempo t.

7.4 Soluciones de ecuaciones diferenciales mediante series

Objetivos de aprendizaje

7.4.1 Utilizar las series de potencias para resolver ecuaciones diferenciales de primer y segundo orden.

En Introducción a series de potencias (http://openstax.org/books/cálculo-volumen-2/pages/6-introduccion) estudiamos cómo se pueden representar las funciones como series de potencias, $y(x) = \sum_{n=0}^{\infty} a_n x^n$. También vimos que podemos hallar representaciones en serie de las derivadas de dichas funciones diferenciando la serie de potencias término a término. Esto da $y'(x) = \sum_{n=1}^{\infty} n a_n x^{n-1}$ y $y''(x) = \sum_{n=2}^{\infty} n(n-1) a_n x^{n-2}$. En algunos casos, estas representaciones en serie de potencias pueden utilizarse para hallar soluciones a ecuaciones diferenciales.

Observe que este tema se trata muy brevemente en este texto. La mayoría de los libros de texto de introducción a las ecuaciones diferenciales incluyen un capítulo entero sobre soluciones de series de potencias. Este texto solo tiene una sección sobre el tema, por lo que no se abordan aquí varias cuestiones importantes, sobre todo las relacionadas con la existencia de soluciones. Se han elegido los ejemplos y ejercicios de esta sección para los que existen soluciones de potencia. Sin embargo, no siempre existen soluciones de potencias. Aquellos que estén interesados en un tratamiento más riguroso de este tema deberán consultar un texto de ecuaciones diferenciales.

Estrategia de resolución de problemas

Estrategia para la resolución de problemas: Buscar soluciones en serie de potencia para ecuaciones diferenciales

1. Suponga que la ecuación diferencial tiene una solución de la forma $y(x) = \sum_{n=0}^{\infty} a_n x^n$.

2. Diferencie la serie de potencias término a término para obtener $y'(x) = \sum_{n=1}^{\infty} n a_n x^{n-1}$ y

$$y''(x) = \sum_{n=2}^{\infty} n(n-1) a_n x^{n-2}.$$

3. Sustituya las expresiones de la serie de potencias en la ecuación diferencial.

4.   Reajuste las sumas según sea necesario para combinar los términos y simplificar la expresión.
5.   Iguale los coeficientes de las potencias similares de x para determinar los valores de los coeficientes a_n en la serie de potencias.
6.   Sustituya los coeficientes en la serie de potencias y escriba la solución.

EJEMPLO 7.25

Soluciones en serie para las ecuaciones diferenciales

Halle una solución mediante series de potencias para las siguientes ecuaciones diferenciales.

a. $y'' - y = 0$
b. $(x^2 - 1)y'' + 6xy' + 4y = -4$

⊘ **Solución**

a.   Supongamos que $y(x) = \sum_{n=0}^{\infty} a_n x^n$ (paso 1). Entonces, $y'(x) = \sum_{n=1}^{\infty} n a_n x^{n-1}$ y $y''(x) = \sum_{n=2}^{\infty} n(n-1) a_n x^{n-2}$ (paso 2).

Queremos hallar valores para los coeficientes a_n de manera que

$$y'' - y = 0$$

$$\sum_{n=2}^{\infty} n(n-1) a_n x^{n-2} - \sum_{n=0}^{\infty} a_n x^n = 0 \text{ (paso 3)}.$$

Queremos que los índices de nuestras sumas coincidan para poder expresarlos mediante una única suma. Es decir, queremos reescribir la primera suma para que empiece por $n = 0$.

Para volver a indexar el primer término, sustituya n por $n + 2$ dentro de la suma y cambie el límite inferior de la suma por $n = 0$. Obtenemos

$$\sum_{n=2}^{\infty} n(n-1) a_n x^{n-2} = \sum_{n=0}^{\infty} (n+2)(n+1) a_{n+2} x^n.$$

Esto da

$$\sum_{n=0}^{\infty} (n+2)(n+1) a_{n+2} x^n - \sum_{n=0}^{\infty} a_n x^n = 0$$

$$\sum_{n=0}^{\infty} \left[(n+2)(n+1) a_{n+2} - a_n \right] x^n = 0 \text{ (paso 4)}.$$

Dado que las expansiones en serie de potencias de las funciones son únicas, esta ecuación solo puede ser cierta si los coeficientes de cada potencia de x son cero. Así que tenemos

$$(n+2)(n+1) a_{n+2} - a_n = 0 \text{ para } n = 0, 1, 2, \ldots.$$

Esta relación de recurrencia nos permite expresar cada coeficiente a_n en términos del coeficiente de dos términos anteriores. Se obtiene una expresión para valores pares de n y otra para valores impares de n. Observando primero las ecuaciones que implican valores pares de n, vemos que

$$a_2 = \frac{a_0}{2}$$
$$a_4 = \frac{a_2}{4 \cdot 3} = \frac{a_0}{4!}$$
$$a_6 = \frac{a_4}{6 \cdot 5} = \frac{a_0}{6!}$$
$$\vdots$$

Así, en general, cuando n es par, $a_n = \frac{a_0}{n!}$ (paso 5).

Para las ecuaciones que implican valores impares de n, vemos que

$$a_3 = \frac{a_1}{3 \cdot 2} = \frac{a_1}{3!}$$

$$a_5 = \frac{a_3}{5 \cdot 4} = \frac{a_1}{5!}$$

$$a_7 = \frac{a_5}{7 \cdot 6} = \frac{a_1}{7!}$$

$$\vdots$$

Por lo tanto, en general, cuando n es impar, $a_n = \frac{a_1}{n!}$ (continuación del paso 5).

Uniendo todo esto, tenemos

$$y(x) = \sum_{n=0}^{\infty} a_n x^n$$

$$= a_0 + a_1 x + \frac{a_0}{2} x^2 + \frac{a_1}{3!} x^3 + \frac{a_0}{4!} x^4 + \frac{a_1}{5!} x^5 + \cdots.$$

Volviendo a indexar las sumas para tener en cuenta los valores pares e impares de n por separado, obtenemos

$$y(x) = a_0 \sum_{k=0}^{\infty} \frac{1}{(2k)!} x^{2k} + a_1 \sum_{k=0}^{\infty} \frac{1}{(2k+1)!} x^{2k+1} \text{ (paso 6).}$$

Análisis para la parte a.

Como es de esperar para una ecuación diferencial de segundo orden, esta solución depende de dos constantes arbitrarias. Sin embargo, observe que nuestra ecuación diferencial es una ecuación diferencial de coeficiente constante, pero la solución de la serie de potencias no parece tener la forma común (que contiene funciones exponenciales) que estamos acostumbrados a ver. Además, como $y(x) = c_1 e^x + c_2 e^{-x}$ es la solución general de esta ecuación, debemos ser capaces de escribir cualquier solución en esta forma, y no está claro si la solución de la serie de potencias que acabamos de hallar puede, de hecho, escribirse en esa forma.

Afortunadamente, después de escribir las representaciones en serie de potencias de e^x y e^{-x}, y haciendo un poco de álgebra, encontramos que si elegimos

$$c_0 = \frac{(a_0 + a_1)}{2}, \quad c_1 = \frac{(a_0 - a_1)}{2},$$

tenemos entonces $a_0 = c_0 + c_1$ y $a_1 = c_0 - c_1$, y

$$y(x) = a_0 + a_1 x + \frac{a_0}{2} x^2 + \frac{a_1}{3!} x^3 + \frac{a_0}{4!} x^4 + \frac{a_1}{5!} x^5 + \cdots$$

$$= (c_0 + c_1) + (c_0 - c_1) x + \frac{(c_0 + c_1)}{2} x^2 + \frac{(c_0 - c_1)}{3!} x^3 + \frac{(c_0 + c_1)}{4!} x^4 + \frac{(c_0 - c_1)}{5!} x^5 + \cdots$$

$$= c_0 \sum_{n=0}^{\infty} \frac{x^n}{n!} + c_1 \sum_{n=0}^{\infty} \frac{(-x)^n}{n!}$$

$$= c_0 e^x + c_1 e^{-x}.$$

Así que, de hecho, encontramos la misma solución general. Observe que esta elección de c_1 y c_2 no es evidente. Este es un caso en el que sabemos cuál debería ser la respuesta, e hicimos una "ingeniería inversa" de nuestra elección de coeficientes.

b. Supongamos que $y(x) = \sum_{n=0}^{\infty} a_n x^n$ (paso 1). Entonces, $y'(x) = \sum_{n=1}^{\infty} n a_n x^{n-1}$ y $y''(x) = \sum_{n=2}^{\infty} n(n-1) a_n x^{n-2}$ (paso 2).

Queremos hallar valores para los coeficientes a_n de manera que

$$(x^2-1)y'' + 6xy' + 4y = -4$$

$$\left(x^2-1\right)\sum_{n=2}^{\infty} n(n-1)a_n x^{n-2} + 6x\sum_{n=1}^{\infty} na_n x^{n-1} + 4\sum_{n=0}^{\infty} a_n x^n = -4$$

$$x^2\sum_{n=2}^{\infty} n(n-1)a_n x^{n-2} - \sum_{n=2}^{\infty} n(n-1)a_n x^{n-2} + 6x\sum_{n=1}^{\infty} na_n x^{n-1} + 4\sum_{n=0}^{\infty} a_n x^n = -4.$$

Tomando los factores externos dentro de los sumandos, obtenemos

$$\sum_{n=2}^{\infty} n(n-1)a_n x^n - \sum_{n=2}^{\infty} n(n-1)a_n x^{n-2} + \sum_{n=1}^{\infty} 6na_n x^n + \sum_{n=0}^{\infty} 4a_n x^n = -4 \text{ (paso 3).}$$

Ahora, en la primera suma, vemos que cuando $n = 0$ o $n = 1$, el término se evalúa a cero, por lo que podemos añadir estos términos a nuestra suma para obtener

$$\sum_{n=2}^{\infty} n(n-1)a_n x^n = \sum_{n=0}^{\infty} n(n-1)a_n x^n.$$

Del mismo modo, en el tercer término, vemos que cuando $n = 0$, la expresión se evalúa a cero, por lo que también podemos añadir ese término. Tenemos

$$\sum_{n=1}^{\infty} 6na_n x^n = \sum_{n=0}^{\infty} 6na_n x^n.$$

Entonces, solo tenemos que desplazar los índices en nuestro segundo término. Obtenemos

$$\sum_{n=2}^{\infty} n(n-1)a_n x^{n-2} = \sum_{n=0}^{\infty} (n+2)(n+1)a_{n+2} x^n.$$

Así, tenemos

$$\sum_{n=0}^{\infty} n(n-1)a_n x^n - \sum_{n=0}^{\infty} (n+2)(n+1)a_{n+2} x^n + \sum_{n=0}^{\infty} 6na_n x^n + \sum_{n=0}^{\infty} 4a_n x^n = -4 \text{ (paso 4).}$$

$$\sum_{n=0}^{\infty} \left[n(n-1)a_n - (n+2)(n+1)a_{n+2} + 6na_n + 4a_n\right] x^n = -4$$

$$\sum_{n=0}^{\infty} \left[(n^2 - n)a_n + 6na_n + 4a_n - (n+2)(n+1)a_{n+2}\right] x^n = -4$$

$$\sum_{n=0}^{\infty} \left[n^2 a_n + 5na_n + 4a_n - (n+2)(n+1)a_{n+2}\right] x^n = -4$$

$$\sum_{n=0}^{\infty} \left[(n^2 + 5n + 4)a_n - (n+2)(n+1)a_{n+2}\right] x^n = -4$$

$$\sum_{n=0}^{\infty} \left[(n+4)(n+1)a_n - (n+2)(n+1)a_{n+2}\right] x^n = -4$$

Observando los coeficientes de cada potencia de x, vemos que el término constante debe ser igual a −4, y los coeficientes de todas las demás potencias de x deben ser cero. Entonces, mirando primero el término constante,

$$4a_0 - 2a_2 \;=\; -4$$
$$a_2 \;=\; 2a_0 + 2 \text{ (paso 3).}$$

Para $n \geq 1$, tenemos

$$(n+4)(n+1)a_n - (n+2)(n+1)a_{n+2} \;=\; 0$$
$$(n+1)\left[(n+4)a_n - (n+2)a_{n+2}\right] \;=\; 0.$$

Dado que $n \geq 1$, $n+1 \neq 0$, vemos que

$$(n+4)a_n - (n+2)a_{n+2} = 0$$

y, por lo tanto,

$$a_{n+2} = \frac{n+4}{n+2}\,a_n.$$

Para valores pares de n, tenemos

$$a_4 \;=\; \tfrac{6}{4}(2a_0 + 2) = 3a_0 + 3$$
$$a_6 \;=\; \tfrac{8}{6}(3a_0 + 3) = 4a_0 + 4$$
$$\vdots$$

En general, $a_{2k} = (k+1)(a_0 + 1)$ (paso 5).

Para valores impares de n, tenemos

$$a_3 \;=\; \tfrac{5}{3}a_1$$
$$a_5 \;=\; \tfrac{7}{5}a_3 = \tfrac{7}{3}a_1$$
$$a_7 \;=\; \tfrac{9}{7}a_5 = \tfrac{9}{3}a_1 = 3a_1$$
$$\vdots$$

En general, $a_{2k+1} = \frac{2k+3}{3}\,a_1$ (continuación del paso 5).

Uniendo todo esto, tenemos

$$y(x) = \sum_{k=0}^{\infty}(k+1)(a_0 + 1)\,x^{2k} + \sum_{k=0}^{\infty}\left(\frac{2k+3}{3}\right)a_1 x^{2k+1} \text{ (paso 6).}$$

☑ 7.22   Halle una solución mediante series de potencias para las siguientes ecuaciones diferenciales.

a. $y' + 2xy = 0$
b. $(x+1)y' = 3y$

Cerramos esta sección con una breve introducción a las funciones de Bessel. El tratamiento completo de las funciones de Bessel va mucho más allá del alcance de este curso, pero aquí tenemos una pequeña muestra del tema para que podamos ver cómo se utilizan las soluciones en serie de las ecuaciones diferenciales en aplicaciones del mundo real. La ecuación de Bessel de orden n viene dada por

$$x^2 y'' + xy' + (x^2 - n^2)y = 0.$$

Esta ecuación surge en muchas aplicaciones físicas, en particular las que implican coordenadas cilíndricas, como la vibración de una cabeza de tambor circular y el calentamiento o enfriamiento transitorio de un cilindro. En el siguiente ejemplo, encontramos una solución en serie de potencias para la ecuación de Bessel de orden 0.

EJEMPLO 7.26

Solución de la serie de potencias de la ecuación de Bessel

Halle una solución en serie de potencias de la ecuación de Bessel de orden 0 y grafique la solución.

⊘ **Solución**

La ecuación de Bessel de orden 0 viene dada por

$$x^2 y'' + xy' + x^2 y = 0.$$

Suponemos una solución de la forma $y = \sum_{n=0}^{\infty} a_n x^n$. Entonces $y'(x) = \sum_{n=1}^{\infty} n a_n x^{n-1}$ y $y''(x) = \sum_{n=2}^{\infty} n(n-1) a_n x^{n-2}$.

Sustituyendo esto en la ecuación diferencial, obtenemos

$$x^2 \sum_{n=2}^{\infty} n(n-1) a_n x^{n-2} + x \sum_{n=1}^{\infty} n a_n x^{n-1} + x^2 \sum_{n=0}^{\infty} a_n x^n = 0 \qquad \text{Sustitución.}$$

$$\sum_{n=2}^{\infty} n(n-1) a_n x^n + \sum_{n=1}^{\infty} n a_n x^n + \sum_{n=0}^{\infty} a_n x^{n+2} = 0 \qquad \text{Lleve los factores externos dentro de las sumas.}$$

$$\sum_{n=2}^{\infty} n(n-1) a_n x^n + \sum_{n=1}^{\infty} n a_n x^n + \sum_{n=2}^{\infty} a_{n-2} x^n = 0 \qquad \text{Vuelva a indexar la tercera suma.}$$

$$\sum_{n=2}^{\infty} n(n-1) a_n x^n + a_1 x + \sum_{n=2}^{\infty} n a_n x^n + \sum_{n=2}^{\infty} a_{n-2} x^n = 0 \qquad \text{Separe el término } n=1 \text{ de la segunda suma.}$$

$$a_1 x + \sum_{n=2}^{\infty} [n(n-1) a_n + n a_n + a_{n-2}] x^n = 0 \qquad \text{Recoja los términos de la suma.}$$

$$a_1 x + \sum_{n=2}^{\infty} \left[(n^2 - n) a_n + n a_n + a_{n-2}\right] x^n = 0 \qquad \text{Multiplique por en el primer término.}$$

$$a_1 x + \sum_{n=2}^{\infty} \left[n^2 a_n + a_{n-2}\right] x^n = 0, \qquad \text{Simplifique.}$$

Entonces, $a_1 = 0$, y para $n \geq 2$,

$$n^2 a_n + a_{n-2} = 0$$

$$a_n = -\frac{1}{n^2} a_{n-2}.$$

Dado que $a_1 = 0$, todos los términos impares son cero. Entonces, para valores pares de n, tenemos

$$a_2 = -\frac{1}{2^2} a_0$$

$$a_4 = -\frac{1}{4^2} a_2 = \frac{1}{4^2 \cdot 2^2} a_0.$$

$$a_6 = -\frac{1}{6^2} a_4 = -\frac{1}{6^2 \cdot 4^2 \cdot 2^2} a_0$$

En general,

$$a_{2k} = \frac{(-1)^k}{(2)^{2k}(k!)^2}\, a_0.$$

Por lo tanto, tenemos

$$y(x) = a_0 \sum_{k=0}^{\infty} \frac{(-1)^k}{(2)^{2k}(k!)^2} x^{2k}. \tag{7.10}$$

El gráfico aparece a continuación.

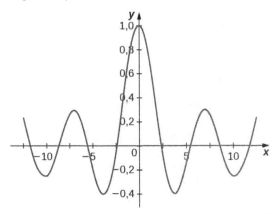

☑ 7.23   Compruebe que la expresión encontrada en el Ejemplo 7.26 es una solución de la ecuación de Bessel de orden 0.

SECCIÓN 7.4 EJERCICIOS

Halle una solución mediante series de potencias para las siguientes ecuaciones diferenciales.

104. $y'' + 6y' = 0$ 　　　　**105.** $5y'' + y' = 0$ 　　　　**106.** $y'' + 25y = 0$

107. $y'' - y = 0$ 　　　　**108.** $2y' + y = 0$ 　　　　**109.** $y' - 2xy = 0$

110. $(x-7)\,y' + 2y = 0$ 　　**111.** $y'' - xy' - y = 0$ 　　**112.** $\left(1 + x^2\right) y'' - 4xy' + 6y = 0$

113. $x^2 y'' - xy' - 3y = 0$ 　**114.** $y'' - 8y' = 0, \quad y(0) = -2,\ y'(0) = 10$

115. $y'' - 2xy = 0, \quad y(0) = 1,\ y'(0) = -3$ 　**116.** La ecuación diferencial $x^2 y'' + xy' + \left(x^2 - 1\right) y = 0$ es una ecuación de Bessel de orden 1. Utilice una serie de potencias de la forma $y = \sum_{n=0}^{\infty} a_n x^n$ para hallar la solución.

Revisión del capítulo

Términos clave

Circuito en serie *RLC* una ruta eléctrica completa formada por un resistor, un inductor y un condensador; se puede utilizar una ecuación diferencial de segundo orden y coeficiente constante para modelar la carga del condensador en un circuito en serie *RLC*

condiciones de frontera las condiciones que dan el estado de un sistema en diferentes momentos, como la posición de un sistema masa resorte en dos momentos diferentes

ecuación característica la ecuación $a\lambda^2 + b\lambda + c = 0$ para la ecuación diferencial $ay'' + by' + cy = 0$

ecuación complementaria para la ecuación diferencial no homogénea lineal
$$a_2(x)y'' + a_1(x)y' + a_0(x)y = r(x),$$

la ecuación homogénea asociada, llamada *ecuación complementaria*, es
$$a_2(x)y'' + a_1(x)y' + a_0(x)y = 0$$

ecuación lineal homogénea una ecuación diferencial de segundo orden que puede escribirse de la forma $a_2(x)y'' + a_1(x)y' + a_0(x)y = r(x)$, pero $r(x) = 0$ para cada valor de x

ecuación lineal no homogénea una ecuación diferencial de segundo orden que puede escribirse de la forma $a_2(x)y'' + a_1(x)y' + a_0(x)y = r(x)$, pero $r(x) \neq 0$ para algún valor de x

linealmente dependiente un conjunto de funciones $f_1(x), f_2(x),\ldots,f_n(x)$ para los que hay constantes $c_1, c_2,\ldots c_n$, sin que sean todos cero, de modo que $c_1 f_1(x) + c_2 f_2(x) + \cdots + c_n f_n(x) = 0$ para todo x en el intervalo de interés

linealmente independiente un conjunto de funciones $f_1(x), f_2(x),\ldots,f_n(x)$ para los que no hay constantes $c_1, c_2,\ldots c_n$, tal que $c_1 f_1(x) + c_2 f_2(x) + \cdots + c_n f_n(x) = 0$ para todo x en el intervalo de interés

método de los coeficientes indeterminados un método que implica hacer una conjetura sobre la forma de la solución particular, y luego resolver los coeficientes en la conjetura

método de variación de los parámetros un método que consiste en buscar soluciones particulares en la forma $y_p(x) = u(x)y_1(x) + v(x)y_2(x)$, donde y_1 y y_2 son soluciones linealmente independientes de las ecuaciones complementarias, y luego resolver un sistema de ecuaciones para encontrar $u(x)$ y $v(x)$

movimiento armónico simple movimiento descrito por la ecuación $x(t) = c_1 \cos(\omega t) + c_2 \operatorname{sen}(\omega t)$, tal y como lo muestra un sistema masa resorte no amortiguado en el que la masa sigue oscilando indefinidamente

problema de condición de frontera una ecuación diferencial con condiciones de frontera asociadas

solución en estado estacionario una solución a una ecuación diferencial no homogénea relacionada con la función de forzamiento; a largo plazo, la solución se aproxima a la solución de estado estacionario

solución particular una solución $y_p(x)$ de una ecuación diferencial que no contiene constantes arbitrarias

Ecuaciones clave

Ecuación diferencial lineal de segundo orden $a_2(x)y'' + a_1(x)y' + a_0(x)y = r(x)$

Ecuación de segundo orden con coeficientes constantes $ay'' + by' + cy = 0$

Ecuación complementaria $a_2(x)y'' + a_1(x)y' + a_0(x)y = 0$

Solución general de una ecuación diferencial no homogénea lineal $y(x) = c_1 y_1(x) + c_2 y_2(x) + y_p(x)$

Ecuación del movimiento armónico simple $x'' + \omega^2 x = 0$

Solución para el movimiento armónico simple $x(t) = c_1 \cos(\omega t) + c_2 \operatorname{sen}(\omega t)$

Forma alternativa de solución para el movimiento armónico simple (Simple Harmonic Motion, SHM) $x(t) = A \operatorname{sen}(\omega t + \phi)$

Movimiento armónico forzado $mx'' + bx' + kx = f(t)$

| **Carga en un *circuito en serie* RLC** | $L\dfrac{d^2q}{dt^2} + R\dfrac{dq}{dt} + \dfrac{1}{C}q = E(t)$ |

Conceptos clave

7.1 Ecuaciones lineales de segundo orden

- Las ecuaciones diferenciales de segundo orden pueden clasificarse como lineales o no lineales, homogéneas o no homogéneas.
- Para hallar una solución general para una ecuación diferencial de segundo orden homogénea, debemos encontrar dos soluciones linealmente independientes. Si los valores de $y_1(x)$ y de $y_2(x)$ son soluciones linealmente independientes de una ecuación diferencial de segundo orden, lineal y homogénea, entonces la solución general viene dada por

$$y(x) = c_1 y_1(x) + c_2 y_2(x).$$

- Para resolver ecuaciones diferenciales homogéneas de segundo orden con coeficientes constantes, halle las raíces de la ecuación característica. La forma de la solución general varía dependiendo de si la ecuación característica tiene raíces reales distintas, una única raíz real repetida o raíces complejas conjugadas.
- Las condiciones iniciales o las condiciones de contorno se pueden utilizar para hallar la solución específica de una ecuación diferencial que satisfaga esas condiciones, excepto cuando no hay solución o hay infinitas soluciones.

7.2 Ecuaciones lineales no homogéneas

- Para resolver una ecuación diferencial no homogénea lineal de segundo orden, primero hay que hallar la solución general de la ecuación complementaria y luego hallar una solución particular de la ecuación no homogénea.
- Supongamos que $y_p(x)$ es cualquier solución particular de la ecuación diferencial no homogénea lineal

$$a_2(x)y'' + a_1(x)y' + a_0(x)y = r(x),$$

y supongamos que $c_1 y_1(x) + c_2 y_2(x)$ denota la solución general de la ecuación complementaria. Entonces, la solución general de la ecuación no homogénea viene dada por

$$y(x) = c_1 y_1(x) + c_2 y_2(x) + y_p(x).$$

- Cuando $r(x)$ es una combinación de polinomios, funciones exponenciales, senos y cosenos, utilice el método de los coeficientes indeterminados para hallar la solución particular. Para utilizar este método, suponga una solución de la misma forma que $r(x)$, multiplicando por x según sea necesario hasta que la supuesta solución sea linealmente independiente de la solución general de la ecuación complementaria. A continuación, sustituya la supuesta solución en la ecuación diferencial para encontrar los valores de los coeficientes.
- Cuando $r(x)$ *no* es una combinación de polinomios, funciones exponenciales o senos y cosenos, utilice el método de variación de los parámetros para hallar la solución particular. Este método consiste en utilizar la regla de Cramer u otra técnica adecuada para encontrar funciones $u'(x)$ y $v'(x)$ que satisfacen

$$\begin{aligned} u' y_1 + v' y_2 &= 0 \\ u' y_1' + v' y_2' &= r(x). \end{aligned}$$

Entonces, $y_p(x) = u(x)y_1(x) + v(x)y_2(x)$ es una solución particular de la ecuación diferencial.

7.3 Aplicaciones

- Las ecuaciones diferenciales de segundo orden de coeficiente constante pueden utilizarse para modelar sistemas masa resorte.
- Un examen de las fuerzas sobre un sistema masa resorte da como resultado una ecuación diferencial de la forma

$$mx'' + bx' + kx = f(t),$$

donde m representa la masa, b es el coeficiente de la fuerza de amortiguación, k es la constante del resorte, y $f(t)$ representa cualquier fuerza externa neta sobre el sistema.
- Si los valores de $b = 0$, no hay ninguna fuerza de amortiguación que actúe sobre el sistema y se produce un movimiento armónico simple. Si los valores de $b \neq 0$, el comportamiento del sistema depende de si $b^2 - 4mk > 0$, $b^2 - 4mk = 0$, o $b^2 - 4mk < 0$.
- Si $b^2 - 4mk > 0$, el sistema está sobreamortiguado y no presenta un comportamiento oscilatorio.
- Si los valores de $b^2 - 4mk = 0$, el sistema está amortiguado críticamente. No presenta un comportamiento

oscilador, pero cualquier ligera reducción de la amortiguación provocaría un comportamiento oscilador.

- Si los valores de $b^2 - 4mk < 0$, el sistema está infraamortiguado. Presenta un comportamiento oscilador, pero la amplitud de las oscilaciones disminuye con el tiempo.
- Si los valores de $f(t) \neq 0$, la solución de la ecuación diferencial es la suma de una solución transitoria y una solución en estado estacionario. La solución en estado estacionario rige el comportamiento a largo plazo del sistema.
- La carga en el condensador en un circuito en serie *RLC* también se puede modelar con una ecuación diferencial de segundo orden de coeficiente constante de la forma

$$L\frac{d^2 q}{dt^2} + R\frac{dq}{dt} + \frac{1}{C}q = E(t),$$

donde *L* es la inductancia, *R* es la resistencia, *C* es la capacitancia y $E(t)$ es la fuente de voltaje.

7.4 Soluciones de ecuaciones diferenciales mediante series

- Las representaciones en serie de las funciones se pueden usar, a veces, para hallar soluciones a ecuaciones diferenciales.
- Diferencie la serie de potencias término a término y sustitúyala en la ecuación diferencial para hallar las relaciones entre los coeficientes de la serie de potencias.

Ejercicios de repaso

¿Verdadero o falso? Justifique su respuesta con una prueba o un contraejemplo.

117. Si los valores de *y* y de *z* son ambas soluciones para $y'' + 2y' + y = 0$, entonces $y + z$ también es una solución.

118. El siguiente sistema de ecuaciones algebraicas tiene una solución única:

$6z_1 + 3z_2 = 8$

$4z_1 + 2z_2 = 4.$

119. $y = e^x \cos(3x) + e^x \text{sen}(2x)$ es una solución de la ecuación diferencial de segundo orden $y'' + 2y' + 10 = 0.$

120. Para hallar la solución particular de una ecuación diferencial de segundo orden, se necesita una condición inicial.

Clasifique la ecuación diferencial. Determine el orden, si es de línea y, si lo es, si la ecuación diferencial es homogénea o no homogénea. Si la ecuación es homogénea de segundo orden y de línea, halle la ecuación característica.

121. $y'' - 2y = 0$

122. $y'' - 3y + 2y = \cos(t)$ grandes.

123. $\left(\frac{dy}{dt}\right)^2 + yy' = 1$

124. $\frac{d^2 y}{dt^2} + t\frac{dy}{dt} + \text{sen}^2(t)\,y = e^t$

En los siguientes problemas, halle la solución general.

125. $y'' + 9y = 0$

126. $y'' + 2y' + y = 0$

127. $y'' - 2y' + 10y = 4x$

128. $y'' = \cos(x) + 2y' + y$

129. $y'' + 5y + y = x + e^{2x}$

130. $y'' = 3y' + xe^{-x}$

131. $y'' - x^2 = -3y' - \frac{9}{4}y + 3x$

132. $y'' = 2\cos x + y' - y$

En los siguientes problemas, halle la solución del problema de valor inicial, si es posible.

133. $y'' + 4y' + 6y = 0,$
$y(0) = 0, y'(0) = \sqrt{2}$

134. $y'' = 3y - \cos(x),$
$y(0) = \frac{9}{4}, y'(0) = 0$

En los siguientes problemas, halle la solución del problema de condición de borde.

135. $4y' = -6y + 2y'',$
$y(0) = 0, y(1) = 1$

136. $y'' = 3x - y - y',$
$y(0) = -3, y(1) = 0$

En el siguiente problema, plantee y resuelva la ecuación diferencial.

137. El movimiento de un péndulo para ángulos pequeños θ se puede aproximar por $\frac{d^2\theta}{dt^2} + \frac{g}{L}\theta = 0$, donde θ es el ángulo que forma el péndulo con respecto a una línea vertical, g es la aceleración resultante de la gravedad y L es la longitud del péndulo. Halle la ecuación que describe el ángulo del péndulo en el momento t, suponiendo un desplazamiento inicial de θ_0 y una velocidad inicial de cero.

Los siguientes problemas consideran los "latidos" que se producen cuando el término de forzamiento de una ecuación diferencial provoca amplitudes "lentas" y "rápidas". Consideremos la ecuación diferencial general $ay'' + by = \cos(\omega t)$ que gobierna el movimiento no amortiguado. Supongamos que $\sqrt{\frac{b}{a}} \neq \omega$.

138. Halle la solución general de esta ecuación. (*Pista:* Llame a $\omega_0 = \sqrt{b/a}$).

139. Suponiendo que el sistema parte del reposo, demuestre que la solución particular puede escribirse como
$$y = \frac{2}{a(\omega_0{}^2 - \omega^2)} \operatorname{sen}\left(\frac{\omega_0 - \omega t}{2}\right) \operatorname{sen}\left(\frac{\omega_0 + \omega t}{2}\right).$$

140. [T] Usando sus soluciones derivadas anteriormente, trace la solución del sistema $2y'' + 9y = \cos(2t)$ en el intervalo $t = [-50, 50]$. Halle analíticamente el periodo de las amplitudes rápida y lenta.

En el siguiente problema, plantee y resuelva las ecuaciones diferenciales.

141. Un cantante de ópera intenta romper un vaso cantando una nota determinada. Las vibraciones del vidrio pueden modelarse mediante $y'' + ay = \cos(bt)$, donde $y'' + ay = 0$ representa la frecuencia natural del vaso y el cantante está forzando las vibraciones a $\cos(bt)$. ¿En qué valor b podría el cantante romper ese cristal? *(Nota:* Para que el cristal se rompa, las oscilaciones tendrían que ser cada vez más altas).

A TABLA DE INTEGRALES

Integrales básicas

1. $\int u^n\,du = \frac{u^{n+1}}{n+1} + C, n \neq -1$

2. $\int \frac{du}{u} = \ln|u| + C$

3. $\int e^u\,du = e^u + C$

4. $\int a^u\,du = \frac{a^u}{\ln a} + C$

5. $\int \sin u\,du = -\cos u + C$

6. $\int \cos u\,du = \operatorname{sen} u + C$

7. $\int \sec^2 u\,du = \tan u + C$

8. $\int \csc^2 u\,du = -\cot u + C$

9. $\int \sec u \tan u\,du = \sec u + C$

10. $\int \csc u \cot u\,du = -\csc u + C$

11. $\int \tan u\,du = \ln|\sec u| + C$

12. $\int \cot u\,du = \ln|\sin u| + C$

13. $\int \sec u\,du = \ln|\sec u + \tan u| + C$

14. $\int \csc u\,du = \ln|\csc u - \cot u| + C$

15. $\int \frac{du}{\sqrt{a^2 - u^2}} = \operatorname{sen}^{-1}\frac{u}{a} + C$

16. $\int \frac{du}{a^2 + u^2} = \frac{1}{a}\tan^{-1}\frac{u}{a} + C$

17. $\int \frac{du}{u\sqrt{u^2 - a^2}} = \frac{1}{a}\sec^{-1}\frac{u}{a} + C$

Integrales trigonométricas

18. $\int \operatorname{sen}^2 u\,du = \frac{1}{2}u - \frac{1}{4}\operatorname{sen} 2u + C$

19. $\int \cos^2 u\,du = \frac{1}{2}u + \frac{1}{4}\operatorname{sen} 2u + C$

20. $\int \tan^2 u\,du = \tan u - u + C$

21. $\int \cot^2 u\,du = -\cot u - u + C$

22. $\displaystyle\int \operatorname{sen}^3 u\, du = -\frac{1}{3}\left(2+\operatorname{sen}^2 u\right)\cos u + C$

23. $\displaystyle\int \cos^3 u\, du = \frac{1}{3}\left(2+\cos^2 u\right)\sin u + C$

24. $\displaystyle\int \tan^3 u\, du = \frac{1}{2}\tan^2 u+\ln|\cos u| + C$

25. $\displaystyle\int \cot^3 u\, du = -\frac{1}{2}\cot^2 u-\ln|\sin u| + C$

26. $\displaystyle\int \sec^3 u\, du = \frac{1}{2}\sec u \tan u + \frac{1}{2}\ln|\sec u + \tan u| + C$

27. $\displaystyle\int \csc^3 u\, du = -\frac{1}{2}\csc u \cot u + \frac{1}{2}\ln|\csc u - \cot u| + C$

28. $\displaystyle\int \sin^n u\, du = -\frac{1}{n}\operatorname{sen}^{n-1} u \cos u + \frac{n-1}{n}\int \sin^{n-2} u\, du$

29. $\displaystyle\int \cos^n u\, du = \frac{1}{n}\cos^{n-1} u \sin u + \frac{n-1}{n}\int \cos^{n-2} u\, du$

30. $\displaystyle\int \tan^n u\, du = \frac{1}{n-1}\tan^{n-1} u-\int \tan^{n-2} u\, du$

31. $\displaystyle\int \cot^n u\, du = \frac{-1}{n-1}\cot^{n-1} u-\int \cot^{n-2} u\, du$

32. $\displaystyle\int \sec^n u\, du = \frac{1}{n-1}\tan u \sec^{n-2} u + \frac{n-2}{n-1}\int \sec^{n-2} u\, du$

33. $\displaystyle\int \csc^n u\, du = \frac{-1}{n-1}\cot u \csc^{n-2} u + \frac{n-2}{n-1}\int \csc^{n-2} u\, du$

34. $\displaystyle\int \operatorname{sen} au \sin bu\, du = \frac{\operatorname{sen}(a-b)u}{2(a-b)} - \frac{\operatorname{sen}(a+b)u}{2(a+b)} + C$

35. $\displaystyle\int \cos au \cos bu\, du = \frac{\operatorname{sen}(a-b)u}{2(a-b)} + \frac{\operatorname{sen}(a+b)u}{2(a+b)} + C$

36. $\displaystyle\int \operatorname{sen} au \cos bu\, du = -\frac{\cos(a-b)u}{2(a-b)} - \frac{\cos(a+b)u}{2(a+b)} + C$

37. $\displaystyle\int u \sin u\, du = \operatorname{sen} u - u\cos u + C$

38. $\displaystyle\int u \cos u\, du = \cos u + u\sin u + C$

39. $\displaystyle\int u^n \sin u\, du = -u^n\cos u + n\int u^{n-1}\cos u\, du$

40. $\displaystyle\int u^n \cos u\, du = u^n\sin u - n\int u^{n-1}\sin u\, du$

41. $\displaystyle\int \sin^n u \cos^m u\, du = -\frac{\operatorname{sen}^{n-1} u \cos^{m+1} u}{n+m} + \frac{n-1}{n+m}\int \sin^{n-2} u \cos^m u\, du$
$\displaystyle\qquad = \frac{\operatorname{sen}^{n+1} u \cos^{m-1} u}{n+m} + \frac{m-1}{n+m}\int \sin^n u \cos^{m-2} u\, du$

Integrales exponenciales y logarítmicas

42. $\displaystyle\int u e^{au}\, du = \frac{1}{a^2}(au-1)e^{au} + C$

43. $\displaystyle\int u^n e^{au}\, du = \frac{1}{a}u^n e^{au} - \frac{n}{a}\int u^{n-1} e^{au}\, du$

44. $\int e^{au} \sin bu \, du = \frac{e^{au}}{a^2+b^2}(a \sin bu - b \cos bu) + C$

45. $\int e^{au} \cos bu \, du = \frac{e^{au}}{a^2+b^2}(a \cos bu + b \sin bu) + C$

46. $\int \ln u \, du = u \ln u - u + C$

47. $\int u^n \ln u \, du = \frac{u^{n+1}}{(n+1)^2}[(n+1)\ln u - 1] + C$

48. $\int \frac{1}{u \ln u} \, du = \ln |\ln u| + C$

Integrales hiperbólicas

49. $\int \text{senoh}\, u \, du = \cosh u + C$

50. $\int \cosh u \, du = \text{senoh}\, u + C$

51. $\int \tanh u \, du = \ln \cosh u + C$

52. $\int \coth u \, du = \ln |\text{senoh}\, u| + C$

53. $\int \text{sech}\, u \, du = \tan^{-1} |\text{senoh}\, u| + C$

54. $\int \text{csch}\, u \, du = \ln \left| \tanh \frac{1}{2}u \right| + C$

55. $\int \text{sech}^2 u \, du = \tanh u + C$

56. $\int \text{csch}^2 u \, du = -\coth u + C$

57. $\int \text{sech}\, u \tanh u \, du = -\text{sech}\, u + C$

58. $\int \text{csch}\, u \coth u \, du = -\text{csch}\, u + C$

Integrales trigonométricas inversas

59. $\int \text{sen}^{-1} u \, du = u \sin^{-1} u + \sqrt{1 - u^2} + C$

60. $\int \cos^{-1} u \, du = u \cos^{-1} u - \sqrt{1 - u^2} + C$

61. $\int \tan^{-1} u \, du = u \tan^{-1} u - \frac{1}{2}\ln\left(1 + u^2\right) + C$

62. $\int u \sin^{-1} u \, du = \frac{2u^2-1}{4}\sin^{-1} u + \frac{u\sqrt{1-u^2}}{4} + C$

63. $\int u \cos^{-1} u \, du = \frac{2u^2-1}{4}\cos^{-1} u - \frac{u\sqrt{1-u^2}}{4} + C$

64. $\int u \tan^{-1} u \, du = \frac{u^2+1}{2}\tan^{-1} u - \frac{u}{2} + C$

65. $\int u^n \sin^{-1} u \, du = \frac{1}{n+1}\left[u^{n+1} \sin^{-1} u - \int \frac{u^{n+1}\, du}{\sqrt{1-u^2}} \right], n \neq -1$

66. $\displaystyle\int u^n \cos^{-1} u \, du = \frac{1}{n+1}\left[u^{n+1}\cos^{-1}u + \int \frac{u^{n+1}\,du}{\sqrt{1-u^2}} \right], n \neq -1$

67. $\displaystyle\int u^n \tan^{-1} u \, du = \frac{1}{n+1}\left[u^{n+1}\tan^{-1}u - \int \frac{u^{n+1}\,du}{1+u^2} \right], n \neq -1$

Integrales que implican $a^2 + u^2$, $a > 0$

68. $\displaystyle\int \sqrt{a^2+u^2}\,du = \frac{u}{2}\sqrt{a^2+u^2} + \frac{a^2}{2}\ln\left(u + \sqrt{a^2+u^2}\right) + C$

69. $\displaystyle\int u^2\sqrt{a^2+u^2}\,du = \frac{u}{8}\left(a^2+2u^2\right)\sqrt{a^2+u^2} - \frac{a^4}{8}\ln\left(u + \sqrt{a^2+u^2}\right) + C$

70. $\displaystyle\int \frac{\sqrt{a^2+u^2}}{u}\,du = \sqrt{a^2+u^2} - a\ln\left|\frac{a+\sqrt{a^2+u^2}}{u}\right| + C$

71. $\displaystyle\int \frac{\sqrt{a^2+u^2}}{u^2}\,du = -\frac{\sqrt{a^2+u^2}}{u} + \ln\left(u + \sqrt{a^2+u^2}\right) + C$

72. $\displaystyle\int \frac{du}{\sqrt{a^2+u^2}} = \ln\left(u + \sqrt{a^2+u^2}\right) + C$

73. $\displaystyle\int \frac{u^2\,du}{\sqrt{a^2+u^2}} = \frac{u}{2}\left(\sqrt{a^2+u^2}\right) - \frac{a^2}{2}\ln\left(u + \sqrt{a^2+u^2}\right) + C$

74. $\displaystyle\int \frac{du}{u\sqrt{a^2+u^2}} = -\frac{1}{a}\ln\left|\frac{\sqrt{a^2+u^2}+a}{u}\right| + C$

75. $\displaystyle\int \frac{du}{u^2\sqrt{a^2+u^2}} = -\frac{\sqrt{a^2+u^2}}{a^2 u} + C$

76. $\displaystyle\int \frac{du}{\left(a^2+u^2\right)^{3/2}} = \frac{u}{a^2\sqrt{a^2+u^2}} + C$

Integrales que implican $u^2 - a^2$, $a > 0$

77. $\displaystyle\int \sqrt{u^2-a^2}\,du = \frac{u}{2}\sqrt{u^2-a^2} - \frac{a^2}{2}\ln\left|u + \sqrt{u^2-a^2}\right| + C$

78. $\displaystyle\int u^2\sqrt{u^2-a^2}\,du = \frac{u}{8}\left(2u^2-a^2\right)\sqrt{u^2-a^2} - \frac{a^4}{8}\ln\left|u + \sqrt{u^2-a^2}\right| + C$

79. $\displaystyle\int \frac{\sqrt{u^2-a^2}}{u}\,du = \sqrt{u^2-a^2} - a\cos^{-1}\frac{a}{|u|} + C$

80. $\displaystyle\int \frac{\sqrt{u^2-a^2}}{u^2}\,du = -\frac{\sqrt{u^2-a^2}}{u} + \ln\left|u + \sqrt{u^2-a^2}\right| + C$

81. $\displaystyle\int \frac{du}{\sqrt{u^2-a^2}} = \ln\left|u + \sqrt{u^2-a^2}\right| + C$

82. $\displaystyle\int \frac{u^2\,du}{\sqrt{u^2-a^2}} = \frac{u}{2}\sqrt{u^2-a^2} + \frac{a^2}{2}\ln\left|u + \sqrt{u^2-a^2}\right| + C$

83. $\displaystyle\int \frac{du}{u^2\sqrt{u^2-a^2}} = \frac{\sqrt{u^2-a^2}}{a^2 u} + C$

84a. $\displaystyle\int \frac{du}{\left(u^2-a^2\right)^{3/2}} = -\frac{u}{a^2\sqrt{u^2-a^2}} + C$

84b. $\displaystyle\int \frac{du}{u^2-a^2} = \frac{1}{2a}\ln\left|\frac{u-a}{u+a}\right| + C$

Integrales que implican $a^2 - u^2$, $a > 0$

85. $\displaystyle \int \sqrt{a^2 - u^2}\, du = \frac{u}{2}\sqrt{a^2 - u^2} + \frac{a^2}{2}\operatorname{sen}^{-1}\frac{u}{a} + C$

86. $\displaystyle \int u^2\sqrt{a^2 - u^2}\, du = \frac{u}{8}\left(2u^2 - a^2\right)\sqrt{a^2 - u^2} + \frac{a^4}{8}\sin^{-1}\frac{u}{a} + C$

87. $\displaystyle \int \frac{\sqrt{a^2 - u^2}}{u}\, du = \sqrt{a^2 - u^2} - a\ln\left|\frac{a + \sqrt{a^2 - u^2}}{u}\right| + C$

88. $\displaystyle \int \frac{\sqrt{a^2 - u^2}}{u^2}\, du = -\frac{1}{u}\sqrt{a^2 - u^2} - \sin^{-1}\frac{u}{a} + C$

89. $\displaystyle \int \frac{u^2\, du}{\sqrt{a^2 - u^2}} = -\frac{u}{2}\sqrt{a^2 - u^2} + \frac{a^2}{2}\operatorname{sen}^{-1}\frac{u}{a} + C$

90. $\displaystyle \int \frac{du}{u\sqrt{a^2 - u^2}} = -\frac{1}{a}\ln\left|\frac{a + \sqrt{a^2 - u^2}}{u}\right| + C$

91. $\displaystyle \int \frac{du}{u^2\sqrt{a^2 - u^2}} = -\frac{1}{a^2 u}\sqrt{a^2 - u^2} + C$

92. $\displaystyle \int \left(a^2 - u^2\right)^{3/2} du = -\frac{u}{8}\left(2u^2 - 5a^2\right)\sqrt{a^2 - u^2} + \frac{3a^4}{8}\sin^{-1}\frac{u}{a} + C$

93a. $\displaystyle \int \frac{du}{\left(a^2 - u^2\right)^{3/2}} = \frac{u}{a^2\sqrt{a^2 - u^2}} + C$

93b. $\displaystyle \int \frac{du}{a^2 - u^2} = \frac{1}{2a}\ln\left|\frac{u + a}{u - a}\right| + C$

Integrales que implican $2au - u^2$, $a > 0$

94. $\displaystyle \int \sqrt{2au - u^2}\, du = \frac{u - a}{2}\sqrt{2au - u^2} + \frac{a^2}{2}\cos^{-1}\left(\frac{a - u}{a}\right) + C$

95. $\displaystyle \int \frac{du}{\sqrt{2au - u^2}} = \cos^{-1}\left(\frac{a - u}{a}\right) + C$

96. $\displaystyle \int u\sqrt{2au - u^2}\, du = \frac{2u^2 - au - 3a^2}{6}\sqrt{2au - u^2} + \frac{a^3}{2}\cos^{-1}\left(\frac{a - u}{a}\right) + C$

97. $\displaystyle \int \frac{du}{u\sqrt{2au - u^2}} = -\frac{\sqrt{2au - u^2}}{au} + C$

Integrales que implican $a + bu$, $a \neq 0$

98. $\displaystyle \int \frac{u\, du}{a + bu} = \frac{1}{b^2}(a + bu - a\ln|a + bu|) + C$

99. $\displaystyle \int \frac{u^2\, du}{a + bu} = \frac{1}{2b^3}\left[(a + bu)^2 - 4a(a + bu) + 2a^2\ln|a + bu|\right] + C$

100. $\displaystyle \int \frac{du}{u(a + bu)} = \frac{1}{a}\ln\left|\frac{u}{a + bu}\right| + C$

101. $\displaystyle \int \frac{du}{u^2(a + bu)} = -\frac{1}{au} + \frac{b}{a^2}\ln\left|\frac{a + bu}{u}\right| + C$

102. $\displaystyle \int \frac{u\, du}{(a + bu)^2} = \frac{a}{b^2(a + bu)} + \frac{1}{b^2}\ln|a + bu| + C$

103. $\displaystyle \int \frac{u\, du}{u(a + bu)^2} = \frac{1}{a(a + bu)} - \frac{1}{a^2}\ln\left|\frac{a + bu}{u}\right| + C$

104. $\displaystyle\int \frac{u^2\,du}{(a+bu)^2} = \frac{1}{b^3}\left(a+bu-\frac{a^2}{a+bu}-2a\ln|a+bu|\right)+C$

105. $\displaystyle\int u\sqrt{a+bu}\,du = \frac{2}{15b^2}(3bu-2a)(a+bu)^{3/2}+C$

106. $\displaystyle\int \frac{u\,du}{\sqrt{a+bu}} = \frac{2}{3b^2}(bu-2a)\sqrt{a+bu}+C$

107. $\displaystyle\int \frac{u^2\,du}{\sqrt{a+bu}} = \frac{2}{15b^3}\left(8a^2+3b^2u^2-4abu\right)\sqrt{a+bu}+C$

108. $\displaystyle\int \frac{du}{u\sqrt{a+bu}} = \frac{1}{\sqrt{a}}\ln\left|\frac{\sqrt{a+bu}-\sqrt{a}}{\sqrt{a+bu}+\sqrt{a}}\right|+C, \quad \text{si } a>0$

$\displaystyle\qquad\qquad = \frac{2}{\sqrt{-a}}\tan-1\sqrt{\frac{a+bu}{-a}}+C, \quad \text{si } a<0$

109. $\displaystyle\int \frac{\sqrt{a+bu}}{u}\,du = 2\sqrt{a+bu}+a\int \frac{du}{u\sqrt{a+bu}}$

110. $\displaystyle\int \frac{\sqrt{a+bu}}{u^2}\,du = -\frac{\sqrt{a+bu}}{u}+\frac{b}{2}\int \frac{du}{u\sqrt{a+bu}}$

111. $\displaystyle\int u^n\sqrt{a+bu}\,du = \frac{2}{b(2n+3)}\left[u^n(a+bu)^{3/2}-na\int u^{n-1}\sqrt{a+bu}\,du\right]$

112. $\displaystyle\int \frac{u^n\,du}{\sqrt{a+bu}} = \frac{2u^n\sqrt{a+bu}}{b(2n+1)}-\frac{2na}{b(2n+1)}\int \frac{u^{n-1}\,du}{\sqrt{a+bu}}$

113. $\displaystyle\int \frac{du}{u^n\sqrt{a+bu}} = -\frac{\sqrt{a+bu}}{a(n-1)u^{n-1}}-\frac{b(2n-3)}{2a(n-1)}\int \frac{du}{u^{n-1}\sqrt{a+bu}}$

B | TABLA DE DERIVADAS

Fórmulas generales

1. $\frac{d}{dx}(c) = 0$

2. $\frac{d}{dx}(f(x) + g(x)) = f'(x) + g'(x)$

3. $\frac{d}{dx}(f(x)g(x)) = f'(x)g(x) + f(x)g'(x)$

4. $\frac{d}{dx}(x^n) = nx^{n-1}$, para los números reales n

5. $\frac{d}{dx}(cf(x)) = cf'(x)$

6. $\frac{d}{dx}(f(x) - g(x)) = f'(x) - g'(x)$

7. $\frac{d}{dx}\left(\frac{f(x)}{g(x)}\right) = \frac{g(x)f'(x) - f(x)g'(x)}{(g(x))^2}$

8. $\frac{d}{dx}[f(g(x))] = f'(g(x)) \cdot g'(x)$

Funciones trigonométricas

9. $\frac{d}{dx}(\operatorname{sen} x) = \cos x$

10. $\frac{d}{dx}(\tan x) = \sec^2 x$

11. $\frac{d}{dx}(\sec x) = \sec x \tan x$

12. $\frac{d}{dx}(\cos x) = -\operatorname{sen} x$

13. $\frac{d}{dx}(\cot x) = -\csc^2 x$

14. $\frac{d}{dx}(\csc x) = -\csc x \cot x$

Funciones trigonométricas inversas

15. $\frac{d}{dx}\left(\sin^{-1} x\right) = \frac{1}{\sqrt{1-x^2}}$

16. $\frac{d}{dx}\left(\tan^{-1} x\right) = \frac{1}{1+x^2}$

17. $\frac{d}{dx}\left(\sec^{-1} x\right) = \frac{1}{|x|\sqrt{x^2-1}}$

18. $\frac{d}{dx}\left(\cos^{-1} x\right) = -\frac{1}{\sqrt{1-x^2}}$

19. $\frac{d}{dx}\left(\cot^{-1} x\right) = -\frac{1}{1+x^2}$

20. $\frac{d}{dx}\left(\csc^{-1} x\right) = -\frac{1}{|x|\sqrt{x^2-1}}$

Funciones exponenciales y logarítmicas

21. $\frac{d}{dx}(e^x) = e^x$

22. $\frac{d}{dx}(\ln |x|) = \frac{1}{x}$

23. $\frac{d}{dx}(b^x) = b^x \ln b$

24. $\frac{d}{dx}\left(\log_b x\right) = \frac{1}{x \ln b}$

Funciones hiperbólicas

25. $\frac{d}{dx}(\operatorname{senoh} x) = \cosh x$

26. $\frac{d}{dx}(\tanh x) = \operatorname{sech}^2 x$

27. $\frac{d}{dx}(\text{sech}\,x) = -\text{sech}\,x\,\tanh x$

28. $\frac{d}{dx}(\cosh x) = \text{senh}\,x$

29. $\frac{d}{dx}(\coth x) = -\text{csch}^2\,x$

30. $\frac{d}{dx}(\text{csch}\,x) = -\text{csch}\,x\,\coth x$

Funciones hiperbólicas inversas

31. $\frac{d}{dx}\left(\text{senoh}^{-1}x\right) = \frac{1}{\sqrt{x^2+1}}$

32. $\frac{d}{dx}\left(\tanh^{-1}x\right) = \frac{1}{1-x^2}(|x| < 1)$

33. $\frac{d}{dx}\left(\text{sech}^{-1}x\right) = -\frac{1}{x\sqrt{1-x^2}}\quad(0 < x < 1)$

34. $\frac{d}{dx}\left(\cosh^{-1}x\right) = \frac{1}{\sqrt{x^2-1}}\quad(x > 1)$

35. $\frac{d}{dx}\left(\coth^{-1}x\right) = \frac{1}{1-x^2}\quad(|x| > 1)$

36. $\frac{d}{dx}\left(\text{csch}^{-1}x\right) = -\frac{1}{|x|\sqrt{1+x^2}}\,(x \neq 0)$

C │ REPASO DE PRECÁLCULO

Fórmulas de geometría

Los términos A = área, V = Volumen, y S = área superficial lateral

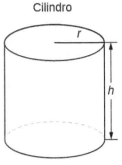

Paralelogramo

$A = bh$

Triángulo

$A = \frac{1}{2}bh$

Trapezoide

$A = \frac{1}{2}(a + b)h$

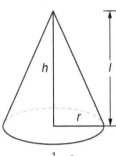

Círculo

$A = \pi r^2$
$C = 2\pi r$

Sector

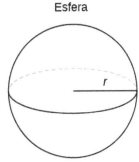

$A = \frac{1}{2}r^2\theta$
$s = r\theta$ (θ en radianes)

Cilindro

$V = \pi r^2 h$
$S = 2\pi rh$

Cono

$V = \frac{1}{3}\pi r^2 h$
$S = \pi rl$

Esfera

$V = \frac{4}{3}\pi r^3$
$S = 4\pi r^2$

Fórmulas de álgebra

Leyes de los exponentes

$$x^m x^n = x^{m+n} \qquad \frac{x^m}{x^n} = x^{m-n} \qquad (x^m)^n = x^{mn}$$

$$x^{-n} = \frac{1}{x^n} \qquad (xy)^n = x^n y^n \qquad \left(\frac{x}{y}\right)^n = \frac{x^n}{y^n}$$

Los términos

$$x^{1/n} = \sqrt[n]{x} \qquad \sqrt[n]{xy} = \sqrt[n]{x}\sqrt[n]{y} \qquad \sqrt[n]{\frac{x}{y}} = \frac{\sqrt[n]{x}}{\sqrt[n]{y}}$$

$$x^{m/n} = \sqrt[n]{x^m} = \left(\sqrt[n]{x}\right)^m$$

Factorizaciones especiales

$$x^2 - y^2 = (x + y)(x - y)$$

Los términos $x^3 + y^3 = (x + y)\left(x^2 - xy + y^2\right)$

$$x^3 - y^3 = (x - y)\left(x^2 + xy + y^2\right)$$

Fórmula cuadrática

Si los valores de $ax^2 + bx + c = 0$, entonces $x = \frac{-b\pm\sqrt{b^2-4ca}}{2a}$.

Teorema del binomio

Los términos $(a + b)^n = a^n + \binom{n}{1}a^{n-1}b + \binom{n}{2}a^{n-2}b^2 + \cdots + \binom{n}{n-1}ab^{n-1} + b^n$,

donde $\binom{n}{k} = \frac{n(n-1)(n-2)\cdots(n-k+1)}{k(k-1)(k-2)\cdots 3\cdot 2\cdot 1} = \frac{n!}{k!(n-k)!}$.

Fórmulas de trigonometría

Trigonometría de ángulo recto

$$\operatorname{sen}\theta = \frac{\text{opp}}{\text{hyp}} \qquad \csc\theta = \frac{\text{hyp}}{\text{opp}}$$

Los términos $\cos\theta = \frac{\text{adj}}{\text{hyp}} \qquad \sec\theta = \frac{\text{hyp}}{\text{adj}}$

$$\tan\theta = \frac{\text{opp}}{\text{adj}} \qquad \cot\theta = \frac{\text{adj}}{\text{opp}}$$

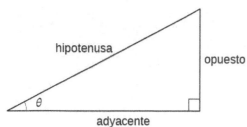

hipotenusa

opuesto

θ

adyacente

Funciones trigonométricas de ángulos importantes

Los términos θ	Los términos Radianes	Los términos $\operatorname{sen}\theta$	Los términos $\cos\theta$	Los términos $\tan\theta$
Los términos 0°	Los términos 0	Los términos 0	Los términos 1	Los términos 0
Los términos 30°	Los términos $\pi/6$	Los términos 1/2	Los términos $\sqrt{3}/2$	Los términos $\sqrt{3}/3$
Los términos 45°	Los términos $\pi/4$	Los términos $\sqrt{2}/2$	Los términos $\sqrt{2}/2$	Los términos 1
Los términos 60°	Los términos $\pi/3$	Los términos $\sqrt{3}/2$	Los términos 1/2	Los términos $\sqrt{3}$
Los términos 90°	Los términos $\pi/2$	Los términos 1	Los términos 0	—

Identidades fundamentales

$$\operatorname{sen}^2\theta + \cos^2\theta \;=\; 1 \qquad\qquad \operatorname{sen}(-\theta) \;=\; -\operatorname{sen}\theta$$

$$1 + \tan^2\theta \;=\; \sec^2\theta \qquad\qquad \cos(-\theta) \;=\; \cos\theta$$

$$1 + \cot^2\theta \;=\; \csc^2\theta \qquad\qquad \tan(-\theta) \;=\; -\tan\theta$$

Los términos
$$\sin\left(\tfrac{\pi}{2} - \theta\right) \;=\; \cos\theta \qquad \sin(\theta + 2\pi) \;=\; \operatorname{sen}\theta$$

$$\cos\left(\tfrac{\pi}{2} - \theta\right) \;=\; \operatorname{sen}\theta \qquad \cos(\theta + 2\pi) \;=\; \cos\theta$$

$$\tan\left(\tfrac{\pi}{2} - \theta\right) \;=\; \cot\theta \qquad \tan(\theta + \pi) \;=\; \tan\theta$$

Ley de senos

Los términos $\dfrac{\sin A}{a} = \dfrac{\sin B}{b} = \dfrac{\sin C}{c}$

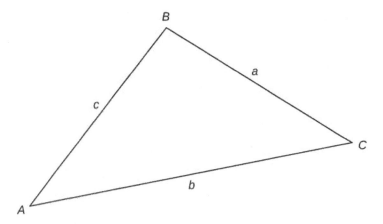

Ley de los cosenos

$$a^2 \;=\; b^2 + c^2 - 2bc \cos A$$

Los términos $\quad b^2 \;=\; a^2 + c^2 - 2ac \cos B$

$$c^2 \;=\; a^2 + b^2 - 2ab \cos C$$

Fórmulas de suma y resta

$$\operatorname{sen}\,(x + y) \;=\; \operatorname{sen} x \cos y + \cos x \sin y$$

$$\sin\,(x - y) \;=\; \operatorname{sen} x \cos y - \cos x \sin y$$

$$\cos\,(x + y) \;=\; \cos x \cos y - \operatorname{sen} x \sin y$$

Los términos $\quad \cos\,(x - y) \;=\; \cos x \cos y + \operatorname{sen} x \sin y$

$$\tan\,(x + y) \;=\; \frac{\tan x + \tan y}{1 - \tan x \tan y}$$

$$\tan\,(x - y) \;=\; \frac{\tan x - \tan y}{1 + \tan x \tan y}$$

Fórmulas del ángulo doble

$$\operatorname{sen} 2x \;=\; 2 \operatorname{sen} x \cos x$$

Los términos $\quad \cos 2x \;=\; \cos^2 x - \operatorname{sen}^2 x = 2\cos^2 x - 1 = 1 - 2\operatorname{sen}^2 x$

$$\tan 2x \;=\; \frac{2 \tan x}{1 - \tan^2 x}$$

Fórmulas de ángulo mitad

Los términos $\quad \operatorname{sen}^2 x \;=\; \frac{1 - \cos 2x}{2}$

$$\cos^2 x \;=\; \frac{1 + \cos 2x}{2}$$

Clave de respuestas
Capítulo 1
Punto de control

1.1

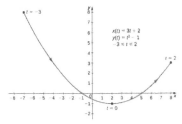

1.2 $x = 2 + \frac{3}{y+1}$, o $y = -1 + \frac{3}{x-2}$.

Esta ecuación describe una parte de una hipérbola rectangular centrada en $(2, -1)$.

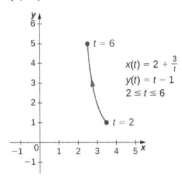

1.3 Una posibilidad es $x(t) = t$, $y(t) = t^2 + 2t$. Otra posibilidad es

$x(t) = 2t - 3$, $y(t) = (2t - 3)^2 + 2(2t - 3) = 4t^2 - 8t + 3$.

De hecho, hay un número infinito de posibilidades.

1.4 $x'(t) = 2t - 4$ en tanto que $y'(t) = 6t^2 - 6$, así que $\frac{dy}{dx} = \frac{6t^2-6}{2t-4} = \frac{3t^2-3}{t-2}$.

Esta expresión es indefinida cuando $t = 2$ e igual a cero cuando $t = \pm 1$.

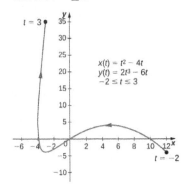

1.5 La ecuación de la línea tangente es $y = 24x + 100$.

1.6 $\frac{d^2y}{dx^2} = \frac{3t^2-12t+3}{2(t-2)^3}$. Puntos críticos $(5, 4)$, $(-3, -4)$, y $(-4, 4)$.

1.7 $A = 3\pi$ (Observe que la fórmula de la integral da en realidad una respuesta negativa. Esto se debe a que $x(t)$ es una función decreciente en el intervalo $[0, 2\pi]$; es decir, la curva se traza de derecha a izquierda).

1.8 $s = 2\left(10^{3/2} - 2^{3/2}\right) \approx 57{,}589$

1.9 $A = \frac{\pi\left(494\sqrt{13}+128\right)}{1.215}$

1.10 $\left(8\sqrt{2}, \frac{5\pi}{4}\right)$ y $\left(-2, 2\sqrt{3}\right)$

1.11

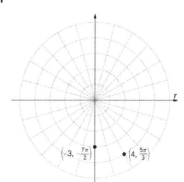

1.12

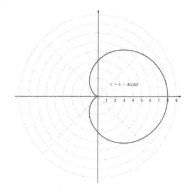

El nombre de esta forma es cardioide, que estudiaremos más adelante en esta sección.

1.13 $y = x^2$, que es la ecuación de una parábola que se abre hacia arriba.

1.14 Simetría con respecto al eje polar

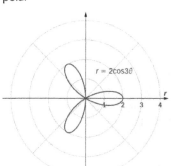

1.15 $A = 3\pi/2$

1.16 $A = \frac{4\pi}{3} + 4\sqrt{3}$

1.17 $s = 3\pi$

1.18 $x = 2(y+3)^2 - 2$

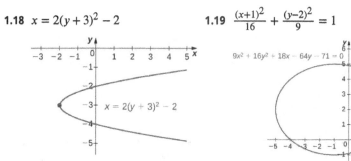

1.19 $\frac{(x+1)^2}{16} + \frac{(y-2)^2}{9} = 1$

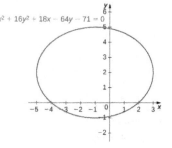

1.20 $\frac{(y+2)^2}{9} - \frac{(x-1)^2}{4} = 1$. Se trata de una hipérbola vertical. Asíntotas $y = -2 \pm \frac{3}{2}(x-1)$.

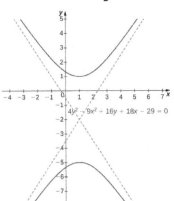

1.21 $e = \frac{c}{a} = \frac{\sqrt{74}}{7} \approx 1{,}229$

1.22 Aquí $e = 0{,}8$ y $p = 5$. Esta sección cónica es una elipse

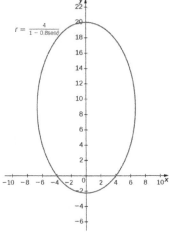

1.23 La sección cónica es una hipérbola y el ángulo de rotación de los ejes es $\theta = 22{,}5°$.

Sección 1.1 ejercicios

1.

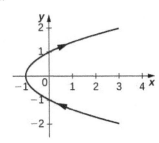

orientación: de abajo a arriba

3.

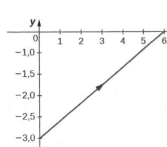

orientación: de izquierda a derecha

5. $y = \frac{x^2}{4} + 1$

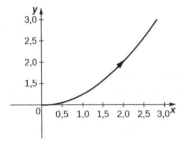

7.

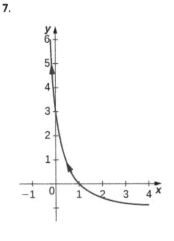

9.

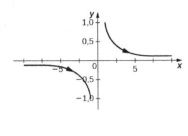

11.

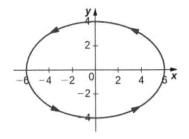

13.

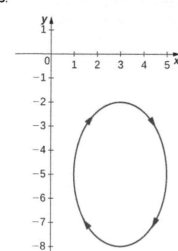

15.

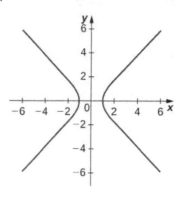

Las asíntotas son $y = x$ como $y = -x$

17.

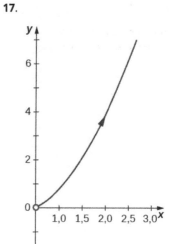

19.

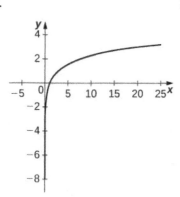

21. $y = \frac{\sqrt{x+1}}{2}$; dominio: $x \in [1, -\infty)$.

23. $\frac{x^2}{16} + \frac{y^2}{9} = 1$; dominio $x \in [-4, 4]$.

25. $y = 3x + 2$; dominio: todos los números reales.

27. $(x - 1)^2 + (y - 3)^2 = 1$; dominio: $x \in [0, 2]$.

29. $y = \sqrt{x^2 - 1}$; dominio: $x \in (-\infty, -1]$.

31. $y^2 = \frac{1-x}{2}$; dominio: $x \in \left[2, \infty\right) \cup \left(-\infty, -2\right]$.

33. $y = \ln x$; dominio: $x \in [1, \infty)$.

35. $y = \ln x$; dominio: $x \in (0, \infty)$.

37. $x^2 + y^2 = 4$; dominio: $x \in [-2, 2]$.

39. línea

41. parábola

43. círculo

45. elipse

47. hipérbola

51. Las ecuaciones representan una cicloide.

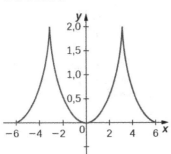

53.

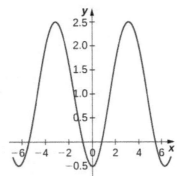

55. 22.092 metros a aproximadamente 51 segundos.

57.

$x = 2\tan(t), y = 3\sec(t)$

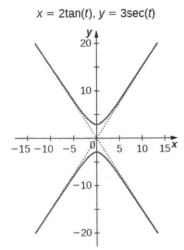

59.

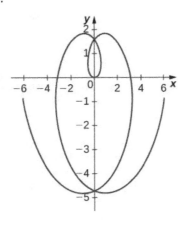

61.

$x = \cosh t, y = \operatorname{senh} t$

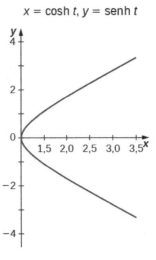

Sección 1.2 ejercicios

63. 0

65. $\frac{-3}{5}$

67. Pendiente $= 0$; $y = 8$.

69. La pendiente no está definida; $x = 2$.

71. $\tan t = -2$

$\left(\frac{4}{\sqrt{5}}, \frac{-8}{\sqrt{5}}\right), \left(\frac{4}{\sqrt{5}}, \frac{-8}{\sqrt{5}}\right)$.

73. No hay puntos posibles; expresión indefinida.

75. $y = -\left(\frac{4}{e}\right)x + 5$

77. $y = -2x + 3$

79. $\frac{\pi}{4}, \frac{5\pi}{4}, \frac{3\pi}{4}, \frac{7\pi}{4}$

81. $\frac{dy}{dx} = -\tan(t)$

83. $\frac{dy}{dx} = \frac{3}{4}$ y $\frac{d^2 y}{dx^2} = 0$, para que la curva no sea ni cóncava hacia arriba ni cóncava hacia abajo en $t = 3$. Por lo tanto, el gráfico es lineal y tiene una pendiente constante pero ninguna concavidad.

85. $\frac{dy}{dx} = 4, \frac{d^2 y}{dx^2} = -6\sqrt{3}$; la curva es cóncava hacia abajo en $\theta = \frac{\pi}{6}$.

87. No hay tangentes horizontales. Tangentes verticales en $(1, 0), (-1, 0)$.

89. $-\sec^2(\pi t)$ grandes.

91. Horizontal $(0, -9)$; vertical $(\pm 2, -6)$.

93. 1

95. 0

97. 4

99. Cóncava hacia arriba en $t > 0$.

101. $\frac{e^{\frac{1}{2}} - 1}{2}$

103. $\frac{3\pi}{2}$

105. $6\pi a^2$

107. $2\pi ab$

109. $\frac{1}{3}\left(2\sqrt{2} - 1\right)$ grandes.

111. 7,075

113. $6a$

115. $6\sqrt{2}$

119. $\frac{2\pi\left(247\sqrt{13} + 64\right)}{1.215}$

121. 59,101

123. $\frac{8\pi}{3}\left(17\sqrt{17} - 1\right)$

Sección 1.3 ejercicios

125.

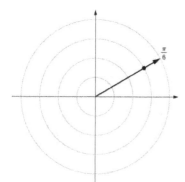

127.

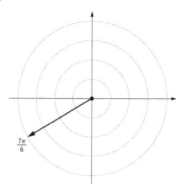

129.

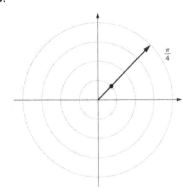

131.

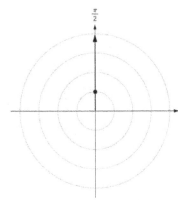

133. $B\left(3, \frac{-\pi}{3}\right)$ $B\left(-3, \frac{2\pi}{3}\right)$

135. $D\left(5, \frac{7\pi}{6}\right) D\left(-5, \frac{\pi}{6}\right)$

137. $(5, -0{,}927)$ $(-5, -0{,}927 + \pi)$ grandes.

139. $(10, -0{,}927)(-10, -0{,}927 + \pi)$ grandes.

141. $\left(2\sqrt{3}, -0{,}524\right)\left(-2\sqrt{3}, -0{,}524 + \pi\right)$

143. $\left(-\sqrt{3},\ -1\right)$ grandes.

145. $\left(-\frac{\sqrt{3}}{2},\ \frac{-1}{2}\right)$ grandes.

147. $\left(0,\ 0\right)$ grandes.

149. Simetría con respecto al eje x, al eje y y al origen.

151. Simetría con respecto al eje x solamente.

153. Simetría con respecto al eje x solamente.

155. La línea $y = x$

157. $y = 1$

159. Hipérbola; forma polar $r^2\cos(2\theta) = 16$ o $r^2 = 16\sec(2\theta)$.

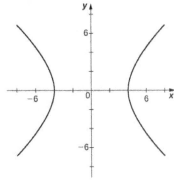

161. $r = \frac{2}{3\cos\theta - \sin\theta}$

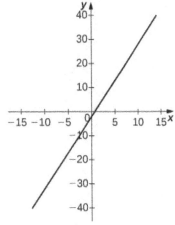

163. $x^2 + y^2 = 4y$

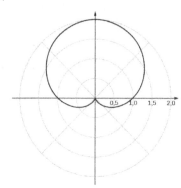

165. $x \tan \sqrt{x^2 + y^2} = y$

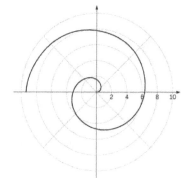

167.

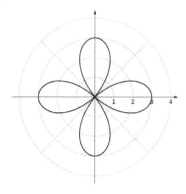

simetría del eje y

169.

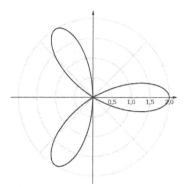

simetría del eje y

171.

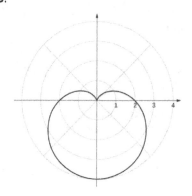

simetría de los ejes x y y y
simetría con respecto al polo

173.

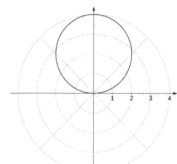

simetría del eje x

175.

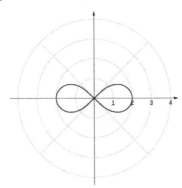

simetría de los ejes *x* y *y* y
simetría con respecto al polo

177.

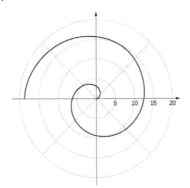

sin simetría

179.

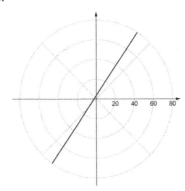

una línea

181.

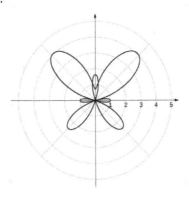

183.

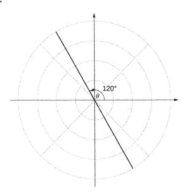

185.

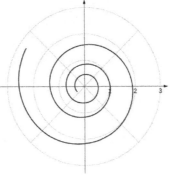

187. Las respuestas varían.
Una posibilidad es que las
líneas espirales se
acerquen y el número
total de espirales
aumente.

Sección 1.4 ejercicios

189. $\dfrac{9}{2}\displaystyle\int_0^\pi \operatorname{sen}^2\theta\, d\theta$

191. $32\displaystyle\int_0^{\pi/2} \operatorname{sen}^2(2\theta)\,d\theta$

193. $\dfrac{1}{2}\displaystyle\int_\pi^{2\pi} (1-\operatorname{sen}\theta)^2\,d\theta$

195. $\displaystyle\int_{\operatorname{sen}^{-1}(2/3)}^{\pi/2} (2-3\operatorname{sen}\theta)^2\,d\theta$

197. $\displaystyle\int_{\pi/3}^{\pi} (1-2\cos\theta)^2\,d\theta - \int_0^{\pi/3} (1-2\cos\theta)^2\,d\theta$

199. $4 \int_0^{\pi/3} d\theta + 16 \int_{\pi/3}^{\pi/2} \left(\cos^2 \theta \right) d\theta$ **201.** 9π **203.** $\frac{9\pi}{4}$

205. $\frac{9\pi}{8}$ **207.** $\frac{18\pi - 27\sqrt{3}}{2}$ **209.** $\frac{4}{3}\left(4\pi - 3\sqrt{3} \right)$

211. $\frac{3}{2}\left(4\pi - 3\sqrt{3} \right)$ **213.** $2\pi - 4$ **215.** $\int_0^{2\pi} \sqrt{(1 + \operatorname{sen}\theta)^2 + \cos^2\theta}\, d\theta$

217. $\sqrt{2} \int_0^1 e^\theta d\theta$ **219.** $\frac{\sqrt{10}}{3}\left(e^6 - 1 \right)$ grandes.   **221.** 32

223. 6,238   **225.** 2   **227.** 4,39

229. $A = \pi \left(\frac{\sqrt{2}}{2} \right)^2 = \frac{\pi}{2}$ y $\frac{1}{2}\int_0^\pi (1 + 2\operatorname{sen}\theta\cos\theta)\, d\theta = \frac{\pi}{2}$ **231.** $C = 2\pi \left(\frac{3}{2} \right) = 3\pi$ y $\int_0^\pi 3\, d\theta = 3\pi$

233. $C = 2\pi(5) = 10\pi$ y $\int_0^\pi 10\, d\theta = 10\pi$ **235.** $\frac{dy}{dx} = \frac{f'(\theta)\operatorname{sen}\theta + f(\theta)\cos\theta}{f'(\theta)\cos\theta - f(\theta)\operatorname{sen}\theta}$ **237.** La pendiente es $\frac{1}{\sqrt{3}}$.

239. La pendiente es 0.   **241.** En $(4, 0)$, la pendiente es indefinida. En $\left(-4, \frac{\pi}{2} \right)$, la pendiente es 0.   **243.** La pendiente es indefinida en $\theta = \frac{\pi}{4}$.

245. Pendiente = −1.   **247.** La pendiente es $\frac{-2}{\pi}$.   **249.** Respuesta de la calculadora: −0,836.

251. Tangente horizontal en $\left(\pm\sqrt{2}, \frac{\pi}{6} \right)$, $\left(\pm\sqrt{2}, -\frac{\pi}{6} \right)$.   **253.** Tangentes horizontales en $\frac{\pi}{2}, \frac{7\pi}{6}, \frac{11\pi}{6}$. Tangentes verticales en $\frac{\pi}{6}, \frac{5\pi}{6}$ y también en el polo $(0, 0)$.

Sección 1.5 ejercicios

255. $y^2 = 16x$ **257.** $x^2 = 2y$ **259.** $x^2 = -4(y - 3)$

261. $(x + 3)^2 = 8(y - 3)$ **263.** $\frac{x^2}{16} + \frac{y^2}{12} = 1$ **265.** $\frac{x^2}{13} + \frac{y^2}{4} = 1$

267. $\frac{(y-1)^2}{16} + \frac{(x+3)^2}{12} = 1$ **269.** $\frac{x^2}{16} + \frac{y^2}{12} = 1$ **271.** $\frac{x^2}{25} - \frac{y^2}{11} = 1$

273. $\frac{x^2}{7} - \frac{y^2}{9} = 1$ **275.** $\frac{(y+2)^2}{4} - \frac{(x+2)^2}{32} = 1$ **277.** $\frac{x^2}{4} - \frac{y^2}{32} = 1$

279. $e = 1$, parábola   **281.** $e = \frac{1}{2}$, elipse   **283.** $e = 3$, hipérbola

285. $r = \dfrac{4}{5+\cos\theta}$

287. $r = \dfrac{4}{1+2\operatorname{sen}\theta}$

289.

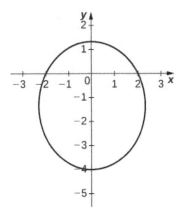

291.

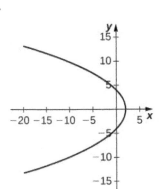

293.

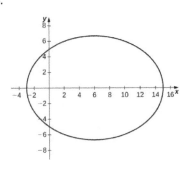

295.

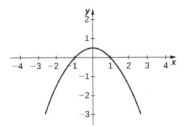

297.

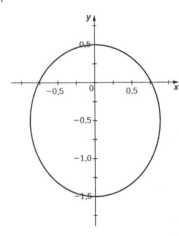

299.

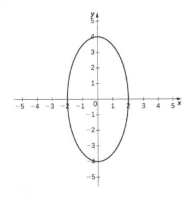

301.

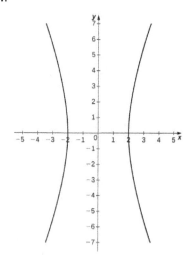

303.

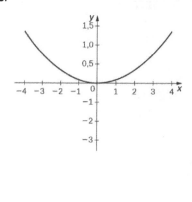

305.

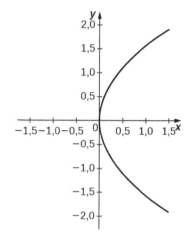

307. Hipérbola

309. Elipse

311. Elipse

313. En el punto 2,25 pies por encima del vértice.

315. 0,5625 pies

317. La longitud es de 96 pies y la altura es de aproximadamente 26,53 pies.

319. $r = \frac{2,616}{1+0,995 \cos \theta}$

321. $r = \frac{5,192}{1+0,0484 \cos \theta}$

Ejercicios de repaso

323. Verdadero.

325. Falso. Imagine $y = t + 1$, $x = -t + 1$.

327.

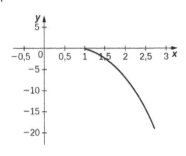

$$y = 1 - x^3$$

329.

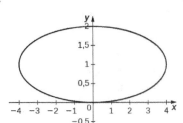

$$\frac{x^2}{16} + (y-1)^2 = 1$$

331.

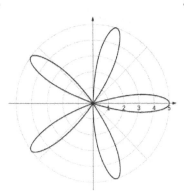

Simetría alrededor del eje polar

333. $r^2 = \dfrac{4}{\text{sen}^2\theta - \cos^2\theta}$

335.

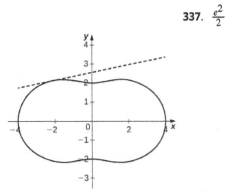

$$y = \frac{3\sqrt{2}}{2} + \frac{1}{5}\left(x + \frac{3\sqrt{2}}{2}\right)$$

337. $\dfrac{e^2}{2}$

339. $9\sqrt{10}$

341. $(y+5)^2 = -8x + 32$

343. $\frac{(y+1)^2}{16} - \frac{(x+2)^2}{9} = 1$

345. $e = \frac{2}{3}$, elipse

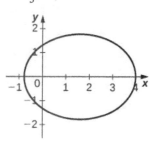

347. $\frac{y^2}{19{,}03^2} + \frac{x^2}{19{,}63^2} = 1$,
$e = 0{,}2447$

Capítulo 2
Punto de control

2.1

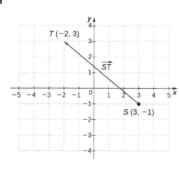

2.2

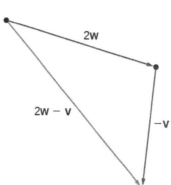

2.3 Los vectores **a**, **b**, y **e** son equivalentes.

2.4 $\langle 3, 7 \rangle$

2.5 a. $\|\mathbf{a}\| = 5\sqrt{2}$, b. $\mathbf{b} = \langle -4, -3 \rangle$, c. $3\mathbf{a} - 4\mathbf{b} = \langle 37, 15 \rangle$

2.7 $\mathbf{v} = \left\langle -5, 5\sqrt{3} \right\rangle$

2.8 $\left\langle -\frac{45}{\sqrt{85}}, -\frac{10}{\sqrt{85}} \right\rangle$

2.9 $\mathbf{a} = 16\mathbf{i} - 11\mathbf{j}$, $\mathbf{b} = -\frac{\sqrt{2}}{2}\mathbf{i} - \frac{\sqrt{2}}{2}\mathbf{j}$

2.10 Aproximadamente 516 mph

2.11

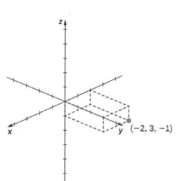

2.12 $5\sqrt{2}$

2.13 $z = -4$

2.14 $(x+2)^2 + (y-4)^2 + (z+5)^2 = 52$ **2.15** $x^2 + (y-2)^2 + (z+2)^2 = 14$

2.16 El conjunto de puntos forma los dos planos $y = -2$ y $z = 3$.

2.17 Un cilindro de radio 4 centrado en la línea con $x = 0$ y $z = 2$.

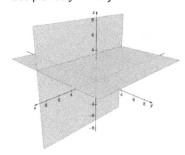

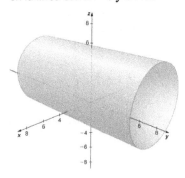

2.18 $\vec{ST} = \langle -1, -9, 1 \rangle = -\mathbf{i} - 9\mathbf{j} + \mathbf{k}$ **2.19** $\left\langle \frac{1}{3\sqrt{10}}, -\frac{5}{3\sqrt{10}}, \frac{8}{3\sqrt{10}} \right\rangle$ **2.20** $\mathbf{v} = \left\langle 16\sqrt{2}, 12\sqrt{2}, 20\sqrt{2} \right\rangle$

2.21 7

2.22 a. $(\mathbf{r} \cdot \mathbf{p})\mathbf{q} = \langle 12, -12, 12 \rangle$; b. $\|\mathbf{p}\|^2 = 53$

2.23 $\theta \approx 0{,}22$ rad

2.24 $x = 5$

2.25 a. $\alpha \approx 1{,}04$ rad; b. $\beta \approx 2{,}58$ rad; c. $\gamma \approx 1{,}40$ rad

2.26 Ventas = 15.685,50 dólares; ganancia = 14.073,15 dólares

2.27 $\mathbf{v} = \mathbf{p} + \mathbf{q}$, donde $\mathbf{p} = \frac{18}{5}\mathbf{i} + \frac{9}{5}\mathbf{j}$ y $\mathbf{q} = \frac{7}{5}\mathbf{i} - \frac{14}{5}\mathbf{j}$

2.28 21 nudos

2.29 150 ft-lb

2.30 $\mathbf{i} - 9\mathbf{j} + 2\mathbf{k}$

2.31 Arriba (la dirección z positiva)

2.32 $-\mathbf{i}$

2.33 $-\mathbf{k}$

2.34 16

2.35 40

2.36 $8\mathbf{i} - 35\mathbf{j} + 2\mathbf{k}$

2.37 $\left\langle \frac{-3}{\sqrt{194}}, \frac{-13}{\sqrt{194}}, \frac{4}{\sqrt{194}} \right\rangle$

2.38 $6\sqrt{13}$

2.39 17

2.40 8 unidades^3

2.41 No, el triple producto escalar es $-4 \neq 0$, por lo que los tres vectores forman las aristas adyacentes de un paralelepípedo. No son coplanarios.

2.42 20 N

2.43 Posible conjunto de ecuaciones paramétricas:

$x = 1 + 4t, y = -3 + t, z = 2 + 6t$;

conjunto relacionado de ecuaciones simétricas:

$\frac{x-1}{4} = y + 3 = \frac{z-2}{6}$

2.44 $x = -1 - 7t, y = 3 - t, z = 6 - 2t, 0 \le t \le 1$ **2.45** $\sqrt{\frac{10}{7}}$

2.46 Estas líneas son sesgadas porque sus vectores directores no son paralelos y no hay ningún punto (x, y, z) que se encuentre en ambas líneas.

2.47 $-2(x-1) + (y+1) + 3(z-1) = 0$

o $-2x + y + 3z = 0$

2.48 $\frac{15}{\sqrt{21}}$

2.49 $x = t, y = 7 - 3t, z = 4 - 2t$ **2.50** 1,44 rad   **2.51** $\frac{9}{\sqrt{30}}$

2.52

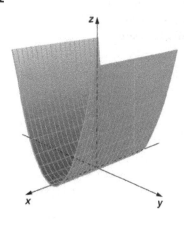

2.53 Las trazas paralelas al plano xy son elipses y las paralelas a los planos xz y yz son hipérbolas. En concreto, la traza en el plano xy es la elipse $\frac{x^2}{3^2} + \frac{y^2}{2^2} = 1$, la traza en el plano xz es la hipérbola $\frac{x^2}{3^2} - \frac{z^2}{5^2} = 1$, y la traza en el plano yz es la hipérbola $\frac{y^2}{2^2} - \frac{z^2}{5^2} = 1$ (vea la siguiente figura).

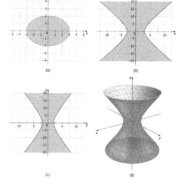

2.54 Hiperboloide de una hoja, centrado en $(0, 0, 1)$

2.55 Las coordenadas rectangulares del punto son $\left(\frac{5\sqrt{3}}{2}, \frac{5}{2}, 4\right)$.

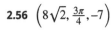

2.56 $\left(8\sqrt{2}, \frac{3\pi}{4}, -7\right)$

2.57 Esta superficie es un cilindro de radio 6.

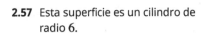

2.58

Cartesiano: $\left(-\frac{\sqrt{3}}{2}, -\frac{1}{2}, \sqrt{3}\right)$,

cilíndrico: $\left(1, -\frac{5\pi}{6}, \sqrt{3}\right)$

2.59 a. Este es el conjunto de todos los puntos 13 unidades desde el origen. Este conjunto forma una esfera de radio 13. b. Este conjunto de puntos forma un semiplano. El ángulo entre el semiplano y el eje x positivo es $\theta = \frac{2\pi}{3}$. c. Supongamos que P es un punto en esta superficie. El vector de posición de este punto forma un ángulo de $\varphi = \frac{\pi}{4}$ con el eje z positivo, lo que significa que los puntos más cercanos al origen están más cerca del eje. Estos puntos forman un semicono.

2.60 $(4.000, 151°, 124°)$

2.61 Coordenadas esféricas con el origen situado en el centro de la tierra, el eje z alineado con el Polo Norte y el eje x alineado con el primer meridiano

Sección 2.1 ejercicios

1. a. $\vec{PQ} = \langle 2, 2 \rangle$; b. $\vec{PQ} = 2\mathbf{i} + 2\mathbf{j}$

3. a. $\vec{QP} = \langle -2, -2 \rangle$; b. $\vec{QP} = -2\mathbf{i} - 2\mathbf{j}$

5. a. $\vec{PQ} + \vec{PR} = \langle 0, 6 \rangle$; b. $\vec{PQ} + \vec{PR} = 6\mathbf{j}$

7. a. $2\vec{PQ} - 2\vec{PR} = \langle 8, -4 \rangle$; b. $2\vec{PQ} - 2\vec{PR} = 8\mathbf{i} - 4\mathbf{j}$

9. a. $\left\langle \frac{1}{\sqrt{2}}, \frac{1}{\sqrt{2}} \right\rangle$; b. $\frac{1}{\sqrt{2}}\mathbf{i} + \frac{1}{\sqrt{2}}\mathbf{j}$

11. $\left\langle \frac{3}{5}, \frac{4}{5} \right\rangle$

13. $Q(0, 2)$

15. a. $\mathbf{a} + \mathbf{b} = 3\mathbf{i} + 4\mathbf{j}$, $\mathbf{a} + \mathbf{b} = \langle 3, 4 \rangle$; b. $\mathbf{a} - \mathbf{b} = \mathbf{i} - 2\mathbf{j}$, $\mathbf{a} - \mathbf{b} = \langle 1, -2 \rangle$; c. Las respuestas variarán; d $2\mathbf{a} = 4\mathbf{i} + 2\mathbf{j}, 2\mathbf{a} = \langle 4, 2 \rangle$, $-\mathbf{b} = -\mathbf{i} - 3\mathbf{j}$, $-\mathbf{b} = \langle -1, -3 \rangle$, $2\mathbf{a} - \mathbf{b} = 3\mathbf{i} - \mathbf{j}$, $2\mathbf{a} - \mathbf{b} = \langle 3, -1 \rangle$

17. 15

19. $\lambda = -3$

21. a. $\mathbf{a}(0) = \langle 1, 0 \rangle$, $\mathbf{a}(\pi) = \langle -1, 0 \rangle$; b. Las respuestas pueden variar; c. Las respuestas pueden variar

23. Las respuestas pueden variar

25. $\mathbf{v} = \left\langle \frac{21}{5}, \frac{28}{5} \right\rangle$

27. $\mathbf{v} = \left\langle \frac{21\sqrt{34}}{34}, -\frac{35\sqrt{34}}{34} \right\rangle$

29. $\mathbf{u} = \left\langle \sqrt{3}, 1 \right\rangle$

31. $\mathbf{u} = \langle 0, 5 \rangle$

33. $\mathbf{u} = \left\langle -5\sqrt{3}, 5 \right\rangle$

35. $\theta = \frac{7\pi}{4}$

37. Las respuestas pueden variar

39. a. $z_0 = f(x_0) + f'(x_0)$; b. $\mathbf{u} = \frac{1}{\sqrt{1 + [f'(x_0)]^2}} \langle 1, f'(x_0) \rangle$

43. $D(6, 1)$

45. $\langle 60, 62, 35 \rangle$

47. Los componentes horizontal y vertical son 750 ft/s y 1299,04 ft/s, respectivamente.

49. La magnitud de la fuerza resultante es 94,71 lb; el ángulo director es 13,42°.

51. La magnitud del tercer vector es 60,03 N; el ángulo director es 259,38°.

53. La nueva velocidad del avión con respecto al suelo es 572,19 mph; la nueva dirección es N41,82E.

55. $\|\mathbf{T}_1\| = 30,13$ lb, $\|\mathbf{T}_2\| = 38,35$ lb

57. $\|\mathbf{v}_1\| = 750$ lb, $\|\mathbf{v}_2\| = 1299$ lb

59. Los dos componentes horizontales y verticales de la fuerza de tensión son 28 lb y 42 lb, respectivamente.

Sección 2.2 ejercicios

61. a.
$(2, 0, 5), (2, 0, 0), (2, 3, 0), (0, 3, 0), (0, 3, 5), (0, 0, 5)$;
b. $\sqrt{38}$

63. Una unión de dos planos: $y = 5$ (un plano paralelo al plano xz) y $z = 6$ (un plano paralelo al plano xy)

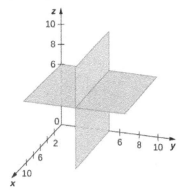

65. Un cilindro de radio 1 centrado en la línea $y = 1, z = 1$

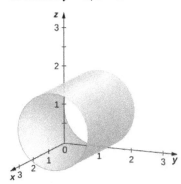

67. $z = 1$

69. $z = -2$

71. $(x + 1)^2 + (y - 7)^2 + (z - 4)^2 = 16$

73. $(x + 3)^2 + (y - 3{,}5)^2 + (z - 8)^2 = \frac{29}{4}$

75. Centro $C(0, 0, 2)$ y radio 1

77. a. $\vec{PQ} = \langle -4, -1, 2 \rangle$; b. $\vec{PQ} = -4\mathbf{i} - \mathbf{j} + 2\mathbf{k}$

79. a. $\vec{PQ} = \langle 6, -24, 24 \rangle$; b. $\vec{PQ} = 6\mathbf{i} - 24\mathbf{j} + 24\mathbf{k}$

81. $Q(5, 2, 8)$

83. $\mathbf{a} + \mathbf{b} = \langle -6, 4, -3 \rangle$,
$4\mathbf{a} = \langle -4, -8, 16 \rangle$,
$-5\mathbf{a} + 3\mathbf{b} = \langle -10, 28, -41 \rangle$

85. $\mathbf{a} + \mathbf{b} = \langle -1, 0, -1 \rangle$,
$4\mathbf{a} = \langle 0, 0, -4 \rangle$,
$-5\mathbf{a} + 3\mathbf{b} = \langle -3, 0, 5 \rangle$

87. $\|\mathbf{u} - \mathbf{v}\| = \sqrt{38}$,
$\|-2\mathbf{u}\| = 2\sqrt{29}$

89. $\|\mathbf{u} - \mathbf{v}\| = 2$,
$\|-2\mathbf{u}\| = 2\sqrt{13}$

91. $\mathbf{a} = \frac{3}{5}\mathbf{i} - \frac{4}{5}\mathbf{j}$

93. $\left\langle \frac{2}{\sqrt{62}}\mathbf{i} - \frac{7}{\sqrt{62}}\mathbf{j} + \frac{3}{\sqrt{62}}\mathbf{k} \right\rangle$

95. $\left\langle -\frac{2}{\sqrt{6}}, \frac{1}{\sqrt{6}}, \frac{1}{\sqrt{6}} \right\rangle$

97. Vectores equivalentes

99. $\mathbf{u} = \left\langle \frac{70}{\sqrt{59}}, -\frac{10}{\sqrt{59}}, \frac{30}{\sqrt{59}} \right\rangle$

101. $\mathbf{u} = \left\langle -\frac{4}{\sqrt{5}}\operatorname{sen} t, -\frac{4}{\sqrt{5}}\cos t, -\frac{2}{\sqrt{5}} \right\rangle$

103. $\left\langle \frac{5}{\sqrt{154}}, \frac{15}{\sqrt{154}}, -\frac{60}{\sqrt{154}} \right\rangle$

105. $\alpha = -\sqrt{7}, \beta = -\sqrt{15}$

111. a. $\mathbf{F} = \langle 30, 40, 0 \rangle$; b. $53°$

113. $\mathbf{D} = 10\mathbf{k}$

115. $\mathbf{F}_4 = \langle -20, -7, -3 \rangle$

117. a. $\mathbf{F} = -19{,}6\mathbf{k}$, $\|\mathbf{F}\| = 19{,}6$ N; b. $\mathbf{T} = 19{,}6\mathbf{k}$, $\|\mathbf{T}\| = 19{,}6$ N

119. a. $\mathbf{F} = -294\mathbf{k}$ N; b.
$$\mathbf{F}_1 = \left\langle -\frac{49\sqrt{3}}{3}, 49, -98 \right\rangle,$$
$$\mathbf{F}_2 = \left\langle -\frac{49\sqrt{3}}{3}, -49, -98 \right\rangle,$$
$$\text{y } \mathbf{F}_3 = \left\langle \frac{98\sqrt{3}}{3}, 0, -98 \right\rangle$$
(cada componente se expresa en newtons)

121. a. $\mathbf{v}(1) = \langle -0{,}84, 0{,}54, 2 \rangle$ (cada componente se expresa en centímetros por segundo); $\|\mathbf{v}(1)\| = 2{,}24$ (expresado en centímetros por segundo); $\mathbf{a}(1) = \langle -0{,}54, -0{,}84, 0 \rangle$ (cada componente expresado en centímetros por segundo al cuadrado);

b.

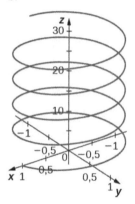

Sección 2.3 ejercicios

123. 6

125. 0

127. $(\mathbf{a} . \mathbf{b})\mathbf{c} = \langle -11, -11, 11 \rangle$; $(\mathbf{a} . \mathbf{c})\mathbf{b} = \langle -20, -35, 5 \rangle$

129. $(\mathbf{a} . \mathbf{b})\mathbf{c} = \langle 1, 0, -2 \rangle$; $(\mathbf{a} . \mathbf{c})\mathbf{b} = \langle 1, 0, -1 \rangle$

131. a. $\theta = 2{,}82$ rad; b. θ no es agudo.

133. a. $\theta = \frac{\pi}{4}$ rad; b. θ es agudo.

135. $\theta = \frac{\pi}{2}$

137. $\theta = \frac{\pi}{3}$

139. $\theta = 2$ rad

141. Ortogonal

143. No es ortogonal

145. $\mathbf{a} = \left\langle -\frac{4\alpha}{3}, \alpha \right\rangle$, donde $\alpha \neq 0$ es un número real

147. $\mathbf{u} = -\alpha\mathbf{i} + \alpha\mathbf{j} + \beta\mathbf{k}$, donde α y β son números reales de modo que $\alpha^2 + \beta^2 \neq 0$

149. $\alpha = -6$

151. a. $\overrightarrow{OP} = 4\mathbf{i} + 5\mathbf{j}$, $\overrightarrow{OQ} = 5\mathbf{i} - 7\mathbf{j}$; b. $105{,}8°$

153. $68{,}33°$

155. $\mathbf{u}$ y $\mathbf{v}$ son ortogonales; $\mathbf{v}$ y $\mathbf{w}$ son ortogonales.

161. a. $\cos\alpha = \frac{2}{3}$, $\cos\beta = \frac{2}{3}$, y $\cos\gamma = \frac{1}{3}$; b. $\alpha = 48°$, $\beta = 48°$, y $\gamma = 71°$

163. a. $\cos\alpha = -\dfrac{1}{\sqrt{30}}$, $\cos\beta = \dfrac{5}{\sqrt{30}}$, y $\cos\gamma = \dfrac{2}{\sqrt{30}}$; b. $\alpha = 101°$, $\beta = 24°$, y $\gamma = 69°$

167. a. $\mathbf{w} = \left\langle \frac{80}{29}, \frac{32}{29} \right\rangle$; b. $\text{comp}_{\mathbf{u}}\,\mathbf{v} = \dfrac{16}{\sqrt{29}}$

169. a. $\mathbf{w} = \left\langle \frac{24}{13}, 0, \frac{16}{13} \right\rangle$; b. $\text{comp}_{\mathbf{u}}\,\mathbf{v} = \dfrac{8}{\sqrt{13}}$

171. a. $\mathbf{w} = \left\langle \frac{24}{25}, -\frac{18}{25} \right\rangle$; b. $\mathbf{q} = \left\langle \frac{51}{25}, \frac{68}{25} \right\rangle$, $\mathbf{v} = \mathbf{w} + \mathbf{q} = \left\langle \frac{24}{25}, -\frac{18}{25} \right\rangle + \left\langle \frac{51}{25}, \frac{68}{25} \right\rangle$

173. a. $2\sqrt{2}$; b. $109{,}47°$

175. $17\text{N.\,m}$

177. 1.175 ft. lb

179. $W = 43.301{,}27$ ft-lb

181. a. $\|\mathbf{F}_1 + \mathbf{F}_2\| = 52{,}9$ lb; b. Los ángulos directores son $\alpha = 74{,}5°$, $\beta = 36{,}7°$, y $\gamma = 57{,}7°$.

Sección 2.4 ejercicios

183. a. $\mathbf{u} \times \mathbf{v} = \langle 0, 0, 4 \rangle$; b.

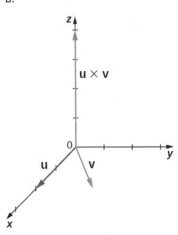

185. a. $\mathbf{u} \times \mathbf{v} = \langle 6, -4, 2 \rangle$; b.

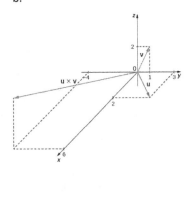

187. $-2\mathbf{j} - 4\mathbf{k}$

189. $\mathbf{w} = -\dfrac{1}{3\sqrt{6}}\mathbf{i} - \dfrac{7}{3\sqrt{6}}\mathbf{j} - \dfrac{2}{3\sqrt{6}}\mathbf{k}$

191. $\mathbf{w} = -\dfrac{4}{\sqrt{21}}\mathbf{i} - \dfrac{2}{\sqrt{21}}\mathbf{j} - \dfrac{1}{\sqrt{21}}\mathbf{k}$

193. $\alpha = 10$

197. $-3\mathbf{i} + 11\mathbf{j} + 2\mathbf{k}$

199. $\mathbf{w} = \left\langle -1, e^{t}, -e^{-t} \right\rangle$

201. $-26\mathbf{i} + 17\mathbf{j} + 9\mathbf{k}$

203. $72°$

209. 7

211. a. $5\sqrt{6}$; b. $\dfrac{5\sqrt{6}}{2}$; c. $\dfrac{5\sqrt{6}}{\sqrt{59}}$

213. a. 2; b. 2

215. $\mathbf{v}.(\mathbf{u}\times\mathbf{w})=-1,$
$\mathbf{w}.(\mathbf{u}\times\mathbf{v})=1$

217. $\mathbf{a}=\langle 1,2,3\rangle,$
$\mathbf{b}=\langle 0,2,5\rangle,$
$\mathbf{c}=\langle 8,9,2\rangle;$
$\mathbf{a}.(\mathbf{b}\times\mathbf{c})=-9$

219. a. $\alpha=1$; b. $h=1,$

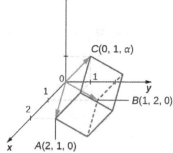

225. Sí, $\overrightarrow{AD}=\alpha\overrightarrow{AB}+\beta\overrightarrow{AC},$
donde $\alpha=-1$ y $\beta=1.$

227. $-\mathbf{k}$

229. $\left\langle 0,\pm 4\sqrt{5},\mp 2\sqrt{5}\right\rangle$

233. $\mathbf{w}=\langle w_3-1,w_3+1,w_3\rangle,$
donde w_3 es un número
real cualquiera

235. 8,66 ft-lb

237. 559 N

239. $\mathbf{F}=4,8\times 10^{-15}\mathbf{k}\,\mathbf{N}$

241. a.
$\mathbf{B}(t)=\left\langle\dfrac{2\,\text{sen}\,t}{\sqrt{5}},-\dfrac{2\cos t}{\sqrt{5}},\dfrac{1}{\sqrt{5}}\right\rangle;$
b.

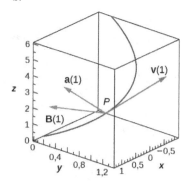

Sección 2.5 ejercicios

243. a. $\mathbf{r}=\langle -3,5,9\rangle+t\langle 7,-12,-7\rangle,$
$t\in\mathbb{R}$; b.
$x=-3+7t,y=5-12t,z=9-7t,$
$t\in\mathbb{R}$; c. $\frac{x+3}{7}=\frac{y-5}{-12}=\frac{z-9}{-7}$; d.
$x=-3+7t,y=5-12t,z=9-7t,$
$t\in[0,1]$

245. a. $\mathbf{r}=\langle -1,0,5\rangle+t\langle 5,0,-2\rangle,$
$t\in\mathbb{R}$; b.
$x=-1+5t,y=0,z=5-2t,$
$t\in\mathbb{R}$; c. $\frac{x+1}{5}=\frac{z-5}{-2},y=0$; d.
$x=-1+5t,y=0,z=5-2t,$
$t\in[0,1]$

247. a.
$x=1+t,y=-2+2t,z=3+3t,$
$t\in\mathbb{R}$; b. $\frac{x-1}{1}=\frac{y+2}{2}=\frac{z-3}{3}$; c.
$(0,-4,0)$ grandes.

249. a. $x=3+t,y=1,z=5,$
$t\in\mathbb{R}$; b. $y=1,z=5$; c.
La línea no interseca el
plano xy.

251. a. $P(1,3,5),v=\langle 1,1,4\rangle;$
b. $\sqrt{3}$

253. $\dfrac{2\sqrt{2}}{\sqrt{3}}$

255. a. Paralelas; b. $\dfrac{\sqrt{2}}{\sqrt{3}}$

259. $(-12, 6, -4)$

261. Las líneas son sesgadas.

263. Las líneas son iguales.

265. a.
$x = 1 + t, y = 1 - t, z = 1 + 2t,$
$t \in \mathbb{R}$; b. Por ejemplo, la línea que pasa por A con vector director $\mathbf{j} : x = 1, z = 1$; c. Por ejemplo, la línea que pasa por A y punto $(2, 0, 0)$ que pertenece a L es una línea que interseca;
$L : \dfrac{x-1}{-1} = y - 1 = z - 1$

267. a. $3x - 2y + 4z = 0$; b.
$3x - 2y + 4z = 0$

269. a.
$(x - 1) + 2(y - 2) + 3(z - 3) = 0;$
b. $x + 2y + 3z - 14 = 0$

271. a. $\mathbf{n} = 4\mathbf{i} + 5\mathbf{j} + 10\mathbf{k}$; b.
$(5, 0, 0), (0, 4, 0),$ y $(0, 0, 2)$;
c.

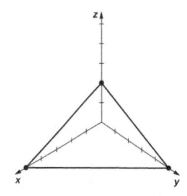

273. a. $\mathbf{n}$ n $= 3\mathbf{i} - 2\mathbf{j} + 4\mathbf{k}$; b.
$(0, 0, 0)$;
c.

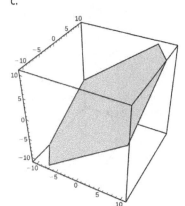

275. $(3, 0, 0)$

277. $x = -2 + 2t, y = 1 - 3t, z = 3 + t,$
$t \in \mathbb{R}$

281. a. $-2y + 3z - 1 = 0$; b.
$\langle 0, -2, 3 \rangle \cdot \langle x - 1, y - 1, z - 1 \rangle = 0$;
c. $x = 0, y = -2t, z = 3t, t \in \mathbb{R}$

283. a. Las respuestas pueden variar; b.
$\dfrac{x-1}{1} = \dfrac{z-6}{-1}, y = 4$

285. $2x - 5y - 3z + 15 = 0$

287. La línea interseca el plano en el punto $P(-3, 4, 0)$.

289. $\dfrac{16}{\sqrt{14}}$

291. a. Los planos no son paralelos ni ortogonales; b. $62°$

293. a. Los planos son paralelos.

295. $\dfrac{1}{\sqrt{6}}$

297. a. $\dfrac{18}{\sqrt{29}}$; b. $P\left(-\dfrac{51}{29}, \dfrac{130}{29}, \dfrac{62}{29}\right)$

299. $4x - 3y = 0$

301. a. $\mathbf{v}(1) = \langle \cos 1, -\operatorname{sen} 1, 2 \rangle$; b. $(\cos 1)(x - \operatorname{sen} 1) - (\operatorname{sen} 1)(y - \cos 1) + 2(z - 2) = 0$; c.

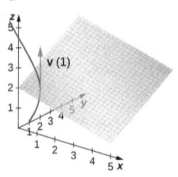

Sección 2.6 ejercicios

303. La superficie es un cilindro con las reglas paralelas al eje y.

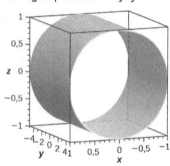

305. La superficie es un cilindro con reglas paralelas al eje y.

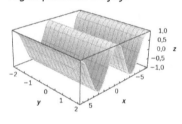

307. La superficie es un cilindro con reglas paralelas al eje x.

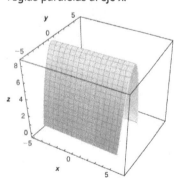

309. a. Cilindro; b. El eje x

311. a. Hiperboloide de dos hojas; b. El eje x

313. b.

315. d.

317. a.

319. $-\frac{x^2}{9} + \frac{y^2}{\frac{1}{4}} + \frac{z^2}{\frac{1}{4}} = 1$,
hiperboloide de una hoja con el eje x como eje de simetría

321. $-\frac{x^2}{\frac{10}{3}} + \frac{y^2}{2} - \frac{z^2}{10} = 1$,
hiperboloide de dos hojas con el eje y como eje de simetría

323. $y = -\frac{z^2}{5} + \frac{x^2}{5}$,
paraboloide hiperbólico con el eje y como eje de simetría

325. $\frac{x^2}{15} + \frac{y^2}{3} + \frac{z^2}{5} = 1$,
elipsoide

327. $\frac{x^2}{40} + \frac{y^2}{8} - \frac{z^2}{5} = 0$, cono elíptico con el eje z como eje de simetría

329. $x = \frac{y^2}{2} + \frac{z^2}{3}$,
paraboloide elíptico con el eje x como eje de simetría

331. Parábola $y = -\frac{x^2}{4}$,

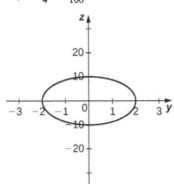

333. Elipse $\frac{y^2}{4} + \frac{z^2}{100} = 1$,

335. Elipse $\frac{y^2}{4} + \frac{z^2}{100} = 1$,

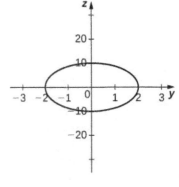

337. a. Elipsoide; b. La tercera ecuación; c.
$\frac{x^2}{100} + \frac{y^2}{400} + \frac{z^2}{225} = 1$

339. a. $\frac{(x+3)^2}{16} + \frac{(z-2)^2}{8} = 1$; b. Cilindro centrado en $(-3, 2)$ con reglas paralelas al eje y

341. a.
$\frac{(x-3)^2}{4} + (y-2)^2 - (z+2)^2 = 1$;
b. Hiperboloide de una hoja, centrado en $(3, 2, -2)$, con el eje z como eje de simetría

343. a.
$(x+3)^2 + \frac{y^2}{4} - \frac{z^2}{3} = 0$;
b. Cono elíptico centrado en $(-3, 0, 0)$, con el eje z como eje de simetría

345. $\frac{x^2}{4} + \frac{y^2}{16} + z^2 = 1$

347. $(1, -1, 0)$ y $\left(\frac{13}{3}, 4, \frac{5}{3}\right)$

349. $x^2 + z^2 + 4y = 0$,
paraboloide elíptico

351. $(0, 0, 100)$

355. a.
$x = 2 - \frac{z^2}{2}, y = \pm\frac{z}{2}\sqrt{4 - z^2}$,
donde $z \in [-2, 2]$;
b.

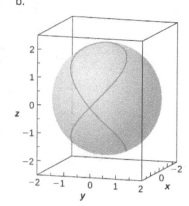

357.

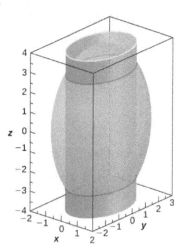

dos elipses de ecuaciones
$\frac{x^2}{2} + \frac{y^2}{\frac{9}{2}} = 1$ en los planos
$z = \pm 2\sqrt{2}$

359. a.
$\frac{x^2}{3.963^2} + \frac{y^2}{3.963^2} + \frac{z^2}{3.950^2} = 1$;
b.

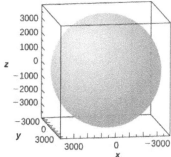

;
c. La curva de intersección es la
elipse de ecuación
$\frac{x^2}{3.963^2} + \frac{y^2}{3.963^2} = \frac{(2950)(4950)}{3.950^2}$,
y la intersección es una elipse.;
d. La curva de intersección es la
elipse de ecuación
$\frac{2y^2}{3.963^2} + \frac{z^2}{3.950^2} = 1$.

361. a.

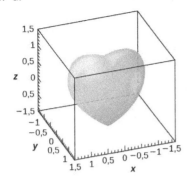

b. La curva de intersección es
$\left(x^2 + z^2 - 1\right)^3 - x^2 z^3 = 0.$

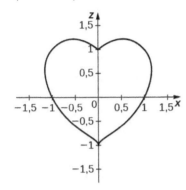

Sección 2.7 ejercicios

363. $\left(2\sqrt{3}, 2, 3\right)$ grandes.

365. $\left(-2\sqrt{3}, -2, 3\right)$ grandes.

367. $\left(2, \frac{\pi}{3}, 2\right)$ grandes.

369. $\left(3\sqrt{2}, -\frac{\pi}{4}, 7\right)$ grandes.

371. Un cilindro de ecuación $x^2 + y^2 = 16$, con su centro en el origen y las reglas paralelas al eje z,

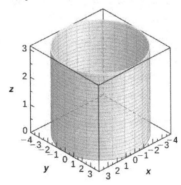

373. Hiperboloide de dos hojas de ecuación $-x^2 + y^2 - z^2 = 1$, con el eje y como eje de simetría,

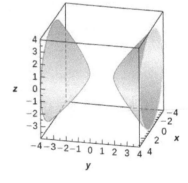

375. Cilindro de ecuación $x^2 - 2x + y^2 = 0$, con un centro en $(1, 0, 0)$ y radio 1, con reglas paralelas al eje z,

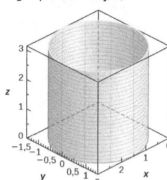

377. Plano de la ecuación $x = 2$,

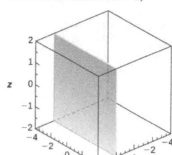

379. $z = 3$

381. $r^2 + z^2 = 9$

383. $r = 16\cos\theta, r = 0$

385. $(0, 0, -3)$ grandes.

387. $\left(6, -6, 6\sqrt{2}\right)$ grandes.

389. $(4, 0, 90°)$ grandes.

391. $(3, 90°, 90°)$ grandes.

393. Esfera de la ecuación $x^2 + y^2 + z^2 = 9$ centrada en el origen con radio 3,

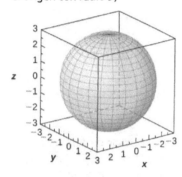

395. Esfera de la ecuación $x^2 + y^2 + (z-1)^2 = 1$ centrada en $(0, 0, 1)$ con radio 1,

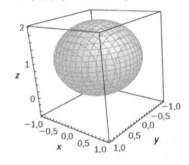

397. El plano xy de la ecuación $z = 0$,

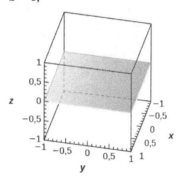

399. $\varphi = \frac{\pi}{3}$ o $\varphi = \frac{2\pi}{3}$; Cono elíptico

401. $\rho\cos\varphi = 6$; Plano en $z = 6$

403. $\left(\sqrt{10}, \frac{\pi}{4}, 0{,}3218\right)$

405. $\left(3\sqrt{2}, \frac{\pi}{2}, \frac{\pi}{4}\right)$ grandes.

407. $\left(2, -\frac{\pi}{4}, 0\right)$ grandes.

409. $\left(8, \frac{\pi}{3}, 0\right)$ grandes.

411. Sistema cartesiano,
$$\{(x, y, z) \mid 0 \leq x \leq a, 0 \leq y \leq a, 0 \leq z \leq a\}$$

413. Sistema cilíndrico,
$$\left\{ \begin{array}{l} (r, \theta, z) \mid r^2 + z^2 \leq 9, r \geq 0, \frac{\pi}{2} \leq \theta \leq \frac{3\pi}{2} \\ , (r \geq 3\cos\theta, -\frac{\pi}{2} \leq \theta \leq \frac{\pi}{2}) \end{array} \right\}$$

415. La región está descrita por el conjunto de puntos
$$\left\{ (r, \theta, z) \mid 0 \leq r \leq 1, 0 \leq \theta \leq 2\pi, r^2 \leq z \leq r \right\}.$$

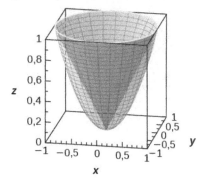

417. $(4.000, -77°, 51°)$

419. $43,17°W, 22,91°S$

421. a. $\rho = 0,$
$$\rho + R^2 - r^2 - 2R \operatorname{sen} \varphi = 0;$$
c.

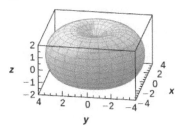

Ejercicios de repaso

423. Verdadero

425. Falso

427. a. $\langle 24, -5 \rangle$; b. $\sqrt{85}$; c. No se puede puntear un vector con un escalar; d. -29

429. $a = \pm 2$

431. $\left\langle \dfrac{1}{\sqrt{14}}, -\dfrac{2}{\sqrt{14}}, -\dfrac{3}{\sqrt{14}} \right\rangle$

433. 27

435. $x = 1 - 3t, y = 3 + 3t, z = 5 - 8t, \mathbf{r}(t) = (1 - 3t)\mathbf{i} + 3(1 + t)\mathbf{j} + (5 - 8t)\mathbf{k}$

437. $-x + 3y + 8z = 43$

439. $x = k$ traza: $k^2 = y^2 + z^2$ es un círculo, $y = k$ traza: $x^2 - z^2 = k^2$ es una hipérbola (o un par de líneas si $k = 0$), $z = k$ traza: $x^2 - y^2 = k^2$ es una hipérbola (o un par de líneas si $k = 0$). La superficie es un cono.

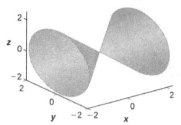

441. Cilíndrica $z = r^2 - 1$, esférica $\cos\varphi = \rho \operatorname{sen}^2\varphi - \frac{1}{\rho}$

443. $x^2 - 2x + y^2 + z^2 = 1$, esfera

445. 331 N y 244 N **447.** 15 J **449.** Más, 59,09 J

Capítulo 3

Punto de control

3.1 $\mathbf{r}(0) = \mathbf{j}$, $\mathbf{r}(1) = -2\mathbf{i} + 5\mathbf{j}$, $\mathbf{r}(-4) = 28\mathbf{i} - 15\mathbf{j}$ **3.2**

El dominio de $\mathbf{r}(t) = \left(t^2 - 3t\right)\mathbf{i} + (4t + 1)\mathbf{j}$ son todos números reales.

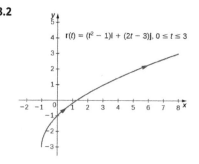

3.3 $\displaystyle\lim_{t \to -2} \mathbf{r}(t) = 3\mathbf{i} - 5\mathbf{j} - \mathbf{k}$ **3.4** $\mathbf{r}'(t) = 4t\mathbf{i} + 5\mathbf{j}$ **3.5** $\mathbf{r}'(t) = (1 + \ln t)\mathbf{i} + 5e^t\mathbf{j} - (\operatorname{sen} t + \cos t)\mathbf{k}$

3.6 $\frac{d}{dt}\left[\mathbf{r}(t) \cdot \mathbf{r}'(t)\right] = 8e^{4t}$

$\frac{d}{dt}\left[\mathbf{u}(t) \times \mathbf{r}(t)\right]$
$= -\left(e^{2t}(\cos t + 2\operatorname{sen} t) + \cos 2t\right)\mathbf{i} + \left(e^{2t}(2t + 1) - \operatorname{sen} 2t\right)\mathbf{j} + (t\cos t + \operatorname{sen} t - \cos 2t)\mathbf{k}$

3.7 $\mathbf{T}(t) = \frac{2t}{\sqrt{4t^2 + 5}}\mathbf{i} + \frac{2}{\sqrt{4t^2 + 5}}\mathbf{j} + \frac{1}{\sqrt{4t^2 + 5}}\mathbf{k}$ **3.8** $\displaystyle\int_1^3 \left[(2t + 4)\mathbf{i} + \left(3t^2 - 4t\right)\mathbf{j}\right] dt = 16\mathbf{i} + 10\mathbf{j}$

3.9 $\mathbf{r}'(t) = \left\langle 4t, 4t, 3t^2 \right\rangle$, por lo que $s = \frac{1}{27}\left(113^{3/2} - 32^{3/2}\right) \approx 37{,}785$

3.10 $s = 5t$, o $t = s/5$. Al sustituir esto en $\mathbf{r}(t) = \langle 3\cos t, 3\operatorname{sen} t, 4t \rangle$ se obtiene $\mathbf{r}(s) = \left\langle 3\cos\left(\frac{s}{5}\right), 3\operatorname{sen}\left(\frac{s}{5}\right), \frac{4s}{5} \right\rangle$, $s \geq 0$,

3.11 $\kappa = \frac{6}{101^{3/2}} \approx 0{,}0059$

3.12 $\mathbf{N}(2) = \frac{\sqrt{2}}{2}(\mathbf{i} - \mathbf{j})$

3.13 $\kappa = \dfrac{4}{\left[1+(4x-4)^2\right]^{3/2}}$

En el punto $x = 1$, la curvatura es igual a 4. Por lo tanto, el radio del círculo osculante es $\frac{1}{4}$.

A continuación aparece un gráfico de esta función

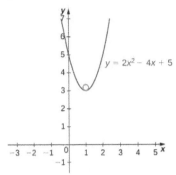

$y = 2x^2 - 4x + 5$

El vértice de esta parábola se encuentra en el punto $(1, 3)$. Además, el centro del círculo osculante está directamente sobre el vértice. Por lo tanto, las coordenadas del centro son $\left(1, \frac{13}{4}\right)$. La ecuación del círculo osculante es

$$(x-1)^2 + \left(y - \frac{13}{4}\right)^2 = \frac{1}{16}.$$

3.14

$\mathbf{v}(t) = \mathbf{r}'(t) = (2t - 3)\,\mathbf{i} + 2\mathbf{j} + \mathbf{k}$

$\mathbf{a}(t) = \mathbf{v}'(t) = 2\mathbf{i}$

$v(t) = \|\mathbf{r}'(t)\| = \sqrt{(2t-3)^2 + 2^2 + 1^2} = \sqrt{4t^2 - 12t + 14}$

Las unidades de velocidad y rapidez son pies por segundo, y las unidades de aceleración son pies por segundo al cuadrado.

3.15

a.

$\mathbf{v}(t) = \mathbf{r}'(t) = 4\mathbf{i} + 2t\mathbf{j}$

$\mathbf{a}(t) = \mathbf{v}'(t) = 2\mathbf{j}$

$a_{\mathbf{T}} = \dfrac{2t}{\sqrt{t^2+4}},\ a_{\mathbf{N}} = \dfrac{2}{\sqrt{t^2+4}}$

b. $a_{\mathbf{T}}(-3) = -\dfrac{6\sqrt{13}}{13},\ a_{\mathbf{N}}(-3) = \dfrac{2\sqrt{13}}{13}$

3.16 967,15 m

3.17 $a = 1{,}224 \times 10^9\,\mathrm{m} \approx 1.224.000\,\mathrm{km}$

Sección 3.1 ejercicios

1. $f(t) = 3\sec t, g(t) = 2\tan t$

3.

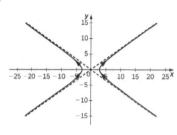

5. a. $\left\langle \frac{\sqrt{2}}{2}, \frac{\sqrt{2}}{2} \right\rangle$, b. $\left\langle \frac{1}{2}, \frac{\sqrt{3}}{2} \right\rangle$,
c. Sí, el límite a medida que t se acerca hasta $\pi/3$ es igual a $\mathbf{r}(\pi/3)$, d.

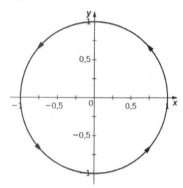

7. a. $\left\langle e^{\pi/4}, \frac{\sqrt{2}}{2}, \ln\left(\frac{\pi}{4}\right) \right\rangle$; b.
$\left\langle e^{\pi/4}, \frac{\sqrt{2}}{2}, \ln\left(\frac{\pi}{4}\right) \right\rangle$; c. Sí

9. $\left\langle e^{\pi/2}, 1, \ln\left(\frac{\pi}{2}\right) \right\rangle$

11. $2e^2\mathbf{i} + \frac{2}{e^4}\mathbf{j} + 2\mathbf{k}$

13. El límite no existe porque el límite de $\ln(t-1)$ a medida que t se acerca al infinito no existe.

15. $t > 0, t \neq (2k+1)\frac{\pi}{2}$, donde k es un número entero

17. $t > 3, t \neq n\pi$, donde n es un número entero

19.

Sección transversal

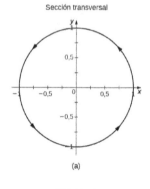

(a)

Vista lateral

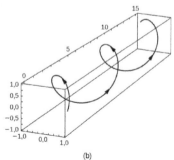

(b)

21. Todo t tal que $t \in \left(1, \infty\right)$

23. $y = 2\sqrt[3]{x}$, una variación de la función de raíz cúbica

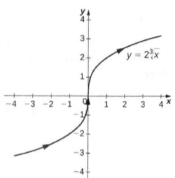

25. $x^2 + y^2 = 9$, un círculo centrado en $(0,0)$ con radio 3, y una orientación contraria a las agujas del reloj

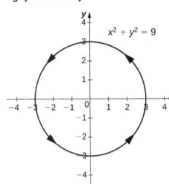

27.

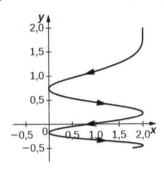

29.

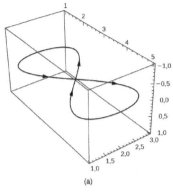

(a)

Vista en el plano yt

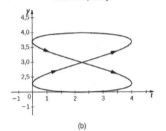

(b)

Halle una función de valor vectorial que trace la curva dada en la dirección indicada.

31. De izquierda a derecha, $y = x^2$, donde t aumenta

33. $(50, 0, 0)$

35.

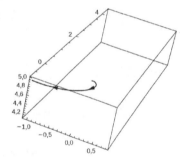

37.

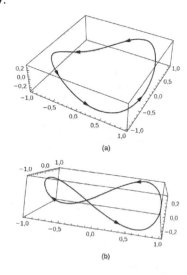

(a)

(b)

39. Una posibilidad es
$r(t) = \cos t\,\mathbf{i} + \text{sen}\,t\,\mathbf{j} + \text{sen}(4t)\,\mathbf{k}$.
Al aumentar el coeficiente de t
en la tercera componente,
aumentará el número de
puntos de inflexión.

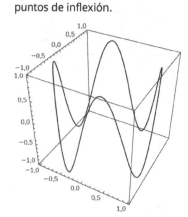

Sección 3.2 ejercicios

41. $\left\langle 3t^2, 6t, \frac{1}{2}t^2 \right\rangle$

43. $\left\langle -e^{-t}, 3\cos(3t), \frac{5}{\sqrt{t}} \right\rangle$

45. $\langle 0, 0, 0 \rangle$

47. $\left\langle \frac{-1}{(t+1)^2}, \frac{1}{1+t^2}, \frac{3}{t} \right\rangle$

49. $\langle 0, 12\cos(3t), \cos t - t\,\text{sen}\,t \rangle$

51. $\frac{1}{\sqrt{2}}\langle 1, -1, 0 \rangle$

53. $\frac{1}{\sqrt{1060{,}5625}}\left\langle 6, -\frac{3}{4}, 32 \right\rangle$

55. $\frac{1}{\sqrt{9\,\text{sen}^2(3t)+144\cos^2(4t)}}\langle 0, -3\,\text{sen}(3t), 12\cos(4t) \rangle$

57. $\mathbf{T}(t) = \frac{-12}{13}\text{sen}(4t)\mathbf{i} + \frac{12}{13}\cos(4t)\mathbf{j} + \frac{5}{13}\mathbf{k}$

59. $\left\langle 2t, 4t^3, -8t^7 \right\rangle$

61. $\text{sen}(t) + 2te^t - 4t^3\cos(t) + t\cos(t) + t^2 e^t + t^4\text{sen}(t)$

63. $900t^7 + 16t$

65. a.

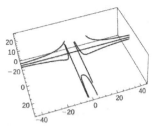

b. Indefinido o infinito

67. $\mathbf{r}'(t) = -b\omega\,\text{sen}(\omega t)\mathbf{i} + b\omega\cos(\omega t)\mathbf{j}$.
Para demostrar la ortogonalidad,
observe que $\mathbf{r}'(t) \cdot \mathbf{r}(t) = 0$.

69. $0\mathbf{i} + 2\mathbf{j} + 4t\mathbf{j}$

71. $\frac{1}{3}\left(10^{3/2}-1\right)$

73.
$$\begin{aligned}
\|\mathbf{v}(t)\| &= k \\
\mathbf{v}(t)\cdot\mathbf{v}(t) &= k \\
\frac{d}{dt}(\mathbf{v}(t)\cdot\mathbf{v}(t)) &= \frac{d}{dt}k = 0 \\
\mathbf{v}(t)\cdot\mathbf{v}'(t) + \mathbf{v}'(t)\cdot\mathbf{v}(t) &= 0 \\
2\mathbf{v}(t)\cdot\mathbf{v}'(t) &= 0 \\
\mathbf{v}(t)\cdot\mathbf{v}'(t) &= 0.
\end{aligned}$$
La última afirmación implica que la velocidad y la aceleración son perpendiculares u ortogonales.

75. $\mathbf{v}(t) = \langle 1 - \operatorname{sen}t, 1 - \cos t\rangle$, velocidad $= \|\mathbf{v}(t)\| = \sqrt{3 - 2(\operatorname{sen}t + \cos t)}$

77. $x-1 = t, y-1 = -t, z-0 = 0$

79. $\mathbf{r}(t) = \langle 18, 9\rangle$ a las $t = 3$

81. $\sqrt{161}$

83. $\mathbf{v}(t) = \langle -\operatorname{sen}t, \cos t, 1\rangle$

85. $\mathbf{a}(t) = -\cos t\,\mathbf{i} - \operatorname{sen}t\,\mathbf{j} + 0\mathbf{j}$

87. $\mathbf{v}(t) = \langle -\operatorname{sen}t, 2\cos t, 0\rangle$

89. $\mathbf{a}(t) = \left\langle -\frac{\sqrt{2}}{2}, -\sqrt{2}, 0\right\rangle$

91. $\|\mathbf{v}(t)\| = \sqrt{\sec^4 t + \sec^2 t\tan^2 t} = \sqrt{\sec^2 t(\sec^2 t + \tan^2 t)}$

93. 2

95. $\left\langle 0, 2\operatorname{sen}t\left(t - \frac{1}{t}\right) - 2\cos t\left(1 + \frac{1}{t^2}\right), 2\operatorname{sen}t\left(1 + \frac{1}{t^2}\right) + 2\cos t\left(t - \frac{2}{t}\right)\right\rangle$

97. $\mathbf{T}(t) = \left\langle \frac{t^2}{\sqrt{t^4+1}}, \frac{-1}{\sqrt{t^4+1}}\right\rangle$

99. $\mathbf{T}(t) = \frac{1}{3}\langle 1, 2, 2\rangle$

101. $\frac{3}{4}\mathbf{i} + \ln(2)\mathbf{j} + \left(1 - \frac{1}{e}\right)\mathbf{j}$

Sección 3.3 ejercicios

103. $8\sqrt{5}$

105. $\frac{1}{54}\left(37^{3/2}-1\right)$ grandes.

107. Longitud $= 2\pi$

109. 6π

111. $e - \frac{1}{e}$

113. $\mathbf{T}(0) = \mathbf{j}, \mathbf{N}(0) = -\mathbf{i}$

115. $\mathbf{T}(t) = \left\langle \frac{2}{\sqrt{6}}, \frac{\cos t - \operatorname{sen}t}{\sqrt{6}}, \frac{\cos t + \operatorname{sen}t}{\sqrt{6}}\right\rangle$

117. $\mathbf{N}\left(0\right) = \left\langle \frac{\sqrt{2}}{2}, 0, \frac{\sqrt{2}}{2}\right\rangle$

119. $\mathbf{T}(t) = \frac{1}{\sqrt{4t^2+2}}<1, 2t, 1>$

121. $\mathbf{T}(t) = \frac{1}{\sqrt{100t^2+13}}(3\mathbf{i} + 10t\mathbf{j} + 2\mathbf{k})$

123. $\mathbf{T}(t) = \frac{1}{\sqrt{9t^4+76t^2+16}}\left(\left[3t^2 - 4\right]\mathbf{i} + 10t\mathbf{j}\right)$

125. $\mathbf{N}(t) = \langle -\operatorname{sen}t, 0, -\cos t\rangle$

127. Función de longitud de arco $s(t) = 5t$; r como parámetro de s: $\mathbf{r}(s) = \left(3 - \frac{3s}{5}\right)\mathbf{i} + \frac{4s}{5}\mathbf{j}$

129. $\mathbf{r}(s) = \left(1 + \frac{s}{\sqrt{2}}\right)\operatorname{sen}\left(\ln(1 + \frac{s}{\sqrt{2}})\right)\mathbf{i} + \left(1 + \frac{s}{\sqrt{2}}\right)\cos\left[\ln\left(1 + \frac{s}{\sqrt{2}}\right)\right]\mathbf{j}$

131. El valor máximo de la curvatura se produce en $x = 1$.

133. $\frac{1}{2}$

135. $\kappa \approx \dfrac{49{,}477}{\left(17+144t^2\right)^{3/2}}$

137. $\dfrac{1}{2\sqrt{2}}$

139. La curvatura se aproxima a cero.

141. $y = 6x + \pi$ y $x + 6y = 6\pi$

143. $x + 2z = \frac{\pi}{2}$

145. $\dfrac{a^4 b^4}{\left(b^4 x^2 + a^4 y^2\right)^{3/2}}$

147. $\dfrac{10\sqrt{10}}{3}$

149. $\dfrac{38}{3}$

151. La curvatura es decreciente en este intervalo.

153. $\kappa = \dfrac{6}{x^{2/5}\left(25+4x^{6/5}\right)}$

Sección 3.4 ejercicios

155. $\mathbf{v}(t) = (6t)\mathbf{i} + (2 - \cos(t))\mathbf{j}$

157. $\mathbf{v}(t) = \langle -3\,\mathrm{sen}\,t, 3\cos t, 2t\rangle,$
$\mathbf{a}(t) = \langle -3\cos t, -3\,\mathrm{sen}\,t, 2\rangle,$
velocidad $= \sqrt{9 + 4t^2}$

159. $\mathbf{v}(t) = -2\,\mathrm{sen}\,t\,\mathbf{j} + 3\cos t\,\mathbf{k},$
$\mathbf{a}(t) = -2\cos t\,\mathbf{j} - 3\,\mathrm{sen}\,t\,\mathbf{k},$
velocidad $= \sqrt{4\,\mathrm{sen}^2 t + 9\frac{\cos}{2}t}$

161. $\mathbf{v}(t) = e^t\mathbf{i} - e^{-t}\mathbf{j},$
$\mathbf{a}(t) = e^t\mathbf{i} + e^{-t}\mathbf{j},$
$\|\mathbf{v}(t)\|\ \sqrt{e^{2t} + e^{-2t}}$

163. $t = 4$

165. $\mathbf{v}(t) = (\omega - \omega\cos(\omega t))\,\mathbf{i} + (\omega\,\mathrm{sen}(\omega t))\,\mathbf{j},$
$\mathbf{a}(t) = \left(\omega^2\,\mathrm{sen}(\omega t)\right)\mathbf{i} + \left(\omega^2\cos(\omega t)\right)\mathbf{j},$
velocidad $= \sqrt{\omega^2 - 2\omega^2\cos(\omega t) + \omega^2\cos^2(\omega t) + \omega^2\,\mathrm{sen}^2(\omega t)} = \sqrt{2\omega^2(1 - \cos(\omega t))}$

167. $\|\mathbf{v}(t)\| = \sqrt{9 + 4t^2}$

169. $\mathbf{v}(t) = \left\langle e^{-5t}(\cos t - 5\,\mathrm{sen}\,t), -e^{-5t}(\mathrm{sen}\,t + 5\cos t), -20e^{-5t}\right\rangle$

171. $\mathbf{a}(t) = \big\langle e^{-5t}(-\mathrm{sen}\,t - 5\cos t) - 5e^{-5t}(\cos t - 5\,\mathrm{sen}\,t),$
$-e^{-5t}(\cos t - 5\,\mathrm{sen}\,t) + 5e^{-5t}(\mathrm{sen}\,t + 5\cos t), 100e^{-5t}\big\rangle$

173. $44{,}185$ s

175. $t = 88{,}37$ s

177. $88{,}37$ s

179. El rango es de aproximadamente $886{,}29$ m.

181. $\mathbf{v} = 42{,}16\,$m/s

183. $\mathbf{r}(t) = 0\mathbf{i} + \left(\frac{1}{6}t^3 + 4{,}5t - \frac{14}{3}\right)\mathbf{j} + \left(\frac{t^3}{6} - \frac{1}{2}t + \frac{1}{3}\right)\mathbf{k}$

185. $a_T = 0$, $a_N = a\omega^2$

187. $a_T = \sqrt{3}e^t$, $a_N = \sqrt{2}e^t$

189. $a_T = 2t$, $a_N = 4 + 2t^2$

191. $a_T\,\dfrac{6t + 12t^3}{\sqrt{1 + t^4 + t^2}},$
$a_N = 6\sqrt{\dfrac{1 + 4t^2 + t^4}{1 + t^2 + t^4}}$

193. $a_T = 0$, $a_N = 12\pi^2$

195. $\mathbf{r}(t) = \left(\frac{-1}{m}\cos t + c + \frac{1}{m}\right)\mathbf{i} + \left(\frac{-\mathrm{sen}\,t}{m} + \left(v_0 + \frac{1}{m}\right)t\right)\mathbf{j}$

197. $10{,}94$ km/s

201. $a_T = 0{,}43 \text{ m/s}^2$,
$\quad a_N = -2{,}46 \text{ m/seg}^2$

Ejercicios de repaso

203. Falso, $\frac{d}{dt}[\mathbf{u}(t) \times \mathbf{u}(t)] = 0$ **205.** Falso, es $|\mathbf{r}'(t)|$ **207.** $t < 4, t \neq \frac{n\pi}{2}$

209.

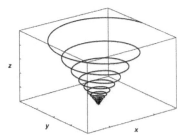

211. $\mathbf{r}(t) = \left\langle t, 2 - \frac{t^2}{8}, -2 - \frac{t^2}{8} \right\rangle$

213. $\mathbf{u}'(t) = \left\langle 2t, 2, 20t^4 \right\rangle$, $\mathbf{u}''(t) = \left\langle 2, 0, 80t^3 \right\rangle$,
$\frac{d}{dt}\left[\mathbf{u}'(t) \times \mathbf{u}(t) \right] = \left\langle -480t^3 - 160t^4, 24 + 75t^2, 12 + 4t \right\rangle$,
$\frac{d}{dt}\left[\mathbf{u}(t) \times \mathbf{u}'(t) \right] = \left\langle 480t^3 + 160t^4, -24 - 75t^2, -12 - 4t \right\rangle$,
$\frac{d}{dt}\left[\mathbf{u}(t) \cdot \mathbf{u}'(t) \right] = 720t^8 - 9.600t^3 + 6t^2 + 4$, vector unitario tangente

$\mathbf{T}(t) = \dfrac{2t}{\sqrt{400t^8 + 4t^2 + 4}}\mathbf{i} + \dfrac{2}{\sqrt{400t^8 + 4t^2 + 4}}\mathbf{j} + \dfrac{20t^4}{\sqrt{400t^8 + 4t^2 + 4}}\mathbf{k}$

215. $\dfrac{\ln(4)^2}{2}\mathbf{i} + 2\mathbf{j} + \dfrac{2\left(2 + \sqrt{2}\right)}{\pi}\mathbf{k}$

217. $\dfrac{\sqrt{37}}{2} + \dfrac{1}{12}\operatorname{senoh}^{-1}(6)$

219. $\mathbf{r}(t(s)) = \cos\left(\dfrac{2s}{\sqrt{65}}\right)\mathbf{i} + \dfrac{8s}{\sqrt{65}}\mathbf{j} - \operatorname{sen}\left(\dfrac{2s}{\sqrt{65}}\right)\mathbf{k}$

221. $\dfrac{e^{2t}}{\left(e^{2t} + 1\right)^2}$

223. $a_T = \dfrac{e^{2t}}{\sqrt{1 + e^{2t}}}$,
$\quad a_N = \dfrac{\sqrt{2e^{2t} + 4e^{2t}\operatorname{sen}t\cos t + 1}}{\sqrt{1 + e^{2t}}}$

225. $\mathbf{v}(t) = \left\langle 2t, \frac{1}{t}, \cos(\pi t) \right\rangle$ m/s,
$\quad \mathbf{a}(t) = \left\langle 2, -\frac{1}{t^2}, -\operatorname{sen}(\pi t) \right\rangle$ m/seg^2,
$\quad$ velocidad $= \sqrt{4t^2 + \frac{1}{t^2} + \cos^2(\pi t)}$
$\quad$ m/s; en $t = 1$, $\mathbf{r}(1) = \langle 1, 0, 0 \rangle$ m,
$\quad \mathbf{v}(1) = \langle 2, -1, 1 \rangle$ m/s,
$\quad \mathbf{a}(1) = \langle 2, -1, 0 \rangle$ m/s^2 y
$\quad$ velocidad $= \sqrt{6}$ m/s

227. $\mathbf{r}(t) = \mathbf{v}_0 t - \frac{g}{2}t^2\mathbf{j}$,
$\quad \mathbf{r}(t) = \left\langle v_0(\cos\theta)t, v_0(\operatorname{sen}\theta)t, -\frac{g}{2}t^2 \right\rangle$

Capítulo 4

Punto de control

4.1 El dominio es el círculo sombreado definido por la inecuación $9x^2 + 9y^2 \leq 36$, que tiene un círculo de radio 2 como su borde. El rango es $[0, 6]$.

4.2 La ecuación de la curva de nivel puede escribirse como $(x - 3)^2 + (y + 1)^2 = 25$, que es un círculo de radio 5 centrado en $(3, -1)$.

4.3 $z = 3 - (x - 1)^2$. Esta función describe una parábola que se abre hacia abajo en el plano $y = 3$.

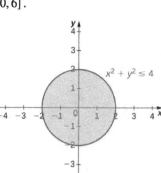

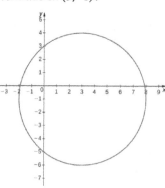

4.4 dominio$(h) = \left\{ (x, y, t) \in \mathbb{R}^3 \middle| y \geq 4x^2 - 4 \right\}$

4.5 $(x - 1)^2 + (y + 2)^2 + (z - 3)^2 = 16$ describa una esfera de radio 4 centrado en el punto $(1, -2, 3)$.

4.6 $\displaystyle\lim_{(x,y)\to(5,-2)} \sqrt[3]{\frac{x^2 - y}{y^2 + x - 1}} = \frac{3}{2}$

4.7 Si los valores de $y = k(x - 2) + 1$, entonces $\displaystyle\lim_{(x,y)\to(2,1)} \frac{(x-2)(y-1)}{(x-2)^2 + (y-1)^2} = \frac{k}{1 + k^2}$. Ya que la respuesta depende de k, el límite no existe.

4.8 $\displaystyle\lim_{(x,y)\to(5,-2)} \sqrt{29 - x^2 - y^2}$

4.9
1. El dominio de f contiene el par ordenado $(2, -3)$ porque
$$f(a, b) = f(2, -3) = \sqrt{16 - 2(2)^2 - (-3)^2} = 3$$

2. $\displaystyle\lim_{(x,y)\to(a,b)} f(x, y) = 3$

3. $\displaystyle\lim_{(x,y)\to(a,b)} f(x, y) = f(a, b) = 3$

4.10 Los polinomios
$$g(x) = 2x^2 \text{ y } h(y) = y^3$$
son continuos en todo número real; por lo tanto, por el teorema del producto de funciones continuas,
$f(x, y) = 2x^2 y^3$ es continua en cada punto (x, y) en el plano xy. Además, cualquier función constante es continua en todas partes, por lo que $g(x, y) = 3$ es continua en cada punto (x, y) en el plano xy. Por lo tanto,
$f(x, y) = 2x^2 y^3 + 3$ es continua en cada punto (x, y) en el plano xy. Por último, $h(x) = x^4$ es continua en todo número real x, así que por el teorema de continuidad de las funciones compuestas
$$g(x, y) = \left(2x^2 y^3 + 3\right)^4$$
es continua en cada punto (x, y) en el plano xy.

4.11 $\displaystyle\lim_{(x,y,z)\to(4,-1,3)} \sqrt{13 - x^2 - 2y^2 + z^2} = 2$

4.12 $\dfrac{\partial f}{\partial x} = 8x + 2y + 3, \quad \dfrac{\partial f}{\partial y} = 2x - 2y - 2$

4.13
$$\frac{\partial f}{\partial x} = \left(3x^2 - 6xy^2\right) \sec^2\left(x^3 - 3x^2 y^2 + 2y^4\right)$$
$$\frac{\partial f}{\partial y} = \left(-6x^2 y + 8y^3\right) \sec^2\left(x^3 - 3x^2 y^2 + 2y^4\right)$$

4.14 Utilizando las curvas correspondientes a $c = -2$ y $c = -3$, obtenemos
$$\left.\frac{\partial f}{\partial y}\right|_{(x,y)=\left(0,\sqrt{2}\right)} \approx \frac{f\left(0,\sqrt{3}\right) - f\left(0,\sqrt{2}\right)}{\sqrt{3}-\sqrt{2}} = \frac{-3-(-2)}{\sqrt{3}-\sqrt{2}} \cdot \frac{\sqrt{3}+\sqrt{2}}{\sqrt{3}+\sqrt{2}} = -\sqrt{3} - \sqrt{2} \approx -3{,}146.$$

La respuesta exacta es
$$\left.\frac{\partial f}{\partial y}\right|_{(x,y)=\left(0,\sqrt{2}\right)} = \left.(-2y)\right|_{(x,y)=\left(0,\sqrt{2}\right)} = -2\sqrt{2} \approx -2{,}828.$$

4.15 $\dfrac{\partial f}{\partial x} = 4x - 8xy + 5z^2 - 6, \quad \dfrac{\partial f}{\partial y} = -4x^2 + 4y, \quad \dfrac{\partial f}{\partial z} = 10xz + 3$

4.16 $\frac{\partial f}{\partial x} = 2xy \sec\left(x^2 y\right) \tan\left(x^2 y\right) - 3x^2 yz^2 \sec^2\left(x^3 yz^2\right)$

$\frac{\partial f}{\partial y} = x^2 \sec\left(x^2 y\right) \tan\left(x^2 y\right) - x^3 z^2 \sec^2\left(x^3 yz^2\right)$

$\frac{\partial f}{\partial z} = -2x^3 yz \sec^2\left(x^3 yz^2\right)$

4.17 $\frac{\partial^2 f}{\partial x^2} = -9\,\mathrm{sen}\,(3x - 2y) - \cos(x + 4y)$

$\frac{\partial^2 f}{\partial x \partial y} = 6\,\mathrm{sen}\,(3x - 2y) - 4\cos(x + 4y)$

$\frac{\partial^2 f}{\partial y \partial x} = 6\,\mathrm{sen}\,(3x - 2y) - 4\cos(x + 4y)$

$\frac{\partial^2 f}{\partial y^2} = -4\,\mathrm{sen}\,(3x - 2y) - 16\cos(x + 4y)$

4.19 $z = 7x + 8y - 3$

4.20 $L(x, y) = 6 - 2x + 3y$, por lo que
$L(4,1, 0,9) = 6 - 2(4,1) + 3(0,9) = 0,5$
$f(4,1, 0,9) = e^{5-2(4,1)+3(0,9)} = e^{-0,5} \approx 0,6065.$

4.21 $f(-1, 2) = -19,\quad f_x(-1, 2) = 3, f_y(-1, 2) = -16, E(x, y) = -4(y - 2)^2.$

$$\lim_{(x,y)\to(x_0,y_0)} \frac{E(x,y)}{\sqrt{(x-x_0)^2+(y-y_0)^2}} = \lim_{(x,y)\to(-1,2)} \frac{-4(y-2)^2}{\sqrt{(x+1)^2+(y-2)^2}}$$

$$\leq \lim_{(x,y)\to(-1,2)} \frac{-4\left((x+1)^2+(y-2)^2\right)}{\sqrt{(x+1)^2+(y-2)^2}}$$

$$= \lim_{(x,y)\to(2,-3)} -4\sqrt{(x+1)^2+(y-2)^2}$$

$$= 0,$$

4.22 $\begin{aligned} dz &= 0,18 \\ \Delta z &= f(1,03, -1,02) - f(1,-1) = 0,180682 \end{aligned}$

4.23 $\begin{aligned} \frac{dz}{dt} &= \frac{\partial f}{\partial x}\frac{dx}{dt} + \frac{\partial f}{\partial y}\frac{dy}{dt} \\ &= (2x - 3y)(6\cos 2t) + (-3x + 4y)(-8\,\mathrm{sen}\,2t) \\ &= -92\,\mathrm{sen}\,2t \cos 2t - 72\left(\cos^2 2t - \mathrm{sen}^2 2t\right) \\ &= -46\,\mathrm{sen}\,4t - 72\cos 4t. \end{aligned}$

4.24 $\frac{\partial z}{\partial u} = 0,\quad \frac{\partial z}{\partial v} = \frac{-21}{(3\,\mathrm{sen}\,3v + \cos 3v)^2}$

4.25 $\frac{\partial w}{\partial u} = 0$

$\frac{\partial w}{\partial v} = \frac{15 - 33\,\mathrm{sen}\,3v + 6\cos 3v}{(3 + 2\cos 3v - \mathrm{sen}\,3v)^2}$

4.26 $\frac{\partial w}{\partial t} = \frac{\partial w}{\partial x}\frac{\partial x}{\partial t} + \frac{\partial w}{\partial y}\frac{\partial y}{\partial t}$

$\frac{\partial w}{\partial u} = \frac{\partial w}{\partial x}\frac{\partial x}{\partial u} + \frac{\partial w}{\partial y}\frac{\partial y}{\partial u}$

$\frac{\partial w}{\partial v} = \frac{\partial w}{\partial x}\frac{\partial x}{\partial v} + \frac{\partial w}{\partial y}\frac{\partial y}{\partial v}$

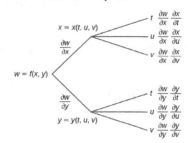

4.27 $\frac{dy}{dx} = \frac{2x+y+7}{2y-x+3}\bigg|_{(3,-2)} = \frac{2(3)+(-2)+7}{2(-2)-(3)+3} = -\frac{11}{4}$

Ecuación de la línea tangente:
$y = -\frac{11}{4}x + \frac{25}{4}$

4.28 $D_{\mathbf{u}} f(x, y) = \frac{(6xy - 4y^3 - 4)(1)}{2} + \frac{\left(3x^2 - 12xy^2 + 6y\right)\sqrt{3}}{2}$

$D_{\mathbf{u}} f(3, 4) = \frac{72 - 256 - 4}{2} + \frac{(27 - 576 + 24)\sqrt{3}}{2} = -94 - \frac{525\sqrt{3}}{2}$

4.29 $\nabla f(x,y) = \frac{2x^2+2xy+6y^2}{(2x+y)^2}\mathbf{i} - \frac{x^2+12xy+3y^2}{(2x+y)^2}\mathbf{j}$

4.30 El gradiente de g a las $(-2,3)$ ¿es $\nabla g(-2,3) = \mathbf{i} + 14\mathbf{j}$. El vector unitario que apunta en la misma dirección que $\nabla g(-2,3)$ ¿es

$$\frac{\nabla g(-2,3)}{\|\nabla g(-2,3)\|} = \frac{1}{\sqrt{197}}\mathbf{i} + \frac{14}{\sqrt{197}}\mathbf{j} = \frac{\sqrt{197}}{197}\mathbf{i} + \frac{14\sqrt{197}}{197}\mathbf{j},$$

que da un ángulo de

$$\theta = \text{arcsen}\left(\left(14\sqrt{197}\right)/197\right) \approx 1{,}499 \text{ rad. El}$$

valor máximo de la derivada direccional es $\|\nabla g(-2,3)\| = \sqrt{197}$.

4.31 $\nabla f(x,y) = (2x-2y+3)\mathbf{i} + (-2x+10y-2)\mathbf{j}$
$\nabla f(1,1) = 3\mathbf{i} + 6\mathbf{j}$
Vector tangente $6\mathbf{i} - 3\mathbf{j}$ o $-6\mathbf{i} + 3\mathbf{j}$

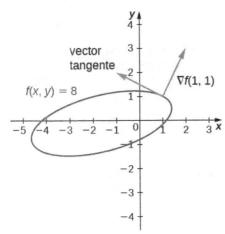

4.32 $\nabla f(x,y,z) = \frac{2x^2+2xy+6y^2-8xz-2z^2}{(2x+y-4z)^2}\mathbf{i} - \frac{x^2+12xy+3y^2-24yz+z^2}{(2x+y-4z)^2}\mathbf{j}$
$\quad + \frac{4x^2-12y^2-4z^2+4xz+2yz}{(2x+y-4z)^2}\mathbf{k}.$

4.33 $D_{\mathbf{u}}f(x,y,z) = -\frac{3}{13}(6x+y+2z) + \frac{12}{13}(x-4y+4z) - \frac{4}{13}(2x+4y-2z)$
$\quad D_{\mathbf{u}}f(0,-2,5) = \frac{384}{13}$

4.34 $(2,-5)$

4.35 $\left(\frac{4}{3},\frac{1}{3}\right)$ es un punto de silla, $\left(-\frac{3}{2},-\frac{3}{8}\right)$ es un máximo local.

4.36 El mínimo absoluto se produce en $(1,0)$: $f(1,0) = -1$.

El máximo absoluto se produce en $(0,3)$: $f(0,3) = 63$.

4.37 f tiene un valor máximo de 976 en el punto $(8,2)$.

4.38 Un nivel máximo de producción de 13.890 se produce con 5.625 horas de trabajo y \$5500 del total de insumos de capital.

$$\textbf{4.39} \quad f\left(\frac{\sqrt{3}}{3}, \frac{\sqrt{3}}{3}, \frac{\sqrt{3}}{3}\right) = \frac{\sqrt{3}}{3} + \frac{\sqrt{3}}{3} + \frac{\sqrt{3}}{3} = \sqrt{3}$$

$$f\left(-\frac{\sqrt{3}}{3}, -\frac{\sqrt{3}}{3}, -\frac{\sqrt{3}}{3}\right) = -\frac{\sqrt{3}}{3} - \frac{\sqrt{3}}{3} - \frac{\sqrt{3}}{3} = -\sqrt{3}.$$

4.40 $f(2, 1, 2) = 9$ es un mínimo.

Sección 4.1 ejercicios

1. $17, 72$

3. 20π. Este es el volumen cuando el radio es 2 y la altura es 5.

5. Todos los puntos del plano xy

7. $x < y^2$

9. Todos los pares reales ordenados en el plano xy de la forma (a, b) grandes.

11. $\{z | 0 \le z \le 4\}$

13. El conjunto $\mathbb{R}$

15. $y^2 - x^2 = 4$, una hipérbola

17. $4 = x + y$, una línea; $x + y = 0$, línea que pasa por el origen

19. $2x - y = 0$, $2x - y = -2$, $2x - y = 2$; tres líneas

21. $\frac{x}{x+y} = -1$, $\frac{x}{x+y} = 0$, $\frac{x}{x+y} = 2$

23. $e^{xy} = \frac{1}{2}$, $e^{xy} = 3$

25. $xy - x = -2$, $xy - x = 0$, $xy - x = 2$

27. $e^{-2}x^2 = y$, $y = x^2$, $y = e^2x^2$

29. Las curvas de nivel son parábolas de la forma $y = cx^2 - 2$.

31. $z = 3 + y^3$, una curva en el plano zy con reglas paralelas al eje x

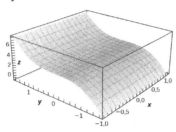

33. $\frac{x^2}{25} + \frac{y^2}{4} \le 1$

35. $\frac{x^2}{9} + \frac{y^2}{4} + \frac{z^2}{36} < 1$

37. Todos los puntos del espacio xyz

39.

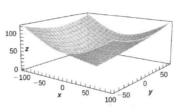

41.

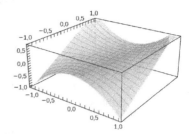

43.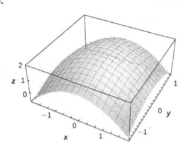

45.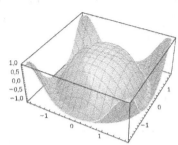

47. Las líneas de contorno son círculos.

49. $x^2 + y^2 + z^2 = 9$, una esfera de radio 3

51. $x^2 + y^2 - z^2 = 4$, un hiperboloide de una hoja

53. $4x^2 + y^2 = 1$,

55. $1 = e^{xy}(x^2 + y^2)$

57. $T(x, y) = \frac{k}{x^2+y^2}$

59. $x^2 + y^2 = \frac{k}{40}$, $x^2 + y^2 = \frac{k}{100}$. Las curvas de nivel representan círculos de radios $\sqrt{10k}/20$ y $\sqrt{k}/10$

Sección 4.2 ejercicios

61. 2,0

63. $\frac{2}{3}$

65. 1

67. $\frac{1}{2}$

69. $-\frac{1}{2}$

71. e^{-32}

73. 11,0

75. 1,0

77. El límite no existe porque cuando x como y se acercan a cero, la función se acerca a $\ln 0$, que es indefinido (se acerca al infinito negativo).

79. cada disco abierto centrado en (x_0, y_0) contiene puntos dentro de R y fuera de R

81. 0,0

83. 0,00

85. El límite no existe.

87. El límite no existe. La función se aproxima a dos valores diferentes por trayectorias distintas.

89. El límite no existe porque la función se acerca a dos valores diferentes a lo largo de las trayectorias.

91. La función f es continua en la región $y > -x$.

93. La función f es continua en todos los puntos del plano xy excepto en $(0,0)$.

95. La función es continua en $(0,0)$ ya que el límite de la función en $(0,0)$ ¿es 0, el mismo valor de $f(0,0)$.

97. La función es discontinua en $(0,0)$. El límite en $(0,0)$ no existe y $g(0,0)$ no existe.

99. Dado que la función arctan x es continua en $\left(-\infty, \infty\right)$,

$g(x,y) = \arctan\left(\frac{xy^2}{x+y}\right)$ es

continua donde $z = \frac{xy^2}{x+y}$

es continuo. La función interna z es continua en todos los puntos del plano xy excepto cuando $y = -x$. Por lo tanto,

$g(x,y) = \arctan\left(\frac{xy^2}{x+y}\right)$ es

continua en todos los puntos del plano de coordenadas *excepto* en los puntos en los que $y = -x$.

101. Todos los puntos $P(x,y,z)$ en el espacio

103. El gráfico aumenta sin límite a medida que x y y se acercan a cero.

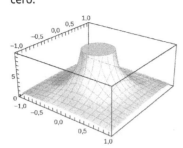

105. a.

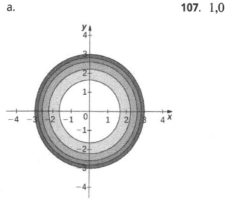

b. Las curvas de nivel son círculos con centro en $(0,0)$ con radio $9 - c$. c. $x^2 + y^2 = 9 - c$ d. $z = 3$ e. $\left\{(x,y) \in \mathbb{R}^2 \big| x^2 + y^2 \leq 9\right\}$ f. $\{z | 0 \leq z \leq 3\}$

107. 1,0

109. $f(g(x,y))$ es continua en todos los puntos (x,y) que no están en la línea $2x - 5y = 0$.

111. 2,0

Sección 4.3 ejercicios

113. $\frac{\partial z}{\partial y} = -3x + 2y$

115. El signo es negativo.

117. La derivada parcial es cero en el origen.

119. $\frac{\partial z}{\partial y} = -3\,\text{sen}(3x)\text{sen}(3y)$ grandes.

121. $\frac{\partial z}{\partial x} = \frac{6x^5}{x^6+y^4}; \frac{\partial z}{\partial y} = \frac{4y^3}{x^6+y^4}$

123. $\frac{\partial z}{\partial x} = ye^{xy}; \frac{\partial z}{\partial y} = xe^{xy}$

125. $\frac{\partial z}{\partial x} = 2\sec^2(2x-y), \frac{\partial z}{\partial y} = -\sec^2(2x-y)$

127. $f_x(2,-2) = \frac{1}{4} = f_y(2,-2)$

129. $\frac{\partial z}{\partial x} = -\cos(1)$

131. $f_x = 0, \quad f_y = 0, \quad f_z = 0$

133. a. $V(r,h) = \pi r^2 h$ b. $\frac{\partial V}{\partial r} = 2\pi rh$ c. $\frac{\partial V}{\partial h} = \pi r^2$

135. $f_{xy} = \frac{1}{(x-y)^2}$

137. $\frac{\partial^2 z}{\partial x^2} = 2, \frac{\partial^2 z}{\partial y^2} = 4$

139. $f_{xyy} = f_{yxy} = f_{yyx} = 0$

141.
$$\frac{d^2 z}{dx^2} = -\frac{1}{2}\left(e^y - e^{-y}\right)\text{sen}\,x$$
$$\frac{d^2 z}{dy^2} = \frac{1}{2}\left(e^y - e^{-y}\right)\text{sen}\,x$$
$$\frac{d^2 z}{dx^2} + \frac{d^2 z}{dy^2} = 0$$

143. $f_{xyz} = 6y^2 x - 18yz^2$

145. $\left(\frac{1}{4}, \frac{1}{2}\right), (1,1)$

147. $(0,0), (0,2), (\sqrt{3},-1), \left(-\sqrt{3},-1\right)$

149. $\frac{\partial^2 z}{\partial x^2} + \frac{\partial^2 z}{\partial y^2} = e^x\,\text{sen}(y) - e^x\,\text{sen}\,y = 0$

151. $c^2 \frac{\partial^2 z}{\partial x^2} = e^{-t}\cos\left(\frac{x}{c}\right)$

153. $\frac{\partial f}{\partial y} = -2x + 7$

155. $\frac{\partial f}{\partial x} = y\cos xy$

159. $\frac{\partial F}{\partial \theta} = 6, \frac{\partial F}{\partial x} = 4 - 3\sqrt{3}$

161. $\frac{\delta f}{\delta x}$ a las $(500, 1.000) = 172,36, \frac{\delta f}{\delta y}$ a las $(500, 1.000) = 36,93$

Sección 4.4 ejercicios

163. $\left(\frac{\sqrt{145}}{145}\right)(12\mathbf{i} - \mathbf{k})$ grandes.

165. Vector normal: $\mathbf{i} + \mathbf{j}$, vector tangente: $\mathbf{i} - \mathbf{j}$

167. Vector normal: $7\mathbf{i} - 17\mathbf{j}$, vector tangente: $17\mathbf{i} + 7\mathbf{j}$

169. Vector normal $\quad -12\mathbf{i} + 12\mathbf{j} - \mathbf{k}$
Vector tangente $\quad 0\mathbf{i} + \mathbf{j} + 12\mathbf{k}$ o $0\mathbf{i} + \mathbf{j} - 12\mathbf{k}$

171. $-36x - 6y - z = -39$

173. $z = 0$

175. $5x + 4y + 3z - 22 = 0$

177. $4x - 5y + 4z = 0$

179. $2x + 2y - z = 0$

181. $-2(x-1) + 2(y-2) - (z-1) = 0$

183. $x = 20t + 2, y = -4t + 1, z = -t + 18$

185. $x = 0, y = 0, z = t$

187. $x - 1 = 2t; \ y - 2 = -2t; \ z - 1 = t$

189. El diferencial de la función $z(x,y) = dz = f_x dx + f_y dy$

191. Utilizando la definición de diferenciabilidad, tenemos $e^{xy}x \approx x + y$.

193. $\Delta z = 2x\Delta x + 3\Delta y + (\Delta x)^2$. $(\Delta x)^2 \to 0$ para los Δx pequeños y z satisface la definición de diferenciabilidad.

195. $\Delta z \approx 1{,}185422$ y $dz \approx 1{,}108$. Están relativamente cerca.

197. $16\,\text{cm}^3$

199. $\Delta z =$ cambio exacto $= 0{,}6449$, el cambio aproximado es $dz = 0{,}65$. Los dos valores son cercanos.

201. $13\,\%$ o $0{,}13$

203. $0{,}025$

205. $0{,}3\,\%$

207. $2x + \frac{1}{4}y - 1$

209. $\frac{1}{2}x + y + \frac{1}{4}\pi - \frac{1}{2}$

211. $\frac{3}{7}x + \frac{2}{7}y + \frac{6}{7}z$

213. $z = 0$

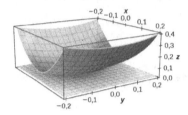

Sección 4.5 ejercicios

215. $\frac{dw}{dt} = y\cos z + x\cos z\,(2t) - \frac{xy\,\text{sen}\,z}{\sqrt{1-t^2}}$

217. $\frac{\partial w}{\partial s} = -30x + 4y,$ $\frac{\partial w}{\partial t} = 10x - 16y$

219. $\frac{\partial f}{\partial r} = r\,\text{sen}\,(2\theta)$

221. $\frac{df}{dt} = 2t + 4t^3$

223. $\frac{df}{dt} = -1$

225. $\frac{df}{dt} = 1$

227. $\frac{dw}{dt} = 2e^{2t}$ en ambos casos

229. $\frac{du}{dt} = \sqrt{2}\left(\pi - 4\right.$

231. $\frac{dy}{dx} = -\frac{3x^2+y^2}{2xy}$

233. $\frac{dy}{dx} = \frac{y-x}{-x+2y^3}$

235. $\frac{dy}{dx} = -\sqrt[3]{\frac{y}{x}}$

237. $\frac{dy}{dx} = -\frac{ye^{xy}}{xe^{xy}+e^y(1+y)}$ grandes.

239. $\frac{dz}{dt} = 42t^{13}$

241. $\frac{dz}{dt} = -\frac{10}{3}t^{7/3} \times e^{1-t^{10/3}}$

243. $\frac{\partial z}{\partial u} = \frac{-2\,\text{sen}\,u}{3\,\text{sen}\,v}$ y $\frac{\partial z}{\partial v} = \frac{-2\cos u\cos v}{3\,\text{sen}^2 v}$

245. $\frac{\partial z}{\partial r} = \sqrt{3}e^{\sqrt{3}},$ $\frac{\partial z}{\partial \theta} = \left(2 - 4\sqrt{3}\right)e^{\sqrt{3}}$

247. $\frac{\partial w}{\partial t} = \cos(xyz) \times yz \times (-3) - \cos(xyz)\,xze^{1-t} + \cos(xyz)\,xy \times 4$

249. $f(tx, ty) = \sqrt{t^2x^2 + t^2y^2} = t^1 f(x, y),$ $\frac{\partial f}{\partial y} = x\frac{1}{2}\left(x^2 + y^2\right)^{-1/2} \times 2x + y\frac{1}{2}\left(x^2 + y^2\right)^{-1/2} \times 2y = 1f(x, y)$ grandes.

251. $V' = 4\pi$

253. $\frac{dV}{dt} = \frac{1066\pi}{3}\,\text{cm}^3/\text{min}$ **255.** $\frac{dA}{dt} = 12\,\text{in.}^2/\text{min}$ **257.** 2°C/s

259. $\frac{\partial u}{\partial r} = \frac{\partial u}{\partial x}\left(\frac{\partial x}{\partial w}\frac{\partial w}{\partial r} + \frac{\partial x}{\partial t}\frac{\partial t}{\partial r}\right) + \frac{\partial u}{\partial y}\left(\frac{\partial y}{\partial w}\frac{\partial w}{\partial r} + \frac{\partial y}{\partial t}\frac{\partial t}{\partial r}\right)$
$+ \frac{\partial u}{\partial z}\left(\frac{\partial z}{\partial w}\frac{\partial w}{\partial r} + \frac{\partial z}{\partial t}\frac{\partial t}{\partial r}\right)$

Sección 4.6 ejercicios

261. $-\frac{4\sqrt{3}+3}{2}$ **263.** -1 **265.** $\frac{2}{\sqrt{6}}$

267. $\sqrt{3}$ **269.** $-1, 0$ **271.** $\frac{22}{25}$

273. $\frac{2}{3}$ **275.** $\frac{-\sqrt{2}(x+y)}{2(x+2y)^2}$ **277.** $\frac{e^x\left(y+\sqrt{3}\right)}{2}$

279. $\frac{1+2\sqrt{3}}{2(x+2y)}$ **281.** $\langle 5, 4, 3\rangle$ **283.** -320

285. $\frac{3}{\sqrt{11}}$ **287.** $\frac{31}{255}$ **289.**

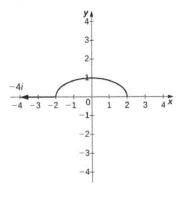

291. $\frac{4}{3}\mathbf{i} - 3\mathbf{j}$ **293.** $\sqrt{2}\mathbf{i} + \sqrt{2}\mathbf{j} + \sqrt{2}\mathbf{k}$ **295.** $1.6(10^{19})$ grandes.

297. $\frac{5\sqrt{2}}{99}$ **299.** $\sqrt{2}, \langle 1, -1\rangle$ **301.** $\sqrt{\frac{13}{2}}, \langle -3, -2\rangle$

303. a. $x + y + z = 3$, b.
$x-1 = y-1 = z-1$

305. a. $x + y - z = 1$, b.
$x-1 = y = -z$

307. a. $\frac{32}{\sqrt{3}}$, b. $\langle 38, 6, 12\rangle$, c.
$2\sqrt{406}$

309. $\langle u, v\rangle = \langle \pi\cos(\pi x)\text{sen}(2\pi y), 2\pi\,\text{sen}(\pi x)\cos(2\pi y)\rangle$

Sección 4.7 ejercicios

311. $\left(\frac{2}{3}, 4\right)$ grandes. **313.** $(0,0)\left(\frac{1}{15}, \frac{1}{15}\right)$ **315.** Máximo en $(4, -1, 8)$
grandes.

317. Mínimo relativo en $(0, 0, 1)$

319. La prueba de la segunda derivada falla. Dado que $x^2 y^2 > 0$ para todas las x y y diferentes de cero, y $x^2 y^2 = 0$ cuando x o y son iguales a cero (o ambos), entonces el mínimo absoluto se produce en $(0, 0)$.

321. $f\left(-2, -\frac{3}{2}\right) = -6$ es un punto de silla.

323. $f(0, 0) = 0$; $(0, 0, 0)$ es un punto de silla.

325. $f(0, 0) = 9$ es un máximo local.

327. Mínimo relativo situado en $(2, 6)$.

329. $(1, -2)$ es un punto de silla.

331. $(2, 1)$ y $(-2, 1)$ son los puntos de la silla $(0, 0)$ es un mínimo relativo.

333. $(-1, 0)$ es un máximo relativo.

335. $(0, 0)$ es un punto de silla.

337. El máximo relativo se encuentra en $(40, 40)$.

339. $\left(\frac{1}{4}, \frac{1}{2}\right)$ es un punto de silla r y $(1, 1)$ es el mínimo relativo.

341. Un punto de silla se encuentra en $(0, 0)$.

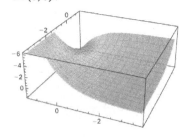

343. Hay un punto de silla en (π, π), máximos locales en $\left(\frac{\pi}{2}, \frac{\pi}{2}\right)$ y $\left(\frac{3\pi}{2}, \frac{3\pi}{2}\right)$, y los mínimos locales en $\left(\frac{\pi}{2}, \frac{3\pi}{2}\right)$ y $\left(\frac{3\pi}{2}, \frac{\pi}{2}\right)$.

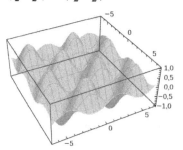

345. $(0, 1, 0)$ es el mínimo absoluto y $(0, -2, 9)$ es el máximo absoluto.

347. Hay un mínimo absoluto en $(0, 1, -1)$ y un máximo absoluto en $(0, -1, 1)$.

349. $\left(\sqrt{5}, 0, 0\right), \left(-\sqrt{5}, 0, 0\right)$

351. 18 por 36 por 18 pulgadas.

353. $\left(\frac{47}{24}, \frac{47}{12}, \frac{235}{24}\right)$

355. $x = 3$ y $y = 6$

357. $V = \frac{64\,000}{\pi} \approx 20,372$ cm^3

Sección 4.8 ejercicios

359. máximo: $2\frac{\sqrt{3}}{3}$, mínimo: $\frac{-2\sqrt{3}}{3}$

361. máximo: $\left(\frac{\sqrt{2}}{2}, 0, \sqrt{2}\right)$, mínimo: $\left(\frac{-\sqrt{2}}{2}, 0, -\sqrt{2}\right)$ grandes.

363. máximo: $\frac{3}{2}$, mínimo = $\frac{1}{2}$

365. máximos:

$f\left(\frac{3\sqrt{2}}{2}, 2\sqrt{2}\right) = 24,$

$f\left(-\frac{3\sqrt{2}}{2}, -2\sqrt{2}\right) = 24;$

mínimos:

$f\left(-\frac{3\sqrt{2}}{2}, 2\sqrt{2}\right) = -24,$

$f\left(\frac{3\sqrt{2}}{2}, -2\sqrt{2}\right) = -24$

367. máximo: $2\sqrt{11}$ a las

$f\left(\frac{2}{\sqrt{11}}, \frac{6}{\sqrt{11}}, \frac{-2}{\sqrt{11}}\right);$

mínimo: $-2\sqrt{11}$ a las

$f\left(\frac{-2}{\sqrt{11}}, \frac{-6}{\sqrt{11}}, \frac{2}{\sqrt{11}}\right)$

grandes.

369. 2,0

371. $19\sqrt{2}$

373. $\left(\frac{1}{\sqrt[3]{2}}, \frac{-1}{\sqrt[3]{2}}\right)$

375. $f(1,2) = 5$

377. $f\left(\frac{1}{3}, \frac{1}{3}, \frac{1}{3}\right) = \frac{1}{3}$

379. mínimo: $f(2,3,4) = 29$

381. El volumen máximo es 4 pies³. Las dimensiones son $1 \times 2 \times 2$ pies.

383. $\left(1, \frac{1}{2}, -3\right)$

385. 1,0

387. $\sqrt{3}$

389. $\left(\frac{2}{5}, \frac{19}{5}\right)$

391. $\frac{1}{2}$

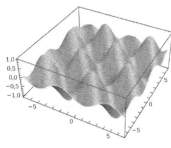

393. Aproximadamente 3.365 relojes en el punto crítico $(80, 60)$

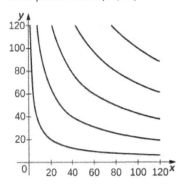

Ejercicios de repaso

395. Cierto, por el teorema de Clairaut

397. Falso

399. Las respuestas pueden variar

401. No existe

403. Continua en todos los puntos del plano x, y, excepto cuando $x^2 + y^2 > 4$.

405. $\frac{\partial u}{\partial x} = 4x^3 - 3y,$

$\frac{\partial u}{\partial y} = -3x, \frac{\partial u}{\partial t} = 2,$

$\frac{\partial u}{\partial t} = 3t^2,$

$\frac{\partial u}{\partial t} = 8x^3 - 6y - 9xt^2$

407. $h_{xx}(x, y, z) = \frac{6xe^{2y}}{z}$,

$h_{xy}(x, y, z) = \frac{6x^2e^{2y}}{z}$,

$h_{xz}(x, y, z) = -\frac{3x^2e^{2y}}{z^2}$,

$h_{yx}(x, y, z) = \frac{6x^2e^{2y}}{z}$,

$h_{yy}(x, y, z) = \frac{4x^3e^{2y}}{z}$,

$h_{yz}(x, y, z) = -\frac{2x^3e^{2y}}{z^2}$,

$h_{zx}(x, y, z) = -\frac{3x^2e^{2y}}{z^2}$,

$h_{zy}(x, y, z) = -\frac{2x^3e^{2y}}{z^2}$,

$h_{zz}(x, y, z) = \frac{2x^3e^{2y}}{z^3}$

409. $z = x - 2y + 5$

411. $dz = 4dx - dy$,
$dz(0,1,0,01) = 0,39$,
$\Delta z = 0,432$

413. $3\sqrt{85}, \langle 27, 6 \rangle$

415. $\nabla f(x, y) = -\frac{\sqrt{x}+2y^2}{2x^2y}\mathbf{i} + \left(\frac{1}{x} - \frac{1}{\sqrt{xy^2}}\right)\mathbf{j}$

417. máximo: $\frac{16}{3\sqrt{3}}$, mínimo:
$-\frac{16}{3\sqrt{3}}$

419. $2,3228$ cm^3

Capítulo 5

Punto de control

5.1 $V = \sum_{i=1}^{2}\sum_{j=1}^{2} f(x_{ij}^*, y_{ij}^*)\Delta A = 0$

5.2 a. 26 b. Las respuestas pueden variar.

5.3 $-\frac{1340}{3}$

5.4 $\frac{4-\ln 5}{\ln 5}$

5.5 $\frac{\pi}{2}$

5.6 Las respuestas de las partes a. y b. pueden variar.

5.7 Tipo I y Tipo II se expresan como $\{(x, y)|0 \leq x \leq 2, x^2 \leq y \leq 2x\}$ y $\{(x, y)|0 \leq y \leq 4, \frac{1}{2}y \leq x \leq \sqrt{y}\}$, respectivamente.

5.8 $\pi/4$

5.9 $\{(x, y)|0 \leq y \leq \ln 2, 1 \leq x \leq e^y\} \cup \{(x, y)|\ln 2 \leq y \leq e, 1 \leq x \leq 2\} \cup \{(x, y)|e \leq y \leq e^2, \ln y \leq x \leq 2\}$

5.10 Igual que en el ejemplo mostrado.

5.11 $\frac{216}{35}$

5.12 $\frac{e^2}{4} + 10e - \frac{49}{4}$ unidades cúbicas

5.13 $\frac{81}{4}$ unidades cuadradas

5.14 $\frac{3}{4}$

5.15 $\frac{\pi}{4}$

5.16 $\frac{55}{72} \approx 0,7638$

5.17 $\frac{14}{3}$

5.18 8π

5.19 $\pi/8$

5.20 $V = \displaystyle\int_0^{2\pi} \int_0^{2\sqrt{2}} \left(16 - 2r^2\right) r\, dr\, d\theta = 64\pi$

unidades cúbicas

5.21 $A = 2 \displaystyle\int_{-\pi/2}^{\pi/6} \int_{1+\text{sen}\,\theta}^{3-3\,\text{sen}\,\theta} r\, dr\, d\theta = 8\pi + 9\sqrt{3}$ **5.22** $\frac{\pi}{4}$ **5.23** $\displaystyle\iiint_B z\,\text{sen}\,x \cos y\, dV = 8$

5.24 $\displaystyle\iiint_E 1\,dV = \int_{x=-3}^{x=3} \int_{y=-\sqrt{9-x^2}}^{y=\sqrt{9-x^2}} \int_{z=-\sqrt{9-x^2-y^2}}^{z=\sqrt{9-x^2-y^2}} 1\,dz\, dy\, dx = 36\pi.$

5.25 (i)

$$\int_{z=0}^{z=4} \int_{x=0}^{x=\sqrt{4-z}} \int_{y=x^2}^{y=4-z} f(x,y,z)\, dy\, dx\, dz,$$

(ii)

$$\int_{y=0}^{y=4} \int_{z=0}^{z=4-y} \int_{x=0}^{x=\sqrt{y}} f(x,y,z)\, dx\, dz\, dy,$$

(iii)

$$\int_{y=0}^{y=4} \int_{x=0}^{x=\sqrt{y}} \int_{z=0}^{z=4-y} f(x,y,z)\, dz\, dx\, dy,$$

(iv)

$$\int_{x=0}^{x=2} \int_{y=x^2}^{y=4} \int_{z=0}^{z=4-y} f(x,y,z)\, dz\, dy\, dx,\ \text{(v)}$$

$$\int_{x=0}^{x=2} \int_{z=0}^{z=4-x^2} \int_{y=x^2}^{y=4-z} f(x,y,z)\, dy\, dz\, dx$$

5.26 $f_{\text{ave}} = 8$ **5.27** 8

5.28 $\displaystyle\iiint_E f(r,\theta,z)\, r\, dz\, dr\, d\theta = \int_{\theta=0}^{\theta=\pi} \int_{r=0}^{r=2\,\text{sen}\,\theta} \int_{z=0}^{z=4-r\,\text{sen}\,\theta} f(r,\theta,z)\, r\, dz\, dr\, d\theta.$

5.29 $E = \left\{(r,\theta,z) \mid 0 \le \theta \le 2\pi, 0 \le z \le 1, z \le r \le 2 - z^2\right\}$

$$y\ V = \int_{r=0}^{r=1} \int_{z=r}^{z=2-r^2} \int_{\theta=0}^{\theta=2\pi} r\, d\theta\, dz\, dr.$$

5.30 $E_2 = \left\{ (r, \theta, z) | 0 \le \theta \le 2\pi, 0 \le r \le 1, r \le z \le \sqrt{4-r^2} \right\}$

y $V = \int\limits_{r=0}^{r=1} \int\limits_{z=r}^{z=\sqrt{4-r^2}} \int\limits_{\theta=0}^{\theta=2\pi} r \, d\theta \, dz \, dr.$

5.31 $V(E) = \int\limits_{\theta=0}^{\theta=2\pi} \int\limits_{\phi=0}^{\varphi=\pi/3} \int\limits_{\rho=0}^{\rho=2} \rho^2 \operatorname{sen} \varphi \, d\rho \, d\varphi \, d\theta$

5.32 Rectangular:

$$\int\limits_{x=-2}^{x=2} \int\limits_{y=-\sqrt{4-x^2}}^{y=\sqrt{4-x^2}} \int\limits_{z=-\sqrt{4-x^2-y^2}}^{z=\sqrt{4-x^2-y^2}} dz \, dy \, dx - \int\limits_{x=-1}^{x=1} \int\limits_{y=-\sqrt{1-x^2}}^{y=\sqrt{1-x^2}} \int\limits_{z=-\sqrt{4-x^2-y^2}}^{z=\sqrt{4-x^2-y^2}} dz \, dy \, dx.$$

Cilíndrica: $\int\limits_{\theta=0}^{\theta=2\pi} \int\limits_{r=1}^{r=2} \int\limits_{z=-\sqrt{4-r^2}}^{z=\sqrt{4-r^2}} r \, dz \, dr \, d\theta.$

Esférica: $\int\limits_{\varphi=\pi/6}^{\varphi=5\pi/6} \int\limits_{\theta=0}^{\theta=2\pi} \int\limits_{\rho=\csc \varphi}^{\rho=2} \rho^2 \operatorname{sen} \varphi \, d\rho \, d\theta \, d\varphi.$

5.33 $\frac{9\pi}{8}$ kg

5.34 $M_x = \frac{81\pi}{64}$ y $M_y = \frac{81\pi}{64}$

5.35 $\bar{x} = \frac{M_y}{m} = \frac{81\pi/64}{9\pi/8} = \frac{9}{8}$ y

$\bar{y} = \frac{M_x}{m} = \frac{81\pi/64}{9\pi/8} = \frac{9}{8}.$

5.36 $\bar{x} = \frac{M_y}{m} = \frac{1/20}{1/12} = \frac{3}{5}$ y la intersección

$\bar{y} = \frac{M_x}{m} = \frac{1/24}{1/12} = \frac{1}{2}$

5.37 $x_c = \frac{M_y}{m} = \frac{1/15}{1/6} = \frac{2}{5}$ y $y_c = \frac{M_x}{m} = \frac{1/12}{1/6} = \frac{1}{2}$

5.38 $I_x = \int\limits_{x=0}^{x=2} \int\limits_{y=0}^{y=x} y^2 \sqrt{xy} \, dy \, dx = \frac{64}{35}$ y

$I_y = \int\limits_{x=0}^{x=2} \int\limits_{y=0}^{y=x} x^2 \sqrt{xy} \, dy \, dx = \frac{64}{35}.$

También,

$I_0 = \int\limits_{x=0}^{x=2} \int\limits_{y=0}^{y=x} \left(x^2 + y^2 \right) \sqrt{xy} \, dy \, dx = \frac{128}{35}.$

5.39 $R_x = \frac{6\sqrt{35}}{35}, R_y = \frac{6\sqrt{35}}{35},$

y $R_0 = \frac{6\sqrt{70}}{35}.$

5.40 $\frac{54}{35} = 1{,}543$

5.41 $\left(\frac{3}{2}, \frac{9}{8}, \frac{1}{2} \right)$

5.42 Los momentos de inercia del tetraedro Q sobre el plano yz, el plano xz, y el plano xy son 99/35, 36/7, y 243/35, respectivamente.

5.43 $T^{-1}(x, y) = (u, v)$ donde $u = \frac{3x-y}{3}$ y $v = \frac{y}{3}$

5.44 $J(u, v) = \frac{\partial(x,y)}{\partial(u,v)} = \begin{vmatrix} \frac{\partial x}{\partial u} & \frac{\partial x}{\partial v} \\ \frac{\partial y}{\partial u} & \frac{\partial y}{\partial v} \end{vmatrix} = \begin{vmatrix} 1 & 1 \\ 0 & 2 \end{vmatrix} = 2$

5.45 $\displaystyle\int_0^{\pi/2}\int_0^1 r^3\,dr\,d\theta$

5.46 $x=\tfrac{1}{2}(v+u)$ y de
$y=\tfrac{1}{2}(v-u)$ y
$$\int_2^4\int_{-u}^u \frac{4}{u^2}\left(\frac{1}{2}\right)dv\,du.$$

5.47 $\tfrac{1}{2}(\text{sen}\,2-2)$

5.48 $\displaystyle\int_0^3\int_0^2\int_1^2\left(\frac{v}{3}+\frac{vw}{3u}\right)du\,dv\,dw=2+\ln 8$

Sección 5.1 ejercicios

1. 27.

3. 0,

5. 21,3.

7. a. 28 pies³ b. 1,75 ft.

9. a. 0,112 b. $f_{ave}\simeq 0,175$;
aquí $f(0,4,0,2)\simeq 0,1$,
$f(0,2,0,6)\simeq -0,2$,
$f(0,8,0,2)\simeq 0,6$, y
$f(0,8,0,6)\simeq 0,2$.

11. 2π.

13. 40.

15. $\frac{81}{2}+39\sqrt[3]{2}$.

17. $e-1$.

19. $15-\frac{10\sqrt{2}}{9}$.

21. 0,

23. $(e-1)(1+\text{sen}\,1-\cos 1)$.

25. $\frac{3}{4}\ln\left(\frac{5}{3}\right)+2\ln^2 2-\ln 2$.

27. $\frac{1}{8}\left[\left(2\sqrt{3}-3\right)\pi+6\ln 2\right]$.

29. $\frac{1}{4}e^4\left(e^4-1\right)$.

31. $4(e-1)\left(2-\sqrt{e}\right)$.

33. $-\frac{\pi}{4}+\ln\left(\frac{5}{4}\right)-\frac{1}{2}\ln 2+\arctan 2$.

35. $\frac{1}{2}$.

37. $\frac{1}{2}(2\cosh 1+\cosh 2-3)$.

49. a. $f(x,y)=\frac{1}{2}xy\left(x^2+y^2\right)$ b.
$$V=\int_0^1\int_0^1 f(x,y)dx\,dy=\frac{1}{8}$$ c.
$f_{ave}=\frac{1}{8}$;
d.

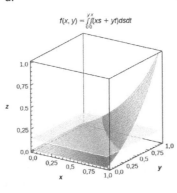

$f(x,y)=\int_0^y\int_0^x(xs+yt)dsdt$

53. a. Para $m=n=2$,
$I=4e^{-0,5}\approx 2,43$ b.
$f_{ave}=e^{-0,5}\simeq 0,61$;
c.

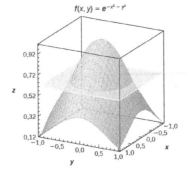

$f(x,y)=e^{-x^2-y^2}$

55. a. $\frac{2}{n+1} + \frac{1}{4}$ b. $\frac{1}{4}$

59. 56,5° F; aquí
$f(x_1^*, y_1^*) = 71,$
$f(x_2^*, y_1^*) = 72,$
$f(x_2^*, y_1^*) = 40,$
$f(x_2^*, y_2^*) = 43,$ donde x_i^* y y_j^* son los puntos medios de los subintervalos de las particiones de $[a, b]$ y $[c, d]$, respectivamente.

Sección 5.2 ejercicios

61. $\frac{27}{20}$

63. Tipo I, pero no Tipo II

65. $\frac{\pi}{2}$

67. $\frac{1}{6}(8 + 3\pi)$

69. $\frac{1.000}{3}$

71. Tipo I y Tipo II

73. La región D no es del Tipo I: no se encuentra entre dos líneas verticales y los gráficos de dos funciones continuas $g_1(x)$ y $g_2(x)$. La región D no es del Tipo II: no se encuentra entre dos líneas horizontales y los gráficos de dos funciones continuas $h_1(y)$ y $h_2(y)$.

75. $\frac{\pi}{2}$

77. 0

79. $\frac{2}{3}$

81. $\frac{41}{20}$

83. -63

85. π

87. a. Las respuestas pueden variar; b. $\frac{2}{3}$

89. a. Las respuestas pueden variar; b. $\frac{7}{3}$

91. $\frac{8\pi}{3}$

93. $e - \frac{3}{2}$

95. $\frac{2}{3}$

97. $\int_0^1 \int_{x-1}^{1-x} x \, dy \, dx = \int_{-1}^0 \int_0^{y+1} x \, dx \, dy + \int_0^1 \int_0^{1-y} x \, dx dy = \frac{1}{3}$

99. $\int_{-1}^1 \int_{-\sqrt{1-y^2}}^{\sqrt{1-y^2}} y \, dx \, dy = \int_{-1}^1 \int_{-\sqrt{1-x^2}}^{\sqrt{1-x^2}} y \, dy \, dx = 0$

101. $\iint_D \left(x^2 - y^2\right) dA = \int_{-1}^1 \int_{y^4-1}^{1-y^4} \left(x^2 - y^2\right) dx \, dy = \frac{464}{4095}$

103. $\frac{4}{5}$

105. $\frac{5\pi}{32}$

109. 1

111. 2

113. a. $\frac{1}{3}$; b. $\frac{1}{6}$; c. $\frac{1}{6}$

115. a. $\frac{4}{3}$; b. 2π; c. $\frac{6\pi-4}{3}$

117. 0 y 0,865474; $A(D) = 0,621135$

119. $P[X + Y \le 6] = 1 + \frac{3}{2e^2} - \frac{5}{e^{6/5}} \approx 0{,}45;$
hay un 45 % de probabilidad de que un cliente tarde 6 minutos en la cola de pedidos.

Sección 5.3 ejercicios

123. $D = \left\{(r, \theta) | 4 \le r \le 5, \frac{\pi}{2} \le \theta \le \pi\right\}$ **125.** $D = \left\{(r, \theta) | 0 \le r \le \sqrt{2}, 0 \le \theta \le \pi\right\}$

127. $D = \{(r, \theta) | 0 \le r \le 4 \operatorname{sen} \theta, 0 \le \theta \le \pi\}$ **129.** $D = \left\{(r, \theta) | 3 \le r \le 5, \frac{\pi}{4} \le \theta \le \frac{\pi}{2}\right\}$

131. $D = \left\{(r, \theta) | 3 \le r \le 5, \frac{3\pi}{4} \le \theta \le \frac{5\pi}{4}\right\}$ **133.** $D = \left\{(r, \theta) | 0 \le r \le \tan \theta \sec \theta, 0 \le \theta \le \frac{\pi}{4}\right\}$

135. 0 **137.** $\frac{63\pi}{16}$ **139.** $\frac{3367\pi}{18}$

141. $\frac{35\pi^2}{576}$ **143.** $\frac{7}{288}\pi^2 \left[21 - e^2 + e^4\right]$ **145.** $\frac{5}{4}\ln\left(3 + 2\sqrt{2}\right)$ grandes.

147. $\frac{1}{6}\left(2 - \sqrt{2}\right)$ **149.** $\int_0^\pi \int_0^2 r^5\, dr\, d\theta = \frac{32\pi}{3}$ **151.** $\int_{-\pi/2}^{\pi/2} \int_0^4 r \operatorname{sen}\left(r^2\right) dr\, d\theta = \pi \operatorname{sen}^2 8$

153. $\frac{3\pi}{4}$ **155.** $\frac{\pi}{2}$ **157.** $\frac{1}{3}\left(4\pi - 3\sqrt{3}\right)$

159. $\frac{16}{3\pi}$ **161.** $\frac{\pi}{18}$ **163.** a. $\frac{2\pi}{3}$; b. $\frac{\pi}{2}$; c. $\frac{\pi}{6}$

165. $\frac{256\pi}{3}$ cm^3 **167.** $\frac{3\pi}{32}$ **169.** 4π

171. $\frac{\pi}{4}$ **173.** $\frac{1}{2}\pi e(e - 1)$ **175.** $\sqrt{3} - \frac{\pi}{4}$

177. $\frac{133\pi^3}{864}$

Sección 5.4 ejercicios

181. 192 **183.** 0

185. $\int_1^2 \int_2^3 \int_0^1 \left(x^2 + \ln y + z\right) dz\, dx\, dy = \frac{35}{6} + 2\ln 2$ **187.** $\int_1^3 \int_0^4 \int_{-1}^2 \left(x^2 z + \frac{1}{y}\right) dz\, dx\, dy = 64 + 12\ln 3$

191. $\frac{77}{12}$ **193.** 2 **195.** $\frac{439}{120}$

197. 0 **199.** $-\frac{64}{105}$ **201.** $\frac{11}{26}$

203. $\frac{113}{450}$

205. $\frac{1}{160}\left(6\sqrt{3} - 41\right)$ grandes.

207. $\frac{3\pi}{2}$

209. 1.250

211. $\displaystyle\int_0^5 \int_{-3}^3 \int_0^{\sqrt{9-y^2}} z\, dz\, dy\, dx = 90$

213. $V = 5{,}33$

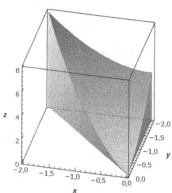

215. $\displaystyle\int_0^1 \int_1^3 \int_2^4 \left(y^2 z^2 + 1\right) dz\, dx\, dy;$

$\displaystyle\int_0^1 \int_1^3 \int_2^4 \left(x^2 y^2 + 1\right) dy\, dz\, dx$

219. $V = \displaystyle\int_{-a}^a \int_{-\sqrt{a^2-z^2}}^{\sqrt{a^2-z^2}} \int_{\sqrt{x^2+z^2}}^{a^2} dy\, dx\, dz$

221. $\frac{9}{2}$

223. $\frac{156}{5}$

225. a. Las respuestas pueden variar; b. $\frac{128}{3}$

227. a.

$$\int_0^r \int_0^{\sqrt{r^2-x^2}} \int_0^{\sqrt{r^2-x^2-y^2}} dz\, dy\, dx;$$

b.

$$\int_0^r \int_0^{\sqrt{r^2-y^2}} \int_0^{\sqrt{r^2-x^2-y^2}} dz\, dx\, dy,$$

$$\int_0^r \int_0^{\sqrt{r^2-z^2}} \int_0^{\sqrt{r^2-x^2-z^2}} dy\, dx\, dz,$$

$$\int_0^r \int_0^{\sqrt{r^2-x^2}} \int_0^{\sqrt{r^2-x^2-z^2}} dy\, dz\, dx,$$

$$\int_0^r \int_0^{\sqrt{r^2-z^2}} \int_0^{\sqrt{r^2-y^2-z^2}} dx\, dy\, dz,$$

$$\int_0^r \int_0^{\sqrt{r^2-y^2}} \int_0^{\sqrt{r^2-y^2-z^2}} dx\, dz\, dy$$

229. 3

231. $\frac{250}{3}$

233. $\frac{5}{16} \approx 0{,}313$

235. $\frac{35}{2}$

Sección 5.5 ejercicios

241. $\frac{9\pi}{8}$ **243.** $\frac{1}{8}$ **245.** $\frac{\pi e^2}{6}$

249. a.
$$E = \left\{ (r,\theta,z) \middle| 0 \le \theta \le \pi, 0 \le r \le 4\operatorname{sen}\theta, 0 \le z \le \sqrt{16-r^2} \right\};$$
b.
$$\int_0^\pi \int_0^{4\operatorname{sen}\theta} \int_0^{\sqrt{16-r^2}} f(r,\theta,z)\, r\, dz\, dr\, d\theta$$

251. a.
$$E = \left\{ (r,\theta,z) \middle| 0 \le \theta \le \frac{\pi}{2}, 0 \le r \le \sqrt{3}, 9-r^2 \le z \le 20 - r(\cos\theta + \operatorname{sen}\theta) \right\};$$
b.
$$\int_0^{\pi/2} \int_0^{\sqrt{3}} \int_{9-r^2}^{20-r(\cos\theta+\operatorname{sen}\theta)} f(r,\theta,z)\, r\, dz\, dr\, d\theta$$

253. a.
$$E = \left\{ (r,\theta,z) \middle| 0 \le r \le 3, 0 \le \theta \le \frac{\pi}{2}, 0 \le z \le r\cos\theta + 3 \right\},$$
$$f(r,\theta,z) = \frac{1}{r\cos\theta+3}; \text{ b.}$$
$$\int_0^3 \int_0^{\pi/2} \int_0^{r\cos\theta+3} \frac{r}{r\cos\theta+3}\, dz\, d\theta\, dr = \frac{9\pi}{4}$$

255. a. $y = r\cos\theta, z = r\operatorname{sen}\theta, x = z,$
$$E = \left\{ (r,\theta,z) \middle| 1 \le r \le 3, 0 \le \theta \le 2\pi, 0 \le z \le 1-r^2 \right\}, f(r,\theta,z) = z;$$
b.
$$\int_1^3 \int_0^{2\pi} \int_0^{1-r^2} zr\, dz\, d\theta\, dr = \frac{256\pi}{3}$$

257. π

259. $\frac{\pi}{3}$ **261.** $\frac{\pi}{2}$ **263.** $\frac{4\pi}{3}$

265. $V = \frac{\pi}{12} \approx 0{,}2618$

267.
$$\int_0^1 \int_0^\pi \int_{r^2}^r zr^2\cos\theta\, dz\, d\theta\, dr$$

269. $180\pi\sqrt{10}$

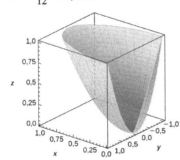

271. $\frac{81\pi(\pi-2)}{16}$

277. a. $f(\rho, \theta, \varphi) = \rho \operatorname{sen} \varphi (\cos \theta + \operatorname{sen} \theta)$,
$E = \left\{ (\rho, \theta, \varphi) \,\middle|\, 1 \leq \rho \leq 2, 0 \leq \theta \leq \pi, 0 \leq \varphi \leq \frac{\pi}{2} \right\}$;

b. $\displaystyle\int_0^\pi \int_0^{\pi/2} \int_1^2 \rho^3 \cos \varphi \operatorname{sen} \varphi \, d\rho \, d\varphi \, d\theta = \frac{15\pi}{8}$

279. a. $f(\rho, \theta, \varphi) = \rho \cos \varphi$;
$E = \left\{ (\rho, \theta, \varphi) \,\middle|\, 0 \leq \rho \leq 2 \cos \varphi, 0 \leq \theta \leq \frac{\pi}{2}, 0 \leq \varphi \leq \frac{\pi}{4} \right\}$;

b. $\displaystyle\int_0^{\pi/2} \int_0^{\pi/4} \int_0^{2\cos\varphi} \rho^3 \operatorname{sen} \varphi \cos \varphi \, d\rho \, d\varphi \, d\theta = \frac{7\pi}{24}$

281. π

283. $9\pi \left(\sqrt{2} - 1 \right)$

285. $\displaystyle\int_0^{\pi/2} \int_0^\pi \int_0^4 \rho^6 \operatorname{sen} \varphi \, d\rho \, d\varphi \, d\theta$

287. $V = \frac{4\pi\sqrt{3}}{3} \approx 7,255$

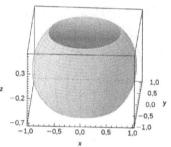

289. $\frac{343\pi}{32}$

291. $\displaystyle\int_0^{2\pi} \int_2^4 \int_{-\sqrt{16-r^2}}^{\sqrt{16-r^2}} r \, dz \, dr \, d\theta$;

$\displaystyle\int_{\pi/6}^{5\pi/6} \int_0^{2\pi} \int_{2\csc\varphi}^4 \rho^2 \operatorname{sen} \rho \, d\rho \, d\theta \, d\varphi$

293. $P = \frac{32P_0\pi}{3}$ vatios

295. $Q = kr^4 \pi \mu C$

Sección 5.6 ejercicios

297. $\frac{27}{2}$

299. $24\sqrt{2}$

301. 76

303. 8π

305. $\frac{\pi}{2}$

307. 2

309. a. $M_x = \frac{81}{5}, M_y = \frac{162}{5}$; b.
$\bar{x} = \frac{12}{5}, \bar{y} = \frac{6}{5}$;
c.

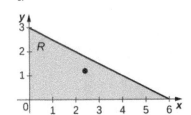

311. a. $M_x = \frac{216\sqrt{2}}{5}, M_y = \frac{432\sqrt{2}}{5}$;
b. $\bar{x} = \frac{18}{5}, \bar{y} = \frac{9}{5}$;
c.

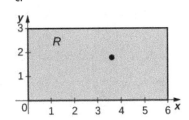

313. a. $M_x = \frac{368}{5}, M_y = \frac{1552}{5}$; b.
$\bar{x} = \frac{388}{95}, \bar{y} = \frac{92}{95}$;
c.

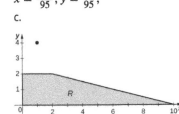

315. a. $M_x = 16\pi, M_y = 8\pi$; b.
$\bar{x} = 1, \bar{y} = 2$;
c.

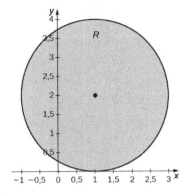

317. a. $M_x = 0, M_y = 0$; b.
$\bar{x} = 0, \bar{y} = 0$;
c.

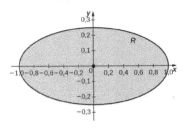

319. a. $M_x = 2, M_y = 0$; b.
$\bar{x} = 0, \bar{y} = 1$;
c.

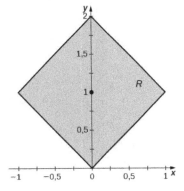

321. a.
$I_x = \frac{243}{10}, I_y = \frac{486}{5}$, y $I_0 = \frac{243}{2}$;
b.
$R_x = \frac{3\sqrt{5}}{5}, R_y = \frac{6\sqrt{5}}{5}$, y $R_0 = 3$

323. a.
$I_x = \frac{2592\sqrt{2}}{7}, I_y = \frac{648\sqrt{2}}{7}$, y $I_0 = \frac{3.240\sqrt{2}}{7}$;
b. $R_x = \frac{6\sqrt{21}}{7}, R_y = \frac{3\sqrt{21}}{7}$, y $R_0 = \frac{3\sqrt{105}}{7}$

325. a.
$I_x = 88, I_y = 1560,$ y $I_0 = 1648;$
b. $R_x = \frac{\sqrt{418}}{19}, R_y = \frac{\sqrt{7410}}{19},$ y
$R_0 = \frac{2\sqrt{1957}}{19}$

327. a.
$I_x = \frac{128\pi}{3}, I_y = \frac{56\pi}{3},$ y $I_0 = \frac{184\pi}{3};$
b. $R_x = \frac{4\sqrt{3}}{3}, R_y = \frac{\sqrt{21}}{3},$ y
$R_0 = \frac{\sqrt{69}}{3}$

329. a.
$I_x = \frac{\pi}{32}, I_y = \frac{\pi}{8},$ y $I_0 = \frac{5\pi}{32};$
b.
$R_x = \frac{1}{4}, R_y = \frac{1}{2},$ y $R_0 = \frac{\sqrt{5}}{4}$

331. a. $I_x = \frac{7}{3}, I_y = \frac{1}{3},$ y $I_0 = \frac{8}{3};$ b.
$R_x = \frac{\sqrt{42}}{6}, R_y = \frac{\sqrt{6}}{6},$ y $R_0 = \frac{2\sqrt{3}}{3}$

333. $m = \frac{1}{3}$

337. a. $m = \frac{9\pi}{4};$ b.
$M_{xy} = \frac{3\pi}{2}, M_{xz} = \frac{81}{8}, M_{yz} = \frac{81}{8};$
c. $\bar{x} = \frac{9}{2\pi}, \bar{y} = \frac{9}{2\pi}, \bar{z} = \frac{2}{3};$ d. el
sólido Q y su centro de masa se
muestran en la siguiente figura

339. a.
$\bar{x} = \frac{3\sqrt{2}}{2\pi}, \bar{y} = \frac{3(2-\sqrt{2})}{2\pi}, \bar{z} = 0;$
b. el sólido Q y su centro de
masa se muestran en la
siguiente figura

343. $n = -2$

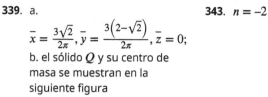

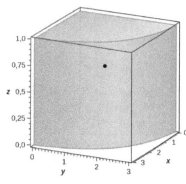

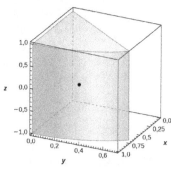

349. a. $\rho(x, y, z) = x^2 + y^2;$ b.
$\frac{16\pi}{7}$

351. $M_{xy} = \pi\left(f(0) - f(a) + af'(a)\right)$

355. $I_x = I_y = I_z \simeq 0{,}84$

Sección 5.7 ejercicios

357. a.

$T(u,v) = (g(u,v), h(u,v))$, $x = g(u,v) = \frac{u}{2}$
y $y = h(u,v) = \frac{v}{3}$. Las funciones g y h son continuas y diferenciables y las derivadas parciales $g_u(u,v) = \frac{1}{2}$,
$g_v(u,v) = 0$, $h_u(u,v) = 0$ y $h_v(u,v) = \frac{1}{3}$ son continuas en S; b. $T(0,0) = (0,0)$,
$T(1,0) = \left(\frac{1}{2}, 0\right)$, $T(0,1) = \left(0, \frac{1}{3}\right)$, y
$T(1,1) = \left(\frac{1}{2}, \frac{1}{3}\right)$; c. R es el rectángulo de vértices $(0,0), \left(\frac{1}{2}, 0\right), \left(\frac{1}{2}, \frac{1}{3}\right)$, y $\left(0, \frac{1}{3}\right)$ en el plano xy; la siguiente figura.

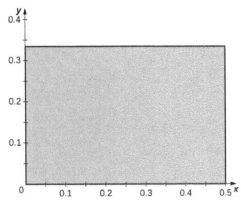

359. a.

$T(u,v) = (g(u,v), h(u,v))$, $x = g(u,v) = 2u - v$,
y $y = h(u,v) = u + 2v$. Las funciones g y h son continuas y diferenciables y las derivadas parciales $g_u(u,v) = 2$, $g_v(u,v) = -1$,
$h_u(u,v) = 1$, y $h_v(u,v) = 2$ son continuas en S;
b. $T(0,0) = (0,0)$, $T(1,0) = (2,1)$,
$T(0,1) = (-1,2)$, y $T(1,1) = (1,3)$; c. R es el paralelogramo de vértices
$(0,0), (2,1), (1,3)$, y $(-1,2)$ en el plano xy; vea la siguiente figura.

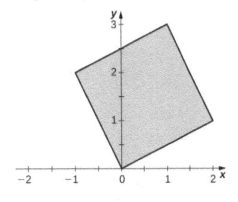

361. a.

$T(u,v) = (g(u,v), h(u,v))$, $x = g(u,v) = u^3$,
y $y = h(u,v) = v^3$. Las funciones g y h son continuas y diferenciables y las derivadas parciales $g_u(u,v) = 3u^2$, $g_v(u,v) = 0$,
$h_u(u,v) = 0$, y $h_v(u,v) = 3v^2$ son continuas en S; b. $T(0,0) = (0,0)$, $T(1,0) = (1,0)$,
$T(0,1) = (0,1)$, y $T(1,1) = (1,1)$; c. R es el cuadrado de la unidad en el plano xy; vea la figura en la respuesta al ejercicio anterior.

363. T no es uno a uno: dos puntos de S tienen la misma imagen. Sí, es cierto,
$T(-2,0) = T(2,0) = (16,4)$.

365. T es uno a uno: Argumentamos por contradicción
$T(u_1, v_1) = T(u_2, v_2)$ implica
$2u_1 - v_1 = 2u_2 - v_2$ y $u_1 = u_2$. Por lo tanto, $u_1 = u_2$ y $v_1 = v_2$.

367. T no es uno a uno
$T(1, v, w) = (-1, v, w)$

369. $u = \frac{x - 2y}{3}, v = \frac{x + y}{3}$

371. $u = e^x, v = e^{-x+y}$

373. $u = \frac{x - y + z}{2}, v = \frac{x + y - z}{2}, w = \frac{-x + y + z}{2}$

375. $S = \left\{(u,v) | u^2 + v^2 \leq 1\right\}$

377. $R = \left\{(u, v, w) | u^2 - v^2 - w^2 \leq 1, w > 0\right\}$

379. $\frac{3}{2}$

381. -1

383. $2uv$

385. $\frac{v}{u^2}$

387. 2

389. a. $T(u,v) = (2u+v, 3v)$; b. El área de R es

$$A(R) = \int\limits_{0}^{3} \int\limits_{y/3}^{(6-y)/3} dx\, dy = \int\limits_{0}^{1} \int\limits_{0}^{1-u} \left| \frac{\partial(x,y)}{\partial(u,v)} \right| dv\, du = \int\limits_{0}^{1} \int\limits_{0}^{1-u} 6dv\, du = 3.$$

391. $-\frac{1}{4}$

393. $-1 + \cos 2$

395. $\frac{\pi}{15}$

397. $\frac{31}{5}$

399. $T(r, \theta, z) = (r\cos\theta, r\,\text{sen}\,\theta, z)$; $S = [0,3] \times \left[0, \frac{\pi}{2}\right] \times [0,1]$ en el plano $r\theta z$

403. El área de R ¿es $10-4\sqrt{6}$; las curvas límite de R se representan en la siguiente figura

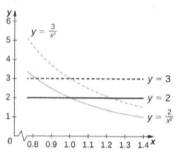

405. 8

409. a.
$R = \left\{ (x,y) \big| y^2 + x^2 - 2y - 4x + 1 \le 0 \right\}$;
b. R se grafica en la siguiente figura

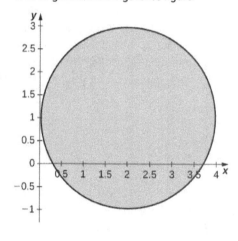

c. $3,16$

411. a.
$T_{0,2} \circ T_{3,0}(u, v) = (u + 3v, 2u + 7v)$;
b. La imagen S es el cuadrilátero de
vértices $(0,0), (3,7), (2,4),$ y $(4,9)$;
c. S se grafica en la siguiente figura

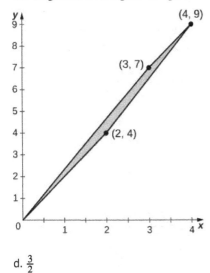

d. $\frac{3}{2}$

413. $\frac{2.662}{3\pi} \simeq 282,45 \text{ in}^3$

415. $A(R) \simeq 83.999,2$

Ejercicios de repaso

417. Verdadero.

419. Falso.

421. 0

423. $\frac{1}{4}$

425. 1,475

427. $\frac{52}{3}\pi$

429. $\frac{\pi}{16}$

431. 93,291

433. $\left(\frac{8}{15}, \frac{8}{15}\right)$ grandes.

435. $\left(0, 0, \frac{8}{5}\right)$

437. $1,452\pi \times 10^{15}$ ft-lb

439. $y = -1,238 \times 10^{-7} x^3 + 0,001196 x^2 - 3,666x + 7.208$;
temperatura promedio aproximadamente $2.800^\circ C$

441. $\frac{\pi}{3}$

Capítulo 6
Punto de control

6.1 $12\mathbf{i} - \mathbf{j}$

6.2

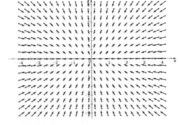

6.3 Rotación

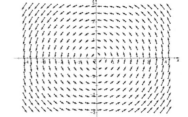

6.4 $\sqrt{65}$ m/s

6.5 No.

6.6

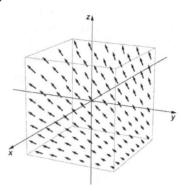

6.7 $1{,}49063 \times 10^{-18}, 4{,}96876 \times 10^{-19}, 9{,}93752 \times 10^{-19}$N

6.8

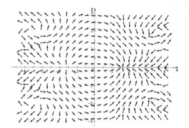

6.9 No

6.10 $\nabla f = \mathbf{v}$

6.11 $P_y = x \neq Q_x = -2xy$

6.12 No

6.13 $\sqrt{2}$

6.14 $2\sqrt{10}\pi + 2\sqrt{10}\pi^2$

6.15 Ambas integrales de línea son iguales $-\frac{1.000\sqrt{30}}{3}$.

6.16 $4\sqrt{17}$

6.17 $\displaystyle\int_C \mathbf{F} . \mathbf{T} ds$

6.18 -26

6.19 0

6.20 $18\sqrt{2}\pi^2$ kg

6.21 $3/2$

6.22 2π

6.23 0

6.24 Sí

6.25 La región de la figura está conectada. La región de la figura no está simplemente conectada.

6.26 2

6.27 Si C_1 y C_2 representan las dos curvas, entonces $\displaystyle\int_{C_1} \mathbf{F} . d\mathbf{r} \neq \int_{C_2} \mathbf{F} . d\mathbf{r}.$

6.28 $f(x, y) = e^x y^3 + xy$

6.29 $f(x, y, z) = 4x^3 + \operatorname{sen} y \cos z + z$

6.30 $f(x, y, z) = \dfrac{G}{\sqrt{x^2+y^2+z^2}}$

6.31 Es conservativo.

6.32 -10π

6.33 Negativo

6.34 $\frac{45}{2}$

6.35 $\frac{4}{3}$

6.36 $\frac{3\pi}{2}$

6.37 $g(x, y) = -x \cos y$

6.38 No

6.39 105π

6.40 $y - z^2$

6.41 Sí

6.42 Todos los puntos en línea $y = 1$.

6.43 $-\mathbf{i}$

6.44 rizo $\mathbf{v} = \mathbf{0}$

6.45 No

6.46 Sí

6.47 Cilindro $x^2 + y^2 = 4$

6.48 Cono $x^2 + y^2 = z^2$

6.49 $\mathbf{r}(u, v) = \langle u \cos v, u \operatorname{sen} v, u \rangle$, $0 < u < \infty, 0 \le v < \frac{\pi}{2}$

6.50 Sí

6.51 $\approx 43{,}02$

6.52 Con la parametrización estándar de un cilindro, la Ecuación 6.18 muestra que el área superficial es $2\pi rh$.

6.53 $2\pi \left(\sqrt{2} + \operatorname{senoh}^{-1}(1) \right)$

6.54 24

6.55 0

6.56 $38{,}401\pi \approx 120{,}640$

6.57 $\mathbf{N}(x, y) = \left\langle \frac{-y}{\sqrt{1+x^2+y^2}}, \frac{-x}{\sqrt{1+x^2+y^2}}, \frac{1}{\sqrt{1+x^2+y^2}} \right\rangle$

6.58 0

6.59 400 kg/s/m

6.60 $-\frac{440\pi}{3}$

6.61 Ambas integrales dan $-\frac{136}{45}$.

6.62 $-\pi$

6.63 $\frac{3}{2}$

6.64 rizo $\mathbf{E} = \langle x, y, -2z \rangle$

6.65 Ambas integrales son iguales 6π.

6.66 30

6.67 $9 \ln(16)$

6.68 $\approx 6{,}777 \times 10^9$

Sección 6.1 ejercicios

1. Vectores

3. Falso

5.

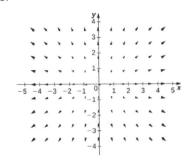

7.

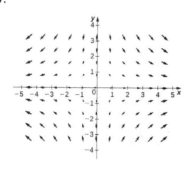

9.

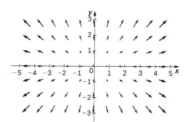

11.

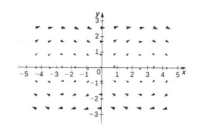

13.

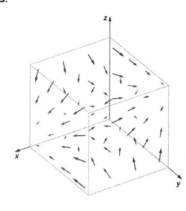

15. $\mathbf{F}(x, y) = \text{sen}(y)\mathbf{i} + (x \cos y - \text{sen } y)\mathbf{j}$

17. $\mathbf{F}(x, y, z) = (2xy + y)\mathbf{i} + (x^2 + x + 2yz)\mathbf{j} + y^2\mathbf{k}$ **19.** $\mathbf{F}(x, y) = \left(\frac{2x}{1+x^2+2y^2}\right)\mathbf{i} + \left(\frac{4y}{1+x^2+2y^2}\right)\mathbf{j}$

21. $\mathbf{F}(x, y) = \frac{(1-x)\mathbf{i}-y\mathbf{j}}{\sqrt{(1-x)^2+y^2}}$ **23.** $\mathbf{F}(x, y) = \frac{-x\mathbf{i}-y\mathbf{j}}{\sqrt{x^2+y^2}}$ **25.** $\mathbf{F}(x, y) = y\mathbf{i} - x\mathbf{j}$

27. $\mathbf{F}(x, y) = \frac{-10}{(x^2+y^2)^{3/2}}(x\mathbf{i} + y\mathbf{j})$ **29.** $E = \frac{c}{|r|^2}r = \frac{c}{|r|}\frac{r}{|r|}$ **31.** $\mathbf{c}'(t) = \left(\cos t, -\text{sen } t, e^{-t}\right) = \mathbf{F}(\mathbf{c}(t))$

33. H   **35.** d. $-\mathbf{F} + \mathbf{G}$ **37.** a. $\mathbf{F} + \mathbf{G}$

Sección 6.2 ejercicios

39. Verdadero   **41.** Falso   **43.** Falso

45. $\int_C (x - y)ds = 10$ **47.** $\int_C xy^4 ds = \frac{8192}{5}$ **49.** $W = 8$

51. $W = \frac{3\pi}{4}$ **53.** $W = \pi$ **55.** $\int_C \mathbf{F} \cdot d\mathbf{r} = 4$

57. $\int_C yzdx + xzdy + xydz = -1$ **59.** $\int_C \left(y^2\right)dx + (x)dy = \frac{245}{6}$ **61.** $\int_C xydx + ydy = \frac{190}{3}$

63. $\int_C \dfrac{y}{2x^2 - y^2} ds = \sqrt{2} \ln 5$ **65.** $W = -66$ **67.** $W = -10\pi^2$

69. $W = 2$ **71.** a. $W = 11$; b. $W = \frac{39}{4}$; c. No   **73.** $W = 2\pi$

75. $\int_C \mathbf{F}.dr = \dfrac{25\sqrt{5}+1}{120}$ **77.** $\int_C y^2 dx + \left(xy - x^2\right) dy = 6,15$ **79.** $\int_\gamma xe^y ds \approx 7,157$

81. $\int_\gamma \left(y^2 - xy\right) dx \approx -1,379$ **83.** $\int_C \mathbf{F}.dr \approx -1,133$ **85.** $\int_C \mathbf{F}.dr \approx 22.857$

87. flujo $= -\frac{1}{3}$ **89.** flujo $= -20$ **91.** flujo $= 0$

93. $m = 4\pi\rho\sqrt{5}$ **95.** $W = 0$ **97.** $W = \frac{k}{2}$

Sección 6.3 ejercicios

99. Verdadero   **101.** Verdadero   **103.** $\int_C \mathbf{F}.dr = 24$

105. $\int_C \mathbf{F}.dr = e - \frac{3\pi}{2}$ **107.** No es conservatorio   **109.** Conservativo, $f(x,y) = 3x^2 + 5xy + 2y^2$

111. Conservativo, $f(x,y) = ye^x + x\,\text{sen}(y)$ **113.** $\oint_C (2ydx + 2xdy) = 32$ **115.** $\mathbf{F}(x,y) = (10x + 3y)\mathbf{i} + (3x + 20y)\mathbf{j}$

117. $\mathbf{F}$ no es conservativo.   **119.** $\mathbf{F}$ es conservativo y una función potencial es $f(x,y,z) = xye^z$.   **121.** $\mathbf{F}$ es conservativo y una función potencial es $f(x,y,z) = z^2 - z - \frac{x}{y}$.

123. $\mathbf{F}$ es conservativo y una función potencial es $f(x,y,z) = x^2y + y^2z$.   **125.** $\mathbf{F}$ es conservativo y una función potencial es $f(x,y) = e^{x^2 y}$ **127.** $\int_C \mathbf{F}.dr = e^2 + 1$

129. $\int_C \mathbf{F}.dr = -2$ **131.** $\oint_{C_1} \mathbf{G}.dr = -8\pi$ **133.** $\oint_{C_2} \mathbf{F}.dr = 7$

135. $\int_C \mathbf{F}.dr = 150$ **137.** $\int_C \mathbf{F}.dr = -1$ **139.** 4×10^{31} erg

141. $\int_C \mathbf{F}.ds = 0,4687$ **143.** circulación $= \pi a^2$ y el flujo $= 0$

Sección 6.4 ejercicios

147. $\int_C 2xy dx + (x+y) dy = \frac{32}{3}$ **149.** $\int_C \operatorname{sen} x \cos y dx + (xy + \cos x \operatorname{sen} y) dy = \frac{1}{12}$

151. $\oint_C (-y dx + x dy) = \pi$ **153.** $\int_C xe^{-2x} dx + \left(x^4 + 2x^2 y^2\right) dy = 0$ **155.** $\oint_C y^3 dx - x^3 y dy = -20\pi$

157. $\oint_C -x^2 y dx + xy^2 dy = 8\pi$ **159.** $\oint_C \left(x^2 + y^2\right) dx + 2xy dy = 0$ **161.** $A = 19\pi$

163. $A = \frac{3}{8\pi}$ **165.** $\int_{C+} \left(y^2 + x^3\right) dx + x^4 dy = 0$ **167.** $A = \frac{9\pi}{8}$

169. $A = \frac{8\sqrt{3}}{5}$ **171.** $\int_C \left(x^2 y - 2xy + y^2\right) ds = -\frac{5}{6}$ **173.** $\int_C \frac{x dx + y dy}{x^2 + y^2} = 2\pi$

175. $W = \frac{225}{2}$ **177.** $W = 12\pi$ **179.** $W = 2\pi$

181. $\oint_C y^2 dx + x^2 dy = \frac{1}{3}$ **183.** $\int_C \sqrt{1 + x^3} dx + 2xy dy = -3$

185. $\int_C \left(3y - e^{\operatorname{sen} x}\right) dx + \left(7x + \sqrt{y^4 + 1}\right) dy = 36\pi$ **187.** $\oint_C \mathbf{F}. d\mathbf{r} = 2$

189. $\oint_C (y + x) dx + (x + \operatorname{sen} y) dy = 0$ **191.** $\oint_C xy dx + x^3 y^3 dy = \frac{22}{21}$ **193.** $\oint_C \mathbf{F}. d\mathbf{r} = \frac{15\pi}{4}$

195. $\int_C \operatorname{sen}(x+y) dx + \cos(x+y) dy = 4$ **197.** $\int_C \mathbf{F}. d\mathbf{r} = \pi$ **199.** $\oint_C \mathbf{F}. \hat{\mathbf{n}} ds = 4$

201. $\oint_C \mathbf{F}. \mathbf{n} ds = 0$ **203.** $\int_C \left[-y^3 + \operatorname{sen}(xy) + xy \cos(xy)\right] dx + \left[x^3 + x^2 \cos(xy)\right] dy = 4{,}7124$

205. $\oint_C \left(y + e^{\sqrt{x}}\right) dx + \left(2x + \cos\left(y^2\right)\right) dy = \frac{1}{3}$

Sección 6.5 ejercicios

207. Falso **209.** Verdadero **211.** Verdadero

213. $\operatorname{rizo} \mathbf{F} = \mathbf{i} + x^2 \mathbf{j} + y^2 \mathbf{k}$ **215.** $\operatorname{rizo} \mathbf{F} = \left(xz^2 - xy^2\right) \mathbf{i} + \left(x^2 y - yz^2\right) \mathbf{j} + \left(y^2 z - x^2 z\right) \mathbf{k}$

217. $\operatorname{rizo} \mathbf{F} = \mathbf{i} + \mathbf{j} + \mathbf{k}$ **219.** $\operatorname{rizo} \mathbf{F} = -y\mathbf{i} - z\mathbf{j} - x\mathbf{k}$ **221.** $\operatorname{rizo} \mathbf{F} = 0$

223. $\operatorname{div} \mathbf{F} = 3yz^2 + 2y \operatorname{sen} z + 2xe^{2z}$ **225.** $\operatorname{div} \mathbf{F} = 2(x + y + z)$ grandes. **227.** $\operatorname{div} \mathbf{F} = \frac{1}{\sqrt{x^2 + y^2}}$

229. $\operatorname{div}\mathbf{F} = a + b$ **231.** $\operatorname{div}\mathbf{F} = x + y + z$ **233.** Armónico

235. $\operatorname{div}(\mathbf{F}\times\mathbf{G}) = 2z + 3x$ **237.** $\operatorname{div}\mathbf{F} = 2r^2$ **239.** $\operatorname{rizo}\mathbf{r} = 0$

241. $\operatorname{rizo}\dfrac{\mathbf{r}}{r^3} = 0$ **243.** $\operatorname{rizo}\mathbf{F} = \dfrac{2x}{x^2+y^2}\mathbf{k}$ **245.** $\operatorname{div}\mathbf{F} = 0$

247. $\operatorname{div}\mathbf{F} = 2 - 2e^{-6}$ **249.** $\operatorname{div}\mathbf{F} = 0$ **251.** $\operatorname{rizo}\mathbf{F} = \mathbf{j} - 3\mathbf{k}$

253. $\operatorname{rizo}\mathbf{F} = 2\mathbf{j} - \mathbf{k}$ **255.** $a = 3$ **257.** $\mathbf{F}$ es conservativo.

259. $\operatorname{div}\mathbf{F} = \cosh x + \operatorname{senoh} y - xy$ **261.** $(bz - cy)\mathbf{i}(cx-az)\mathbf{j} + (ay - bx)\mathbf{k}$ **263.** $\operatorname{rizo}\mathbf{F} = 2\omega$

265. $\mathbf{F}\times\mathbf{G}$ no tiene divergencia cero.   **267.** $\nabla.\mathbf{F} = -200k\left[1 + 2\left(x^2 + y^2 + z^2\right)\right]e^{-x^2+y^2+z^2}$

Sección 6.6 ejercicios

269. Verdadero   **271.** Verdadero   **273.** $\mathbf{r}(u, v) = \langle u, v, 2 - 3u + 2v\rangle$
por $-\infty \le u < \infty$ y
$-\infty \le v < \infty$.

275. $\mathbf{r}(u, v) = \left\langle u, v, \frac{1}{3}(16 - 2u + 4v)\right\rangle$ **277.** $\mathbf{r}(u, v) = \langle 3\cos u, 3\operatorname{sen} u, v\rangle$ **279.** $A = 87{,}9646$
por $|u| < \infty$ y $|v| < \infty$.   por $0 \le u \le \frac{\pi}{2}, 0 \le v \le 3$

281. $\displaystyle\iint_S z\,dS = 8\pi$ **283.** $\displaystyle\iint_S \left(x^2 + y^2\right)z\,dS = 16\pi$ **285.** $\displaystyle\iint_S \mathbf{F}.\mathbf{N}dS = \frac{4\pi}{3}$

287. $m \approx 13{,}0639$ **289.** $m \approx 228{,}5313$ **291.** $\displaystyle\iint_S g\,dS = 3\sqrt{14}$

293. $\displaystyle\iint_S \left(x^2 + y - z\right)dS \approx 0{,}9617$ **295.** $\displaystyle\iint_S \left(x^2 + y^2\right)d\mathbf{S} = \frac{4\pi}{3}$ **297.** $\displaystyle\iint_S x^2 z\,dS = \frac{1.023\sqrt{2}\pi}{5}$

299. $\displaystyle\iint_S (z + y)\,d\mathbf{S} \approx 10{,}1$ **301.** $m = \pi a^3$ **303.** $\displaystyle\iint_S \mathbf{F}.\mathbf{N}dS = \frac{13}{24}$

305. $\displaystyle\iint_S \mathbf{F}.\mathbf{N}dS = \frac{3}{4}$ **307.** $\displaystyle\int_0^8\int_0^6 \left(4 - 3y + \frac{1}{16}y^2 + z\right)\left(\frac{1}{4}\sqrt{17}\right)dzdy$

309. $\displaystyle\int_0^2\int_0^6 \left[x^2 - 2(8 - 4x) + z\right]\sqrt{17}dzdx$ **311.** $\displaystyle\iint_S \left(x^2z + y^2z\right)dS = \frac{\pi a^5}{2}$ **313.** $\displaystyle\iint_S x^2 yz\,dS = 171\sqrt{14}$

315. $\iint_S yz\,dS = \frac{\sqrt{2}\pi}{4}$

317. $\iint_S (x\mathbf{i} + y\mathbf{j}).\,dS = 16\pi$

319. $m = \frac{\pi a^7}{192}$

321. $F \approx 4{,}57\text{ lb.}$

323. $8\pi a$

325. El flujo neto es cero.

Sección 6.7 ejercicios

327. $\iint_S (\text{rizo }\mathbf{F}.\,\mathbf{N})dS = \pi a^2$

329. $\iint_S (\text{rizo }\mathbf{F}.\,\mathbf{N})dS = 18\pi$

331. $\iint_S (\text{rizo }\mathbf{F}.\,\mathbf{N})dS = -8\pi$

333. $\iint_S (\text{rizo }\mathbf{F}.\,\mathbf{N})dS = 0$

335. $\int_C \mathbf{F}.\,dS = 0$

337. $\int_C \mathbf{F}.\,dS = -9{,}4248$

339. $\iint_S \text{rizo }\mathbf{F}.\,d\mathbf{S} = 0$

341. $\iint_S \text{rizo }\mathbf{F}.\,dS = 2{,}6667$

343. $\iint_S (\text{rizo }\mathbf{F}.\,\mathbf{N})dS = -\frac{1}{6}$

345. $\int_C \left(\frac{1}{2}y^2\,dx + z\,dy + x\,dz \right) = -\frac{\pi}{4}$

347. $\iint_S (\text{rizo }\mathbf{F}.\,\mathbf{N})dS = 3\pi$

349. $\int_C (c\mathbf{k} \times \mathbf{R}).\,dS = 2\pi c$

351. $\iint_S \text{rizo }\mathbf{F}.\,dS = 0$

353. $\oint \mathbf{F}.\,dS = -4$

355. $\iint_S \text{rizo }\mathbf{F}.\,dS = 0$

357. $\iint_S \text{rizo }\mathbf{F}.\,dS = -36\pi$

359. $\iint_S \text{rizo }\mathbf{F}.\,\mathbf{N} = 0$

361. $\oint_C \mathbf{F}.\,d\mathbf{r} = 0$

363. $\iint_S \text{rizo}(\mathbf{F}).\,dS = 84{,}8230$

365. $A = \iint_S (\nabla \times \mathbf{F}).\,\mathbf{n}\,dS = 0$

367. $\iint_S (\nabla \times \mathbf{F}).\,\mathbf{n}\,dS = 2\pi$

369. $C = \pi(\cos\varphi - \text{sen}\,\varphi)$

371. $\oint_C \mathbf{F}.\,d\mathbf{r} = 48\pi$

373. $\iint_S (\nabla \times \mathbf{F}).\,\mathbf{n} = 0$

375. 0

Sección 6.8 ejercicios

377. $\int_S \mathbf{F}.\,\mathbf{n}\,ds = 75{,}3982$

379. $\int_S \mathbf{F}.\,\mathbf{n}\,ds = 127{,}2345$

381. $\int_S \mathbf{F}.\,\mathbf{n}\,ds = 37{,}6991$

383. $\int_S \mathbf{F}.\,\mathbf{n}\,ds = \frac{9\pi a^4}{2}$

385. $\iint_S \mathbf{F}.\,dS = \frac{\pi}{3}$

387. $\iint_S \mathbf{F}.\,dS = 0$

389. $\iint_S \mathbf{F}.\,dS = 241{,}2743$

391. $\iint_D \mathbf{F}.\,dS = -\pi$

393. $\iint_S \mathbf{F}.\,dS = \frac{2\pi}{3}$

395. $16\sqrt{6}\pi$

397. $-\frac{128}{3}\pi$

399. $-703{,}7168$

401. 20

403. $\iint_S \mathbf{F}.\,d\mathbf{S} = 8$

405. $\iint_S \mathbf{F}.\mathbf{N}dS = \frac{1}{8}$

407. $\iint_S \|\mathbf{R}\|\,\mathbf{R}.\,n\,ds = 4\pi a^4$

409. $\iiint_R z^2\,d\mathrm{V} = \frac{4\pi}{15}$

411. $\iint_S \mathbf{F}.\,d\mathbf{S} = 6{,}5759$

413. $\iint_S \mathbf{F}.\,d\mathbf{S} = 21$

415. $\iint_S \mathbf{F}.\,d\mathbf{S} = 72$

417. $\iint_S \mathbf{F}.\,d\mathbf{S} = -33{,}5103$

419. $\iint_S \mathbf{F}.\,d\mathbf{S} = \pi a^4 b^2$

421. $\iint_S \mathbf{F}.\,d\mathbf{S} = \frac{5}{2}\pi$

423. $\iint_S \mathbf{F}.\,d\mathbf{S} = \frac{531\pi}{32}$

425. $-\left(1 - e^{-1}\right)$ grandes.

Ejercicios de repaso

427. Falso

429. Falso

431.

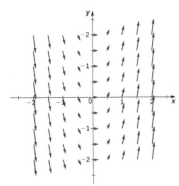

433. Conservativo,
$f(x, y) = xy - 2e^y$

435. Conservativo,
$f(x, y, z) = x^2 y + y^2 z + z^2 x$

437. $-\frac{16}{3}$

439. $\frac{32\sqrt{2}}{9}\left(3\sqrt{3} - 1\right)$

441. Divergencia
$e^x + xe^{xy} + xye^{xyz}$,
rizo $xze^{xyz}\mathbf{i} - yze^{xyz}\mathbf{j} + ye^{xy}\mathbf{k}$

443. -18π

445. $-\pi$

447. 24π

449. $\sqrt{2}\left(2\sqrt{2} + \pi\right) = 4 + \pi\sqrt{2}$

451. $8\pi/3$

Capítulo 7

Punto de control

7.1 a. No lineal
b. Lineal, no homogéneo

7.4 Linealmente independiente

7.5 $y(x) = c_1 e^{3x} + c_2 x e^{3x}$

7.6 a. $y(x) = e^x (c_1 \cos 3x + c_2 \operatorname{sen} 3x)$ **7.7** $y(x) = -e^{-2x} + e^{5x}$ **7.8** $y(x) = e^x (2 \cos 3x - \operatorname{sen} 3x)$

grandes.

b. $y(x) = c_1 e^{-7x} + c_2 x e^{-7x}$

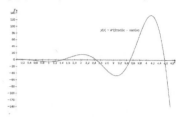

7.9 $y(t) = te^{-7t}$ **7.10** $y(x) = c_1 e^{-x} + c_2 e^{4x} - 2$

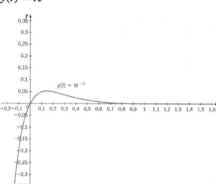

En el momento $t = 0{,}3$,
$y(0{,}3) = 0{,}3 e^{(-7*0{,}3)} = 0{,}3 e^{-2{,}1} \approx 0{,}0367$.
La masa está a $0{,}0367$ pies por debajo del
equilibrio. En el tiempo $t = 0{,}1$,
$y'(0{,}1) = 0{,}3 e^{-0{,}7} \approx 0{,}1490$. La masa se
mueve hacia abajo a una velocidad de
$0{,}1490$ ft/s.

7.11 $y(t) = c_1 e^{2t} + c_2 t e^{2t} + \operatorname{sen} t + \cos t$ **7.12** a. $y(x) = c_1 e^{4x} + c_2 e^x - x e^x$

b. $y(t) = c_1 e^{-3t} + c_2 e^{2t} - 5 \cos 2t + \operatorname{sen} 2t$

7.13 $z_1 = \frac{3x+3}{11x^2}$, $z_2 = \frac{2x+2}{11x}$ **7.14** a. $y(x) = c_1 \cos x + c_2 \operatorname{sen} x + \cos x \ln|\cos x| + x \operatorname{sen} x$

b. $x(t) = c_1 e^t + c_2 t e^t + t e^t \ln|t|$

7.15 $x(t) = 0{,}1 \cos(14t)$ (en   **7.16** $x(t) = \sqrt{17} \operatorname{sen}(4t + 0{,}245)$,   **7.17** $x(t) = 0{,}6 e^{-2t} - 0{,}2 e^{-6t}$

metros); la frecuencia es   frecuencia $= \frac{4}{2\pi} \approx 0{,}637$,

$\frac{14}{2\pi}$ Hz. $A = \sqrt{17}$

7.18 $x(t) = \frac{1}{2} e^{-8t} + 4t e^{-8t}$ **7.19** $x(t) = -0{,}24 e^{-2t} \cos(4t) - 0{,}12 e^{-2t} \operatorname{sen}(4t)$

7.20 $x(t) = -\frac{1}{2} \cos(4t) + \frac{9}{4} \operatorname{sen}(4t) + \frac{1}{2} e^{-2t} \cos(4t) - 2 e^{-2t} \operatorname{sen}(4t)$

Solución transitoria: $\frac{1}{2} e^{-2t} \cos(4t) - 2 e^{-2t} \operatorname{sen}(4t)$

Solución en estado estacionario: $-\frac{1}{2} \cos(4t) + \frac{9}{4} \operatorname{sen}(4t)$

7.21 $q(t) = -25 e^{-t} \cos(3t) - 7 e^{-t} \operatorname{sen}(3t) + 25$ **7.22** a. $y(x) = a_0 \sum_{n=0}^{\infty} \frac{(-1)^n}{n!} x^{2n} = a_0 e^{-x^2}$

b. $y(x) = a_0 (x+1)^3$

Sección 7.1 ejercicios

1. lineal, homogénea

3. no lineal

5. lineal, homogénea

11. $y = c_1 e^{5x} + c_2 e^{-2x}$

13. $y = c_1 e^{-2x} + c_2 x e^{-2x}$

15. $y = c_1 e^{5x/2} + c_2 e^{-x}$

17. $y = e^{-x/2} \left(c_1 \cos \frac{\sqrt{3}x}{2} + c_2 \operatorname{sen} \frac{\sqrt{3}x}{2} \right)$ **19.** $y = c_1 e^{-11x} + c_2 e^{11x}$ **21.** $y = c_1 \cos 9x + c_2 \operatorname{sen} 9x$

grandes.

23. $y = c_1 + c_2 x$

25. $y = c_1 e^{\left(\left(1 + \sqrt{22}\right)/3\right)x} + c_2 e^{\left(\left(1 - \sqrt{22}\right)/3 \right)x}$ **27.** $y = c_1 e^{-x/6} + c_2 x e^{-x/6}$

29. $y = c_1 + c_2 e^{9x}$

31. $y = -2e^{-2x} + 2e^{-3x}$

33. $y = 3\cos(2x) + 5\operatorname{sen}(2x)$
grandes.

35. $y = -e^{6x} + 2e^{-5x}$

37. $y = 2e^{-x/5} + \frac{7}{5} x e^{-x/5}$

39. $y = \left(\frac{2}{e^6 - e^{-7}} \right) e^{6x} - \left(\frac{2}{e^6 - e^{-7}} \right) e^{-7x}$

41. No existe una solución.

43. $y = 2e^{2x} - \frac{2e^2 + 1}{e^2} x e^{2x}$

45. $y = 4\cos 3x + c_2 \operatorname{sen} 3x$, infinitas soluciones   **47.** $5y'' + 19y' - 4y = 0$

49. a. $y = 3\cos(8x) + 2\operatorname{sen}(8x)$
b.

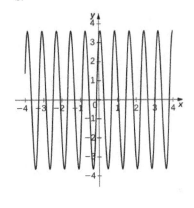

51. a.
$$y = e^{(-5/2)x} \left[-2\cos \left(\frac{\sqrt{35}}{2} x \right) + \frac{4\sqrt{35}}{35} \operatorname{sen} \left(\frac{\sqrt{35}}{2} x \right) \right]$$
b.

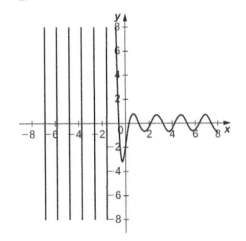

Sección 7.2 ejercicios

55. $y = c_1 e^{-4x/3} + c_2 e^x - 2$ **57.** $y = c_1 \cos 4x + c_2 \operatorname{sen} 4x + \frac{1}{20} e^{-2x}$ **59.** $y = c_1 e^{2x} + c_2 x e^{2x} + 2x^2 + 5x$

61. $y = c_1 e^{-x} + c_2 x e^{-x} + \frac{1}{2} \operatorname{sen} x - \frac{1}{2} \cos x$ **63.** $y = c_1 \cos x + c_2 \operatorname{sen} x - \frac{1}{3} x \cos 2x - \frac{5}{9} \operatorname{sen} 2x$

65. $y = c_1 e^{-5x} + c_2 x e^{-5x} + \frac{1}{6} x^3 e^{-5x} + \frac{4}{25}$ **67.** a. $y_p(x) = Ax^2 + Bx + C$

b.
$$y_p(x) = -\frac{1}{3} x^2 + \frac{4}{3} x - \frac{35}{9}$$

69. a.
$$y_p(x) = \left(Ax^2 + Bx + C \right) e^{-x}$$
b.
$$y_p(x) = \left(\frac{1}{4} x^2 - \frac{5}{8} x - \frac{33}{32} \right) e^{-x}$$

71. a. $y_p(x) = \left(Ax^2 + Bx + C \right) e^x \cos x$
$+ \left(Dx^2 + Ex + F \right) e^x \sin x$
b.
$$y_p(x) = \left(-\frac{1}{10} x^2 - \frac{11}{25} x - \frac{27}{250} \right) e^x \cos x$$
$$+ \left(-\frac{3}{10} x^2 + \frac{2}{25} x + \frac{39}{250} \right) e^x \sin x$$

73. $y = c_1 + c_2 e^{-2x} + \frac{1}{15} e^{3x}$

75. $y = c_1 e^{2x} + c_2 e^{-4x} + x e^{2x}$ **77.** $y = c_1 e^{3x} + c_2 e^{-3x} - \frac{8x}{9}$

79. $y = c_1 \cos 2x + c_2 \sin 2x - \frac{3}{2} x \cos 2x + \frac{3}{4} \sin 2x \ln(\sin 2x)$ **81.** $y = -\frac{347}{343} + \frac{4}{343} e^{7x} + \frac{2}{7} x^2 e^{7x} - \frac{4}{49} x e^{7x}$

83. $y = -\frac{57}{25} + \frac{3}{25} e^{5x} + \frac{1}{5} x e^{5x} + \frac{4}{25} e^{-5x}$ **85.** $y_p = \frac{1}{2} + \frac{10}{3} x^2 \ln x$

Sección 7.3 ejercicios

87. $x'' + 16x = 0$,
$x(t) = \frac{1}{6} \cos(4t) - 2 \sin(4t)$,
periodo $= \frac{\pi}{2}$ sec, frecuencia
$= \frac{2}{\pi}$ Hz

89. $x'' + 196x = 0$,
$x(t) = 0{,}15 \cos(14t)$,
periodo $= \frac{\pi}{7}$ sec,
frecuencia $= \frac{7}{\pi}$ Hz

91. a. $x(t) = 5 \sin(2t)$
b. periodo $= \pi$ s, frecuencia
$= \frac{1}{\pi}$ Hz
c.

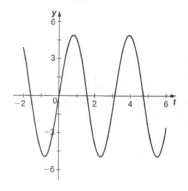

d. $t = \frac{\pi}{2}$ sec

93. a.
$x(t) = e^{-t/5} \left(20 \cos(3t) + 15 \sin(3t) \right)$
b. subamortiguado

95. a. $x(t) = 5 e^{-4t} + 10 t e^{-4t}$
b. amortiguado
críticamente

97. $x(\pi) = \frac{7 e^{-\pi/4}}{6}$ pies por
debajo

99. $x(t) = \frac{32}{9} \sin(4t) + \cos\left(\sqrt{128} t \right) - \frac{16}{9\sqrt{2}} \sin\left(\sqrt{128} t \right)$

101. $q(t) = e^{-6t} \left(0{,}051 \cos(8t) + 0{,}03825 \sin(8t) \right) - \frac{1}{20} \cos(10t)$

103. $q(t) = e^{-10t} \left(-32t - 5 \right) + 5$, $I(t) = 2 e^{-10t} \left(160t + 9 \right)$

Sección 7.4 ejercicios

105. $y = c_0 + 5c_1 \sum_{n=1}^{\infty} \frac{(-x/5)^n}{n!} = c_0 + 5c_1 e^{-x/5}$ **107.** $y = c_0 \sum_{n=0}^{\infty} \frac{(x)^{2n}}{(2n)!} + c_1 \sum_{n=0}^{\infty} \frac{(x)^{2n+1}}{(2n+1)!}$

109. $y = c_0 \sum_{n=0}^{\infty} \frac{x^{2n}}{n!} = c_0 e^{x^2}$ **111.** $y = c_0 \sum_{n=0}^{\infty} \frac{x^{2n}}{2^n n!} + c_1 \sum_{n=0}^{\infty} \frac{x^{2n+1}}{1 \cdot 3 \cdot 5 \cdot 7 \cdots (2n+1)}$
grandes.

113. $y = c_1 x^3 + \frac{c_2}{x}$ **115.** $y = 1 - 3x + \frac{2x^3}{3!} - \frac{12x^4}{4!} + \frac{16x^6}{6!} - \frac{120x^7}{7!} + \cdots$

Ejercicios de repaso

117. Verdadero

119. Falso

121. de segundo orden, de línea, homogénea, $\lambda^2 - 2 = 0$

123. de primer orden, no lineal, no homogéneo

125. $y = c_1 \operatorname{sen}(3x) + c_2 \cos(3x)$
grandes.

127. $y = c_1 e^x \operatorname{sen}(3x) + c_2 e^x \cos(3x) + \frac{2}{5}x + \frac{2}{25}$ **129.** $y = c_1 e^{-x} + c_2 e^{-4x} + \frac{x}{4} + \frac{e^{2x}}{18} - \frac{5}{16}$

131. $y = c_1 e^{(-3/2)x} + c_2 x e^{(-3/2)x} + \frac{4}{9}x^2 + \frac{4}{27}x - \frac{16}{27}$ **133.** $y = e^{-2x} \operatorname{sen}\left(\sqrt{2}x\right)$
grandes.

135. $y = \frac{e^{1-x}}{e^4 - 1}\left(e^{4x} - 1\right)$
grandes.

137. $\theta(t) = \theta_0 \cos\left(\sqrt{\frac{g}{l}} t\right)$

141. $b = \sqrt{a}$

Índice

Símbolos

δδ, 331

A

ángulos directores 145
aproximación lineal 367
área superficial 712

B

bola δδ 342
Brahe 298
bruja de Agnesi 17

C

campo conservativo 608
campo de gradientes 609
campo radial 600
campo rotacional 602
campo vectorial 599
campo vectorial unitario 606
campos electrostáticos 762
caracol 49
cardioide 49
cicloide 15
cicloide acortada 19
cicloide alargada 20
cilindro 203
circuito en serie RLC 821
circulación 633
círculo osculante 283
cisoide de Diocles 67
componente normal de aceleración 292
componente tangencial de aceleración 292
componentes 102
condiciones de frontera 790
conjugadas complejas 788
conjunto abierto 338
conjunto cerrado 338
conjunto conectado 338
Cono elíptico 212
coordenada angular 42
coordenada radial 42
cosenos direccionales 400
cosenos directores 145
curva cerrada 622, 640
curva de nivel de una función de dos variables 322
curva de relleno de espacio 50
curva en el espacio 249
curva paramétrica 9
curva plana 249
curva simple 640
curva suave a trozos 626
curvas de cuadrícula 711

curvas de relleno de espacio 16
curvatura 275
cúspides 16

D

de trayectoria independiente 646
derivada 256
derivada de una función de valor vectorial 256
derivada direccional 391
derivada parcial 346
derivadas parciales de orden superior 353
derivadas parciales mixtas 353
desigualdad triangular 99
determinantes 164
diagrama de árbol 380
diferencia de vectores 98
diferenciable 368
diferenciación implícita 385
diferencial total 371
directriz 68
discriminante 83, 408
divergencia 688
dominio 599
dominio de parámetro 704

E

ecuación característica 787
ecuación complementaria 796
ecuación de Laplace 354, 674
ecuación de onda 354
ecuación del calor 354
ecuación diferencial parcial 354
ecuación escalar de un plano 188
ecuación estándar de una esfera 122
ecuación lineal homogénea 782
ecuación no homogénea lineal 782
ecuación vectorial de un plano 187
ecuación vectorial de una línea 180
ecuaciones paramétricas 9
ecuaciones paramétricas de una línea 180
ecuaciones polares 48
ecuaciones simétricas de una línea 181
eje mayor 73
eje menor 73
eje polar 44
el teorema de Green 754
El teorema de Green 662
el teorema de Stokes 754
elipsoide 206

energía eléctrica 376
epitrocoide 23
equivalentes 96
Ernest Rutherford 359
escalar 97
esfera 122
espacio de parámetro 704
espiral de Arquímedes 51
excentricidad 80
extremos locales 407

F

flujo 631
flujo de calor 728
flujo de masa 724
foco 68
forma estándar 69
forma general 70
forma general de la ecuación de un plano 188
forma normal 669
forma tangencial del teorema de Green 663
fórmula de Euler 788
frecuencia angular 808
fuerza 108
fuerza gravitacional 652
función armónica 674
función Cobb-Douglas 426
función de densidad conjunta 476
función de dos variables 316
función de flujo 672
función de longitud de arco 272
función de producción Cobb-Douglas 362
función de valor vectorial 248
función objetivo 421
función potencial 610
funciones componentes 248
funciones de Bessel 829
funciones de valores vectoriales 288
funciones homogéneas 389

G

gradiente 394

H

hélice 251, 252
Hiperboloide de dos hojas 211
Hiperboloide de una hoja 211
hipocicloide 15
hojas 67
huracanes 604